CHINA'S ECONOMY & TRADE YEARBOO

NA'S ECONOMY & TRADE YEARBOOK

CHINA'S ECONOMY & TRADE YEARBOOK

中国经济贸易年鉴

CHINA'S ECONOMY & TRADE YEARBOOK

2010

《中国经济贸易年鉴》(2010)编辑出版人员

《中国经济贸易年鉴》(2010)

国务院国有资产监督管理委员会主管

中国经济出版社主办

《中国经济贸易年鉴》编委会编辑

中国经济贸易年鉴社出版、发行

地址：北京市安定门外大街 56 号(国资委安定门办公区)　　邮编：100011
电话：(010) 64471674　64471681　64471644　64471600
承印：北京画中画印刷有限公司
开本：889 x 1194 毫米　1 / 16　印张：47.5
插页印张：4.5　　字数：2000千字
2010 年 12 月第一版　　2010 年 12 月第一次印刷
刊号：ISSN1671－3869　CN11－4744/Z
广告经营许可证：京西工商广字第939号
国内定价：480.00元（精装附光盘）
国际定价：80.00美元（精装附光盘）

《中国经济贸易年鉴》(2010)编写说明

一、《中国经济贸易年鉴》(2010)(以下简称《年鉴》)由原国家经济贸易委员会主管、主办，因机构改革，现由国务院国有资产监督管理委员会主管，中国经济出版社主办，中国经济贸易年鉴社负责编纂。国资委主任王勇担任编委会主任、主编，国资委、财政部、商务部等部门领导担任编委会副主任。

二、《年鉴》是一部详尽刊载，客观评价2009年我国经济贸易运行状况和主要行业及企业改革与发展的大型工具书和资料性年刊，对于全面、系统地了解和掌握我国经贸改革与发展所取得的成就，研究我国经济运行和重要行业、重点企业的发展变化及其规律，对于指导下一年度的经贸工作，具有较大的参考价值。

三、《年鉴》融政策性、实用性、指导性和资料性于一体，力求展示地区经济特色，突出行业发展特点，数据翔实、内容丰富。读者对象主要包括：⑴全国经贸系统及相关行业管理部门；⑵生产、贸易企业；⑶研究机构、图书馆、资料室。

四、《年鉴》共七篇。

第一篇：重要经济文献。刊载温家宝总理在第十一届全国人民代表大会第三次会议上的政府工作报告（摘要）；国家发改委关于2009年国民经济和社会发展计划执行情况与2010年国民经济和社会发展计划草案的报告（摘要）。

第二篇：经济运行与企业改革发展报告。本篇请国家相关部委就2009年我国经济运行、企业改革与发展，国内外贸易发展状况等方面予以分析、评述。

第三篇：行业改革与发展报告。刊载2009年度17个重要行业经济运行状况及相关统计资料。

第四篇：各省、市、自治区经济贸易发展概况。邀请31个省、自治区、直辖市，新疆生产建设兵团，部分计划单列市及副省级城市经贸委（经委）、经济和信息化委员会、商务厅（商委）等相关机构就本地区2009年的工业经济，企业改革及国内外贸易发展状况予以评述。由国家统计局提供数据资料，就每个省、自治区、直辖市分别列表，刊载13项经济指标数据。

第五篇：全国重点企业介绍。采用图文并茂的形式介绍重点企业经营、发展状况及经验。

第六篇：中国经济贸易统计资料。精选一部分与经济贸易密切相关的统计资料，同时刊载全部国有及年产品销售收入500万元以上非国有工业企业的重要生产、经营指标数据。

第七篇：附录。刊载中国百强企业，机械、制造连锁、煤炭、电子信息服务等企业经营业绩排序。

五、本《年鉴》涉及的全国性统计数据，暂未包括港、澳、台地区。第四篇和第六篇的统计资料主要由国家统计局提供。由于统计口径、方法不尽相同，如有行业、地方的统计数据与上述两篇的数据不完全一致的情况，以国家统计局的数据为准。

六、《年鉴》所署编委、联络员名单以截稿日期为准。

中国经济贸易年鉴社

二〇一〇年十二月二十日

CHINA'S ECONOMY & TRADE YEARBOOK

中共中央总书记、国家主席、中央军委主席胡锦涛参观上海世博园，在沙特阿拉伯馆参观时与工作人员握手

中共中央政治局常委、国务院总理温家宝在山东东岳集团视察新材料、新能源产品展厅，
并看望实验室研发人员

国务院国资委主任、党委书记王勇赴中国铁道建筑总公司一线施工工地考察工作

国务院国资委原主任、党委书记李荣融视察中国电子北海产业园

国务院国资委副主任黄淑和到惠州天然气发电公司
指导工作

财政部部长谢旭人赴吉林就加强财政管理、做好
“小金库”治理工作等进行调研

商务部副部长姜增伟在厦门主持第十四届
中国投洽会开馆式

《中国经济贸易年鉴》
(2010)
编委会主任

《中国经济贸易年鉴》
(2010)
编委会副主任
(按姓氏笔画排序)

《中国经济贸易年鉴》
(2010)
编委会委员
(按姓氏笔画排序)

国家部委

阎晓峰　国务院国有资产监督管理委员会　副秘书长
夏德林　中国经济出版社　党委书记、副社长
黄允成　中国经济出版社　社长
谢荣全　国家发展和改革委员会中国机电设备招标中心　主任

行业协会

乌荣康　中国煤炭工业协会　常务副会长
王永干　中国电力企业联合会　秘书长
王锦霞　中国医药商业协会　副会长
甘智和　中国产业发展促进会　副会长
刘　治　中国产业发展促进会　副会长
张小虞　中国机械工业联合会　执行副会长
杜钰洲　中国纺织工业协会　会长
李寿生　中国石油和化学工业联合会　常务副会长
陈士能　中国轻工业联合会　会长
欧阳晓明　中华全国工商业联合会经济部　部长
康　义　中国有色金属工业协会　会长
雷前治　中国建筑材料工业协会　副会长
谢企华　中国钢铁工业协会　会长

省、市、自治区

王永耀　宁夏回族自治区经济和信息化委员会　主任
王俊明　贵州省商务厅　副厅长
王宏志　济南市经济和信息化委员会　主任
牙萨宁　内蒙古自治区经济和信息化委员会　主任
戎之勤　上海市经济和信息化委员会　主任
束　华　广西壮族自治区工业和信息化委员会　主任
申金升　北京市商务委员会　巡视员
刘　岩　大连市经济和信息化委员会　主任
邓恢林　湖北省经济和信息化委员会　原副主任
朱　炎　北京市工业和信息化委员会　主任
朱行之　甘肃省工业和信息化委员会　副主任
张新年　南京市经济和信息化委员会　副主任
张耀军　辽宁省经济和信息化委员会　党组书记、副主任
李青华　江西省国内贸易行业管理办公室　主任
李保芳　贵州省经济和信息化委员会　党组成员
李清树　河南省商务厅　厅长
李朝兴　天津市经济和信息化委员会　主任、党组书记
吴　冰　重庆市经济和信息化委员会　主任
余信国　武汉市经济和信息化委员会　主任
严　琛　安徽省经济和信息化委员会　副主任
孙　坤　黑龙江省工业和信息化委员会　主任
陈　津　厦门市经济发展局　局长
陈俐民　西安市工业和信息化委员会　主任
林克宇　宁波市经济委员会　主任
周　峰　吉林省工业和信息化厅　副厅长
周联清　福建省经济贸易委员会　主任
杨　谦　海南省人民政府国有资产监督管理委员会　处长
杨建初　广东省经济和信息化委员会　主任
贺晓江　新疆维吾尔自治区经济和信息化委员会　秘书长
郑一力　杭州市经济委员会　党委委员
赵小穗　广州市经济贸易委员会　主任
赵世民　新疆生产建设兵团发展和改革委员会（工业局）　副主任（工业局局长）
项阳青　青岛市经济和信息化委员会　主任
胡成礼　青海省经济委员会　主任
洪发科　山西省经济和信息化委员会　主任
郭述禹　山东省经济和信息化委员会　主任
秦文武　重庆市商业委员会　主任
涂勤华　江西省工业和信息化委员会　主任
崔江水　河北省商务厅　厅长
黑良杰　宁夏回族自治区商务厅　厅长
彭　渝　四川省人民政府国有资产监督管理委员会　党委常务副书记、主任
谢力群　浙江省经济和信息化委员会　主任
熊衍良　厦门市贸易发展局　党组书记、局长

《中国经济贸易年鉴》
(2010)

特约专家
(按姓氏笔画排序)

王春正	国家发展和改革委员会	原副主任
王洛林	中国社会科学院学术咨询委员会	主任
王梦奎	国务院发展研究中心	原主任
厉以宁	北京大学光华管理学院	名誉院长
刘　伟	北京大学经济学院	院长
刘国光	中国社会科学院	特邀顾问
吴敬琏	国务院发展研究中心	研究员
陈东琪	国家发展和改革委员会宏观经济研究院	副院长
易　纲	中国人民银行	副行长
林毅夫	世界银行	副行长、首席经济学家
樊　纲	中国经济体制改革研究基金会	秘书长
	国民经济研究所	所长
魏　杰	清华大学经济管理学院	教授

《中国经济贸易年鉴》
(2010)

主　编

王　勇　国务院国有资产监督管理委员会　主任

副主编

马国安	国务院国有资产监督管理委员会	原副秘书长
刘长虹	国务院国有资产监督管理委员会办公厅	巡视员
黄允成	中国经济出版社	社长
夏德林	中国经济出版社	党委书记、副社长

《中国经济贸易年鉴》
(2010)

联络员
(按姓氏笔画排序)

国家部委

王建翔	工业和信息化部中小企业司	副司长
毛元斌	国务院国有资产监督管理委员会企业改革局综合处	处长
郑素平	国家烟草专卖局办公室新闻联络处	干部
张豫军	商务部市场运行调节司市场运行处	处长
姚明宽	国家发展和改革委员会环境和资源综合利用司	处长
郝胜龙	国家统计局国民经济综合统计司	处长
曹宗理	国家安全生产监督管理总局	处长
韩秀申	商务部国际经济贸易合作研究院	干部
谭　遂	国家发展和改革委员会高技术产业司	副处长

行业协会

于民盛 中华全国工商业联合会经济综合处 处长
王德春 中国钢铁工业协会综合部 主任
刘　宇 中国石油和化学工业协会中国化学工业年鉴编辑部 主任、总编辑
孙淮滨 中国纺织工业协会产业部 副主任
李培松 中国轻工业联合会 干部
李宴武 中国有色金属工业协会 副主任
谷东玉 中国建筑材料工业协会办公室宣传处 处长
肖春华 中国交通行业协会中国交通年鉴社编辑部主任
赵新敏 中国机械工业联合会信息部 主任
郝　玲 中国医药商业协会信息部 主任
解宏绪 中国煤炭工业协会综合部 处长

省、市、自治区

马　俊 内蒙古自治区经济和信息化委员会办公室 副主任
马运侠 山西省经济和信息化委员会综合处 处长
马忠华 青岛市经济和信息化委员会 副主任科员
王　正 江苏省商务厅产业损害调查处 处长
王一士 吉林省工业和信息化厅办公室 副主任
王小永 江西省工业和信息化委员会综合处 处长
王立杰 北京市商务委员会综合处 处长
王玉琴 广州市经济贸易委员会综合处 处长
石象斌 安徽省经济和信息化委员会 处长
史文军 上海市经济和信息化委员会研究室 主任
帅　英 新疆生产建设兵团发展和改革委员会 处长
卢凤英 河南省商务厅办公室 调研员
刘俊兴 广东省经济和信息化委员会综合处 副处长
刘富钊 重庆市经济和信息化委员会 副调研员
朱洪军 宁夏回族自治区经济和信息化委员会原材料工业处 处长
邢　伟 黑龙江省工业和信息化委员会综合处 处长
李　巍 北京市工业经济研究所 所长
何　翀 甘肃省工业和信息化委员会经济运行处 处长
张　林 辽宁省经济委员会 干部
张银廷 青海省人民政府办公厅工业流通处 干部
吴建利 武汉市经济和信息化委员会综合处 副处长
陈　彬 新疆维吾尔自治区经济和信息化委员会办公室 副主任
陈昌芳 南京市经济和信息化委员会办公室 主任科员
陈慧坚 厦门市贸易发展局 干部
严长生 江西省国内贸易行业管理办公室 处长
杨　明 云南省商务厅国际贸易研究所 副所长
杨　谦 海南省政府国有资产监督管理委员会 处长
周胜昔 天津市经济和信息化委员会综合处 处长
林明光 福建省经济贸易委员会办公室 副主任
赵滨冬 甘肃省投资贸易促进局综合处 处长
胡传明 杭州市经济委员会办公室 正处级调研员
钟剑虹 广东省经济和信息化委员会综合处 副处长
高晓光 山东省经济和信息化委员会办公室 干部
贾帆联 浙江省经济和信息化委员会办公室 副主任
唐河林 宁夏回族自治区商务厅规划财务处 副处长
袁家驿 重庆市商业委员会政策法规处 处长
鲁　轶 贵州省经济和信息化委员会办公室 副主任
钱　江 河北省商务厅办公室 副主任
龚大权 贵州省商务厅法规处 处长
夏继泽 大连市经济和信息化委员会办公室 干部
梅训安 湖北省经济和信息化委员会 处长
董其岳 宁波市经济委员会 正处级调研员
雷承宝 广西壮族自治区工业和信息化委员会 处长
雷春平 成都市经济委员会办公室 主任
耿　维 四川省经济和信息化委员会综合处 干部
黎　毅 济南市经济和信息化委员会办公室 主任

《中国经济贸易年鉴》

(2010)

撰稿人

(按姓氏笔画排序)

丁平智	丁亚涛	马　俊	马忠华	毛元斌	王　正	王　斌	王小永	王乐乐
王永干	王桂林	王德春	王建翔	王鹏飞	尹　英	邓树齐	甘红霞	帅　英
卢凤英	左　刚	孙科顺	孙淮滨	关　鹏	吕　博	刘　宇	刘正平	刘俊兴
刘富钊	刘德成	刑俊玲	闫　林	朱　健	朱立群	朱行之	李　昆	李小维
李志刚	李培松	李宴武	陈　捷	陈为民	陈海林	陈海鹏	陈慧坚	谷东玉
何　翀	何龙娟	沙　霖	宋长征	汪为民	吴　颖	吴　岩	吴玉兰	吴建利
吴晓敏	吴殿廷	肖　宁	肖　涛	肖　敏	肖泽军	肖春华	严长生	严先溥
张　林	张　莉	张文丽	张宏涛	张春福	张银廷	张德金	张豫军	杨　明
杨　谦	杨秀珍	庞　豫	邹保平	罗　力	金世哲	林明光	林琪梅	周元胜
周妙贞	赵明霞	赵滨冬	赵新敏	钟世民	钟剑虹	胡玉玲	胡传明	姚朝娟
郑素平	郑厚斌	郝　玲	郝红梅	郝丽萍	耿　维	贾帆联	钱　江	郭亚天
郭建华	徐　荣	唐河林	袁家驿	夏继泽	崔元斌	梅训安	黄朝阳	曹宗理
董其岳	韩　俊	韩秀申	蒋维胜	鲁　轶	谢又乔	解宏绪	雷承宝	

目　录

第一篇　重要经济文献

第二篇　经济运行与企业改革发展报告

第三篇　行业改革与发展报告

第四篇　各省、市、自治区经济贸易发展概况

第五篇 全国重点企业介绍

第六篇 中国经济贸易统计资料

第七篇　附　录

Contents

Chapter Ⅳ The General Situation of Economic and Trade Development in Every Province, City and Autonomous Region

Chapter Ⅴ Introduction of National Key Enterprises

Chapter Ⅵ Statistics Data of China Economy and Trade

Chapter Ⅶ Appendix

第一篇

重要经济文献

温家宝总理在第十一届全国人民代表大会第三次会议上的政府工作报告（摘要）

（2010年3月5日）

各位代表：

现在，我代表国务院向大会作政府工作报告，请予审议，并请全国政协各位委员提出意见。

一、2009年工作回顾

2009年是新世纪以来我国经济发展最为困难的一年。去年这个时候，国际金融危机还在扩散蔓延，世界经济深度衰退，我国经济受到严重冲击，出口大幅下降，不少企业经营困难，有的甚至停产倒闭，失业人员大量增加，农民工大批返乡，经济增速陡然下滑。在异常困难的情况下，全国各族人民在中国共产党的坚强领导下，坚定信心，迎难而上，顽强拼搏，从容应对国际金融危机冲击，在世界率先实现经济回升向好，改革开放和社会主义现代化建设取得新的重大成就。国内生产总值达到33.5万亿元，比上年增长8.7%；财政收入6.85万亿元，增长11.7%；粮食产量53082万吨，再创历史新高，实现连续6年增产；城镇新增就业1102万人；城镇居民人均可支配收入17175元，农村居民人均纯收入5153元，实际增长9.8%和8.5%。我国在全面建设小康社会道路上又迈出坚实的一步。实践再次证明，任何艰难险阻都挡不住中华民族伟大复兴的历史进程。

过去的一年，极不平凡，令人振奋。我们隆重庆祝新中国成立60周年。抚今追昔，伟大祖国的辉煌成就极大地激发了全国人民的自信心和自豪感，极大地增强了中华民族的向心力和凝聚力，极大地提升了我国的国际地位和影响力，必将激励我们在中国特色社会主义道路上继续奋勇前进。

一年来，我们主要做了以下工作：

（一）加强和改善宏观调控，促进经济平稳较快发展

我们实行积极的财政政策和适度宽松的货币政策，全面实施并不断完善应对国际金融危机的一揽子计划。大规模增加财政支出和实行结构性减税，保持货币信贷快速增长，提高货币政策的可持续性，扩大直接融资规模，满足经济社会发展的资金需求，有效扩大了内需，很快扭转了经济增速下滑趋势。

着力扩大居民消费。我们鼓励消费的政策领域之宽、力度之大、受惠面之广前所未有。中央财政投入资金450亿元，补贴家电汽车摩托车下乡、汽车家电以旧换新和农机具购置。减半征收小排量汽车购置税，减免住房交易相关税收，支持自住性住房消费。全年汽车销售1364万辆，增长46.2%；商品房销售9.37亿平方米，增长42.1%；社会消费品零售总额实际增长16.9%，消费对经济增长的拉动作用明显增强。

促进投资快速增长。我们发挥政府投资“四两拨千斤”的作用，引导带动社会投资。实施两年新增4万亿元的投资计划。2009年中央政府公共投资9243亿元，比上年预算增加5038亿元，其中，保障性住房、农村民生工程、社会事业投资占44%，自主创新、结构调整、节能减排和生态建设占16%，重大基础设施建设占23%，灾后恢复重建占14%。全社会固定资产投资增长30.1%，投资结构进一步优化。投资快速增长有效弥补了外需下降的缺口，加强了薄弱环节，为经济社会长远发展奠定了坚实的基础。

我们加快推进汶川地震灾后恢复重建，重灾区已完成投资6545亿元，占规划总投资的65.5%。国家的大力支持，全国人民的无私援助，灾区群众的艰苦奋斗，使遭受重大创伤的灾区呈现出崭新面貌。一座座新城拔地而起，一个个村庄焕发出蓬勃生机。这充分体现了中华民族的无疆大爱，有力彰显了社会主义制度的无比优越。

（二）大力调整经济结构，夯实长远发展基础

我们把保增长与调结构紧密结合起来，加快解决制约经济发展的结构性矛盾。

“三农”工作进一步加强。中央财政用于“三农”的支出7253亿元，增长21.8%。大幅度提高粮食最低收购价。启动实施全国新增千亿斤粮食生产能力建设规划。继续改善农村生产生活条件，农村饮水安全工程使6069万农民受益，新增510万沼气用户，新建和改造农村公路38万公里、农村电网线路26.6万公里，又有80万户农村危房得到改造，9.2万户游牧民实现了定居。我们加大扶贫力度，贫困地区的生产生活条件得到明显改善。

产业结构调整力度加大。制定并实施十大重点产业调整振兴规划。鼓励企业加快技术改造，安排200亿元技改专项资金支持4441个技改项目。重点行业兼并重组取得新进展。下大力气抑制部分行业产能过剩和重复建设，关停小火电机组2617万千瓦，淘汰落后的炼钢产能1691万吨、炼铁产能2113万吨、水泥产能7416万吨、焦炭产能1809万吨。加快实施国家科技重大专项，中央财政用于科技的支出1512亿元，增长30%。积极支持自主创新产品推广应用，清洁能源、第三代移动通信等一批新兴产业快速发展。大力加强基础设施建设，新建铁路投入运营5557公里，高速公路新建通车4719公里，城市轨道交通建设加快，新建、改扩建民用机场35个；新增发电装机8970万千瓦，西气东输二线西段工程实现供气，南水北调工程建设加快推进，6183座病险水库除险加固工程开工建设。

节能减排和环境保护扎实推进。安排预算内资金，支持重点节能工程、循环经济等项目2983个；实施节能产品惠民工程，推广节能空调500多万台、高效照明灯具1.5亿只。继续推进林业重点生态工程建设，完成造林588万公顷，森林覆盖率达到20.36%。综合治理水土流失面积4.8万平方公里。加强"三河三湖"等重点流域水污染防治和工业废水废气废渣治理。"十一五"前四年累计单位国内生产总值能耗下降14.38%，化学需氧量、二氧化硫排放量分别下降9.66%和13.14%。积极开展应对气候变化工作，明确提出2020年我国控制温室气体排放行动目标和政策措施。气象预报预警和地震监测工作得到加强，灾害防御能力不断提升。

区域协调发展迈出新步伐。深入实施区域发展总体战略，制定若干区域发展重大规划和政策。中西部和东北地区加快开放开发，积极承接产业转移，发展基础不断夯实；东部地区加快结构调整和自主创新，经济发展活力增强。区域发展呈现布局改善、结构优化、协调性提高的良好态势。

（三）坚持深化改革开放，不断完善有利于科学发展的体制机制

我们把深化改革开放作为应对国际金融危机的强大动力，努力消除体制障碍，不断提高对外开放水平。

重点领域和关键环节改革加快推进。增值税转型全面实施。成品油价格和税费改革顺利推进，新的成品油价格形成机制规范运行。国家开发银行商业化转型和农业银行股份制改革扎实推进，跨境贸易人民币结算试点启动实施。创业板正式推出，为自主创新及其他成长型创业企业开辟了新的融资渠道。地方政府机构改革有序开展，事业单位分类改革试点稳步进行。集体林权制度改革全面推开，1亿公顷林地确权到户，占全国集体林地面积的60%，这是继土地家庭承包之后我国农村经营制度的又一重大变革。

开放型经济水平不断提高。出台一系列稳定外需的政策措施，采取符合国际惯例的方式支持出口企业，完成短期出口信用保险承保900亿美元，安排421亿美元大型成套设备出口融资保险。鼓励增加进口。去年下半年开始进出口降幅明显收窄，国际市场份额得到巩固，全年进出口总额2.2万亿美元。扭转利用外资下降局面，全年实际利用外商直接投资900亿美元。企业"走出去"逆势上扬，非金融类对外直接投资和对外工程承包营业额分别达433亿美元和777亿美元。积极参与国际宏观经济政策对话协调和经贸金融合作，在共同应对国际金融危机中发挥了建设性作用。

（四）着力改善民生，加快发展社会事业

在应对国际金融危机的困难情况下，我们更加注重保障和改善民生，切实解决人民群众最关心、最直接、最现实的利益问题。

实施更加积极的就业政策。强化政府促进就业的责任。中央财政安排就业专项资金426亿元，比上年增长59%。实施困难企业缓缴社会保险费或降低部分费率、再就业税收减免及提供相关补贴等政策，鼓励企业稳定和增加就业。开展系列就业服务活动，多渠道开辟公益性就业岗位，促进高校毕业生到基层就业、应征入伍和到企事业单位就业见习。全年组织2100万城乡劳动者参加职业培训。这些措施促进了就业的基本稳定。

加快完善社会保障体系。普遍建立养老保险省级统筹制度，出台包括农民工在内的城镇企业职工养老保险关系转移接续办法。在320个县开展新型农村社会养老保险试点，推动我国社会保障制度建设迈出历史性步伐。中央财政安排社会保障资金2906亿元，比上年增长16.6%。企业退休人员基本养老金连续5年增加，去年又人均提高10%。农村五保户供养水平、优抚对象抚恤补助标准、城乡低保对象保障水平都有新的提高。中央财政安排保障性安居工程补助资金551亿元，比上年增长2倍。新建、改扩建各类保障性住房200万套，棚户区改造解决住房130万套。全国社会保障基金积累6927亿元，比上年增长44.2%。社会保障体系得到加强。

进一步促进教育公平。大幅度增加全国教育支出，其中中央财政支出1981亿元，比上年增长23.6%。全面落实城乡义务教育政策，中央下达农村义务教育经费666亿元，提前一年实现农村中小学生人均公用经费500元和300元的目标。实行义务教育阶段教师绩效工资制度。中等职业学校农村家庭经济困难学生和涉农专业学生免学费政策开始实施。国家助学制度不断完善，资助学生2871万人，基本保障了困难家庭的孩子不因贫困而失学。

稳步推进医药卫生事业改革发展。组织实施医药卫生体制改革。中央财政医疗卫生支出1277亿元，比上年增长49.5%。城镇职工和城镇居民基本医疗保险参保4.01亿人，新型农村合作医疗制度覆盖8.3亿人。中央财政安排429亿元，解决关闭破产国有企业退休人员医疗保险问题。基本药物制度在30%的基层医疗卫生机构实施。中央财政支持建设了一批县级医院、乡镇中心卫生院和社区卫生服务中心。启动实施扩大乙肝疫苗接种等重大公共卫生服务专项。加强食品、药品安全专项整治。面对突如其来的甲型H1N1流感疫情，我们依法科学有序地开展防控工作，有效保障了人民群众生命安全，维护了社会正常秩序。

在国际金融危机严重冲击、世界经济负增长的背景下，我国取得这样的成绩极为不易。这是以胡锦涛同志为总书记的党中央统揽全局、正确领导的结果，是全党全军全国各族人民和衷共济、团结奋斗的结果。在这里，我代表国务院，向全国各族人民，各民主党派、各人民团体和各界人士，表示诚挚的感谢！向香港特别行政区同胞、澳门特别行政区同胞、台湾同胞和海外侨胞，表示诚挚的感谢！向关心和支持中国现代化建设的各国政府、国际组织和各国朋友，表示诚挚的感谢！

一年来，我们认真贯彻落实科学发展观，积极应对国际金融危机，全面做好政府工作，有以下几点体会：必须坚持运用市场机制和宏观调控两种手段，在坚持市场经济改革方向、发挥市场配置资源基础性作用、激发市场活力的同时，充分发挥我国社会主义制度决策高效、组织有力、集中力量办大事的优势。必须坚持处理好短期和长期两方面关系，注重远近结合、标本兼治，既克服短期困难、解决突出矛盾，又加强重点领域和薄弱环节、为长远发展奠定基础。必须坚持统筹国内国际两个大局，把扩大内需作为长期战略方针，坚定不移地实行互利共赢的开放战略，加快形成内需外需协调拉动经济增长的格局。必须坚持发展经济与改善民生、维护社会公平正义的内在统一，围绕改善民生谋发展，把改善民生作为经济发展的出发点、落脚点和持久动力，着眼维护公平正义，让全体人民共享改革发展成果，促进社会和谐稳定。必须坚持发挥中央和地方两个积极性，既强调统一思想、顾全大局，又鼓励因地制宜、探索创新，形成共克时艰的强大合力。这些经验对我们坚持中国特色社会主义道路，提高驾驭社会主义市场经济能力，推进现代化进程，具有重要而深远的意义。

国家发改委关于2009年国民经济和社会发展计划执行情况与2010年国民经济和社会发展计划草案的报告（摘要）

（2010年3月5日）

各位代表：

受国务院委托，现将2009年国民经济和社会发展计划执行情况与2010年国民经济和社会发展计划草案提请十一届全国人大三次会议审议，并请全国政协各位委员提出意见。

2009年国民经济和社会发展计划执行情况

去年是新世纪以来我国经济发展最为困难的一年。面对严峻复杂的国内外经济形势，全国各族人民在中国共产党的领导下，深入贯彻落实科学发展观，按照十一届全国人大二次会议审议批准的国民经济和社会发展计划，坚持把保持经济平稳较快发展作为经济工作的首要任务，实行积极的财政政策和适度宽松的货币政策，全面实施并不断丰富完善应对国际金融危机的一揽子计划，有效遏制了经济增长明显下滑态势，在全球率先实现经济形势总体回升向好，保增长、调结构、促改革、惠民生各项工作取得显著成效。计划执行情况总体是好的。

（一）内需扩大有效拉动经济增长

消费持续较旺。通过实施政策力度大、群众受惠面广的促进家电、汽车、节能产品和住房消费等措施，优化市场消费环境，有效挖掘了居民特别是农村居民的消费潜力。社会消费品零售总额125343亿元，比上年增长15.5%，超过计划1.5个百分点，剔除价格因素，实际增长16.9%。汽车销售1364.5万辆，增长46.2%；家电下乡中标生产企业累计出货量近9000万台，全年销售额1500多亿元；全国商品房销售面积93713万平方米，增长42.1%，带动了建筑及装潢材料、家具等商品的消费。市场物价基本稳定，全年居民消费价格下降0.7%，低于计划4.7个百分点。

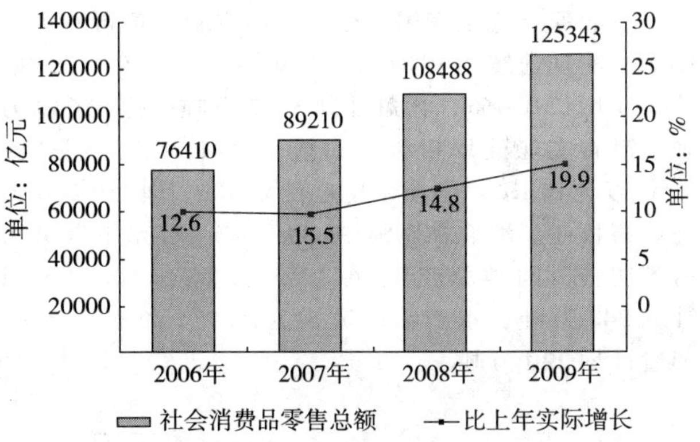

图1 社会消费品零售总额增长情况

投资快速增长。全社会固定资产投资224846亿元，比上年增长30.1%，超过计划10.1个百分点。城镇固定资产投资194139亿元，增长30.5%，其中，一、二、三产业投资分别增长49.9%、26.8%和33%。实施两年新增4万亿元的投资计划，2009年安排中央投资9243亿元，比上年预算增加5038亿元。其中，保障性安居工程、农村民生工程和农村基础设施、社会事业投资占44%，自主创新和结构调整、节能减排和生态建设占16%，重大基础设施建设占23%，灾后恢复重建占14%，其他公共支出占3%。政府投资的扩大，直接增加了即期需求，引导带动社会投资，对促进经济企稳回升起到了至关重要的作用；同时加强了经济社会发展的薄弱环节，为长期发展夯实了基础。

经济增速逐季加快。四个季度的当季同比增幅分别为6.2%、7.9%、9.1%和10.7%，全年国内生产总值335353亿元，比上年增长8.7%，超过计划0.7个百分点。其中，一、二、三产业增加值分别增长4.2%、9.5%、8.9%，超过计划1.2个、0.9个和0.3个百分点。消费、投资为经济增长分别贡献了4.6个和8个百分点，弥补了净出口下拉3.9个百分点的缺口。财政金融对经济发展发挥了重要作用。全年国家财政收入6.85万亿元，增长11.7%，超过预算3.7个百分点，财政赤字控制在预算规模之内；广义货币供应量M2增长27.7%，超过计划10.7个百分点，新增人民币贷款95940亿元。经济效益逐步好转。规模以上工业企业利润由降转升，1—11月实现利润2.59万亿元；在39个工业大类中，30个行业利润同比增长；亏损企业亏损额同比减少33.5%。

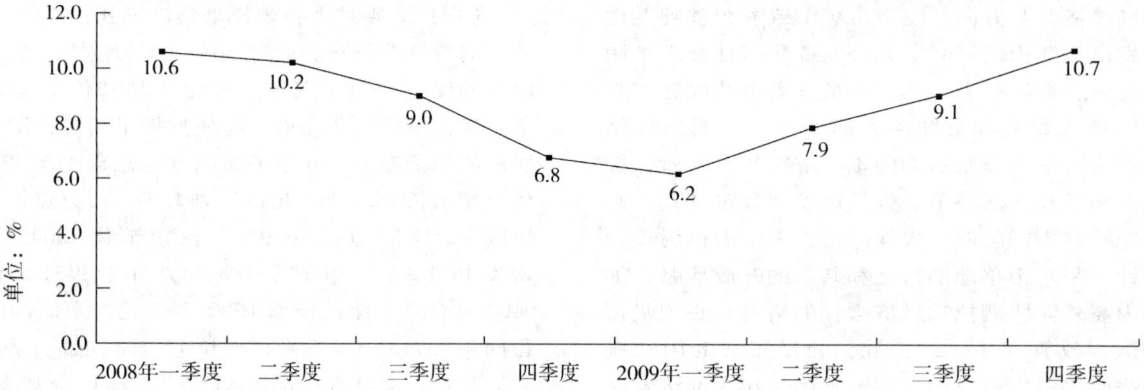

图2 2008年以来国内生产总值季度增长情况

（二）农业基础进一步巩固

农业保持稳定发展。粮食生产克服严重自然灾害影响，实现连续六年增产，全年总产量53082万吨，比上年增长0.4%，超过计划3082万吨。棉花640万吨，没有实现计划目标；油料、糖料产量分别达到3100万吨和1.22亿吨，超过计划100万吨和200万吨。畜牧业、渔业在调整中发展，奶牛养殖下滑势头得到扭转，肉类总产量7642万吨，增长5%，超过计划242万吨；水产品产量5120万吨，增长4.6%，超过计划220万吨。

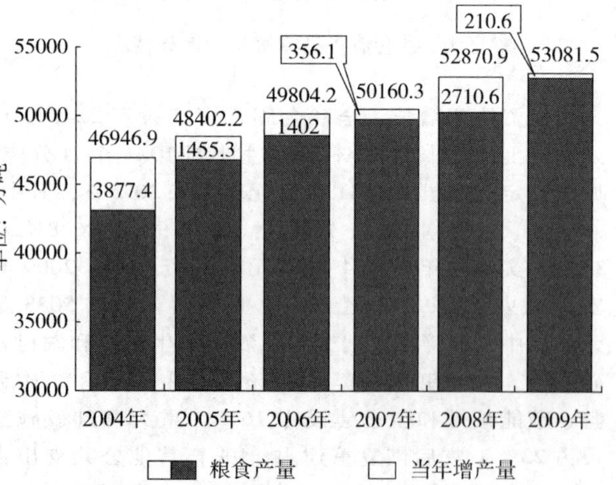

图3 粮食总产量及其增产情况

强农惠农政策继续完善。出台了《关于当前稳定农业发展促进农民增收的意见》。较大幅度提高了粮食最低收购价，小麦、稻谷最低收购价平均每公斤分别提高0.22元和0.26元。实施了玉米、大豆、油菜籽国家临时收储政策，加大了棉花、食糖的收储力度，玉米、大豆、油菜籽、棉花、食糖的收储量分别达到3589.1万吨、686.3万吨、556.9万吨、272万吨和36万吨。制定并及时启动防止生猪价格过度下跌调控预案，奶业整顿和振兴纲要得到较好落实。运用多种手段加强重要农产品市场调控，解决了农民“卖难”的问题，保持了主要农产品和农资价格稳定。

“三农”投入大幅增加。全年中央财政用于“三农”的支出达7253.1亿元，比上年增长21.8%，其中，中央基建投资1890亿元，增长1.5倍；对农民的四项补贴1274.5亿元，增加244.1亿元。银行涉农贷款年末余额突破9万亿元，增长34.8%。启动实施《全国新增1000亿斤粮食生产能力规划（2009—2020年）》。大型灌区节水改造、大型泵站更新改造、病险水库除险加固，以及粮棉油糖等重要农产品生产基地和仓储物流设施的建设继续加强，对种养业良种工程、生猪和奶牛标准化规模养殖、植保工程和动物防疫体系、农产品质量检验检测体系以及粮食丰产科技工程等支持力度加大。

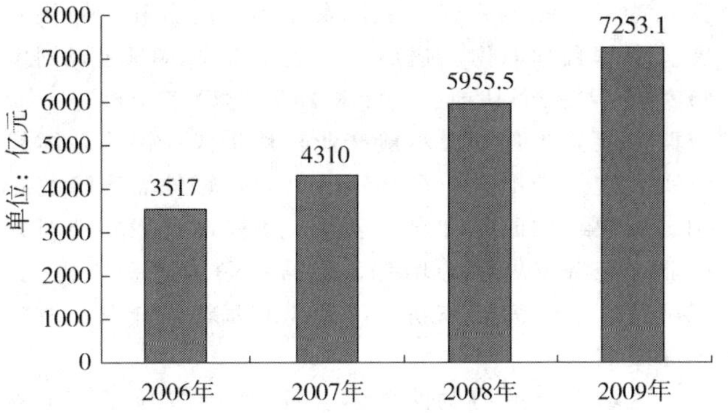

图4　中央财政用于“三农”的投入情况

农村生产生活条件继续改善。农村饮水安全工程使6069万农民受益，农村自来水普及率达到68.7%，比上年提高3.2个百分点，完成计划任务。建设大中型沼气工程1579处，年初确定的增加500万农村沼气用户的目标顺利实现。新建和改造农村公路38万公里，新增农村电网线路26.6万公里。对80万户农村危房实施了改造，又有9.2万户游牧民实现了定居。农村信息化继续推进，全国已有99.8%的行政村通电话，99.5%的乡镇接通互联网。“万村千乡”市场工程、农村科技服务体系、“双百”市场工程建设取得新的成效。

（三）结构调整取得新进展

重点行业结构优化升级积极推进。钢铁、汽车、造船、石化、轻工、纺织、有色金属、装备制造、电子信息、物流十大产业调整振兴规划以及相关细则有序实施。鼓励企业加快技术改造，中央投资安排200亿元技改专项资金支持了4441个技改项目。机械、钢铁、有色、造纸等行业兼并重组取得重要进展。新疆独山子、福建炼化和天津石化3套千万吨级炼油和百万吨级乙烯一体化项目建成投产。高技术制造业扭转了下滑态势，全年增长7.7%。数字电视、生物等产业政策发布实施，卫星应用、生物技术、集成电路、平板显示、直升机等重大产业化项目和专项建设启动，天津总装厂首架空客A320飞机首飞成功，以TD—SCDMA为代表的3G网络建设和业务推广力度加大。重大装备本地化工作进展顺利，大型锻件等核电关键设备自主研制取得重大突破，高速动车组和城市轨道交通装备本地化水平明显提高。

产能过剩行业调整工作稳步推进。制定并组织实施了《抑制部分行业产能过剩和重复建设引导产业健康发展的若干意见》，提出了促进钢铁、水泥、平板玻璃、煤化工等行业健康发展的主要原则和政策措施。建立了部门联合信息发布制度，信息引导工作得到加强。落后产能退出机制进一步完善。去年又关停小火电机组2617万千瓦，提前一年半实现了“十一五”期间关停5000万千瓦小火电机组的目标，炼钢、炼铁、煤炭、水泥、电石、铁合金、焦炭、造纸、化纤行业分别淘汰落后产能1691万吨、2113万吨、5000万吨、7416万吨、46万吨、162万吨、1809万吨、50万吨、137万吨。

自主创新步伐加快。《国家中长期科学和技术发展规划纲要（2006—2020年）》顺利实施。中央财政用于科技的支出1512亿元，增长30%。极大规模集成电路制造装备及成套工艺、高档数控机床与基础制造装备等16个重大科技专项全面实施，大天区天文望远镜、北京正负电子对撞机改造等重大科学工程顺利完成。知识创新三期工程加快推进。“863”、“973”等国家科技计划和技术创新工程取得重要进展。新建了25个国家工程实验室、63个国家重点实验室，支持了58个国家工程（技术）研究中心提高持续创新能力，实施了85个国家重大产业技术开发项目，积极推动企业完善研发试验条件。

基础设施和基础产业不断加强。南水北调等大中型水利工程投资力度加大。京沪、哈大、石武、兰新等一批重大铁路项目进展顺利，国家高速公路网建设有序推进，港珠澳大桥开工建设，全国新增铁路通车里程5557公里，新增公路通车里程9.8万公里，其中高速公路4719公里。新建、改扩建民用机场35个。大型专业化深水码头和长江干线航道项目加快建设。西气东输二线东段工程、呼伦贝尔煤电基地、宁夏能源化工基地全面开工，西气东输二线西段工程实现供气。新增发电装机8970万千瓦，又核准了6台百万千瓦机组核电建设项目，青海黄河积石峡、广东清远抽水蓄能电站等大型水电项目建设进展顺利，我国第一个千万千瓦级风电基地——甘肃酒泉基地开工建设。城市电网改造有序推进。国家石油储备二期工程开始实施。全年原煤产量30.5亿吨，比上年增长8.8%，超过计划1.5亿吨；原油产量1.89亿吨，低于计划300万吨；发电量3.7万亿千瓦小时，增长6.3%，超过计划738亿千瓦小时。

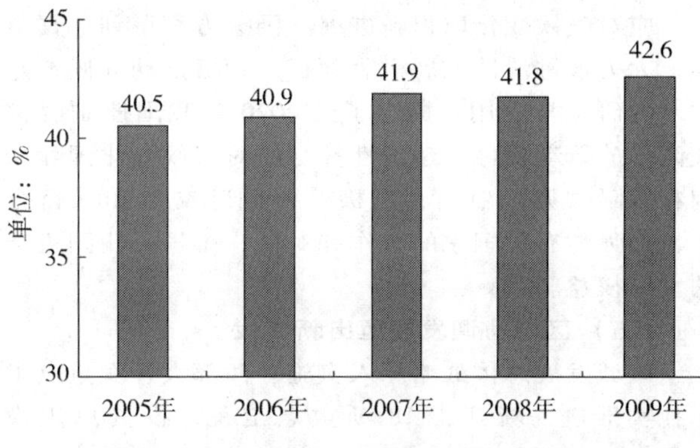

图5　第三产业增加值占国内生产总值比重变化情况

服务业稳定发展。鼓励服务业发展的政策措施得到进一步落实，财税、供地、价格、金融等方面对现代服务业的支持力度加大，一批跨地区、跨行业、带动功能强、支撑作用大的服务业重大项目建设顺利开展。金融保险、信息服务、物流配送、社区服务等发展迅猛，新兴业态不断涌现。第三产业增加值占国内生产总值的比重达 42.6%，比上年提高 0.8 个百分点。

（四）节能环保和应对气候变化工作进一步加强

节能减排取得新成效。安排中央投资和奖励资金支持了 1318 个重点节能项目，可形成年节能能力 7500 万吨标准煤。全年新增节能建筑面积 9.6 亿平方米，可形成 900 万吨标准煤的节能能力。采用财政补贴方式，推广高效节能房间空调器（定频）500 多万台、高效照明灯具 1.5 亿只，北京、上海、重庆等 13 个城市节能与新能源汽车示范工作进展顺利。安排中央投资支持了 132 个循环经济和资源节约重点项目。“节能减排全民行动”等宣传活动向纵深推进。单位国内生产总值能耗下降 2.2%，二氧化硫、化学需氧量排放量分别下降 4.6% 和 3.3%。万元工业增加值用水量下降 8.2%，超过计划 2.6 个百分点。工业固体废物综合利用率达 66.6%，比上年提高 2.3 个百分点，超过计划 0.7 个百分点。

生态建设和环境保护力度加大。天然林资源保护、防护林体系建设、退耕还林、京津风沙源治理、退牧还草等重点生态工程积极推进，完成造林面积 588.5 万公顷，森林覆盖率达到 20.36%。重点地区水土流失治理工作不断加强，岩溶地区石漠化综合治理工程启动实施。“三河三湖”等重点流域水污染防治和工业废水、废气治理工作进展顺利。全国新增城镇污水日处理能力 1330 万立方米、城镇垃圾日处理能力 5 万吨，城市污水处理率和生活垃圾无害化处理率分别达到 72.3% 和 69%，比上年提高 2.1 个和 2.2 个百分点，超过计划 3.3 个和 2 个百分点。发布了 11 个行业清洁生产评价指标体系，又有 1.02 亿千瓦火电机组安装了脱硫设施，累计占火电装机总量的 72%。

应对气候变化取得新进展。国家方案得到认真落实，大力推进清洁发展机制项目，积极推动气候友好技术的研发与应用。提出了到 2020 年我国控制温室气体排放行动目标。建设性参与应对气候变化国际谈判和国际规则的制订，积极开展国际交流和项目合作，加强与有关国家的合作和对话，维护了我国正当的发展权益。

（五）区域协调发展迈出新步伐

区域发展总体战略深入实施。西部大开发重点工作扎实推进，新开工 18 项重点工程，投资总规模 4689 亿元，特色优势产业加快发展，基础设施、社会事业和民生建设进一步加强。东北地区等老工业基地振兴步伐加快，《关于进一步实施东北地区等老工业基地振兴战略的若干意见》发布实施，资源型城市可持续发展政策体系初步形成，装备制造业不良贷款处置工作深入开展，现代农业和现代服务业加快发展。中部崛起取得新进展，促进中部地区崛起规划发布实施，“三个基地、一个枢纽”建设稳步推进，城市群发展势头强劲，承接产业转移步伐加快，总体经济实力进一步提升。东部地区努力减轻外需下降的影响，加快结构调整和自主创新，积极培育战略性新兴产业，经济发展活力增强，综合竞争力进一步提高，经济特区、上海浦东新区、天津滨海新区开发开放向纵深发展。

区域发展的协调性继续增强。出台实施了一批支持重点地区发展的规划和政策措施，落实长江三角洲发展意见和珠江三角洲发展规划，制定上海“两个中心”建设、海峡西岸经济区和海南国际旅游岛的发展意见，编制江苏沿海地区、辽宁沿海经济带、黄河三角洲生态经济区、关中—天水经济区、江西鄱阳湖生态经济区以及横琴、中国图们江地区发展规划。对革命老区、民族地区、边疆地区、贫困地区发展的扶持力度加大，促进新疆、宁夏、广西、西藏以及青海等省藏区发展的各项措施逐步落实。生产要素跨区域流动呈现良好态势，区域产业分工调整加快，各地区比较优势进一步发挥。

（六）改革开放继续深化

重点领域和关键环节改革取得新进展。农村改革深入推进，集体林权制度改革在全国范围推开，1 亿公顷确权到户，占全国集体林地面积的 60%。企业改革迈出新步伐，中央企业由年初的 142 户调整到 129 户，规范董事会试点扩大到 24 户。基础电信行业相关企业资产业务重组基本完成，3G 行业市场竞争格局初步形成。进一步促进中小企业发展的若干意见发布实施，积极研究制定鼓励和引导民间投资的政策措施，市场准入范围扩大，准入门槛降低，企业融资渠道拓宽，投资环境改善。财税金融改革取得积极成果，增值税转型改革全面实施，成品油价格和税费改革进展顺利，公路养路费等 6 项收费彻底取消。金融机构和资本市场改革继续深化，创业板市场正式推出，国家开发银行商业化转型和农业银行股份制改革扎实推进，跨境贸易人民币结算试点启动实施。投资体制改革继续深化，继续清理投资审批项目，改进政府投资计划安排和管理方式。资源性产品价格和环保收费改革稳步推进，开展了电力用户与发电企业直接交易试点。深化医药卫生体制改革全面启动，出台了改革实施方案及 15 个配套文件，基本医疗保障制度建设和实施国家基本药物制度、健全基层医疗卫生服务体系、促进基本公共卫生服务均等化等重点改革有序推进。绩效工资改革在义务教育学校、公共卫生与基层医疗卫生事业单位开始实施，文化新闻出版体制改革稳步推进。综合配套改革试验区的各项改革工作有序展开。

对外开放取得积极成效。4 次提高 6955 个税号的劳动密集型和高技术含量、高附加值产品出口退税率，取消或降低粮食、化肥以及部分工业产品等102项出口关税，调减1804项加工贸易限制类和禁止类目录，积极应对贸易摩擦，有效减缓了外部环境急剧变化的不利影响，进出口降幅逐步缩小，年末实现由降转升。全年进出口总额22072.2亿美元，其中，出口12016.6亿美元，进口10055.6亿美元。受国际市场大幅萎缩、全球商品价格下降的影响，加上我国出口产品档次有待提高，进出口总额下降13.9%，没有完成增长8%的计划目标。利用外资结构继续调整。出台并组织实施中西部地区外商投资优势产业目录，引导外资投向高技术产业和高端制造、研发环节，投向资源节约型环境友好型产业。全年吸收外商直接投资（不含银行、证券、保险领域）900亿美元，低于计划24亿美元。年末国家外汇储备23992亿美元，比上年末增加4531亿美元。对外投资合作逆势上扬，能源资源合作开发、企业海外并购、对外工程承包和劳务合作取得新进展，全年对外直接投资（非金融部分）433亿美元，增长6.5%；对外承包工程完成营业额777亿美元，增长37.3%。

（七）惠民生促和谐成效明显

就业和社会保障工作进一步加强。中央财政安排就业资金426亿元，增长59%。城镇新增就业人数1102万人，超过计划202万人；城镇登记失业率4.3%，实现了不高于4.6%的计划目标。应届高校毕业生就业率达到87.4%。外出农民工总量1.45亿人，增加492万人。中央财政用于社会保障的资金2905.75亿元，增长16.6%。城镇企业职工基本养老保险省级统筹基本实现，养老保险关系转移接续办法发布实施，城镇参加基本养老保险人数达2.35亿人，超过计划700万人，新型农村社会养老保险试点正式启动。城镇居民基本医疗保险制度全面实施，关闭破产国有企业退休人员的医疗保障问题得到妥善解决，城镇职工医保、居民医保参保人数增加8239万人，参保人口超过4亿人；新型农村合作医疗参保人数增加1630万人，参合人口达到8.33亿人。企业离退休人员、城乡低保和优抚对象的保障水平继续提高，社保基金筹集渠道进一步拓宽。

人民生活继续改善。城乡基础设施建设进一步加强，服务能力不断提高。物资供应充裕，市场繁荣稳定。全年城镇居民人均可支配收入和农村居民人均纯收入分别达到17175元和5153元，剔除价格因素，比上年实际增长9.8%和8.5%，超过计划3.8个和2.5个百分点。保障性安居工程建设取得重要阶段性成果，中央财政安排专项建设资金550.56亿元，增长2倍，基本建成各类保障性住房200万套，改造国有林区、垦区、煤矿棚户区和部分城市棚户区住房130万套，使城市近千万困难群众的居住条件得到改善。安排以工代赈资金56亿元，易地扶贫搬迁试点资金18亿元，支持贫困地区增强发展能力和贫困人口脱贫致富。水库移民后期扶持政策得到认真落实，2356万大中型水库农村移民受益。

各项社会事业全面进步。社会事业基础设施建设得到加强，2008年四季度以来，中央政府用于社会事业发展方面的基建投资550多亿元，超过“十五”时期的总和。城乡免费义务教育政策全面落实，中西部地区农村初中校舍改造和全国中小学校舍安全工程积极推进，改造农村初中校舍面积670万平方米，建成中等职业学校和特殊教育学校校舍314万平方米。初中阶段三年保留率达到94%，提高0.3个百分点，高中阶段毛入学率达79.2%，提高5.2个百分点，超过计划2.2个百分点；普通高校招生639.5万人，增加31.8万人，超过计划10.5万人，研究生招生51.1万人，增加6.5万人，超过计划3.6万人。基层医疗卫生服务体系和计划生育设施建设继续加强，建成17171个基层医疗卫生服务机构、4522个基层计划生育服务项目，甲型H1N1流感防控工作依法科学有序进行。人口自然增长率5.05‰，实现了7‰以内的计划目标。国家博物馆、国家图书馆二期等重大文化项目建设进展顺利，建成乡镇综合文化站5062个，免费开放的博物馆、美术馆、图书馆等公共文化设施1444家。广播、电视人口覆盖率分别达到96.3%和97.2%，广播电视村村通工程提前一年完成“十一五”规划任务。红色旅游精品景区建设规划目标全面实现。哲学社会科学、新闻出版、文学艺术和体育等事业繁荣发展。第十一届全国运动会成功举办。上海世博会园区建设基本完成。

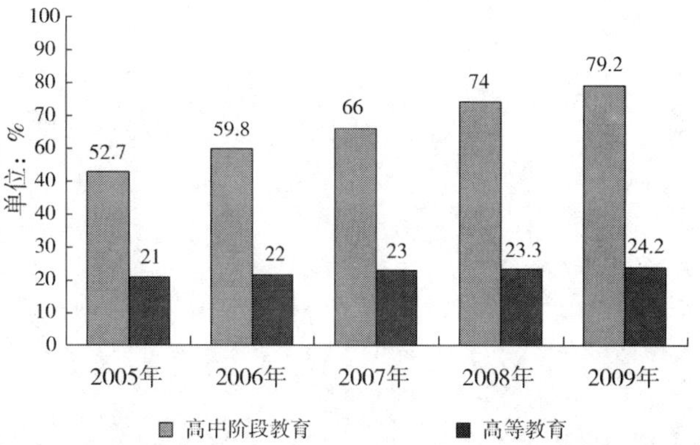

图6　高中阶段和高等教育毛入学率增长情况

汶川地震灾后恢复重建规划实施取得重大阶段性成果。重灾区累计完成投资6545亿元，占规划总投资的65.5%，农村住房重建任务基本完成，城镇住房重建加固全面展开，学校、医院和基础设施建设进展顺利，北川、汶川、青川县城以及映秀、汉旺等重灾城镇建设加快。震区文化遗产保护得到加强。对口支援工作成效显著。

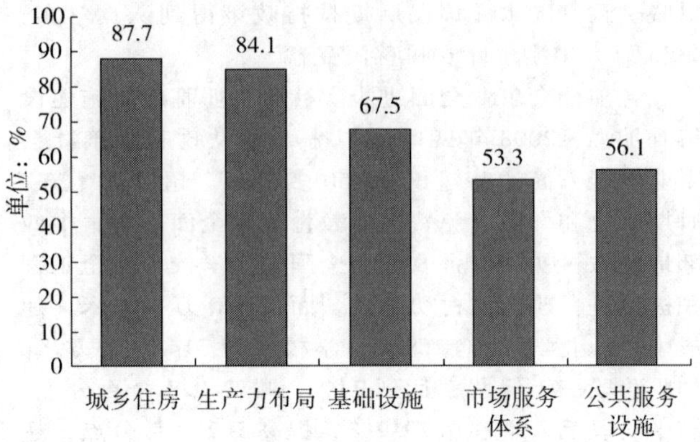

图7　灾后恢复重建主要任务完成情况

在国际金融严重动荡、世界经济陷入衰退、国内外形势严峻复杂的情况下，我们较好地完成了2009年国民经济和社会发展计划提出的主要目标。取得这样的成绩极为不易。这是党中央、国务院科学应对、坚强领导的结果，是全国上下深入贯彻落实科学发展观、全面落实应对国际金融危机一揽子计划和相关政策措施，齐心协力、共同奋斗的结果，是充分发挥社会主义制度动员能力强、决策效率高、能够集中力量办大事政治优势的结果。

在充分肯定成绩、增强必胜信心的同时，我们也清醒地认识到，当前和今后一个时期，我国经济社会发展仍面临严峻挑战。从国际看，虽然世界经济步入了复苏进程，但基础依然脆弱，金融领域风险没有完全消除，主要发达经济体失业率居高不下，保护主义持续升温，国际大宗商品价格和主要货币汇率可能加剧波动，世界经济发展中的不稳定不确定因素依然很多。从国内看，也存在一些突出矛盾和问题。一是经济增长的内生动力仍然不足。居民消费难有较大幅度增长，民间投资的潜力尚未充分发挥，刺激消费和投资的政策效应有可能减弱，进一步扩大国内需求存在较大制约。受国际市场需求依然疲软，贸易摩擦增多等影响，外需短期内很难恢复到危机前的水平。二是发展方式转变和结构调整压力进一步加大。企业自主创新能力不强，经济增长在很大程度上还是依赖物质资源的大量投入，土地和资源环境约束矛盾加剧，投资、消费比例关系不尽合理，部分行业产能过剩和盲目重复建设问题突出。三是推进节能减排任务艰巨。随着经济企稳回升，高耗能、高排放行业扩张明显，有的企业由于经营困难减少了节能减排技术改造和污染治理投入，有的地方节能减排工作有所放松。四是农业稳定发展和农民持续增收的基础不稳固。农田水利基础设施薄弱，农业抗灾能力不强、比较效益偏低，农民持续增收困难较多。五是就业形势依然严峻。普通高校毕业生和新成长劳动力规模很大，一些困难群体实现就业越来越难，农村劳动力转移就业任务仍很艰巨。六是货币信贷超常增长，结构不尽合理，流动性管理压力加大。此外，部分城市房地产价格涨幅过大，安全生产、收入分配、社会稳定以及城乡、区域不平衡等方面的问题也比较突出。对于上述问题，我们将高度重视，采取有效措施，认真加以解决。

第二篇

经济运行与企业改革发展报告

国民经济运行情况综述

2009年是新世纪以来中国经济发展最为困难的一年，面对国际金融危机的严重冲击和极其复杂的国内外形势，党中央、国务院审时度势、科学决策，果断地将保持经济平稳较快发展作为经济工作的首要任务，全面实施并不断充实完善应对国际金融危机的一揽子计划，宏观调控及时、有力、有效，较快扭转了经济增速下滑的局面，在全球率先实现了经济总体回升向好，保增长、调结构、促改革、惠民生各项工作取得明显成效。

一、扩大内需成效显著，促进了国民经济企稳回升

2008年四季度以来，在外部需求严重萎缩、企业投资信心和投资意愿普遍低迷的情况下，中央及时果断推出扩大内需促进经济增长的十项措施，实施了两年中央新增投资1.18万亿元带动总额4万亿元的固定资产投资计划，以及一系列鼓励消费的政策措施，对防止经济增速过快下滑和促进企稳回升发挥了重要作用。

投资高速增长。2009年，全社会固定资产投资完成22.5万亿元，比上年增长30.1%，增速比上年加快4.6个百分点；扣除价格因素，实际增长35.2%，比上年加快17.1个百分点。分城乡看，城镇固定资产投资完成19.4万亿元，比上年增长30.5%；农村固定资产投资完成3.1万亿元，增长27.5%。政府主导的基础设施投资成为本轮投资高速增长的重要力量。从投资构成看，国有及国有控股投资比上年增长35.2%，增速高于全社会投资5.1个百分点；占投资的比重从2008年的28.2%提高到38.5%。从资金来源看，国家预算内资金同比增长53.7%，增速高于平均水平16.7个百分点。同时，农业、铁路、医疗、环保等基础设施与民生领域投资大幅增长，投资结构得到优化。其中，农业投资比上年增长49.9%，铁路运输业投资增长67.5%，卫生、社会保障和社会福利业投资增长58.5%，环保投资增长65.2%。

消费稳中趋旺。全年全社会消费品零售总额12.5万亿元，比上年增长15.5%，扣除价格因素实际增长16.9%，实际增速比上年加快2.1个百分点。其中，城市增长15.5%，农村增长15.7%，扣除价格因素实际分别增长17%和16.9%，比上年加快1.3和3.8个百分点。住房、汽车、家电等重点商品市场十分活跃。全国商品房销售面积93713万平方米，从2008年同比下降19.7%转为增长42.1%，带动了建筑及装潢材料、家具等商品的消费。其中，商品住宅销售面积增长43.9%，办公楼销售面积增长30.8%，商业营业用房销售面积增长24.2%。在减免购置税、汽车下乡等政策刺激下，汽车销售大幅增长，全年汽车销量1364万辆，比上年增长46.2%，首次成为全球第一大新车市场。其中，从2009年3月到2009年12月，我国汽车销量连续十个月达到百万辆水平。全面实施家电下乡政策，家电下乡补贴品种增加到9类共12种，同时提高部分下乡产品的最高限价，有效推动了农村家用电器的普及。全年家电下乡中标生产企业累计出货量近9000万台，销售额1500多亿元。

初步核算，全年国内生产总值33.5万亿元，按可比价格计算，比上年增长8.7%，增速比上年减缓0.9个百分点。分季度看，各季度分别增长6.2%、7.9%、9.1%和10.7%，呈逐季加快之势。从支出法国内生产总值构成看，资本形成拉动国内生产总值增长8.2个百分点，最终消费拉动国内生产总值增长4.6个百分点，两者合计共拉动经济增长12.8个百分点，内需增长速度远高于改革开放30年来中国经济平均9.8%的增速。

二、稳定外需政策措施及时有力，对外经济出现好转

针对国际金融危机导致我国进出口大幅下滑的状况，出台了一系列稳定外需、支持外贸发展的政策措施，提高劳动密集型和高技术含量产品出口退税率，取消或降低粮食、化肥和部分工业产品出口关税，调减加工贸易限制类和禁止类目录，积极应对贸易摩擦，有效减缓了外部环境急剧变化的不利影响，进出口降幅逐步缩小，贸易顺差收窄。出口2009年12月同比增长17.7%，扭转了2008年11月以来连续负增长的局面；进口增幅同比连续12个月下降后，2009年11月同比增长26.7%，年内首次实现正增长，12月增速快速攀升至55.9%。2009年全年进出口总额2.2万亿元美元，比上年下降13.9%，降幅比上半年缩小9.6个百分点，比上年缩小31.7个百分点。其中，出口1.2万亿元美元，下降16%，降幅比上半年缩小5.8个百分点，比上年缩小33.2个百分点；进口1万亿美元，下降11.2%，降幅比上半年缩小14.2个百分点，比上年缩小29.7个百分点。贸易顺差1961亿美元，比上年减少1020亿美元。

从出口产品构成看，劳动密集型产品出口下滑程度较轻，机电和高新技术产品出口降势趋缓。受益于提高出口退税等政策措施，加之需求弹性较小、国际竞争优势明显，服装等劳动密集型产品出口降幅明显低于出口总体降幅。全年服装出口额1071亿美元，

比上年下降 11%；纺织品出口额 600 亿美元，下降 8.4%；鞋类出口额 280 亿美元，下降 5.7%；家具、玩具出口额分别下降 6% 和 10%。机电产品出口额 7131 亿美元，同比下降 13.4%，降幅比上半年减缓 7.8 个百分点；高新技术产品出口 3769 亿美元，下降 9.3%，降幅比上半年减缓 12 个百分点。

从贸易方式看，加工贸易降幅逐步缩小，一般贸易出口降幅有所扩大。由于加工贸易以机电产品为主，产业链相对较短，在国际金融危机爆发初期所受冲击较大，2009 年前 5 个月加工贸易出口累计降幅一直大于一般贸易。6 月份以后，随着外部需求状况改善和稳定加工贸易发展政策逐步见效，订单有所恢复，加工贸易出口明显回升，同比降幅已经小于一般贸易及出口总体降幅。全年加工贸易出口 5870 亿美元，比上年下降 13.1%，降幅比上半年缩小 9.2 个百分点；一般贸易出口 5298 亿美元，下降 20.1%，降幅比上半年缩小 3.2 个百分点。

从出口目的地看，前十大贸易伙伴中，对美国、日本、东盟等出口降幅较小，对欧盟、俄罗斯、巴西等新兴经济体出口下降幅度较大。全年对美国、日本、东盟出口比上年分别下降 12.5%、15.7% 和 7%，对欧盟出口下降 19.4%，对俄罗斯、巴西出口分别下降 47.1% 和 24.9%。

三、宏观调控和运行调节进一步改善，供给能力稳步增强

农业持续稳定发展。2009 年，国家进一步加大强农惠农政策力度，扩大农业补贴规模，完善农产品收购政策，增加主要农产品的储备和临时收储，稳定农产品价格。在国家政策作用和各方面的努力下，农业持续稳定发展。2009 年全年粮食总产量达 5.3 亿吨，比上年增长 0.4%，连续六年增产；肉类产量 7642 万吨，增长 5%。

工业生产逐季回升。通过落实扩大内需和稳定出口的各项政策措施，实施重点产业调整和振兴规划，支持企业加快技术改造，引导中小企业发展，工业经济运行实现生产增速止跌回升、效益状况逐渐好转。2009 年，规模以上工业增加值同比增长 11%，增速比上年减缓 1.9 个百分点。其中，1—2 月同比仅增长 3.8%，3 月份开始逐步企稳回升，9 月份后增速明显加快。各季度工业生产分别增长 5.1%、9.1%、12.4% 和 18%，呈现前低后高走势。重工业回升快于轻工业，成为拉动工业回升的主要力量。全年轻、重工业增加值同比分别增长 9.7% 和 11.5%，增速比上年减缓 2.6 和 1.7 个百分点，比上半年加快 1.5 和 4.9 个百分点。前 11 个月，规模以上工业企业实现利润 25891 亿元，由 1—8 月下降 10.6% 转为增长 7.8%。其中，国有及国有控股企业利润 7514 亿元，同比下降 4.5%；外商及港澳台投资企业利润 7511 亿元，增长 16.9%；私营企业实现利润 6849 亿元，增长 17.4%。

能源生产供应保持较快增长。全年煤炭产量 29.7 亿吨，同比增长 6.1%，净进口约 1 亿吨；发电量 37147 亿千瓦时，增长 6.3%；原油产量 18949 万吨，略低于上年，原油进口 20379 万吨，增长 13.9%；天然气产量 852.7 亿立方米，增长 6.2%。前三季度，煤电油气供需形势总体宽松。全国重点电厂电煤库存一直保持在 15 天以上，发用电量 8 月份同比由负转正，成品油消费降幅收窄，天然气产销平稳。但进入四季度特别是 11 月份以后，煤电气需求快速增加，供需形势发生明显变化，重点用户煤炭库存明显下滑，部分地区电力、天然气出现不同程度的供应紧张状况。通过及时有力进行调节和协调，保障了重点地区、重点领域、重点用户的正常能源需求。

四、积极推进经济结构调整，增强了经济发展后劲

农业在基础地位进一步巩固的同时向优质高效方向发展。农产品优质化率进一步提高，优质专用小麦、玉米面积比重分别达到 68% 和 51%，优质水稻和大豆比重分别达到 74% 和 72%。农产品生产进一步向优势区域集中，13 个粮食主产省对粮食增产的贡献合计达 80% 以上，三大优势棉区棉花面积和产量占全国的 99% 以上，畜牧业和水产品生产集中度大幅提高。

工业经济结构进一步调整优化。实施了钢铁、汽车、造船、石化、轻工、纺织、有色金属、装备制造、电子信息产业调整振兴规划。采取政策、资金等综合性措施，鼓励和支持企业加快技术改造，加快研发共性关键技术，加快兼并重组步伐，加快推进产业转型升级。一是企业联合重组日趋活跃。钢铁行业粗钢产能超过 1000 万吨的大型钢铁企业达到 11 家，其中宝钢、武钢、河北钢铁超过 3000 万吨。汽车行业前 5 家企业产销量均突破 100 万辆，产业集中达到 70% 以上，同比提高 4.36 个百分点。基础软件、集成电路等电子信息关键领域的资源整合步伐明显加快，骨干企业实力进一步提升。二是技术进步明显加快。碳纤维、芳纶、高强高模聚乙烯、聚苯硫醚等高新技术纤维产业化及应用取得突破性进展，中石化百万吨级连续重整装置、重庆 PTA 项目实现技术装备自主化，一批自主开发的高档数控机场研制成功，核电大型铸锻件、反应堆压力容器、蒸发器等关键设备自主化取得重大突破。时速 250 公里国产高度动车组实现了批量生产，自主化率达到 70% 以上。自主品牌在乘用车和轿车销量中所占比例同比分别提高 4.38 和 3.75 个百分点。TD - SCDMA 第三代移动通

信发展用户超过500万，集成电路等一批战略性重大项目先后启动。三是中小企业逐步走出困境。国务院印发《关于进一步促进中小企业发展的若干意见》（国发〔2009〕36号），产业调整振兴规划提出多项措施减轻中小企业负担。在各方面共同努力下，2009年规模以上中小型工业企业增加值比上年增长13.6%，前11个月实现利润增长18.2%，增速分别高于规模以上工业企业2.6和10.4个百分点。

服务业保持良好发展势头。促进服务业加快发展的政策措施进一步完善。2009年，制定出台物流业调整和振兴规划、文化产业振兴规划，在市场准入、兼并重组、资金支持等方面推出一些新举措，有力支持了服务业较快发展。交通、批发和零售、餐饮业等传统服务业持续增长，连锁经营、物流配送、电子商务等新型流通方式发展较快，服务企业规模化、品牌化加快推进，涌现出一批活力较强的民营企业。工业设计、创意、软件、咨询、金融保险等知识密集型服务业无论在市场规模、产品种类还是在服务水平上都有了较大幅度提升。2009年，第三产业增加值占国内生产总值的43.4%，比重同比提高1.6个百分点。软件产业完成业务收入9513亿元，同比增长25.6%。

五、坚持把节能减排作为转变经济发展方式的重要抓手，能源资源节约和生态环境保护取得新进展

国家坚持把节能减排放在更加突出、更加重要的位置，不断加大工作力度。组织开展千家企业节能目标责任评价考核，发布重点耗能行业能效对标指南。实施“节能产品惠民工程”、可再生能源电价补贴和节能技术改造“以奖代补”等政策，对高耗能、高排放行业中的淘汰类、限制类企业用电实行差别电价，安排资金支持十大重点节能工程、城市污水处理设施及配套管网、重点流域污水污染防治、节能环保能力等建设。严格环境准入和环评制度。积极应对气候变化，认真落实应对气候变化方案，提出到2020年我国控制温室气体排放行动目标和政策措施。组织开展低碳经济试点，大力推进清洁发展机制项目，加强与有关国家的合作和对话，争取和维护我国正当的发展权益。在国家政策的有力作用下，节能减排和生态建设取得积极进展。一是一大批落后产能退出市场。全年淘汰落后炼钢产能1691万吨、水泥熟料产能7416万吨、平板玻璃600万重量箱、焦炭1809万吨、铁合金162万吨；关停小火电机组2617万千瓦。二是能耗水平进一步下降。2009年单位GDP能耗比上年下降2.2%，“十一五”前四年全国单位GDP能耗下降14.38%。分地区看，根据对各地节能目标责任评价考核结果，截至2009年底，已完成“十一五”节能目标的有北京、天津2个直辖市；完成进度超过80%的有湖北、湖南、广西等22个省（区、市）；完成进度70%～80%的有西藏、安徽、吉林、贵州、青海5个省（区）；完成进度低于60%的有海南、新疆2个省（区）。三是污染防治成效明显。继续推进林业重点生态工程建设，完成造林8827万亩，全国森林覆盖率达到20.36%；综合治理水土流失面积4.8万平方公里。加强“三河三湖”等重点流域污染防治，七大水系水质总体上持续好转。近岸海域299个海水水质监测点中，达到国家一、二类水质标准的监测点占72.9%，比上年上升2.5个百分点。在监测的612个城市中，有82.4%的城市空气质量达到二级以上（含二级）标准。年末城市污水处理率达到72.3%，比上年提高2.1个百分点。二氧化硫、化学需氧量排放量比上年分别下降4.6%和3.3%。“十一五”前四年化学需氧量排放总量下降9.66%；二氧化硫排放总量下降13.14%，提前完成“十一五”时期减排目标。

六、深入实施区域发展总体战略，区域经济发展的协调性增强

2009年，国务院相继出台了进一步实施东北地区老工业基地振兴战略的若干意见、应对国际金融危机冲击保持西部地区经济平稳较快发展的意见和促进中部地区崛起规划，批复了8个重点地区规划，印发了促进上海国际金融中心和国际航运中心建设、福建海峡西岸经济区建设、海南国际旅游岛开发等政策性文件，重点地区开发力度增大，区域产业转移步伐加快，区域发展协调性增强。2009年，东、中、西部和东北地区的地区生产总值比上年分别增长10.7%、11.6%、13.4%和12.6%，全社会固定资产投资分别增长23%、36.5%、35%和32.3%，社会消费品零售总额分别增长17.4%、19.2%、19.7%和18.9%，中、西部和东北地区上述指标增速均超过东部地区。此外，中、西部地区和东北地区的财政收入、城镇居民人均可支配收入、农村居民人均现金收入等指标的增速也快于东部地区。

七、实施积极的财政政策和适度宽松的货币政策，对结构调整和经济回升向好提供有力支撑

实施积极的财政政策，综合运用预算、国债、税收等政策工具，着力扩大内需，保障和改善民生。一是大幅增加政府公共投资，加强各项重点建设。全年中央政府公共投资支出9243亿元，比上年预算增加5038亿元。其中，农业基础设施及民生工程投资2567亿元，教育卫生等社会事业建设投资965亿元，

保障性住房建设投资551亿元，节能减排和生态建设投资777亿元，自主创新、技术改造及服务业投资681亿元，重点基础设施建设投资2151亿元。发行2000亿元地方政府债券，保证地方政府配套资金需求。这些投资增加了当期需求，带动了民间投资和消费，加强了经济社会发展的薄弱环节。二是优化税制，实施结构性减税。在全国范围内实施消费型增值税，调整增值税小规模纳税人划分标准并降低税率，促进企业增加自主创新和技术改造投入。实施成品油税费改革，公平税费负担，推动节能减排。4次提高纺织、服装、石化、电子等产品的出口退税率，多次调整部分商品进出口关税政策。取消和停征100多项行政事业性收费。上述政策减轻企业和居民负担约5000亿元，促进了企业扩大投资，拉动了居民消费。三是增加城乡居民收入，增强居民消费能力。进一步加大对农民的补贴力度，较大幅度提高粮食最低收购价格，促进农民增收。提高城乡低保对象、企业退休人员和优抚对象等群体的补助水平。实施家电、汽车摩托车下乡及家电、汽车以旧换新政策，并不断完善操作办法，提高财政补贴使用效益。

实施适度宽松的货币政策，保持银行体系流动性充裕，引导金融机构扩大信贷投放，优化信贷结构，加大金融支持经济发展的力度。2009年，货币信贷总量较快增长。年末，广义货币供应量（M2）和狭义货币供应量（M1）比上年分别增长27.7%和32.4%，增幅同比提高9.9和23.3个百分点，分别为1996年和1993年以来最高水平。全年新增人民币贷款9.59万亿元，同比多增4.69万亿元，增幅为31.7%，为1985年以来最高水平。分季度看，上半年尤其是一季度贷款投放较为集中，这一方面是应对国际金融危机的需要，另一方面也受到金融机构早投放早收益经济观念的影响。7月份以后，随着内需对经济增长拉动作用显著增强，有关部门采取措施引导金融机构合理把握信贷投放进度，正确处理金融支持经济发展与防范风险的关系，按照“有保有控”的原则，加大对“三农”、中小企业、灾后重建等重点领域和薄弱环节的信贷支持，严格控制对高耗能、高排放企业和产能过剩行业的贷款，密切监测地方融资平台贷款可能潜在的风险。在多项措施的综合作用下，三、四季度贷款增速比上半年有所放缓。全年四个季度新增贷款分别为4.58万亿元、2.79万亿元、1.3万亿元和0.93万亿元。

从贷款投向看，项目贷款投放较多，消费贷款增速持续加快，票据融资前增后降，对“三农”和小企业等薄弱环节的信贷支持力度较强。全年中长期贷款（扣除消费贷款后）新增5.15万亿元，同比多增2.99万亿元，有力支持了4万亿投资计划的实施。个人消费贷款新增1.8万亿元（75%左右为个人住房贷款），同比多增1.3万亿元，其中上半年增加6508亿元，下半年增加1.15万亿元，呈加速增长态势。涉农贷款和小企业贷款分别增加2.36万亿元和1.41万亿元，占新增贷款总额的22.4%和24.8%，比重均呈明显上升态势。

八、物价下降势头得到遏制，资源价格改革取得重要进展

2009年，我国价格形势经历了从下跌到回升的过程。受国际金融危机的影响，2008年9月份以后主要价格指标急剧回落。居民消费价格（CPI）和工业品出厂价格（PPI）分别于2009年2月和2008年12月步入同比负增长，在2009年7月达到年内低点。此后，随着我国经济企稳复苏态势逐渐明朗，国际大宗商品价格不断上涨，负的翘尾因素影响逐渐减弱，主要价格指标开始回升。CPI于2009年11月结束了连续9个月的同比负增长，同比上涨0.6%；PPI于2009年12月结束了连续12个月的同比负增长，同比上涨1.7%。全年CPI同比下降0.7%，上年为上涨5.9%。分季度看，前三季度分别下降0.6%、1.5%和1.3%，四季度上涨0.7%。从食品和非食品分类看，食品价格上涨0.8%，涨幅比上年回落13.8个百分点；非食品价格下降1.4%，上年为上涨1.5%。从消费品和服务分类看，消费品价格下降0.6%，上年为上涨7.4%；服务价格下降1.1%，比上年回落2.4个百分点。全年PPI同比下降5.4%，上年为上涨6.9%，其中各季度分别下降4.6%、7.2%、7.7%和2.1%。原材料、燃料、动力购进价格同比下降7.9%，上年为上涨10.5%，其中各季度分别下降7.1%、10.4%、11.1%和3%。

资源性产品价格改革取得重要进展。国家抓住国际金融危机发生后国际石油价格大幅下跌的有利时机，根据2008年底出台的成品油价格和税费改革方案，先后9次调整成品油价格，促进市场竞争，保护消费者利益，平衡石油行业与其他行业的利益关系，保障各行业协调发展。2009年底出台电价调整方案，将全国销售电价每千瓦时平均提高2.8分钱，并对各地区标杆上网电价做了有升有降的调整。在调整电价的同时，进一步深化销售电价改革，在全国基本实现城乡居民用电同价。积极推进工商用电同价，19个省份实现商业用电与工业用电同价，10个省份进一步缩小工商业用电价差，减轻商业企业电费负担，促进第三产业发展。完善可再生能源发电价格改革，制定并公布风电分类标杆上网电价，为投资者提供一个明确的投资预期，保障风电开发的有序进行。加快推进水价改革，稳步提高污水处理费标准，不断完善水价计价方式，同时加大对低收入群体的补贴。36个大中城市中，已有10个城市大幅提高污水处理费标准，平均提高幅度为29%；接近一半城市实行居民

用水阶梯式水价。

九、惠民生工作力度进一步加强，人民生活继续改善

实施更加积极的就业政策，保持就业稳定增长。引导和促进劳动密集型企业、中小企业、民营经济、各种服务业加快发展，积极鼓励和支持劳动者自主创业和自谋职业，集中做好高校毕业生、农民工和就业困难人员三个重点群体的就业工作。积极开展高校毕业生就业推进行动，落实各项扶持政策，着力拓宽毕业生就业渠道，继续推进“三年百万”高校毕业生就业见习计划，全年高校毕业生就业率为87%。加强农民工职业技能培训，大力开展有组织外出就业、就地就业和返乡创业。全年外出农民工总量1.45亿人，比上年增加492万人。加大公益性岗位开发力度，扶持就业困难人员实现就业。全年城镇新增就业1102万人，超过计划202万人。下岗失业人员再就业514万人，为全年计划目标的103%；就业困难人员就业164万人，为全年目标的164%。年末全国实有城镇登记失业人员921万人，城镇登记失业率4.3%。

社会事业基础设施建设得到加强。2009年中央财政用于人民群众生活直接相关的教育、医疗卫生、社会保障和就业、保障性住房、文化方面的民生支出合计7426亿元，比上年增长31.8%。地方对中央税收返还和一般性转移支付的安排，也有很大一部分用于民生支出。

城乡居民收入稳定增长。2009年，城镇居民人均可支配收入17175元，比上年增长8.8%，扣除价格因素实际增长9.8%，增幅同比提高1.4个百分点。城镇居民家庭人均总收入中，工资性收入增长9.6%，转移性收入增长14.9%，经营净收入增长5.2%，财产性收入增长11.6%。农村居民人均纯收入5153元，比上年增长8.2%，扣除价格因素实际增长8.5%，增幅同比提高0.5个百分点。其中，工资性收入增长11.2%，第一产业生产经营收入增长2.2%，二、三产业生产经营性收入增长10%，财产性收入增长12.9%，转移性收入增长23.1%。

回顾2009年国民经济运行形势，在应对国际金融危机冲击、保持经济平稳较快发展这场重大考验中，我们既取得了显著经济成果，又积累了在复杂经济环境中推动经济社会又好又快发展的重要经验。在充分肯定成绩的同时，我们也要清醒地认识到，我国经济回升的基础还不牢固，积极变化和不利影响同时显现，短期问题和长期问题相互交织，国内因素和国际因素相互影响，保持经济平稳较快发展难度增大。特别是，这场国际金融危机使我国转变经济发展方式问题更加突显。综合国际国内经济形势，转变经济发展方式已经刻不容缓。我们要在促进经济发展方式转变上下功夫，真正把保持经济平稳较快发展和加快经济发展方式转变有机统一起来，在发展中促转变，在转变中谋发展。

（撰稿：关鹏）

工业经济发展情况综述

2009年，面对国际金融危机的严重冲击和严峻复杂的国内外经济形势，党中央、国务院全面分析、准确判断、果断决策、从容应对，坚持把保持经济平稳较快发展作为经济工作的首要任务，保增长、调结构、促改革、惠民生等各项工作取得明显成效。实施重点产业调整振兴规划，对有效遏制经济增长明显下滑态势、实现经济形势总体回升向好发挥了重要作用。工业生产增长速度逐季回升，工业企业经济效益逐步好转；工业结构调整取得重要进展，自主创新步伐明显加快，工业领域节能减排稳步推进。

一、工业生产增长速度逐季回升

2009年，全部工业增加值134625亿元，比上年增长8.3%，增幅比上年回落1.2个百分点。规模以上工业增加值增长11%，增幅回落1.9个百分点。其中，各季度分别增长5.1%、9.1%、12.4%和18%，呈逐季回升之势。分轻重工业看，轻、重工业分别增长9.7%和11.5%，增幅回落2.6和1.7个百分点。分经济类型看，国有及国有控股企业增长6.9%，增幅回落2.2个百分点；集体企业增长10.2%，增幅提高2.1个百分点；股份制企业增长13.3%，增幅回落1.7个百分点；外商及港澳台商投资企业增长6.2%，增幅回落3.7个百分点；私营企业增长18.7%，增幅回落1.7个百分点。

规模以上工业中，东、中部地区生产增幅比上年有所回落，西部地区生产加快增长。东部地区增加值同比增长9.7%，增幅比上年回落1.9个百分点；中部地区增长12.1%，增幅回落3.7个百分点；西部地区增长15.5%，增幅提高0.5个百分点。31个省区市中，24个地区增加值同比达到两位数增长，内蒙古自治区、天津市和安徽省增幅分别达24.2%、22.8%和22.6%。与上年相比，11个地区增加值同比增幅有所提高，北京市、四川省、湖南省分别提高7.1、3.3和2.1个百分点；20个地区增幅不同程度回落，青海省、新疆自治区、陕西省、上海市、河南省分别回落10.5、8.3、6.2、5.3和5.2个百分点。工业经济大省中，山东省增加值增长14.9%，增幅提高1.1个百分点；江苏省增加值增长14.6%，增幅

提高0.4个百分点；广东省增加值增长8.9%，增幅回落3.9个百分点；浙江省增加值增长6.2%，增幅回落3.9个百分点；河南省增加值增长14.6%，增幅回落5.2个百分点。

主要工业行业中，7个行业增加值同比达到两位数增长。与上年相比，化工、冶金、有色金属等3个行业增加值同比增幅有所提高，其余10个行业增幅不同程度回落。煤炭工业增加值同比增长8.3%，增幅比上年回落10.8个百分点。电力工业增加值增长6.1%，增幅回落2.5个百分点。石油石化工业增加值增长4.5%，增幅回落0.5个百分点。冶金工业增加值增长11.9%，增幅提高1.4个百分点。有色金属工业增加值增长14.1%，增幅提高1.4个百分点。建材工业增加值增长15.1%，增幅回落2.5个百分点。化工工业增加值增长15.9%，增幅提高5.9个百分点。机械工业增加值增长13.8%，增幅回落3.3个百分点。电子工业增加值增长5.3%，增幅回落6.7个百分点。轻工行业增加值增长11.2%，增幅回落3.1个百分点。纺织工业增加值增长9.1%，增幅回落1.2个百分点。烟草工业增加值增长8.2%，增幅回落4.4个百分点。医药工业增加值增长14.9%，增幅回落2.5个百分点。规模以上工业中，高技术制造业增加值同比增长7.7%，增幅比上年回落6.3个百分点。

全年，全部工业增加值占国内生产总值的比重为39.7%，对经济增长的贡献率为40.4%，拉动9.1%经济增长3.7个百分点。

二、主要工业品产量稳定增加

2009年，一次能源生产总量27.5亿吨标准煤，比上年增长5.2%，增幅比上年回落0.4个百分点。原煤产量29.7亿吨，增长6.1%。原油产量1.89亿吨，下降0.5%。天然气产量852.7亿立方米，增长6.2%。发电量37147亿千瓦小时，增长6.3%。主要原材料产品中，粗钢产量57218万吨，增长13.7%；钢材产量69405万吨，增长14.8%。十种有色金属产量2649万吨，增长3.7%；其中，精炼铜产量413万吨，增长8.8%；电解铝产量1289万吨，下降2.1%。水泥产量16.4亿吨，增长15.5%。平板玻璃产量58574万重量箱，下降2.2%。乙烯产量1073万吨，增长8.6%。烧碱产量1832万吨，下降4.9%。纯碱产量1945万吨，增长4.9%。化肥产量6385万吨，增长5.9%。主要机械、电子产品中，汽车产量1379.5万辆，增长48.2%，我国成为世界汽车生产第一大国；其中，轿车产量748.5万辆，增长48.6%。大中型拖拉机产量37.1万台，增长30.6%。造船完工量首次突破4000万载重吨，占世界市场的34.8%，份额比上年末提高5.3个百分点。微型电子计算机产量18215万台，增长14.9%，其中笔记本计算机产量增长25.7%。显示器产量13123万台，增长9.7%。移动通信手机产量61924万部，增长10.7%。主要轻纺产品中，纱产量2393万吨，增长10.3%。布产量753亿米，增长4.2%。化学纤维产量2747万吨，增长12%。彩色电视机产量9899万台，增长7.7%。家用电冰箱产量5930万台，增长23.6%。家用洗衣机产量4974万台，增长11.8%。

通过实施政策力度大、群众受惠面广的促进家电、汽车、节能产品和住房消费等措施，优化市场消费环境，有效挖掘居民特别是农村居民的消费潜力，国内市场消费持续较旺，主要工业品销售增长较快。能源消费方面，能源消费总量30.66亿吨标准煤，比上年增长5.2%，增幅比上年提高1.3个百分点。煤炭消费量30.2亿吨，增长9.2%。原油消费量3.8亿吨，增长7.1%。天然气消费量887亿立方米，增长9.1%。电力消费量36973亿千瓦小时，增长6.2%。主要原材料方面，钢材消费量6.9亿吨，增长22.4%。精炼铜消费量753万吨，增长39.7%。电解铝消费量1439万吨，增长14.4%。乙烯消费量1066万吨，增长8%。水泥消费量16.3亿吨，增长17%。日常生活品消费方面，汽车销量1364.5万辆，增长46.2%。家用电器和音像器材类产品销售额增长12.3%，其中家电下乡中标生产企业累计出货量近9000万台，全年销售额1500多亿元。商品房销售的快速增长带动了建筑及装潢材料、家具等商品的消费，建筑及装潢材料类产品销售额增长26.6%，家具类产品销售额增长35.5%。日用品类产品销售额增长15.6%，服装类产品销售额增长20.8%，化妆品类产品销售额增长16.9%，中西药品类产品销售额增长21.7%。

对外贸易出口工业品结构继续调整。能源和高耗能工业产品出口下降或增速减缓；受国际市场大幅萎缩影响，机电产品、高新技术产品出口下降。全年，煤炭出口2240万吨，同比下降50.7%。焦炭出口54万吨，下降95.5%。钢坯出口4万吨，下降96.9%；钢材出口2460万吨，下降58.5%。未锻造铜及合金出口7.31万吨，下降28.8%。未锻造铝及合金出口31.02万吨，下降63.1%。手持或车载无线电话出口58280万台，增长9.4%。集成电路出口566.08亿个，增长16.8%。纺织品服装出口1671亿美元，下降10.1%，但占美国市场的份额不降反升，由上年的34.5%上升至38.6%。机电产品出口7131亿美元，下降13.3%。高新技术产品出口3769亿美元，下降9.3%。

三、经济效益逐步好转

2009年，随着工业生产增长速度逐季回升，工业企业经济效益逐步好转。规模以上工业企业利润总额前 2 个月同比下降 37.3%，前 5 个月降幅缩小到 22.9%，前 8 个月降幅进一步缩小到 10.6%，前 11 个月由降转升，实现利润总额 25891 亿元，同比增长 7.8%，增幅比上年同期提高 2.9 个百分点。

前 11 个月，分经济类型看，国有及国有控股企业实现利润 7514 亿元，下降 4.5%，上年同期为增长 10%；集体企业实现利润 545 亿元，增长 10.3%，增幅回落 19.2 个百分点；股份制企业实现利润 144 亿元，增长 7.2%，增幅回落 12.1 个百分点；外商及港澳台商投资企业实现利润 7511 亿元，增长 16.9%，上年同期为下降 3.1%；私营企业实现利润 6849 亿元，增长 17.4%，增幅回落 19.2 个百分点。

分地区看，东部地区实现利润 16572 亿元，同比增长 16.7%，上年同期为下降 1%；中部地区实现利润 5602 亿元，下降 6.1%，上年同期为增长 16.5%；西部地区实现利润 3717 亿元，下降 3.8%，上年同期为增长 11.6%。31 个省区市中，22 个地区实现利润同比增长，9 个地区利润同比下降。利润增长的地区中，5 个地区增幅同比提高，12 个地区上年同期为同比下降，5 个地区增幅同比回落；增利最多的广东省、江苏省、山东省、浙江省、辽宁省同比分别增利 573 亿元、519 亿元、393 亿元、370 亿元和 304 亿元，合计增利 2158 亿元，相当于规模以上工业利润增加额（1865 亿元）的 1.16 倍。利润下降的地区中，1 个地区（云南省）降幅同比缩小，7 个地区上年同期为同比增长，1 个地区（贵州省）降幅同比扩大。利润前五位的地区中，山东省实现利润 3937 亿元，同比增长 11.1%，增幅回落 4.9 个百分点；江苏省实现利润 3198 亿元，同比增长 19.4%，增幅提高 12.3 个百分点；广东省实现利润 2643 亿元，同比增长 27.7%，上年同期为下降 13.1%；河南省实现利润 2062 亿元，同比增长 5.5%，增幅回落 17.7 个百分点；浙江省实现利润 1742 亿元，同比增长 27%，上年同期为下降 9.1%。这五个地区利润合计 13583 亿元，占规模以上工业利润总额的 52.5%。

主要工业行业中，7 个行业实现利润同比增长，6 个行业利润同比下降。利润增长的行业中，机械、建材、轻工等 3 个行业增幅同比提高，纺织、化工、电力等 3 个行业上年同期为同比下降，1 个行业（医药行业）增幅同比回落；增利最多的机械、轻工、电力行业同比分别增利 1154 亿元、932 亿元和 624 亿元，合计增利 2710 亿元，相当于规模以上工业利润增加额（1865 亿元）的 1.45 倍。利润下降的行业中，1 个行业（有色金属行业）降幅同比缩小，煤炭、烟草、冶金、电子等 4 个行业上年同期为同比增长，1 个行业（石油石化行业）降幅同比扩大。利润前三位的行业中，机械行业实现利润 6019 亿元，同比增长 23.7%，增幅同比提高 7.6 个百分点，其中汽车行业实现利润 1891 亿元，增长 52.8%，增幅提高 44 个百分点；轻工行业实现利润 4846 亿元，增长 23.8%，增幅提高 5 个百分点；石油石化行业实现利润 2415 亿元，同比下降 14.9%，降幅同比扩大 4.4 个百分点。这三个行业利润合计 13280 亿元，占规模以上工业利润总额的 51.3%。

四、生产领域价格降幅逐步缩小

2009 年，受国际金融危机影响，我国工业品出厂价格前 7 个月延续了上年四季度开始的下滑态势，月度同比降幅持续扩大，7 月份同比下降 8.2%，为全年降幅最大值，之后降幅逐月缩小，12 月份转为上升 1.7%。全年，工业品出厂价格同比下降 5.4%，上年为上涨 6.9%。分类别看，生产资料价格下降 6.7%，上年为上涨 7.7%；生活资料价格下降 1.2%，上年为上涨 4.1%。生产资料中，采掘工业、原材料工业、加工工业价格分别下降 15.8%、8.1% 和 4.9%，上年为上涨 23.2%、8.9% 和 5.2%。生活资料中，食品类、一般日用品价格分别下降 1.4% 和 0.8%，上年为上涨 8.3% 和 3.6%；衣着类价格上涨 0.1%，涨幅同比回落 2.1 个百分点；耐用消费品价格下降 2.3%，降幅同比扩大 1.8 个百分点。原材料、燃料、动力购进价格下降 7.9%，上年为上涨 10.5%。

重点工业产品中，成品油价格形成机制进一步完善。国家从 1 月 1 日起实施燃油税费改革。根据完善后的成品油价格形成机制，结合国际市场原油价格变化情况，年内共调整国内成品油价格八次，其中五次提高价格、三次降低价格。钢材价格小幅波动。国内市场月度平均钢材价格综合指数前 4 个月呈下滑态势，4 月份为 96 点，为全年最低水平；5 月份开始逐月回升，8 月份达到 113.07 点，为全年最高水平；之后小幅波动，12 月份为 105.62 点，同比上涨 2.32 点。主要有色金属价格呈逐步回升之势。国内生产资料市场铜、电解铝、铅、锌现货平均价格 12 月份分别为 56054 元/吨、15992 元/吨、15986 元/吨和 18922 元/吨，同比上涨 1.1 倍、43.4%、52.9% 和 93.2%。主要建材产品中，水泥价格先降后升，平板玻璃价格持续上涨。中国建材联合会统计的重点企业水泥平均出厂价格前 8 个月持续下滑，8 月份为 287 元/吨，为全年最低点；之后缓慢回升，12 月份为 291 元/吨，比 1 月份低 5 元/吨，同比下降 11 元/吨。重点企业平板玻璃出厂价格持续上涨，12 月份为 80 元/重量箱，比 1 月份上涨 19 元/重量箱，同比上涨 14 元/重量箱。

国内工业产品价格的变化与国际市场价格走势密切相关。受国际金融危机影响，国际市场主要商品价格 2009 年初跌入近几年来的谷底；在世界主要经济体经济刺激计划的影响下，二季度开始逐步回升。反映国际大宗商品价格变动的路透 RJ/CRB 指数①12 月末为 283.38 点，同比回升 53.84 点，升幅为 23.5%，高于 2008 年 10 月末水平。反映国际市场初级产品价格变化的中价国际现货价格指数 12 月份同比上涨 28.8%，相当于 2007 年二季度水平，比 2008 年的最高位低 30%；全年价格指数比上年下降 27.9%。国际原油价格呈回升态势。布伦特原油平均价 12 月份为 75.06 美元/桶，同比上涨 30.15 美元/桶，涨幅为 67.1%；全年平均为 61.88 美元/桶，同比下降 37.3 美元/桶，降幅为 37.6%。

五、结构调整力度加大

2009 年，国家在应对国际金融危机、促进经济平稳较快发展中，坚持把保增长与调结构紧密结合起来，加大产业结构调整力度。从缓解企业困难和增强发展后劲入手，相继制定实施了钢铁、汽车、船舶、石化、轻工、纺织、有色金属、装备制造、电子信息、物流业十大产业调整和振兴规划，并出台 100 项实施细则与配套政策。加大措施鼓励和支持企业加快技术改造，扶持中小企业发展，积极培育战略性新兴产业。中央投资安排 230 亿元技改专项资金支持了 4441 个项目，重点支持企业在品种质量、节能降耗、环境保护、装备水平、安全生产等薄弱环节进行技术改造。同时，实施家电汽车摩托车下乡、汽车家电以旧换新和农机具购置补贴等刺激消费政策，支持重点产业发展。

重点行业结构优化升级稳步推进。新疆独山子、福建炼化和天津石化 3 套千万吨级炼油和百万吨级乙烯一体化项目建成投产。首钢曹妃甸京唐临海新钢铁基地 1 号高炉顺利达产，以世界第五的有效容积创造世界第一的产能。汽车产品结构得到优化，小排量汽车、自主品牌汽车比例明显提高。全年 1.6 升以下轿车和微型客车销量同比增长 71%，对汽车销量增长的贡献率达到 70%。纺织行业在加强自主品牌建设、优化企业组织结构、发展产业用纺织品、产业转移等方面都取得显著效果。水泥行业新建成投产大型新型干法水泥生产线 176 条，创行业发展历史之最；其中，日产 4000 吨以上的生产线占 46%，其水泥熟料产能占 63% 以上。全年新型干法水泥产量比重达到 76.9%，提前完成“十一五”规划要求。

企业兼并重组取得重要进展。钢铁、机械、汽车、有色金属、电子信息等行业成功进行 50 多起大型并购重组，行业集中度进一步提高。通过联合重组，我国粗钢产能超过 1000 万吨大型钢铁企业达到 9 家，其中宝钢、武钢、河北钢铁集团超过 3000 万吨。上汽、广汽、长安汽车等企业重组合作效果日渐显现，区域内企业间联合重组步伐明显加快。全年汽车产销量超过百万辆的企业集团达到 5 家，比上年增加两家。排名前 10 位的企业市场占有率达到 87%，比上年提高 4 个百分点。中铝、中冶、五矿、中国黄金集团等大型企业跨省区联合重组取得积极进展。

抑制重复建设和淘汰落后产能力度加大。国家实施了《抑制部分行业产能过剩和重复建设引导产业健康发展的若干意见》，提出促进钢铁、水泥、平板玻璃、煤化工等行业健康发展的主要原则和政策措施。全年关停小火电机组 2617 万千瓦，提前一年半实现了“十一五”期间关停 5000 万千瓦小火电机组的目标。淘汰落后炼钢产能 1691 万吨，炼铁产能 2113 万吨，煤炭产能 5000 万吨，水泥产能 7416 万吨，平板玻璃产能 600 万重量箱，电解铝产能 31.35 万吨，铜产能 30 万吨，电石产能 46 万吨，铁合金产能 162 万吨，焦炭产能 1809 万吨，造纸产能 50.7 万吨，化纤产能 137 万吨。铅锌行业淘汰落后产能取得较好进展。酒精、味精、柠檬酸等行业基本完成年内下达的淘汰任务。

着力培育战略性新兴产业。重点支持电子信息、高端装备制造、新能源、新材料、生物医药等新兴产业发展。发布实施数字电视、生物等产业政策。卫星应用、生物技术、集成电路、平板显示、直升机等重大产业化项目和专项建设启动。天津总装厂首架空客 A320 飞机首飞成功。国家核准了 6 台百万千瓦机组核电建设项目；我国第一个千万千瓦级风电基地——甘肃酒泉基地建设顺利启动，大规模风电并网送出工程同步建设。以 TD－SCDMA 为代表的 3G 网络建设和业务推广力度加大，年末 3G 用户超过 1000 万，TD 手机用户达 550 多万个。高技术制造业扭转了下滑态势，全年增加值比上年增长 7.7%。

六、自主创新步伐加快

2009 年，国家加强科技创新能力建设，发布《关于发挥科技支撑作用促进经济平稳较快发展的意见》，充分发挥科技在应对国际金融危机、促进经济平稳较快发展中的支撑作用。具体措施，一是为重点产业振兴提供科技支撑，推动产业升级，促进发展方式由粗放型增长向注重质量效益和环保方向转变；二是抓紧实施与扩内需、保增长、调结构、惠民生密切相关的重大科技专项，力争形成一批具有市场竞争力的产品；

① RJ/CRB 指数为美国商品研究局（Commodity Research Bureau）根据世界市场上 19 种具有原材料性质的商品期货价格编制的价格指数，可以从总体上反映世界主要商品价格的动态情况，并作为反映全球通货膨胀的指标之一。这 19 种商品分为三大类：能源（原油、取暖用油、汽油、天然气）、金属（金、银、铜、铝、镍）和农产品（玉米、大豆、小麦、棉花、糖、浓缩橙汁、可可、咖啡、活牛、瘦肉猪）。

三是大力支持企业提高自主创新能力，发挥企业技术创新的主体作用；四是加快发展高新技术产业集群，发挥国家高新区的集聚和带动作用；五是加强科技人才的培养和引进，鼓励更多优秀人才脱颖而出。全社会研究与实验发展经费支出5700亿元，比上年增长23%。中央财政科技投入达到1512亿元，比上年增长30%。极大规模集成电路制造装备及成套工艺、高档数控机床与基础制造装备等16个国家科技重大专项全面实施。嫦娥一号卫星成功受控撞月，大天区天文望远镜、北京正负电子对撞机改造等重大科学工程顺利完成。集中攻克了一批核心关键技术，我国首台千万亿次高效能计算机“天河一号”研制成功。“863”、“973”等国家科技计划和技术创新工程取得重要进展。国家安排了639项科技支撑计划课题，1328项“863”计划课题。知识创新三期工程加快推进。

重点产业创新能力继续提高。新建63个国家重点实验室；新建碳纤维制备、船舶动力系统等25个国家工程实验室，累计达85个；新建36个国家工程（技术）研究中心，支持58个国家工程（技术）研究中心提高持续创新能力。实施了85个国家重大产业技术开发项目。新建一批高技术产业基地。关键共性技术研发和应用实现新突破。实现钢铁生产全流程国产化。我国自主研发的低温低电压铝电解新技术实现产业化，铜冶炼吹氧造锍多金属捕集技术得到应用。我国拥有自主知识产权的晋东南－南阳－荆门1000千伏特高压交流试验示范工程，及第一条±800千伏特高压直流工程——南方电网云南至广东±800千伏特高压直流输电工程相继建成投运。大型锻件等核电关键设备自主化取得重大突破。时速250公里国产高速动车组实现批量生产，自主化率达到70%以上；自主开发出时速350公里动车组。

企业创新主体地位进一步加强。《国家技术创新工程总体实施方案》发布，围绕提高自主创新能力、建设创新型国家的战略目标，坚持“企业主体、政府引导；深化改革、创新机制；立足当前、着眼长远；部门联合、上下联动”的原则，促进科学技术更加主动地为经济社会发展服务，经济社会发展紧紧依靠科学技术和自主创新，以确立企业技术创新主体地位为主线，充分运用市场机制，引导和支持创新要素向企业集聚，增强企业自主创新能力和产业核心竞争力，为推进经济结构战略性调整，加快发展方式转变，建设创新型国家提供有力支撑。启动实施新兴产业创投计划，支持设立20只创业投资基金。年末，国家认定的企业技术中心达到636家；省级企业技术中心达到5011家。确定了111家企业为第二批创新型企业，182家企业为第三批创新型试点企业，国家级创新型试点企业已达469家，各地方创新型试点企业达3000多家。

七、节能减排取得积极成效

2009年，国家坚持不懈地推进节能减排工作。组织开展了省级政府和千家企业2008年节能目标责任评价考核。十大重点节能工程稳步实施。安排中央预算内投资和财政奖励资金支持1318个重点节能项目，可形成年节能能力7500万吨标准煤。中央投资支持了132个循环经济和资源节约重点项目。全年新增节能建筑面积9.6亿平方米，可形成900万吨标准煤的节能能力。实施“节能产品惠民工程”，采用财政补贴方式，推广高效节能房间空调器（定频）500多万台、高效照明灯具1.5亿只，北京市、上海市、重庆市等13个城市节能与新能源汽车示范工作进展顺利。认真落实《应对气候变化国家方案》，大力推进清洁发展机制项目，积极推动气候友好技术的研发与应用。研究提出2020年我国控制温室气体排放行动目标和政策措施。

通过积极推进工程减排、结构减排和管理减排，认真落实减排目标责任制，污染减排取得明显成效。第一次全国污染源普查摸清了主要污染物产生、处理和排放情况。发布了11个行业清洁生产评价指标体系；截至2009年底，共发布30个工业行业清洁生产评价指标体系。电力、钢铁、焦炭、水泥、造纸等行业淘汰落后生产能力工作积极取得进展。化工、制药、冶金和化纤等行业污染减排多项关键技术取得突破。工业废水、废气治理工作进展顺利。全年，全国有1.02亿千瓦火电机组安装脱硫设施，燃煤脱硫机组占火电装机总量的比重达到72%。新增城镇污水日处理能力1330万立方米、城镇垃圾日处理能力5万吨。城市污水处理率和生活垃圾无害化处理率分别达到72.3%和69%，比上年提高2.1个和2.2个百分点。国控废水和废气排放企业年平均达标率同比增加12和13个百分点。年末，集中供热面积35.6亿平方米，同比增长2%。

经过不懈努力，节能减排取得积极成效。全年，单位国内生产总值能耗比上年下降2.2%，二氧化硫、化学需氧量排放量分别下降4.6%和3.3%。万元工业增加值用水量下降8.2%。工业固体废物综合利用率达66.6%，比上年提高2.3个百分点。截至2009年底，“十一五”前四年全国单位国内生产总值能耗下降了14.38%；化学需氧量排放总量下降9.66%；二氧化硫排放总量下降13.14%，提前完成“十一五”时期减排目标。分地区看，2009年万元地区生产总值能耗降低率超过5%的有21个地区，其中7个地区超过6%，内蒙古自治区、甘肃省、青海省分别降低6.91%、6.82%和6.46%。截至2009年底，北京市和天津市已完成“十一五”时期节能目标，湖北省、湖南省、广西自治区等 22 个地区完成“十一五”时期节能目标的 80% 以上，西藏自治区、安徽省、吉林省、贵州省、青海省等 5 个地区完成“十一五”时期节能目标的 70% ~80%，海南省和新疆自治区完成“十一五”时期节能目标的 60% 以下。

（撰稿：尹英）

国有企业改革与发展概况

一、2009 年国有企业改革继续取得积极进展

（一）中央企业公司制股份制改制上市工作取得新进展

2009 年以来，共有中国建筑工程总公司、中国冶金科工集团公司等 11 家中央企业控股的上市公司在境内外资本市场上首次公开发行股票（其中 10 家已上市）。中国建筑工程总公司筹资 501.6 亿元，是 2008 年以来 A 股市场最大规模的 IPO；中国建筑材料集团公司、中国保利集团公司等 18 家中央企业控股的上市公司实施了增发、配股，共募集资金 351 亿元。

2009 年，中央企业控股的上市公司从资本市场上募集资金共为 1909.45 亿元，同比增长 107.65%。

2009 年，共有 7 家中央企业实现主营业务整体上市。其中，中国建筑工程总公司、中国冶金科工集团公司、中国北方机车车辆工业集团公司和中国化学工程集团公司通过 IPO 实现整体上市；中国长江三峡工程开发总公司、中国民航信息集团公司、华侨城集团公司通过向控股上市公司注资实现整体上市。

截至 2010 年 1 月底，中央企业为实际控制人的境内外上市公司共 307 家，其中境外上市公司 88 家（含 A + H 公司 25 家）；已实现主营业务整体上市的企业 23 家。

（二）中央企业战略性调整重组、整合工作进一步推进

2009 年，共有 11 组 22 户企业参与了重组，中央企业户数已从 2008 年底的 142 户调整到 128 户，共减少 14 户。

1. 积极推进行业或板块的企业重组。

推动并实施医药板块中央企业的重组，取得重要进展，中国生物技术集团公司并入中国医药集团总公司。积极研究推动装备制造企业重组，中国农业机械化科学研究院并入中国机械工业集团公司，中国纺织科学研究院、中国新兴（集团）总公司、中国邮电器材集团公司并入中国通用技术（集团）控股有限责任公司。

电信企业的重组圆满完成。中国联合通讯有限公司与中国网络通讯集团公司正式合并成立中国联合网络通信集团有限公司，中国卫星通讯集团公司拆分后基础电信业务人员和资产并入中国电信集团公司，其他业务、人员和资产并入中国航天科技集团公司。

2. 启动中央企业非主业房地产、非主业宾馆饭店分离重组工作。

为推动中央企业突出主业、加快非主业资产的分离重组、增强主业核心竞争力，同时优化资源配置、实现国有资产的保值增值，国资委自 2009 年以来加大了中央企业分离重组非主业工作力度。

目前，中央企业中以房地产为主业的有 16 家，另有 78 家从事房地产开发，但并非其主营业务，规模较小，盈利状况参差不齐。为贯彻落实国务院关于清理整顿房地产市场、抑制房地产泡沫的精神，自 2010 年 3 月，国资委根据企业实际情况，采取多种措施对 78 家企业的非主业房地产进行清理。

同时，针对中央企业非主业资产中宾馆酒店的数量较多、资产规模较大，但总体经营资质低下、经济效益差、大部分严重亏损，长期依靠主业补贴维持运转的现状，在前期调研和试点的基础上，国资委于 2010 年 1 月 11 日印发《关于开展中央企业非主业宾馆酒店资产分离重组工作有关问题的通知》，并且研究、确定中央企业非主业宾馆酒店资产分离重组的总体规划和 2010 年年度计划。这是贯彻落实国务院的要求、引导中央企业突出主业、优化资源配置、提高市场竞争力的一大突破。

（三）不断推进中央企业建立规范董事会工作

截至 2009 年底，建立规范董事会的企业扩大到 24 家，规范董事会运作的各项规章制度不断完善，董事会有效发挥作用的保障机制初步形成。不少企业还制定规范董事会、党委会、经理层相互工作关系的规则。中国外运长航集团有限公司、中国铁路工程总公司、中国诚通控股公司等企业董事会对经理层实施精准考核，并与奖惩挂钩，实现对经理人员的个性化管理。神华集团有限责任公司、新兴铸管集团有限公司在子企业推进了规范董事会建设。企业内部改革进一步深化。

（四）设立专业性的国有资产经营管理公司

深入贯彻落实科学发展观，推动中央企业做强做大，优化国有经济布局和结构，国资委自成立以来，加大了中央企业重组整合工作力度。一批企业通过强强联合进一步增强综合实力；一批业务相关的企业通过完善产业链实现协同互补；一批困难企业、竞争力较弱的企业实现有序退出，企业 80% 以上的资产集中到石油石化、电力、军工、通信、交通运输、矿业等重要行业和关键领域。

但从目前的中央企业现状看，还有一批不涉及国家安全和国民经济命脉，规模小、效益差，而且不适合与其他中央企业重组的企业。同时，也存在相当数

量主营业务整体上市后的中央企业的存续企业、非主业资产。为了对这些企业和资产实施有效的重组整合，促进中央企业布局和结构的调整优化，集中精力推动优势企业的改革发展，在总结两家试点企业经验的基础上，需要组建一个平台进行市场化、专业化的操作。2009 年 5 月 18 日，国资委向国务院报送了《国资委关于设立中国国新控股有限责任公司的请示》，拟组建一家国有资产经营公司专门从事资产经营与股权管理。新设国有资产控股公司的主要出发点是对于不涉及国家安全和国民经济命脉，规模小、效益差甚至亏损，不适合与其他中央企业重组的企业履行出资人职责，进行重组整合。

2009 年 12 月 23 日，结合与各有关部门的沟通协商情况，国资委向国务院报送了《关于报送设立中国国新控股有限责任公司有关问题汇报稿的请示》，其中包括组建方案和公司章程。2010 年 1 月 20 日，国务院领导同志主持召开由相关部门参加的会议，会议就设立中国国新控股有限责任公司的有关问题基本达成了一致。

2010 年 3 月 17 日，国务院批准设立中国国新控股有限责任公司。

（五）履行多元投资主体公司股东职责工作取得突破性进展

目前，在国资委监管的中央企业中有 8 家多元投资主体公司，其中国资委直接持股的 5 家。随着改革的深化，国资委监管并直接持股的多元投资主体公司会逐步增多，通过参加股东会议等方式，履行股东职责，已经成为国资委的重要任务之一。为了使国资委能够依法、高效地履行好股东职责，根据《中华人民共和国公司法》《中华人民共和国国有企业国有资产法》《企业国有资产监督管理暂行条例》等法律法规的有关规定，2009 年 11 月，国资委印发《国资委履行多元投资主体公司股东职责暂行办法》（国资发改革〔2009〕322 号），在国资委履行股东职责的相关要求、履职方式，内部职责分工，对公司股东会议议题的内部审核程序以及对公司股东会议相关事项的管理等方面，做出明确规定。为国资委规范履行多元投资主体公司股东职责、行使股东合法权力、探索国资委直接持有整体上市中央企业股权工作奠定基础。

（六）中央企业内部三项制度改革稳步推进

中国中化集团公司初步建立和完善适应市场竞争要求的用工分配制度。哈尔滨电气集团公司、华润（集团）有限公司、华侨城集团公司推进市场化薪酬体系建设。中国航天科工集团公司、中国华电集团公司、中国电子信息产业集团公司等许多中央企业都结合实际，深化内部改革，推进管理创新，增强企业发展后劲。

市场化选聘高级经营管理者取得新进展。自 2004 年的六年来，国资委大力推进用人制度改革，先后组织 100 多家（次）企业面向社会公开招聘将近 200 名中央企业高级经营管理者。2008 年以来，中组部、国资委面向海内外公开招聘中央企业正职，突破国有重要骨干企业主要领导人选拔任用的传统模式。

（七）继续推动中央企业节能减排和技术进步

中央企业认真贯彻落实国务院有关节能减排的一系列方针政策，建立领导体制，落实工作责任，节能减排工作取得明显成效。许多中央企业结合自身业务特点，大力推进节能减排和环境保护工作。2009 年前三季度，中央重点能耗企业万元产值能耗同比下降 4.6%；万元增加值能耗同比下降 9.5%；二氧化硫排放量下降 34.3%；化学需氧量排放量下降 11.1%。

创新研发进一步加快。中央企业积极发挥科技创新引领作用，普遍加大研发投入，努力突破制约企业发展的关键技术，抢占市场竞争的制高点。2008 年，中央企业科技活动经费总额为 2152.9 亿元，同比增长 21.4%（其中研发经费投入总额 1210.6 亿元，同比增长 22.7%，相当于全国研发经费投入的 26.5%）。56 家中央企业参加了由科技部、全国总工会和国资委共同推进的创新型企业试点工作，对推动中央企业走创新发展之路起到了带动作用。中国船舶重工集团公司加大技术研发，万箱集装箱船、LNG 船等一批高技术、高附加值产品技术储备取得新进展。国家电网公司特高压交流 1100 千伏电压成为国际电工委员会（IEC）国际标准。中国南方电网有限责任公司形成了世界第一个具有自主知识产权 ±800 千伏直流系统设备完整的标准体系。神华集团有限责任公司煤直接液化示范工程运行试生产，在煤制油产业上迈出了重要步伐。中国第二重型机械集团公司核电大锻件被科技部认定为“首批国家自主创新产品”。国家核电技术有限公司发挥 AP1000 技术引进消化吸收再创新的平台、主体和载体作用，各项工作取得进展与突破。中国北方机车车辆工业集团公司、中国南方机车车辆工业集团公司大功率交流传动电动机车系统集成等关键领域技术达到世界领先水平。中国交通建设集团有限公司围绕跨海大桥、离岸深水港、越海隧道等工程，着力研发设计施工关键技术，抢占技术制高点。电信科学技术研究院主导的 TD-LTE 被国际电联接纳为 4G 候选技术。中国华录集团有限公司自主研发的数字音频编解码标准 DRA，第一次被纳入国际音视频基础标准。

二、国有企业改革面临的主要问题

（一）中央企业母公司股份制改革相对滞后

在国资委监管的中央企业名单中，多元股东的公司比例仅 5% 左右。这与全国国企改制面相比，特别是离中央的要求，还有相当差距。推进中央企业母公司股权多元化、母公司股份制改革已经成为下一阶段改革工作的重点。

（二）中央企业重组以后的整合任务十分艰巨

几年来，中央企业的重组工作进展明显，在一定程度上优化了资源配置、调整了国有经济布局和结构。但是组织结构、业务范围、企业文化、人员构成等各方面都存在差异的企业要整合起来，融为一体，还需要协助企业领导班子做大量细致、耐心的工作。

（三）国资委履行多元投资主体公司股东职责具有探索性

国资委作为国务院特设机构，直接持有企业股权，在法律上并没有障碍。但由于国资委作为政府机构的人员构成、运营模式，以及集股东和监管者双重身份于一体，如何有效地履行多元投资主体公司，特别是上市公司的股东职责，极具探索性和挑战性。

三、下一步国有企业改革的主要思路

（一）着力建立现代企业制度，深化国有企业改革

继续加大国有企业公司制股份制改革力度，通过重组上市、合资合作、相互参股等多种途径，加快推进国有企业，特别是母公司层面的公司制股份制改革，促进投资主体多元化。继续推动规范的董事会建设，坚持外部董事占多数的原则，推进董事会规范运作，开展对董事会、董事的年度和任期评价工作，逐步将部分属于股东的权利下放给董事会，依法健全适应现代企业制度要求的选人用人新机制，进一步加大企业领导人员选聘方式改革力度，继续深化企业用人、考评、激励制度改革，加快企业市场化选聘人才步伐。

（二）着力优化国有经济布局结构，推进国有企业调整重组

推动国有资本向优势、支柱、特色产业及行业的龙头企业集中，推动产业结构优化升级，做强做大有优势的国有企业。以骨干企业为龙头推进并购重组，进一步提高产业集中度。加大企业内部资源整合力度，推进非主业资产的剥离重组，推动优势资源向主业集中。探索在市场经济条件下劣势国有企业依法、有序、平稳退出市场的通道。进一步发挥国有资本经营预算对企业重组的引导和带动作用，通过国有资本的有序合理流动，有效配置国有资本，推动国有经济布局与结构不断优化。

（三）推进国有企业转变发展方式

积极推进管理创新，引导企业强化管理控制风险。引导企业提高集团控制力，加大集团资金集中管理力度。引导企业加强自主创新，加快建立和完善有利于多出成果、快出成果和促进成果转化的技术创新体制和机制。加强品牌建设，将品牌战略纳入企业发展战略当中，提高品牌影响力。引导企业切实做好节能减排工作，加强节能减排组织、监测、考核体系和相关制度建设，使国有企业成为节约资源、保护环境的表率。

（撰稿：毛元斌）

中小企业改革和发展概况

我国中小企业不断发展壮大，已成为国民经济和社会发展的重要力量，在繁荣经济、增加就业、推动创新、改善民生等方面，发挥着越来越重要的作用。截至2009底，全国工商登记企业1030万户，个体工商户3130万户，按现行中小企业划分标准测算，中小企业达4153.1万户，超过企业总户数的99.8%。中小企业创造的最终产品和服务价值相当于国内生产总值的62%左右，缴税额为国家税收总额的53%，提供了近80%的城镇就业岗位。2009年，受国际金融危机的影响，我国中小企业面临的困难和挑战前所未有，全社会对中小企业的关注度前所未有，党中央、国务院和各地方出台了一系列的政策措施，扶持中小企业发展的力度前所未有。中小企业的回升向好为保持我国经济平稳健康发展，实现全年GDP“保八”目标做出了重要贡献，可以说没有中小企业的复苏，就不会有国民经济的复苏。

一、2009年中小企业运行基本情况

（一）工业产值同比增长13.7%，增幅稳步上升

2009年全年，全国规模以上中小工业企业完成工业总产值38.2万亿元，占全国规模以上工业总产值比重69.9%，同比增长13.7%，增幅比前三季度上升4.55个百分点。12月份当月实现工业总产值3.9万亿元，同比增长27.4%，增幅比上月下降0.7个百分点。

全国规模以上非公有制企业实现工业总产值37.7万亿元，同比增长12.5%，增幅比前三季度上升4.5个百分点。12月份当月非公有制企业同比增长26.9%，增幅比上月上升0.3个百分点。

2009年全年，全国规模以上中小工业企业产销率97.3%，比前三季度上升0.31个百分点。其中，中型工业企业产销率97.2%，小型工业企业产销率97.5%，增幅分别上升了0.45和0.35个百分点。

（二）外贸进出口降幅收窄

2009年全年，全国进出口总额22072.2亿美元，同比下降13.8%，降幅比前三季度收窄7个百分点。

2009年全年，非国有企业（不含外商投资企业）进出口总值5103.2亿美元，同比下降5.5%，降幅比前三季度收窄5.5个百分点。其中，出口3384.4亿

美元，同比下降11.6%，降幅比前三季度收窄3.9个百分点；进口1718.8亿美元，同比增长7.9%，增幅比前三季度上升10个百分点。

12月份当月非国有企业（不含外商投资企业）进出口总值584.4亿美元，同比增长31.2%，增幅比11月份上升21.5个百分点。

（三）非国有投资与上年基本持平

2009年全年，城镇固定资产投资19.4万亿元，同比增长30.5%，比前三季度回落2.8个百分点，比上年同期加快4.4个百分点。

2009年全年，非国有投资10.8万亿元，同比增长28.0%，比前三季度下降1.5个百分点，比上年同期下降1个百分点。

（四）中西部地区中小企业增速继续快于东部地区

2009年全年，东部地区、中部地区、西部地区规模以上中小工业企业分别完成工业总产值26.4万亿元、7.1万亿元、4.6万亿元，同比分别增长10.9%、19.6%、22.2%，西部增幅高于中部2.6个百分点，中部高于东部8.7个百分点。

（五）销售收入稳步上升，同比增长11.7%

1－11月份，全国规模以上中小工业实现销售收入32.2万亿元，同比增长11.7%，增幅比1－8月份上升4.96个百分点。其中，中型企业实现销售收入13.0万亿元，同比增长1.5%；小型企业实现销售收入19.3万亿元，同比增长19.8%。

（六）上缴税金继续增长，增速小幅上升

1－11月份，全国规模以上中小工业企业上缴税金总额11654.0亿元，同比增长14.2%，增幅比1－8月份上升3.8个百分点。其中，中型、小型企业分别上缴税金5501.5亿元、6152.5亿元，同比分别增长10.9%、17.3%。

（七）实现利润1.8万亿元，同比增长18.2%

1－11月份，全国规模以上中小工业企业实现利润1.8万亿元，同比增长18.2%，增幅比1－8月份上升16.7个百分点。其中，中型企业实现利润7838.5亿元，同比增长11.4%；小型企业实现利润9613.8亿元，同比增长24.4%。

（八）亏损面继续缩小，亏损额同比下降13.2%

1－11月份，全国规模以上中小工业企业亏损72838户，比1－8月减少10625户，占规模以上中小工业企业的17.4%，比1－8月份亏损面缩小2.9个百分点。1－11月份中小工业企业亏损总额2332.0亿元，同比下降13.2%。

（九）中小企业数量和吸纳就业人数继续增加

截至11月底，全国规模以上中小工业企业42.0万户，比8月底增加0.7万户，从业人员6497.0万人，比8月底增加139.7万人；全国规模以上非公有制企业37.3万户，比8月底增加0.7万户，从业人员6007.9万人，比8月底增加148.9万人。

二、中小企业发展面临的突出问题

2009年中小企业发展面临的困难和问题还不少，特别是在全球经济复苏过程缓慢曲折，国内经济回升的基础还不稳定、不巩固、不平衡，资源环境约束压力不断加大的情况下，中小企业发展面临诸多问题和困难。

1. 发展环境仍需进一步改善。落实《中小企业促进法》的配套政策尚不完善，部分已出台政策措施落实不到位，一些深层次的体制机制障碍没有根本消除。不重视中小企业的观念和做法在个别地方和领域仍然存在，中小企业进入垄断行业和领域、实现公平准入还存在一些障碍，参与政府采购还比较困难，侵犯中小企业及其职工合法权益的现象仍有发生。

2. 中小企业特别是小企业融资供需矛盾依然突出。中小企业中长期贷款不足，小企业贷款规模和比重仍然过低。贷款抵押品单一，金融产品和服务尚需进一步创新和完善，为中小企业服务的中小银行发展滞后。资本市场发育程度不高，直接融资渠道还需进一步拓宽。

3. 结构调整和转变发展方式困难较大。中小企业中劳动密集型、资源型、加工贸易型和“贴牌”企业数量较多，在当前资源和环境约束明显，经济全球化加速，新兴产业发展步伐加快的形势下，其技术装备和生产工艺落后、结构不合理、产能过剩、资源利用率低、污染环境和管理水平不高等问题更加突出。受资金、人才以及市场等因素影响，中小企业自主调整能力不足，产品和产业调整优化升级难度大。

4. 社会化服务体系还不完善。中小企业创业辅导、管理咨询、法律援助、技术推广以及企业融资、信息、培训等社会服务体系不健全，公益性服务不足。一些服务机构服务功能不完善，服务水平和效率不高，特别是部分提供企业生产经营所必需服务的中介组织，服务意识较差，行为不规范，收费较高。

5. 政府对中小企业的扶持尚需进一步加强。中小企业发展专项资金规模总体偏小，资金使用较为分散，支持领域有限，对小企业支持不足。政府对中小企业的公共服务仍需改善和加强，特别是中小企业统计监测工作还比较薄弱，相关制度还不健全。中小企业社会负担较重，“三乱”现象仍然存在。

中小企业自身也存在一定的不利因素。

一是特色不鲜明。一些企业小而全、小而弱，产品结构雷同，主业不突出。在协作配套生产、劳动密集型产业、服务业等可发挥特色的领域，小企业发展不足；在资源开采、原材料生产等产业集中度要求较高的领域，小企业多而散。特别是一些企业资源利用低、环境污染重、安全隐患多，难以可持续发展。

二是竞争力不强。一些中小企业过度依靠低价竞争，一味拼价格、拼劳力、拼资源、拼土地、拼环境，企业技术和管理水平低，难以在市场竞争中持续经营。

三是中小企业管理水平低，信息不对称。一些中小企业采用家族式管理，业主个人资产与企业资产界限不清，没有标准化的财务信息，存在“假凭证、假账簿、假报表”等现象，使得会计信息严重失真，造成金融机构的信息获取成本较高。

四是部分中小企业的信用意识淡薄。由于自身财务约束力不强，信用意识淡薄，部分中小企业存在逃避银行贷后管理，擅自改变借贷资金用途或逃废债等问题，使信贷资金面临较高的风险。

三、2009年中小企业改革和发展主要工作

2009年，在党中央国务院的领导下，全国中小企业管理部门深入学习实践科学发展观，积极应对国际金融危机挑战，全力推进中小企业和非公经济改革发展，各项工作取得新进展。

（一）落实国务院领导批示精神，研究出台国发36号文件

2009年，温家宝总理，李克强、张德江副总理等国务院领导对中小企业发展情况开展调研并多次做出重要批示，要求抓紧研究扶持中小企业发展的相关政策措施。工业和信息化部在调查研究的基础上，精心组织，制定方案，集中力量开展政策研究。5月份向国务院提交《关于当前中小企业发展情况的报告》，提出扶持中小企业发展的政策建议。按照国务院领导对报告的批示，与发展改革委、财政部、税务总局等部门进行反复沟通，数易其稿。9月21日，国务院正式印发《国务院关于进一步促进中小企业发展的若干意见》（国发〔2009〕36号）。该文件是党中央、国务院应对国际金融危机“一揽子计划”的重要组成部分和《国务院关于鼓励支持和引导个体私营等非公有制经济发展的若干意见》（国发〔2005〕03号）（即“非公36条”）的发展延伸，也是当前和今后较长时期指导中小企业工作的纲领性文件，将中小企业发展提高到战略的高度。成立了以张德江副总理为组长，李毅中部长、谢旭人、肖亚庆为副组长的国务院促进中小企业发展工作领导小组。社会普遍反映，36号文件是近几年来政策最多、最全、最实的文件，含金量高，涉及面广，操作性强。文件的贯彻落实必将为促进中小企业实现又好又快发展发挥重要作用。

（二）全力完成两大报告，各方重视和支持力度增强

一是完成向国务院常务会议的专题汇报。2008年下半年到2009年年初，中小企业反映生产经营困难，工业和信息化部在多次调研后，有针对性地研究提出若干政策建议。先后与国务院18个部门多次讨论，部内专门成立中小企业工作小组。李毅中部长等部领导亲自与各部门领导交换意见，争取扶持政策，取得共识。8月14日，张德江副总理专门听取汇报，进行协调。8月19日，李毅中部长向国务院第77次常务会议进行专题汇报，国务院领导充分肯定中小企业重要作用。会议讨论形成国发36号文件，国务院有关部门加大对中小企业工作的重视和支持力度。

二是完成向全国人大常委会的工作报告。2009年初，全国人大把中小企业工作列入审议专题，要求国务院专题汇报《中小企业促进法》实施近七年的情况。国务院确定报告由工业和信息化部组织落实。工业和信息化部与各部门多次沟通座谈，汇总情况。在统计数据缺失、工作内容繁杂、业务工作交叉的困难条件下，完成了报告准备。12月24日，李毅中部长向人大常委会报告了中小企业情况。

（三）积极落实安排好国家促进中小企业发展的三项资金

一是落实用好中小企业发展专项资金28亿元，资金总规模比上年增长23亿元。重点支持中小企业结构调整、产业升级、专业化发展、促进创业就业、推进产业集聚等技术进步项目和中小企业信用担保机构开展中小企业担保服务业务。其中11亿元支持1038个固定资产投资项目，17亿元支持1089个中小企业信用担保补助项目。

二是安排中小企业服务体系补助资金5000万元，重点支持各类社会化服务机构开展培训、创业、信用、管理咨询以及信息服务等业务。

三是在中央预算内技术改造专项投资用于地方技改项目的120亿元中，有80亿元用于中小企业。之后，又安排30亿元专项用于支持工业中小企业特别是小企业的技术改造，支持2789个工业中小企业技术改造，带动社会投资445亿多元。

（四）制发四个文件，明确工作方向和依据

为缓解中小企业困难，一年来，针对工作难点，先后研究制定4个部文件。一是引导中小企业加强管理，提高抵御风险能力的《关于做好缓解当前生产经营困难，保持中小企业平稳较快发展有关工作的通知》。二是支持中小企业信用担保机构发挥服务功能，支持增加中小企业贷款担保的《关于支持引导中小企业信用担保机构，加大服务力度缓解中小企业生产经营困难的通知》。三是结合近年已有的工作基础，出台《关于开展区域性中小企业产权交易市场试点工作通知》，正式启动产权交易试点工作，为下一步开展多形式的中小企业股权、债权和其他产权交易明确工作依据。四是印发《关于推荐2009年度中

小企业公共（技术）服务示范平台的通知》，明确三年完成300个公共技术服务平台建设目标，提出平台推荐指南，为今后中小企业公共服务体系建设创造条件。

（五）组织五个重要会议和活动，扩大工作影响

一是成功举办第六届中国国际中小企业博览会暨中西中小企业博览会。二是工业和信息化部与中央统战部等五部委共同召开第三届全国非公有制经济人士优秀中国特色社会主义事业建设者表彰大会，授予100名非公有制经济人士和其他新的社会阶层人士“优秀中国特色社会主义事业建设者”荣誉称号，贾庆林主席出席并做重要讲话。三是工业和信息化部与辽宁省人民政府在沈阳市共同主办中国国际中小企业大会。四是组织召开全国中小企业工作经验交流座谈会，总结和推广广东省扶持中小企业发展的经验和做法。五是工业和信息化部与民建中央、辽宁省人民政府联合召开“2009年中国非公有制经济发展高层论坛”。

（六）开展六项重要专题调研，创造工作条件

一是2009年中小企业发展趋势专题调研，形成《2008年中小企业经济运行情况和2009年走势预测以及工作安排》《2009年中小企业重点工作》等报告，为全年工作的开展奠定基础。二是对当前中小企业发展中存在的突出问题开展专题调研，陪同张德江副总理赴浙江调研，形成专题报告上报国务院，温家宝总理，李克强、张德江副总理分别作出重要批示，为研究起草国发36号文提供了重要依据。三是开展《中小企业促进法》贯彻落实情况专题调研，基本摸清《中小企业促进法》实施以来中小企业的发展状况。四是开展“4万亿投资对民企产生挤出效应引发网民担忧”的专题调研，形成《关于调查4万亿投资与民企产生挤出效应的专题报告》上报国务院。五是陪同全国政协副主席王刚、黄孟复、陈宗兴对中小企业发展情况开展调研，为扩大中小企业工作影响，争取各方重视和支持，制定相关政策奠定了基础。六是对中小企业融资现状开展调研，形成《2008年中小企业信用担保业发展情况报告》《当前中小企业融资现状分析和政策建议》等报告，提出缓解中小企业融资难的政策建议。

（七）重点抓好五项工作

1. 落实行业调整和振兴规划，促进中小企业结构调整。

一是参与制定十大行业调整和振兴规划、“十二五”规划。提出一系列支持中小企业发展的长远策略。二是加大技术改造支持力度，共投入121亿元推进中小企业结构调整。引导中小企业技术改造投资近3000亿元。三是促进中小企业集聚发展，印发《关于报送产业集群发展情况，做好产业集群建设工作的通知》，对2000多个中小企业集群进行调查摸底，研究提出促进产业集群发展等支持措施。四是以“两化融合”为重点，继续实施中小企业信息化推进工程。五是落实国家知识产权战略，工业和信息化部与国家知识产权局共同起草《关于实施中小企业知识产权战略推进工程的通知》，研究提出中小企业知识产权战略推进工程实施方案。

2. 缓解中小企业融资难。

一是大力促进信用担保体系建设。2009年安排中央财政资金17亿元对中小企业信用担保机构进行补助；积极指导和推进区域性中小企业再担保机构设立，截至目前已有12个省（市）建立中小企业再担保机构。工业和信息化部与税务总局联合下发《关于中小企业信用担保机构免征营业税有关问题的通知》，汇总评审335家中小企业信用担保机构获得免税资格。组织召开第十届全国中小企业信用担保机构负责人联席会议，总结分析了十年来我国中小企业信用担保业发展情况和存在的主要问题，对下一步工作提出明确要求。

二是进一步改善融资环境。工业和信息化部与工、农、中、建四大银行签订加大中小企业信贷支持的合作框架。配合有关部门积极推动小额贷款公司和村镇银行的设立发展，支持山东、江苏、四川等地搭建多形式中小企业融资服务平台，对符合条件的信用征集、信用评级给予补助。

三是加快建立多层次融资体系。工业和信息化部组织召开区域性中小企业产权交易市场试点工作座谈会。确定在北京、上海、广东等5个省（市）推进区域性中小企业产权交易市场试点。配合证监会，开通创业板市场。积极指导地方中小企业集合发债工作。

3. 完善社会化服务体系，营造良好的发展环境。

一是研究提出中小企业服务平台建设指导意见，大力支持公共服务平台建设。在中小企业发展专项资金中安排1.5亿元支持88个小企业创业环境建设项目；通过对9省（市）66个产业集群的1216家中小企业、81个平台服务机构的调查，完成中小企业公共服务平台建设与需求研究课题，召开中小企业服务体系建设座谈会。在中小企业信息网上开通服务导航栏目，推荐1731多家服务机构信息。举办第七届全国中小企业网上招聘高校毕业生活动，有上万户中小企业和4万多高校毕业生免费发布招聘和求职信息。

二是大力实施中小企业银河培训工程，支持地方和中央的110个培训机构共完成5万多人次的免费集中培训、近10万人次的远程网络培训和20多万人次的信息化培训。各地中小企业管理部门也申请地方财政资金，支持约30万人次的培训。在青岛召开专题会，对培训工作总结交流。支持107家服务机构为3.8万个新办小企业和创业者提供创业服务。工业和信息化部在长沙召开全国创业工作座谈会，总结经验，部署工作。继续对管理咨询给予补助。

三是建立中小企业生产经营运行监测平台，工业和信息化部在南昌组织培训座谈会，对各地统计监测人员进行培训。启动对1000户重点企业的基本情况和生产经营的动态信息数据监测分析。

4. 扶持中小企业开拓国内外市场。

为国务院领导出访，提供中小企业合作领域的相关材料。与欧盟签署《中欧中小企业合作共识文件》。组团出席第16次APEC中小企业部长会议。与德国经济和技术部签订《关于继续开展中国中小企业经营管理人员培训合作备忘录》，经过考试筛选，二批完成50名中小企业经营者赴德培训。9月举办的第六届中博会共促成中小企业合作项目961个，合作金额1240亿元。

5. 改善中小企业和非公有制经济发展的外部环境。

一是建立健全工作协调机制，正式成立国务院促进中小企业发展工作领导小组，形成合力推进中小企业发展的良好局面。二是积极贯彻落实“非公36条”和《国务院关于2009年深化经济体制改革工作的意见》。截至2009年底，中央有关部门和单位相继出台了近50个配套文件。31个省区市已累计出台促进非公有制经济发展的法规及政策性文件近250多件。三是配合财政部研究中小企业政府采购办法。开展中小企业划型标准的修订工作。研究提出国家中小企业发展基金的筹备方案。四是为各项重大活动和会议制定宣传方案。通过在线访谈、召开新闻发布会、媒体见面会等多渠道宣传中小企业政策，国务院新闻办请李毅中部长就进一步促进中小企业发展召开新闻发布会；大力宣传国发36号文件，工业和信息化部与中宣部沟通，研究制定宣传方案，召开媒体见面会。人民日报刊发了李毅中部长解读国发36号文件的专访文章，经济日报、工人日报、新华网、人民网等主流媒体都开辟专栏宣传中小企业政策，配合中央电视台焦点访谈制作一期中小企业专题；朱宏任总工程师就“进一步加大扶持力度，实现中小企业又好又快发展”接受中国政府网专访，在中国政府网与网民直接交流，宣传中小企业政策。

（撰稿：王建翔）

民营企业500家总体发展情况

2009年，我国民营企业迅速复苏，规模、效益、社会贡献等各项指标均出现不同程度的增长。经营规模方面，2009年中国民营企业500家营业收入总额达到47362.66亿元，比2008年增长15.24%；资产总额为38982.28亿元，增长37.99%。企业效益效率方面，民营企业500家的税后净利润、销售净利率、净资产收益率和劳动生产率等指标均出现上涨，在较为宽松的货币政策下，总资产周转率略有下降。社会贡献方面，民营企业500家纳税总额增长速度超过同期全国税收增长近10个百分点，同时吸纳了7.4%的全国新增就业人口。从行业分布看，民营企业500家仍主要分布在以制造业为主的传统竞争行业，但已逐步开始转型升级，进入生物医药、新能源等战略性新兴行业。从地区分布看，民营企业500家主要集中在东部地区，特别是江苏、浙江两省。2009年，国际金融危机依然是影响民营经济发展困难中的首要问题，原材料价格上涨、融资难问题依旧突出，市场需求和人力资源的问题更加凸显。

一、2009年民营企业500家规模持续扩大

民营企业500家入围门槛再次提高。2009年民营企业500家入围门槛从2008年营业收入的29.70亿元提高到36.60亿元，增长了23.23%，首次超过30亿元大关。

2009年民营企业500家营业收入总额为47362.66亿元，户均营业收入为94.73亿元，与2008年相比，增长了15.24%，增速略低于2008年，但远高于2009年上市公司5.35%的营业收入增长率。

2009年民营企业500家收入情况

表1

项目指标		2009年	2008年	增长率（%）
入围门槛（亿元）		36.60	29.70	23.27
营业收入（亿元）	总额	47362.66	41099.01	15.24
	户均	94.73	82.20	

从资产规模看，2009年，民营企业500家的资产总额达到38982.28亿元，户均资产总额为77.96亿元，与2008年相比，增长37.99%。固定资产

10419.55亿元，比2008年增长25.48%；净资产13754.17亿元，比2008年增长29.51%。资产总额的增率大于营业收入的增长速度。

从营业收入的规模分布看，有4家企业营业收入超过500亿元，其中营业收入最多的是沙钢集团，达到1463.13亿元，苏宁集团和联想控股有限公司的营业收入也均超过了1000亿元。伴随着民营企业500家整体规模的壮大，更多的民营企业进入50亿元以上营业收入的区间。

2008—2009年民营企业500家资产情况

表2

项目指标		2009年	2008年	增长率（%）
资产总额（亿元）	总额	38982.28	28250.07	37.99
	户均	77.96	56.5	
固定资产（亿元）	总额	10419.55	8303.63	25.48
	户均	20.84	16.61	
净资产（亿元）	总额	13754.17	10620.04	29.51
	户均	27.51	21.24	

2009年民营企业营业收入排名前20家

表3

	企业名称	所属行业	省、自治区、直辖市	营业收入总额（亿元）
1	江苏沙钢集团有限公司	黑色金属冶炼及压延加工业	江苏省	1463.13
2	苏宁电器集团	批发和零售业	江苏省	1170.03
3	联想控股有限公司	通信设备、计算机及其他电子设备制造业	北京市	1063.75
4	广厦控股创业投资有限公司	建筑业	浙江省	508.51
5	新希望集团有限公司	农、林、牧、渔业	四川省	460.67
6	海航集团有限公司	综合（含投资类、主业不明显）	海南省	456.63
7	江苏雨润食品产业集团有限公司	食品加工与食品、饮料制造业	江苏省	451.49
8	杭州娃哈哈集团有限公司	食品加工与食品、饮料制造业	浙江省	432.04
9	新疆广汇实业投资（集团）有限责任公司	批发和零售业	新疆维吾尔自治区	424.84
10	比亚迪股份有限公司	交通运输设备制造业	广东省	397.65
11	大连万达集团股份有限公司	房地产业	辽宁省	384.83
12	海亮集团有限公司	有色金属冶炼及压延加工业	浙江省	372.61
13	三胞集团有限公司	批发和零售业	江苏省	367.04
14	上海复星高科技（集团）有限公司	综合（含投资类、主业不明显）	上海市	360.92
15	中天钢铁集团有限公司	黑色金属冶炼及压延加工业	江苏省	351.27
16	天津荣程联合钢铁集团有限公司	黑色金属冶炼及压延加工业	天津市	338.79
17	物美控股集团有限公司	批发和零售业	北京市	326.40
18	东方希望集团有限公司	有色金属冶炼及压延加工业	上海市	324.01
19	红星家具集团有限公司	租赁和商务服务业	江苏省	313.00
20	三一集团有限公司	通用设备和专用设备制造业	湖南省	304.25

2008—2009 年民营企业500家营业收入结构表

表4

营业收入总额标准		2009 年	2008 年	增长率（%）
500 亿元以上	企业数量	4	3	33.33
	占500家比重（%）	0.80	0.60	
100 亿~500 亿元	企业数量	122	97	25.77
	占500家比重（%）	24.40	19.40	
50 亿~100 亿元	企业数量	180	153	17.65
	占500家比重（%）	36.00	30.60	
50 亿元以下	企业数量	194	247	-21.46
	占500家比重（%）	38.80	49.40	

从资产规模的分布看，继2008年沙钢后，2009年海航集团资产总额也突破了千亿大关。民营企业500家中资产规模100亿元以上的企业也明显增多，从2008年的65家增长到2009年的95家。在整体规模不断扩大的同时，民营企业500家内部资产差距在2009年被迅速拉大。截至2009年末，前10家民营企业资产总和是后10家民营企业资产总和的19.38倍，比2008年的差距倍数翻了一番。结合资产差距扩大速度快于净资产差距扩大速度的情况以及前10家相对更高的资产负债率数据，2009年相对宽松的货币政策及不同规模企业融资难度的差别很可能是造成资产差距扩大的原因。

2009 年民营企业500家资产排名前20家

表5

	企业名称	所属行业	省、自治区、直辖市	资产总额（万元）
1	海航集团有限公司	综合（含投资类）	海南省	14111779
2	江苏沙钢集团有限公司	黑色金属冶炼及压延加工业	江苏省	13354791
3	联想控股有限公司	通信设备、计算机及其他电子设备制造业	北京市	8726504
4	上海复星高科技（集团）有限公司	综合（含投资类）	上海市	7742436
5	大连万达集团股份有限公司	房地产业	辽宁省	7416528
6	中国泛海控股集团有限公司	房地产业	北京市	5411595
7	雅戈尔集团股份有限公司	服装、鞋帽、皮革制造业	浙江省	4750993
8	东方希望集团有限公司	有色金属冶炼及压延加工业	上海市	4364775
9	浙江新湖集团股份有限公司	综合（含投资类）	浙江省	4329467
10	重庆龙湖企业拓展有限公司	房地产业	重庆市	4250695
11	比亚迪股份有限公司	交通运输设备制造业	广东省	4073560
12	江苏苏宁环球集团	房地产业	江苏省	3800000
13	三一集团有限公司	通用设备和专用设备制造业	湖南省	3777268
14	苏宁电器集团	批发和零售业	江苏省	3583983
15	华峰集团有限公司	化学原料及化学制品制造业	浙江省	3552833
16	江苏雨润食品产业集团有限公司	食品加工与食品、饮料制造业	江苏省	3528478
17	新奥集团股份有限公司	电力、热力、燃气及水的生产和供应业	河北省	3403969
18	内蒙古伊泰集团有限公司	采矿业	内蒙古自治区	3211800
19	新疆广汇实业投资（集团）有限责任公司	批发和零售业	新疆维吾尔自治区	3102303
20	江西赛维LDK太阳能高科技有限公司	电气机械及器材、线缆制造及仪器仪表制造业	江西省	2946496

2008—2009 年不同资产规模区间民营企业 500 家所占比重

表 6

资产总额区间		2009 年	2008 年	增长率（%）
500 亿元以上	企业数量	95	65	46.15
	占 500 家比重（%）	19.00	13.00	
50 亿元～100 亿元	企业数量	121	103	17.48
	占 500 家比重（%）	24.20	20.60	
10 亿元～50 亿元	企业数量	261	298	-12.42
	占 500 家比重（%）	52.20	59.60	
1 亿元～10 亿元	企业数量	23	34	-32.35
	占 500 家比重（%）	4.60	6.80	

二、2009 年民营企业 500 家经营效率、效益显著提升

2009 年民营企业 500 家盈利能力大幅提高，税后净利润达到 2179.52 亿元，户均 4.36 亿元，与 2008 年相比增长 32.84%，平均销售净利率由 2008 年的 3.99% 提高到 4.60%。净资产收益率也从 16.27% 提升为 17.88%。但是，资产净利率与 2008 年相比出现小幅下降，由 5.81% 下降为 5.59%。这主要是由于总资产的增速超过税后净利润的增速。

2008—2009 年民营企业 500 家盈利情况

表 7

项目指标		2009 年	2008 年	增长率（%）
税后净利润（亿元）	总额	2179.52	1640.72	32.84
	户均	4.36	3.28	
销售净利率（%）		4.60	3.99	—
资产净利率（%）		5.59	5.81	—
净资产收益率（%）		17.88	16.27	—

亏损情况方面，2009 年民营企业 500 家中亏损企业数量大幅度减少，亏损程度也有所降低。从亏损面看，2009 年民营企业 500 家中亏损企业为 5 家，占比为 1%，较 2008 年下降 1.2 个百分点。从亏损程度看，2009 年民营企业 500 家中亏损企业户均亏损 34771 万元，较 2008 年下降 3121 万元。可见，我国民营企业已逐步走出金融危机的影响。

2008—2009 年民营企业 500 家亏损企业情况

表 8

年　份	亏损企业数量	亏损总额（万元）	户均亏损（万元）
2009	5	173855	34771
2008	11	416810	37892

从劳动生产率看，2009 年民营企业 500 家平均劳动生产率为 104.68 万元/人，较 2008 年 99.45 万元/人增长了 5.26%。但从资产使用效率看，2009 年民营企业 500 家总资产周转率为 140.89%，较 2008 年的 153.99% 下降了 13.1 个百分点。出现这种情况的主要原因是 2009 年民营企业 500 家资产的迅速扩张，2009 年民营企业 500 家的资产负债率提高到 64.72%，与 2008 年的 62.41% 相比增长 2.31 个百分点。说明民营企业偿债压力有所增加，资产负债率的进一步提高可能影响到企业的长期发展。

2008—2009 年民营企业 500 家运营情况

表 9

项目指标	2009 年	2008 年	增长幅度（%）
总资产周转率（%）	140.89	153.99	-13.1
劳动生产率(万元/人)	104.68	99.45	5.26

三、2009 年民营企业 500 家社会贡献进一步提高

2009 年民营企业 500 家在缴纳税收方面持续增

长。与2008年相比，纳税总额增长19.64%，达到1776.06亿元。同期，全国税收收入增速为9.8%，民营企业500家的纳税总额增速高于2009年全国税收收入增速的一倍，民营企业为我国税收收入增加做出积极的贡献。

2009年民营企业500家吸纳就业继续保持增长，员工人数达到452.46万人，户均吸纳劳动力9049人，比2008年增长9.48%，员工人数增速远远高于2009年全国就业人数0.66%的增速。从新增就业人数看，2009年民营企业500家的新增就业人数占到2009年全国新增就业人数的7.4%。民营企业克服了金融危机带来的各种不利因素，不仅自觉不裁员，还主动承担社会责任，为国家分忧解难，积极创造就业，为我国解决就业、社会和谐稳定做出了积极贡献。

2009年民营企业500家税收和就业情况

表10

项目指标		2009年	2008年	增长率（%）
纳税（亿元）	总额	1776.06	1484.46	19.64
	户均	3.55	2.97	
员工人数（万人）	总额	452.46	413.27	9.48
	户均	0.90	0.83	

四、2009年民营企业500家仍以制造业为主，开始进入战略性新兴行业

2009年，民营企业500家产业格局基本稳定。在民营企业500家中，第一产业入围企业3家，占比0.6%；第二产业入围企业381家，76.20%，第三产业入围企业116家，占比23.2%。其中第二产业营业收入占比达到72.84%，资产总额为55.65%，均占到整体规模的一半以上，产业间不均衡态势明显。但我们也要看到，第三产业虽然占比相对较低，但相对2008年出现了10%以上的增长，民营企业向现代服务业发展的趋势非常明显。

2009年民营企业500家产业分布情况

表11 单位：家

项目	2009年	2008年	增长率（%）
第一产业	3	6	-50.00
第二产业	381	389	-2.06
第三产业	116	105	10.48

从行业分布看，2009年民营企业500家的行业分布仍然延续了往年的特征，建筑业，黑色金属、有色金属冶炼及压延加工业，批发零售业，电气机械及器材、线缆制造及仪器仪表制造业，纺织业、化学纤维制造业入围企业数量分别为67家、63家、51家、44家、35家，占据入围行业的前五位。制造业仍在民营企业500家中占据主导地位。从这几年的数据来看，前几位的行业变化不大，大型民营企业仍集中在这些放开较早，竞争充分的传统行业当中。但是，一些大型民营企业开始积极转型，越来越多地涉及到战略性新兴产业的开发经营上。例如，根据调研数据，民营企业500家中已有36家企业涉及生物医药产品的开发利用，有26家企业涉及太阳能、风力发电相关产品，以及新型电池等新能源相关产业。

从行业规模看，2009年，营业收入规模前5位的行业依次为黑色金属、有色金属冶炼及压延加工业，批发和零售业，建筑业，电气机械及器材、线缆制造业及仪器仪表制造和纺织、化学纤维制造业，与2008年的情况完全一致，其营业收入总额占全部500家企业的53.4%，比2008年的54.3%略有下降。从营业收入的户均增长率看，租赁和商务服务业，采矿业，通信设备、计算机及其他电子设备制造业的增长率最高。

2009年民营企业500家分行业规模指标

表12

所属行业	入围家数	营业收入总额（万元）	资产总额（万元）	员工人数（人）	净利润（万元）
建筑业	67	48124327	27357112	1318533	1220057
黑色金属、有色金属冶炼及压延加工业	63	78533369	53575438	315447	2315550
批发和零售业	51	59615296	24194383	333836	1219289
电气机械及器材、线缆制造及仪器仪表制造业	44	35203302	22178577	259790	1530367
纺织业、化学纤维制造业	35	31274029	21804085	260517	1104619
综合（含投资类、主业不明显）	28	29436332	44253093	305416	1727190

续表

所属行业	入围家数	营业收入总额（万元）	资产总额（万元）	员工人数（人）	净利润（万元）
交通运输设备制造业	27	23326500	23593711	333391	1528732
房地产业	26	21887161	44888080	174800	2300648
化学原料及化学制品制造业	25	22179354	22063440	116658	1055364
食品加工与食品、饮料制造业	23	19836370	13297407	192662	1693041
医药制造业	13	12776769	8887316	143224	821526
通用设备和专用设备制造业	12	10032375	11843982	103409	1065789
金属制品业	12	6878468	5386155	77043	353078
通信设备、计算机及其他电子设备制造业	11	16982328	13002165	45308	409659
服装、鞋帽、皮革制造业	10	9539017	8537282	161002	836410
造纸及纸制品、印刷业、文教体育、办公用品制造业	8	6659590	8444785	64713	502408
石油加工、炼焦加工业	8	6074555	3463686	28047	270577
非金属矿物制品业（含水泥、玻璃、陶瓷、耐火材料等）	8	5504877	6285075	71317	343941
租赁和商务服务业	6	7366235	3656179	32842	175490
橡胶制品、塑料制品业	6	3591416	3383176	31447	211175
采矿业	4	4076603	5101672	15258	574391
农、林、牧、渔业	3	7617591	3823324	27019	243513
金融、保险业	2	1412016	3577752	43953	21648
工艺品及其他制造业	2	874553	332266	11014	28300
电力、热力、燃气及水的生产和供应业	2	2513677	4093365	27021	178328
住宿、餐饮业	1	432658	1128638	14000	28358
信息传输、计算机服务和软件业	1	485431	390734	3990	3408
木材加工及木、竹、藤、棕、草制品、家具制造业	1	1025379	923110	12506	21702
交通运输、仓储业和邮政业	1	367068	356789	427	10592
总计	500	473626646	389822777	4524590	21795150

行业盈利能力方面，2009年所有行业均实现盈利，其中，黑色金属、有色金属冶炼及加工压延加工业的税后净利润继续保持最高，达到231.55亿元。从销售净利率来看，2009年采矿业，通用设备和专用设备制造业，房地产业是民营业企业500家销售净利率最高的三个行业，分别为14.09%、10.62%和10.51%，其中后两个行业相比2008年略有增长。民营企业最集中的建筑业，黑色金属、有色金属冶炼及压延加工业，批发和零售业行业，由于竞争激烈，销售净利率并不是很高。

2009年民营企业500家分行业效益、效率指标

表13

所属行业	销售净利率（%）	资产净利率（%）	劳动生产率（万元/人）	总资产周转率（%）
建筑业	2.54	4.46	36.50	175.91
黑色金属、有色金属冶炼及压延加工业	2.95	4.32	248.96	146.58
批发和零售业	2.05	5.04	178.58	246.40

续表

所属行业	销售净利率（%）	资产净利率（%）	劳动生产率（万元/人）	总资产周转率（%）
电气机械及器材、线缆制造及仪器仪表制造业	4.35	6.90	135.51	158.73
纺织业、化学纤维制造业	3.53	5.07	120.05	143.43
综合（含投资类、主业不明显）	5.87	3.90	96.38	66.52
交通运输设备制造业	6.55	6.48	69.97	98.87
房地产业	10.51	5.13	125.21	48.76
化学原料及化学制品制造业	4.76	4.78	190.12	100.53
食品加工与食品、饮料制造业	8.54	12.73	102.96	149.17
医药制造业	6.43	9.24	89.21	143.76
通用设备和专用设备制造业	10.62	9.00	97.02	84.70
金属制品业	5.13	6.56	89.28	127.71
通信设备、计算机及其他电子设备制造业	2.41	3.15	374.82	130.61
服装、鞋帽、皮革制造业	8.77	9.80	59.25	111.73
造纸及纸制品、印刷业、文教体育、办公用品制造业	7.54	5.95	102.91	78.86
石油加工、炼焦加工业	4.45	7.81	216.58	175.38
非金属矿物制品业（含水泥、玻璃、陶瓷、耐火材料等）	6.25	5.47	77.19	87.59
租赁和商务服务业	2.38	4.80	224.29	201.47
橡胶制品、塑料制品业	5.88	6.24	114.21	106.16
采矿业	14.09	11.26	267.18	79.91
农、林、牧、渔业	3.20	6.37	281.93	199.24
金融、保险业	1.53	0.61	32.13	39.47
工艺品及其他制造业	3.24	8.52	79.40	263.21
电力、热力、燃气及水的生产和供应业	7.09	4.36	93.03	61.41
住宿、餐饮业	6.55	2.51	30.90	38.33
信息传输、计算机服务和软件业	0.70	0.87	121.66	124.24
木材加工及木、竹、藤、棕、草制品、家具制造业	2.12	2.35	81.99	111.08
交通运输、仓储业和邮政业	2.89	2.97	859.64	102.88

五、民营企业500家地区分布不均衡趋势更加明显

从区域分布情况看，2009年，东部地区民营企业的入围家数为405家，在民营企业500家中所占的比重为81%，相对2008年提升2个百分点。东部地区企业资产、收入规模也占到500家总规模的八成左右。同时，东部地区企业盈利能力得到进一步增强，销售净利率从3.88%上升到4.49%。西部地区尽管入围企业数量有所下降，但是收入规模、资产规模占民营企业500家的比重却有所上升。同时，西部企业盈利能力进一步提升，销售净利率从2008年的4.06%上升到2009年的6.07%，说明西部地区的民营企业经过优胜劣汰，竞争力呈现上升趋势。值得注意的是，中部地区、东北部地区入围企业数量、企业效益均出现不同程度下滑，中部地区2009年入围民营企业500家的家数为44家，相比2008年减少4家，东北部地区为17家，相比2008年减少3家，两个地区入围企业的销售净利率均出现不同程度的下降。

2009 年民营企业 500 家地区分布

表 14

地区		入围家数		收入规模（亿元）		资产规模（亿元）	
		2009 年	2008 年	2009 年	2008 年	2009 年	2008 年
东部	企业数量	405	395	39057.35	33852.94	30796.18	22232.09
	占 500 家比重（%）	81.00	79.00	82.46	82.37	79.00	78.70
中部	企业数量	44	48	3077.73	2862.08	2538.60	2094.11
	占 500 家比重（%）	8.80	9.60	6.50	6.96	6.51	7.41
西部	企业数量	34	37	3761.76	3126.73	3686.70	2621.79
	占 500 家比重（%）	6.80	7.40	7.94	7.61	9.46	9.28
东北	企业数量	17	20	1465.82	1257.25	1960.81	1302.07
	占 500 家比重（%）	3.40	4.00	3.09	3.06	5.03	4.61

2008—2009 年民营企业 500 家各地区经营效益情况

表 15

地区	销售净利率（%）		总资产周转率（%）	
	2008 年	2009 年	2008 年	2009 年
东部	4.49	3.88	147.31	160.75
中部	3.58	3.91	132.87	142.50
西部	6.07	4.06	119.26	141.05
东北	5.89	7.08	89.85	89.44

从民营企业的省市分布情况看，2009 年民营企业 500 家涵盖了我国内地 26 个省、市、自治区，但在分布上极不平衡，浙江、江苏由于其市场化发育程度较高，民营经济较为发达，500 家企业的入围数量遥遥领先于其他全国其他地区，两省累计占 500 家家数的比重达到 61.8%，相比 2008 年提高了 2.6 个百分点。此外，山东、上海、广东等经济发达地区的入围民营企业数量也位居前列。

2009 年民营企业 500 家省市分布

表 16

序号	省（区、市）	企业数	占 500 家比重（%）	营业收入总额（亿元）	占 500 家比重（%）	资产总额（亿元）	占 500 家比重（%）
1	浙江省	180	36.00	14138.22	29.85	10185.44	26.13
2	江苏省	129	25.80	14913.35	31.49	10392.64	26.66
3	山东省	36	7.20	2450.52	5.17	1783.33	4.57
4	上海市	19	3.80	2184.45	4.61	2241.45	5.75
5	湖北省	16	3.20	962.65	2.03	678.77	1.74
6	广东省	13	2.60	1324.27	2.80	1133.22	2.91
7	四川省	11	2.20	1430.88	3.02	980.92	2.52
8	辽宁省	10	2.00	912.04	1.93	1384.89	3.55
9	天津市	9	1.80	1009.79	2.13	627.23	1.61
10	北京市	9	1.80	1861.82	3.93	1989.96	5.10

续表

序号	省（区、市）	企业数	占500家比重（%）	营业收入总额（亿元）	占500家比重（%）	资产总额（亿元）	占500家比重（%）
11	重庆市	9	1.80	763.13	1.61	1071.78	2.75
12	河南省	8	1.60	516.66	1.09	465.34	1.19
13	安徽省	6	1.20	300.28	0.63	126.96	0.33
14	湖南省	6	1.20	642.06	1.36	518.63	1.33
15	内蒙古自治区	6	1.20	628.97	1.33	963.71	2.47
16	河北省	5	1.00	444.98	0.94	480.03	1.23
17	黑龙江省	5	1.00	368.45	0.78	479.49	1.23
18	山西省	5	1.00	311.85	0.66	241.87	0.62
19	海南省	3	0.60	560.83	1.18	1730.89	4.44
20	江西省	3	0.60	344.23	0.73	507.04	1.30
21	陕西省	3	0.60	300.05	0.63	210.93	0.54
22	云南省	3	0.60	154.82	0.33	101.58	0.26
23	吉林省	2	0.40	185.32	0.39	96.43	0.25
24	福建省	2	0.40	169.13	0.36	231.99	0.60
25	宁夏回族自治区	1	0.20	59.08	0.12	47.55	0.12
26	新疆维吾尔自治区	1	0.20	424.84	0.90	310.23	0.80
	总计	500	100.00	47362.66	100.00	38982.28	100.00

六、国际金融危机仍是影响民营企业500家发展最主要外部因素

2008年开始席卷全球的国际金融危机极大的冲击了中国民营企业，虽然2009年民营企业500家发展迅速，各项指标均出现大幅度上扬，但金融危机的影响依然是民营经济发展困难中的首要问题。此外，原材料价格上涨、融资难问题依旧突出，市场需求和人力资源的问题也更加凸显。相对而言，由于2009年国家结构性减税政策的推进和其他推动民营经济发展政策的出台、落实，税费负担，权益保护，政府沟通等方面的困难都呈现明显的下降趋势。值得一提的是，选择劳动关系是影响民营企业发展主要问题的企业数量由2008年的51家下降为40家，说明经过一段时间的理解、消化，《劳动合同法》带来的冲击正逐步减小，大型民营企业越来越适应规范化的用工制度。

2009年民营企业500家面临的主要问题

表 17

问题	企业数量
金融危机	270
原材料成本	226
市场需求	178
人力资源	171
融　资	146
税费负担	138
地方保护	59
劳动关系	40
政府沟通	29
执法环境	29
治理结构	20
舆论环境	19
权益保护	17

全社会固定资产投资情况概述

2009 年，随着中央扩大内需、增加投资一揽子计划的逐步实施，全社会固定资产投资实现快速增长，新开工项目大量增加，投资资金供应充足，投资地区结构和产业结构得到改善。固定资产投资在克服国际金融危机影响，促进国民经济回升向好并实现较快增长中发挥了重要作用，成为经济增长的主要推动力。

一、投资快速增长

2009 年，全社会固定资产投资 224846 亿元，比上年增长 30.1%，增幅同比提高 4.2 个百分点，扣除价格因素，实际增长 33.3%，为 1981 年以来最快增速。其中，城镇固定资产投资 194139 亿元，比上年增长 30.5%，增幅提高 3.9 个百分点，占全社会固定资产投资总额的 86.3%，比重比上年提高 0.3 个百分点；农村固定资产投资 30707 亿元，比上年增长 27.5%，增幅提高 6.2 个百分点，所占比重为 13.7%，比上年下降 0.3 个百分点。

从年内运行情况看，在政府投资的带动下，2009 年各月投资增速均显著快于 2008 年同期水平。总体上，投资增速呈前高后低态势，上半年全社会投资同比增长 33.5%，下半年增长 27.9%；上半年城镇投资同比增长 33.6%，下半年增长 28.5%。

从地区运行情况看，中、西部地区投资增速快于东部地区。在城镇固定资产投资中，东部地区投资 89282 亿元，比上年增长 23.9%，增幅同比提高 2 个百分点，占全国城镇投资 46.0%，比重同比下降 2.4 个百分点；中部地区投资 54630 亿元，比上年增长 36%，增幅提高 2.5 个百分点，所占比重为 28.1%，提高 1.1 个百分点；西部地区投资 44276 亿元，比上年增长 35%，增幅提高 7.8 个百分点，所占比重为 22.8%，提高 0.8 个百分点。

从产业运行情况看，第一产业投资增速快于第二、三产业。在城镇固定资产投资中，第一产业投资 3373 亿元，比上年增长 49.9%，增幅同比回落 4.2 个百分点，占城镇投资总额 1.7%，比重同比提高 0.2 个百分点；第二产业投资 82277 亿元，比上年增长 26.8%，增幅回落 0.9 个百分点，所占比重为 42.4%，下降 1.5 个百分点；第三产业投资 108489 亿元，比上年增长 33.0%，增幅提高 7.8 个百分点，所占比重为 55.9%，提高 1.3 个百分点。

从投资资金来源情况看，政府投资和银行贷款增加较多。2009 年，城镇固定资产投资到位资金 218279 亿元，比上年增长 37.6%，增幅比上年提高 16.3 个百分点。其中，国内贷款增长 47.7%，增幅提高 32.7 个百分点；国家预算内资金增长 53.7%，增幅提高 18.7 个百分点；自筹资金增长 30.6%，增幅回落 0.7 个百分点；其他资金增长 62.2%，上年为下降 3.7%；利用外资下降 15.8%，2008 年为增长 3.2%。

从项目投资情况看，新开工项目计划总投资高速增长。2009 年，全国施工项目 461544 个，同比增加 102331 个；其中，新开工项目 344769 个，同比增加 87694 个。施工项目计划总投资 420141 亿元，同比增长 32.3%；其中，新开工项目计划总投资 151942 亿元，同比增长 67.2%。新开工项目占施工项目计划总投资 36.2%，比重同比提高 7.6 个百分点。

二、政府投资大幅增加

从 2008 年第四季度开始，为应对国际金融危机的冲击，中央政府果断实施积极的财政政策，扩大政府投资的力度，增强投资拉动经济增长的力度和作用，计划两年内投资 1.18 万亿元，带动地方政府和社会投资共 4 万亿元。在外部需求严重萎缩、企业投资信心和投资意愿普遍低迷的情况下，大规模增加政府投资，是应对国际金融危机、弥补有效需求不足最直接、最有力、最有效的手段。

2009 年，中央政府公共投资实际支出 9243 亿元，完成预算 101.8%，比 2008 年预算增加 5038 亿元；其中，保障性住房、农村民生工程、社会事业投资占 44%，自主创新、结构调整、节能减排和生态建设占 16%，重大基础设施建设占 23%，灾后恢复重建占 14%。与此同时，认真落实结构性减税政策，在全国范围内实施增值税改革和成品油税费改革，多次调整部分商品的进出口关税政策，取消和停征 100 项行政事业性收费，共减免企业和居民负担约 5000 亿元。

在政府投资的直接带动下，全社会投资大幅增加，迅速拉动了市场需求，有效弥补了出口回落较快和内需不旺的影响，并带动了民间投资，加强了经济社会发展的薄弱环节。实行结构性减税，减轻企业居民负担，有力地促进了企业扩大投资、拉动居民消费，对抵御金融危机冲击发挥了重要作用，有力地促进了经济回升向好。

三、农业综合生产能力建设步伐加快

2009 年，中央政府认真落实各项强农惠农政策，进一步加大对“三农”的投入力度，调整优化支出结构，大力提高农业综合生产能力，创造促进农业稳定发展的良好环境，调动和保护农民种粮积极性。地方财政也不断加大投入，为夯实农业基础、促进农村经济社会发展和农民持续增收发挥了重要作用。

全年，中央财政预算安排“三农”支出达7161.4亿元，比上年增加1205.9亿元，投入规模创历史新高，主要用于保障主要农产品有效供给、提高农业综合生产能力、发展农村社会事业等方面。其中，中央财政安排粮食直补、农资综合补贴、良种补贴、农机具购置补贴四项补贴1230.8亿元，用于农业生产方面的支出2642.2亿元，用于农村社会事业发展方面的支出2693.2亿元。

在国家各项强农惠农政策的支持下，2009年我国农业农村经济形势总体好于预期。农业生产能力继续提高，全年全国粮食总产量达10616亿斤，再创历史新高，连续6年增产，是新中国成立以来首次连续三年稳定在1万亿斤以上；油料产量增长3%以上；蔬菜、水果、肉、蛋、奶、水产品等其他农产品也稳定发展，保障了国家粮食安全和主要农产品有效供给。农业农村基础建设不断强化，2000多万农民实现了饮水安全，20多万公里的路通了车，10万多公里线路通电。农村民生得到改善，农民人均纯收入首次突破5000元大关，实际增长6%以上。

四、基础设施投资对固定资产投资拉动作用增强

2009年，城镇固定资产投资重点投入基础产业和基础设施，继续控制各种影响结构调整、浪费能源资源、破坏生态环境和产能过剩行业的投资。基础设施行业投资对固定资产投资的拉动作用显著增强。“交通运输、仓储和邮政业”对固定资产投资的拉动作用2003年至2008年始终稳定在2到3个百分点左右，2009年跃升到7个百分点左右；“水利、环境和公共设施管理业”对固定资产投资的拉动作用也从2个百分点左右跃升到4.6个百分点。

全年，基础设施（不包括电力、燃气及水的生产与供应）投资41913亿元，比上年增长44.3%，增幅比上年提高20个百分点。其中，铁路运输业投资增长67.5%，增幅提高4.1个百分点；道路运输业投资增长40.1%，增幅提高33.1个百分点；公共设施管理业投资增长42.6%，增幅提高9个百分点；水利管理业投资增长52.2%，增幅提高23.7个百分点；环境管理业投资增长65.2%，增幅提高41.9个百分点。

基础设施建设的投资加大，刺激了市场需求，增加了就业机会，使高铁、高速公路等领域建设取得突破性进展，为促进经济企稳回升发挥了重要作用，同时也增强了国民经济发展后劲和可持续发展水平。

五、科技投入力度进一步加大

2009年，围绕转变经济增长方式、加快经济结构调整，国家坚定不移地加大科技投入力度，积极推进科技创新工作。国家财政科技支出为2581.8亿元，比上年增加468.3亿元，增长22.2%，占国家财政支出的比重为4.12%。其中，中央财政科技支出1285.2亿元，增长23.2%；地方财政科技支出1296.6亿元，增长21.1%。

全国研究与试验发展（R&D）经费总支出为4616亿元，比上年增加905.8亿元，增长24.4%，与国内生产总值（GDP）之比达到1.47%，再创历史最高水平。按R&D活动人员（全时当量）计算的人均经费支出为23.5万元，比上年增加了2.1万元。从活动类型看，基础研究经费支出为220.8亿元，比上年增长26.5%；应用研究经费支出为575.2亿元，增长16.7%；试验发展经费支出为3820.0亿元，增长25.5%。基础研究、应用研究、试验发展经费支出所占比重分别为4.8%、12.5%和82.8%。从执行部门看，企业经费支出为3381.7亿元，比上年增长26.1%；政府部门属研究机构经费支出811.3亿元，增长17.9%；高等学校经费支出390.2亿元，增长24.0%。企业、政府部门属研究机构、高等学校经费支出占全国总支出的比重分别为73.3%、17.6%和8.5%。

科技投入的加大，使高技术研究及产业化发展较快，科技对经济社会发展的促进作用进一步增强。2009年，载人航天技术、运载火箭及卫星技术等航天高技术，两系法杂交水稻，基因工程药物，转基因动植物，重大疾病的相关基因测序和诊断治疗，高清晰度电视，“天河一号”计算机，大尺寸单晶硅材料，皮肤干细胞再生技术等重大成就的取得，使我国在相应领域跃入世界先进行列。工业科技创新提升了重点产业技术水平，数字程控交换机、氧煤强化炼铁技术、镍氢电池、集成电路、非晶材料、重大成套技术装备的设计和制造等产业化获得一系列重大成果。科技进步和技术创新使我国劳动效率进一步提高，社会生活信息化水平大幅提高。2009年全社会劳动生产率3.2万元/人，比上年提高0.2万元/人；百户居民计算机拥有量24.8台，比上年增长14.1%；国际互联网络用户数29800万户，比上年增长41.9%。

六、节能减排和环境保护工程建设积极推进

2009年，针对我国人均资源相对紧缺、环境承载能力较弱，节能减排和环境保护任务十分艰巨的国情，国家继续加大投资力度，健全节能、环保各项政策，坚持不懈地突出重点领域，推动节能减排和环境

保护工作。各地区、各部门根据国家的总体部署，认真落实各项政策措施，节能减排和环境保护工作取得积极进展。

2009 年，中央财政增加节能减排投入，安排资金 495 亿元，重点支持十大重点节能工程建设、循环经济发展、淘汰落后产能、城镇污水处理设施及配套管网建设、重点流域水污染治理，以及节能环保能力建设。全年环境保护支出 1236.62 亿元，占到中央财政支出总额的 2.8%，比 2008 年增加 196.32 亿元，增长 18.9%。

节能减排投资力度的加大，使能源节约使用和环境保护各项工作取得重要进展。能源利用效率有所提高，全年综合能耗产出率为 9.1 元/千克标准煤，比上年提高 0.5 元/千克标准煤。全国新增污水处理能力 1330 万吨/日，全国污水处理能力首次超过 1 亿吨/日；新增燃煤脱硫机组装机容量 1.02 亿千瓦。环境质量有较大改善，废水中化学需氧量排放量比上年下降 4.4%；二氧化硫实际排放量比上年减少 146.9 万吨，降幅达 6.0%。环境污染治理取得明显效果，工业废水排放总量比上年减少 49982.3 万吨，排放达标率由上年的 91.7% 上升至 92.4%；固体废物综合利用率由上年的 62.8% 上升至 64.9%。

七、民生工程投资快速增长

2009 年，各级政府把改善民生和加快发展社会事业摆在更加突出的位置，以农村、中西部等薄弱环节为重点，进一步加强覆盖城乡居民的社会公共服务体系建设，加大重大民生工程实施力度，大力发展社会服务产业，着力提高基本公共服务均等化水平，扩大对教育、卫生、文化等社会事业的投资。

中央扩大内需投资中，用于民生工程的投资占比超过 50%，主要投向农村水电路气基础设施和教育卫生等惠民工程，多数关系民生的行业投资均呈现快速增长的态势。其中，居民服务和其他服务业投资比上年增长 61.8%，增幅比上年提高 29.2 个百分点；卫生、社会保障和社会福利业投资增长 58.5%，增幅提高 26.8 个百分点；租赁和商务服务业投资增长 50.4%，增幅提高 4.6 个百分点；科学研究、技术服务和地质勘查业投资增长 48.5%，增幅提高 10.8 个百分点；文化、教育和娱乐业投资增长 47.4%，增幅提高 20.3 个百分点。

投资大幅增加推动了社会事业的发展，进一步保障和改善了民生。2009 年，改造全国中小学校舍 1.2 亿平方米，约 470 万名高校和 1120 万名中等职业学校学生受益于家庭经济困难学生资助政策。全年累计实现新增就业 1102 万人。新型农村合作医疗参合人数达到 8.3 亿人，城镇居民基本医疗保险参保人数达到 1.8 亿人，财政补助标准提高到人均 80 元。30% 的基层医疗机构实施基本药物制度。2.9 万所乡镇卫生院、5000 所中心乡镇卫生院建设得到支持，基层医疗卫生服务能力增强。320 个县开展新型农村社会养老保险试点，推动我国社会保障制度建设迈出历史性步伐。城乡低保月人均财政补助标准分别增加 15 元、10 元，部分优抚对象等人员抚恤和生活补助标准进一步提高。7570 万城乡低保对象、农村五保供养对象和优抚对象等人员获发一次性生活补贴。

八、房地产投资平稳健康发展

2009 年，随着国家扩大内需政策逐步发挥作用，全国房地产市场在经历了短暂的调整之后出现快速反弹。房地产开发投资增速逐月加快，房地产建设规模逐步恢复，商品房销售市场持续升温，房地产信贷的快速增长以及销售的迅速回暖为房地产开发投资增长提供了充裕的资金来源。

全年房地产开发投资 36232 亿元，比上年增长 16.1%，增速同比减缓 4.8 个百分点。其中，商品住宅投资 25619 亿元，增长 14.2%；办公楼投资 1378 亿元，增长 18.1%；商业营业用房投资 4172 亿元，增长 24.4%。分地区看，东、中、西部地区投资分别为 21101 亿元、7939 亿元和 7192 亿元，增长 12.3%、24.6% 和 19%，增速同比减缓 4.8、7.1 和 3.7 个百分点。31 个省份房地产开发投资均比上年增长，23 个省份增速达到两位数，其中增速较快的山西省、海南省、青海省分别增长 46.1%、44.3% 和 42.3%。

2009 年，房地产开发企业本年资金来源 57128 亿元，比上年增长 44.2%。其中，国内贷款 11293 亿元，增长 48.5%；利用外资 470 亿元，下降 35.5%；企业自筹资金 17906 亿元，增长 16.9%；其他资金 27459 亿元，增长 71.9%。在其他资金中，定金及预收款 15914 亿元，增长 63.1%；个人按揭贷款 8403 亿元，增长 116.2%。

2009 年，全国房地产开发企业房屋施工面积 31.96 亿平方米，比上年增长 12.8%；房屋新开工面积 11.54 亿平方米，增长 12.5%；房屋竣工面积 7.02 亿平方米，增长 5.5%。全国商品房销售面积 93713 万平方米，比上年增长 42.1%。其中，商品住宅销售面积增长 43.9%；办公楼销售面积增长 30.8%；商业营业用房销售面积增长 24.2%。商品房销售额 43995 亿元，比上年增长 75.5%。其中，商品住宅销售额增长 80.0%，办公楼和商业营业用房销售额分别增长 66.9% 和 45.5%。

九、汶川地震灾区恢复重建快速实施

为尽快推进汶川地震灾后恢复重建，党中央和国务院有效调动各方面的力量，建立了对口支援机制。全国19个省市对口支援四川省18个重灾县市和甘肃、陕西两省灾区，要求以三年为期限，按支援省市上年地方财政收入的1%对口支援实物工作量。按照中央“力争两年内基本完成原定三年目标任务”的要求，援建省市和灾区及时调整灾后重建年度计划，加快重建项目建设，灾区生产生活秩序得到较快恢复。

截至2009年12月底，纳入国家灾后重建规划的项目累计开工28021个，占重建任务的94.3%，完工项目21874个，占重建任务的73.6%，完成投资6545亿元，占规划总投资的65.5%。坚持民生优先，农村住房、城镇住房、学校、医疗卫生等项目加快推进，分别完成规划投资的99.1%、77.5%、86.9%、76.3%。交通重建项目全部开工，完成规划投资的32.5%，水利重建项目开工85%，完成规划投资的26.8%。北川、汶川、青川3个县城和映秀、汉旺等35个城镇恢复重建全面启动。对口支援成效显著，18个对口支援省市确定对口支援项目3105个、援建资金697.3亿元，到位资金413.9亿元；港澳特区政府确定援助项目291个、援助资金126.9亿元，到位资金41.2亿元。

在国家的大力支持，全国人民的无私援助，灾区干部群众的艰苦奋斗下，灾区经济加快恢复发展。184个农村建设恢复重建项目全部开工，97.6%的规模以上受灾工业企业实现复产，商贸流通和服务业网点基本实现全面恢复营业，旅游业恢复发展超过震前水平，遭受重大创伤的灾区呈现出崭新面貌。

十、投资管理体制改革稳步推进

2009年，为适应市场经济体制不断完善发展的需要，适应保增长、扩内需、调结构的宏观调控目标要求，更好地发挥投资对经济社会发展的推动作用，投资管理部门努力推进投资管理体制改革，抓紧对重大问题的研究，取得积极进展。

为提高社会资金能力、激发投资者的积极性，同时也为了缓解地方政府配套资金困难、保证新增中央投资项目的顺利实施，5月份国务院下发了《关于调整固定资产投资项目资本金比例的通知》，较大幅度降低了投资项目资本金比例的总体水平，在重点降低基础设施、基础产业、民生工程等项目资本金比例的同时，根据有保有压、区别对待的原则，提高了“两高一资”等项目的资本金比例，有利于抑制盲目重复建设、防止产能过剩、促进节能减排和加强环境保护，推动经济结构调整和经济增长方式转变。同时，对中央补助地方的点多、面广、单项资金少的项目，改变中央投资直接安排到具体项目的管理方式，按照“转变职能、下放权限、明确责任、强化管理”的原则，充分发挥地方政府的积极作用，实行中央下达投资规模计划、地方安排具体项目、责任更加明确、管理更加完善的管理方式。

2009年，在积极改进投资管理工作的同时，有关部门还以投资立法工作为重点，努力推进重大问题研究，研究制定鼓励和引导民间投资的政策措施，起草政府投资管理和企业投资项目核准、备案管理条例等规章制度，更好地发挥投资对经济发展的拉动和引导作用。

（撰稿：左刚）

高技术产业发展情况

一、2009年高技术产业发展的总体情况

我国高技术产业由于外向度高、产业规模大，在本次金融危机中受到明显影响。在党中央、国务院扩大内需一揽子政策的带动下，高技术产业积极扩大国内需求，逐步恢复生产，全年高技术制造业实现总产值60914.7亿元，同比增长5.16%；增加值增长7.73%；高技术产品出口全年累计实现出口3769.1亿美元，同比下降9.3个百分点，但从11月开始止跌回升，12月单月同比增长40.7%；2009年1—11月高技术产业完成销售51426.85亿元，实现利润2432.81亿元，同比分别增长2%、6%；全行业累计完成投资5242.8亿元，同比增长18.6%，约占2009年全国制造业总投资的9%。电信业在综合资费水平下降9%的情况下，主营业务收入仍增长了3.9%，到达8424亿元。软件产业收入9513亿元，同比增长25.6%，出口185亿美元，同比增长14%。

主要表现为以下几方面特点：

一是全年高技术产业先抑后扬特征明显。2009年上半年，我国高技术产业受金融危机影响明显。2009年前两个月，高技术制造业总产值同比下降8.4%，增加值下降3.2%，销售收入下降10.3%，利润下降55%，出口下降21.1%。下半年，随着扩内需政策的效果逐步显现，高技术产业发展呈现出了明显的回升势头。7月，高技术制造业生产总值开始实现正增长，此后逐月好转，12月单月生产总值增幅达到22%；11月企业销售收入、利润、高新技术产品出口全部转正，分别达到2%、5.1%和14%。

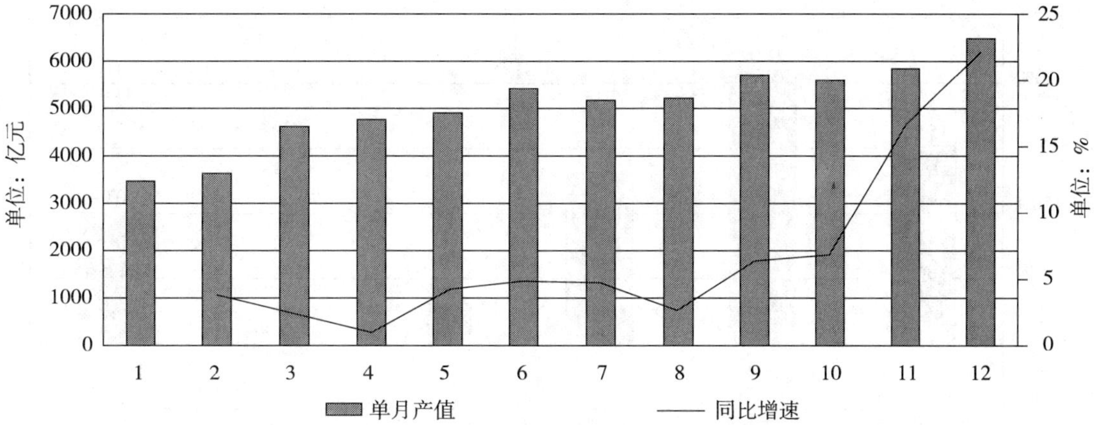

图 1　2009 年各月高技术制造业产值及同比增速

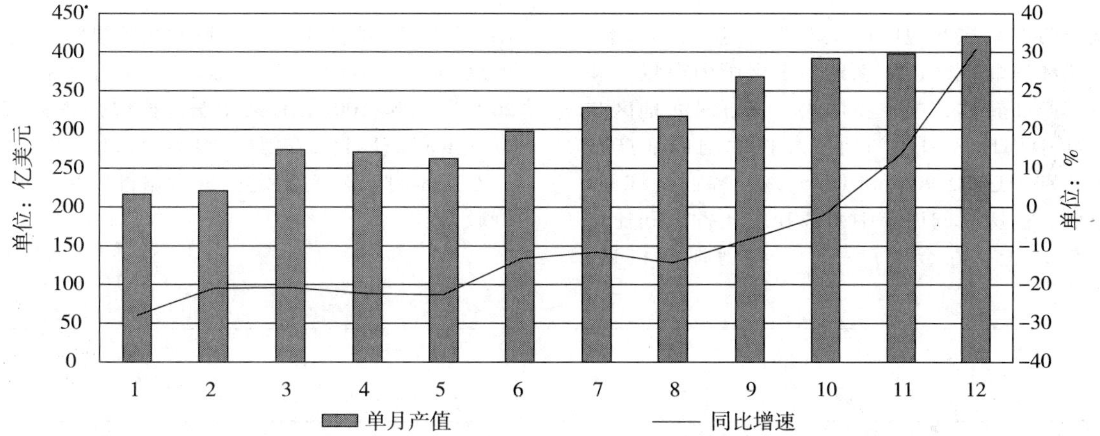

图 2　2009 年各月高技术产品出口金额及同比增速

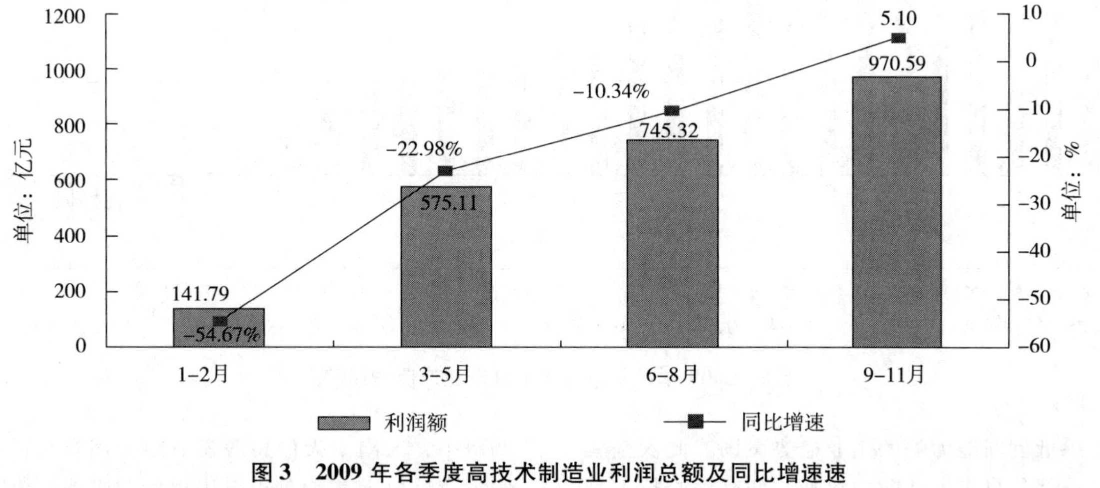

图 3　2009 年各季度高技术制造业利润总额及同比增速速

二是新兴产业成为支撑产业增长的重要力量。生物医药、航空航天、软件等新兴产业快速增长，成为支撑我国高技术产业快速恢复的主要动力。2009 年我国医药制造业总产值同比增长 21%，航空航天产业增长 13%，软件产业增长 25.6%。除电子信息外的新兴产业占高技术制造业的比重由 2008 年的 23.7%上升到 26.1%。

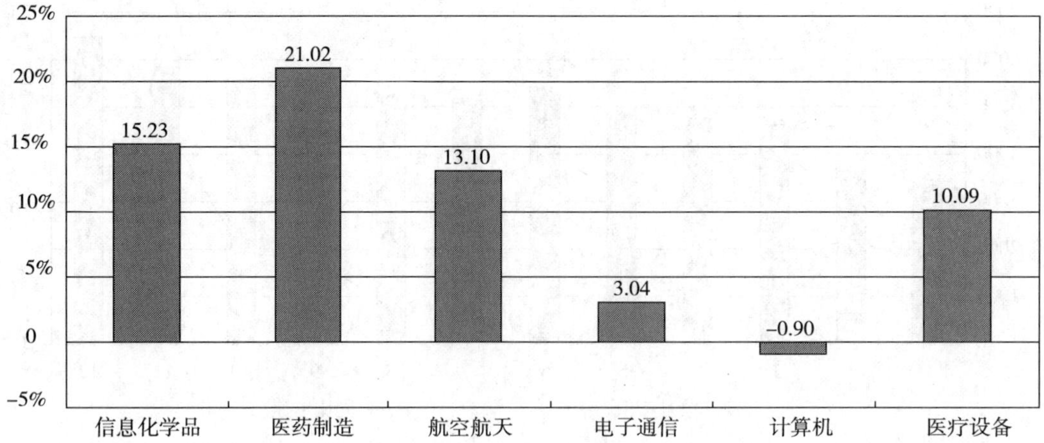

图 4　2009 年高技术制造业各行业产值增速

三是中西部和东北地区加快产业追赶步伐。2009 年，中西部和东北地区近年来致力发展国内市场，积极承接东部产业转移，进一步加快了追赶沿海地区步伐。2009 年中部地区和西部地区高技术制造业产值同比增速分别到达 20.90% 和 19.63%，特别是江西、吉林、宁夏、重庆、四川等中西部和东北省市同比增速均在 25% 以上。在金融危机中，各地抓住机遇，出台了一系列促进自主创新的政策措施，进一步加快发展步伐。例如，辽宁推出“双百工程”，力争在 2009 年并购 100 家国家高端科技型企业和 100 家国际领先的科研团队。再如，江西、安徽、云南、上海、广东等地都在研究制定促进战略性新兴产业发展的规划政策。

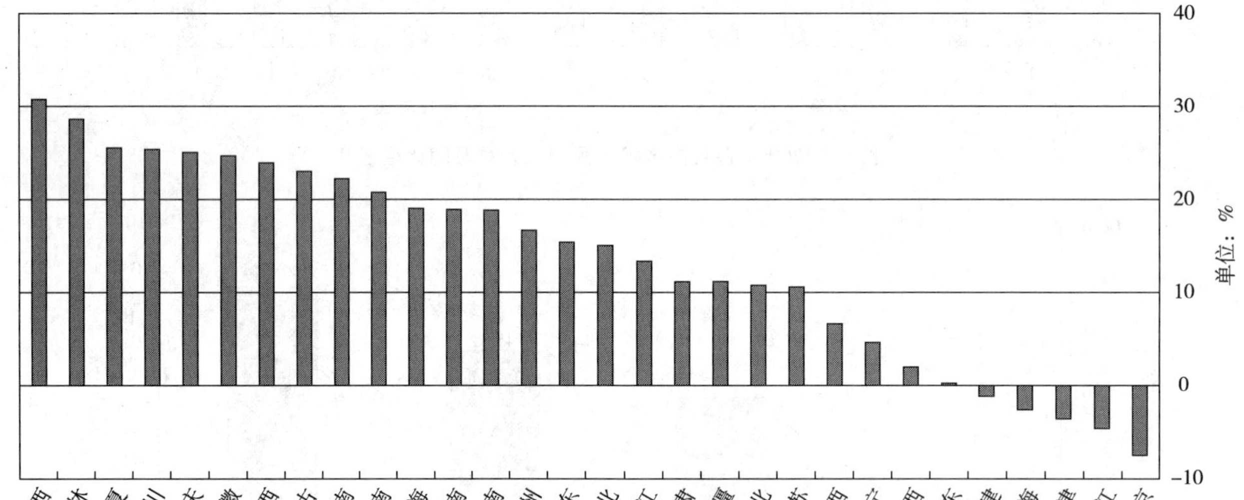

图 5　2009 年各省市高技术制造业产值增速情况

四是一批创新能力强的企业逆势飞扬。此次金融危机中，一部分自主创新能力较强，拥有核心技术和自主知识产权产品的企业，却保持了良好的增长势头。2009 年，华为销售收入约 1489 亿元，同比增长 30%；中兴通信销售收入 550 亿元，同比增长 40%；腾讯销售收入突破 100 亿元，同比增长 70%；比亚迪汽车销售量超 44 万辆，同比增长 162%。在金融危机中，高技术企业纷纷抓住机遇，引进高端国际智力资源，并购国外研发机构，扩大国际市场份额。在调研中，云南南天信息股份有限公司介绍，该公司利用金融危机中竞争对手退出市场的机遇，抢占了台湾等地市场，并在德国合作建设了技术研发中心。云南冶金集团也反映在对外谈判中地位明显提高，有的国外企业原来打算收购该集团下的企业，而金融危机中反过来希望被该集团收购。

二、高技术产业各行业发展情况

（一）电子信息产品制造业重点产品全球市场份额未受影响

2009年我国规模以上电子信息产品制造业实现销售收入5.13万亿元，同比增长0.1%，利润1791亿元，同比增长5.2%；增加值同比增长5.3%。电子信息内资企业表现好于外商投资企业。占全行业规模73.3%的外商独资和港澳台企业收入降幅较大。而内资企业受益于国家鼓励消费和投资政策措施支持，保持了17.6%稳定增长。重点产品产量维持小幅增长，国际市场份额有所增加。2009年，我国手机、彩电、微型计算机等重点产品产量维持小幅增长，分别达到6.2亿部、9899万台和1.82亿台，出货量分别达到全球市场的50%、48%和60%。出口降幅有所收窄。2009年，电子信息产品出口4570亿美元，同比下降12.4%，但降幅较年初收窄17个百分点。电子信息产品出口占全国外贸出口比重38%，比上年增长3个百分点，其中加工贸易比例已降至80.7%，一般贸易提高到14.6%。电子信息产品进口额3147亿美元，同比下降13.47%，其中来料加工和进料加工贸易进口额均出现深度下跌，一般贸易进口小幅增长，加工贸易衰退是影响产业增长的重要因素。

（二）软件业受益于拉动内需各项举措，继续成为引领增长的重要引擎

2009年我国软件产业收入9513亿元，同比增长25.6%。其中软件产品收入3288亿元，同比增长26.3%。软件服务收入4329亿元，同比增长27%。受益于国家促进经济增长一揽子计划的实施，从事通信、交通、汽车、电力、家电等领域信息化应用的软件企业发展较快，在一定程度上挽回了金融危机的不利影响。软件出口增速下降。2009年我国软件出口额185亿美元，同比增长14%，增幅比电子信息产品出口额高26个百分点，但较上年同期下降了25个百分点。软件行业集中度有所提高。基础软件企业间整合加速，创新能力有所增强；国家规划布局内重点软件企业收入增速明显高于行业平均水平。

（三）电信业全年增速放缓，转型发展酝酿新突破

2009年，我国电信业务总量2.57万亿元，同比增长14.4%，电信主营业务收入8424亿元，同比增长3.9%，收入增幅连续三年低于GDP增速。截至2009年底，全国电话用户10.6亿户，其中，固话用户3.13亿户，同比下降8.0%，移动电话用户7.47亿户，同比增长16.6%；我国互联网网民达到3.84亿，年内增长28.9%。电话和互联网用户数增长速度创历史新高。与此同时，综合资费水平下降9%，价格弹性进一步降低，移动通信离网率开始攀升，表明包括移动通信在内的话音业务市场已全面进入成熟期。宽带和数据业务逐步成为新的增长引擎。2009年，宽带业务收入同比增长22%，宽带收入占总收入比重超过9%。农村通信和普遍服务继续加强。2009年新增移动用户中超过一半来自农村。村村通工程继续推进，年内为2.7万多个偏远自然村和行政村开通电话，实现了全国99.86%的行政村和93.4%的20户以上自然村通电话，自然村通电话比例比2008年提高一个百分点。2009年，全国新增4228个乡镇和行政村通互联网，乡镇通互联网比例从年初的98%提高到99.3%，行政村通互联网比例从89%提高到91.5%。3G网络建设成为拉动增长的重要力量。2009年1月，我国正式发放3G牌照，3G网络建设工作全面启动。截至2009年底，我国3G用户达到1500万户，其中TD用户超过500万。全年完成3G网络投资超过1600亿元，其中TD投资650亿元，3G基站建设完成32.5万个，其中TD基站完成10.8万个。

（四）生物产业稳步增长，内需拉动效果显著

2009年，生物产业依然保持快速发展态势，行业发展呈现出新的特点，成为金融危机影响下保持快速增长的少数行业之一，已逐渐成长为支撑高技术产业增长的重要力量。产业规模迈上新台阶。2009年，我国生物医药产业实现总产值10381.82亿元，全年产值突破万亿元大关；燃料乙醇产量达172万吨；微生物发酵行业实现产值1600亿元。产业总体呈现全面稳定高速增长态势。医药制造业产值同比增长21.02%，比工业、高技术制造业同期增幅分别高出11.67、15.86个百分点，效益增长稳定，投资大幅增长，出口增长逐季回升。行业结构、产品结构、组织结构出现优化升级趋势。医药制造业实现新产品产值1313.74亿元，同比增长28.38%。

（五）民用航空产业规模进一步扩大

2009年我国航空产业总体稳步增长，产业规模进一步扩大，航空工业体制改革工作继续推进并不断深化。部分航空资源优势地区发展呈上升态势。2009年中航工业集团公司和中国商飞公司两大航空制造企业全年实现销售收入1768.33亿元，同比增长15.57%。沈阳、上海、西安、天津等四个航空资源优势地区共实现工业总产值416亿元（包括中航工业所属有关企业），同比增长45%。但受国际金融危机影响，民用航空工业增长依旧出现了下滑的趋势。其中，中航工业集团公司民用航空实现销售收入约46亿元，同比下降了7%。

具体来看，2009年航空产业取得了以下四大进展。一是民用航空产品研制取得新进展。C919大型客机全面进入预发展阶段，支线飞机ARJ21、新舟600及直升机、通用飞机系列研制进展顺利。二是民机市场开拓成效显著。新舟系列支线飞机已获得国内外意向和确认订单总数183架，较2008年新增27

架；ARJ21 新支线客机的国内外意向和确认订单总数已达到 240 架，较 2008 年新增 32 架；天津合资总装 A320 飞机实现交付 11 架。三是国际合作有所突破。成功收购了世界先进的复合材料部件制造商奥地利 FACC 公司，首次实施海外并购。四是地方航空产业集聚发展显现成效，产业链上下游配合更加紧密。

（六）民用航天产业结构调整取得突破

受国际金融危机和国家政策调整的影响，我国航天产业增长态势趋缓，2009 年民用航天领域实现总收入 55.29 亿元，同比增长 4%。其中，应用卫星领域实现收入 19.3 亿元，卫星应用产品及运营服务领域实现收入 33.6 亿元。载人航天、探月工程二期、二代导航、高分辨率对地观测系统民用航天国家重大工程进展顺利，卫星应用产品及运营服务领域实现快速发展，长期困扰我国民用航天发展的“天地不均衡”状况正不断改善，民用航天已逐步实现从试验应用型向业务服务型转变。民用航天产业发展需求旺盛，探月工程、新一代运载火箭等重大工程均进入研制的关键阶段，研制进展顺利；风云、资源、海洋等系列民用卫星研制任务多，现役长征系列运载火箭投产数量创历史新高；卫星应用产品和卫星运营与服务继续保持稳定增长速度；国际市场开拓顺利，老挝通信卫星、玻利维亚通信卫星等项目顺利推进，民用航天产业发展仍然拥有持续稳定增长的坚实基础，具有良好发展前景。

（七）电子商务全面向经济社会渗透。网络购物持续高速增长

2009 年我国网络交易规模升至 2500 亿元左右，网络购物用户规模有望突破 1 亿；电子商务服务业稳步发展。从事信息发布、管理自选、信息处理、数据托管和应用系统外包的第三方电子商务服务平台从 2008 年的 5100 余家增至 2009 年的上万家。电子商务应用基础进一步加强。启动电子商务示范城市建设，为国家制定促进电子商务发展政策奠定了坚实基础。

（撰稿：国家发改委高技术产业司综合处）

商品市场发展综述

2009 年，是新世纪以来中国经济发展较为困难的一年，面对百年不遇的国际金融危机的严重冲击和极其复杂的国内外形势，党中央、国务院审时度势，科学决策，坚持实行积极的财政政策和适度宽松的货币政策，全面实施并不断完善应对国际金融危机的一揽子计划，较快扭转了经济增速下滑的局面，率先实现了国民经济总体回升向好。特别是把扩大国内需求作为经济增长的长期战略方针和根本着力点，出台了一系列扩大消费的政策措施，对保持消费市场平稳较快增长、进一步增强消费需求对经济增长的拉动起到了积极的促进作用。

一、2009 年商品市场运行情况

2009 年，在国家扩大内需特别是扩大消费政策作用下，国内消费市场保持较快增长，市场规模不断扩大，区域发展趋于协调，市场价格基本稳定，商品市场运行总体呈现良好发展态势。

（一）商品市场保持快速增长，消费规模持续扩大

2009 年中国消费品市场实现快速增长，全年社会消费品零售总额达到 13.27 万亿元，同比增长 15.5%，为近年来的较高增长水平。扣除价格因素，实际增长 16.9%，比上年提高 1.2 个百分点，高出国内生产总值增速 8.2 个百分点，是 1986 年以来最高增速。消费市场的快速增长，提升了消费对经济增长的贡献。在全年 8.7% 的经济增长中，消费拉动 4.6 个百分点，对国内生产总值增长的贡献率达到 53.1%，较上年提高 9.8 个百分点，创下 2000 年以来的最高水平，消费对经济增长的拉动作用进一步增强。

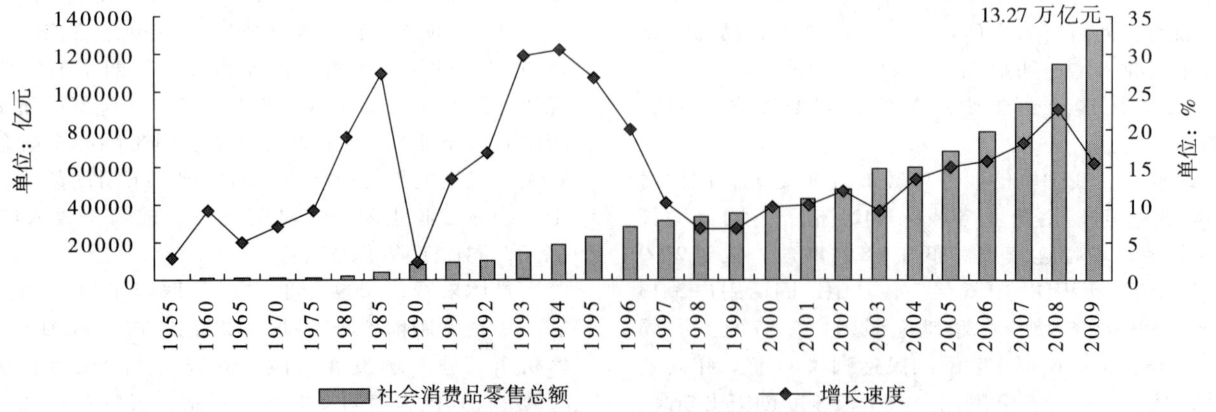

图 1　1955—2009 年中国社会消费品零售总额及增长情况

数据来源：国家统计局。

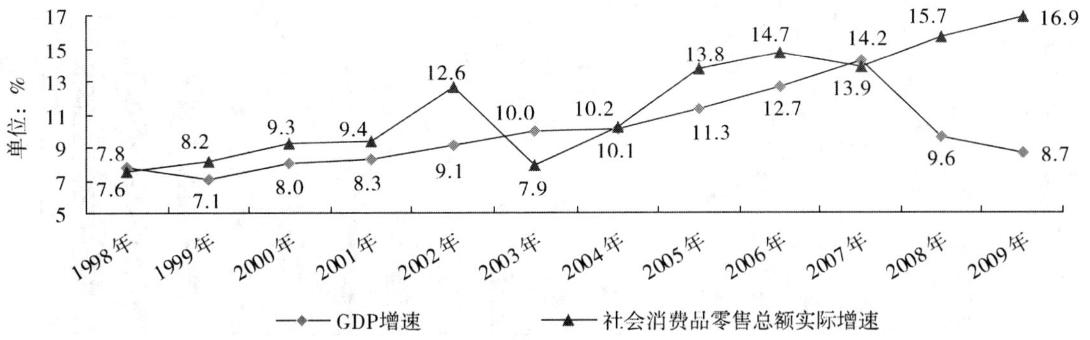

图 2　1998—2009 年中国社会消费品零售总额及国内生产总值增长情况

数据来源：国家统计局。

2000—2009 年三大需求对国内生产总值增长的贡献率和拉动情况

表 1

年　份	最终消费支出		资本形成总额		货物和服务净出口	
	拉动（个百分点）	贡献率（%）	拉动（个百分点）	贡献率（%）	拉动（个百分点）	贡献率（%）
2000	63.8	5.4	21.7	1.8	14.5	1.2
2001	50.2	4.2	49.9	4.1	-0.1	0.0
2002	43.9	4.0	48.5	4.4	7.6	0.7
2003	35.8	3.6	63.2	6.3	1.0	0.1
2004	39.5	4.0	54.5	5.5	6.0	0.6
2005	38.0	4.3	38.9	4.4	23.1	2.6
2006	40.0	5.1	43.9	5.6	16.1	2.0
2007	39.2	5.6	42.7	6.1	18.1	2.5
2008	43.3	4.2	47.7	4.6	9.0	0.8
2009	53.1	4.6	94.6	8.2	-47.7	-4.1

数据来源：国家统计局。

2009 年中国生产资料市场保持稳步增长，销售规模持续扩大，总体呈现前低后高态势。全年全社会实现生产资料销售总额 27.7 万亿元，按可比价格计算，比上年增长 13.8%，增幅比上年提高 3.4 个百分点。从季度情况看，增速逐步提高，一季度、上半年和前三季度增速分别为 2.2%、6.4% 和 9.8%，其中，2 月份增速全年最低，仅为 6.1%，12 月份最高，达到 27.0%，高于上年同期 20.1 个百分点。

（二）农村和西部地区增长加快，区域发展协调性增强

近年来，在国家大力扶持“三农”、西部大开发、中部崛起以及振兴东北等老工业基地发展战略的推进下，中国商品市场呈现出均衡协调发展的良好态势。

1. 农村消费增速首次超过城市。随着农村流通基础设施的逐步改善，以及在家电、汽车下乡等政策作用下，农村消费潜力得到释放。2009 年，农村地区实现社会消费品零售额 4.0 万亿元，增长 15.7%，增速比城市快 0.2 个百分点，是 1987 年以来农村消费增速首次超过城市。虽然目前农村地区消费规模仅占全部社会消费品零售总额的比重不足 1/3，但增幅呈加速增长态势。

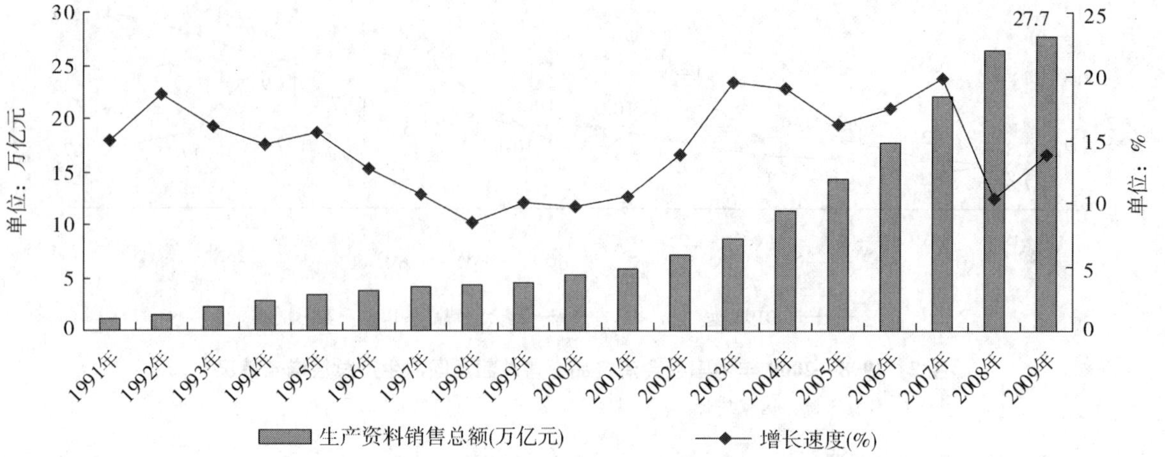

图3 1991—2009 年中国生产资料销售总额增长情况

数据来源：中国物流信息中心。

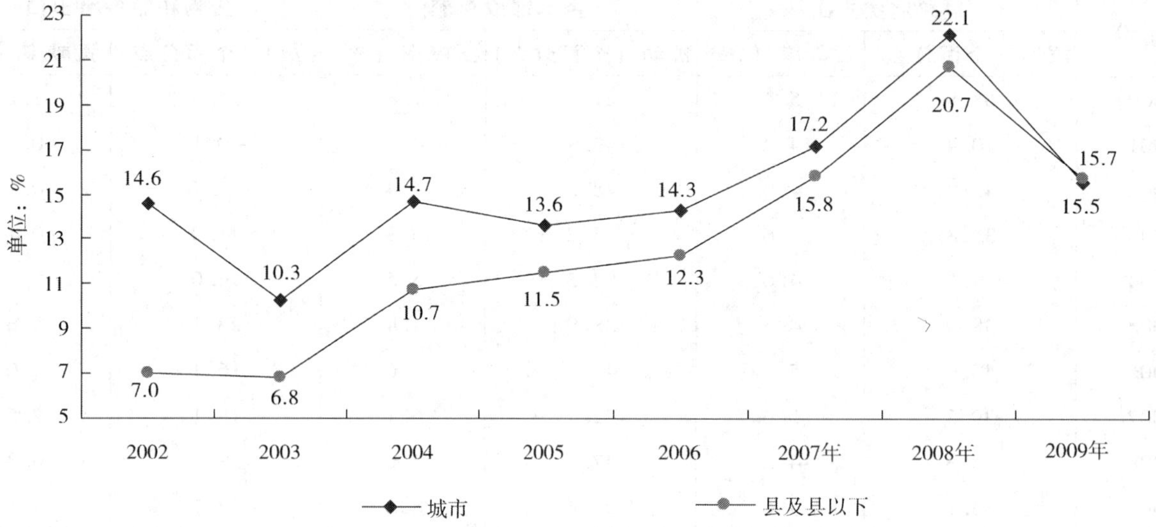

图4 2002—2009 年中国城乡社会消费品零售总额增长情况

数据来源：国家统计局。

2. 中西部销售继续快于东部地区。在中部崛起、西部大开发和振兴东北政策的推动下，中西部、东北地区消费保持较快增长。2009 年，中部地区社会消费品零售额 3.3 万亿元，同比增长 19.3%，增速比上年低 3.8 个百分点；西部地区实现 2.3 万亿元，增长 19.8%，增速下降 2.5 个百分点；东部地区实现 7.7 万亿元，同比增长 17.4%，增速分别比中西部地区低 1.9 和 2.4 个百分点。

3. 省市间消费增速趋于平衡。从全国 31 个省（市、区）社会消费品零售总额增长情况看，增速在 17% 以上的有 1 个，占 3.2%；增速在 15.0% 以下的有 6 个，占 19.4%，在 15.0% ~17.0% 之间的有 24 个，占 77.4%。其中，天津、四川、陕西、广西、黑龙江等地增长较快，分别比上年增长 16.9%、16.5%、16.5%、16.5% 和 16.2%。上海、北京、浙江、广东等服务消费增长较快的地区商品消费增速低于全国平均水平，增速分别为 13.0%、14.3%、14.5% 和 14.7%。

（三）商品价格由负转正，全年处于低位运行

2009 年商品价格总体处于低位运行，全年居民消费价格（CPI）同比下降 0.7%。从全年走势上看，上半年受国际金融危机和国内经济低迷影响，CPI 从 2 月份开始由正转负，其中 7 月份 CPI 下降 1.8%，处于全年最低水平。下半年随着各项宏观调控政策的逐步落实，投资快速增长，消费需求开始回升，加之国际大宗商品价格回调上扬，从 7 月份开始，商品价格触底回升，11 月份商品价格由负转正，CPI 同比上涨 0.6%，特别是 12 月份上涨 1.9%，其中食品上涨 5.3%，成为商品价格快速上涨的主要推动力。2009 年商品零售价格同比下降 1.2%，增幅比上年低 7.1 个百分点。

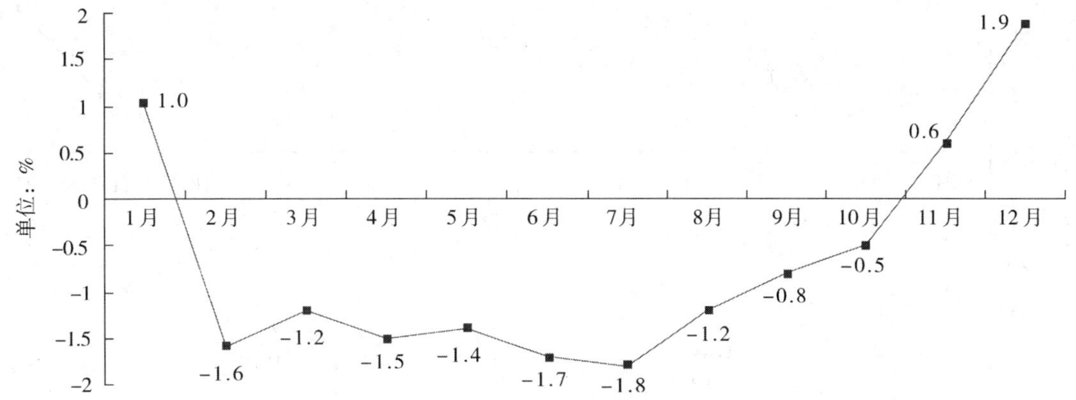

图5 2009年中国居民消费价格月度变化情况

数据来源：国家统计局。

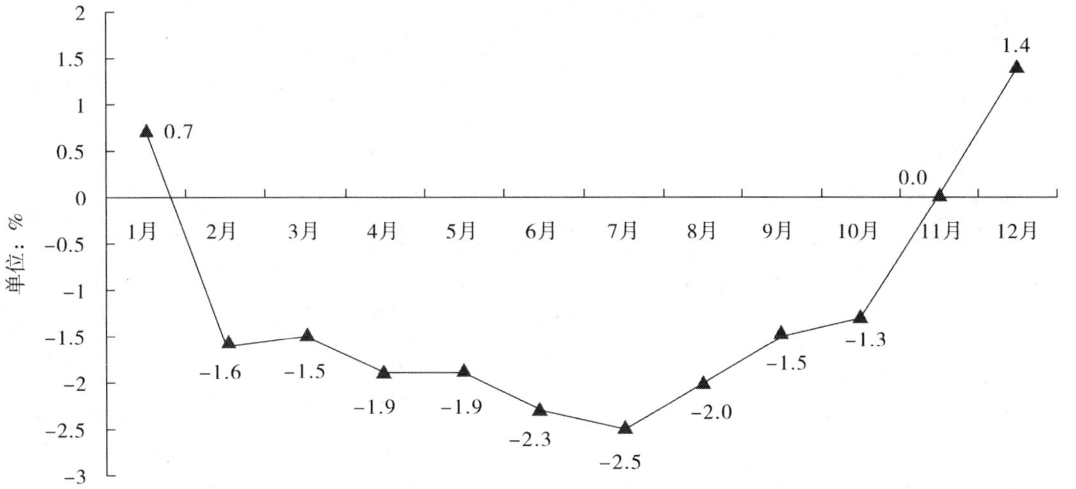

图6 2009年中国商品零售价格月度变化情况

数据来源：国家统计局。

商务部监测的全国36个大中城市食用农产品市场价格指数比上年下降3.4%，其中，12月份比1月份下降0.5个百分点，比6月份上涨7.0个百分点。粮食、鸡蛋、蔬菜平均批发价格分别比上年增长5.6%、0.2%和15.3%。

随着经济的恢复和增长，2009年生产资料市场价格触底回升，四季度快速上扬，全年累计平均价格同比下降14.5%，涨幅比上年放缓27.5个百分点。其中，6月份同比下降20.5%，为全年最低水平；三季度后，在市场需求不断放大的拉动下，呈现加速上升之势，11月、12月月度同比增幅由负转正，分别增长4.9%和12.9%。商务部重点监测的112种重要生产资料价格总水平同比下降17.3%。

（四）商品结构变化明显，热点商品需求旺盛

1. 消费结构不断升级。2009年，中国农村居民家庭人均纯收入实际增长8.5%，城镇居民人均可支配收入实际增长9.8%，分别比上年提高0.5和1.4个百分点，消费能力进一步提升。同时，城乡居民消费结构发生较大变化。在居民消费支出中，食品、衣着支出比重继续下降，交通通信、住房、教育、文化娱乐等支出比重不断增加。2009年中国城镇和农村居民恩格尔系数分别为36.5%和41.0%，比上年分别下降1.4和2.7个百分点，比1978年分别下降21.0和24.2个百分点，居民消费水平不断提高。

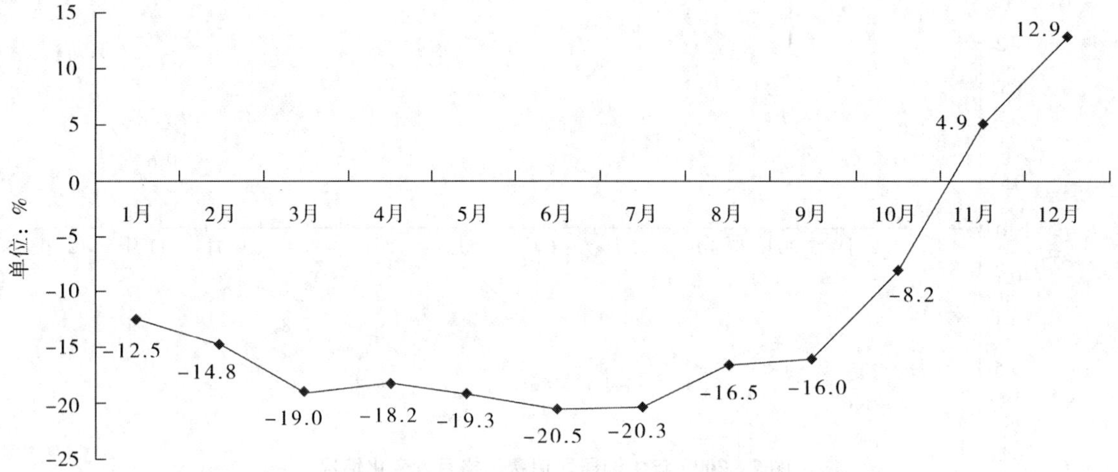

图7　2009年中国生产资料市场价格月度变化情况

数据来源：中国物流信息中心。

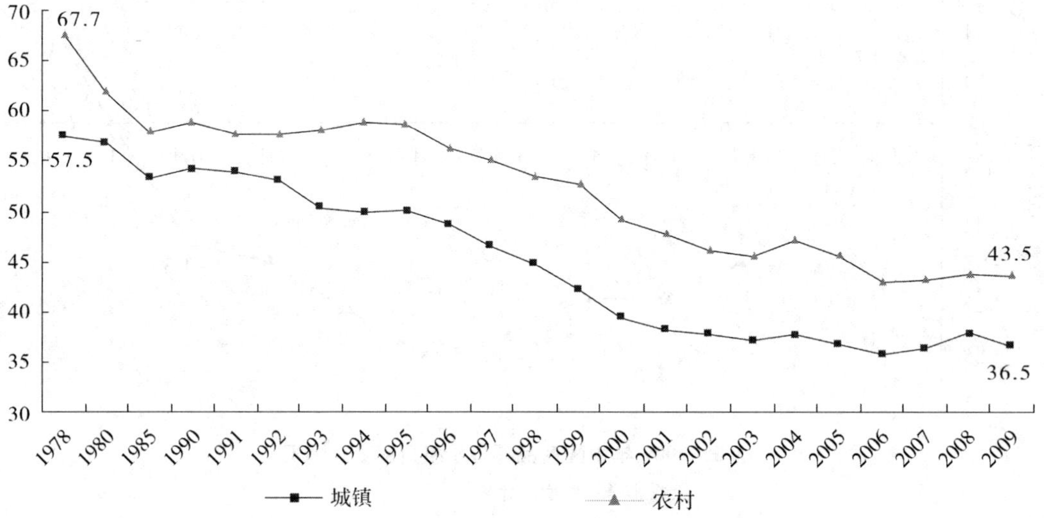

图8　1978—2009年中国城乡恩格尔系数变化情况

数据来源：国家统计局。

2. 热点商品销售加快。在汽车下乡、以旧换新，减征1.6升及以下小排量乘用车购置税等政策的作用下，汽车需求快速增加，全年销量达1364.48万辆，同比增长46%，居全球第一，汽车类销售额约占限额以上批发零售业零售额的比重达到26%，比上年提高5个百分点。全国商品住宅销售面积比上年增长43.9%，销售额增长80.0%。在家电下乡和以旧换新政策的推动下，家电需求旺盛，限额以上批发零售业家电销量同比增长12.3%，占限额以上批发零售业零售额的7.4%。

3. 餐饮、旅游等服务消费旺盛。2009年各地积极扩大消费，通过发放消费券、举办购物美食节等主题活动，促进餐饮、旅游等服务消费。2009年中国餐饮业营业额达到17997.5亿元，同比增长16.8%，连续第19年保持两位数的高速增长，餐饮业营业额占社会消费品零售总额的比重达到14.4%，比上年提高0.2个百分点。全国旅游总收入首次突破1万亿大关，达到1.02万亿元，比上年增长16.4%。理发美容保健、旧货、摄影等日常消费性需求保持稳定，据商务部对千家重点流通企业的监测，旧货增长3.3%，理发及美容保健营业额增长1.7%，摄影业增长1.6%。

（五）零售业态发展平稳，新型模式加快增长

1. 零售业态稳步发展。据商务部监测，2009年专卖店、大型综合超市等业态增速创新高，专卖店零售额增长9.1%，大型综合超市增长6.0%；百货店销售同比增长9.3%，超级市场增长5.1%，专业店增长6.2%，而便利店、仓储式商场等新型业态保持稳定增长，零售额增速分别为2.9%、2.2%。

2. 新型消费模式发展迅速。随着80后、90后新兴消费群体的发展，以及网上购物平台的完善，网络购物用户规模持续增长，网络购物正成为零售市场的重要组成部分，发展势头迅猛。2009年网络购物交易规模达到2483.5亿元，同比增长93.7%，占社会消费品零售总额的比重近2.0%。同时，电视购物、电话购物以及刷卡消费、信用消费也越来越受到人们的青睐。

二、2009年商品市场建设情况

为进一步贯彻落实党的十七大关于“要加快形成现代市场体系”的要求，2009年全国商务系统深入贯彻落实《关于搞活流通扩大消费的意见》（国办发〔2008〕134号），城乡市场流通网络建设取得明显进展，市场运行调控作用增强，流通法律法规建设步伐加快，保障了国内市场稳定运行和城乡居民消费快速增长。

（一）农村流通网络得到进一步完善

1. “万村千乡市场工程”取得明显成效。2009年“万村千乡市场工程”建成农家店15.6万家，截至2009年底，已累计建设改造农家店42万个，建成配送中心1467个，覆盖全国75%的乡镇和50%的行政村，连锁经营等现代流通方式在农村迅速发展，以城区店为龙头、乡镇店为骨干、村级店为基础的农村现代流通网络正在逐步形成。通过统一配送，农家店商品质量得到了保障，促进了农村市场质量安全；通过对农家店的标准化改造，大大改善了农村购物环境；以农家店为载体引入邮政、电信、药品等商品和服务，有效提升综合服务功能；借助连锁、配送等现代流通方式，依托广阔的农村市场，骨干流通企业得到发展壮大。“万村千乡市场工程”的实施，取得良好效果。

2. “双百市场工程”进展顺利。2009年“双百市场工程”支持了198家农产品批发市场和412家农贸市场升级改造，其中，批发市场交易额超过5200亿元，占全国亿元以上批发市场交易总额的37%。截至2009年底，已累计升级改造283家农产品批发市场，覆盖了全国43%的地级市，新增库容200多万吨，购置冷藏车近百辆。“双百市场工程”拓宽了流通渠道，保障了市场供应，降低了流通成本，初步发挥了产销地批发市场的农产品吞吐功能和价格形成机制，有效促进了农业增效、农民增收和农村发展。

3. “农超对接”得到推进。2009年在全国17个省市开展的“农超对接”试点，支持了205个项目，初步建立了农产品新型流通模式，减少了流通环节，降低了流通成本，增加了农民收入，参与“农超对接”的农民销售农产品价格平均提高15%，超市零售售价下降15%，实现了生产者、经营者、消费者三方受益。

4. 有效推进“家电下乡”。为提升农村消费，提高农民生活质量，引导建立适合农村消费特点的生产和流通体系，2009年进一步完善“家电下乡”政策，家电下乡品种由试点时的3类扩大到9类12个品种、6700个规格型号，家电下乡销售网点扩大到19.3万个，已基本覆盖所有县乡。2009年家电下乡产品销售量3451万件，销售金额647亿元，累计发放补贴资金75.4亿元。家电下乡产品在节能、环保等方面都提出了严格要求，高能效家电产品比重不断提高，形成了下乡产品的品牌化和系列化，推动了家电产品结构调整，促进了农村工业品流通和服务体系的完善。

（二）城市社区服务体系进一步健全

1. 积极推进家政服务体系建设。2009年建成100个大中城市家政服务网络中心，整合了5万家家政服务企业资源，培训家政服务人员20万人次，试点城市家政服务行业开始步入规范化发展轨道，对于密切服务供需对接、方便居民生活、监督和保证服务质量发挥了重要作用。

2. 加快社区生活服务设施的建设和改造。2009年在19个试点省市升级改造标准化菜市场1000家，新增营业面积20万平方米，改造后的菜市场居民满意度超过90%，成为购买副食蔬菜的首选场所。在23个试点省市建成86个主食加工配送中心，设立标准化早餐网点1.8万个，每天可保证近900万人吃上放心早餐，有效解决了早餐消费不方便、不放心、不实惠等问题。在12个试点省市建成再生资源分拣中心42个，回收站点1.3万个，再生资源回收率由40%提高到70%，促进了旧货流通和资源的再利用。

（三）市场监测调控能力不断增强

1. 城乡市场统计监测体系进一步完善。经过几年的建设，城乡市场监测体系进一步完善，监测范围进一步扩大，结构进一步优化，功能进一步健全。截至2009年底，监测样本企业总数已达2.4万多家，涉及批发、零售、餐饮、住宿等22个流通行业，超市、百货店、专业店等7种零售业态，覆盖全国333个地级行政区划和1836个县，已有387家企业安装信息泵，数据开发利用工作稳步推进，智能化水平明显提升，食用农产品、生产资料价格等市场监测指数体系进一步完善，生活必需品、生产资料、重点流通企业等直报系统的数据及时报送率不断提高。与中央主要媒体合作，推出“商务预报”报纸版、电视版和手机版，初步形成全方位、立体化的信息发布网络，及时向社会发布农产品、消费品等各类信息15万余条。系统监测数据和信息直接来源于市场经营主体，覆盖面广，涉及面宽，时效性强，准确度高，并可根据市场变化，多渠道、高频率、及时性地发布权威市场信息。这些信息既可全面反映商品供求情况，也可反映市场价格变动情况，既可为宏观调控提供决策依据，也可为企业生产经营提供指导服务，既有利于增强消费预期、服务居民消费，也有利于促进产销衔接、稳定市场供应，具有较强的指导性和实用性，对指导企业生产、引导居民消费、促进产销衔接起到积极作用。

2. 切实抓好市场运行调控机制建设。生活必需品储备制度进一步健全，以中央和地方两级市场供应应急预案为基础，重要商品储备、应急商品数据库和重要生活必需品预测预警系统为支撑，统筹政府储备商品和社会资源的市场应急调控体系基本建立，对保障市场供应、维护市场稳定发挥了积极作用。截至2009年底，应急商品数据库应急品种达58种，重点联系企业扩大至1500多家，可根据市场需要，在短时间内满足应急生活必需品的生产、调运和投放任务。中央储备规模不断扩大，地方储备品种不断增加，地方储备商品已达29种。针对2009年肉、糖等重要生活必需品市场波动状况，首次采用电子竞价交易方式，及时启动中央储备冻猪肉收储工作，提高效率，节约成本，充分体现公平、公开和公正原则；同时，对食糖、乳粉等适时进行收储，发挥中央储备稳定市场、调控价格的杠杆作用。应急调运产销衔接机制基本形成，采取信息引导、产销对接、对口帮扶等多种措施，先后帮助解决新疆瓜果、浙江柑橘、海南菠萝、河北中药材等“卖难”问题，特别是在应对雨雪冰冻灾害、新疆“7·5”事件等自然灾害和突发事件中，有效保障了救灾需要和灾区市场应急供应。

（四）流通市场监管和行业信用建设得到推进

1. 流通领域市场监管公共服务体系建设加快。会同有关部门印发《关于完善流通领域市场监管公共服务体系的通知》，在全国242个市、县开展试点，指导地方启用了全国统一的“12312”商务举报投诉咨询服务电话，开发了12312商务举报投诉服务系统，在37个地区开通了“中国市场秩序网子站”，建立举报投诉服务中心和举报投诉联系点190个，开通举报热线300多条，市场监管公共服务体系基本形成。

2. 商务领域信用建设得到推进。印发《商务部关于推进商务领域信用建设的意见》，面向各类流通企业和经营主体，组织开展“诚信经营”示范创建活动，组织112家全国性商协会开展行业信用评价，评出A级以上企业3500家。加强诚信宣传，通过举办“诚信兴商宣传月”活动，营造诚信经营的良好的氛围。

3. “放心肉”服务体系建设进一步加强。在全国10个省市开展“放心肉”体系试点，制定屠宰监管技术系统、大型屠宰企业肉品冷链和质量安全可追溯系统建设总体方案和考核评价体系，强化屠宰企业肉品质量管理。加大生猪屠宰行业管理工作力度。研究制定《全国生猪屠宰行业发展规划纲要（2009—2013）》，明确了提高定点屠宰率、优化产业结构、提高肉品质量、保障肉品消费安全的目标和措施。起草《生猪定点屠宰厂（场）分级管理办法》加强生猪屠宰行业监管和执法，推动地方落实生猪屠宰执法队伍建设，严厉打击私屠滥宰、制售“注水肉”和病害肉等违法行为，扩大品牌肉市场份额，提升肉品安全保障水平。

（五）流通法规和标准规划建设得到加强

1. 内贸流通领域法规建设稳步推进。2009年起草并报送《典当管理条例》和《报废机动车回收管理条例（修订稿）》2部行政法规，完成《酒类流通管理条例》《零售商供应商公平交易管理条例》和《农产品批发市场管理条例》等行政法规的起草，推动《城市商业网点条例》的审议工作。

2. 流通标准建设进一步加快。2009年完成《二手设备流通技术规范通则》等标准80项，其中，国家标准33项。加大《零售业基层岗位要求》等系列标准的宣贯力度，促进内贸流通的标准化和规范化。

3. 商业网点规划编制实施进展顺利。继续推进地级城市和县级市商业网点规划编制和实施。截至2009年底，全国279个地级以上城市中，已有273个城市编制完成商业网点规划，368个县级市中，有129个完成商业网点规划编制，编制完成率分别达97.8%和35.1%，有效促进了城市商业网点的合理布局和购物服务的便利以及消费环境的改善。

（撰稿：张豫军）

对外贸易综述

2009年为了应对世界经济危机，国家加大对外贸的支持力度，先后4次上调了出口退税率，取消了部分农产品出口关税。2009年中我国月度进出口降幅逐渐放缓，直到2009年11月我国月度进出口才转变颓势开始增长。2009年虽然受到经济危机的冲击，我国对外贸易仍然取得可喜的成绩。

一、由于出口产品结构因素中国对外贸易额的下降低于世界平均水平，价格变动因素对我国外贸的影响小于世界其他国家

根据世界贸易组织统计，2009 年在世界经济危机的影响下，世界贸易呈现二次世界大战以来的首次大幅下降。世界贸易额 12.15 万亿美元，同比下降 23%。而剔除价格上涨因素，世界贸易量则比 2008 年下降 12.2%。同期我国进出口 22072.2 亿美元，比 2008 年下降 13.9%，其中出口 12016.6 亿美元，同比下降 16%，低于世界平均水平 7 个百分点，进口 10055.6 亿美元，下降 11.2%，而根据世界贸易组织统计，剔出了物价因素，2009 年中国出口量比 2008 年下降 10.5%，低于世界平均水平 1.7 个百分点，进口量增长 2.8%。我国对外贸易量下降略低于世界平均水平，而对外贸易额则大大低于世界平均水平，说明价格波动因素对我国外贸的影响小于世界其他国家。2009 年国际初级产品市场价格跌宕起伏，许多已初级产品为主要出口产品的国家的外汇收入受到很大的影响，我国出口产品中初级产品仅占 5%，所以受到的影响不大。

二、2009 年中国对前十大出口市场的出口都有不同程度的下降

2009 年受世界经济危机的影响，我国重要贸易伙伴经济都出现衰退，国内需求不振，我国对前十大出口市场的出口都出现不同程度的下降。2009 年我国前十大出口市场是欧盟、美国、中国香港、东盟、日本、韩国、印度、中国台湾、澳大利亚和俄罗斯。其中，我国对俄罗斯、日本、韩国和中国台湾的出口下降幅度最大，由于印度和东盟经济率先回升，中国对印度和东盟的出口下降幅度最小仅为 5.8% 和 6.9%。我国前十大出口市场同 2008 年相比排列发生变化，东盟超过日本成为我国第四大出口市场。由于受经济衰退的影响，日本失业情况严重，居民收入下降，国内需求萎缩，2009 年我国对日本出口大幅下降，降幅达到 39%，日本降为我国第五大出口市场。2009 年韩国经济微弱复苏，但国内失业严重，物价大幅上涨，使得韩国国内需求萎缩，我国对韩国出口大幅下降，降幅达到 27%。2009 年受俄罗斯整顿灰色清关的牵连，中国对俄罗斯出口大幅下降，降幅达到 47%，俄罗斯从第七位降到我国第十大出口市场。2009 年由于受外需大幅下降的冲击，台湾经济严重衰退，失业严重，国民收入下降，国内市场需求萎缩，大陆对台湾省出口大幅下降，下降幅度达到 20%。

2009 年我国前十大进口市场是日本、欧盟、东盟、韩国、中国台湾、美国、澳大利亚、俄罗斯、沙特阿拉伯。

2007—2009 年中国对前十大出口伙伴国出口情况

表 1 单位：亿美元

国别（地区）	2007 年			2008 年			2009 年		
	出口额	增长率（%）	占比（%）	出口额	增长率（%）	占比（%）	出口额	增长率（%）	占比（%）
总值	12178	25.7	100	14285.5	17.3	100	12016.6	-15.9	100
欧盟	2451.9	29.2	20.1	2928.8	19.5	21	2362.8	-19.3	19.6
美国	2327	14.4	19.1	2523	8.4	17.7	2208.2	-12.5	18.4
中国香港	1844	18.8	15.1	1907.4	3.4	13.4	1662.3	-12.8	13.8
日本	1020.7	11.4	8.4	1613.4	13.8	11.3	979.1	-39.3	8.1
东盟	941.8	32.1	7.7	1141.4	20.7	8	1063.0	-6.9	8.8
韩国	561.4	26.1	4.6	739.5	31	5.2	536.8	-27.4	4.5
俄罗斯	284.8	79.9	2.3	330.1	15.9	2.3	175.1	-47.0	1.5
印度	240.2	64.7	2	315	31.2	2.2	296.7	-5.8	2.5
中国台湾	234.6	13.1	1.9	258.8	10.3	1.8	205.1	-20.7	1.7
澳大利亚	180	32.1	1.5	222.4	23.6	1.6	206.5	-7.1	1.7

资料来源：海关总署。

2007—2009年中国对十大进口来源地进口情况

表2　单位：亿美元

国别（地区）	2007年			2008年			2009年		
	进口额	增长率（%）	占比（%）	进口额	增长率（%）	占比（%）	进口额	增长率（%）	占比（%）
总　　值	9558.2	20.8	100	11330	18.5	100	10055.6	-11.2	100
日　　本	1340	15.8	14	1506.5	12.5	13.3	1309.4	-13.1	13.0
欧　　盟	1110	22.4	11.6	1327	19.6	11.7	1277.6	-3.7	12.7
东　　盟	1084	21	11.3	1169.7	7.9	10.3	1067.1	-8.8	10.6
韩　　国	1038	15.6	10.9	1121.6	8.1	9.9	1025.5	-8.6	10.2
中国台湾	1010	16	10.6	1033.4	2.3	9.1	857.2	-17.1	8.5
美　　国	693.8	17.2	7.26	814.4	17.4	7.2	774.4	-4.9	7.7
澳大利亚	258.5	33.8	2.7	374.2	44.8	3.3	394.4	5.4	3.9
俄罗斯	196.7	12.1	2.1	238.3	21	2.1	212.8	-10.7	2.1
巴　　西	183.3	42	1.9	297.5	62.7	2.6	282.8	-4.9	2.8
沙特阿拉伯	175.6	16.4	1.8	310.1	76.6	2.7	236.2	-23.8	2.3

资料来源：海关总署。

（一）中国对亚洲的贸易关系

由于地缘和政治原因，亚洲国家和地区一直是我国重要的贸易来源地，我国同亚洲国家和地区的经济发展紧密相连。作为世界上最具发展活力的地区，2009年亚洲国家和地区经济发展强劲率先复苏。为抓住世界经济衰退给亚洲国家和地区带来的新的发展机遇，我国加强同亚洲国家和地区的经贸合作。通过双边高层频繁互访，加强同亚洲主要国家如日本、韩国、印度等经济政策对话；采取了一系列切实举措加强双边的合作，同马来西亚、印度尼西亚、韩国签订了总额为3600亿元人民币的双边货币互换协议，加快了同亚洲周边国家和地区的区域经济一体化的步伐，同东盟签署中国—东盟自贸区《投资协议》并且提供了总规模100亿美元的中国—东盟投资合作基金。2009年我国同亚洲外贸关系进一步发展，对亚洲的进出口11720.5亿美元，比2008年下降14.2%，出口5685.97亿美元，下降14.3%，占比47.3%，进口6034.51亿美元，下降14.1%，占比60%。2009年我国在亚洲的前十大贸易伙伴是日本、东盟（马来西亚、新加坡、泰国）、中国香港、韩国、中国台湾、印度 、沙特、阿联酋，我国对亚洲前十大出口市场是中国香港、日本、韩国、新加坡、印度、中国台湾、马来西亚、泰国、阿联酋、沙特。在中国东盟自贸区的建立过程中，中国东盟的贸易关系发展迅速，东盟在中国主要贸易伙伴地位中的不断提高，近几年占我国出口市场的比重不断扩大，2009年占我国出口的比重达到10.6%，成为我国在亚洲仅次于日本第二大贸易伙伴。2009年东盟超过日本成为我国在亚洲的第二出口市场。近年来，由于中国和印度政治和友好关系的改善，双边高层加强互相往来，中印经贸关系发展迅速，2009年中国对印度出口超过中国台湾和马来西亚，达到297亿美元，比上年同期下降6.1%。印度已成为中国在亚洲的第五大出口市场。

2009年中国对亚洲进出口贸易

表3　单位：亿美元

国别（地区）	进出口	占比（%）	同比增长（%）	出口	占比（%）	同比增长（%）	进口	占比（%）	同比增长（%）
总　　值	22072.18	100.0	-13.8	12016.63	100.0	-15.9	10055.55	100.0	-11.3
亚　　洲	11721.48	53.1	-14.2	5686.97	47.3	-14.3	6034.51	60.0	-14.1
日　　本	2288.47	10.4	-14.2	979.10	8.1	-39.3	1309.37	13.0	-13.1
中国香港	1749.45	7.9	-14.1	1662.33	13.8	-12.8	87.12	0.9	-32.6
东　　盟	2130.11	9.7	-7.8	1062.97	8.8	-6.9	1067.14	10.6	-8.8

续表

国别（地区）	进出口	占比（%）	同比增长（%）	出口	占比（%）	同比增长（%）	进口	占比（%）	同比增长（%）
马来西亚	519.63	2.4	-2.8	196.32	1.6	-8.2	323.31	3.2	0.7
新加坡	478.63	2.2	-8.7	300.66	2.5	-6.9	177.97	1.8	-11.6
泰国	382.04	1.7	-7.4	133.07	1.1	-14.7	248.97	2.5	-2.9
韩国	1562.32	7.1	-16.1	536.80	4.5	-27.4	1025.52	10.2	-8.6
中国台湾	1062.28	4.8	-17.8	205.05	1.7	-20.8	857.23	8.5	-17.1
印度	433.81	2.0	-16.2	296.67	2.5	-6.1	137.14	1.4	-32.4
沙特	325.98	1.5	-22.0	89.78	0.7	-16.7	236.20	2.3	-23.8
阿联酋	212.27	1.0	-24.6	186.32	1.6	-20.9	25.95	0.3	-43.6

资料来源：海关统计。

（二）中国对欧洲的贸易关系

欧洲是世界上最重要的经济体，也是我国重要的贸易来源地之一。2009年世界经济衰退给欧洲经济以沉重的打击，经济增长萎缩，失业严重，有的国家如希腊和冰岛甚至出现了严重的财政危机和债务危机。由于欧洲市场需求萎缩，2009年我国对欧洲的出口大幅下降，中国对欧洲的进出口4269亿美元，同上年同期相比下降16.5%，占比19.3%，其中出口2647.34亿美元，下降22.8%，占比22%；进口1621.67亿美元，下降3.5%，占比16.12%。在这个严峻的形势下，为了推动中国同欧盟新型战略伙伴关系的稳定发展，中欧双边高层领导人加强互访，开展双边企业间的对话，进一步加强双边的经济贸易合作。2009年中国同欧盟的进出口3640亿美元，下降14.5%，占比16.5%，出口2647亿美元，下降22.8%，进口1621.67亿美元，下降3.7%，占比12.7%。中国在欧洲的最大的贸易伙伴是德国、俄罗斯、荷兰、英国、法国、意大利。中国在欧洲最大的出口市场是德国、荷兰、英国、法国、意大利和俄罗斯。

虽然近年来中俄战略伙伴关系不断深入发展，双边经贸合作关系发展很快，中俄贸易来大幅增长，占我国对外贸易的比重不断上升，但2009年莫斯科发生过关闭切尔基佐夫大市场事件虽经双边的努力得到妥善的解决，由于大批华商受到俄罗斯整顿灰色清关的牵连撤回国，中俄贸易受到一定程度的影响，2009年中国对俄罗斯出口175.14亿美元，比2008年下降近47%，占比下降到1.4%。由于巨额的财政赤字带来的问题，希腊陷入严重的经济危机，中希贸易关系受到的影响影响尚未显现，2009年中国对进出口36.7亿美元，下降13.8%，出口35亿美元，下降15.1%，进口2亿美元，下降近15%。2009年冰岛由于主权债务危机，经济衰退，市场需求萎缩，中国对冰岛贸易规模虽然很小，但下降幅度很大，对冰岛进出口8700万美元，下降31.8%，出口5400万美元，下降41.8%，进口3300万美元，下降5.3%。

2009年中国同欧盟的贸易关系

表4

单位：亿美元

国别（地区）	进出口	占比（%）	同比增长（%）	出口	占比（%）	同比增长（%）	进口	占比（%）	同比增长（%）
总值	22072.18	100	-13.8	12016.63	100	-15.9	10055.55	100	-11.3
欧洲	4269.01	19.341	-16.5	2647.34	22.031	-22.8	1621.67	16.127	-3.5
欧盟	3640.42	16.493	-14.5	2362.84	19.663	-19.3	1277.58	12.705	-3.7
德国	1056.84	4.788	-8.1	499.20	4.154	-15.6	557.64	5.546	-0.1
荷兰	418.04	1.894	-18.4	366.82	3.053	-20.1	51.22	0.509	-3.4
英国	391.55	1.774	-14.2	312.77	2.603	-13.3	78.77	0.783	-17.6
法国	344.80	1.562	-11.5	214.60	1.786	-7.9	130.20	1.295	-16.7
意大利	312.64	1.416	-18.3	202.44	1.685	-23.9	110.20	1.096	-5.4
俄罗斯	387.97	1.758	-31.7	175.14	1.457	-46.9	212.83	2.117	-10.7

（三）中国对非洲贸易关系

2009年受世界经济衰退的影响，非洲经济增长放缓。由于经济结构单一，世界市场部分初级产品价格的下跌，使大部分非洲国家外汇收入大幅下降，本币贬值，债务沉重，失业率上升，购买力下降，市场需求萎缩。这个严峻的形势对中非经贸关系带来不利的影响，但从2006年中非合作论坛北京峰会上中非建立了政治和经济上合作共赢的新型战略合作伙伴关系以来，中国加大了对非洲的援助力度和广度，对部分非洲国家和地区进口产品的减免关税范围，中非经贸合作关系进入全面迅速发展的阶段。2009年11月在埃及举行的中非合作论坛第四届部长级会议决定将进一步加大对非洲的援助，扩大对非洲国家和地区进口产品的减免税范围，将进一步推动中非新型战略伙伴关系的深化和可持续发展。在中国政府的大力推动下，中非经贸合作关系克服种种障碍健康发展，2009年中国对非洲进出口910.7亿美元，占比4%，比2008年下降14.8%，其中出口477.36亿美元，占比约4%，进口433.3亿美元，占比4.3%，同比下降22.6%。2009年中国对非洲前十位贸易伙伴是安哥拉、南非、苏丹、尼日利亚、埃及、利比亚、摩洛哥、刚果（布）、贝宁、赤道几内亚。中国对非洲最大的出口市场是南非、尼日利亚、埃及、安哥拉、利比亚、摩洛哥、贝宁、苏丹、刚果（布）、赤道几内亚。近几年由于赤道几内亚开采和出口石油，国家财政收入大幅增加，实现了经济连续10年保持26%以上的高速增长，国民收入增加，国内消费水平提高，市场需求扩大。而利比亚由于近几年开放了资本市场，加大外资引进力度，国民收入多元化，减少了国际金融危机的对经济的冲击，市场需求稳定扩大。2009年中国对非洲其他国家的出口均有大幅度下降，而对利比亚和赤道几内亚出口分别增长23.4%和29.2%。

2009年中国和非洲的贸易情况

表5 单位：亿美元

国别（地区）	进出口	占比（%）	同比增长（%）	出口	占比（%）	同比增长（%）	进口	占比（%）	同比增长（%）
总　值	22072.18	100.000	-13.8	12016.63	100.000	-15.9	10055.55	100.000	-11.3
非　洲	910.66	4.126	-14.8	477.36	3.972	-6.1	433.3	4.309	-22.6
安哥拉	170.62	0.773	-32.6	23.86	0.199	-18.6	146.76	1.459	-34.4
南　非	160.59	0.728	-9.9	73.66	0.613	-14.3	86.93	0.864	-5.8
苏　丹	63.90	0.290	-21.9	17.05	0.142	-7.8	46.85	0.466	-26.0
尼日利亚	63.73	0.289	-12.3	54.76	0.456	-19.0	8.97	0.089	76.2
埃　及	58.60	0.265	-6.1	51.07	0.425	-12.1	7.53	0.075	75.9
利比亚	51.77	0.235	22.9	20.03	0.167	23.4	31.74	0.316	22.6
摩洛哥	25.04	0.113	-10.2	21.29	0.177	-8.5	3.75	0.037	-18.3
刚果（布）	21.06	0.095	-51.5	3.67	0.031	-39.9	17.39	0.173	-53.4
贝　宁	20.47	0.093	-15.2	19.53	0.163	-15.2	0.94	0.009	-14.5
赤道几内亚	14.13	0.064	-44.5	3.58	0.030	29.2	10.55	0.105	-53.5

（四）中国对北美洲的贸易情况

2009年三季度北美洲经济在2007年第四季度受金融危机影响衰退近两年以后进入缓慢复苏阶段，在美国政府一系列刺激经济的政策的推动下，2009年美国经济开始复苏年增长率为2.2%，加拿大经济形势也开始好转。近年来，虽然中美经济实力对比发生了很大变化，但是相互依存相互依赖的关系进一步发展，美国是中国第二大出口市场。2009年为应对经济危机中美两国首脑多次举行会晤，中美战略与经济对话和多层次双边政府部门交流频繁，为中美经济贸易关系发展铺垫了很好的基础，尽管2009年，美国对中国实施的“轮胎特保案”等一系列贸易保护措施对中美贸易关系产生不利的影响，据商务部统计，2009年前三个季度，美国对中国发起贸易救济调查14起，涉案金额58.4亿美元，同比增长6.4倍，但由于双方政府进行了积极协调使贸易摩擦的发展在可控的范围内并没妨碍中美贸易关系顺利的发展，2009年中国从美国的进口仅有小幅下降，中美贸易有均衡发展趋势。2009年中国对北美洲进出口3280.8亿美元，占比近15%，同比下降10.9%，出口2385.7亿美元，占比近20%，同比下降13%，进口895亿美元，占比近9%，同比下降5%。中国对美国进出口

2982.6亿美元，占比近14%，出口2208.16，占比18%，同比下降12.5%，进口774.4亿美元，占比7.7%，同比下降4.9%；对加拿大进出口297亿美元，占比1.3%，同比下降14%，出口176.8亿美元，占比1.4%，同比下降19.%，进口120.26亿美元，占比2%，下降5.5%。

2009年中国同北美和澳洲的贸易关系

表6 单位：亿美元

国别（地区）	进出口	占比（%）	同比增长（%）	出口	占比（%）	同比增长（%）	进口	占比（%）	同比增长（%）
总　值	22072.18	100.000	-13.8	12016.63	100.000	-15.9	10055.55	100.000	-11.3
北　美	3280.81	14.864	-10.9	2385.68	19.853	-13.0	895.14	8.902	-5.0
美　国	2982.59	13.513	-10.6	2208.16	18.376	-12.5	774.43	7.702	-4.9
加拿大	297.01	1.346	-14.0	176.75	1.471	-18.9	120.26	1.196	-5.5
澳　洲	675.44	3.060	2.3	249.32	2.075	-3.6	426.12	4.238	6.1
澳大利亚	600.84	2.722	0.7	206.46	1.718	-7.2	394.39	3.922	5.4
新西兰	45.62	0.207	3.8	20.85	0.174	-16.8	24.77	0.246	31.0

数据来源：海关总署。

（五）中国同拉美的贸易关系

由于国际金融危机对实体经济冲击，2008年底到2009年第一季度拉美经济受到严重影响，国外市场萎缩、初级产品价格下跌导致出口大幅减少，侨汇和旅游业收入大幅下降，外资流入下降37%。由于拉美国家政府采取了一系列的刺激经济政策，到了2009年二季度拉美经济开始反弹。据有关国际组织估计，2009年拉美经济下滑1.8%。为应对世界经济衰退，在2008年发表的《中国对拉丁美洲和加勒比海政策文件》的指导下，中国和拉美国家和地区加强政府双边往来和对话，推动中拉经济合作和战略伙伴关系不断深化。2009年中国正式加入拉丁美洲开发银行，进一步深化和拉美国家组织的合作关系；2009年4月中国同秘鲁签订《自由贸易协定》，加大同拉美国家的贸易自由化的步伐；中国还和阿根廷签订价值6500亿人民币的货币互换协议，以应对金融危机给双边带来的不利影响。2009年我国对拉美的进出口1215.4亿美元，占比5.5%，同比下降15%，其中出口571亿美元，占比近5%，同比下降20%，进口644.4亿美元，占比6.4%，同比下降10.4%。我国对拉美的主要贸易伙伴是巴西、智利、墨西哥、阿根廷、委内瑞拉。我国对拉美主要出口市场是巴西、墨西哥、智利、阿根廷和委内瑞拉。受拉美经济衰退的影响，我国对拉美主要市场的进出口都有不同程度的下降，但由于我国对智利和墨西哥矿产品需求大幅增加和世界市场铜矿涨价，我国从智利进口127.9亿美元，比2008年增长12.4%，从墨西哥进口39亿美元，同比增长4.75%，对推动智利和墨西哥经济的复苏起到积极的作用。

2009年中国同拉美国家的贸易关系

表7 单位：亿美元

国别（地区）	进出口	占比（%）	同比增长（%）	出口	占比（%）	同比增长（%）	进口	占比（%）	同比增长（%）
总　值	22072.18	100	-13.8	12016.63	100	-15.9	10055.55	100	-11.3
拉　美	1215.40	5.506	-15.2	570.96	4.751	-20.1	644.44	6.409	-10.4
巴　西	424.00	1.921	-12.6	141.19	1.175	-24.7	282.81	2.812	-4.9
智　利	177.19	0.803	1.1	49.28	0.410	-19.9	127.91	1.272	12.4
墨西哥	161.81	0.733	-7.8	122.99	1.023	-11.2	38.82	0.386	4.7
阿根廷	77.89	0.353	-45.9	34.83	0.290	-30.9	43.06	0.428	-54.0
委内瑞拉	71.52	0.324	-27.4	28.11	0.234	-16.1	43.41	0.432	-33.2

资料来源：海关统计。

（六）中国对澳洲的贸易关系

由于世界市场对矿产品和能源需求的大幅增加，澳洲经济在2009年三季度开始全面复苏，出口大幅增加。2009年在中国等新型经济体国家对矿产品需求强劲的带动下，澳大利亚出口大幅增加，经济恢复增长，年经济增长率达到2.7%。受国际矿业巨头力拓案的影响，中国在澳大利亚的矿业投资受挫。但这并未影响中国对澳大利亚的产品需求。2009年中国对澳洲的进出口675.4亿美元，占比3%，同比增长2.3%；出口249亿美元，占比2%，同比下降3.6%；进口426.12亿美元，占比4%，同比增加6.1%。中国对澳大利亚进出口600.84亿美元，占比近3%，同比增长0.7%；出口206.46亿美元，占比1.78%，同比下降7.2%；进口394亿美元，占比近4%，同比增加5.4%。由于中国对新西兰的矿产品和农产品需求大幅增加，中国从新西兰的进口大幅增加，2009年中国对新西兰进出口45.6亿美元，占比0.27%，同比增加3.8%；出口20.9亿美元，占比约0.2%，同比下降16.8%；进口24.8亿美元，占比0.24%，增长31%。

2009年中国同北美和澳洲的贸易关系

表8 单位：亿美元

国别（地区）	进出口	占比（%）	同比增长（%）	出口	占比（%）	同比增长（%）	进口	占比（%）	同比增长（%）
总　值	22072.18	100.000	-13.8	12016.63	100.000	-15.9	10055.55	100.000	-11.3
北　美	3280.81	14.864	-10.9	2385.68	19.853	-13.0	895.14	8.902	-5.0
美　国	2982.59	13.513	-10.6	2208.16	18.376	-12.5	774.43	7.702	-4.9
加拿大	297.01	1.346	-14.0	176.75	1.471	-18.9	120.26	1.196	-5.5
澳　洲	675.44	3.060	2.3	249.32	2.075	-3.6	426.12	4.238	6.1
澳大利亚	600.84	2.722	0.7	206.46	1.718	-7.2	394.39	3.922	5.4
新西兰	45.62	0.207	3.8	20.85	0.174	-16.8	24.77	0.246	31.0

资料来源：海关统计。

三、出口商品结构进一步优化，比较优势产品出口降幅小，占比增加，高耗能、高污染和资源密集型产品出口降幅大，占比进一步下降

2009年由于新兴经济体国家快速经济复苏，世界初级产品市场需求旺盛，同时西方发达国家经济不景气导致世界工业制成品市场需求不振，订单减少，加工贸易大幅下降。在这种严峻的形势下，从保增长，扩内需，调结构的目的出发，国家先后出台一系列的对策，四次调整了出口退税率，范围涉及机电产品和高技术含量的产品、纺织和服装、轻纺和电子信产品和一些我国具有比较优势的劳动密集型产品和高技术含量的产品，并调整了针对农产品和一些初级产品的出口关税。这一系列的经济政策的调整对我国出口的稳定复苏和结构的调整起到积极的作用。2009年我国出口结构进一步优化，我国具有比较优势的出口产品出口下降幅度较小，占比增加，而高耗能、高污染和资源密集型产品出口下降幅度较大，占比进一步下降。2009年初级产品出口631亿美元，比上年同期减少19.1%，占比5.26%，其中食品及动物出口下降0.5%，占比2.7%，比上年略有增加；饮料及烟类增长7.3%，占比上升到0.14%；非食用原料（燃料除外）下降27.9%，占比下降到0.68%，比上年同期减少0.1百分点；矿物燃料润滑油及有关原料（煤、煤炭及煤砖、石油、石油产品及有关原料和天然气等）出口下降35.8%，占比下降到1.7%，减少了0.5个百分点；动植物油脂及腊出口下降44.9%，占比下降到0.026。

工业制成品出口11385.64亿美元，下降15.8%，占比为94.7%，其中化学品及有关产品出口下降21.8%，占比下降5.16%；按原料分类的制成品（皮革、橡胶制品、软木纸制品等工业用制品）出口下降29.6%，占比下降至15.4%，比上年下降近3个百分点；机械运输设备出口下降12.3%，占比上升至49%，比上年增长3个百分点；杂项制品出口下降10%，占比上升至24.9%，比2008年增加近1个百分点。

2007—2009 年中国出口商品结构

表 9

类别	2007 年		2008 年		2009 年	
	增长率（%）	占比（%）	增长率（%）	占比（%）	增长率（%）	占比（%）
总　值	25.7	100	17.3	100	-16	100
初级产品	16.3	5	24.8	5.5	-19.1	5.26
食品及或动物	19.5	2.5	6.6	2.3	-0.5	2.7
饮料及烟类	17	0.1	9.5	0.11	7.3	0.14
非食用原料（燃料除外）	16.5	0.75	24.5	0.79	-27.9	0.68
矿物燃料润滑油及有关	12.2	1.6	52	2.21	-35.8	1.7
动植物油脂及蜡	-18.8	0.02	89.5	0.04	-44.9	0.026
工业制成品	26.2	94.9	16.8	94.6	-15.8	94.74
化学品及有关产品	35.5	4.9	31.5	5.5	-21.8	5.16
按原料分类的制成品	25.8	18	19	18.3	-29.6	15.38
机械及运输设备	'26.5	47.4	16.7	47	-12.3	49.13
杂项产品	24.7	24	12.7	23.4	-10.8	24.94
未分类产品	-6	0.1	-21	0.31	-3.8	0.13

资料来源：海关统计。

四、进口产品结构进一步优化，初级产品进口降幅较大，占比进一步下降；工业制成品进口降幅较小，占比上升

2009 年在国家大规模的刺激经济的政策的推动下，从 2009 年 11 月起我国进口恢复大幅增长，比 2008 年同期增长 26.7%，12 月份进口增幅更是达到 55.9%。从 2001 年中国加入世界贸易组织来，中国的进口市场已经逐步放开。进口关税逐步降低，根据对世界贸易组织的承诺，到 2009 年 1 月 1 日我国的平均关税已降至 9.8%。从 2005 年以来中国为了促进贸易平衡采取了一系列的促进进口的措施，降低进口关税，使进口手续进一步便利化，调整了人民币汇率政策。随着中国深入参与区域经济一体化，中国对一些国家和地区的进口大面积减免了关税，特别扩大了从非洲最贫穷国家的进口产品的减免税的范围，促进了从这些地区的进口的扩大，进一步优化了我国的进口结构，丰富了国内市场的供应，满足了对经济增长对大量资源需求。2009 年我国进口 10055.6 亿美元，比 2008 年下降 11.2%，其中初级产品进口 2892.02 亿美元，降幅为 20.2%，占进口比重 28.8%，比 2008 年下降了 3 个百分点；工业制成品进口 7163.5 亿美元，降幅为 7%，占比上升到 71.2%，比 2008 年上升了 3 个百分点。

初级产品进口中，食品及活动物进口 148.2 亿美元，比上年同期增加 5.5%，占进口的比重略有增加；饮料及烟酒类进口 19.53 亿美元，增长 1.8%，占比略有下降；由于国家从战略角度考虑加大了对国内能源的开发利用以便减少资源方面对国外的依赖，非食用原料进口 1408.2 亿美元，下降 15.5%，占比 14%，比上年下降 0.8 个百分点；矿物燃料、润滑油及有关原料进口 1239.62 亿美元，下降 26.8%，占比 12.3%，下降 2.5 个百分点；动植物油、脂及蜡 76.4 亿美元，下降 27.1%，占比略有下降。

在工业制成品进口中，化学成品及有关产品进口 1121.23 亿美元，下降 5.9%，占比 11.16，上升 0.6 个百分点；按原料分类的制成品（皮革、橡胶制品、软木、纸及纸板、纺纱、织物及制成品、非金属矿产品等）进口 1077.31 亿美元，增长 0.5%，占比 10.7%，上升 1.5 个百分点；机械及运输设备进口 4080 亿美元，下降 7.6%，占比 40.6%，上升 1.5 个百分点；杂项制品（活动房屋、家具、旅行用品、服装、鞋靴等）进口 851.9 亿美元，下降 12.8%，占比 8.48%，和上年持平；未分类制成品进口 33 亿美元，增长 25%，占比 0.33%，比上年略有下降。

2007—2009 年中国进口商品结构

表 10

类别	2007 年		2008 年		2009 年	
	增长率（%）	占比（%）	增长率（%）	占比（%）	增长率（%）	占比（%）
总　值	20.8	100	18.5	100	－11.2	100
初级产品	29.8	25.4	49.2	32	－20.2	28.76
食品及或动物	15	1.2	22.2	1.2	5.5	1.47
饮料及烟类	34.7	0.1	37.1	0.2	1.8	0.19
非食用原料（燃料除外）	41.8	12.3	41.8	14.8	－15.5	14
矿物燃料润滑油及有关	17.8	11	61.2	14.9	－26.8	12.3
动植物油脂及蜡	86.6	0.77	42.8	0.9	27.1	0.76
工业制成品	18	74.6	8.1	68	－7	71.24
化学品及有关产品	23.5	11.2	10.8	10.5	－5.9	11.16
按原料分类的制成品	18.3	10.8	4.2	9.5	0.5	10.7
机械及运输设备	15.5	43.1	7.1	39	－7.6	40.57
杂项产品	22.7	9.1	11.6	8.6	－12.8	8.48
未分类产品	21.4	0.26	79.3	0.39	－25.2	0.33

资料来源：海关统计。

五、东部地区受金融危机的冲击较小，而中西部地区对外贸易则受到影响较大，下降幅度较大

由于处在不同经济发展水平，世界经济危机对我国国内各地区对外贸易发展影响程度有所不同，我国东部沿海地区是我国出口的主要来源地，出口占我国出口总额的90%以上。近年来由于国家实施一系列经济政策推动东部地区出口产品结构调整和出口产业向西部转移，虽然在世界经济危机的冲击下东部地区的出口下降，但出口产品结构进一步优化，高技术高附加值的产品出口增加，高耗能高污染资源密集型出口产品减少。2009 年东部地区出口 11006 亿美元，比上年下降 14.3%，占比 91.6%，比上年上升 0.7 个百分点；中西部地区是资源和产粮大省，受世界经济危机和国内政策调整的影响，出口大幅度滑坡，中部六省市出口 542.3 亿美元，下降 32.1 亿美元，占比 3.7%，下降 0.9 个百分点，西部地区 13 省市出口 467.96 亿美元，下降 27%，占比 4.7%，比上年下降 0.8 个百分点。2009 年我国出口前十位最大的省市依序为广东（3623.9 亿美元，比上年同期下降 11.9%，占比 30%）、江苏（2073.95 亿美元，比上年同期下降 15.4，占比 17.3%）、浙江（1476.83 亿美元，下降 12.1%，占比 12.3%）、上海（1361.3 亿美元，下降 15.2%，占比 11.3%）、山东（826.88 亿美元，下降 14.5%，占比 6.9%）、福建（511.2 亿美元，下降 4.2%）、辽宁（327.42 亿美元，下降 22.3%，占比 2.7%，天津（303.7 亿美元，下降 26.8%，占比 2.5%）、北京（291.68 亿美元，下降 16%，占比 2.4%）、河北（191.94 亿美元，下降 34.1%，占比 1.6%）。

在进口方面，东部地区也是我国主要的进口地区，2009 年东部地区进口 9039.180 亿美元，下降 11.3%，占进口总额的比重近 90%。中部地区进口 539.130 亿美元，下降 13.8%，占比 3.8%，西部地区进口 477.250 亿美元，下降 9.5%，占比 6.3%。由于国家实施大规模的刺激经济政策，中西部的基础设施有了很大的发展，带动了当地经济的发展，促进了进口的增加。2009 年中西部的进口占进口比重接近 10%，比 2007 年提高了两个百分点。2009 年前十大进口省市是广东（进口 2695.64 亿美元，下降 12.1%，占比 26%）、江苏（1586 亿美元，降幅 14.4%，占比 15.8%）、上海（1372 亿美元，降幅 10.5%，占比 13.6%）、山东（807.4 亿美元，降幅 11.2%，占比 8%）、浙江（629.98 亿美元，降幅 17.5%，占比 6.2%）、北京（580.39 亿美元，降幅 3.8%，占比 5.7%）、天津（416.58 亿美元，降幅 8.2%，占比 4.1%）、辽宁（370.7 亿美元，降幅 7.3%，占比 3.7%）、河北（210.43 亿美元，降幅 3.3%，占比 2%）。

2007—2009 年国内各地区进出口变化

表 11

类别	2007 年		2008 年		2009 年	
	比重（%）	增速（%）	比重（%）	增速（%）	比重（%）	增速（%）
出口						
东部	91.2	24.8	89.9	15.6	91.6	-14.3
中部	3.2	35.8	4.6	49.3	3.7	-32.1
西部	5.2	37.5	5.5	24.1	4.7	-27.9
进口						
东部	92.3	19.7	89.9	15.5	89.9	-11.3
中部	3.2	35.7	3.9	46.2	3.8	-13.8
西部	4.5	35.6	6.2	62.4	6.3	-9.5

资料来源：海关总署。

（撰稿：韩秀申）

利用外资概况

根据联合国贸发会议统计，受金融危机影响，2009 年全球经济出现了自二战以来的首次负增长，全球国外直接投资在 2008 年大幅下降之后继续大幅下降。2009 年全球国外直接投资为 1.04 万亿美元，比 2008 年下降 39%。其中巴西下降 50%，阿根廷下降 41%，印度下降 19%，英国下降 93%，美国下降 57%，日本下降 53%。2009 年受国际金融危机影响，中国利用外资虽然有一定幅度的下降，但由于中国的经济发展情况较好，对外资的吸引力较强，利用外资下降幅度远远小于全球国外直接投资的下降水平。据商务部统计，2009 年，全国新批设立外商投资企业 23435 家，同比下降 14.83%；实际使用外资金额 900.33 亿美元，同比下降 2.56%。截至 2009 年底，我国累计批准设立外商投资企业达到 68.3 万家，实际外商直接投资额达到 9454 亿美元。

一、2009 年中国吸引外商直接投资的主要特点

2009 年，面对国际金融危机，中国政府采取了一揽子应对危机措施，在以扩大内需作为保增长的基本立足点的同时，坚持扩大开放，大力推进投资和贸易便利化，为包括外商投资企业在内的各类企业创造了走出困境、实现增长的良好发展环境。

（一）2009 年中国连续 18 年成为发展中国家吸引外资最多的国家，并超过法国和英国成为仅次于美国的世界第二大外资流入国

据联合国贸发会议的调查，2009—2010 年，最受跨国公司青睐的前十大投资国依次是：中国、印度、美国、俄罗斯、巴西、越南、德国、印尼、澳大利亚和加拿大。经济快速的增长、巨大的国内市场规模、低成本劳动力以及对外开放政策的不断完善使中国继续成为最具吸引力的全球国外直接投资的东道国。得益于中国经济企稳回升实现较快发展的出色表现和不断完善的投资环境，2009 年，全国外商投资企业总体运营情况良好，不少企业成为其母公司全球业务的增长亮点和利润中心。中国美国商会发布的《2010 年商务环境调查报告》显示，2009 年，71% 的美资企业实现了盈利，82% 的企业对在华业务前景表示乐观，91% 的企业对未来 5 年的发展前景表示乐观。

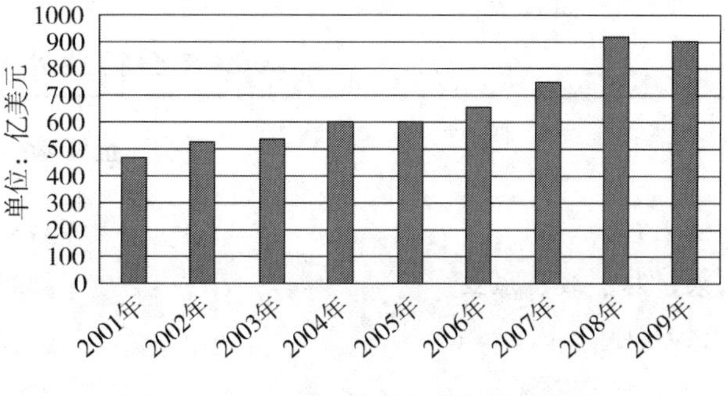

图 1　2001—2009 年实际使用外资金额

资料来源：中国投资指南网。

（二）2009 年全国吸引外资呈现前低后高的特点

从 2008 年 4 季度开始，中国吸引外资呈现回落态势。2008 年 10 月，国外直接投资开始进入负增

长，一直到2009年8月，连续十一个月出现负增长，到2009年8月份，实际吸收外资扭转下降趋势，呈现触底回升态势。

（三）由于国家加强了对外资投向的引导，我国利用外资结构进一步优化

高新技术产业和农业吸引外资规模扩大，制造业仍是吸收外资的最大的部门，但占中国利用外资的比重呈下降趋势。2009年外商投资制造业新设立企业9767家，同比下降15.57%，实际使用外资金额467.71亿美元，同比下降6.26%，占全国吸收外资总额的比重分别为41.68%和51.95%。制造业吸收外资主要集中于通信设备、计算机及电子设备制造业，电气机械及器材制造业，化学原料及化学制品制造业，交通运输和通用设备制造业等行业；农业领域利用外资增幅较大，农、林、牧、渔业新设立外商投资企业896家，同比下降2.29%，实际使用外资金额14.29亿美元，同比增长19.96%，占全国比重分别为3.82%和1.59%。其中，农业领域实际使用外资金额7.51亿美元，同比增长35.5%。

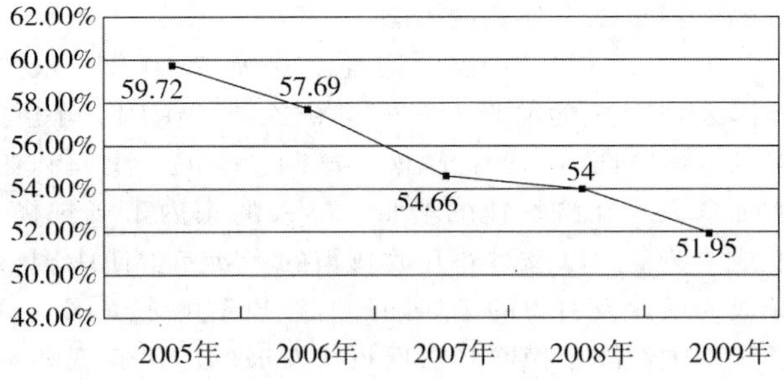

图2 2005—2009年制造业利用外资占全国实际利用外资比重

资料来源：中国投资指南网。

（四）2009年服务业利用外资所占全国总量的比重略有上升，房地产利用外资出现下降

2009年全国服务业新设立外商投资企业11461家，同比下降14.85%；实际使用外资金额378.66亿美元，同比下降0.67%，占全国总量的比重由2008年的41.3%上升至42.06%。服务业吸收外资主要集中于分销服务业、运输服务业、计算机应用服务业、电力、煤气及水的生产和供应业、旅游和与旅游相关的服务业等行业。其中，分销服务业，电力、煤气及水的生产和供应业在2008年大幅增长的基础上，继续保持增长，增长率分别为28.83%和24.53%，在服务业外商直接投资总量中所占比重分别由2008年的9.29%、4.45%上升至12.1%和5.6%。

房地产业新设立外商投资企业569家，同比增长25.88%；实际使用外资金额167.96亿美元，同比下降9.65%，占服务业外商直接投资总量的44.4%，比上年下降4.37个百分点。

（五）由于投资环境进一步改善，我国吸引外资的层次在提高

我国对外开放是史无前例的，无论是制造业、农业，还是服务业，绝大部分的领域都已经对外开放，宽领域、多层次、全方位的开放格局已经形成。中国加入世贸组织以后，已经有100多个服务贸易部门对外开放，在WTO的成员中，即便跟发达国家相比，中国的开放度也是比较高的。我国东部地区地理环境优越，经济富庶，是外商投资的首选地。2009年我国东部地区吸收富士康、台玻、达方等跨国公司一批大项目的投资，有力推动了东部地区产业转型升级。2009年又有博世、福特、三星等在内的一大批世界著名跨国企业在华设立过百家外资研发中心，主要涉及生物医药、电子信息、机械、汽车及零部件、新能源、新材料等领域。全球500强企业中已有480多家在我国投资，并设立研发中心约1200家，地区总部近40家。

2009年分行业外商直接投资及其增长速度

行　业	企业数（家）	比上年增长（%）	实际使用金额（亿美元）	比上年增长（%）
总　计	23435	-14.8	900.3	-2.6
农、林、牧、渔业	896	-2.3	14.3	20.0
采矿业	99	-33.6	5.0	-12.6
制造业	9767	-15.6	467.7	-6.3
电力、燃气及水的生产和供应业	238	-25.6	21.1	24.5
建筑业	220	-16.0	6.9	-36.7
交通运输、仓储和邮政业	395	-24.5	25.3	-11.4
信息传输、计算机服务和软件业	1081	-15.9	22.5	-19.0

续表

行 业	企业数（家）	比上年增长（%）	实际使用金额（亿美元）	比上年增长（%）
批发和零售业	5100	-12.9	53.9	21.6
住宿和餐饮业	502	-20.7	8.4	-10.1
金融业	52	108.0	4.6	-20.3
房地产业	569	25.9	168.0	-9.7
租赁和商务服务业	2864	-8.7	60.8	20.2
科学研究、技术服务和地质勘查业	1066	-42.0	16.7	11.2
水利、环境和公共设施管理业	183	32.6	5.6	63.4
居民服务和其他服务业	207	1.0	15.9	178.3
教育	20	-16.7	0.1	-63.0
卫生、社会保障和社会福利业	18	80.0	0.4	127.0
文化、体育和娱乐业	158	-7.1	3.2	23.0
公共管理和社会组织	—	—	—	—
国际组织	—	—	—	—

资料来源：国家统计局。

（六）2009 年我国吸收外资来源较为集中

2009 年对华投资前十位国家（地区）（以实际投入外资金额计）依次为：中国香港（539.93 亿美元）、中国台湾（65.63 亿美元）、日本（41.17 亿美元）、新加坡（38.86 亿美元）、美国（35.76 亿美元）、韩国（27.03 亿美元）、英国（14.69 亿美元）、德国（12.27 亿美元）、中国澳门（10 亿美元）和加拿大（9.59 亿美元），前十位国家（地区）实际投入外资金额占全国实际使用外资金额的 88.3%（上述国家（地区）对华投资数据包括这些国家/地区通过维尔京、开曼群岛、萨摩亚、毛里求斯和巴巴多斯等自由港对华进行的投资）。

（七）香港再次成为内地吸收外资的重要来源地之一

亚洲十国（地区）（中国香港、中国澳门、中国台湾省、日本、菲律宾、泰国、马来西亚、新加坡、印尼、韩国）对华投资新设立企业 18321 家，同比下降 15%，实际投入外资金额 731.48 亿美元，同比增长 1.69%。2009 年香港对内地投资新设立企业 11229 家，实际投入外资金额 539.93 亿美元，占全国吸收外资的比重达到 60%，扣除统计调整因素，投资占比为 51.2%。值得关注的是，香港投资占全国的比重在经历了多年的下降后，自 2005 年起保持了逐年上升的趋势。美国对华投资新设立企业 1588 家，实际投入外资金额 35.76 亿美元，扣除统计口径调整因素，同比下降 13.3%。欧盟 27 国对华投资新设立企业 1578 家，实际投入外资金额 59.52 亿美元，扣除统计口径调整因素，同比上升 0.7%。

（八）利用外资区域分布仍然不均衡，东北老工业基地吸收外资增长迅速

2009 年，东部地区实际使用外资金额 775.89 亿美元，同比下降 0.96%，占全国实际使用外资总额的比重为 86.18%。中部地区实际使用外资金额 53.35 亿美元，同比下降 28.26%，降幅高于全国平均水平 25.7 个百分点，占全国总量比重由上年同期的 8.05% 降至 5.93%。西部地区实际使用外资金额为 71.09 亿美元，同比增长 7.41%，占全国实际使用外资金额总量的 7.9%，比上年提高 0.74 个百分点。在西部地区实际吸收的外资中，有 85% 投向房地产领域。

东北老工业基地实际使用外资增幅进一步提高，实际使用外资金额为 81.61 亿美元，同 2008 年比增长 22.83%，占全国实际使用外资总额的比重上升至 9.06%。2009 年，东北三省超千万美元大项目增多。其中，辽宁省国外实际投资 1000 万美元以上的大项目 321 个，同比增长 34.3%。黑龙江省新批外资超 1000 万美元以上大项目 55 个，占黑龙江省新批外资项目总数的 34.8%。

（九）外资并购占全国利用外资总额的比重偏小，以服务业并购为主

2009 年全国共批准外资并购案 863 个，同比增长 1.9%，占全国新设外商投资企业数的 3.6%，实际使用外资 21.6 亿美元，同比增长 3.8%，占全国实际使用外资的 2.4%。外资并购从行业看，服务业占比大、增速快；制造业占比小，降幅大。服务业并购案555个，占并购总数64.3%，同比增长17%；实际使用外资16.2亿美元，占并购总额的75.1%，同比增长31.7%。其中，燃气生产和供应业并购实际使用外资2.5亿美元，同比增长828.6%；制造业并购案273个，占并购总数31.6%，同比下降16.3%；实际使用外资4.9亿美元，占并购总数22.6%，同比下降36.5%。其中专业设备制造业并购实际使用外资6125万美元，同比增长176.9%；电气机械及器材制造业并购实际使用外资5762万美元，同比增长99.8%。并购案主要集中在东部地区，并购数为664个，占全国76.9%；实际使用外资14.6亿美元，占全国67.6%。在资金来源上，法国、日本并购增长较大，实际投入外资分别增长92.1%和214.9%。

（十）外资企业外贸顺差占全国外贸顺差的比重超过60%

2009年外商投资企业进出口额占全国总额的比重为55.16%，其中出口6722.3亿美元，同比下降14.97%；进口5452.07亿美元，同比下降12.06%；进出口降幅与同期全国水平基本相当。根据海关统计，在2009年中国外贸200强中，外商投资企业有153家，出口额占200强出口额的比重为77.8%。2009年外商投资企业贸易顺差1270.23亿美元，占全国顺差总额的比重为64.79%，比2008年上升7.03个百分点。2009年，外商投资企业工业产值和税收分别占全国的28%和22.7%，直接吸纳的就业达到4500万人。

二、2009年中国利用外资的政策调整

（一）进一步完善投资政策，加大了吸引外资的力度

2009年11月25日，国务院颁布《外国企业或者个人在中国境内设立合伙企业管理办法》，将于2010年3月1日起施行。是《中华人民共和国合伙企业法》的配套法规。办法规定外国合伙人可通过以下三种模式在中国设立合伙企业：（1）与其他外国合伙人；（2）与中国的自然人及在中国大陆注册的法人或其他组织；（3）加入已经成立的内资合伙企业

（二）进一步下放对外资的审批权，促进投资便利化

在应对国际金融危机的过程中，改善投资环境、稳定外资规模、优化外资结构是中国政府应对危机一揽子政策措施的重要内容，投资贸易便利化是应对危机、实现上述目标的重要措施之一。商务部于2009年3月5日、6日、12日分别公布《商务部关于外商投资创业投资企业、创业投资管理企业审批事项的通知》《商务部关于下放外商投资举办投资性公司审批权限的通知》《商务部关于进一步改进外商投资审批工作的通知》，是为全面贯彻落实科学发展观和党的十七届二中全会精神，进一步深化行政体制改革，转变政府工作职能，改进外商投资审批工作，促进投资便利化，调整外商投资审批权限，下放外商投资审批权。这次下放外商投资审批权，对地方政府的权限从鼓励类、允许类1亿美元一下提高到3亿美元，是改革开放30年来对外商投资权限下放幅度最大的一次。为了促进投资便利化，商务部先后下发6个文件取消和下放26大类的审批事项，绝大部分的外商投资企业的设立变更事项已经交给地方商务部门来办理，大大提高了行政效率。

（三）加强对吸引外资的管理

为了转变重规模、轻质量的投资促进方式，推进我国利用外资工作又好又快发展，2009年2月19日商务部公布《关于加强外商投资土地利用统计工作的通知》，目的是提高利用外资质量和水平，全面衡量外商投资土地集约利用程度，加强外商投资土地利用统计工作；2月19日商务部还公布《关于建立招商选资综合评价体系的指导意见》，为保证对招商选资综合评价体系工作的顺利进行，商务部采用科学的手段对招商工作进行合理评价和引导，推动各地由招商引资向招商选资的方式转变，全面提高我国利用外资的质量和水平。

（撰稿：韩秀申）

对外经济合作概况

2009年虽然有全球经济衰退的冲击，但由于国家加大对我国对外经济合作业务的鼓励支持和规范管理，我国对外经济合作仍取得了可喜的成绩。根据商务部统计，2009年我国对外承包工程继续保持快速增长；我国对外直接投资平稳发展；对外劳务合作业务受到了一定的冲击。

一、2009年中国对外经济合作的概况

根据商务部统计，2009年，我国对外承包工程业务完成营业额777亿美元，同比增长37.3%；新签合同额1262亿美元，同比增长20.7%。截至2009年底，我国对外承包工程累计完成营业额3407亿美元，签订合同额5603亿美元。2009年我国境内投资者共对全球122个国家和地区的2283家境外企业进行了直接投资，其中非金融类对外投资433亿美元，同比增长6.5%。截至2009年末，我国累计对外直接投资2200多亿美元。

2009年我国对外劳务合作完成营业额89.1亿美元，同比增长10.6%；新签合同额74.7亿美元，同

比下降1.2%；我国境内对外劳务合作营业额达到48.7亿美元，同比增长26.5%，占我国对外劳务合作营业额的比重则上升到54.69%；而我国对外劳务合作国外项目营业额开始下降，达到40.38亿美元，比2008年减少1.67亿美元，同比减少3.98%。2009年，全年派出各类劳务人员39.5万人，同比下降7.5%。2009年末在外各类劳务人员77.8万人，同比增加3.8万人。截至2009年底，我国对外劳务合作累计完成营业额648亿美元；合同额674亿美元；累计派出各类劳务人员502万人。

二、2009年中国对外经济合作的主要特点

（一）我国对外承包工程以亚非市场为主的传统格局继续巩固

2009年，我国对外承包工程以亚非市场为主的传统格局继续巩固。从完成营业额的情况来看，亚洲和非洲地区分别占51.2%和36.2%，两大洲营业额占全国营业总额的比重由2008年的86%上升到87.4%。此外，拉丁美洲市场完成营业额36.4亿美元，同比增长21.3%，占营业总额的比重4.7%；欧洲市场占4.1%；大洋洲市场占2.6%、北美洲市场占1.2%。

（二）我国对外承包工程行业国别市场进一步呈现多元化

2009年，我国与36个国家（地区）新签合同额超过10亿美元，较2008年增加了10个国家（地区），其中伊朗114亿美元、委内瑞拉以96亿美元的业绩位居前两位。新签合同额排名前十位国家（地区）的累积合同额为604.1亿美元，占新签合同总额的47.9%。完成营业额超过10亿美元的国家（地区）21个，同比增加了8个，其中在阿尔及利亚和印度两国完成营业额均接近60亿美元。

2009年我国新签合同额、完成营业额前10名国家（地区）

表1 **单位：万美元**

排名	国家（地区）	新签合同额	国家（地区）	完成营业额
1	伊朗	1147436	阿尔及利亚	587726
2	委内瑞拉	964523	印度	579396
3	印度	695124	安哥拉	486189
4	沙特阿拉伯	590926	沙特阿拉伯	359158
5	利比亚	583992	阿联酋	354167
6	越南	448557	印度尼西亚	264688
7	苏丹	443422	越南	237106
8	阿尔及利亚	399568	伊朗	210376
9	尼日利亚	394527	苏丹	207843
10	安哥拉	372250	尼日利亚	200352

资料来源：《国际工程与劳务》。

（三）2009年对外承包工程项目规模不断提升，大项目继续增加

2009年，我国对外承包工程企业的新签合同金额在5000万美元以上的项目有440个，较2008年增加了93个，合计金额1017亿美元，占新签合同总额的81%。其中上亿美元的项目240个，同比增加了45个。中国中铁股份有限公司承接的第纳科－阿纳科铁路项目和中国石化工程建设公司承接的Hormuz炼厂EPC项目，合同额均超过70亿美元；山东电力基本建设总公司签下的印度WCPL6×600MW燃煤电站和上海振华港口机械（集团）股份有限公司承建的海上采油钻井平台等项目，合同额突破20亿美元。

（四）我国对外承包工程项目由传统的施工承包向高端的业务模式发展

为应对日趋激烈的行业竞争，企业积极转变传统的施工承包业务模式，不断提升企业的综合竞争实力。在不断提高施工承包水平的基础上，向高端业务领域迈进。2009年，企业承揽的EPC（设计－采购－施工）项目明显增多，合同额较大的项目，尤其是上亿美元的大项目，几乎都是EPC总承包的形式。一些有实力的企业抓住市场调整的机会，积极尝试BOT（建设－经营－转让）、PPP（公私合作关系）等带有投资性质的业务模式，探索产业升级

道路。

（五）我国对外承包工程项目的专业领域向多元化发展

从2009年新签合同额分布来看，中国对外承包专业领域分布更为多元化，交通运输为298.2亿美元，占比23.6%；房屋建筑业，达248.6亿美元，占比19.7%；电力工业达231.9亿美元，占比18.4%；石油化工业达171.6亿美元，占比13.6%；电子通讯业为92.6亿美元，占比7.3%；制造业及加工业为91.3亿美元，占比7.2%；供排水业为32.3亿美元，占比2.6%；矿山建设为14.7亿美元，占比1.2%；其他行业为80.4亿美元，占比6.4%。

（六）我国企业的国际竞争力和实力大大提高

中国公司在国际市场上的竞争力继续提升，海外业绩进一步增长。2009年，我国50家内地企业入选美国《工程新闻记录》（ENR）225家最大国际承包商行列，虽然较2008年少了1家，但企业平均营业额达到7.14亿美元。50家企业合计完成海外工程营业额357.14亿美元，同2008年相比增长57.4%，占225强总营业额的比重为9.15%，同比增加1.8%，国家综合排名从2008年的第七位上升至2009年的第四位。根据商务部公布的“2009年中国对外承包工程业务新签合同额前五十名的企业”、“2009年中国对外承包工程业务完成营业额前五十名的企业”等排名，中国中铁股份有限公司新签合同额75亿美元高居“2009年我国对外承包工程业务新签合同额前五十名的企业”榜首。华为技术有限公司公司以65.42亿美元成为“2009年我国对外承包工程业务完成营业额最多的企业”。为了提高企业的国际竞争力，越来越多的企业在提高业务能力的同时，更加注重环保、公益事业的发展和相关方利益，更加重视社会责任，努力促进东道国经济长远发展，从而塑造了良好的国际形象。

2009年我国对外承包工程业务新签合同额和完成营业额前10名企业

表2　　单位：万美元

排名	企业名称	新签合同额	企业名称	完成营业额
1	中国中铁股份有限公司	750000	华为技术有限公司	654245
2	中国石化工程建设公司	731224	中国建筑工程总公司	422587
3	华为技术有限公司	654245	中信建设有限责任公司	294158
4	中国建筑工程总公司	602994	上海振华港口机械股份有限公司	261602
5	中国土木工程集团公司	485549	中国水利水电建设集团公司	222824
6	中国水利水电建设集团公司	448901	中国石油工程建设（集团）公司	207677
7	中国葛洲坝水利水电工程集团公司	422835	中国机械设备进出口总公司	205851
8	上海电气集团股份有限公司	414471	中国港湾工程有限责任公司	184583
9	上海振华港口机械股份有限公司	355139	中国石化工程建设公司	131879
10	中国港湾工程有限责任公司	325659	中石油集团长城钻探工程有限公司	108722
	合计	5191017	合计	2694128

资料来源：商务部网站。

2009年我国对外承包工程业务完成营业额分省（区、市）排名

表3 单位：万美元

序号	省（区、市）	完成营业额
	合计	5935353
1	广东省	758799
	其中：深圳市	714828
2	上海市	665664
3	江苏省	435771
4	山东省	425362
	其中：青岛市	89740
5	四川省	335622
6	河北省	287157
7	湖北省	275913
8	浙江省	222269
	其中：宁波市	84925
9	天津市	208566
10	北京市	184997
11	河南省	159823
12	辽宁省	157858
	其中：大连市	90583
13	安徽省	149363
14	山西省	114297
15	黑龙江省	78633
16	云南省	73755
17	江西省	71143
18	陕西省	62543
19	湖南省	54785
20	新疆维吾尔自治区	44621
21	广西壮族自治区	43495
22	甘肃省	28332
23	贵州省	28287
24	新疆生产建设兵团	24028
25	吉林省	23469
26	重庆市	17576
27	福建省	17478
	其中：厦门市	345
28	海南省	2173
29	内蒙古自治区	1692
30	宁夏回族自治区	1461

资料来源：商务部。

2009年我国对外承包工程业务新签合同额分省（区、市）排名

表4 单位：万美元

序号	省（区、市）	新签合同额
	合计	7590104
1	上海市	1193790
2	山东省	850734
	其中：青岛市	134019
3	广东省	814859
	其中：深圳市	738884
4	湖北省	679481
5	江苏省	449596
6	四川省	350679
7	北京市	296851
8	河北省	266678
9	辽宁省	255818
	其中：大连市	146629
10	浙江省	230557
	其中：宁波市	41426
11	天津市	166199
12	河南省	160070
13	新疆维吾尔自治区	141835
14	江西省	108293
15	安徽省	98077
16	云南省	92403
17	湖南省	63326
18	重庆市	54378
19	山西省	48936
20	广西壮族自治区	47845
21	陕西省	32661
22	甘肃省	28877
23	黑龙江省	26305
24	吉林省	17078
25	新疆生产建设兵团	16927
26	贵州省	16461
27	福建省	14476
	其中：厦门市	76
28	海南省	3365
29	宁夏回族自治区	1781
30	内蒙古自治区	734

资料来源：商务部。

（七）在亚洲和非洲市场对外劳务合作完成营业额有所增加，在欧洲和北美市场出现大幅下滑

2009年我国对外劳务合作完成营业额89.1亿美元，其中我国对外劳务合作国外业务营业额达到40.38亿美元。亚洲是我国最大的对外劳务合作市场，由于亚洲市场经济复苏的带动，2009年市场年营业额33.6亿美元，同2008年相比略有增长，占我国对外劳务合作国外业务营业额比重的83.21%。2009年由于我国对非洲工程承包完成项目大幅增加，对非洲工程项下劳务合作业务的迅速增长，非洲成为我国对外劳务合作的第二大市场，2009非洲市场营业额同比增长37.93%，达到3.37亿美元，占比为8.35%。由于金融危机的影响，欧洲和北美劳动力市场需求大幅萎缩，劳务进入壁垒普遍提高。受此影响，2009年我国在欧洲市场的对外劳务合作营业额同2008年相比下降55.13%，仅为2.32亿美元，占比为5.75%。北美市场继续呈现下滑趋势，2009年营业额0.42亿美元，同比减少0.11亿美元，占比1.04%。美国市场2009年营业额为0.29亿美元，同比减少23%，占比0.72%；加拿大市场2009年营业额为0.13亿美元，同比降16.9%，占比0.32%。

受金融危机向实体经济蔓延的影响，我国向对外劳务合作主要市场的派出人数出现一定程度的下滑。据日本国际研修协力机构有关资料显示，2009年经由该机构统计接收的中国研修生共40861人，同比减少14028人，同比下降25.56%；接收中国技能实习生共47539人，同比减少2432人，同比下降4.87%。韩国市场除渔工合作外基本限于停滞，雇佣许可制下劳务合作尚未启动。新加坡市场也出现较大程度的下滑。德国厨师仅派出400余人。外派海员也呈下降趋势，2009年末在船人数39247人，同比减少4333人，降幅10%。

（八）工程项下劳务派出大幅增加

随着我国对外承包工程业务规模的不断扩大，工程项下外派劳务持续增长。商务部公布的统计数据显示，2009年外派各类劳务人员394833人次，其中工程项下外派各类劳务人员214208人次，占全部外派劳务的54.25%。（工程项下劳务外派人员仅包括我对外承包工程项下外派劳务人员，未包括以纯劳务形式外派的建筑劳务，如包括这部分建筑劳务，工程项下外派劳务占整个劳务外派的比重还将上升。）

2009年我国对外劳务合作业务派出各类劳务人员按省（区、市）排名

表5

序号	省（区、市）	派出人数（人）
	合计	347161
1	山东省	46098
	其中：青岛市	7730
2	江苏省	35500
3	河南省	23019
4	辽宁省	20123
	其中：大连市	12677
5	福建省	17945
	其中：厦门市	5199
6	湖北省	15911
7	吉林省	15707
8	安徽省	14620
9	上海市	14028
10	广东省	13307
	其中：深圳市	0
11	北京市	10496
12	河北省	10295
13	湖南省	10190
14	四川省	10076
15	天津市	9941
16	浙江省	8851
	其中：宁波市	1800
17	云南省	8013
18	黑龙江省	7489
19	江西省	6307
20	新疆维吾尔自治区	5336
21	广西壮族自治区	4660
22	新疆生产建设兵团	3126
23	陕西省	2335
24	山西省	2022
25	重庆市	1639
26	贵州省	1350
27	内蒙古自治区	522
28	甘肃省	494
29	宁夏回族自治区	347
30	海南省	8

资料来源：商务部。

（九）并购类投资成为我国对外投资的主要方式，资源类投资成为我国对外投资的主要内容

2009年我国境内投资者对境外进行的直接投资中，非金融类对外直接投资累计达433亿美元。其中，并购类投资累计175亿美元，占同期投资总额的40.4%。据韩国最大的市场咨询和会计公司森贞KPMG集团发表的国际企业并购（M&A）市场调研报告分析，中国企业国外并购投资规模逐年迅速扩大，为企业今后快速发展和高速增长创造了条件，同时为扩大国外市场打下了良好基础。为了保证我国国民经济发展需要的能源和矿产品的进口渠道，中国企业加大了对能源和矿产品企业并购，如中石化以72.4亿美元收购瑞士石油企业Addax，是迄今为止中国公司进行海外油气资产收购的最大一笔成功交易；中国石油成功收购新加坡石油公司45.51%股权；中国2009年在矿业和金属业方面的并购交易额为161亿美元，占全球该行业交易总额比重为27%。

三、2009年存在的主要问题

（一）国际发展环境日趋复杂，我国工程承包企业的国际工程管理和运营的能力较低，将面临许多新的课题和挑战

尽管顶住了金融危机的考验并保持较快的发展步伐，但中国承包工程企业在施工环节中参与规划、投资、运营、管理的能力还较低；融资困难仍然是企业拓展海外市场的瓶颈，政策性、商业性融资机构的机制尚不健全，中小企业很难得到资金支持。随着我国工程企业参与国际化项目的增多，我国企业已成为各利益集团关注的焦点，企业的经营越来越受到国家间利益的博弈、国力的角逐、资源和市场的争夺、文化和观念的差异等种种因素的影响，我国对外承包工程企业面临的发展环境日趋复杂，这将不断给企业提出新的课题和挑战。

（二）境外劳务纠纷问题依然明显

据中国对外承包工程商会统计，2009年共发生境外纠纷事件111起，涉及劳务人员7322人。其中规模较大的是罗马尼亚劳务纠纷事件，2000多名建筑工人因雇主拖欠工资等原因罢工并多次向我驻罗使馆请愿。境外劳务纠纷事件的原因复杂、使用法律难以界定，往往需要动用大量行政、外交资源等措施加以解决。在这些劳务纠纷中，工程项下劳务纠纷占相当大的比重，应引起高度重视。

（三）对外投资缺乏长远规划，有待进一步法制化管理

虽然制定了对外投资的相关鼓励政策，但缺乏对对外投资长远规划和政府支持。对外投资是一个复杂的系统工程，既是企业的市场行为，又是国家利益的体现，它不仅仅是一个企业或几个企业的事情，它需要国家的统筹规划及有关各方面的大力支持。

（四）企业管理人才短缺影响对外投资

在我国对外投资中，高素质、熟悉市场、精通外语和管理的国际化人才越来越成为我国实施“走出去”战略的制约，这些人才将在未来成为影响我国企业对外投资活动进展的重要因素。找不到合适的国际化经营管理人才，已经成为我国企业对外投资进程中面临的一大新问题，正在影响公司海外业务的发展。

（五）缺乏完善的咨询服务体系

由于政府各部门各自为政、疏于交流合作，政府相关部门向企业提供的海外市场信息要么零零星星、没有完整性和权威性，要么已经过时、很难满足企业的要求。中介机构缺失，能对企业的海外业务进行政治环境、社会文化、法律、经济、财务和安全等方面的咨询机构更是严重不足。企业获取有效信息十分困难，致使这些对外投资企业很难做出迅速正确的决策，有时甚至会因企业投资失误而蒙受巨大损失。

四、我国对外经济合作的政策调整

（一）我国加强对外承包工程法制化和规范化管理

为规范对外承包工程资格管理，商务部总结多年来管理实践经验，于2009年9月，会同住房与城乡建设部签发了《对外承包工程资格管理办法》（以下简称《办法》），自2009年11月1日起施行。《办法》分别就对外承包工程资格条件、申请程序、《资格证书》管理、监督管理和法律责任等方面进行了详尽的规定。《办法》将对外承包工程的单位分为工程建设类和非工程建设类，在注册资本、资质与业绩要求方面设定了不同的准入门槛，加强对外承包工程资格的监督管理，规定商务主管部门负责对外承包工程资格的监督检查，会同建设主管部门对工程建设类单位的对外承包工程资格进行监督检查。《办法》的施行，将进一步促进对外承包工程资格管理的规范化和制度化，促进对外承包工程的健康发展，从而推动我国“走出去”的发展和扩大对外开放的进程。

（二）我国加强了对外劳务合作的管理

2009年，商务部会同有关部门，出台了《对外劳务合作管理体制条例》。以《对外劳务合作管理体制条例》为核心的对外劳务合作管理体制改革，旨在为对外劳务合作行业创造更加规范的市场环境，引导对外劳务合作事业向专业、规范、创新的方向发展。为加强外派劳务市场秩序清理整顿，自2009年6月10日至9月30日，商务部会同外交部、公安部、监察部、交通运输部、国资委、工商总局等七部门在全国范围内开展了清理整顿外派劳务市场秩序专项行动。为进一步完善外派劳务管理体制机制，商务部会同外交部签发了《防范和处置境外劳务事件的规定》和《关于建立境外劳务群体性事件预警机制的通知》；商务部会同外交部和国家信访局制定了《做好外派劳务人员来信来访工作的意见》。

（三）我国加强了对外投资法制化和规范化管理

为适应新形势发展的需要，促进我国对外投资健康有序发展，国家发展改革委依据《境外投资项目核准暂行管理办法》（国家发展改革委第21号令），就完善境外投资项目管理有关问题做出通知。商务部为促进和规范境外投资，根据《国务院对确需保留的行政审批项目设定行政许可的决定》，制定《境外投资管理办法》。

（四）提供信息服务，加强对企业走出去的指导

企业“走出去”遇到的最大问题就是信息问题。为了帮助企业解决一些困难并为企业提供及时准确信息，商务部陆续出台了一些指导性报告和文件，比如《国别贸易投资环境报告》《对外投资国别产业导向目录》《对外承包工程国别产业导向目录》。政府还建立了网上对外投资合作信息服务系统，企业可以上网查到相关信息。

（撰稿：韩秀申）

运用贸易救济措施 维护国内产业安全

2009年，商务部产业损害调查局妥善运用贸易救济措施，有效维护产业安全，各项工作取得了新的进展。

一、维护产业安全工作面临的形势

2009年，全球金融危机大体得到控制，主要经济体的各项经济指标纷纷止跌企稳，世界经济呈现复苏趋势。各大国际机构普遍认为，得益于各主要经济体采取的大规模经济刺激政策，经济衰退即将结束，全球有望迎来持续低速复苏。但也要充分认识到金融危机带来的严重影响，清醒地看到全球经济复苏的基础并不牢靠，我国贸易救济和维护产业安全工作将面临更加严峻复杂的形势和挑战。

（一）低碳经济大发展的挑战

低碳领域国际标准成为各方争夺的重点。美欧日在低碳先进技术领域均已形成相对自主、自足和独立的技术与产业体系，正形成“三足鼎立”之势。发展中国家总体处境堪忧，在这些技术上仍处于起步阶段。

（二）全球产业格局大转变的挑战

发达国家主导的全球产业分工模式将世界上的主要经济体分为两类国家：以美、欧、日为代表的资本和消费性国家；以亚洲新兴市场国家为代表的生产型国家。金融危机使这种生产和消费两极化的经济失衡提前破灭。以美国为代表的发达国家的“产业回归”试图改变这一模式，成为消费和生产并重的国家，抑制了发展中国家转型升级的尝试和努力。中国产业的传统比较优势正发生变化，中国所面临来自其他新兴国家更加激烈的国际竞争。

（三）全球经济刺激政策大调整的挑战

世界各国经济刺激措施对世界市场的投机行为推波助澜，对全球经济的复苏形成了新的、现实的、不可逾越的风险。这些风险包括：一是流动性过剩导致的大宗商品和资源能源价格在全球实际需求不足的情况下持续攀升，加大我国输入型通胀压力；二是过度举债引起的主权债务危机进一步蔓延和深入，延缓了外部需求的复苏。三是美元贬值和各央行利率上升对人民币升值形成了强大的压力。

（四）全球治理结构大变革的挑战

传统的一极和两极的全球治理结构发生了巨大的变化。“碳关税”等成为国际贸易领域的新问题。“金砖四国”、“基础四国”发挥作用突出，代表着新兴大国群体崛起。我国面临如何在全球治理中应对发达国家集团的挑战，也成为对自己的全新考验。

（五）贸易保护更频繁、更隐蔽、更多元的挑战

贸易保护措施日趋多样化。结构性贸易摩擦加剧，市场瓶颈增大。以保就业为目标的结构性摩擦将成近一阶段的国际贸易关系的新特点。发达国家之间、发达国家与发展中国家、发展中国家之间的案件呈现不同特点。各国保护国内市场和争夺国际市场的竞争会更激烈。

二、维护国内产业安全工作的进展情况

（一）加强运用贸易救济措施对国内产业的保护力度

金融危机以来，商务部产业损害调查局加强了运用贸易救济措施对国内产业的保护力度。2009年是调查局成立以来办案数量最多的一年，共办理贸易救济原审、复审调查案件27起，其中反倾销14起，反补贴3起，反倾销期终复审10起；办结贸易救济案件11起，其中原审终裁3起，期终复审终裁7起，终止调查1起。

1. 2009年1月～12月，商务部发起反倾销调查的8起案件情况。

（1）对苯二甲酸。

2008年12月12日，中华人民共和国商务部于正式收到浙江华联三鑫石化有限公司、浙江逸盛石化有限公司、厦门翔鹭石化股份有限公司代表国内对苯二甲酸产业提交的反倾销调查申请，申请人请求对原产

于韩国和泰国的进口对苯二甲酸进行反倾销调查。

商务部依据《中华人民共和国反倾销条例》的有关规定，对申请人的资格、申请调查产品的有关情况、中国同类产品的有关情况、申请调查产品对国内产业的影响、申请调查国家的有关情况等进行了审查。同时，商务部就申请书中提供的涉及倾销、损害及倾销与损害之间的因果关系等方面的证据进行了审查。申请人提供的初步证据表明，申请人浙江华联三鑫石化有限公司、浙江逸盛石化有限公司、厦门翔鹭石化股份有限公司和支持该申请的中国石油天然气股份有限公司辽阳石化分公司、亚东石化（上海）有限公司在2007年、2008年1月至9月对苯二甲酸产量之和占同期中国大陆同类产品总产量的50%以上，符合《中华人民共和国反倾销条例》第十一条、第十三条和第十七条有关国内产业提出反倾销调查申请的规定。同时，申请书中包含了《中华人民共和国反倾销条例》第十四条、十五条规定的反倾销调查立案所要求的内容及有关证据。

根据上述审查结果及《中华人民共和国反倾销条例》第十六条的规定，商务部发布公告（2009年第12号），决定自2009年2月12日起对原产于韩国和泰国的进口对苯二甲酸进行反倾销立案调查。本案的倾销调查期为2007年10月1日至2008年9月30日，产业损害调查期为2005年1月1日至2008年9月30日。被调查产品范围为原产于韩国和泰国的进口对苯二甲酸。该产品归在《中华人民共和国进出口税则》：29173611（“精对苯二甲酸”）和29173619（“其他对苯二甲酸”）。目前该案已经终裁。

（2）核苷酸类食品添加剂。

2009年2月1日，中华人民共和国商务部于正式收到广东肇庆星湖生物科技股份有限公司代表国内核苷酸类食品添加剂产业提交的反倾销调查申请，申请人请求对原产于印度尼西亚和泰国的进口核苷酸类食品添加剂进行反倾销调查。

商务部依据《中华人民共和国反倾销条例》的有关规定，对申请人的资格、申请调查产品的有关情况、中国同类产品的有关情况、申请调查产品对国内产业的影响、申请调查国家的有关情况等进行了审查。同时，商务部就申请书中提供的涉及倾销、损害及倾销与损害之间的因果关系等方面的证据进行了审查。申请人提供的初步证据表明，2005年、2006年、2007年、2008年1月至9月，申请人广东肇庆星湖生物科技股份有限公司核苷酸类食品添加剂年产量占同期中国大陆同类产品总产量的50%以上，符合《中华人民共和国反倾销条例》第十一条、第十三条和第十七条有关国内产业提出反倾销调查申请的规定。同时，申请书中包含了《中华人民共和国反倾销条例》第十四条、十五条规定的反倾销调查立案所要求的内容及有关证据。

根据上述审查结果及《中华人民共和国反倾销条例》第十六条的规定，商务部发布公告（2009年第19号），决定自2009年3月24日起对原产于印度尼西亚和泰国的进口核苷酸类食品添加剂进行反倾销立案调查。本案的倾销调查期为2007年10月1日至2008年9月30日，产业损害调查期为2005年1月1日至2008年9月30日。被调查范围范围为原产于印度尼西亚和泰国的进口核苷酸类食品添加剂。该产品归在《中华人民共和国进出口税则》：29349990（2006年5月12日前为29349930）、38249090（2008年为38249099）。目前该案已经终裁。

（3）锦纶6切片。

2009年3月2日，中华人民共和国商务部于正式收到广东新会美达锦纶股份有限公司、宁波舜龙锦纶有限公司、无锡明特化纤有限公司、浙江华建尼龙有限公司、杭州宏福金龙有限公司、无锡市长安高分子材料厂、岳阳巴陵石化化工化纤有限公司代表国内锦纶6切片产业提交的反倾销调查申请，申请人请求对原产于美国、欧盟、俄罗斯和中国台湾地区的进口锦纶6切片进行反倾销调查。

商务部依据《中华人民共和国反倾销条例》有关规定，对申请人的资格、申请调查产品的有关情况、中国同类产品的有关情况、申请调查产品对国内产业的影响、申请调查国家的有关情况等进行了审查。同时，商务部就申请书中提供的涉及倾销、损害及倾销与损害之间的因果关系等方面的证据进行了审查。申请人提供的初步证据表明，申请人广东新会美达锦纶股份有限公司、宁波舜龙锦纶有限公司、无锡明特化纤有限公司、浙江华建尼龙有限公司、杭州宏福金龙有限公司、无锡市长安高分子材料厂、岳阳巴陵石化化工化纤有限公司和支持该申请的江苏瑞美福实业有限公司、骏马化纤股份有限公司、石家庄化工化纤有限公司、宁波亨润聚合有限公司、江苏海阳化纤有限公司、杭州帝凯工业布有限公司、广东开平春晖股份有限公司、山东翔宇化纤有限公司在2005年、2006年、2007年、2008年1月至9月锦纶6切片产量之和占同期中国大陆同类产品总产量的50%以上，符合《中华人民共和国反倾销条例》第十一条、第十三条和第十七条有关国内产业提出反倾销调查申请的规定。同时，申请书中包含了《中华人民共和国反倾销条例》第十四条、十五条规定的反倾销调查立案所要求的内容及有关证据。

根据上述审查结果及《中华人民共和国反倾销条例》第十六条规定，商务部发布公告（2009年第23号），决定自2009年4月29日起对原产于美国、欧盟、俄罗斯和中国台湾地区的进口锦纶6切片进行反倾销立案调查。本案的倾销调查期为2007年10月1日至2008年9月30日，产业损害调查期为2005年1月1日至2008年9月30日。被调查产品范围为原产于美国、欧盟、俄罗斯和中国台湾地区的进口锦纶6切片。该产品归在《中华人民共和国进出口税则》为39081019。目前该案已经终裁。

（4）取向电工钢。

2009年4月29日，中华人民共和国商务部于正式收到武汉钢铁（集团）公司和宝钢集团有限公司代表国内取向电工钢产业提交的反倾销反补贴调查申请，申请人请求对原产于美国和俄罗斯的进口取向电工钢进行反倾销调查。

商务部依据《中华人民共和国反倾销条例》有关规定，对申请人的资格、申请调查产品的有关情况、中国同类产品的有关情况、申请调查产品对国内产业的影响、申请调查国家的有关情况等进行了审查。同时，商务部就申请书中提供的涉及倾销、损害及倾销与损害之间的因果关系等方面的证据进行了审查。申请人提供的初步证据表明，申请人武汉钢铁（集团）公司和宝钢集团有限公司在2006年、2007年、2008年、2009年1月至2月取向电工钢产量之和占同期中国大陆同类产品总产量的100%，符合《中华人民共和国反倾销条例》第十一条、第十三条和第十七条有关国内产业提出反倾销调查申请的规定。同时，申请书中包含了《中华人民共和国反倾销条例》第十四条、第十五条规定的反倾销调查立案所要求的内容及有关证据。

根据上述审查结果及《中华人民共和国反倾销条例》第十六条规定，商务部发布公告（2009年第40号），决定自2009年6月1日起对原产于美国和俄罗斯的进口取向电工钢进行反倾销调查。该案的倾销调查期为2008年3月1日至2009年2月28日，产业损害调查期为2006年1月1日至2009年3月31日。被调查产品的范围为原产于美国和俄罗斯的进口取向电工钢。该产品归在《中华人民共和国进出口税则》为72251100和72261100。目前该案已经终裁。

（5）甲醇。

2009年5月4日，中华人民共和国商务部于正式收到上海焦化有限公司、内蒙古远兴能源股份有限公司、兖矿鲁南化肥厂、兖矿国泰化工有限公司、平煤蓝天化工股份有限公司、曲靖大为焦化制供气有限公司、陕西榆林天然气化工有限责任公司、四川泸天化绿源醇业有限责任公司、中煤龙化哈尔滨煤化工有限公司、山西丹峰化工股份有限公司、浙江晋巨化工有限公司、河北正元化工集团股份有限公司、安徽临泉化工股份有限公司、安徽昊源化工集团有限公司代表国内甲醇产业提交的反倾销调查申请，申请人请求对原产于沙特阿拉伯、马来西亚、印度尼西亚和新西兰的进口甲醇进行反倾销调查。

商务部依据《中华人民共和国反倾销条例》有关规定，对申请人的资格、申请调查产品的有关情况、中国同类产品的有关情况、申请调查产品对国内产业的影响、申请调查国家的有关情况等进行了审查。同时，商务部就申请书提供的涉及倾销、损害及倾销与损害之间的因果关系等方面的证据进行了审查。申请人提供的初步证据表明，申请人上海焦化有限公司、内蒙古远兴能源股份有限公司、兖矿鲁南化肥厂、兖矿国泰化工有限公司、平煤蓝天化工股份有限公司、曲靖大为焦化制供气有限公司、陕西榆林天然气化工有限责任公司、四川泸天化绿源醇业有限责任公司、中煤龙化哈尔滨煤化工有限公司、山西丹峰化工股份有限公司、浙江晋巨化工有限公司、河北正元化工集团股份有限公司、安徽临泉化工股份有限公司、安徽昊源化工集团有限公司和支持该申请的中海石油建滔化工有限公司、中国石化集团四川维尼纶厂、建滔天然气化工（重庆）有限公司、久泰能源科技有限公司、永煤集团股份有限公司、大庆油田化工有限公司、山西天泽煤化工集团股份有限公司、山西阳煤丰喜肥业（集团）股份有限公司、江苏华昌化工股份有限公司、河南心连心化肥有限公司、山东明水化工有限公司、中海石油天野化工股份有限公司、山东兖矿国际焦化有限公司、兖矿国宏化工有限责任公司、陕西渭河煤化工集团有限责任公司、陕西神木化学工业有限公司、福建三钢（集团）三明化工有限公司、湖北宜化集团有限责任公司、中国石油天然气股份有限公司克拉玛依石化公司在2006年、2007年、2008年、2009年1月至3月甲醇产量之和占同期中国大陆同类产品总产量的50%以上，符合《中华人民共和国反倾销条例》第十一条、第十三条和第十七条有关国内产业提出反倾销调查申请的规定。同时，申请书中包含了《中华人民共和国反倾销条例》第十四条、第十五条规定的反倾销调查立案所要求的内容及有关证据。

根据上述审查结果及《中华人民共和国反倾销条例》第十六条规定，商务部发布公告（2009年第35号），决定自2009年6月24日起对原产于沙特阿拉伯、马来西亚、印度尼西亚和新西兰的进口甲醇进行反倾销立案调查。该案的倾销调查期为2008年4月1日至2009年3月31日，产业损害调查期为2006年1月1日至2009年3月31日。被调查产品范围为原产于沙特阿拉伯、马来西亚、印度尼西亚和新西兰的进口甲醇。该产品归在《中华人民共和国进出口税则》为29051100。

（6）白羽肉鸡。

2009年8月14日，中华人民共和国商务部于正式收到中国畜牧业协会代表国内白羽肉鸡产业提交的反倾销反补贴调查申请，申请人请求对原产于美国的进口白羽肉鸡产品进行反倾销调查。

商务部依据《中华人民共和国反倾销条例》有关规定，对申请人的资格、申请调查进口产品的有关情况、中国同类产品的有关情况、申请调查进口产品对国内产业的影响、申请调查国家的有关情况等进行了审查。同时，商务部就申请书中提供的涉及倾销、损害及倾销与损害之间的因果关系等方面的证据进行了审查。申请人提供的初步证据表明，申请人中国畜牧业协会代表的白羽肉鸡产品产量在2006年、2007年、2008年、2009年1月至6月占同期中国大陆同类产品总产量的50.7%、55.1%、56.5%、62.5%，符合《中华人民共和国反倾销条例》第十一条、第十三条和第十七条有关国内产业提出反倾销调查申请的规定。同时，申请书中包含了《中华人民共和国反倾销条例》第十四条、第十五条规定的反倾销调查立案所要求的内容及有关证据。

根据上述审查结果及《中华人民共和国反倾销条例》第十六条规定，商务部发布公告（2009年第74号），决定自2009年9月27日起对原产于美国的进口白羽肉鸡产品进行反倾销调查。该案的倾销调查期为2008年7月1日至2009年6月30日，产业损害调查期为2006年1月1日至2009年6月30日。被调查产品的范围为原产于美国的进口白羽肉鸡产品。该产品归在《中华人民共和国进出口税则》为02071100、02071200、02071311、02071319、02071321、02071329、02071411、02071419、02071421、02071422、02071429和05040021。

（7）X射线安全检查设备。

2009年8月28日，中华人民共和国商务部于正式收到同方威视技术股份有限公司代表国内X射线安全检查设备产业提交的反倾销调查申请，申请人请求对原产于欧盟的进口X射线安全检查设备进行反倾销调查。

商务部依据《中华人民共和国反倾销条例》有关规定，对申请人的资格、申请调查进口产品的有关情况、中国同类产品的有关情况、申请调查进口产品对国内产业的影响、申请调查国家和地区的有关情况等进行了审查。同时，商务部就申请书提供的涉及倾销、损害及倾销与损害之间的因果关系等方面的证据进行了审查。申请人提供的初步证据表明，申请人同方威视技术股份有限公司2008年X射线安全检查设备产量占同期中国大陆同类产品总产量的50%以上，符合《中华人民共和国反倾销条例》第十一条、第十三条和第十七条有关国内产业提出反倾销调查申请的规定。同时，申请书中包含了《中华人民共和国反倾销条例》第十四条、第十五条规定的反倾销调查立案所要求的内容及有关证据。

根据上述审查结果及《中华人民共和国反倾销条例》第十六条规定，商务部发布公告（2009年第63号），决定自2009年10月23日起对原产于欧盟的进口X射线安全检查设备进行反倾销立案调查。该案的倾销调查期为2008年1月1日至2008年12月31日，产业损害调查期为2006年1月1日至2008年12月31日。被调查产品的调查范围为原产于欧盟的采用X光机技术或X射线加速器技术的进口X射线安全检查设备（能量在100千电子伏以上），但不包括采用X射线交替双能加速器技术（IDE Technology）的第二代X射线安全检查设备。该产品归在《中华人民共和国进出口税则》为90221910。

（8）排气量在2.0升及2.0升以上进口小轿车和越野车。

2009年9月9日，中华人民共和国商务部于正式收到中国汽车工业协会代表国内排气量在2.0升及2.0升以上小轿车和越野车产业提交的反倾销反补贴调查申请，申请人请求对原产于美国的排气量在2.0升及2.0升以上的进口小轿车和越野车进行反倾销调查。

商务部依据《中华人民共和国反倾销条例》有关规定，对申请人的资格、申请调查进口产品的有关情况、中国同类产品的有关情况、申请调查进口产品对国内产业的影响、申请调查国家的有关情况等进行了审查。同时，商务部就申请书中提供的涉及倾销、损害及倾销与损害之间的因果关系等方面的证据进行了审查。申请人提供的初步证据表明，申请人中国汽车工业协会所代表的支持申请企业在2006年、2007年、2008年、2009年1月至9月排气量在2.0升及2.0升以上小轿车和越野车产量之和占同期中国大陆同类产品总产量的50%以上，符合《中华人民共和国反倾销条例》第十一条、第十三条和第十七条有关国内产业提出反倾销调查申请的规定。同时，申请书中包含了《中华人民共和国反倾销条例》第十四条、第十五条规定的反倾销调查立案所要求的内容及有关证据。

根据上述审查结果及《中华人民共和国反倾销条例》第十六条规定，商务部发布公告（2009年第83号）决定自2009年11月6日起对原产于美国的排气量在2.0升及2.0升以上的进口小轿车和越野车进行反倾销调查。该案的倾销调查期为2008年9月1日至2009年8月31日，产业损害调查期为2006年1月1日至2009年9月30日。

被调查产品的调查范围为原产于美国的排气量在2.0升及2.0升以上的进口小轿车和越野车。该产品归在《中华人民共和国进出口税则》：87032351、87032352、87032359、87032361、87032362、87032369、87032411、87032412、87032419、87032421、87032422、87032429、87033221、87033222、87033229、87033311、87033312、87033319、87033321、87033322、87033329、87033361、87033362、87033369和87039000。

2. 2009年1月~12月，商务部已经做出初裁的6起反倾销案件情况。

（1）1，4-丁二醇。

根据《中华人民共和国反倾销条例》的规定，

商务部于2008年9月25日正式发布立案公告，决定对原产于沙特阿拉伯和中国台湾地区的进口1，4－丁二醇（以下简称被调查产品）进行反倾销立案调查。该被调查产品归在《中华人民共和国进出口税则》税则号：29053990。

调查机关对被调查产品是否存在倾销和倾销幅度、被调查产品是否对中国大陆1，4－丁二醇产业造成损害及损害程度以及倾销与损害之间的因果关系进行了调查。根据调查结果和《中华人民共和国反倾销条例》第二十四条的规定，商务部于2009年5月5日，发布初裁公告（2009年第26号），初步裁定，被调查产品存在倾销，中国大陆1，4－丁二醇产业受到了实质损害，而且倾销与实质损害之间存在因果关系。根据《中华人民共和国反倾销条例》第二十八条和二十九条的规定，商务部决定采用保证金形式实施临时反倾销措施。自2009年5月6日起，进口经营者在进口原产于沙特阿拉伯和中国台湾地区的进口1，4－丁二醇时，应依据本初裁决定所确定的各公司的倾销幅度向中华人民共和国海关提供相应的保证金。对各公司征收的保证金比率如下：沙特阿拉伯公司20.9%～31.6%；中国台湾地区公司9.3%～31.6%。

（2）聚酰胺－6，6切片。

根据《中华人民共和国反倾销条例》的规定，商务部于2008年11月14日发布立案公告，决定对原产于美国、意大利、英国、法国和中国台湾地区的进口聚酰胺－6，6切片（以下简称被调查产品）进行反倾销立案调查。该被调查产品归在《中华人民共和国进出口税则》税则号：39081011。

商务部对被调查产品是否存在倾销和倾销幅度、被调查产品是否对中国大陆聚酰胺－6，6切片产业造成损害及损害程度、倾销与损害之间的因果关系进行了调查。根据调查结果和《中华人民共和国反倾销条例》第二十四条的规定，商务部于2009年6月25日发布初裁公告（2009年第44号），初步裁定，在本案调查期内，原产于美国、意大利、英国、法国和中国台湾地区的进口聚酰胺－6，6切片存在倾销，中国大陆聚酰胺－6，6切片产业受到了实质损害，而且倾销与实质损害之间存在因果关系。

根据《中华人民共和国反倾销条例》第二十八条、第二十九条的规定，商务部决定采用保证金形式实施临时反倾销措施。自2009年6月26日起，进口经营者在进口原产于美国、意大利、英国、法国和中国台湾地区的进口聚酰胺－6，6切片时，应依据本初裁决定所确定的各公司的倾销幅度向中华人民共和国海关提供相应的保证金。对各公司征收的保证金比率如下：美国公司20.2%～34.4%；意大利公司为10.9%～20.9%；英国公司28.8%；法国公司33.7%；中国台湾地区公司37.5%。

（3）已二酸。

根据《中华人民共和国反倾销条例》的规定，商务部于2008年11月10日发布公告，决定对原产于韩国、欧盟和美国的进口已二酸（以下称被调查产品）进行反倾销调查。被调查产品归在《中华人民共和国进出口税则》税则号：29171200。

调查机关对被调查产品是否存在倾销和倾销幅度、被调查产品是否对中国国内已二酸产业造成损害及损害程度以及倾销与损害之间的因果关系进行了调查。根据调查结果和《中华人民共和国反倾销条例》第二十四条的规定，商务部于2009年6月26日发布初裁公告（2009年第48号），初裁决定，在本案调查期内，原产于韩国、欧盟和美国的进口已二酸存在倾销，中国国内已二酸产业受到了实质损害，而且倾销与实质损害之间存在因果关系。

根据《中华人民共和国反倾销条例》第二十八条和二十九条的规定，商务部决定采用保证金形式实施临时反倾销措施。自2009年6月27日起，进口经营者在进口原产于韩国、欧盟和美国的已二酸时，应依据本初裁决定所确定的各公司的倾销幅度向中华人民共和国海关提供相应的保证金。对各公司征收的保证金比率如下：韩国公司为5.7%～16.7%；欧盟公司11.3%～30.3%；美国公司16.8%～35.4%。

（4）锦纶6切片。

根据《中华人民共和国反倾销条例》的规定，商务部于2009年4月29日发布立案公告，决定对原产于美国、欧盟、俄罗斯和中国台湾地区的进口锦纶6切片进行反倾销立案调查。该被调查产品归在《中华人民共和国进出口税则》税则号：39081019。

商务部对被调查产品是否存在倾销和倾销幅度、被调查产品是否对中国大陆锦纶6切片产业造成损害及损害程度、倾销与损害之间的因果关系进行了调查。根据调查结果和《中华人民共和国反倾销条例》第二十四条的规定，商务部于2009年10月19日发布初裁公告（2009年第80号），初步裁定，在本案调查期内，原产于美国、欧盟、俄罗斯和中国台湾地区的进口锦纶6切片存在倾销，中国大陆锦纶6切片产业受到了实质损害，而且倾销与实质损害之间存在因果关系。

根据《中华人民共和国反倾销条例》第二十八条、第二十九条的规定，商务部决定采用保证金形式实施临时反倾销措施。自2009年10月20日起，进口经营者在进口原产于美国、欧盟、俄罗斯和中国台湾地区的进口锦纶6切片时，应依据本初裁决定所确定的各公司的倾销幅度向中华人民共和国海关提供相应的保证金。对各公司征收的保证金比率如下：美国公司30.4%～36.2%；欧盟公司8%～23.9%；俄罗斯公司5.9%～23.9%；中国台湾地区公司4%～23.9%。

（5）取向电工钢。

根据《中华人民共和国反倾销条例》的规定，商务部于2009年6月1日发布立案公告，决定对原产于美国和俄罗斯的进口取向电工钢进行反倾销调查；同日，根据《中华人民共和国反补贴条例》的规定，商务部发布立案公告，决定对原产于美国的进口取向电工钢进行反补贴调查。被调查产品归在《中华人民共和国进出口税则》：72251100和72261100。

商务部对原产于美国和俄罗斯的被调查产品是否存在倾销和倾销幅度、原产于美国的被调查产品是否存在补贴和补贴金额、被调查产品是否对中国国内取向电工钢产业造成损害和损害程度以及倾销、补贴与损害之间的因果关系进行了调查。根据调查结果和《中华人民共和国反倾销条例》第二十四条、《中华人民共和国反补贴条例》第二十五条的规定，商务部于2009年12月10日发布初裁公告，初步裁定，在本案调查期内，原产于美国和俄罗斯的进口取向电工钢存在倾销，原产于美国的进口取向电工钢存在补贴，中国国内取向电工钢产业受到了实质损害，而且倾销、补贴与实质损害之间存在因果关系。

根据《中华人民共和国反倾销条例》第二十八条、第二十九条的规定，商务部决定采用保证金的形式实施临时反倾销措施。自本公告发布次日起，进口经营者在进口原产于美国和俄罗斯的取向电工钢时，应依据本初裁决定所确定的各公司的倾销幅度向中华人民共和国海关提供相应的保证金。保证金以海关审定的完税价格从价计征，计算公式为：保证金金额 =（海关完税价格 × 保证金征收比率）×（1 + 进口环节增值税税率）。对各公司征收的保证金比率如下：美国公司10.7% ~25%；俄罗斯公司4.6% ~25%。

（6）碳钢紧固件。

根据《中华人民共和国反倾销条例》的规定，商务部（以下称调查机关）于2008年12月29日发布公告，决定对原产于欧盟的进口碳钢紧固件（以下称被调查产品）进行反倾销调查。被调查产品归在《中华人民共和国进出口税则》税则号：73181200、73181400、73181500、73182100和73182200。

调查机关对被调查产品是否存在倾销和倾销幅度、被调查产品是否对中国国内碳钢紧固件产业造成损害及损害程度以及倾销与损害之间的因果关系进行了调查。根据调查结果和《中华人民共和国反倾销条例》第24条的规定，商务部于2009年12月23日发布初裁公告（2009年第115号），初步裁定，在本案调查期内，原产于欧盟的进口碳钢紧固件存在倾销，中国国内碳钢紧固件产业受到了实质损害，而且倾销与实质损害之间存在因果关系。

根据《中华人民共和国反倾销条例》第28条和第29条的规定，商务部决定采用保证金形式实施临时反倾销措施。自2009年12月28日起，进口经营者在进口原产于欧盟的碳钢紧固件时，应依据本初裁决定所确定的各公司的倾销幅度向中华人民共和国海关提供相应的保证金。对各公司征收的保证金比率如下：欧盟公司16.8% ~24.6%。

3. 2009年1月~12月，商务部已经做出终裁的4起反倾销案件情况。

（1）初级形态二甲基环体硅氧烷。

根据《中华人民共和国反倾销条例》的规定，商务部于2008年5月28日发布公告，决定对原产于韩国和泰国的进口初级形态二甲基环体硅氧烷（以下称被调查产品）进行反倾销调查。被调查产品归在《中华人民共和国进出口税则》税则号：29310000和38249099。

调查机关对被调查产品是否存在倾销和倾销幅度、被调查产品是否对中国国内初级形态二甲基环体硅氧烷产业造成损害及损害程度以及倾销与损害之间的因果关系进行了调查。根据调查结果和《中华人民共和国反倾销条例》第二十四条的规定，调查机关于2008年11月6日发布初裁公告认定原产于韩国和泰国的进口初级形态二甲基环体硅氧烷存在倾销，国内产业遭受了实质损害，并且倾销与实质损害之间存在因果关系。

初步裁定后，调查机关对倾销和倾销幅度、损害和损害程度进行了进一步的调查。现本案调查结束，根据本案调查结果，并依据《中华人民共和国反倾销条例》第二十五条的规定，商务部发布终裁公告（2009年第31号），最终裁定，在本案调查期内，原产于韩国和泰国的进口初级形态二甲基环体硅氧烷存在倾销，中国国内初级形态二甲基环体硅氧烷产业受到实质损害，且倾销与实质损害之间存在因果关系。

根据调查结果，根据《中华人民共和国反倾销条例》的有关规定，商务部向国务院关税税则委员会提出征收反倾销税的建议，国务院关税税则委员会根据商务部的建议做出决定，自2009年5月28日起，对原产于韩国和泰国的进口初级形态二甲基环体硅氧烷征收反倾销税。对各公司征收的反倾销税税率如下：韩国公司25.1%；泰国公司5.4% ~21.8%。

（2）聚酰胺-6，6切片。

根据《中华人民共和国反倾销条例》的规定，中华人民共和国商务部（以下简称调查机关）于2008年11月14日发布公告，决定对原产于美国、意大利、英国、法国和中国台湾地区的进口聚酰胺-6，6切片（以下称被调查产品）进行反倾销立案调查。该被调查产品归在《中华人民共和国进出口税则》税则号：39081011。

调查机关对被调查产品是否存在倾销和倾销幅度、被调查产品是否对中国国内聚酰胺-6，6切片产业造成损害及损害程度以及倾销与损害之间的因果关系进行了调查。根据调查结果和《中华人民共和国反倾销条例》第二十四条的规定，调查机关于2009年6月25日发布初裁公告认定原产于美国、意大利、英国、法国和中国台湾地区的进口聚酰胺－6，6切片存在倾销，国内产业遭受了实质损害，并且倾销与实质损害之间存在因果关系。

初步裁定后，调查机关对倾销和倾销幅度、损害和损害程度进行了进一步的调查。现本案调查结束，根据本案调查结果，并依据《中华人民共和国反倾销条例》第二十五条的规定，商务部于2009年10月12日发布终裁公告，最终裁定，在本案调查期内，原产于美国、意大利、英国、法国和中国台湾地区的进口聚酰胺－6，6切片存在倾销，中国国内聚酰胺－6，6切片产业受到实质损害，且倾销与实质损害之间存在因果关系。

根据调查结果，根据《中华人民共和国反倾销条例》的有关规定，调查机关向国务院关税税则委员会提出征收反倾销税的建议，国务院关税税则委员会根据调查机关的建议作出决定，自2009年10月13日起，对原产于美国、意大利、英国、法国和中国台湾地区的进口聚酰胺－6，6切片征收反倾销税。对各公司征收的反倾销税税率如下：美国公司25.2%～37.5%；意大利公司5.3%～20.9%；英国公司20.9%；法国公司20.9%；中国台湾地区公司20.9%。

（3）己二酸。

根据《中华人民共和国反倾销条例》的规定，商务部（以下称调查机关）于2008年11月10日发布公告，决定对原产于美国、欧盟和韩国的进口己二酸（以下称被调查产品）进行反倾销调查。被调查产品归在《中华人民共和国进出口税则》税则号：29171200。

调查机关对被调查产品是否存在倾销和倾销幅度、被调查产品是否对中国国内己二酸产业造成损害及损害程度以及倾销与损害之间的因果关系进行了调查。根据调查结果和《中华人民共和国反倾销条例》第二十四条的规定，调查机关于2009年6月26日发布初裁公告，认定原产于美国、欧盟和韩国的进口己二酸存在倾销，国内产业遭受了实质损害，并且倾销与实质损害之间存在因果关系。

初步裁定后，调查机关对倾销和倾销幅度、损害和损害程度进行了进一步的调查。现本案调查结束，根据本案调查结果，并依据《中华人民共和国反倾销条例》第二十五条的规定，商务部于2009年11月1日发布终裁公告，最终裁定，在本案调查期内，原产于美国、欧盟和韩国的进口己二酸存在倾销，中国国内己二酸产业受到实质损害，且倾销与实质损害之间存在因果关系。对各公司征收的反倾销税税率如下：美国公司6.8%～35.4%；欧盟公司7.4%～16.7%；韩国公司5.9%～16.7%。

（4）1，4－丁二醇。

根据《中华人民共和国反倾销条例》的规定，商务部（以下称调查机关）于2008年9月25日正式发布立案公告，决定对原产于沙特阿拉伯和中国台湾地区的进口1，4－丁二醇（以下简称被调查产品）进行反倾销立案调查。该被调查产品归在《中华人民共和国进出口税则》税则号：29053990。

调查机关对被调查产品是否存在倾销和倾销幅度、中国大陆产业是否遭受了损害及损害程度，以及倾销和损害之间的因果关系进行了调查。根据调查结果和《中华人民共和国反倾销条例》第二十四条的规定，调查机关于2009年5月5日发布初裁公告，认定被调查产品存在倾销，中国大陆产业受到了实质损害，而且倾销与实质损害之间存在因果关系。

初步裁定后，调查机关继续对倾销和倾销幅度、损害和损害程度、以及倾销和损害之间的因果关系进行调查。现本案调查结束，根据本案调查结果，并依据《中华人民共和国反倾销条例》第二十五条的规定，商务部于2009年12月24日发布终裁公告，最终裁定，原产于沙特阿拉伯和中国台湾地区的进口1，4－丁二醇存在倾销，并对中国大陆1，4－丁二醇产业造成了实质损害，且倾销与实质损害之间存在因果关系。对各公司征收的反倾销税税率如下：沙特阿拉伯公司4.5%～13.6%；中国台湾地区公司4.6%～13.6%。

4. 2009年1月～12月，商务部终止反倾销调查案件情况。

气相色谱－质谱联用仪。根据《中华人民共和国反倾销条例》的规定，中华人民共和国商务部（以下简称商务部）于2008年6月5日发布第34号公告，决定对原产于日本的进口气相色谱－质谱联用仪（以下简称被调查产品）进行反倾销调查。该产品归在《中华人民共和国进出口税则》：90272011、90275000、90278019和90278099。

商务部对被调查产品是否存在倾销和倾销幅度、被调查产品是否对国内产业造成损害及损害程度进行了调查。

2009年2月20日，本案申请人—北京东西分析仪器有限公司向商务部提出撤消其气相色谱－质谱联用仪反倾销调查申请，并请求终止气相色谱－质谱联用仪反倾销调查。根据《中华人民共和国反倾销条例》第二十七条的规定，商务部于2009年4月20日发布公告，决定自公告发布之日起终止对原产于日本的进口气相色谱－质谱联用仪的反倾销调查。

5. 2009年1月～12月，商务部对反倾销措施复审案件的立案、裁决情况。

（1）苯酚立案。

2004年2月1日，中华人民共和国商务部发布2004年第2号公告，决定对原产于日本、韩国、美国和中国台湾地区的进口苯酚实施最终反倾销措施。实施期限为自 2004 年 2 月 1 日起 5 年。该反倾销措施实施期间，商务部发布 2006 年第 64 号和 2007 年第 96 号公告，依法对该措施进行了调整。2008 年 7 月 31 日，商务部发布该年度第 51 号公告，根据《中华人民共和国反倾销条例》第四十八条，经复审确定终止征收反倾销税有可能导致倾销和损害的继续或者再度发生的，反倾销税的征收期限可以适当延长；自该公告发布之日起，苯酚国内产业可在原反倾销措施终止日 60 天前，向商务部提出书面复审申请。

2008 年 11 月 26 日，商务部收到中国石油化工股份有限公司上海高桥分公司、中国石油化工股份有限公司北京燕山分公司、蓝星化工新材料股份有限公司哈尔滨分公司 3 家企业代表中国苯酚产业正式递交的反倾销期终复审调查申请。申请人主张如果终止反倾销措施，原产于日本、韩国、美国和中国台湾地区的进口苯酚对中国的倾销行为可能继续发生，倾销行为给中国苯酚产业造成的损害将再度发生，请求商务部裁定维持该反倾销措施。2008 年 12 月 18 日，申请人提交了申请书补充材料，对申请书中有关内容进行了解释和补充说明。

根据《中华人民共和国反倾销条例》，商务部对申请人资格，申请书关于被调查产品和国内同类产品有关情况、反倾销措施实施期间被调查产品进口情况、倾销继续发生的可能性情况、损害将再度发生的可能性情况及相关证据等进行了审查。申请人提出的证据表明，申请企业苯酚产量之和占同期全国总产量的 50% 以上，符合《中华人民共和国反倾销条例》第十一条、第十三条和第十七条关于国内产业及产业代表性的规定，申请人有资格代表国内苯酚产业提出申请。

根据《中华人民共和国反倾销条例》第四十八条，商务部决定自 2009 年 2 月 1 日起，对原产于日本、韩国、美国和中国台湾地区的进口苯酚所适用的反倾销措施进行期终复审调查。复审调查期：本复审的倾销调查期为 2008 年 1 月 1 日至 2008 年 12 月 31 日，损害调查期为 2004 年 1 月 1 日至 2008 年 12 月 31 日。

（2）乙醇胺立案。

中华人民共和国商务部于 2004 年 11 月 14 日发布年度第 57 号公告，决定对原产于日本、美国、伊朗、马来西亚、中国台湾地区和墨西哥的进口乙醇胺征收反倾销税，实施期限为自 2004 年 11 月 14 日起 5 年。该反倾销措施实施期间，商务部发布 2008 年第 3 号公告，依法对措施进行了调整。

中华人民共和国商务部于 2009 年 5 月 14 日发布年度第 32 号公告，根据《中华人民共和国反倾销条例》规定，经复审确定终止征收反倾销税有可能导致倾销和损害的继续或者再度发生的，反倾销税的征收期限可以适当延长；自该公告发布之日起，中国大陆乙醇胺产业可在原反倾销措施终止日 60 天前，向商务部提出书面复审申请。2009 年 9 月 7 日，商务部收到嘉兴金燕化工有限公司、抚顺北方化工有限责任公司和茂名实华东升化工有限公司三家企业代表中国大陆乙醇胺产业正式递交的反倾销期终复审申请书。申请人主张，如果终止反倾销措施，原产于日本、美国、马来西亚和中国台湾地区的进口乙醇胺对中国大陆的倾销行为可能继续发生，倾销行为给中国大陆乙醇胺产业造成的损害将再度发生，请求商务部裁定维持对原产于日本、美国、马来西亚和中国台湾地区的进口乙醇胺实施的反倾销措施。

依据《中华人民共和国反倾销条例》有关规定，商务部对申请人资格、被调查产品和国内同类产品有关情况、反倾销措施实施期间被调查产品进口情况、倾销继续发生的可能性、损害再度发生的可能性及相关证据等进行了审查。申请人提出的证据表明，三家申请企业乙醇胺产量之和占同期中国大陆总产量的 50% 以上，符合《中华人民共和国反倾销条例》第 11 条、第 13 条和第 17 条关于产业及产业代表性的规定，申请人有资格代表中国大陆产业提出申请。

根据《中华人民共和国反倾销条例》第 48 条，商务部决定自 2009 年 11 月 14 日起，对原产于日本、美国、马来西亚和中国台湾地区的进口乙醇胺所适用的反倾销措施进行期终复审调查。由于没有申请人申请，商务部也决定不主动发起期终复审，自 2009 年 11 月 14 日起，终止对原产于伊朗、墨西哥的乙醇胺征收反倾销税。本次复审的倾销调查期为 2008 年 10 月 1 日至 2009 年 9 月 30 日，产业损害调查期为 2005 年 1 月 1 日至 2009 年 9 月 30 日。

（3）三氯甲烷立案。

中华人民共和国商务部于 2004 年 11 月 30 日发布第 81 号公告，决定对原产于欧盟、韩国、美国和印度的进口三氯甲烷征收反倾销税，实施期限为自 2004 年 11 月 30 日起 5 年。

中华人民共和国商务部于 2009 年 5 月 30 日发布第 38 号公告，告知对原产于欧盟、韩国、美国和印度的进口三氯甲烷适用的反倾销措施即将到期。根据《中华人民共和国反倾销条例》规定，经复审确定终止征收反倾销税有可能导致倾销和损害的继续或者再度发生的，反倾销税的征收期限可以适当延长。自该公告发布之日起，中国大陆三氯甲烷产业可在原反倾销措施终止日 60 天前，向商务部提出书面复审申请。

2009 年 9 月 27 日，商务部收到浙江巨化股份有限公司和山东金岭化工股份有限公司等 2 家企业代表中国大陆三氯甲烷产业递交的反倾销期终复审申请书。申请人主张，如果终止反倾销措施，原产于欧盟、韩国和美国的进口三氯甲烷对中国大陆的倾销可能继续发生，倾销行为给中国大陆三氯甲烷产业造成的损害可能继续发生，请求商务部裁定继续对原产于欧盟、韩国和美国的进口三氯甲烷征收反倾销税，并取消德国LII欧洲有限公司、美国陶氏化学公司、美国Occidental Chemical Corporation、法国阿科玛股份有限公司和韩国三星精密化学株式会社的价格承诺。

依据《中华人民共和国反倾销条例》有关规定，商务部对申请人资格、被调查产品和国内同类产品有关情况、反倾销措施实施期间被调查产品进口情况、倾销继续发生的可能性、损害继续发生的可能性及相关证据等进行了审查。申请人提出的证据表明，申请企业和本次期终复审申请的支持企业的三氯甲烷产量之和占同期中国大陆总产量的50%以上，符合《中华人民共和国反倾销条例》第11条、第13条和第17条关于产业及产业代表性的规定，申请人有资格代表中国大陆产业提出申请。

根据《中华人民共和国反倾销条例》第48条，商务部决定自2009年11月30日起，对原产于欧盟、韩国和美国的进口三氯甲烷所适用的反倾销措施进行期终复审调查。本次复审的倾销调查期为2008年7月1日至2009年6月30日，产业损害调查期为2005年1月1日至2009年6月30日。复审产品范围是原反倾销措施所适用的产品，与商务部2004年第81号公告中的产品范围一致，该产品归在《中华人民共和国进出口税则》税则号：29031300。

（4）非色散位移单模光纤立案。

中华人民共和国商务部于2005年1月1日发布2004年第96号公告，决定对原产于美国、日本、韩国的进口非色散位移单模光纤征收反倾销税，实施期限为自2005年1月1日起5年。该反倾销措施实施期间，中华人民共和国商务部发布2008年第19号公告和2009年第36号公告，依法对措施进行了调整。

中华人民共和国商务部于2009年7月1日发布年度第49号公告，根据《中华人民共和国反倾销条例》规定，经复审确定终止征收反倾销税有可能导致倾销和损害的继续或者再度发生的，反倾销税的征收期限可以适当延长；自该公告发布之日起，非色散位移单模光纤国内产业可在原反倾销措施终止日60天前，向商务部提出书面复审申请。

2009年10月15日，商务部收到长飞光纤光缆有限公司、江苏法尔胜光子有限公司、烽火藤仓光纤科技有限公司和富通集团有限公司四家企业代表国内产业正式递交的反倾销期终复审申请书。申请人主张，如果终止反倾销措施，原产于日本、韩国的进口非色散位移单模光纤对中国的倾销行为可能继续发生，倾销行为给中国国内产业造成的损害可能再度发生，请求商务部裁定维持对原产于日本、韩国的进口非色散位移单模光纤实施的反倾销措施。

依据《中华人民共和国反倾销条例》有关规定，商务部对申请人资格、被调查产品和国内同类产品有关情况、反倾销措施实施期间被调查产品进口情况、倾销继续发生的可能性、损害再度发生的可能性及相关证据等进行了审查。申请人提出的证据表明，申请人长飞光纤光缆有限公司、江苏法尔胜光子有限公司、烽火藤仓光纤科技有限公司、富通集团有限公司和支持该申请的江苏亨通光纤科技有限公司、成都中住光纤有限公司、中天科技光纤有限公司在2008年及2009年1－6月非色散位移单模光纤产量之和占同期国内总产量的50%以上，符合《中华人民共和国反倾销条例》第11条、第13条和第17条关于产业及产业代表性的规定，申请人有资格代表国内产业提出申请。调查机关认为申请人的主张以及所提交的表面证据符合期终复审立案的要求。

根据《中华人民共和国反倾销条例》第48条，商务部决定自2010年1月1日起，对原产于日本、韩国的进口非色散位移单模光纤所适用的反倾销措施进行期终复审调查。本次复审的倾销调查期为2008年10月1日至2009年9月30日，产业损害调查期为2005年1月1日至2009年9月30日。复审产品范围是原反倾销措施所适用的产品，与商务部2004年第96号公告中的产品范围一致，该产品归在《中华人民共和国进出口税则》税则号：90011000。

（5）丙烯酸酯裁决。

2003年4月10日，中华人民共和国商务部发布2003年第3号公告，决定对原产于韩国、马来西亚、新加坡和印度尼西亚的进口丙烯酸酯实施最终反倾销措施，实施期限为五年。该反倾销措施实施期间，商务部发布2005年第40公告，依法对措施进行了调整。

2008年4月9日，商务部发布2008年第21号公告，应上海华谊丙烯酸有限公司、江苏裕廊化工有限公司、北京东方石油化工有限公司东方化工厂、台塑丙烯酸酯（宁波）有限公司、中国石油天然气股份有限公司吉林石化分公司、浙江卫星丙烯酸有限公司、沈阳石蜡化工有限公司和山东齐鲁石化开泰实业股份有限公司代表中国丙烯酸酯产业提出的申请，决定对原产于韩国、马来西亚、新加坡和印度尼西亚的进口丙烯酸酯所适用的反倾销措施进行期终复审调查。

本复审调查的被调查产品与原反倾销调查被调查产品相同，即丙烯酸酯，包括丙烯酸甲酯、丙烯酸乙酯、丙烯酸丁酯和丙烯酸异辛酯，该产品分别归在《中华人民共和国进出口税则》税则号：29161210、29161220、29161230和29161240，英文名称为Acrylate Esters。（2008年之前该产品归在《中华人民共和国进出口税则》税则号：29161200。）

商务部对如果终止丙烯酸酯反倾销措施，导致倾销和损害继续或再度发生的可能性进行了调查，并根据调查结果向国务院关税税则委员会提出修改反倾销措施的建议。根据《中华人民共和国反倾销条例》第五十条及国务院关税税则委员会的决定，自2009年4月9日起，终止对原产于韩国的进口丙烯酸酯征收反倾销税。自2009年4月9日起，继续按照2003年第3号公告、2005年第40号公告，对原产于马来西亚、新加坡和印度尼西亚的进口丙烯酸酯实施反倾销措施，实施期限为五年。

（6）铜版纸裁决。

2003年8月6日，中华人民共和国商务部发布2003年第35号公告，决定对原产于日本、韩国的进口铜版纸实施最终反倾销措施，实施期限为五年。反倾销措施实施期间，商务部分别发布2007年第29号公告和2008年第73号公告，依法对措施进行了调整。

2008年8月5日，商务部发布2008年第49号公告，应金东纸业（江苏）股份有限公司、山东晨鸣纸业集团股份有限公司、潍坊恒联铜版纸有限公司代表中国铜版纸产业提出的申请，决定对原产于日本和韩国的进口铜版纸所适用的反倾销措施进行期终复审调查。

本复审调查的被调查产品与原反倾销调查被调查产品一致，即铜版纸，该产品归在《中华人民共和国进出口税则》税则号：48101300、48101400和48101900，英文名称为Coated Art Paper（or Board），亦称Coated Woodfree。

商务部对如果终止铜版纸反倾销措施，导致倾销和损害继续或再度发生的可能性进行了调查，并根据调查结果向国务院关税税则委员会提出继续征收反倾销税的建议。根据《中华人民共和国反倾销条例》第五十条及国务院关税税则委员会的决定，自2009年8月5日起，继续按照2003年第35号公告、2007年第29号公告和2008年第73号公告，对原产于日本和韩国的进口铜版纸实施反倾销措施，实施期限为五年。

（7）邻苯二酚裁决。

2003年8月27日，中华人民共和国商务部发布2003年第41号公告，决定对原产于欧盟的进口邻苯二酚实施最终反倾销措施，实施期限为五年。该反倾销措施实施期间，商务部发布2005年第61公告，依法对措施进行了调整。

2008年8月26日，商务部发布2008年第52号公告，应连云港三吉利化学工业有限公司代表中国邻苯二酚产业提出的申请，决定对原产于欧盟的进口邻苯二酚所适用的反倾销措施进行期终复审调查。

本复审调查的被调查产品与原反倾销调查被调查产品相同，即邻苯二酚，该产品归在《中华人民共和国进出口税则》税则号：29072910。该产品英文名称为Catechol。

商务部对如果终止邻苯二酚反倾销措施，导致倾销和损害继续发生的可能性进行了调查，并根据调查结果向国务院关税税则委员会提出维持反倾销措施的建议。

根据《中华人民共和国反倾销条例》第五十条及国务院关税税则委员会的决定，自2009年8月26日起，继续按照2003年第41号公告、2005年第61号公告、2008年第63号公告对原产于欧盟的进口邻苯二酚实施反倾销措施，实施期限为五年。

（8）邻苯二甲酸酐。

2003年8月31日，中华人民共和国商务部发布2003年第40号公告，决定对原产于韩国、日本和印度的进口邻苯二甲酸酐征收反倾销税，实施期限自2003年8月31日起5年。

2008年8月29日，商务部发布该年度第53号公告，应河南庆安化工高科技股份有限公司、山东宏信化工股份有限公司、中国石化集团资产经营管理有限公司金陵石化分公司、石家庄白龙化工股份有限公司、荆州市博尔德化学有限公司和铜陵化工集团有机化工有限责任公司代表中国邻苯二甲酸酐产业申请，同时上海焦化有限公司、无锡焦化有限公司、安徽天润化学工业股份有限公司和淄博嘉周化工有限公司表示支持该申请，决定自2008年8月31日起对原产于韩国、日本和印度的进口邻苯二甲酸酐所适用的反倾销措施进行期终复审调查。

本复审调查的被调查产品与原反倾销调查被调查产品相同，即邻苯二甲酸酐，该产品归在《中华人民共和国进出口税则》税则号：29173500。该产品英文名称为Phthalic Anhydride（原公告为Purified Anhydride）。

商务部对如果终止原反倾销措施，导致倾销和损害继续或再度发生的可能性进行了调查，并根据调查结果向国务院关税税则委员会提出了继续征收反倾销税的建议。

根据《中华人民共和国反倾销条例》及国务院关税税则委员会的决定，自2009年8月31日起，继续按照商务部2003年第40号公告，对原产于韩国、日本和印度的进口邻苯二甲酸酐征收反倾销税，实施期限为5年。

（9）丁苯橡胶裁决。

2003年9月9日，中华人民共和国商务部发布该年度第49号公告，决定对原产于俄罗斯、日本和韩国的进口丁苯橡胶实施最终反倾销措施，实施期限为五年。反倾销措施实施期间，商务部分别发布2005年第81号公告、2006年第65号公告、第68号公告和2007年第86号公告，依法对反倾销措施进行了调整。

2008年9月8日，商务部发布2008年第61号公告，应中国石油化工股份有限公司齐鲁分公司、申华化学工业有限公司、中国石油天然气股份有限公司吉林石化分公司、中国石油天然气股份有限公司兰州石化分公司等四家企业代表中国丁苯橡胶产业提出的申请，决定对原产于俄罗斯、日本和韩国的进口丁苯橡胶所适用的反倾销措施进行期终复审调查。

本复审调查的被调查产品与原反倾销调查被调查产品一致，即丁苯橡胶，该产品归在《中华人民共和国进出口税则》税则号：40021911、40021912、40021919、40021990 。该产品英文名称为 styrene butadiene rubber（SBR）。

商务部对如果终止丁苯橡胶反倾销措施，导致倾销和损害继续或再度发生的可能性进行了调查，并根据调查结果向国务院关税税则委员会提出继续征收反倾销税的建议。

根据《中华人民共和国反倾销条例》第五十条及国务院关税税则委员会的决定，自 2009 年 9 月 8 日起，继续按照 2003 年第 49 号公告、2005 年第 81 号公告、2006 年第 65 号公告、第 68 号公告和 2007 年第 86 号公告，对原产于俄罗斯、日本和韩国的进口丁苯橡胶实施反倾销措施，实施期限为五年。

（10）聚氯乙烯裁决。

2003 年 9 月 29 日，中华人民共和国商务部发布 2003 年第 48 号公告，决定对原产于美国、韩国、日本、俄罗斯和中国台湾地区的进口聚氯乙烯实施最终反倾销措施，实施期限为五年。

2008 年 9 月 28 日，商务部发布 2008 年第 71 号公告，应中国石油化工股份有限公司齐鲁分公司、宜宾天原集团股份有限公司、新疆中泰化学股份有限公司、四川省金路树脂有限公司、上海氯碱化工股份有限公司、浙江巨化股份有限公司、昊华宇航化工有限责任公司、天津渤天化工有限责任公司代表中国大陆聚氯乙烯产业提出的申请，决定对原产于美国、韩国、日本、俄罗斯和中国台湾地区的进口聚氯乙烯所适用的反倾销措施进行期终复审调查。

本复审调查的被调查产品与原反倾销调查被调查产品相同，即聚氯乙烯，该产品归在《中华人民共和国进出口税则》税则号：39041090，英文名称为 Polyvinyl Chloride。

商务部对如果终止聚氯乙烯反倾销措施，导致倾销和损害继续或再度发生的可能性进行了调查，并根据调查结果向国务院关税税则委员会提出维持原反倾销措施的建议。

根据《中华人民共和国反倾销条例》第五十条及国务院关税税则委员会的决定，自 2009 年 9 月 29 日起，继续按照 2003 年第 48 号、第 53 号公告，对原产于美国、韩国、日本、俄罗斯和中国台湾地区的进口聚氯乙烯实施反倾销措施，实施期限为五年。

（11）甲苯二异氰酸酯裁决。

2003 年 11 月 22 日，中华人民共和国商务部发布该年度第 61 号公告，决定对原产于日本、韩国和美国的进口甲苯二异氰酸酯实施为期 5 年的最终反倾销措施。该反倾销措施实施期间，商务部分别发布 2005 年第 115 号公告、2006 年第 53 号公告、2009 年第 2 号公告、2009 年第 57 号公告、2009 年第 58 号公告，依法对措施进行了调整。

2008 年 9 月 1 日，河北沧州大化 TDI 有限责任公司、蓝星化工有限责任公司两家企业代表中国甲苯二异氰酸酯产业向调查机关提交了期终复审申请。甘肃银光聚银化工有限公司、烟台巨力异氰酯有限公司支持本次复审申请。

2008 年 11 月 21 日，商务部发布该年度第 84 号公告，决定对原产于日本、韩国和美国的进口甲苯二异氰酸酯所适用的反倾销措施进行期终复审调查。

本复审被调查产品与原反倾销调查被调查产品一致，即甲苯二异氰酸酯（型号为 TDI80/20），该产品归在《中华人民共和国进出口税则》税则号：29291010。该产品英文名称为 Toluene Diisocyanate。

商务部对如果终止对甲苯二异氰酸酯反倾销措施，导致倾销和损害继续或再度发生的可能性进行了调查，并根据调查结果向国务院关税税则委员会提出修改反倾销措施的建议。

根据《中华人民共和国反倾销条例》第五十条及国务院关税税则委员会的决定，自 2009 年 11 月 21 日起，继续按照 2003 年第 61 号公告、2005 年第 115 号公告、2006 年第 53 号公告、2009 年第 2 号公告、2009 年第 57 号公告、2009 年第 58 号公告，对原产于日本、韩国和美国的进口甲苯二异氰酸酯实施反倾销措施，实施期限为五年。

（12）新闻纸终止征税。

原对外贸易经济合作部于 1999 年 6 月 3 日发布当年度第 4 号公告，宣布对来自美国、加拿大、韩国的进口新闻纸实施反倾销措施。2003 年 3 月，经中华人民共和国第十届全国人民代表大会第一次会议批准，由新组建的商务部承担反倾销调查职能。

根据《中华人民共和国反倾销条例》第四十八条规定，反倾销税的征收期限和价格承诺的履行期限不超过 5 年；但是，经复审确定终止征收反倾销税有可能导致倾销和损害的继续或者再度发生的，反倾销税的征收期限可以适当延长。2004 年 6 月 30 日，商务部发布当年度第 30 号公告，根据期终复审调查结果，宣布自 2004 年 6 月 30 日起，继续维持原反倾销措施，实施期限为五年。

2008 年 12 月 31 日，商务部发布当年度第 109 号公告，宣布对原产于美国、加拿大、韩国的新闻纸所适用的反倾销措施将于 2009 年 6 月 30 日终止，并规定自该公告发布之日起，国内产业或者代表国内产业的自然人、法人或者有关组织可在该反倾销措施终止日 60 天前，以书面形式向商务部提出正式期终复审申请。

2009年4月30日，国内新闻纸产业代表向商务部提交了期终复审申请。商务部依法对申请书及所附证据材料进行了审查。其后，申请人撤回了申请。

由于没有申请人申请，商务部也决定不主动发起期终复审，自2009年6月30日起，终止对原产于美国、加拿大、韩国的新闻纸征收反倾销税。

6. 2009年1月～12月，商务部发起反补贴调查的3起案件情况。

（1）取向电工钢。

中华人民共和国商务部于2009年4月29日正式收到武汉钢铁（集团）公司和宝钢集团有限公司代表国内取向电工钢产业提交的反倾销反补贴调查申请，申请人请求对原产于美国的进口取向电工钢进行反补贴调查。

根据《中华人民共和国反补贴条例》第十六条规定，2009年5月15日，商务部就有关反补贴调查事项向美国政府发出进行磋商的邀请，并于5月27日与美方进行了磋商。

商务部依据《中华人民共和国反补贴条例》有关规定，对申请人的资格、申请调查产品的有关情况、中国同类产品的有关情况、申请调查产品对国内产业的影响、申请调查国家的有关情况等进行了审查。同时，商务部就申请书中提供的涉及补贴、损害及补贴与损害之间的因果关系等方面的证据进行了审查。申请人提供的初步证据表明，申请人武汉钢铁（集团）公司和宝钢集团有限公司在2006年、2007年、2008年、2009年1月至2月取向电工钢产量之和占同期中国大陆同类产品总产量的100%，符合《中华人民共和国反补贴条例》第十一条、第十三条和第十七条有关国内产业提出反补贴调查申请的规定。同时，申请书中包含了《中华人民共和国反补贴条例》第十四条、十五条规定的反补贴调查立案所要求的内容及有关证据。

根据上述审查结果及《中华人民共和国反补贴条例》第十六条规定，商务部发布公告（2009年第41号），决定自2009年6月1日起对原产于美国的进口取向电工钢进行反补贴调查。本次调查确定的补贴调查期为2008年3月1日至2009年2月28日，产业损害调查期为2006年1月1日至2009年3月31日。被调查产品的范围为原产于美国的进口取向电工钢。该产品归在《中华人民共和国进出口税则》：72251100和72261100。目前该案已经终裁。

（2）白羽肉鸡。

中华人民共和国商务部于2009年8月14日正式收到中国畜牧业协会代表国内白羽肉鸡产业提交的反倾销反补贴调查申请，申请人请求对原产于美国的进口白羽肉鸡产品进行反补贴调查。

根据《中华人民共和国反补贴条例》第十六条第二款的规定，2009年9月16日，商务部就有关反补贴调查事项向美国政府发出磋商邀请，并于9月25日与美方进行了磋商。

商务部依据《中华人民共和国反补贴条例》有关规定，对申请人的资格、申请调查进口产品的有关情况、中国同类产品的有关情况、申请调查进口产品对国内产业的影响、申请调查国家的有关情况等进行了审查。同时，商务部就申请书中提供的涉及补贴、损害及补贴与损害之间的因果关系等方面的证据进行了审查。申请人提供的初步证据表明，申请人中国畜牧业协会代表的白羽肉鸡产品产量在2006年、2007年、2008年、2009年1月至6月占同期中国大陆同类产品总产量的50.7%、55.1%、56.5%、62.5%，符合《中华人民共和国反补贴条例》第十一条、第十三条和第十七条有关国内产业提出反补贴调查申请的规定。同时，申请书中包含了《中华人民共和国反补贴条例》第十四条、十五条规定的反补贴调查立案所要求的内容及有关证据。

根据上述审查结果及《中华人民共和国反补贴条例》第十六条规定，商务部发布公告（2009年第75号），决定自2009年9月27日起对原产于美国的进口白羽肉鸡产品进行反补贴调查。本次调查确定的补贴调查期为2008年7月1日至2009年6月30日，产业损害调查期为2006年1月1日至2009年6月30日。被调查产品的范围为原产于美国的进口白羽肉鸡产品。该产品归在《中华人民共和国进出口税则》：02071100、02071200、02071311、02071319、02071321、02071329、02071411、02071419、02071421、02071422、02071429和05040021。目前该案已经终裁。

（3）排气量2.0升及2.0升以上进口小轿车和越野车。

中华人民共和国商务部于2009年9月9日正式收到中国汽车工业协会代表国内排气量在2.0升及2.0升以上小轿车和越野车产业提交的反倾销反补贴调查申请，申请人请求对原产于美国的排气量在2.0升及2.0升以上的进口小轿车和越野车进行反补贴调查。

根据《中华人民共和国反补贴条例》第十六条规定，2009年10月26日，商务部就有关反补贴调查事项向美国政府发出进行磋商的邀请，并于2009年11月3日与美方进行了磋商。

商务部依据《中华人民共和国反补贴条例》有关规定，对申请人的资格、申请调查产品的有关情况、中国同类产品的有关情况、申请调查产品对国内产业的影响、申请调查国家的有关情况等进行了审查。同时，商务部就申请书中提供的涉及补贴、损害及补贴与损害之间的因果关系等方面的证据进行了审查。申请人提供的初步证据表明，申请人中国汽车工业协会所代表的支持申请企业在2006年、2007年、2008年、2009年1月至9月排气量在2.0升及2.0升以上小轿车和越野车产量之和占同期中国大陆同类产品总产量的50%以上，符合《中华人民共和国反补贴条例》第十一条、第十三条和第十七条有关国内产业提出反补贴调查申请的规定。同时，申请书中包含了《中华人民共和国反补贴条例》第十四条、十五条规定的反补贴调查立案所要求的内容及有关证据。

根据上述审查结果及《中华人民共和国反补贴条例》第十六条规定，商务部决定自2009年11月6日起对原产于美国的排气量在2.0升及2.0升以上的进口小轿车和越野车进行反补贴调查。本次调查确定的补贴调查期为2008年9月1日至2009年8月31日，产业损害调查期为2006年1月1日至2009年9月30日。被调查产品的范围为原产于美国的排气量在2.0升及2.0升以上的进口小轿车和越野车。该产品归在《中华人民共和国进出口税则》：87032351、87032352、87032359、87032361、87032362、87032369、87032411、87032412、87032419、87032421、87032422、87032429、87033221、87033222、87033229、87033311、87033312、87033319、87033321、87033322、87033329、87033361、87033362、87033369和87039000。

7. 2009年1月～12月，商务部发起反补贴调查的1起案件情况。

取向电工钢。根据《中华人民共和国反倾销条例》的规定，商务部于2009年6月1日发布立案公告，决定对原产于美国和俄罗斯的进口取向电工钢进行反倾销调查；同日，根据《中华人民共和国反补贴条例》的规定，商务部发布立案公告，决定对原产于美国的进口取向电工钢进行反补贴调查。被调查产品归在《中华人民共和国进出口税则》：72251100和72261100。

商务部对原产于美国和俄罗斯的被调查产品是否存在倾销和倾销幅度、原产于美国的被调查产品是否存在补贴和补贴金额、被调查产品是否对中国国内取向电工钢产业造成损害和损害程度以及倾销、补贴与损害之间的因果关系进行了调查。根据调查结果和《中华人民共和国反倾销条例》第二十四条、《中华人民共和国反补贴条例》第二十五条的规定，商务部发布初裁公告（2009年第99号），初步裁定，在本案调查期内，原产于美国和俄罗斯的进口取向电工钢存在倾销，原产于美国的进口取向电工钢存在补贴，中国国内取向电工钢产业受到了实质损害，而且倾销、补贴与实质损害之间存在因果关系。

根据《中华人民共和国反倾销条例》第二十八条、第二十九条的规定，商务部决定采用保证金的形式实施临时反倾销措施。自本公告发布次日起，进口经营者在进口原产于美国和俄罗斯的取向电工钢时，应依据本初裁决定所确定的各公司的倾销幅度向中华人民共和国海关提供相应的保证金。对各公司征收的保证金比率如下：美国公司为10.7%～25%；俄罗斯公司4.6%～25%。

三、2009年全球贸易救济案件情况

据世贸组织统计，2009年，世贸组织成员共启动254起贸易救济调查，比2008年增加15起。其中，反倾销201起，同比减少12起；反补贴28起，同比增加12起；保障措施25起，同比增加15起。

（一）世贸组织成员运用反倾销的频率下降，运用反补贴和保障措施创历史纪录

自1995年世贸组织成立以来，反倾销就一直是各成员运用的主要贸易救济措施，其案件数占同期全球贸易救济案件总数的比重一直保持在85%以上。其中，1996年所占比重最高，达95.0%。此后，反倾销调查数占比一直呈较为平缓的下降态势，并于2009年比重降到最低，为79.1%（如图1所示）。

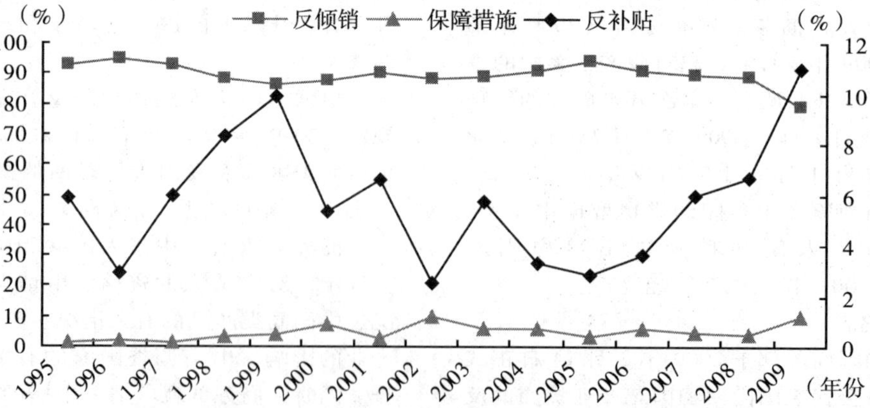

图1 1995—2009年全球反倾销、反补贴和保障措施占同年贸易救济案件总数比重情况

与此同时，世贸组织成员运用反补贴和保障措施的频率上升。1999年之前，世贸组织成员单年启动

的反补贴调查数占同年反补贴调查总数的比重呈上升态势；1999～2005年，该比重呈下降态势；但2005年之后，该比重呈上升之势，并于2009年创历年之最，达11.0%。

2003年之前，世贸组织成员年启动保障措施调查数占同年保障措施调查总数的比重呈上升态势，但此后呈下降态势。尽管如此，2003年之前，除2000年（7.3%）和2002年（9.5%）外，该比重大部分维持在1%～4%之间；而2003年之后，除2005年（3.3%）外，该比重均超过4%，并于2009年创历年之最，达9.8%。

（二）全球反倾销新立案数有所减少，而反补贴、保障措施新立案数继续增加

2009年，在反倾销、反补贴和保障措施3种贸易救济调查形式中，反倾销继续维持2002年以来的下跌趋势。尽管2008年反倾销调查数有所回升，但2009年，全球反倾销调查数又减至201起；与反倾销调查逐年下降相反，全球反补贴和保障措施立案却在2005年之后呈现上升态势（如图2所示）。

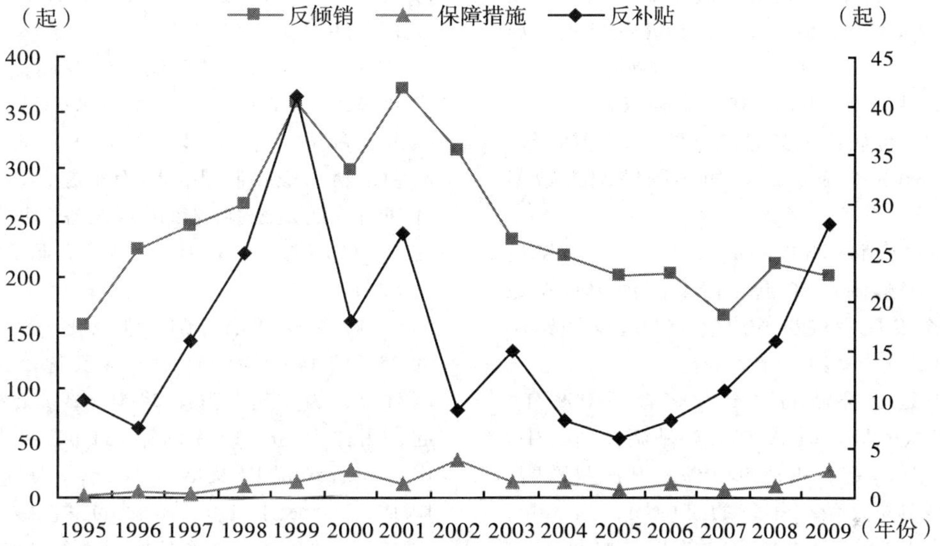

图2 1995—2009年全球反倾销、反补贴和保障措施立案情况

2009年，全球共有138起反倾销、9起反补贴和10起保障措施案件采取最终措施。从图3可以看出，2009年，除采取最终保障措施的案件数略有上升外，采取最终反倾销措施和反补贴措施的案件略呈降势。

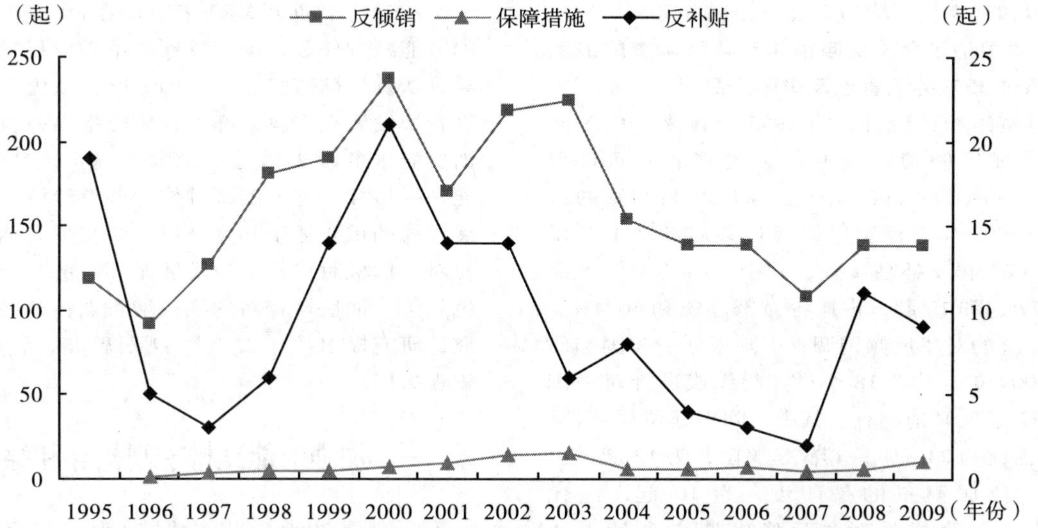

图3 1995—2009年全球反倾销、反补贴和保障措施采取最终措施的情况

（三）印度、美国、阿根廷等少数世贸组织成员是全球贸易救济调查的主要发起者

2009年，共有30个世贸组织成员发起254起贸易救济调查。其中，印度启动的调查数位居首位，为42起，占2009年全球贸易救济调查总数的16.5%；其次是美国，为34起，占比13.4%；位居第三的是阿根廷，为28起，占比11.0%；位居第四、第五的分别是巴基斯坦和欧盟，分别是26起和21起，占比各为10.2%和8.3%。上述5个成员启动的贸易救济调查数占比达59.4%，其余25个成员启动的贸易救济调查数占比仅为40.6%。

印度、巴基斯坦和阿根廷等发展中成员是反倾销的主要发起者。2009年，共有23个世贸组织成员启动201起反倾销调查。其中，印度启动的调查数位居首位，为31起，占比15.4%；其次是阿根廷，为28起，占比13.9%；位居第三的是巴基斯坦，为26起，占比12.9%。上述3个成员启动的反倾销调查数所占比重42.3%。

在23个启动反倾销调查的成员中，4个为发达成员，共启动反倾销调查50起，占反倾销调查总数的24.9%；19个发展中成员共启动151起反倾销调查，占比75.1%。

印度、欧盟是反补贴的主要发起者。2009年，共有7个世贸组织成员启动28起反补贴调查。其中，印度位居首位，为14起，占比50.0%；其次是欧盟，为6起，占比21.4%；位居第三的是中国，为3起，占比为10.7%。上述3个成员启动的反补贴调查占比达82.1%。

印度是保障措施的主要发起者。2009年，共有12个世贸组织成员启动25起保障措施调查。其中，印度位居首位，为10起，占比40.0%；其次是多米尼加，为3起，占比12.0%；并列居第三位的是吉尔吉斯斯坦和乌克兰，均为2起，分别占比8.0%。

（四）中国仍是全球反倾销和反补贴调查的最大受害者，超过35%的调查涉及中国产品

根据世贸组织的统计，自1995年以来，中国产品一直是全球反倾销调查的最大受害者，而且自2006年起，中国产品再次沦为全球反补贴调查的最大受害者。2009年，世贸组织成员共启动201起反倾销调查和28起反补贴调查，其中，涉及中国产品的分别为77起和13起，占比各为38.3%和46.4%。

53%以上的对华反倾销调查由阿根廷、美国和印度发起。2009年，共有18个世贸组织成员针对中国产品启动77起反倾销调查。其中，阿根廷位居首位，为19起，占比为24.7%；其次是美国，为12起，占比15.6%；位居第三的是印度，为10起，占比13.0%。上述3个成员对华反倾销调查合计占比达53.2%。

76%以上的对华反补贴调查由美国发起。2009年，共有5个世贸组织成员对华启动13起反补贴调查。其中，美国位居首位，为10起，占比76.9%；澳大利亚、加拿大和印度各启动1起。

（五）贱金属、化工产品仍为全球贸易救济调查的主要调查对象

根据世贸组织的统计，2009年，贱金属、化工产品仍是全球贸易救济调查的重点涉案产品。

45%以上的反倾销调查涉及化工和贱金属产品。在全球启动的201起反倾销调查中，涉及化工产品的调查数位居首位，为47起，占比23.4%；其次是贱金属，为44起，占比21.9%；位居第三的是塑料、橡胶制品，为29起，占比14.4%。涉及上述3个行业的案件占比达59.7%。

39%以上的反补贴调查涉及贱金属产品。在全球启动的28起反补贴调查中，涉及贱金属产品的调查数位居首位，为11起，占比39.3%；其次是化工产品和塑料、橡胶制品，均为4起，占比各为14.3%；并列第三的是纸制品和机械设备，均为2起，占比各为7.1%。涉及上述5个行业的案件数占比达82.1%。

24%的保障措施调查涉及化工产品。在全球启动的25起保障措施调查中，涉及化工产品的调查数位居首位，为6起，占比24.0%；其次是纸制品，为4起，占比16.0%；并列第三的是水泥、陶瓷、玻璃产品，纺织品以及贱金属，均为3起，占比各为12.0%。涉及上述5个行业的案件数占比为76.0%。

（撰稿：商务部产业损害调查局）

资源节约和环境保护工作

2009年，面对复杂多变的国际形势和艰巨繁重的节能减排任务，国家发展改革委以科学发展观为指导，认真贯彻落实党中央国务院扩大内需促进经济平稳较快发展重大决策部署，研究提出并组织实施扩大消费需求的政策措施；紧紧围绕实现"十一五"节能减排目标，把节能减排作为调整经济结构、转变发展方式的重要抓手和突破口，切实加大推进力度；为应对后危机时代，大力发展循环经济、低碳经济、绿色经济，加快培育新的经济增长点；开展重大问题研究，研究提出"十二五"规划思路，各项工作取得积极进展。

一、加强节能减排宏观指导和综合协调

1. 部署2009年节能减排工作。研究提出并经国务院节能减排工作领导小组会议审议，由国务院办公厅印发了《2009年节能减排工作安排》，由发改委印

发了《2009年推动落实节能减排工作安排部门分工》。

2. 加强节能减排综合协调。组织召开了两次国务院节能减排工作领导小组联络员会议，听取有关部门工作进展情况，推动节能减排政策措施落实。开展节能减排形势分析，提出对策建议，为分析经济形势和中央国务院有关文件提供背景材料。

3. 组织开展节能减排全民行动。组织第19个全国节能宣传周，李克强副总理出席宣传周专题活动。组织第三届全国节能减排（建设节约型社会）主题招贴设计大赛、建设节约型社会文艺作品征集、节能减排“在两会”、向贫困地区捐助节能灯等活动。组织制作节能减排宣传海报和公益广告。

二、强力推进节能提高能效

1. 加大节能目标责任评价考核力度。完善考核标准和考核方案，会同有关部门组织开展省级政府2008年节能目标责任现场评价考核，考核工作报告经国务院同意后，向社会公告了考核结果，向省级政府通报了考核情况，并将考核结果函告中组部。

2. 加快实施重点节能工程。安排中央预算内投资12亿元和中央财政奖励资金62.5亿元，重点支持十大重点节能工程项目1318个，引导社会投资800多亿元，可形成约3440万吨标准煤的节能能力。组织开展节能项目管理和节能量审核培训，加强项目申报、审核和过程管理。

3. 启动实施节能产品惠民工程。会同财政部研究提出《节能产品惠民工程实施方案》，制定《高效节能产品推广财政补助资金管理暂行办法》《高效节能房间空调器推广实施细则》。安排中央财政补贴资金20亿元，推广能效等级1级和2级以上高效节能空调500万台，市场占有率由2008年的5%左右提高到50%，拉动消费需求200多亿元，节电15亿千瓦时。

4. 加强重点企业节能管理。指导各地开展千家企业2008年度节能目标责任评价考核，通报考核情况，公告考核结果，千家企业提前两年完成“十一五”节能任务。开通重点用能单位能源利用状况报告网上填报系统，编制《重点耗能行业能效水平对标指南》。委托国家节能中心启动节能管理师试点工作。

5. 制定促进节能服务产业发展的政策。会同财政部、人民银行、税务总局研究提出《关于加快推行合同能源管理促进节能服务产业发展的意见》，在投资、财政、税收、金融等方面提出加大对合同能源管理项目和节能服务公司支持的政策，解决制约合同能源管理推广的市场障碍。

6. 推动绿色照明工程。安排财政补贴资金约8亿元，下达1.2亿只高效照明产品推广任务量，实际完成近1.5亿只，是上年推广量的2倍。会同科技部、工信部、财政部、住房城乡建设部、质检总局六部门联合印发《半导体照明节能产业发展意见》，明确产业发展的指导思想、基本原则、发展目标及重点领域。

7. 加大节能技术推广力度。组织编制并公布《国家重点推广的节能技术推广目录（第二批）》，重点推广35项节能技术。组织稀土永磁无铁芯电机专家调研、论证和推广现场会。对《节能产品政府采购清单》进行了两次调整。对兰炼MAZ清净助燃剂和轮杠砣联动节能抽油机产品进行专题调研。交通运输部会同发改委、公安部、海关总署、保监会联合发布了《关于促进甩挂运输发展的通知》。

8. 加强节能法规标准建设。会同有关单位召开了《节约能源法》知识竞赛颁奖大会。修改完善《固定资产投资项目节能评估和审查管理办法》，修订《重点用能单位节能管理办法》《能源效率标识管理办法》，征求了有关部门和地方主管部门意见。委托并协调标准委制订能效标准9项、能耗限额标准2项、基础标准33项。

9. 进一步扩大能效标识产品实施范围。与国家质检总局和国家认监委联合发布《中华人民共和国实行能源效率标识的产品目录（第五批）》和自动电饭锅、交流电风扇、交流接触器、容积式空气压缩机家用电冰箱（修订）能源效率标识实施规则，实施能效标识的产品达到19类。组织开展能效标识市场监督，抽查了空调、冰箱、洗衣机等8类产品。

三、推动循环经济发展

1. 组织编制循环经济发展规划。组织编制并由国务院批准了甘肃省循环经济总体规划、青海省柴达木循环经济试验区规划。指导试点省市编制循环经济试点实施方案，组织论证并批复天津、浙江、山西、河南、青岛、深圳等地区的循环经济规划。

2. 深化循环经济示范试点。组织开展循环经济专家行活动，对第二批国家循环经济试点单位提供技术诊评和咨询指导。李克强副总理出席专家行启动仪式并讲话。对国家循环经济试点进行中期评估。

3. 开展循环经济发展模式案例研究。在总结各地区和试点单位工作经验基础上，组织有关部门、行业专家开展典型案例分析，总结出重点行业、产业园区、重点领域、市域县域等50多个循环经济发展的典型模式，拟在全国推广。

4. 组织实施循环经济重大项目。安排中央预算内投资2.24亿元，支持了机电产品再制造、餐厨废物资源化利用、电子废物资源化、再生资源回收利用体系建设项目31个，资源循环利用量达800万吨。

5. 推动再制造产业化发展。组织实施汽车零部件再制造试点，起草《加快再制造产业发展的指导意见》，向国务院上报《关于加快汽车零部件再制造产业发展政策措施建议的报告》。完成汽车零部件再制造产品标志的征集和备案工作，正在抓紧建立汽车零部件再制造标识制度。

6. 推动餐厨垃圾资源化利用。通过专题调研和学术交流，对餐厨垃圾资源化利用的有效途径、安全性及保障制度进行研究，解决产业发展的核心技术问题，开展《餐厨废弃物资源化管理办法》前期研究，组织制定相关标准。

7. 探索建立循环经济统计评价考核体系。研究提出了"关于建立循环经济评价考核指标体系工作进展情况的报告"，已报国务院。会同统计局开展建立循环经济评价考核指标体系研究，起草《循环经济统计试点实施方案》，正在抓紧建立资源产出率统计制度，筹备启动循环经济统计试点。

8. 深入开展循环经济促进法宣贯活动。完成《循环经济促进法》电视大赛及颁奖仪式，拍摄循环经济公益广告，组织制作循环经济宣传挂图和图册。对循环经济示范试点案例进行系列报导。

四、深入开展资源节约综合利用

1. 研究制定汽车家电以旧换新政策。会同有关部门研究提出并由国务院办公厅转发《促进扩大内需鼓励汽车、家电以旧换新实施方案的通知》，并配合相关部门细化具体操作办法等。截至年底，9 个试点省市共回收废旧家电 403 万台，回收再生资源 10 万多吨，财政补贴 14 亿元，拉动内需和更新换代效果明显。

2. 推动节水工作。组织海水利用专项规划中期评估，形成《海水利用专项规划中期评估研究报告》。与住房和城乡建设部联合开展创建节水型城市活动，发布第四批节水型城市名单。会同水利部、统计局发布《2008 年各地区万元工业增加值用水量指标》。

3. 推进秸秆综合利用。会同农业部印发《关于编制秸秆综合利用规划的指导意见》，对地方编制秸秆综合利用规划给予指导。召开全国农作物秸秆综合利用现场经验交流会，研究部署下一步工作。

4. 推进"限塑"工作。会同有关部门联合下发《关于对各地贯彻落实限制生产销售使用塑料购物袋情况进行检查的通知》，组成 6 个检查组对 18 个省市进行抽查，督导工作。在"限塑令"实施一周年期间，联合中宣部为中央电视台等主流媒体提供新闻素材，对"限塑令"实施的良好效果进行广泛宣传报道。

5. 加大治理商品过度包装力度。研究提出并由国务院办公厅印发《关于治理商品过度包装工作的通知》。发展改革委印发了《2009 年治理商品过度包装工作安排及部门分工的通知》，协调国家质检总局发布《限制商品过度包装要求》食品和化妆品强制国家标准。支持中商联等单位发起了"中国烘焙行业自觉抵制过度包装承诺活动"。

6. 组织实施资源综合利用项目。安排中央预算内资金 5 亿元，支持大宗工业废渣资源化利用、再生资源产业化、木材节约代用、高耗水行业节水改造、矿井水利用等重点项目 101 个，年可利用工业废渣 1373 万吨，回收利用再生资源 41 万吨，消化农林废弃物 112 万吨，可节约木材 26 万立方米，节水 3.47 亿吨。

7. 组织开展资源综合利用电厂审核认定。发布了资源综合利用发电机组认定名单（2009 年第一批），审核资源综合利用电厂 132 家，总装机 5475KW，年消耗煤矸石、煤泥、油母页岩等废弃物 2400 万吨，年处理生活垃圾约 750 万吨、造纸黑液 307 万吨，综合利用高炉、转炉、焦炉煤气 776585 立方米。

8. 指导墙材革新工作。发布第三批"禁实"城市名单。指导地方制定新型墙体材料专项基金征收使用管理办法实施细则。

五、加强环境保护

1. 加快城镇污水垃圾处理设施建设。安排中央预算内投资 80 亿元，支持 947 个项目，可新增污水处理能力 1390 万吨/日，污水管网长度 1.8 万公里，COD 减排能力 120 多万吨/年，生活垃圾处理能力 8 万多吨/日，引导社会投资 248 亿元。会同住房城乡建设部开展城镇污水处理及垃圾焚烧发电技术政策调研。

2. 推进重点污染源治理。安排中央预算内投资 13.3 亿元，支持重点流域工业废水治理和铬渣治理项目 248 个，可削减 COD 排放量 29.2 万吨，处理铬渣 37 万吨。推进火电厂烟气脱硫特许经营试点，发布脱硫产业信息，组织开展烟气脱硫工程后评估。

3. 加强突出环境问题的综合治理。组织对遗漏铬渣数量的核实，向国务院报送了对遗漏铬渣进行治理的工作意见。会同有关部门制定了《尾矿库隐患综合治理方案》。组织开展《湘江重金属污染治理总体方案》调研和编制工作。

4. 推行清洁生产。配合中编办、国办秘书三局等有关部门理顺清洁生产管理职能，协调财政部研究建立扩大清洁生产专项资金规模。制定并发布了石油和天然气开采业、电石、日用玻璃等 3 个重点行业清洁生产评价指标体系，组织编制电力行业清洁生产推行规划，启动编制清洁生产技术导向目录和国家清洁生产专家库。

5. 推进环保产业发展。研究提出《关于加快发展环保产业培育新的经济增长点的政策措施建议》《当前国家鼓励发展的环保产品（设备）目录（2009年版）》。会同有关部门研究提出《环境保护、节能节水项目企业所得税优惠目录》，已经国务院同意印发。

六、组织"十二五"规划等重大问题研究

1. 开展"十二五"规划重大问题研究。根据中央"十二五"规划《建议》重大研究课题统一安排，组织有关部门研究起草《生态文明建设与可持续发展研究》报告。研究提出"十二五"期间推进资源节约型、环境友好型社会建设的思路。

2. 组织编制节能环保产业发展规划。为加快培育战略性新兴产业，会同有关部门研究提出节能环保产业发展思路、重点领域、重点工程和政策措施，组织有关院士、专家向国务院领导作专题汇报，在此基础上形成规划征求意见稿，拟于近期征求意见。

3. 开展"十二五"节能规划思路研究。多次召开"十一五"节能形势分析暨"十二五"节能思路座谈会，听取有关地方、部门及专家意见，对规划基本思路进行了深入研究，初步提出"十二五"节能工作的指导思想、目标分解、主要任务及政策措施。

4. 研究建立中国资源环境主要统计指标体系。在广泛调研和征求意见的基础上，就建立中国资源环境主要指标体系总体思路、框架设计、指标遴选、指标解释、统计发布等问题进行深入研究，提出《关于建立中国资源环境主要统计指标体系的意见》，已经委主任办公会讨论通过，近日报国务院审核。

七、继续推进国际交流与合作

一是中日合作。举办了第四届中日节能环保综合论坛，李克强副总理出席主论坛开幕式并讲话，双方签署了42个节能环保合作项目；组织节能管理人员赴日培训，并邀请日方专家来华授课；举行"中日循环经济政策对话"。二是中德合作。实施中德环境政策项目，组织中德清洁生产和循环经济政策培训；召开了中德环保技术和循环经济工作组会议。三是中美合作。参加第一次中美战略与经济对话，确定了《中美能源和环境十年合作框架》下的《能效合作行动计划》。四是中韩合作。组织赴韩国节能培训考察，选择部分"节能减排招贴画设计大赛"获奖作品赴韩国展览。五是推动多边合作。参加国际能效合作伙伴关系（IPEEC）、亚行能效等会议；研究提出建立"中日韩循环经济示范基地"合作项目；指导实施中国终端能效项目、中国节能促进项目、中国逐步淘汰白炽灯等多边项目。

一年来，各地区、各部门认真落实党中央、国务院的部署，把节能减排作为促进科学发展的重要抓手，作为扩内需、保增长、调结构的重要内容，努力打好节能减排攻坚战，节能减排效果进一步明显。截至2009年底，"十一五"前四年全国单位GDP能耗下降了14.38%；化学需氧量排放总量下降了9.66%；二氧化硫排放总量下降了13.14%，提前完成减排目标。

虽然节能减排取得积极进展，但面临的形势依然严峻。完成节能目标难度进一步加大。由于经济回升，2009年第四季度以来，高耗能高排放行业增速进一步加快，能源消费增长迅速，单位GDP能耗降幅呈减小趋势，节能减排在一些地方有弱化的倾向，一些地区监管不严，严重浪费能源资源、严重污染环境现象比较突出。

（撰稿：国家发展和改革委员会资源节约和环境保护司综合处）

安全生产工作综述

2009年的安全生产工作，在党中央、国务院的坚强正确领导下，坚持以科学发展观为指导，正确处理安全与发展的关系，把"安全发展"理念贯彻始终；坚持充分依靠地方各级党委政府、各部门密切配合、企业全面负责、群众广泛参与；坚持"安全第一、预防为主、综合治理"的方针，充分认识安全生产领域的矛盾和问题，求真务实、真抓实干，依法依规、强化约束，采取有效的政策措施，以开展"三项行动"、加强"三项建设"为重点，深入开展"安全生产年"活动，在各地区、各部门、各单位和全系统共同努力下，安全生产形势稳定好转。

一、2009年安全生产工作取得积极进展和明显成效

2009年是新世纪以来我国经济发展最为困难的一年，是我国有效应对国际金融危机并取得重大成就的一年，也是安全生产工作不断加强、持续改进的一年。党中央、国务院历来高度重视安全生产工作。胡锦涛总书记在十七届三中全会上，把能否实现安全发展，提高到是对我们党执政能力的一个重大考验的新高度。在2008年底以来召开的中央经济工作会议、中纪委第三次全会、国务院廉政工作会议上和2009年度《政府工作报告》中，以及在深入基层调查研究、视察工作等场合，胡锦涛总书记、温家宝总理等中央领导同志都反复强调要加强安全生产工作，牢固

树立安全发展理念，坚决贯彻"安全第一、预防为主、综合治理"方针，确保人民群众生命财产安全；正确处理保增长与安全生产的关系，任何时候安全生产都是第一位的。张德江副总理年初主持召开国务院安委会全体会议和全国安全生产电视电话会议，对深入开展"安全生产年"活动做出全面部署，明确提出了突出抓好安全生产执法、治理和宣教"三项行动"，切实加强安全生产法制体制机制、安全保障能力和安监队伍"三项建设"，进一步降低事故总量，降低伤亡人数，坚决遏制重特大事故，切实促进安全生产形势稳定好转，为全国经济平稳较快发展提供安全保障的工作思路、重点和奋斗目标；6月1日，在全年安全生产工作的关键时期，又一次在全国安全生产电视电话会议上发表重要讲话，要求进一步加大工作力度，狠抓"安全生产年"各项措施落实；9月3日，在江西南昌召开的全国煤矿瓦斯防治工作会议上，又对煤矿瓦斯治理和安全生产提出了明确要求。2009年以来，德江副总理先后7次带领有关部门负责同志，深入有关地区基层、煤矿井下和工矿商贸企业等，对安全生产进行专题调研和视察、现场指挥特别重大事故抢险救援，对安全生产工作作出一系列及时明确的重要指示，为切实做好安全生产工作进一步指明方向，实施坚强有力的领导。国务院办公厅、国务院安委会就安全生产"三项行动"和"三项建设"、加强应急救援体系建设、隐患排查治理、安全生产检查督查、节日安全防范等，先后下发8个重要文件，有力推动了安全生产工作。安委会各成员单位各司其职、齐抓共管，全力支持并做好安全生产工作，进一步形成合力，为做好安全生产工作创造了良好条件。

在党中央、国务院的坚强正确领导下，经过国务院安委会各成员单位和各地区、各方面的共同努力，2009年安全生产工作取得新的进展和明显成效，呈现事故总量、较大事故和重特大事故"三个同比下降"，煤矿等重点行业（领域）、大部分地区安全生产状况"两个持续改善"，全国安全生产控制指标"一个实施进展情况较好"的特点，比较圆满地完成了全年工作奋斗目标，为应对国际金融危机、促进经济平稳较快发展，为庆祝建国60周年和维护社会和谐稳定，创造和提供了较好的安全生产环境。

（一）事故总量、较大事故、重特大事故下降

据安监总局调度统计快报，2009年全国各类事故起数和死亡人数同比分别下降9.2%和10.5%。其中一次死亡3～9人的较大事故起数下降3%；一次死亡10～29人的重大事故62起、死亡835人，同比减少24期、471人，分别下降27.9%和36.1%；一次死亡30人以上以及经济损失亿元以上的特大事故5起、死亡293人，同比减少5起、379人，分别下降50%和56.4%。

（二）工矿商贸企业安全生产状况持续改善

2009年在煤炭产量持续增长、全国产煤超过28亿吨的情况下，煤矿事故总量和死亡人数同比分别下降19.7%和18.5%，煤矿发生重大事故16起，同比减少17起，下降51.5%；发生特别重大事故4起，同比减少1起，下降20%；百万吨死亡率0.926，首次下降到1以下，同比下降21.7%（2008年为1.182）。金属与非金属矿山事故死亡人数同比下降29.5%，危险化学品事故死亡人数同比下降22.9%。建筑施工事故死亡人数同比下降13.7%。

（三）交通运输、消防等重点行业（领域）安全工作成效明显

道路交通事故死亡人数同比下降10%，其中生产经营性事故的死亡人数同比减少2490人、下降10%；道路交通万车死亡率4，同比下降7%（2008年为4.3）。水上交通事故死亡人数同比下降10.8%，铁路交通事故死亡人数同比下降19.4%，渔业船舶事故死亡人数同比下降16.8%，农机事故死亡人数同比下降23.6%。火灾事故死亡人数同比下降12.3%。民航飞行继续保持了安全记录。

（四）煤矿瓦斯治理和整顿关闭工作取得明显进展

一是煤矿瓦斯事故下降。全国煤矿瓦斯事故同比下降13.7%和3.0%。其中较大瓦斯事故同比分别下降9.5%和10.3%；重大瓦斯事故分别下降58.8%和74.0%。二是乡镇煤矿事故大幅度下降。全国乡镇煤矿各类事故同比分别下降22.7%和25.6%。其中，较大事故分别下降10.1%和10.9%；重大事故分别下降50.0%和48.7%。三是煤矿瓦斯抽采量和瓦斯利用量进一步提高。全国煤矿累计抽采瓦斯61.7亿立方米，累计利用瓦斯17.7亿立方米，瓦斯利用率28.6%。国有重点煤矿瓦斯抽采量、利用量同比分别增长16.1%和13.3%。

（五）安全生产执法行动取得成效

各地区、各部门按照国务院的统一部署，认真开展安全生产执法行动，严厉打击安全生产领域非法违法建设、生产、经营活动。2009年全国查处各类非法违法行为849万余起，依法关闭取缔各类非法建设、生产、经营、运输等单位和项目2.26万余个。因非法违法造成的重特大事故比例由以往的80%以上降至50%左右。

（六）大部分地区安全生产状况好于以往

全国31个省（区市）和新疆生产建设兵团，2009年事故起数和死亡人数均比上年有所下降，16个省份的工矿商贸企业没有发生重特大事故。上海、内蒙古、湖北、海南、陕西、青海、新疆等省份没有发生重特大事故。

（七）安全生产控制指标实施进展情况较好

2009年全国安全生产控制指标实施进度为

90.2%，低于预计进度9.8个百分点。工矿商贸、道路交通、水上交通、铁路交通、农业机械、渔业船舶、消防等行业领域事故死亡人数，均低于控制指标10%以上。全国32个省级考核单位中，有31个单位事故死亡人数控制在考核指标之内，有15个单位低于控制指标10%以上。

二、2009年安全生产主要工作

一年来，各地区、各部门、各单位坚定认真地贯彻落实党中央、国务院关于加强安全生产工作的决策部署和重要指示精神，以深入学习实践科学发展观为动力，紧紧围绕中央提出的保增长、保民生、保稳定的中心任务，全面加强安全生产工作，正确处理经济增长与安全生产的关系，以深入开展"安全生产年"活动为主线，以防范遏制重特大事故为目标，以扎实推进安全生产执法、治理和宣教"三项行动"，切实加强安全生产法制体制机制、安全保障能力和监管监察队伍"三项建设"为抓手和载体，推动安全生产工作进一步规范、有序、高效开展，较好地完成了国务院安委会确定的目标任务。在党中央、国务院正确领导下，经过各地区、各部门、各单位和全系统的共同努力，安全生产工作取得了明显成效，促进了全国安全生产形势的进一步好转。主要表现在：生产安全事故总量、较大事故、重特大事故和伤亡人数同比较大幅度下降，"三个压下来"奋斗目标得以实现；工矿商贸企业安全生产状况持续改善；交通运输、消防等重点行业（领域）安全工作成效明显；绝大多数地区安全生产形势稳定好转；全国安全生产控制考核指标落实情况较好；安全生产总体水平明显提高。

（一）扎实推进安全生产执法行动，依法严厉打击各类非法违法行为

在地方政府的统一领导下，各级安全监管监察机构会同相关部门，查处煤矿滥采乱挖、越层超界开采等非法违法行为3.76万余起，取缔无证非法采煤窝点和"死灰复燃"矿井3112处，整顿关闭小煤矿1088处；查处非煤矿山无证生产、一证多井、违规排放等非法违法行为4.7万余起，关闭取缔非法和不具备安全生产条件的小型非煤矿山2291座；查处危险化学品无证非法生产、经营、销售和使用等5.78万余起，注销了1755个危化品企业的安全生产许可证，关闭取缔小化工940个；加大对烟花爆竹非法生产经营行为的打击力度，依法取缔了1744个烟花爆竹非法生产窝点。密切配合公安、交通、建设等部门，严肃查处道路交通酒后驾驶、超速超载、客车超员，水上交通无证运营、非客船载客、冒险航行，建筑施工证照不全、无证上岗、不执行建设项目安全生产"三同时"规定，人员密集场所不执行消防安全法规等非法违法行为。全国共查处各类非法违法行为849万多起，依法关闭取缔各类非法生产、经营、建设、运输等单位2.26万余个。

（二）扎实推进安全生产治理行动，深化各重点行业领域安全生产专项整治

工矿商贸领域安全治理行动成效明显。一是推动煤矿瓦斯治理向纵深进展。积极推进瓦斯治理"双百示范工程"建设，已建成示范矿井287个、示范县30个；全国煤矿瓦斯抽采率和利用率同比分别提高16.4%和10.6%，瓦斯事故起数下降13.7%。二是开展了地下矿山机械通风、小型采石场开采工艺、石油企业防井喷失控等专项整治；经国务院同意，国家五部委局联合下发了尾矿库隐患治理方案，地方政府和企业投入隐患治理资金85.6亿元，全国危、险、病库由年初的4910座减少到年底的2100座。三是深化危险化学品和烟花爆竹安全整治。各地结合制定落实化工产业安全发展规划，推进化工生产企业进园区，经营企业进市场；排查出危化品生产企业工艺不合理、监控措施不落实、安全防护距离不足等安全隐患3074项，已治理2801项，落实整改资金8.37亿元。继续开展了危化品道路运输专项整治和烟花爆竹违规使用氯酸钾专项整治。四是部署开展了作业场所有毒物质及粉尘专项治理工作。冶金、机械等行业结合安全生产标准化建设，认真整顿治理不符合安全生产要求的工艺、环节和行为。

各级安监机构配合公安、交通、建设等部门，积极推进相关行业（领域）的安全专项治理。深入排查治理公路、城市道路存在的安全隐患，对道路交通重大隐患实行了省市县三级政府督办；继续开展危险品运输、渡口渡船等安全专项整治；深入排查治理房屋与市政工程、隧道、桥梁、地铁等重点建设项目的安全隐患；开展了公众聚集场所易燃可燃装修材料、高层和地下建筑等消防安全专项整治。为做好新中国成立60周年庆典活动的安全保障工作，在全国集中开展隐患排查治理和督促检查活动。在企业自查、地方政府检查的基础上，国务院安委会组织16个督查组，分别深入到30个省（区、市）的89个市地、19个县区、309个生产经营和建设单位进行督查。对查出的187项严重隐患和重大问题，实行跟踪督办。总局会同北京市安监局承担首都大型庆祝活动中烟花爆竹燃放安全，以及阅兵、游行、观礼等所需临时建筑设施和彩车的安全监管任务，为国庆盛典做出贡献。

（三）扎实推进安全生产宣传教育行动，强化安全意识，提高安全技能

各级安全监管监察机构会同宣传、公安、广电部门和工会、共青团组织，以"关爱生命、安全发展"为主题，组织开展"安全生产月"、"安全生产万里行"活动。首都和各地举办了安全发展与安全法制论坛、"安全伴我行"演讲比赛、职工安全文艺汇演、安全知识竞赛、“安全文化到基层”等主题鲜明、形式多样的宣传教育活动。大力推动企业安全文化、安全诚信和安全社区建设，28 个省（区、市）的约 10 万个企业和城乡社区开展了创建试点工作。加强企业负责人、安全管理人员、特种作业人员“三项岗位人员”和农民工安全技能培训，组织了煤矿“万名班组长安全培训工程”；启动为期 4 年的全国市、县、乡政府分管负责人安全培训计划，举办两期市地分管领导干部安全生产工作专题研讨班。

（四）切实加强安全生产法制体制机制建设，促进安全生产工作进一步规范、有序、高效开展

一是推动安全生产立法工作。安全生产行政法规、部门规章和标准规程的制定修订工作进一步加快。总局在防治煤与瓦斯突出、海洋石油安全管理、应急预案管理、作业场所职业危害申报等方面，制定实施 12 个部门规章，制定修订 53 部安全生产标准和煤炭行业标准。二是健全完善安全监管监察工作体制。结合新一轮政府机构改革，全国各省级安全监管局均成为政府直属机构，18 个省（区、市）建立专门的安全生产执法监察机构和队伍；所有的市地级政府和 97% 的县级政府成立了安监机构，75% 的乡镇（街道）设立了专职或兼职安全生产工作机构。在中央编办大力支持下，煤矿安全监察系统增设 5 个监察分局，核定 111 个事业单位共 1720 名事业编制，为安全监管监察工作提供了保证。三是建立健全激励约束机制。总局进一步完善安全生产控制考核指标体系，建立健全周调度、月通报、季发布、年考核制度，定期向地方党委政府主要负责同志通报有关情况。各地普遍建立安全生产“一岗双责”、重特大事故“一票否决”等制度，把指标和责任分解落实到基层政府和重点企业，严格考核奖惩，推动企业安全生产主体责任和地方政府安全监管责任的落实。四是依法依规做好事故查处和责任追究工作。2009 年全国安全生产事故责任追究处理 29880 人，其中给予党纪政纪处分 7145 人，移送司法机关追究刑事责任 2102 人。2008 年发生的由国务院调查组负责查处的 10 起特大事故，已全部结案并及时向社会公布，共有 549 人受到刑事责任追究和党纪政纪处理，其中县处级以上干部 129 人。严肃查处了有关瞒报事故和一些事故背后的官商勾结、权钱交易等腐败行为，维护了安全生产法纪的严肃性。2009 年发生的 5 起特别重大事故，前 3 起已完成调查工作。安全生产举报专线电话已在部分地区开通，进一步畅通了人民群众表达安全诉求、反映安全生产问题的渠道。

（五）切实加强安全保障能力建设，推进“科技兴安”和基层基础工作，提高应急救援能力

总局、煤矿安监局就加强安全生产综合监管和专业管理，健全完善安全生产工作责任制，规范企业安全管理，推动安全生产科技进步等，下发了 70 多个指导性、规范性文件；会同全国总工会联合总结推广河南中平能化集团公司“白国周班组管理法”；总结推广部分省市“企业分级安全监管”、“1 + 3 安全监控体系”等经验；在煤矿、金属与非金属矿山、危险化学品、烟花爆竹、冶金、机械等行业广泛开展安全生产标准化建设活动。积极实施科技兴安战略，对 1674 家化工企业进行自动化控制技术改造，对 2000 多家烟花爆竹企业进行改造提升。9 个省（区、市）进行运输车辆安装 GPS、道路交通动态监管试点工作并取得实效。

安全监管总局与环保部、气象局、地震局等部门签订应急联动协议。各省（区、市）和 193 个市地建立了应急管理和救援指挥机构。地方安全生产应急平台建设已规划投入 3.4 亿元。各类救援队伍技术装备得到改善，应急救援能力进一步提高。2009 年全国矿山救护队伍出动救援 4526 次，抢救遇险人员 12409 人；危化救援队伍出动救援 8480 次，抢救疏散 31466 人。消防、水上、海上等专业救护队伍，成功组织实施了火灾、海难等事故的抢险救援。

在积极会商、多方争取和有关部门的大力支持下，国家安排了 20 亿元的煤矿整顿关闭“以奖代补”专项资金和 40 亿元的尾矿库隐患专项治理资金，继续运用年度 30 亿元的国债资金扶持煤矿安全技术改造，继续执行煤矿等高危行业安全费用税前列支制度，把煤矿维简费也纳入税前列支范围。一些省市也设立安全生产基金或重大隐患治理专项资金，解决安全生产问题，提升安全保障能力。

（六）切实加强安监队伍建设，为履行好安全生产工作职责提供组织保证

按照中央的部署和要求，圆满完成了安全监管总局、国家煤矿安监局机关深入学习实践科学发展观活动各项任务。在全系统深入开展创先争优活动，进一步激发广大安监人员干事创业热情，巩固和发展学习实践活动成果。深化干部人事制度改革，对安全监管总局、国家煤矿安监局机关空缺职位实行公开选拔、竞争上岗和差额选任，对新任省级煤监局局长和纪检组长实行异地交流任职。加强反腐倡廉惩防体系建设和行业作风建设，广泛开展正反两方面典型的示范和警示教育。坚持和完善监管监察工作目标责任制，严格监督考核，推进廉洁执法、公正执法、严格执法。加强业务培训，全年共有 4.5 万名安监人员分别参加国家、省、市三级脱产培训，坚持每月举行一次安全生产业务专题视频讲座，使广大安监人员的依法监管能力和执法水平得到进一步的提高。

三、存在的主要问题和差距

2009 年安全生产工作虽然取得了阶段性进展和一定成绩，但与党中央、国务院的要求和广大人民群众的期望相比还存在很大差距，事故总量依然较大，重特大事故尚未得到有效遏制，全国安全生产形势依然十分严峻。相继发生了中央电视台新址工地“2·9”火灾、黑龙江龙煤集团新兴煤矿“11·21”瓦斯爆炸等5起涉难30人以上或经济损失上亿元的特别重大事故，给人民群众生命财产造成惨重损失。暴露出安全生产工作存在的薄弱环节和突出问题：

一是安全意识不强，安全责任不落实。一些地方对扩内需、保增长过程中的安全生产重视不够，政府安全监管责任和企业安全生产主体责任没有真正落到实处。

二是隐患排查治理不认真，防范措施不严密。一些地方和单位对重大危险源和重大隐患监控不力、疏于防范，导致重特大事故发生。

三是安全基础不牢固，应急机制不健全。煤矿等高危行业防范抵御事故灾害的能力仍然低下。健全完善的安全生产应急救援体系和机制尚未形成，应对处置紧急情况和突发事件的能力不足。

四是打击非法违法工作进展不平衡。安全生产执法行动虽然取得较大成效，但一些地方对非法建设、生产、经营活动监管不严，打击力度不够。从安全监管工作看，也确实存在着不严、不细、不实等问题。

（撰稿：曹宗理）

中国经济贸易年鉴

CHINA'S ECONOMY & TRADE YEARBOOK

第三篇

行业改革与发展报告

电力行业

2009年，全国电力需求逐步回升，全社会用电量同比增长6.44%，增速超过上年同期；电力投资规模加大、结构继续优化，新增装机保持较大规模，非化石能源发电加快发展，电力技术取得重要突破；发电装机容量突破8亿千瓦达到8.74亿千瓦，同比增长10.26%，水电水情和电煤供应情况前三季度总体较好、四季度变化较大，电力供应能力整体较为充裕，发电设备利用小时降幅收窄。总体来看，全国电力供需总体平衡、个别省区略有富余，四季度在局部地区出现紧张；火电企业效益有所好转、电网公司盈利下降，但地区间分布极不均衡，且没有稳定的市场机制保障。

一、2009年全国电力供需情况

（一）电力投资和新增能力的结构继续优化

2009年，全国电力投资基本实现了电源电网协调发展。全年电力建设完成投资7702亿元，同比增长22.20%；其中，电网投资大幅增长，电网投资占电力投资的比例在厂网分开后首次超过50%。火电投资占电源投资的比重由前几年的80%左右下降到49.38%，核电、风电等新能源投资比重大幅上升。

新增发电生产能力结构继续优化。全年全国新增发电生产能力9667万千瓦，其中火电占新增生产能力的比例比上年下降3.11个百分点，新投产百万千瓦火电机组10台，新投产单机容量60万千瓦及以上火电机组容量比重高达53.9%；核电新开工规模850万千瓦，在建规模2192万千瓦，居世界首位；新增并网风电973万千瓦，占全部新增能力的10.85%，连续四年实现翻倍增长；新增太阳能发电装机2.79万千瓦，首次年投产规模超过二万千瓦，酒泉10MW太阳能光伏示范工程开工；“上大压小”继续推进，全年关停小火电机组2617万千瓦，提前一年半完成国家“关小”5000万千瓦的目标。

（二）电力技术取得重大突破

百万千瓦超超临界机组批量投产，我国已经成功掌握了这一先进的发电技术；世界首批核电自主化AP1000依托化项目开工建设，超大型锻件、主管道、安全壳等关键设备自主化研制取得重要突破，自主创新稳步推进；国产1.5MW陆上风电已成为主力机型，亚洲首台3MW海上风机成功并网发电。太阳能光伏发电关键技术逐步实现突破，我国已初步建立了比较完备的太阳能技术体系。

特高压技术取得实质性成果。1000千伏晋东南—荆门特高压交流试验示范工程顺利投产，已稳定运行一周年，发挥了显著的综合效益；11月，世界第一个±800千伏特高压直流输电工程—云南至广东特高压直流输电工程单极成功送电，向家坝—上海特高压直流示范工程成功实现800千伏全线带电，标志着我国输电电压等级、交直流输电技术、装备制造以及电网建设管理上升到一个新水平、新台阶，进入世界领先行列；500千伏海南联网工程正式投运，全国联网继续推进。电网智能化研究和试点示范工程扎实推进。

（三）供应和输配能力充足，设备利用状况下降

2009年底，全国全口径发电设备容量8.74亿千瓦，同比增长10.26%。其中，水、火电同比分别增长13.72%、8.0%；核电908万千瓦；并网风电1760万千瓦，同比增长109.82%。发电机组结构逐步优化，非化石能源所占比重有所上升。2009年底，全国电网35千伏及以上输电线路回路长度122.9万千米，同比增长5.18%；35千伏及以上公用变设备容量32亿千伏安，同比增长16.05%。

发电量增速加速回升，火电生产快速恢复。2009年，全国全口径发电量36812亿千瓦时，同比增长6.67%，高于上年同期；其中，水、火电分别同比增长1.08%、7.45%，核电增长1.2%，并网风电增长111.14%。分月来看，发电增速逐月加速回升，6月份实现单月增速正增长，8月份实现累计发电量正增长。下半年火电生产快速增长，12月火力发电量首次超过3000亿千瓦时，创造单月火电发电量的新记录，也是部分地区电煤比较紧张的因素之一。

由于装机增长快于发电量增长，导致设备利用状况持续下降，全国大部分地区统调最高用电负荷增速快于统调用电量，电网负荷率下降，峰谷差拉大，设备利用小时下降。2009年，全国6000千瓦及以上电厂发电设备利用小时4546小时，比上年降低102小时，降幅较上年明显收窄；6月以后月度发电设备利用小时数逐步回升，四季度已经恢复到常年水平。

（四）特高压在跨区跨省送电中的作用比较突出

2009年，全国跨区送电量完成1213亿千瓦时，同比增长13.52%；其中，1000千伏特高压交流线路作用突出，送电量占全国新增跨区送电量的61.4%。2009年，通过特高压线路由华北向华中累计输入电量为55.5亿千瓦时。特别是在四季度湖北电力供需紧张时，每天向华中电网送电5000万千瓦时左右，相当于每天从空中输煤2.5万吨，极大地缓解了湖北的电力供需矛盾。

水电出力下降对电力供需影响较大。下半年，全国水电出力下降，9月以后连续四个月同比下降，导致三峡送出和南方电网区域内“西电东送”连续四

个月同比下降，华中区域内部分省份供需矛盾比较突出。京津唐电网受电电量341亿千瓦时，同比增长52.92%；省间累计输出电量5247亿千瓦时，同比增长17.93%，全年各月均保持较快增长，进出口电量均有增加。

（五）全社会用电量逐月加快回升

2009年，全国全社会用电量36595亿千瓦时，同比增长6.67%，增速高于上年；各月用电量增速逐月加快回升，电力消费走势实现了与经济走势的完美重合。第三产业和城乡居民生活用电分别增长12.75%和12.08%；其中，第二产业用电从低迷中开始逐步回升，带动全社会用电增速逐步快速回升，第三产业和城乡居民生活用电量各月都保持了稳定增长，农村居民用电增速略高于城镇居民用电。全年电力消费弹性系数0.74，比上年提高0.17。

（六）电力回升的政策拉动效果明显

受国家政策拉动等因素共同拉动，工业快速回升，2009年，全国工业用电量26754亿千瓦时，同比增长4.60%。特别是重工业回升势头快于轻工业，重点行业（钢铁、化工、建材、有色）用电全面复苏，建材行业最早回暖，四个行业在11、12月的单月用电量创出历史新高；交通运输设备制造业受铁路、交通投资大幅拉动，各月（除元月外）用电量均实现正增长且逐月加速。

（七）电力企业总体盈利，分布不均，亏损面仍然较大

2009年电力行业利润有所回升，但利润分布极不均匀，电力行业效益缺乏机制保障。1—11月份，电力行业利润总额891亿元，但是全行业销售利润率3.16%，资产利润率1.41%，仍明显偏低。火电行业利润由上年同期的净亏损377亿元转为盈利465亿元，扭亏增盈842亿元；但是利润在地区间分布极不均衡，江苏、浙江、广东三省火电企业利润占全部火电利润的73.75%。电网企业政策性亏损的趋势在9月份尤其是11月份的电价调整后情况好转，1—11月份，实现利润63亿元；但北京和广东电力供应企业利润是其他供电企业利润总和的2.30倍，相当部分省份亏损严重。

（八）节能减排效果显著

电力行业积极加大科技创新力度，推进节能减排。电力生产及输送环节能源利用效率继续提高。2009年，全国供电标准煤耗340克/千瓦时，比上年同期降低5克/千瓦时。线路损失率6.72%，比上年同期降低0.07个百分点。6000千瓦以上电厂厂用电率5.76%，比上年下降0.14个百分点。脱硫装机增长9575.2万千瓦，达到4.7亿千瓦，占燃煤装机的比例约76%，同时，二氧化硫排放总量提前一年实现了“十一五”确定的目标限值。电力行业向节约发展、清洁发展方向又迈进了一步。

二、对电力供需问题的认识与建议

（一）转变电力发展方式，推进行业科学发展

我国电力工业最突出的矛盾仍是电力结构性问题。由于受电煤供应、运输、煤价、来水、气温等因素影响，全国电力总体平衡与局部地区供电紧张的情况并存，装机容量快速增长与发电利用小时数持续下降的情况并存。近年来，我国煤电运紧张局面反复出现，特别是电煤价格持续上涨，缺煤停机现象时有发生，电力企业发展面临困境，与长期局部地区就地平衡的电力发展方式有很大关系。要实现电力行业的健康持续发展，加快转变电力发展方式刻不容缓。

我国能源结构具有以煤为主、能源资源与生产力逆向分布的特点，能源开发正在加速向西部和北部转移，特高压远距离输电将在优化能源资源配置方面发挥更大作用。电力工业要实现科学发展，必须从我国能源分布及开发现状出发，加大特高压等远距离输电技术的开发和建设力度，变输煤为输电，实现输煤输电并举；大力推进特高压、大煤电、大水电、大核电、大型可再生能源基地的建设，优化电源结构和布局，促进能源资源在更大范围的优化配置；要大力发展清洁能源及可再生能源发电，加大科技投入，解决新能源发电上网难的问题；要大力开展智能电网相关技术研究与突破，实现电网与电源的和谐发展；要加快城农网建设改造力度，实现各级电网协调发展，促进电力发展方式的根本性转变。

（二）进一步改善电煤供应

一是努力做好当前的煤炭供应工作。煤炭企业应在安全生产的前提下努力提高产量，运输行业应优化调整运力，保证重点地区、重点电厂的煤炭供应。要加强对重点合同量、价的监管力度，提高履约率，保证电煤供应。对于部分省份的煤炭资源近期不得外运出省的地方保护政策，要坚决制止。

二是加强国家对煤炭资源的调配力度，建立国家煤炭应急储备制度。煤炭资源作为关系国计民生的基础性资源，国家应具备相当的调配能力，从宏观制度层面构架煤炭储备体系，以应对电煤频繁告急。启动煤炭储备机制不仅可以缓解能源安全与经济发展提速间的冲突与矛盾，也可以平抑煤炭市场异常波动，防止过度投机行为，符合国际通用做法。同时，也应鼓励各发电集团建立自己的电煤储运机制。

三是加强煤炭产运需协调，整顿电煤流通环节，加大力度帮助电力企业协调重点地区、重点电厂（特别是新增的重点电厂）的电煤产运需保障平衡，确保资源总量基本平衡和稳定供应。尽快建立电煤信息统计体系，完善电煤价格指数测算与发布机制，做好电煤的预测预警工作。

（三）再次启动煤电联动机制，推进电价改革

煤电联动机制自2004年年底实施以来，一是不能及时启动，二是有关机制存在问题。现阶段，应进一步完善煤电价格联动机制，调整发电企业消化煤价上涨比例，设置煤电联动最高上限，控制电煤价格涨幅，保持煤炭、电力价格基本稳定。应根据电煤价格不断上涨的情况，及时启动煤电联动，以缓解发电企业的经营压力和煤电之间的矛盾。

近年来的经济运行中，“市场煤、计划电”的体制性矛盾依然突出，电力企业已难以承受煤价频繁上涨和电价调整滞后造成的刚性成本增加，煤电价格矛盾已影响到部分时段、部分地区的电力供需平衡。此种矛盾已成为近年来媒体特别关注炒作的重大话题，如不能及时得到解决，有可能会随着火电装机的较快增长所导致电煤消耗量不断加大，使矛盾愈演愈烈，无论对于煤炭行业、电力行业，还是我国经济的协调发展，都将产生十分不利的影响。从根本上理顺煤电关系，应采取切实可行的措施，进一步推进电价改革，全面系统地解决煤电长期以来的矛盾。

（四）加强能源规划与政府协调能力，发挥行业协会作用

近两年电力发展和运行中，暴露出经济发展和电力发展、清洁能源发展与传统能源及电网发展、电力运行与上下游以及相关行业如何协调的问题，电力作为经济运行的晴雨表，又深刻影响这些重大关系的协调发展。建议政府有关部门要综合考虑煤电油运各种因素，做好“十二五”能源总体规划，坚持电力适度超前发展，统筹解决能源布局的结构性问题。建立健全能源综合运输调配体系，包括发展特高压长距离输电，提高相关部门能源跨区域调配能力，增强应对能源资源需求突发性、大规模变动的能力。电力行业发展与煤炭、石油、天然气、交通运输、机械制造、信息通讯、科研教育等行业密切相关。要采取措施推动电力行业和其他行业间合作，建立行业之间的工作沟通与协调机制，努力推动煤电油气运等问题的有效解决。

随着政府职能的进一步转变，行业协会作为政府与社会、企业间的桥梁和纽带，在实施行业自律，开展政策法规、行业规划制定研究，行业统计分析、标准制定、国际合作交流等各项工作中承担着越来越重要的责任。建议国家给予相关行业协会更大的支持，使行业协会更充分地发挥作用。

（撰稿：王永干）

医药行业

2009年是新世纪以来中国经济发展最为困难的一年，面对百年不遇的国际金融危机的严重冲击和极其复杂的国内外形势，党中央、国务院审时度势，科学决策，带领全国人民万众一心，共克时艰，坚持实行积极的财政政策和适度宽松的货币政策，全面实施并不断完善应对国际金融危机的一揽子计划，较快扭转了经济增速明显下滑的局面，全年国内生产总值比上年增长8.7%，实现了国民经济总体回升向好。

受国家宏观经济环境总体企稳回升的影响，医药经济总体运行呈现出工业生产稳步增长、商业销售增势平稳、效益水平增势良好的发展格局。

一、医药经济运行呈现稳步增长的基本格局

1. 2009年，持续增长仍是医药工业发展的主基调。据统计，全年医药工业总产值（现价）完成10008亿元，比上年增长18.66%。

2. 医药工业产销衔接状况良好。全年医药工业销售产值完成9575亿元，比上年增长19.14%，产销率为95.68%，虽仍低于全国工业平均产销率水平，但比上年有所改善。

3. 医药工业效益水平保持增长态势。据统计，全年医药工业实现产品销售收入9626亿元，比上年同期增长21.63%。工业企业实现利润1060亿元，比上年同期增长25.53%，工业销售利润率为11.01%。

4. 医药出口增势减缓。据统计全年完成出口交货值1024亿元，比上年同期增长19.06%，增速减缓。受国际经济环境的影响，市场需求萎缩，国际初级产品大幅下跌等因素影响，出口利润受到压缩。

5. 医药商业购销稳步增长，市场消费需求活跃。全年七大类医药商品购进总值为5109亿元，比上年增长20.55%，销售总值为5684亿元，比上年增长20.96%，其中，药品类总销为4206亿元，比上年增长21.11%，中成药类总销售为928亿元，比上年增长21.46%。

6. 医药商业效益水平稳中有升。据统计，2009年行业利润率为1.29%，毛利率为7.09%，费用率为5.16%。据析，各地企业积极调整营销策略，努力开拓市场。重点企业盈利能力不断增强，拉动了行业效益水平的稳步回升。

二、医药市场的基本特点及影响市场的因素分析

1. 国家宏观经济发展企稳回升的势头逐步增强，为医药行业的改革与发展提供了良好的外部环境。

2009年，在国际金融危机影响不断蔓延和深化的背景下，面对严峻复杂的国内外形势，党中央，国务院及时果断决策，在出台进一步扩大内需十项措施的基础上，又确定大规模增加财政支出，大力加强金融对经济发展的支持，并从投资、消费、外贸、社保等方面集中出台了一系列政策措施，形成了系统完整的应对危机，保持经济平稳较快发展的一揽子计划。国民经济企稳回升，保增长调结构、促改革、惠民生取得了明显成效。实现了经济和社会发展的主要预期目标。良好的宏观经济环境为医药行业改革与发展奠定了坚实的基础。

2. 医药经济保持了平稳增长的发展态势。在全球金融危机经济下滑的复杂环境中，各地医药企业紧紧围绕改革与发展两大目标，抓住国家医改政策给行业带来的新契机，不断加快制度创新、技术创新和管理创新，加快产权制度改革和重组步伐，提出了保发展、促增长、降费用、推转型、调结构、防风险、重责任等一系列具体措施，促进了企业生产经营竞争能力的不断提高，推动了企业经济效益的改善，医药行业对宏观经济增长的贡献率进一步提升。

3. 企业并购、重组推动了医药流通领域的结构调整。随着全球经济一体化趋势的加强，市场竞争环境日趋激烈，来自于行业外部的宏观调控、行业内部改革发展的客观要求均促使医药行业整合的步伐提速。大企业主导跨地域并购，一批有实力的企业相继加快了并购重组步伐成为区域性的龙头企业，民营企业在医药流通体制改革中异军突起，迅速发展壮大，已成为流通领域一支重要的生力军。

4. 市场销售的集中度和经济效益集中度呈进一步上升趋势，行业规模化、集约化特征凸显。百强企业的发展近几年都保持着高于行业平均水平的速度，成为医药行业整体质量提升的主要推动力。促进了医药流通体制的结构调整和经营方式的现代化进程；加速了医药流通领域向规模化、集约化发展，提高了市场占有率、控制力和经济效益。据中国医药商业协会2009年全国医药商业企业基本情况调查资料显示，进入百强企业的销售规模底线由2008年的7.4亿元提升到8.6亿元。2009年医药流通百强企业销售总额达3964亿元，占同期全国销售总额的69.74%，比2008年提升2.45个百分点。

中国最大的三家医药商业企业占医药市场销售的比重稳步提升，2009年销售总额达到1190亿元，占同期医药商业市场销售总额的20.94%，比2008年提高0.85个百分点。销售规模超过百亿元的企业有八家，依次是中国医药集团总公司、上海市医药股份有限公司、九州通医药集团股份有限公司、南京医药股份有限公司、广州医药有限公司、安徽华源医药股份有限公司、北京医药股份有限公司、重庆医药股份有限公司，比2008年增加2家。百强企业中销售总额超过50亿元的有18家，比上年增8家；过30亿元的企业已达到33家，比上年增12家；过20亿元的企业有38家，比2008年增5家；有87家企业销售规模超过10亿元，比2008年增加10家。百强企业中，前10强企业销售总额达2021亿元，占同期市场总额的36%；前20强企业销售总额达到2597亿元，占同期市场总额的46%。

5. 零售市场继续呈现稳步增长的良好态势。据统计，2009年医药零售市场保持了稳健的发展势头，销售规模达1012亿元，其增幅稳定在20%左右。另据中国医药商业协会连锁药店分会统计，2009年药品零售连锁企业百强销售合计581亿元，比2008年增加60亿元，同比增长11.5%。2009年十强企业销售总额235亿元，比2008年增加34亿元，同比增长17.12%，增幅提高1.44个百分点。百强企业中跨省经营的连锁企业22家。其中，跨越10个省份的4家；跨越5~9个省份的7家；跨越4~2个省份的11家。十强企业全部为跨省连锁企业，且平均跨越省份数达到8个。

零售药店连锁化趋势凸现。2009年百强企业门店总数达到46843家，同比增长16.96%，为历年较高水平。十强企业的门店总数21783家，同比增长10.66%，同比增幅下降近3个百分比。从历年十强企业门店总数占百强企业比重看，2006年为41%，2007年为47%，2008年达到50%，2009年回落至46.50%。十强企业在销售额增幅提升的同时门店数增幅趋缓，这说明龙头企业开始摆脱低效扩张的简单覆盖模式，竞争实力进一步加强。

销售格局凸显多元化。2009年百强企业销售总额中处方药占比29.39%，非处方药占比36.99%，非药品类（含保健品）销售占比30.32%。其中，处方药占销售比重2007年27.16%，2008年25.14%，2009年29.39%，从三年总体情况来看基本维持在25%~30%的空间，与OTC和非药品共同构成三分天下的销售格局。

6. 农村消费市场成为新的经济增长点。随着新医改配套政策的出台，新型农村合作医疗，农村医疗保险制度的推进与加速发展。农村市场的开拓已成为企业进一步启动内需，寻求医药市场新的经济增长点，促进医药经济全面均衡发展的重要举措。据统计，2009年全国七大类医药商品销售中，对农村销售额为862亿元，比上年同期增长25.47%。

7. 新医改进一步扩大了基本医疗保障覆盖面，

拉动了医药消费市场的总体走强。2009 年是深化医疗卫生体制改革的开局之年，一些具备条件的重大改革陆续实施，包括六项重大公共卫生服务项目及医疗救助新政的启动，使覆盖我国城乡居民的基本医疗保障制度体系日渐完善。据悉全年城镇职工和居民基本医疗保险参保人数达到 3.9 亿人，比上年新增长 7200 万人；全年解决 607 万关闭破产国有企业退休人员参保问题；提高基本医疗保障水平，适当提高最高支付限额和住院费用报销比例，加大医疗救助力度。国家基本药物目录已出台，30% 的城市社区卫生服务机构和县（区）政府办基本医疗卫生机构将实施基本药物制度。新医改进一步扩大了医药市场消费需求。

8. 药品价格呈现稳中有降之势。近年来，为配合国家三项制度的改革，价格主管部门按照宏观调控与市场调节相结合的总原则，对纳入《国家基本医疗保险目录》的药品甲类实行政府定价，乙类实行政府指导价格，同时为了控制药价，满足群众的基本医疗需求，对国产、合资、进口类药品依据性能疗效费用等综合比价因素进行了调整，药品价格水平明显下降。随着国家基本药物目录的颁布，加快医疗保障体系建设，建立国家基本药物制度；加强医疗服务管理，探索建立医疗保险谈判机制相衔接；调整用药范围，适当提高用药水平；强化监控措施，切实保障人民群众合理的基本用药需求，成为国家调控的总体目标。价格主管部门将对企业的成本，包括销售费用，销售利润的比重进行控制，对流通环节的差价率，医院的加成率都要进行控制，以规范市场价格行为。据中国医药商业协会组织的全国主要城市化学药品零售物价指数测算结果显示，药品价格已连续多年呈下降态势，各类指数均呈现一定的降幅。2009 年药品零售价格总指数为 96.32，比上年下降 3.68 个点。

9. 提升现代物流管理管理水平将是行业和企业应对挑战谋求发展的战略目标。现代医药物流作为调整经济结构，转变经济增长方式的重要途径，是降低成本，提高效率与效益最关键的因素之一。因此，整合各类资源，延伸服务领域，提升服务水平，建立快捷、高效、安全、方便并且有国际竞争力的现代医药物流服务体系，大幅度提高物流的社会化、专业化和现代化水平是企业发展的关键所在。

10. 提升参与国际竞争的能力仍是企业面临的课题。随着医药分销服务领域的进一步开放，外资凭借雄厚的资金实力、先进的经营理念、科学的管理方法、现代化的手段、完整的供应体系，把合作的目标聚焦在医药流通企业的前十强。利用其本土文化，多年的资产积累及广阔的营销网络优势，推进了医药流通领域国际化的进程。

2009 年，全国医药经济运行态势基本良好，为今后医药经济持续平稳增长奠定了基础。但经济运行中仍然存在着一些矛盾和突出问题，一是企业规模问题依旧突出，调整结构和转变发展方式的压力日益加大；二是各地区发展不平衡，企业两级分化之势凸现，改革和战略重组的任务仍很艰巨；三是企业应收帐款的居高不下，降费增效尤为关键。

（撰稿：郝玲）

煤炭行业

2009 年以来，在党中央国务院的坚强领导下，全国各族人民认真贯彻落实“保增长、扩内需、调结构、惠民生”的一系列政策措施和一揽子计划，我国经济企稳回升。全国煤炭产销量继续增加，煤炭净进口和产能较快增长，企业成本上升、价格小幅波动、应收账款增加、行业利润总额下降，煤炭经济运行继续保持基本平稳态势。

一、煤炭生产情况分析

2009 年全国原煤产量完成 30.5 亿吨，同比增长 8.8%；煤炭消费量 30.2 亿吨，同比增长 9.2%。其主要特点表现在以下几个方面：

（一）全国原煤产量增加

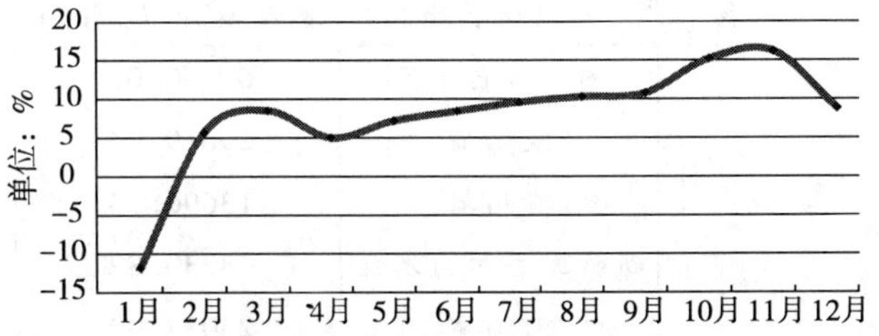

图 1　2009 年全国原煤月产量同比增长情况

其中，排名前 10 位省份的原煤产量合计为 243227.49 万吨，占全国原煤产量的 79.74%；同比增加 20331.94 万吨，增长 9.12%。

2009 年全国原煤产量前 10 名省（区、市）

表 1

排　名	省（区、市）	原煤产量（万吨）	上年同期（万吨）	同比增加（万吨）	同比增长（%）
1	山西省	61534.93	64501.3	-2966.37	-4.6
2	内蒙古自治区	60280.03	50222.82	10057.21	20.03
3	陕西省	29819.94	24162.79	5657.15	23.41
4	河南省	23037.92	21305.66	1732.26	8.13
5	山东省	14377.72	13742.5	635.22	4.62
6	贵州省	13690.74	11319.53	2371.21	20.95
7	安徽省	12848.55	11649.49	1199.06	10.29
8	黑龙江省	9900.5	9760.12	140.38	1.44
9	四川省	8997.34	9495.46	-498.12	-5.25
10	新疆维吾尔自治区	8739.82	6735.88	2003.94	29.75
小　计		243227.49	222895.55	20331.94	9.12
全国合计		304988.62	280217.4	24771.22	8.84
前10省所占比重（%）		79.74	79.54		0.20

其中，七个省份产量超过亿吨，一个省份同比增产过亿吨。在产量前十省份中，山西、四川两个省份产量同比下降，其余省份产量同比增长。其中，同比增产最多的省份是内蒙古自治区，增产 10057.21 万吨。同比增产最少的省份是黑龙江省，增产 140.38 万吨。同比增幅最大的省份是新疆，增长 29.75%，同比增幅最小的省份是黑龙江省，增长 1.44%。

在全国产煤的 26 个省（市、自治区）中，其中 21 个省（市、自治区）原煤产量同比增加，同比增产 28527.95 万吨，增长 14.62%。

2009 年原煤产量同比增加的省（区、市）

表 2

排　名	省（区、市）	本年累计（万吨）	上年同期（万吨）	同比增加（万吨）	同比增长（%）
1	内蒙古自治区	60280.03	50222.82	10057.21	20.03
2	陕西省	29819.94	24162.79	5657.15	23.41
3	贵州省	13690.74	11319.53	2371.21	20.95
4	新疆维吾尔自治区	8739.82	6735.88	2003.94	29.75
5	河南省	23037.92	21305.66	1732.26	8.13
6	宁夏回族自治区	5598.96	4325.35	1273.61	29.45
7	安徽省	12848.55	11649.49	1199.06	10.29
8	湖南省	6879.98	6153.86	726.12	11.8
9	山东省	14377.72	13742.5	635.22	4.62
10	云南省	8625.07	8029.72	595.35	7.41
11	吉林省	4497.45	3980.09	517.36	13
12	河北省	8585.34	8145.43	439.91	5.4
13	湖北省	1399.45	1073.19	326.26	30.4
14	青海省	1577.1	1293.64	283.46	21.91
15	黑龙江省	9900.5	9760.12	140.38	1.44
16	广西壮族自治区	589.27	451.17	138.1	30.61
17	辽宁省	6624.17	6495.12	129.05	1.99

续表

排 名	省份	本年累计（万吨）	上年同期（万吨）	同比增加（万吨）	同比增长（%）
18	福建省	2466.13	2350.19	115.94	4.93
19	江西省	3414.14	3302.98	111.16	3.37
20	北京市	653.74	578.62	75.12	12.98
21	浙江省	13.2	13.12	0.08	0.61
小 计		223619.22	195091.27	28527.95	14.62

5个省（市、自治区）的原煤产量同比减产，同比减产3746.23万吨，下降4.4%。

2009年原煤产量同比减少的省（区、市）

表3

排 名	省（区、市）	本年累计（万吨）	上年同期（万吨）	同比增加（万吨）	同比增长（%）
1	山西省	61534.93	64501.3	-2966.37	-4.6
2	四川省	8997.34	9495.46	-498.12	-5.25
3	重庆市	4463.73	4666.52	-202.79	-4.35
4	甘肃省	3975.96	4022.24	-46.28	-1.15
5	江苏省	2397.44	2430.11	-32.67	-1.34
小 计		81369.4	85115.63	-3746.23	-4.40

（二）大型企业原煤产量增加

1—12月，96家大型企业原煤产量完成165206.0万吨，占全国原煤产量的54.16%，同比增加16602.8万吨，增长11.2%。其中，排名前10家企业原煤产量合计为95892.5万吨，占全国原煤产量的31.44%；同比增加11027.6万吨，增长13.0%。

2009年大型煤炭企业原煤产量前10名企业

表4

排 名	单位名称	原煤产量（万吨）	上年同期（万吨）	同比增加（万吨）	同比增长（%）
1	神华集团	32759.7	28161.0	4598.7	16.3
2	中煤集团	12505.2	11411.1	1094.1	9.6
3	山西焦煤集团	8078.8	8029.1	49.7	0.6
4	大同煤矿集团公司	7450.4	6890.5	559.9	8.1
5	陕西省煤业集团	7100.5	6040.8	1059.7	17.5
6	淮南矿业集团公司	6715.5	6043.3	672.2	11.1
7	河南煤业化工集团公司	5698.2	4464.8	1233.3	27.6
8	潞安矿业集团公司	5509.2	4209.2	1300.0	30.9
9	龙煤矿业集团	5494.0	5495.0	-1.0	0.0
10	平煤神马集团公司	4581.0	4120.0	461.0	11.2
小 计		95892.5	84864.8	11027.6	13.0
大型企业合计		165206.0	148297.2	16602.8	11.2
全国合计		304988.62	280217.4	24771.22	8.84
大型企业占全国比重（%）		54.16	52.92		1.24
前10名占大型企业比重（%）		58.04	57.22		0.81
前10名占全国比重（%）		31.44	30.28		1.15

在原煤产量排名前 10 位的企业中，产量同比都是增长的。其中山西焦煤集团幅度止跌回升，龙煤集团增长幅度趋缓。

大型企业中，原煤产量同比增长的有 79 个企业，其余 17 个企业产量同比下降。

2009 年大型煤炭企业原煤产量同比增加前 10 名企业

表 5

排　名	单位名称	本年累计（万吨）	上年同期（万吨）	同比增加（万吨）	同比增长（%）
1	神华集团	32759.7	28161.0	4598.7	16.3
2	潞安矿业集团公司	5509.2	4209.2	1300.0	30.9
3	河南煤业化工集团公司	5698.2	4464.8	1233.3	27.6
4	中煤集团	12505.2	11411.1	1094.1	9.6
5	陕西省煤业集团	7100.5	6040.8	1059.7	17.5
6	开滦集团公司	4045.1	3285.9	759.2	23.1
7	冀中能源集团	4237.4	3559.5	677.9	19.0
8	淮南矿业集团公司	6715.5	6043.3	672.2	11.1
9	阳泉煤业集团公司	4346.4	3729.5	616.9	16.5
10	大同煤矿集团公司	7450.4	6890.5	559.9	8.1
小　计		90367.5	77795.6	12571.9	16.2

大型企业中，原煤产量同比绝对量增加的前 10 家企业分别是：神华集团（+4598.7 万吨）、潞安矿业（+1300.0 万吨）、河南煤业（+1233.3 万吨）、中煤集团（+1094.1 万吨）、陕西煤业（+1059.7 万吨）、开滦集团（+759.2 万吨）、冀中能源（+677.9万吨）、淮南矿业（+672.2 万吨）、阳泉煤业（+616.9 万吨）、大同煤业（+559.9 万吨）。

从增幅来看，增幅较高的前 10 家企业依次是：舒兰矿业（+38.7%）、新汶矿业（+34.3%）、潞安矿业（+30.9%）、辽源矿业（+28.7%）、河南煤业（+27.6%）、水城矿业（+25.8%）、开滦集团（+23.1%）、神火煤业（+22.9%）、济宁矿业（+21.3%）、通化煤业（+20.6%）。

2009 年大型煤炭企业原煤产量同比减少前 10 名企业

表 6

排　名	单位名称	本年累计（万吨）	上年同期（万吨）	同比增加（万吨）	同比增长（%）
1	小龙潭矿务局	949.0	1012.2	-63.2	-6.2
2	铁法煤业集团公司	2096.3	2140.0	-43.7	-2.0
3	沈阳煤业集团公司	822.0	852.1	-30.1	-3.5
4	天能集团有限公司	249.9	264.8	-14.9	-5.6
5	淄博矿业集团公司	1108.3	1117.6	-9.3	-0.8
6	东山煤矿有限公司	154.1	162.0	-7.8	-4.8
7	抚顺矿业集团公司	393.2	400.2	-7.0	-1.8
8	福建省煤炭工业集团	492.0	493.7	-1.6	-0.3
9	龙煤矿业集团	5494.0	5495.0	-1.0	0.0
10	鹤山精煤有限公司	110.0	110.0	0.0	0.0
小　计		15416.8	16017.8	-601.0	-3.8

在原煤产量同比减少的企业中，减产最多的前10名企业分别是：小龙潭（-63.2万吨）、铁法煤业（-43.7万吨）、沈阳煤业（-30.1万吨）、天能煤业（-14.9万吨）、淄博矿业（-9.3万吨）、东山煤业（-7.8万吨）、抚顺矿业（-7.0万吨）、福建能源（-1.6万吨）、龙煤矿业（0.0万吨）、鹊山精煤（-0.0万吨）。

从降幅来看，降幅较大的前10个企业依次为：小龙潭（-6.2%）、天能集团（-5.6%）、东山煤矿（-4.8%）、沈阳煤业（-3.5%）、铁法煤业（-2.0%）、抚顺矿业（-1.8%）、淄博矿业（-0.8%）、福建能源（-0.3%）、龙煤集团（-0.0%）、鹊山精煤（0.0%）。

（三）大型企业洗精煤产量增加

2009年大型煤炭企业洗精煤产量前10名企业

表7

排 名	单位名称	本年累计（万吨）	上年同期（万吨）	同比增加（+，-）	增减（%）
1	山西焦煤集团	3665.4	3770.8	-105.4	-2.8
2	神华集团	2907.8	2477.1	430.7	17.4
3	中煤集团	2774.3	2526.0	248.3	9.8
4	大同煤矿集团公司	2452.4	2126.0	326.4	15.4
5	冀中能源集团	1701.0	1496.5	204.5	13.7
6	龙煤矿业集团	1562.0	1306.0	256.0	19.6
7	潞安矿业集团公司	1242.7	948.8	293.9	31.0
8	兖矿集团有限公司	1229.3	1228.0	1.3	0.1
9	河南煤业化工集团公司	1184.5	1032.5	152.0	14.7
10	开滦集团公司	1028.4	771.5	256.9	33.3
小　计		19747.8	17683.2	2064.6	11.7
大型企业合计		26792.6	23983.9	2808.7	11.7
前10家所占比重		73.71%	73.72%	-0.01%	

1—12月，全国大型煤炭企业洗精煤产量完成26792.6万吨。其中，排名前10家企业洗精煤产量合计为19747.8万吨，占大型企业洗精煤产量的73.71%；同比增加2064.6万吨，增长11.7%。

大型煤炭企业洗精煤产量前10名的单位依次是：山西焦煤（3665.4万吨，-2.8%）、中煤集团（2774.3万吨，+9.8%）、神华集团（2907.8万吨，+17.4%）、同煤集团（2452.4万吨，+15.4%）、冀中能源（1701.0万吨，+13.7%）、龙煤集团（1562.0万吨，+19.6%）、潞安矿业（1242.7万吨，+31.0%）、兖矿集团（1229.3万吨，+0.1%）、河南煤业（1184.5万吨，+14.7%）、开滦集团（1028.4万吨，+33.3%）。

在洗精煤产量排名前10位的企业中，山西焦煤的产量同比继续下降，其余9个企业的产量同比保持增长。

二、煤炭运销情况分析

2009年国内煤炭市场经历了由适度宽松、基本平衡向逐渐偏紧方向发展的变化过程。全年煤炭资源供应保持稳定增长，而同期煤炭需求则是在四季度明显放大，尤其是进入12月份，全国大范围出现的暴雪寒潮天气，带来持续的超低气温，对电煤的需求急剧增加，电煤日耗达到了历史最高水平。受此影响，煤炭资源紧张状况在全国多省区显现，国内各地区市场煤交易价格继续保持普遍上扬态势。

（一）铁路煤炭装车情况

12月份，全国煤炭日均装车完成57537车，装车数环比增长1.5%；比同期增加2436车，上涨4.42%。其中，电煤日均装车完成38056车，装车数环比增长8.4%。

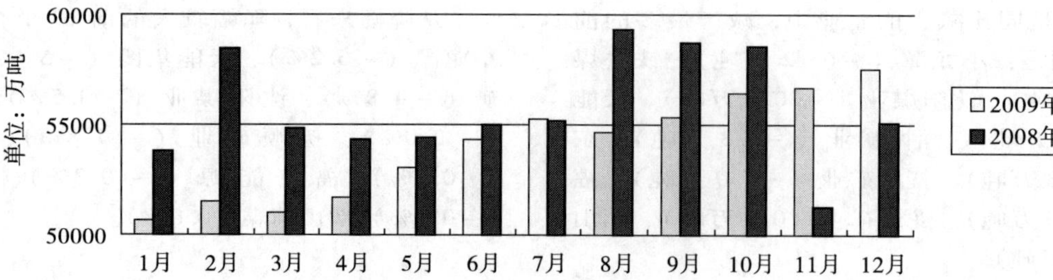

图 2　2009 年铁路日均装车情况

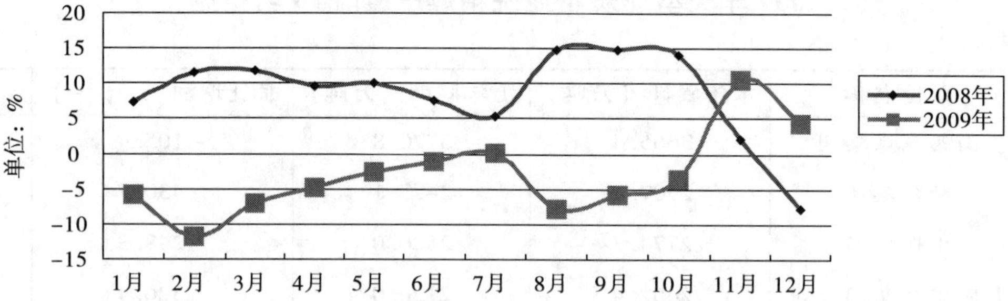

图 3　2009 年铁路日均装车同比增长情况

（二）煤炭运量情况

12 月份，全国铁路煤炭发送量完成 15696 万吨，同比增加 3127 万吨、增长 24.9%。其中电煤发送量完成 11247 万吨，同比增加 3300 万吨、增长 41.5%。

1—12 月，全国铁路煤炭发送量完成 174881 万吨，同比增加 2039 万吨、增长 1.2%。其中电煤发送量完成 113929 万吨，同比减少 4234 万吨、下降 3.6%。

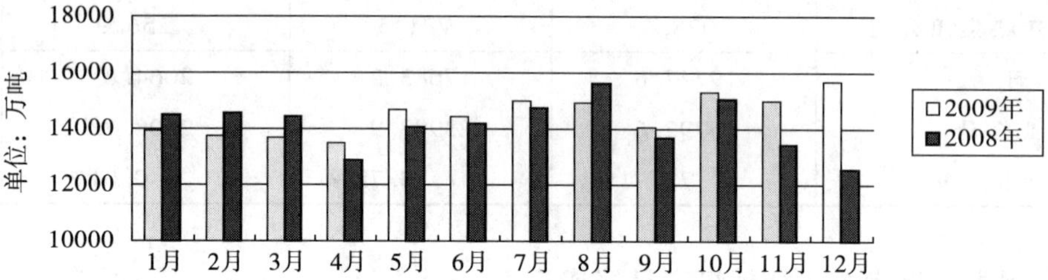

图 4　2009 年铁路发送量情况

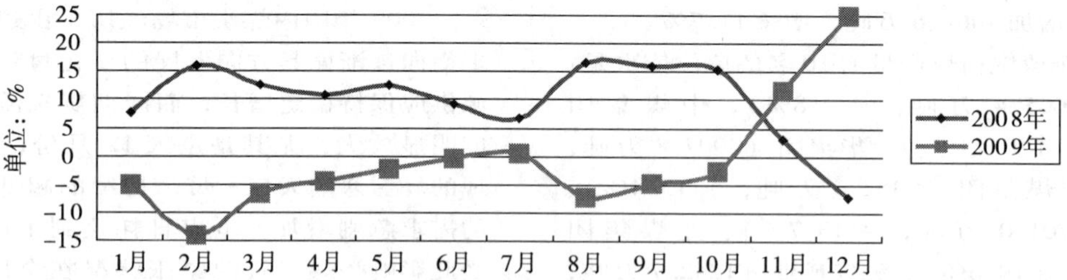

图 5　2009 年铁路发送量同比增长情况

12 月份，全国主要港口共发运煤炭 4464 万吨，同比增加 912 万吨，上升 25.7%；港口煤炭总发运量比上月增加 709 万吨，上升 18.9%。其中，内贸煤炭发运完成 4126 万吨，同比增加 998 万吨，上升 31.9%，外贸煤炭发运完成 339 万吨，同比减少 86 万吨，下降了 20.2%。

1—12 月份，全国主要港口累计完成煤炭发运 46669 万吨，同比减少 4282 万吨，下降了 8.4%。其中，内贸煤炭发运累计完成 44248 万吨，同比减少 2030 万吨，下降了 4.4%，外贸煤炭发运累计完成 2421 万吨，同比减少了 2252 万吨，下降了 48.2%。

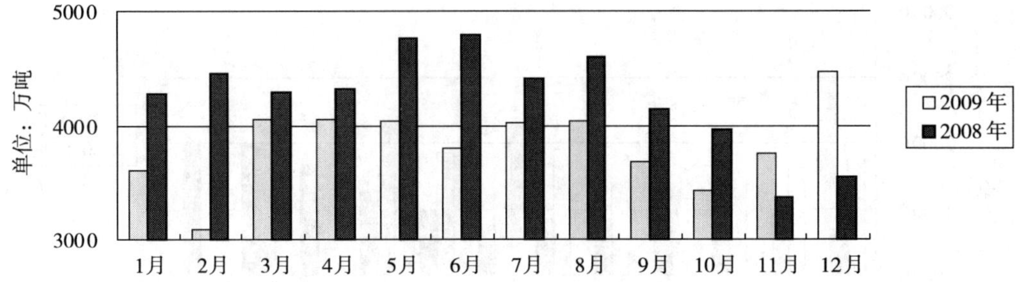

图6 2009年港口发送量情况

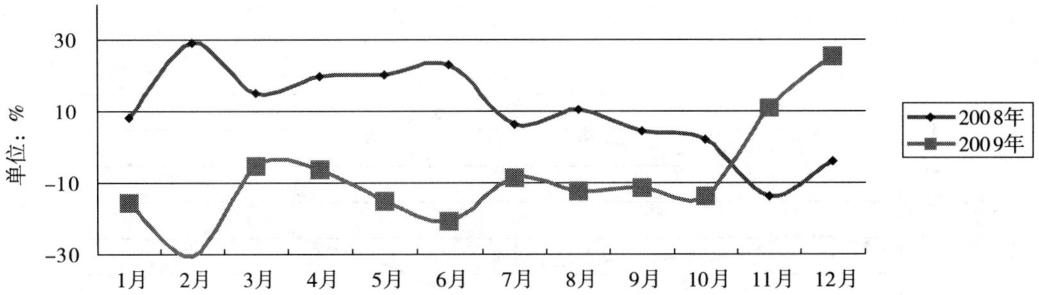

图7 2009年港口发送量同比增长情况

（三）煤炭销售情况

12月份，全国煤炭销量完成28954.5万吨，同比增加5454.5万吨，增长23.21%。

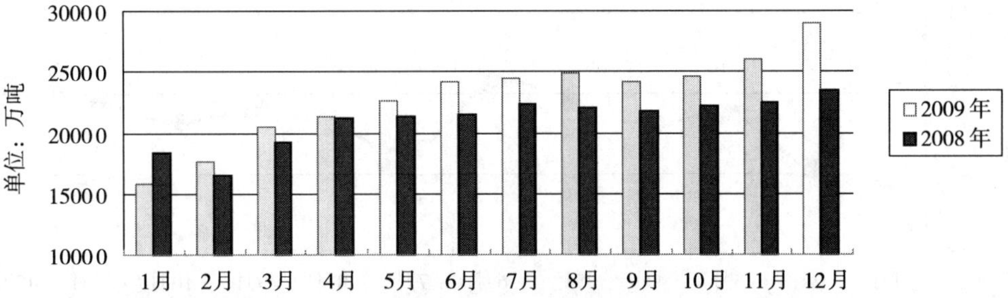

图8 2009年煤炭月度销量情况

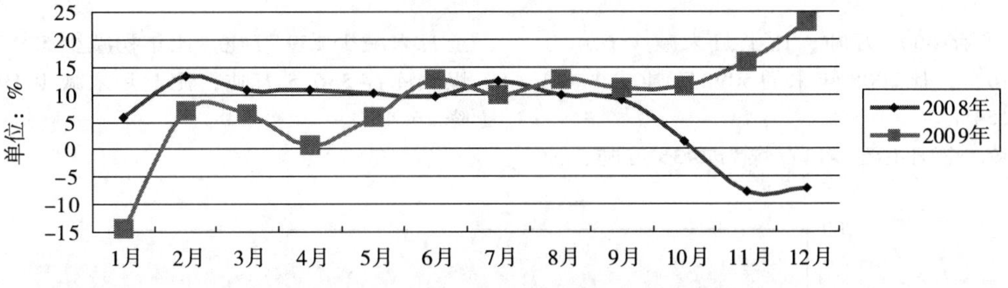

图9 2009年煤炭月度销量同比增长情况

1—12月，全国煤炭销量累计完成283723万吨，同比增加21620万吨，增长8.25%。

（四）煤炭库存情况

12月末，全国社会煤炭库存17000万吨，比上月末减少1079万吨，下降6%；比2008年末的20100万吨减少3100万吨，下降15.42%。

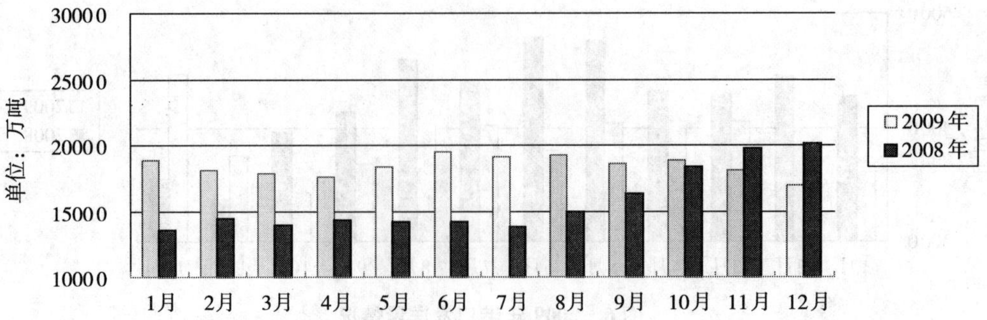

图 10　2009 年煤炭全社会库存情况

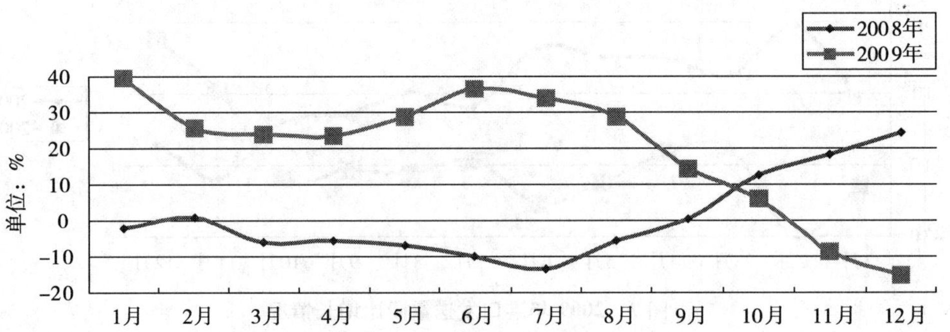

图 11　2009 年煤炭全社会库存同比增长情况

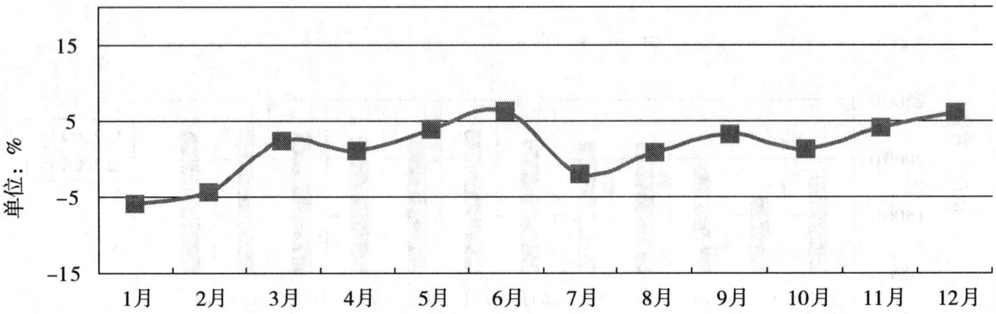

图 12　2009 年煤炭全社会库存环比增长情况

煤炭企业库存 4606 万吨，比上月末减少 674 万吨，下降 12.76%；比 2008 年末的 5092 万吨减少 486 万吨，下降 9.54%。

至 12 月末，全国主要港口存煤为 1436 万吨，比上月末减少 159 万吨，比年初减少 539 万吨。秦皇岛煤炭库存 536.5 万吨，比上月末减少 192.4 万吨，下降 26.4%。

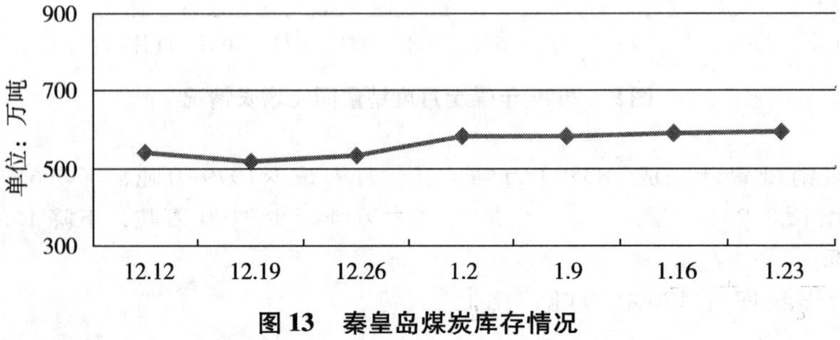

图 13　秦皇岛煤炭库存情况

（五）煤炭进出口情况

1. 煤炭出口完成情况。据海关统计，2009 年我国出口煤共完成 2239 万吨，同比减少了 753 万吨，下降 50.7%。

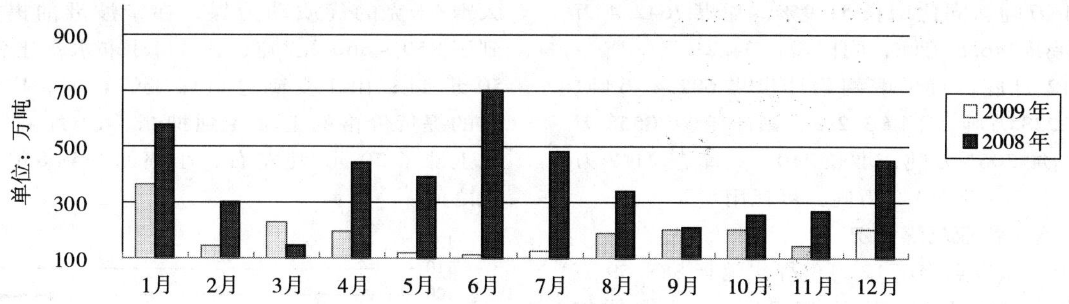

图 14　2009 年煤炭月度出口情况

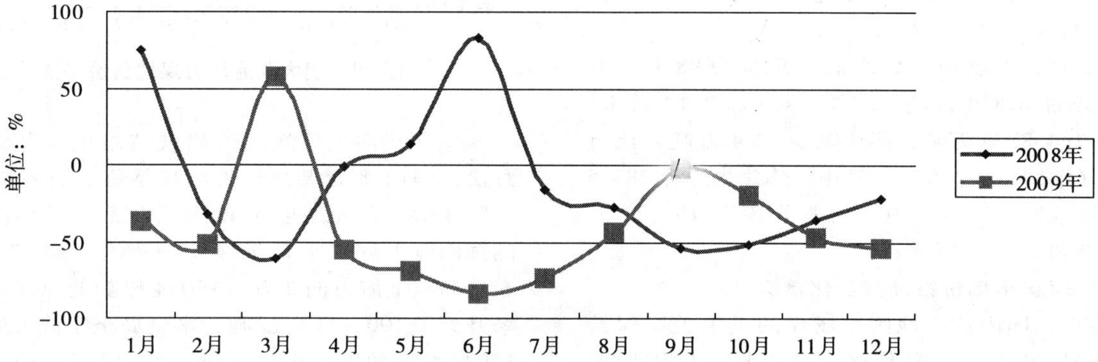

图 15　2009 年煤炭月度出口同比增长情况

2. 煤炭进口完成情况。据海关统计，12 月份，煤炭进口 1638 万吨，同比增加 1370 万吨，增长 512.79%；比上月增加 373 万吨。1—12 月，全国累计进口煤炭 12583 万吨，同比增加 8549 万吨，增长 211.93%。

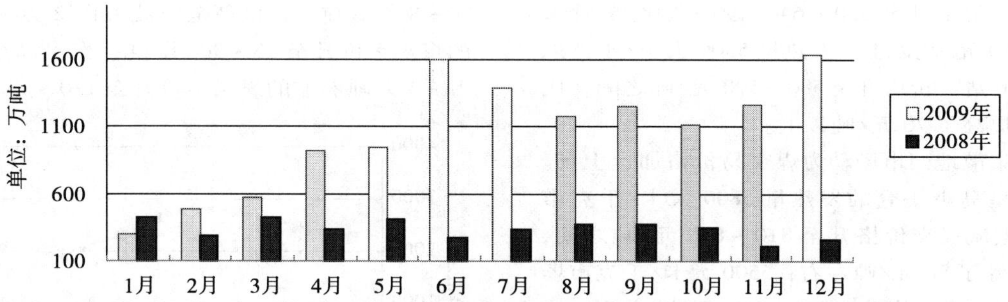

图 16　2009 年煤炭月度进口情况

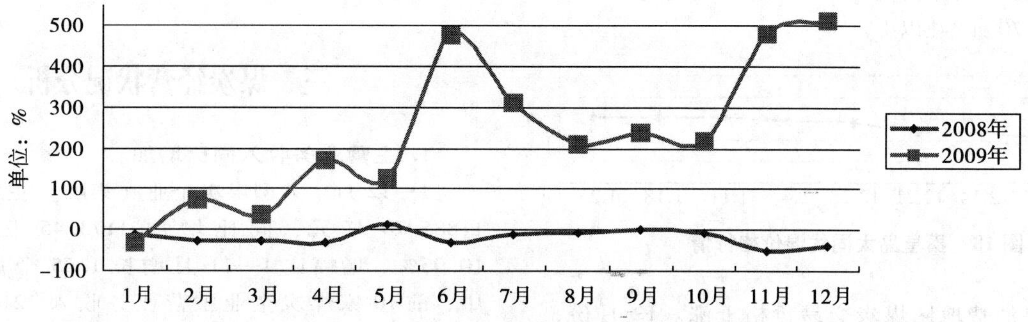

图 17　2009 年煤炭月度进口同比增长情况

（六）电力行业耗煤情况

12月份，直供电网当月供煤7350.4万吨，日均供煤237.1万吨，同比增长51.9%；耗煤7642.4万吨，日均耗煤246.5万吨，同比增长34.2%。

截至12月底，直供电网累计供煤68234万吨，同比减少2233万吨，下降3.2%；累计耗煤70558万吨，同比增加2061万吨，增长3.0%；库存2147万吨，较11月底减少233.2万吨，可耗用8天。

（七）冶金行业耗煤情况

冶金十四家重点钢厂12月份煤炭消耗888.59万吨，同比增加146万吨，增长19.7%，比上月增加22.5万吨，增长2.6%。12月份，煤炭收入量为856.65万吨，同比增加132万吨，增长18.2%；比上月减少23.4万吨，下降2.8%。

1—12月，重点钢厂煤炭消耗总量为9870.7万吨，同比增加698.9万吨，增长7.6%。至12月末，煤炭库存为438.75万吨，同比减少48.4万吨，比上月煤炭库存减少13.2万吨。其中，炼焦煤库存285.5万吨，同比减少25.3万吨；燃料煤库存153.22万吨，同比减少23.13万吨。

（八）煤炭市场价格及其变化情况

12月份，国内重点地区市场煤的供求关系保持“卖方市场”格局，交易价格继续上扬，具体情况如下：

1. 主要生产地区煤炭坑口价格继续上涨。12月份，继续受下游地区煤炭价格上涨的拉动，重点资源地区山西的大同、朔州地区的煤炭出矿价格延续上涨态势。月末，大同地区发热量5800大卡/千克以上煤炭的“上站”价格升至620～640元/吨，比11月末水平提高了80元/吨以上；发热量5500大卡/千克以上煤炭的“上站”价格升至580～590元/吨之间，比11月末水平提高了70元/吨以上。

2. 重点集散地区市场动力煤交易价格加速上扬。12月末，秦皇岛港平仓的发热量5800大卡/千克市场动力煤的主流成交价格升至810～840元/吨之间，比11月末上涨了80元/吨左右；5500大卡/千克市场动力煤的主流成交价格升至770～790元/吨之间，比11月末上涨了80元/吨左右；5000大卡/千克市场动力煤的主流成交价格升至670～690元/吨之间，比11月末上涨了70元/吨以上。

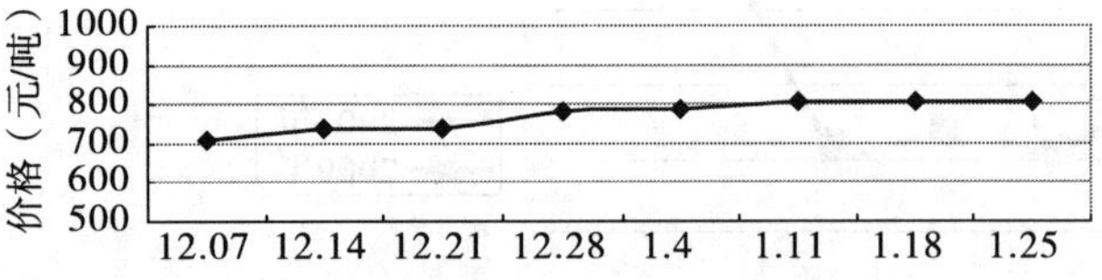

图18　秦皇岛大同优混价格行情

3. 主要消费地区煤炭交易价格上涨。12月份，受上游地区煤炭价格上涨和海上煤炭运价上涨的双重因素影响，重点消费地区浙江沿海各港的煤炭交易价格出现大幅攀升行情，12月底，发热量5500大卡/千克的优质动力煤，在宁波港的提货价格达到了850～860元/吨，比11月末水平上涨了40～50元/吨；由于受到进口煤炭的影响，广州港动力煤的提货价格的上涨受到抑制，12月末仅比11月末上涨了20元/吨左右，小幅回升到850～870元/吨之间。

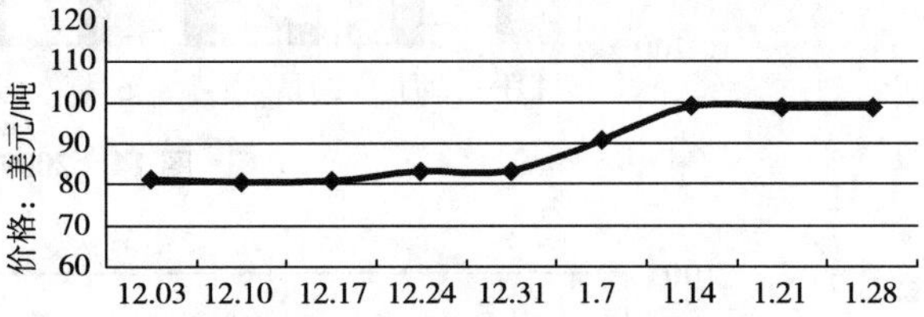

图19　澳大利亚动力煤现货价格情况

4. 国内海上煤炭运价出现“过山车”走势。12月份，国内海上煤炭运价出现暴涨、急跌的“过山车”走势，首先是进入12月份以后，炒作倾向明显的国内海上煤炭运价继续快速攀升，到12月中旬，秦皇岛至上海方向2万～3万吨船舶的煤炭运价已经攀升到了100～110元/吨，秦皇岛至宁波方向2万～3万吨船舶的煤炭运价升至110～120元/吨，秦皇岛至广州方向3万～4万吨船舶的煤炭运价升至140～150元/吨。

到了12月下旬，国内海上煤炭运价形势急转直下，各条航线的运价迅速下滑，12月末，秦皇岛至上海方向2万～3万吨船舶的煤炭运价已经回落到了80～85元/吨，秦皇岛至宁波方向2万～3万吨船舶的煤炭运价升至85～90元/吨，秦皇岛至广州方向3万～4万吨船舶的煤炭运价升至120～130元/吨。

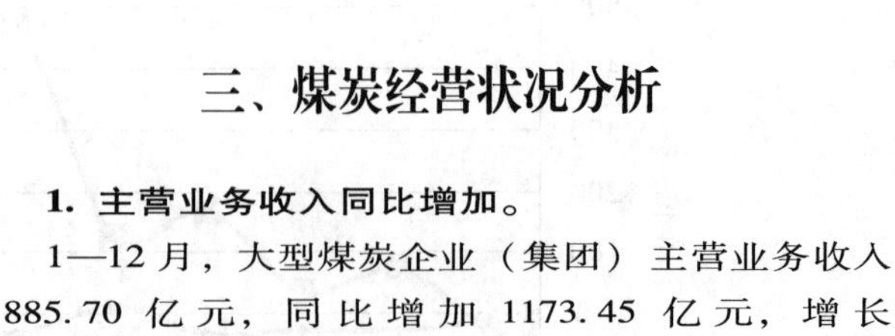

图20　沿海煤炭运价指数

三、煤炭经营状况分析

1. 主营业务收入同比增加。

1—12月，大型煤炭企业（集团）主营业务收入11885.70亿元，同比增加1173.45亿元，增长10.95%，增幅比1—11月增长1.65个百分点。其中，前10家煤炭企业主营业务收入7214.99亿元，占大型煤炭企业主营业务收入的60.72%。

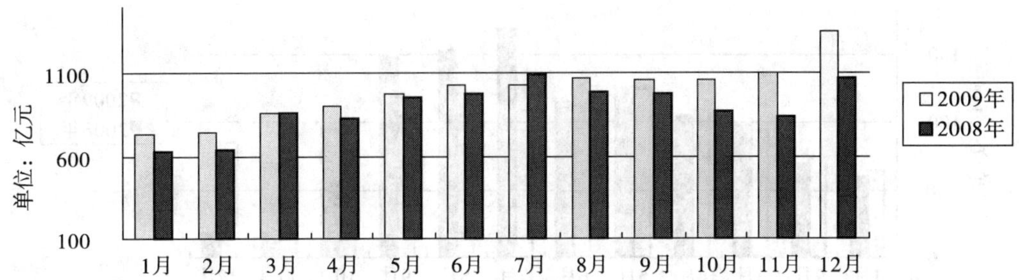

图 21 2009 年大型企业月度煤炭主营业务收入情况

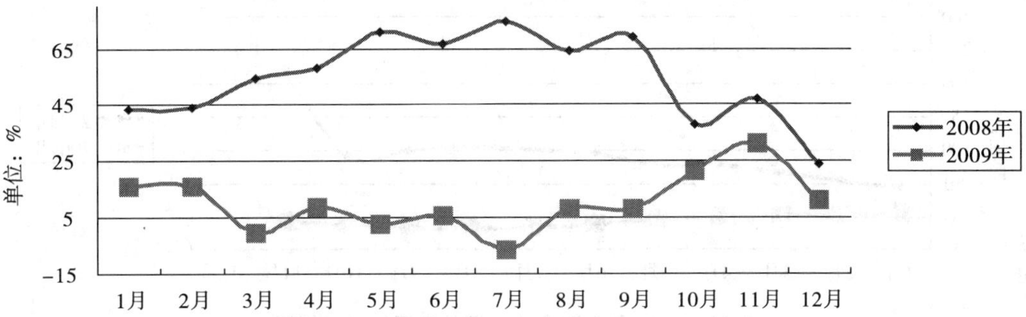

图 22 2009 年大型企业主营业务收入同比增长情况

2009 年大型煤炭企业收入前 10 名企业

表 8

排 名	单 位	主营业务收入（亿元）
1	神华集团	1579.32
2	河南煤业化工集团公司	1030.57
3	山西焦煤集团	756.49
4	平煤神马集团公司	697.39
5	中煤集团	682.17
6	开滦集团公司	548.55
7	冀中能源集团	520.00
8	晋城无烟煤集团公司	486.46
9	阳泉煤业集团公司	461.00
10	潞安矿业集团公司	453.01
	小 计	7214.99
	大型企业收入合计	11885.70
	前 10 名所占比重（%）	60.72

2. 利润增幅同比继续下降。1—12 月，大型煤炭企业（集团）实现利润 1155.53 亿元，同比减少 69.74 亿元，下降 5.69%，增幅比 1—11 月上涨 5.63 个百分点。其中，前 10 家煤炭企业实现利润 868.39 亿元，占大型企业利润的 75.15%。

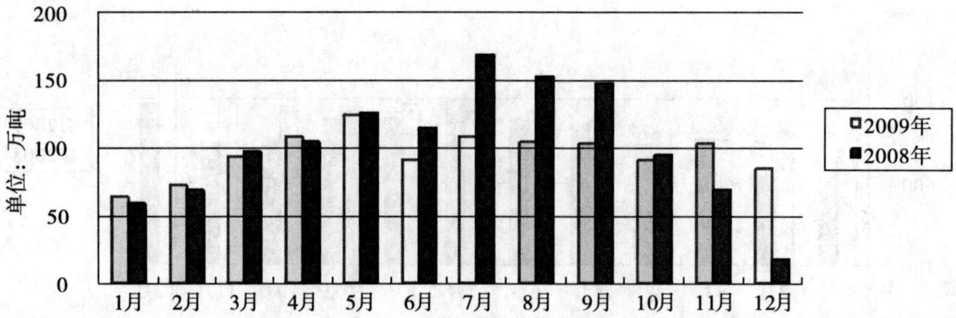

图 23　2009 年大型企业月度利润总额情况

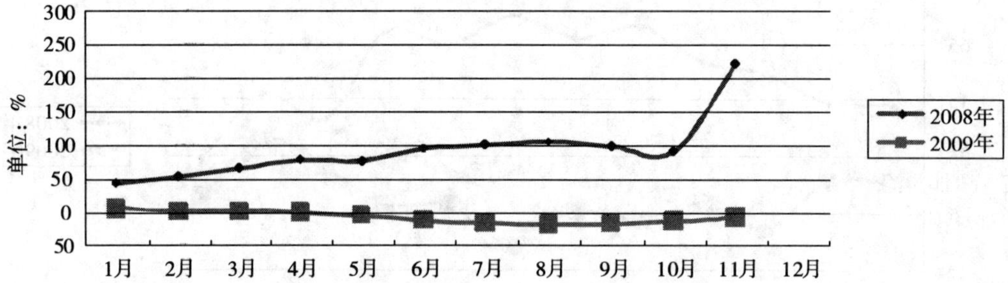

图 24　2009 年大型企业利润总额同比增长情况

1—12 月，大型煤炭亏损企业达到 4 个，亏损面为 4.17%，亏损企业同比增加 2 个，亏损面同比增加 2.09%。其中，亏损最多的企业是天府矿业公司，亏损 7850 万元；其次是扎赉诺尔煤炭公司，亏损 6151 万元；第三是大雁煤业公司，亏损 1934 万元。

2009 年大型煤炭企业利润前 10 名企业

表 9

排　名	单　位	利润总额（亿元）
1	神华集团	464.94
2	中煤集团	103.06
3	河南煤业化工集团公司	56.18
4	晋城无烟煤集团公司	43.09
5	山西焦煤集团	42.36
6	枣庄矿业集团公司	35.98
7	潞安矿业集团公司	35.35
8	兰花煤炭集团公司	32.03
9	新汶矿业集团公司	30.56
10	兖矿集团有限公司	24.81
	小　计	868.39
	大型企业利润合计	1155.53
	前 10 名所占比重（%）	75.15

3. 成本费用利润率下降。1—12 月，大型煤炭企业集团成本费用利润率 10.82%，同比下降 2.28 个百分点。

4. 税收贡献保持增长。1—12 月，大型煤炭企业应交税金总额 1430.59 亿元，同比增长 10.61%；其中，应交增值税 749.85 亿元，同比增长 14.22%。

5. 成本售价降低。煤炭成本下降。据统计，随着各类煤炭企业成本费用同比继续上升，1—12 月，全国大型煤炭企业原煤单位成本 328.91 元/吨，同比减少 5.46 元/吨，下降 1.63%；比 1—11 月减少 5.59 元/吨。原选煤单位成本 389.52 元/吨，同比增加 4.30 元/吨，增长 1.12%；比 1—11 月增加 5.62 元/吨。

煤炭价格同比下降。1—12 月，原煤平均售价 353.63 元/吨，同比减少 20.89 元/吨，下降 5.58%；比 1—11 月增加 3.93 元/吨。原选煤平均售价 427.10 元/吨，同比减少 64.8 元/吨，下降 8.9%；比 1—11 月增加 3.5 元/吨。

6. 应收账款同比增加，增幅下降。1—12 月，大型煤炭企业应收账款 825.97 亿元，同比增加 82.96 亿元，增长 11.17%，增幅环比下降 4.18 个百分点。其中，应收账款最多的是神华集团，达到 113.77 亿元，比 11 月末增加 5.67 亿元；其次是中煤集团，应收账款 61.12 亿元，比 11 月末减少 23.79 亿元；第三是河南煤业化工集团公司，应收账款 57.84 亿元，比 11 月末减少 29.82 亿元。

7. 煤炭工业固定资产投资增加。1—12 月，全社会固定资产投资 194238.62 亿元，同比增长 30.5%。其中，煤炭开采及洗选业投资 3021 亿元，同比增长 29.5%；电力、热力的生产与供应业投资 11077 亿元，增长 22.8%。

8. 安全费用提取情况。1—12 月，大型煤炭企业吨煤安全生产费用累计提取 27.2 元，同比减少 3.4 元。

回顾 2009 年煤炭经济运行形势，呈现出以下几个特点：一是全国煤炭市场供需经过了由总体宽松、到基本平衡、再到供求偏紧的发展过程。2009 年 2 月下旬以来，煤炭供求又开始转向基本平衡，总量略有宽松。二是价格随市场供求关系变化呈现小幅波动变化，且与国际煤炭价格变化基本同步。三是煤炭供需形势受主要耗煤产业发展、水电出力情况、季节和气候变化，以及运输条件等多重因素影响，市场供需基本平衡与局部时段、部分地区、个别煤种供应紧张现象同时存在。四是我国由传统的煤炭出口国快速转向煤炭净进口国，与国际市场关联度越来越高，影响越来越大。

四、煤炭行业改革发展取得成效

（一）行业改革开放稳步推进

1. 国家推进煤炭市场化改革，促进了全国煤炭市场供需基本平衡。一是价格机制在资源配置中的作用增强。国家积极稳妥地推进反映资源稀缺程度、市场供求关系、煤矿安全和环境成本的价格形成机制，煤炭价格市场化定价不断完善，煤炭工业能力增强。二是市场主体地位增强。大型煤炭企业主动与电厂、钢厂等主要用户签订中长期协议或战略联盟，充分运用市场机制努力破解煤炭供需矛盾，维护了全国煤炭市场的稳定运行。三是投资主体呈多元化发展态势。煤炭下游行业通过参股煤矿企业、加大煤矿项目投资，产能规模不断扩大。初步统计，截至 2009 年底，非煤央企投资煤矿 133 处（不含参股煤矿）设计能力 3.19 亿吨，原煤产量 1.72 亿吨。

2. 国家推进煤炭订货制度改革，产运需衔接工作平稳有序。2009 年 12 月，国家发展改革委下发了《关于完善煤炭产运需衔接工作的指导意见》，提出进一步发挥市场配置资源的基础性作用，继续实行市场定价，由供需双方企业协商确定，坚持以质论价、优质优价的原则。煤炭市场化改革迈出了关键性一步。《指导意见》是对近年来煤炭市场化改革成绩的充分肯定，也为今后顺利推进煤炭市场化改革奠定了坚实的基础。在国家有关部门和煤炭产供需各方的共同努力下，2010 年度煤炭订货工作已基本结束。根据中国煤炭市场网网上合同汇总统计，2010 年全国供需衔接签订合同总量 17.2 亿吨，比 2008 年增加 4.1 亿吨。其中跨省区产需衔接合同量已超过了框架方案。电力、冶金、建材和化肥等行业签订的重点合同量均高于往年。煤炭价格保持基本稳定，重点电煤合同价格略有增长。

3. 煤炭企业“走出去”取得实质进展。2009 年 12 月 5 日，兖州煤业收购澳大利亚菲利克斯资源公司项目获国家有关部门批准。2009 年 12 月 21 日，开滦股份公司全资子公司—加拿大中和投资有限责任公司注册成立，并取得国家商务部颁发的企业境外投资证书。神华集团公司获得了澳大利亚沃特马克勘探区的探矿权，在印尼的 1 座年产煤炭 150 万吨的露天煤矿开建。中煤装备、郑州煤机等大型煤机企业煤矿成套技术装备已先后出口俄罗斯、印度等产煤国家。

（二）结构调整取得重大进展

1. 生产结构不断优化。2009 年，煤炭行业坚持集约化生产，加大淘汰落后产能力度，生产结构得到了进一步优化，煤矿集约化生产稳步推进。根据国家有关部门统计，目前全国已建成年产 120

万吨以上的大型煤矿 434 处，核定能力 12.63 亿吨，占总核定能力的 50.62%；年产 30 万吨以上的中型煤矿 1004 处，核定能力 4.9 亿吨，占 19.64%；全国大中型煤矿产量比重提高到 70% 以上。长期以来我国煤炭生产以中小型煤矿为主的局面得以改变。

2. 产业集中度提高。自 2008 年第四季度以来，受国际金融危机影响，煤炭市场需求减缓、价格下滑，经济面临困难。煤炭行业抓住这一结构调整的有力时机，着力推进煤炭资源整合和企业兼并重组工作，煤炭产业规模化发展进展顺利。全国煤矿数量由 2005 年的 24800 多处减少到 15000 多处，主要产煤省区煤矿数量大幅减少。如，山西省煤矿数量由 2005 年的 4237 处减少到 2009 年的 1053 处，减少了 3184 处，减少 75.15%；河南省由 1670 处减少到 639 处，减少了 1031 处，减少 61.74%；内蒙古由 1165 处减少到 501 处，减少了 664 处，减少 57%。通过煤炭资源整合与企业兼并重组，大型煤炭企业快速发展壮大。2009 年，原煤产量前 10 家企业总产量 9.59 亿吨，占全国煤炭总产量的 31.44%。

3. 产业多元化发展取得成效。近年来，随着煤炭市场化改革的稳步推进，煤炭上下游产业联合发展机制逐步建立，煤炭、电力、铁（公）路、港口、建材、冶金、煤化工以及煤炭物流等密切相关产业通过产业延伸、互相参股、企业兼并重组、战略联合等形式快速发展，传统以煤炭生产为主的产业格局悄然变化。神华集团煤电化路港航一体化发展模式，显示出了强大的发展活力。陕西煤业化工集团依托煤炭主业领跑，煤化工转型提速的思路，不断延伸产业链，形成了以煤炭开发为基础，以煤化工延伸为主导，多元化推进的发展格局。山西大同煤矿集团塔山工业园正式建成投入运营，形成了“一矿八厂一条路”的发展循环经济模式。淮南矿业集团煤电一体化经营，发展顺利。河南煤业化工集团通过战略性重组，形成了包括煤炭、化工、有色金属、装备制造、物流贸易、矿建、实业等“4+3”产业格局。开滦集团通过加快物流产业发展，已初步形成了“支撑企业转型发展，煤路港航一体化，供应链管理，工贸结合、物商互动”等四个方面独具特色的综合服务型物流发展模式，实现了向社会物流、第三方现代物流发展。

（三）煤炭科技进步成果显著

1. 煤炭科技创新能力显著增强。“十一五”以来，煤炭行业承担国家 863 计划、973 计划和自然科学基金等科研项目 31 项，重点科研课题 336 个；实施国家科技大型示范工程项目 13 个；建成国家工程中心 3 个，国家认定的企业技术中心 12 个。涉及煤炭资源开发与利用一大批共性关键性技术难题攻关获得突破性进展。

2002—2009 年，全行业评审出煤炭工业协会科学技术奖 1157 项，其中经协会推荐获得国家科技进步奖 30 项（其中，一等奖 1 项、发明奖 2 项，二等奖 21 项）。

2009 年，全行业获得专利授权 182 件，同比增长 149.31%；新申请专利 75 件，同比增长 97.36%。

以市场为导向、企业为主体、产学研相结合的煤炭科技创新机制基本形成。在 2009 年申报的 485 项中国煤炭工业协会科学技术奖项目中，70% 以上是煤炭企业作为第一完成单位或独立完成单位。

多年来，通过参与国家重大科技攻关课题研究和行业科技攻关，培养了一大批中青年科技专家。2009 年，煤炭行业有 3 名同志入选为中国工程院院士。

2. 煤炭生产力总体水平大幅提高。在煤矿建设方面，钻井法、冻结和注浆法等特殊施工技术已经达到了国际先进水平。

在煤矿技术装备制造方面，大功率电牵引采煤机总功率达到 2500kW，重型刮板输送机总功率达到 3×1000kW，强力液压支架支撑高度达到 7.0m，工作阻力达到 17000kN，主要技术指标均位于世界前列。

在煤矿开采技术方面，大采高厚煤层一次采全高、特厚煤层综放开采、薄煤层综采、急倾斜和地质构造复杂煤层开采技术等先进工艺被广泛推广应用；大型综采、综掘、运输、提升技术装备国产化研制取得新的进展。

在煤矿信息化技术方面，大型矿区建成了集矿区采掘生产、机电装备、安全监测、信息通讯、多媒体和可视化的煤矿自动化、信息网络化系统。

在煤矿灾害防治技术方面，煤矿重大灾害防治技术取得突破性进展，煤矿瓦斯（煤层气）抽采技术、煤与瓦斯突出、煤矿火灾、水灾防治技术和煤矿顶板事故防治与支护技术取得新的进展。

在煤炭洗选加工技术工艺方面，重介质大型选煤设备、选煤自动化仪表、计算机测控系统，主要生产环节的自动检控和全厂集中控制技术性能接近国际先进水平；年产能力 400 万吨以下选煤厂成套装备国产化程度大幅提高。

在煤炭转化技术方面，洁净煤技术取得重大突破，具有自主知识产权的煤炭直接液化技术和工艺取得突破，神华集团煤炭直接液化年产 100 万吨商业化示范生产线投入运行；世界上第一套以高硫煤为原料生产清洁能源的甲醇装置，在兖矿集团建成投产。

（四）煤炭产能建设速度加快

“十一五”以来，煤炭固定资产投资快速增加，产能建设速度不断加快。据统计，2006—2009 年的 4 年间，全国煤炭采选业固定资产投资总额达到 8405 亿元，较“十五”期间投资总额净增 6000 亿元，大幅提高了煤炭产能建设速度。据有关统计显示，截至 2009 年底，全国已取得采矿权的煤矿项目 14423 处，总产能超过36亿吨。

（五）行业节能减排工作稳步推进

初步统计，2009年，煤炭行业大力发展循环经济，提高资源综合利用率，通过煤矸石发电、煤矸石制墙体材料、粉煤灰制水泥等，煤矸石综合利用率达到62.5%，其中，已建成煤矸石及煤矿瓦斯综合电厂总装机容量2500万千瓦；矿井水复用率达到61.67%。全国19个产煤省区煤矿瓦斯抽采量达到64.5亿立方米，利用19.3亿立方米，同比分别增长21.7%和20.6%；地面煤层气抽采10.1亿立方米，利用量5.8亿立方米，同比分别增长102%和57%。2009年，煤炭行业吨原煤生产综合能耗8.51kgce/t，同比下降9.02%。

（六）煤炭企业社会责任意识普遍增强

1. 加强信用建设，企业信用建设取得进展。2009年中国神华股份公司、中煤集团公司等25家大型煤炭企业发布了社会责任报告。神华宝日希勒能源公司等20家煤炭企业通过行业信用等级评价。截至2009年底，全行业共有26家煤炭企业获得AAA级信用等级评价，有5家煤炭企业获得AA级信用等级评价。

2. 履行社会责任，勇于承担保障全国煤炭供应任务。2009年，在新中国60年大庆、全国人大和政协会议、极端气候影响以及春节等重大活动和特殊时期，煤炭企业特别是大型煤炭企业勇于承担保障全国煤炭稳定供应的重任，春节不放假，积极组织生产，认真履行合同，确保发电、制气和居民用煤需要，为国民经济和社会平稳较快发展做出突出贡献。

3. 关注民生，煤矿棚户区改造取得新进展。在国家相关政策支持下，老矿区的大型煤炭企业积极筹措资金，加大煤矿棚户区改造力度，努力改善煤矿工人的居住条件，营造和谐发展的矿区环境，一大批煤矿职工喜迁新居。如，山西省截至2009年11月底，在国有重点煤矿棚户区11.38万户居民中，已完成改造9.53万户，新建住房715.61万平方米。

4. 坚持安全发展，煤矿安全生产形势持续好转。国家支持煤矿企业加大安全生产投入，提高煤矿安全保障能力。初步统计，自2004年开始提取煤矿安全生产费用以来，全国煤矿已累计提取1633亿元。其中，2009年全国大型煤炭企业平均吨煤提取煤矿安全生产费用27.2元/吨，共提取449.3亿元。2009年，全国煤矿共发生事故1616起，事故死亡2631人，同比分别下降17.3%和18.2%；煤矿平均百万吨死亡率0.892，同比下降24.5%。煤矿百万吨死亡率首次降到1以下。

（撰稿：解宏绪）

2009年煤炭工业大型企业主要经济指标

表1

指标名称	单位	12月止累计	上年同期	增长（增加）（%）
一、主要产品产量				
原煤合计	万吨	165206.00	148297.23	11.40
洗精煤合计	万吨	26792.62	23983.94	11.71
二、煤炭销量	万吨	157083.71	147540.19	6.47
三、生产销售总值				
工业总产值（当年价格）	亿元	9669.44	9208.60	5.00
工业销售产值（当年价格）	亿元	9307.69	8886.38	4.74
产品销售率	%	96.26	96.50	-0.24
全部从业人员平均人数	万人	316.00	303.00	4.29
四、主要财务指标				
亏损企业个数	个	4	2	2
亏损面（补贴后）	%	4.17	2.08	2.09
应收账款净额	亿元	825.97	743.01	11.17
流动资产合计	亿元	8541.47	6837.71	24.92
资产合计	亿元	22905.59	18622.43	23.00
负债合计	亿元	13333.36	10763.07	23.88
所有者权益	亿元	9572.23	7859.36	21.79

续表

指标名称	单位	12 月止累计	上年同期	增长（增加）（%）
主营业务收入	亿元	11885.70	10712.25	10.95
主营业务成本	亿元	8835.52	7511.52	17.63
应缴增值税	亿元	749.85	656.52	14.22
营业费用	亿元	296.92	296.61	0.10
主营业务税金及附加	亿元	164.53	153.83	6.96
管理费用	亿元	1145.52	1154.75	-0.80
财务费用	亿元	246.09	225.04	9.35
利润总额（补贴后）	亿元	1155.53	1225.72	-5.73
资产负债率	%	58.21	57.80	0.41
成本费用利润率	%	10.82	13.11	-2.28

说明：本表为各大型企业直报，采用了神华、中煤等集团合并报表快报数，与国家统计局口径不同。

2009 年煤炭工业各省（区、市）大型企业原煤及洗精煤产量

表 2　　　　单位：万吨

企业名称	原煤产量			洗精煤产量		
	本年累计	上年同期	增长（%）	本年累计	上年同期	增长（%）
全国合计	165206.0	148297.2	11.4	26792.6	23983.9	11.7
神华集团	32759.7	28161.0	16.3	2907.8	2477.1	17.4
中煤集团	12505.2	11411.1	9.6	2774.3	2526.0	9.8
北京市	513.0	462.7	10.9		4.4	
河北省	8282.5	6845.4	21.0	2729.4	2268.1	20.3
山西省	31062.8	27896.8	11.3	8003.8	7344.1	9.0
内蒙古自治区	8971.3	8195.1	9.5			
辽宁省	4851.7	4786.4	1.4	540.4	420.1	28.6
吉林省	2498.2	1977.1	26.4	87.5	59.7	46.6
黑龙江省	5494.0	5495.0	0.0	1562.0	1306.0	19.6
江苏省	2190.3	2201.0	-0.5	426.9	242.5	76.1
安徽省	10702.6	9877.3	8.4	1072.4	929.7	15.4
福建省	492.0	493.7	-0.3			
江西省	862.0	727.0	18.6			
山东省	10600.7	10103.7	4.9	3051.1	2807.2	8.7
河南省	14954.3	12908.5	15.8	2265.8	2077.9	9.0
湖南省	769.5	725.5	6.1	46.0	33.5	37.2
重庆市	1316.9	1270.1	3.7	82.5	77.9	5.9
四川省	1414.4	1300.1	8.8	317.5	281.4	12.8
贵州省	2637.8	2272.2	16.1	368.7	730.0	-49.5
云南省	1432.5	1446.1	-0.9	175.0	186.9	-6.4
陕西省	7659.7	6526.8	17.4	304.6	127.1	139.7
甘肃省	3234.7	3214.6	0.6	76.9	84.4	-8.9

2009 年煤炭工业各省（区、市）大型企业工业总产值及销售产值

表 3　　　　单位：万吨

企业名称	原煤产量			洗精煤产量		
	本年累计	上年同期	增长（%）	本年累计	上年同期	增长（%）
全国合计	96694427.0	92086001.8	5.0	93076937.5	88863837.9	4.7
神华集团	15289416.0	14344534.0	6.6	15499573.0	14402329.0	7.6
中煤集团	5154684.0	5098701.8	1.1	4992836.0	4877013.0	2.4
北京市	336956.2	384245.1	-12.3	334707.5	370028.7	-9.5
河北省	5475378.9	5152306.7	6.3	5297356.6	5031625.0	5.3
山西省	21464201.5	19368227.8	10.8	21019057.4	19206908.9	9.4
内蒙古自治区	2323905.6	2432387.5	-4.5	2250377.0	2429414.5	-7.4
辽宁省	2736797.3	2669950.9	2.5	2692340.6	2641283.6	1.9
吉林省	745760.7	607406.8	22.8	649791.1	569858.8	14.0
黑龙江省	2462904.0	2367593.5	4.0	2399067.3	1953854.2	22.8
江苏省	1315344.0	1370412.7	-4.0	1318488.6	1353286.2	-2.6
安徽省	5178972.0	5112587.6	1.3	5213918.5	5050599.2	3.2
福建省	494229.0	436164.0	13.3	475237.0	412295.0	15.3
江西省	677715.0	657264.0	3.1	671658.0	643997.0	4.3
山东省	11084988.2	11615544.1	-4.6	10922058.5	11220005.0	-2.7
河南省	13928762.5	13615169.3	2.3	13818293.8	13564187.7	1.9
湖南省	406412.3	469913.4	-13.5	408524.3	477327.0	-14.4
重庆市	946124.6	877673.1	7.8	449488.5	409470.6	9.8
四川省	710795.0	683631.5	4.0	705353.7	667876.8	5.6
贵州省	1140765.4	1085743.9	5.1	998812.0	945197.9	5.7
云南省	628714.2	596870.5	5.3	658045.9	686127.5	-4.1
陕西省	3145299.3	2234631.3	40.8	1259301.9	1050184.6	19.9
甘肃省	1046301.5	905042.3	15.6	1042650.4	900967.6	15.7

2009 年煤炭工业各省（区、市）大型企业主营业务收入及业务成本

表 4　　　　单位：万吨

企业名称	原煤产量			洗精煤产量		
	本年累计	上年同期	增长（%）	本年累计	上年同期	增长（%）
全国合计	118857021.7	107122548.6	11.0	88355237.1	75115214.0	17.6
神华集团	15793259.0	14345340.0	10.1	8586909.0	7331940.0	17.1
中煤集团	6821726.0	6988989.0	-2.4	4551559.0	4621984.0	-1.5
北京市	787438.0	876608.0	-10.2	596965.0	613247.4	-2.7
河北省	10685548.0	7308223.9	46.2	9181761.0	5754048.6	59.6
山西省	26672038.6	23349821.3	14.2	19850971.9	17327227.5	14.6
内蒙古自治区	2108635.2	2101433.1	0.3	1573478.5	1513322.4	4.0
辽宁省	2693015.5	2657117.5	1.4	2014176.4	2036790.7	-1.1
吉林省	592707.2	564805.4	4.9	463281.3	397701.3	16.5
黑龙江省	2576671.6	2733801.8	-5.7	1760530.9	1867874.2	-5.7
江苏省	1963379.0	1377470.0	42.5	1599058.0	876002.6	82.5
安徽省	5782386.8	4724075.6	22.4	4276413.0	2903881.5	47.3
福建省	979193.1	875032.4	11.9	827300.0	765327.0	8.1
江西省	648741.0	654659.0	-0.9	513686.0	505520.0	1.6
山东省	11573157.4	13005991.5	-11.0	8040355.8	8287146.3	-3.0
河南省	21042235.7	18372314.6	14.5	18508545.4	15283526.2	21.1
湖南省	379398.5	369063.0	2.8	295505.5	263996.0	11.9
重庆市	1186949.1	1166460.0	1.8	1002834.9	993197.1	1.0
四川省	647742.0	646531.0	0.2	485937.0	454704.0	6.9
贵州省	886001.0	889391.0	-0.4	583304.0	509078.0	14.6
云南省	706054.7	720794.1	-2.0	569421.7	601627.5	-5.4
陕西省	3391314.3	2506341.5	35.3	2448702.9	1680820.4	45.7
甘肃省	939429.8	888284.7	5.8	624540.0	526251.3	18.7

2009年煤炭工业各省（区、市）大型企业利润总额及应缴增值税

表5　　　　单位：万元

企业名称	利润总额（补贴后）			应缴增值税		
	本年累计	上年同期	增减(+,-)	本年累计	上年同期	增长（%）
全国合计	11555393.8	12252741.4	-697347.6	7498569.3	6565248.1	14.2
神华集团	4649456.0	3832234.0	817222.0	861272.8	520253.1	65.5
中煤集团	1030671.0	976299.0	54372.0	502221.0	410766.0	22.3
北京市	39650.0	90049.6	-50399.6	48957.4	41142.8	19.0
河北省	311613.0	443060.2	-131447.2	443709.0	430146.7	3.2
山西省	1788323.6	1906054.6	-117731.0	1900172.2	1585061.0	19.9
内蒙古自治区	233710.2	260857.9	-27147.7	185154.0	169083.8	9.5
辽宁省	107708.3	154038.6	-46330.4	208226.6	234937.7	-11.4
吉林省	11755.5	16330.4	-4574.8	53660.3	46392.5	15.7
黑龙江省	161240.7	256658.2	-95417.5	216419.0	193722.5	11.7
江苏省	92588.0	125730.1	-33142.1	143620.0	125763.7	14.2
安徽省	295607.2	487573.5	-191966.3	597032.8	485391.0	23.0
福建省	37574.8	42340.9	-4766.1	40091.6	59641.7	-32.8
江西省	47266.0	29319.0	17947.0	54463.0	42649.0	27.7
山东省	1294229.9	1879411.1	-585181.3	713336.9	874743.8	-18.5
河南省	922260.5	1221044.1	-298783.6	929778.5	812431.8	14.4
湖南省	11958.5	23191.0	-11232.5	39125.5	30044.0	30.2
重庆市	27408.0	36233.1	-8825.1	107055.4	98514.9	8.7
四川省	17300.0	17086.0	214.0	51978.1	57639.2	-9.8
贵州省	146473.0	152786.0	-6313.0	92238.0	82485.0	11.8
云南省	25870.8	22610.0	3260.8	45993.5	39342.2	16.9
陕西省	253961.9	234080.3	19881.7	139325.8	132199.4	5.4
甘肃省	48766.9	45753.8	3013.1	124737.8	92896.4	34.3

2009年煤炭工业各省（区、市）大型企业资产及负债总额

表6 单位：万元

企业名称	资产总额			负债总额		
	本年累计	上年同期	增长（%）	本年累计	上年同期	增长（%）
全国合计	229055953.5	186224383.3	23.0	133336853.3	107630743.8	23.9
神华集团	50516459.0	42529109.0	18.8	20557181.0	16158733.0	27.2
中煤集团	14754211.0	12176435.0	21.2	5249536.0	4219318.0	24.4
北京市	1605771.0	1315628.7	22.1	1078641.0	803836.5	34.2
河北省	9887870.4	7870635.6	25.6	5642577.3	4383253.1	28.7
山西省	43197405.5	34341667.1	25.8	28871176.1	23664198.7	22.0
内蒙古自治区	6793902.0	5792144.1	17.3	4734465.9	4132862.1	14.6
辽宁省	6432907.6	4865334.0	32.2	4058583.6	2887622.7	40.6
吉林省	1139708.5	1009073.4	12.9	732418.8	705302.9	3.8
黑龙江省	5670221.5	5210919.3	8.8	4214403.3	4565546.2	-7.7
江苏省	2690619.0	2411813.2	11.6	1811813.0	1626577.8	11.4
安徽省	13203247.6	10499646.7	25.7	9775773.4	7911703.9	23.6
福建省	2042097.2	1626776.5	25.5	1438530.1	1057227.3	36.1
江西省	1347248.0	1115457.0	20.8	830999.0	696769.0	19.3
山东省	20702575.8	17563901.1	17.9	13144760.3	11481116.8	14.5
河南省	24532943.6	19222476.1	27.6	16689871.5	12391090.2	34.7
湖南省	742790.2	576368.5	28.9	355604.7	320124.5	11.1
重庆市	5249125.7	4351573.7	20.6	2885520.0	2083498.3	38.5
四川省	2129084.0	1632239.0	30.4	1606251.0	1152122.0	39.4
贵州省	2377744.0	2071389.0	14.8	1182703.0	1044292.0	13.3
云南省	1645125.1	1364155.5	20.6	1082749.7	869792.7	24.5
陕西省	10083782.0	6741914.0	49.6	5827071.0	4168013.0	39.8
甘肃省	2311114.9	1935727.0	19.4	1566223.6	1307743.1	19.8

2009年煤炭工业各省（区、市）大型企业管理费用和财务费用

表7　　单位：万元

企业名称	管理费用			财务费用		
	本年累计	上年同期	增长（%）	本年累计	上年同期	增减(+,-)
全国合计	11452259.9	11547538.1	-0.8	2460943.7	2250424.5	210519.2
神华集团	1455524.0	1483045.0	-1.9	343430.0	443724.0	-100294.0
中煤集团	449874.0	421353.0	6.8	-37091.0	-56558.0	19467.0
北京市	111722.0	102683.8	8.8	8517.0	5701.6	2815.4
河北省	611141.2	697097.2	-12.3	97686.6	77059.3	20627.2
山西省	2588466.2	2410096.0	7.4	636697.5	516645.8	120051.8
内蒙古自治区	113818.4	109461.1	4.0	141917.7	152759.3	-10841.6
辽宁省	434249.3	334951.6	29.6	32638.7	23734.5	8904.3
吉林省	88535.0	83037.2	6.6	13651.3	5299.9	8351.4
黑龙江省	640516.4	550845.8	16.3	47521.1	35090.2	12430.9
江苏省	244992.0	306256.8	-20.0	1781.0	15973.3	-14192.3
安徽省	1018075.7	1036189.7	-1.7	241383.2	200396.3	40986.9
福建省	42129.3	37965.6	11.0	28819.8	26092.6	2727.2
江西省	77781.0	72308.0	7.6	15469.0	17677.0	-2208.0
山东省	1454303.3	1630719.8	-10.8	228498.8	266976.6	-38477.7
河南省	1030874.5	1157436.1	-10.9	414851.6	286408.6	128443.0
湖南省	57939.3	88379.0	-34.4	1075.6	30999.0	-29923.4
重庆市	98955.4	93660.0	5.7	17048.6	11914.3	5134.3
四川省	154520.0	158342.0	-2.4	20503.0	17087.0	3416.0
贵州省	95209.0	110456.0	-13.8	31027.0	27324.0	3703.0
云南省	42351.9	48644.9	-12.9	15892.5	14769.0	1123.5
陕西省	453249.9	371550.6	22.0	139157.0	105052.8	34104.2
甘肃省	188032.4	243058.9	-22.6	20467.6	26297.5	-5829.8

2009 年煤炭工业各省（区、市）大型企业应收账款及营业费用

表 8　　单位：万元

企业名称	营业费用			应收账款净额		
	本年累计	上年同期	增长（%）	本年累计	上年同期	增长（%）
全国合计	2969222.5	2966175.9	0.1	8259736.0	7430197.9	11.2
神华集团	396312.0	269627.0	47.0	1137772.0	1129386.0	0.7
中煤集团	795928.0	766479.0	3.8	611237.0	650637.0	-6.1
北京市	28817.0	31972.9	-9.9	31753.0	44903.7	-29.3
河北省	152528.5	147597.9	3.3	735222.0	595334.0	23.5
山西省	734967.6	887587.2	-17.2	1285603.6	1291732.5	-0.5
内蒙古自治区	19724.1	20434.2	-3.5	277617.3	182680.3	52.0
辽宁省	36165.7	24567.3	47.2	345577.1	227523.5	51.9
吉林省	15488.5	11731.5	32.0	72682.3	64191.8	13.2
黑龙江省	29418.5	25676.7	14.6	250528.4	440811.3	-43.2
江苏省	23635.0	30406.5	-22.3	195465.0	110397.0	77.1
安徽省	80851.0	70033.5	15.4	342296.2	410088.2	-16.5
福建省	38226.7	33956.9	12.6	52520.0	47774.0	9.9
江西省	17818.0	19356.0	-7.9	81383.0	70447.0	15.5
山东省	211328.0	245097.4	-13.8	528606.3	597512.1	-11.5
河南省	181688.9	185616.1	-2.1	1200388.4	723494.6	65.9
湖南省	6458.2	3575.0	80.6	27435.3	47543.0	-42.3
重庆市	5660.5	7176.1	75.6	231238.3	247770.9	-6.7
四川省	15229.0	13650.0	11.6	86146.0	68134.0	26.4
贵州省	25192.0	32657.0	-22.9	109327.0	103887.0	5.2
云南省	11929.6	10905.1	9.4	72915.6	66247.7	10.1
陕西省	104670.9	97425.8	7.4	456355.3	245391.4	86.0
甘肃省	37184.7	30646.9	21.3	127666.9	64311.1	98.5

机械行业

2009 年机械工业受金融危机冲击巨大，主要经济指标增长出现了近几年最大的降幅。特别是年初，各项经济指标出现加速下行的态势，形势相当严峻。但随着中央一系列宏观调控政策的落实，以及装备制造业和汽车工业调整和振兴规划的出台，政策支持效果逐步显现，机械产品的内需市场逐步升温，主要指标增速从二季度开始逐步回升，经过全行业艰苦努力，机械工业不仅有效遏制了经济增长的严重下滑，而且发展形势逐月向好，全年最终实现了平稳增长。

一、2009 年机械工业经济运行的基本情况

（一）生产总量继续扩大，全年产销突破 10 万亿元大关

2009 年机械工业经济运行总体表现令人满意。全年主要经济指标的增幅均高于全国工业平均水平。

全年累计完成工业总产值和销售产值分别为 10.75 万亿元、10.48 万亿元，产销额均首次双双突破 10 万亿元大关，分别比上年增长 16.07%、16.11%。在全国工业中的比重，2008 年达 18.5%，2009 年进一步提升，占全国工业比重上升到 19.67%。

2009 年机械工业增加值同比增长 13.8%，占全国工业比重为 18.86%。2009 年机械工业的总产值和增加值占工业比重均位居工业各部门之首。

（二）重要产品产量再创历史新高

2009 年中国机械工业又有很多产品位居世界前列，对拉动全球经济的回暖做出了重要贡献。

近年产量居世界第一位的重要产品有：大中型拖拉机、内燃机、混凝土机械、铲土运输机械、数码照相机、复印机、金属加工机床（按产量计）、数控机床（按产量计）、发电设备、变压器和摩托车等。2009 年汽车产量也跻身世界第一位。

2009 年主要机械产品产量创历史新高。

2006—2009 年主要产品产量

表 1

产品名称	计算单位	2006 年	2007 年	2008 年	2009 年
大中型拖拉机	万台	19.93	20.31	21.71	37.10
农作物收获机械	万台	35.58	25.05	32.74	63.23
场上作业机械	万台	20.42	30.56	28.66	37.94
粮食加工机械	万台	168.50	140.03	154.24	233.17
发动机	亿千瓦	4.52	5.65	5.50	8.48
挖掘、铲土运输机械	万台	16.85	19.70	20.13	29.15
其中：挖掘机	万台		3.42	7.07	10.84
压实机械	万台	1.95	2.19	1.80	2.72
混凝土机械	万台	12.47	18.28	27.15	40.34
水泥专用设备	万吨	35.13	46.99	57.05	76.45
分析仪器及装置	万台（万套）	12.10	15.17	16.71	31.57
炼油、化工生产专用设备	万吨	36.47	44.81	58.90	92.59
泵	万台	3752.47	5946.93	6211.78	6931.29
风机	万台	263.97	432.30	452.78	930.49
环境污染防治专用设备	万台（万套）	10.69	8.02	11.79	21.94
采矿专用设备	万吨	181.02	221.40	251.08	339.14
金属冶炼设备	万吨	36.87	43.65	70.30	61.77
起重机	万吨	269.48	368.54	431.49	534.55
金属轧制设备	万吨	40.34	49.41	66.33	67.51
金属切削机床	万台	59.19	60.68	61.73	58.03
其中：数控金切	万台	8.58	12.33	12.22	14.39
金属成形机床	万台	14.80	17.28	14.51	21.89
其中：数控金属成形机床	万台	0.25	0.30	0.32	0.93
铸造机械	万台	7.28	9.11	15.30	20.35
发电设备	万千瓦	11694.00	12991.00	13319.00	11729.00
工业锅炉	万蒸吨	17.51	20.86	22.28	29.22
电站水轮机	万千瓦	299.87	287.21	341.88	352.49
变压器	万千伏安	73645.49	91020.77	116078.49	126490.89
高压开关板	万面	42.75	42.73	46.98	64.54
低压开关板	万面	226.11	473.88	413.07	1090.83
电力电缆	亿米	122.79	137.30	209.38	213.83
钢绞线	万吨	92.60	107.76	124.78	199.19
绝缘制品	万吨	54.13	95.80	99.00	117.24
滚动轴承	亿套	79.94	110.23	106.92	123.49
弹簧	万吨		24.70	30.82	67.52
汽车	万辆	727.89	888.89	934.55	1379.50
其中：基本型乘用车	万辆	386.94	479.78	503.74	748.50
客车	万辆	144.27	178.69	178.74	202.85

大中型拖拉机：2009年在国家一系列惠农政策的支持下，大中型拖拉机产量创历史新高，达到37.1万台，在全球总产量的比率进一步提高。

发电设备：历史数据显示，从2003年起，全国发电设备年产量进入超高速增长期，2009年发电设备生产1.17亿千瓦，同比下降11.6%，但产量已连续4年超过亿千瓦。2009年产量相当“十五”末期的2005年（9200万千瓦）的1.27倍。2009年水电设备、风电设备、核电设备、循环流化床锅炉等清洁能源设备比重上升。

数控机床：2009年金融危机对机床行业的影响很大，金切机床产量下降，与此相反，数控机床产量创出历史新高，达14.39万台，表现出市场对高档数控机床产品的强烈需求。

汽车：2008年、2009年在世界金融危机中，汽车工业是遭受冲击最大的产业，全世界汽车产业低迷，而2008年中国汽车产销进居为世界第二位。2009年日本、美国汽车产销量受金融危机影响只有1000万辆左右；而中国汽车产销分别为1379万辆和1364万辆，比上年分别增长48.3%和46.15%，均居世界第一位。

（三）经济效益增长超过预期

2009年机械工业经济运行上半年欠佳，下半年快速回升向好，全年累计看，经济运行质量稳步回升，且各项指标都达到历史较好水平。

1. 利润、税金创历史新高，增速、增额远超预期。2009年前11个月，规模以上机械工业企业实现利润总额5816亿元，是历史最高水平，同比增长22.81%，大大超过8%的预期，同比增加利润1080.4亿元。

2009年前11个月，规模以上机械工业税金总额3205.89亿元，同比增加了654.47亿元，增速25.65%。

2. 主要效益指标好于上年。2009年经济环境虽然严峻，但前11个月有多项经济效益指标好于上年水平。从总体看，企业经营质量有所改善。

2009年全行业总资产的贡献率提高，由2008年12.29%提高到2009年12.74%，提高0.45个百分点。

成本费用利用率由2008年的6.25%提高到2009年的6.81%，提高0.56个百分点。

值得一提的是，主营业务收入利润率为近年较高水平。2009年主营业务收入利润率呈现逐月向好的趋势。1—2月机械工业主营业务收入利润率为3.97%，同比下降1.34点，是近年来的最低，1—11月主营业务收入利润率已达到6.31%。

2009年1—11月机械工业主要经济效益指标情况

表2

	1—11月全国工业	机械工业		机械工业比全国工业增减（点、次）	机械工业同比增减（点、次）
		2008年	2009年		
总资产贡献率（%）	12.87	12.29	12.74	-0.13	0.45
资产保值增值率（%）	114.22	119.18	116.99	2.77	-2.19
资产负债率（%）	59.20	58.95	58.98	-0.22	0.03
流动资产周转率（次）	2.46	2.13	2.08	-0.38	-0.05
成本费用利润率（%）	5.90	6.25	6.81	0.91	0.56
产品产销率（%）	97.47	97.41	97.33	-0.14	-0.08
新产品产值率（%）		17.86	18.76		0.9
主营业务收入利润率（%）	5.46	5.83	6.31	0.85	0.48
亏损面（%）	17.37	14.28	16.46	-0.91	2.18

（四）分行业发展情况

1. 行业间发展差异明显。2009年机械工业13个行业产值增长态势差异明显，农机（21.41%）、工程（24.65%），汽车（26.25%）三个行业增速在20%以上；重矿、机床等7个行业增速虽为两位数，但幅度均低于20%；仪器仪表（7.09%）、文化办公设备（-5.20%）增长为个位数和负增长。

2009年1—11月，机床工具行业利润增长为负增长（-0.47%），而农机行业（增长36%）、工程机械行业（49.41%）、食品包装机械行业（33.79%）、汽车行业（51.78%），利润增幅均超过30%。

2009年机械工业利润各行业发展情况分析

表3

	2009年1—11月					2008年1—11月				
	指标值（亿元）	比重（%）	同比增长额（亿元）	同比增长（%）	贡献率（%）	指标值（亿元）	比重（%）	同比增长额（亿元）	同比增长（%）	贡献率（%）
全国汇总	5816.02	100.00	1080.40	22.81	100.00	4605.32	100.00	649.38	16.42	100.00
按企业所属行业分列										
1. 非汽车行业合计	3844.74	66.11	407.88	11.87	37.75	3308.07	71.83	541.89	19.59	83.45
农业机械行业	103.33	1.78	27.35	36.00	2.53	79.00	1.72	15.77	24.95	2.43
内燃机行业	59.14	1.02	6.33	11.98	0.59	49.88	1.08	6.11	13.96	0.94
工程机械行业	215.34	3.70	71.21	49.41	6.59	133.50	2.90	-11.04	-7.64	-1.70
仪器仪表行业	229.44	3.94	23.12	11.21	2.14	204.86	4.45	16.21	8.59	2.50
文化办公设备行业	53.31	0.92	5.43	11.34	0.50	49.88	1.08	-3.73	-6.95	-0.57
石化通用行业	501.75	8.63	20.89	4.34	1.93	458.10	9.95	88.31	23.88	13.60
重型矿山行业	322.95	5.55	55.67	20.83	5.15	260.13	5.65	48.79	23.09	7.51
机床工具行业	203.42	3.50	-0.47	-0.23	-0.04	201.89	4.38	37.98	23.17	5.85
电工电器行业	1422.40	24.46	145.48	11.39	13.47	1228.78	26.68	235.92	23.76	36.33
通用基础件行业	463.71	7.97	32.75	7.60	3.03	395.36	8.58	69.73	21.41	10.74
食品包装机械行业	28.75	0.49	7.26	33.79	0.67	26.33	0.57	7.35	38.69	1.13
其他民用机械行业	241.18	4.15	12.84	5.62	1.19	220.38	4.79	30.49	16.06	4.70
2. 汽车行业合计										
汽车行业	1971.28	33.89	672.52	51.78	62.25	1297.25	28.17	107.49	9.03	16.55

2. 行业的贡献率仍集中于汽车和电工电器行业。2009年1—11月利润增长中，汽车行业贡献最多，利润总额1971.28亿元，占机械工业利润的33.89%，净增利润672.52亿元，比上年（107.49亿元）猛增565.03亿元；电工行业是第二大盈利行业，利润总额1422.4亿元，占机械工业利润的24.46%。

（五）分地区发展情况

1. 地区机械工业增长格局有所变动。在31个省（区、市）中，2009年产值超过1000亿元的21个，比2008年增加1个黑龙江省。其中万亿元以上的有江苏（17136.65亿元）、山东（14292.49亿元）、广东（11047.68亿元）3个省。

长江三角洲、珠江三角洲和环渤海湾三大都市圈增长13.13%，增速低于行业总水平，且比上年（21.25%）增幅回落8.12个百分点，总产值总计达73965.16万亿元，占机械工业总量的68.81%，比上年同期70.37%下降1.56个百分点。

2009年产值位于前6位的省市为江苏、山东、广东、浙江、上海和辽宁省，产值均超6000亿元，共达6.5万亿元，前6省的产值集中度为60.44%，比上年同期的61.79%下降1.35个百分点。

2009 年机械工业产值前 6 位的省市

表 4

省市	2009 年		2008 年	
	工业总产值（亿元）	比重（%）	工业总产值（亿元）	比重（%）
机械工业全行业总计	107484.16	100.00	90740.19	100.00
其中：前 6 位省市合计	64957.74	60.44	56076.37	61.80
1. 江苏省	17136.65	15.94	14136.93	15.58
2. 山东省	14292.49	13.3	11481.79	12.65
3. 广东省	11047.68	10.28	10665.48	11.75
4. 浙江省	8745.23	8.14	8591.78	9.47
5. 上海市	7085.13	6.59	6287.87	6.93
6. 辽宁省	6650.56	6.19	4912.52	5.41

2. 利润总额仍集中东部地区。2009 年江苏、山东、上海、广东、浙江、河南省位于利润总额前 6 位，合计实现利润 3594.8 亿元，前 6 位利润集中度为 61.81%，与产值集中度基本相同，比 2008 年同期（63.53%）降低了 1.72 个百分点。

（六）不同所有制企业情况

2009 年，国有企业为全行业技术发展起到了明显的带动作用，新产品产值占全行业的比重超过一半多。民营经济，表现出顽强的抗击风险能力，在主要经济指标中占全行业的比重最高。由于三资企业受出口影响巨大，其经济效益和生产增速回落明显，国有、民营企业的发展均好于三资企业。

2009 年三种不同所有制企业完成工业总产值分别为 25278.3 亿元、56833.17 亿元、22755 亿元，同比增长 19.62%、19.62%、3.89%，对全行业的贡献率民营企业最高达 63.42%；三种所有制企业完成新产品产值分别为 11543.47 亿元、5568.32 亿元、2659.52 亿元，同比增长 26.84%、24.5%、10.16%，对全行业贡献率最高的是国有及国有控股企业，贡献率达 62.6%，显示出国有企业技术经济基础的雄厚实力，引领着全行业的技术发展、产品创新。

三种不同所有制企业实现利润总额 1486.75 亿元、2757.14 亿元、1454.53 亿元；上缴税金分别为 1126.28 亿元、1515.08 亿元、514.8 亿元，同比分别增长 33.89%、19.59%、28.29%，同比增加税金分别为 285.08 亿元、248.16 亿元、113.53 亿元。

二、2009 年机械工业经济运行的主要特点及分析

（一）重点行业政策拉动效果尤其显著

农机和汽车行业在政策支持下回升速度明显快于其他行业。

得益于农机购机补贴大幅增加，2009 年大中型拖拉机等主要农机产品产量增幅均在 30% 以上。

2009 年汽车行业总产值同比增长 26.25%，1—11 月利润总额同比增长 51.78%；前 12 个月汽车工业产值回升速度明显快于机械全行业，机械全行业平均每个月回升 1 个百分点，汽车行业平均每个月回升 3 个百分点。汽车行业是 2009 年机械行业增长的“发动机”。

（二）产业结构调整助推作用见成效

技术进步步伐加快。2009 年机械工业新产品产值累计同比增长 23.74%，已高出同期工业总产值增速（16.07%）7.67 个百分点。表明行业的技术进步活动在市场需求拉动下重新趋于活跃。

（三）对全国工业的贡献率提高

1. 产品创新的贡献率加大。2009 年机械工业完成新产品产值对同期工业发展的贡献率 67.58%，占同期全国工业新产品产值的 38.41%，拉动工业增长 8.27 个百分点。

2. 对全国工业发展的贡献率居工业各行业前列。2009 年，全国工业和机械工业总产值比上年同期分别增加 46720 亿元和 14885 亿元，机械工业对全国工业新增总产值的贡献率达 31.86%。

前 11 个月，全国工业和机械工业主营业务收入比上年同期分别增加了 31463 亿元和 10983 亿元，机械工业对全国工业新增收入的贡献率达 34.91%。

前 11 个月，全国工业和机械工业利润分别比上年同期增加了 1865 亿元和 1080 亿元，机械工业对全国工业新增利润的贡献率为 57.9%，在全国工业利润增长 7.81% 中，由机械工业拉动 4.52 个百分点。

前 11 个月，全国工业和机械工业税金分别比上年新增 2724 亿元和 654 亿元，机械工业对全国工业新增税金的贡献率近 1/4（24.01%）。

2009 年机械工业对全国工业发展的贡献

表 5

指标	全国工业			机械工业					
	指标值（亿元）	同比增长		指标值（亿元）	在工业中比重（%）	同比增长		对同期工业发展的贡献率（%）	拉动工业增长（个百分点）
		金额（亿元）	速度（%）			金额（亿元）	速度（%）		
工业总产值	546334	46720	9.35	107484	19.67	14885	16.07	31.86	2.98
新产品产值	52948	5774	12.24	20339	38.41	3902	23.74	67.58	8.27
主营业务收入*	474609	31463	7.1	92201	19.43	10983	13.52	34.91	2.48
利润总额*	25891	1865.2	7.8	5816	22.46	1080	22.81	57.90	4.52
税金总额*	21129	2724	14.8	3206	15.17	654	25.65	24.01	3.55

*收入、利润、税金为1—11月数。

3. 国民经济建设所需机械设备自给程度进一步提高。近年来，机械工业在结构调整的同时，生产发展很快，重大技术装备研制取得重大进展，国民经济建设和国防建设所需机械装备，国内能更多的供应。当然2009年国家扩大内需政策的拉动因素的叠加，也促使自给率的提高，初步计算，2009年机械装备自给率超过85%。

三、机械工业有效应对金融危机，实现逐步企稳回升的原因

1. 全行业快速反弹充分反映出中央保增长的宏观经济政策及落实机械、汽车工业实施调整和振兴规划的拉动结果。

2. 汽车行业发挥了推动全行业快速反弹的“引擎”作用。

3. 与2008年同期数据下滑有关。2008年经济运行曲线是“前高后低”，尤其是三季度更陡然下滑，基数大幅降低；而2009年经济运行走势正好与2008年相反，是“前低后高”。

4. 利润增长主要与增值税转型效果显现有关。

5. 2009年由于原材料等价格相对比较稳定，加之企业加大成本管理力度。

四、科技发展与技术创新

（一）自主创新成果丰硕，能力不断增强

通过自主创新、引进技术消化吸收再创新和集成创新，机械行业掌握了一批关键技术，增强了自主研发能力，提高了产品技术水平和成套能力；通过对一大批重点骨干机械企业的技术改造，大大提升了产业的整体技术水平，满足了国家重大工程建设的需要，为今后的发展打下了基础。近年来，需求的强力拉动，自主创新能力的提升和生产条件的改善，使我国重大技术装备的研制和生产进入了最好的发展时期。

居于世界领先水平的特高压交流成套设备在试验示范线路上安全运行已一年，特高压直流关键设备已于2009年底成功投运，30万千瓦及以上大型火电机组产量占火电机组总产量的比重由2008年的80.8%提高到2009年的82%；自主研制的大型露天矿用220吨电动轮自卸车于2009年完成鉴定；百万吨乙烯装置所需三种主要压缩机及多股流低温冷箱研制成功，国产输气管线用压缩机及阀门终于在西气东输二期工程中落实研制合同；1080吨履带起重机及500吨全路面起重机等特大型工程机械研制成功。新能源汽车、混合动力汽车已经开始试用。

（二）装备国产化不断取得新进展，技术自给水平不断提高

机械主导产品技术来源于国外的比例，已从上世纪80年代的75%下降到现在的40%，2009年，30万、60万千瓦火电机组高中压转子国内市场满足率已提高到58%，低压转子国内市场满足率已提高到45%，发电机大轴国内市场满足率已提高到80%。目前世界上运行电压最高、输电能力最大、代表国际输变电技术最高水平的1000KV交流和±800KV直流特高压交流输变电试验示范工程在我国正式建成投运；世界首套百万吨级煤直接液化示范装置投产，实现了核心技术的掌握和设备国产化；百万千瓦的超临界和超超临界火电机组、大型压水堆核电装备、70万千瓦水电机组、1.5~2.5MW风电机组等电力工业装备已基本立足国内，满足了电力工业发展的需要；三代核电装备所需关键大锻件一直是影响我国核电建

设自主化的进程，2009 年压力壳、蒸发器、主管道等具有代表性的关键锻件的技术攻关已相继取得突破。

（三）科研成果获奖情况

国家科技进步奖：2009 年机械工业获国家科技进步奖一等奖 1 项，二等奖 8 项。其中获得一等奖的《超高压直流输电重大成套技术装备开发及产业化》项目是由西电集团公司等 9 家单位联合申报。中国西电集团公司作为我国输变电行业的龙头企业，率先实现了超高压直流输电关键设备的国产化研制，在超高压直流输电重大成套技术设备开发中发挥了巨大的作用。通过项目实施，超高压直流输电成套设备已替代进口全部实现了产业化，打破了国外垄断，实现了技术跨越，促进了行业的技术发展和科技进步，申报专利 35 项，制定并颁布国家标准 24 项，近三年设备制造新增利润 10.6 亿元，新增税收 3.5 亿元，为国家节支 32.2 亿元。

机械工业科学技术奖：2009 年机械工业科学技术奖授奖项目共计 334 项，其中特等奖 4 项，一等奖 23 项，二等奖 125 项，三等奖 182。2009 年获奖项目是历年来最多的一年，获奖项目的技术水平高，大多属于自主创新和具有自主知识产权，并有较好的经济效益和社会效益。

在贯彻科学发展观和提高自主创新能力的战略指导下，机械工业企业越来越重视参数高、结构复杂、制造与设计难度大项目的开发，这些获奖研究成果大多达到或超过当前国际水平，不少项目打破了国际垄断，普遍获得多项专利。对行业技术进步起到了很大作用。如获得一等奖的“大型电站综合自动化系统关键技术研发及应用”项目已经申请国家发明专利 17 项，其中授权 5 项，申请并授权 6 项实用新型专利和 9 项软件著作权授权。产品的应用实现了国有企业大型火电超临界机组控制系统的工程应用自主化，打破了我国大型超临界电站综合自动化系统长期被国外公司垄断的局面，达到国际先进水平。

获奖项目的技术来源属于自主创新，大多是集设计研究、实验研究、科技开发、工程应用为一体的综合性技术集成与创新性项目。大部分是突破了一些关键技术和掌握了核心技术的项目。如获得特等奖的“1000kV 交流输变电关键技术研究、设备研制及工程应用”项目，该项目的完成使项目单位掌握了国际上最先进的特高压设备的研制、制造和试验技术；成功研制了代表世界最高水平的全套特高压交流输变电设备，且指标优异、性能稳定，并投入工程应用；建立了世界最先进的特高压设备型式试验系统。通过该项目，西电公司还创造了一大批国际输变电重大设备制造和试验技术领域的世界纪录，在国际特高压输变电领域获得了显著的技术优势和竞争优势，培育并形成了核心竞争力，实现了产业升级和跨越式发展。

2009 年所有奖项中，有 45 项为共性技术，从一定程度上反映出机械工业重视跨行业的基础研究和软科学、管理学科的研究。获奖项目大多是产学研多单位联合完成，跨行业、跨学科并且是多项成果的共同组成。

五、机械工业投资情况

机械工业近年生产能力的大幅度提高，与持续多年的固定资产投资持续快速增长有着直接的关系，投资的大幅增加，促进了机械工业技术水平的提高和结构升级。2009 年固定资产投资增长 38.44%。投资的高增长显示了行业结构调整步伐加快，以及企业对未来发展的投资信心。

（一）机械工业固定资产计划总投资首次突破 3 万亿元

2009 年机械工业固定资产计划总投资达 31429.71 亿元，同比增长 37.8%。从近几年机械工业固定资产计划总投资的趋势看呈现逐年持续增加，增速均呈现逐年加快的走势。

（二）本年新开工项目投资持续增加

新开工项目计划投资反映了近期市场需求。从机械工业固定资产投资施工项目看，2009 年 36075 个，其中当年开工项目 25106 个，占全部施工项目的 69.59%；2009 年机械工业本年新开工项目投资额 13807.63 亿元，占全部施工项目计划总投资的 43.93%。本年投产 21428 个，项目建成投产率已达 59.4%。

（三）机械工业固定资产投资增速高于全国城镇、制造业

2009 年机械工业累计完成固定资产投资在 2008 年首次超过 1 万亿元的基础上，再创历史新高，机械工业投资增速继续表现为快于同期全社会固定资产投资（同比增长 30.1%）、城镇（30.5%）和制造业投资（26.8%）的增长速度，分别快 8.34、7.94、11.64 个百分点。

（四）中央项目投资增幅带动地方项目

2009 年机械工业的中央项目的投资占行业的比重虽然不大，但充分体现了宏观调控的导向作用，中央投资表现出了高速增长，带动了整个机械工业的投资增长。2009 年机械工业中央项目投资 649.5 亿元，占全部投资额比重 4.44%，同比增长 40.56%；地方项目投资 13984.71 亿元，占全部投资额比重 95.56%，同比增长 38.34%，

从近几年中央项目与地方项目的投资对比看，2006 年、2007 年地方项目增长始终高于中央项目的投资，而 2008 年在中央应对金融危机等一系列扩内需政策的带动下，2008、2009 年机械工业固定资产投资中央项目的投资开始超过地方项目的增幅，分别超出 11.91、2.22 个百分点。中央项目的投资额逐年

增加，已由2006年的235.06亿元，增加到2009年的649.5亿元，中央项目的投资额占行业的比重逐年小幅提高，但始终比重较小，大体在4%左右，地方项目投资额从2006年的5146.5亿元增加到2009年13984.71亿元，2008、2009年连续两年超过万亿元，地方项目的投资额占行业的比重始终超过95%。

（五）农机、汽车、发电设备投资增速加快

2009年机械工业各行业受国家扩大内需政策的拉动，分行业的投资规模不断扩大，2006、2007年机械工业固定资产投资超过千亿元的只有电工电器、汽车两个行业，2008年增加到4个行业，石化通用、机械基础件行业也分别超过了千亿元，2009年机床行业也超过了千亿元投资规模，截至2009年底已有5个行业投资规模超过了千亿元，5个行业的投资额达11224.72亿元，占全部投资额的76.7%。

（六）中西部地区投资活力增强，但投资大户仍在东部沿海省市

从2009年投资占比看，东部向中部地区转移，东部地区虽仍占50%以上，但从年初到年底占比下降8个百分点，而中部地区则上升近8个百分点；西部地区投资占比稳定在13%～14%。中西部地区投资增速高于东部地区9～14个百分点。

（七）投资构成发生可喜变化

在投资构成中，设备购置费增加，技术改造特点明显。2009年机械工业固定资产投资显示技术改造的特点。设备工器具购置6469.32亿元，同比增长42.04%。设备工器具购置费用一般占投资的30%～35%左右，2009年在较高的基础上再提高，显示出机械工业固定资产投资具有：一是技术改造的特点较明显；二是装备向高档发展，有利于提高产品水平。

2009年我国共审核通过的装备制造业企业技术改造项目达1000余项，这些项目涵盖了高档数控机床、基础零部件、能源装备、农用机械等重要领域。近年来，机械工业的大型骨干企业全面更新了装备，扩建了场地，进行了投资额以亿计的大规模技术改造。为满足国家4万亿投资方案激发的高端装备需求，机械工业技改力度加大。2009年，从机械工业固定资产投资构成看，技改和扩建项目的投资增速（分别为64.46%和33.82%）远高于新建项目（33.44%），表明企业更加重视加强技术改造。技术改造也确实提升了企业核心竞争力和产业结构调整能力。

六、机械工业产品进出口情况

2009年金融危机席卷全球，市场需求锐减。机械工业对外贸易发展遭受重创。据海关统计，2009年机械工业实现进出口总额3767.41亿美元，较上年减少605.87亿美元，同比下降13.85%。其中出口1958.24亿美元，同比下降19.25%；进口1809.17亿美元，同比下降7.14%。全年累计实现贸易顺差149.07亿美元，较上年下降327.62亿美元，降幅达68.73%。

2009年机械工业进出口完成情况

表6

数额	2009年					2008年				
	全国外贸		机械工业		机械工业占比（%）	全国外贸		机械工业		机械工业占比（%）
	总额（亿美元）	同比增长（%）	总额（亿美元）	同比增长（%）		总额（亿美元）	同比增长（%）	总额（亿美元）	同比增长（%）	
进出口总额	22072.66	-13.9	3767.41	-13.85	17.07	25616.32	17.8	4373.28	20.91	17.07
其中：进口	10056.03	-11.2	1809.17	-7.14	17.99	11330.86	18.5	1948.29	15.44	17.19
出口	12016.63	-16.0	1958.24	-19.25	16.30	14285.46	17.2	2424.99	25.70	16.98
贸易差额	1960.61		149.07		7.60	2954.60		476.69		16.13

2009年机械工业对外贸易发展呈现如下特点：行业进口冷热不均，出口全面下降；东部地区对外贸易遭受剧烈冲击；一般贸易进口有所恢复、出口大幅下降；加工贸易进出口降幅收窄缓慢；国有企业进口实现逆势增长。

（一）行业进口

农业机械、文化办公设备和汽车行业年终实现同比增长，增幅分别为16.13%、8.94%和5.82%。其中受惠于国家优惠政策，农机行业进口自3月起始终保持同比增长，汽车行业累计同比持续收窄，于年底实现由负转正，累计进口总额达279.2亿美元，创历史新高，由此汽车行业进口占机械工业进口总额的比重由上年的13.54%，上升至2009年的15.43%。其他行业进口累计同比均为负增长，但多数行业的降幅总体呈显逐步收窄之势。

（二）行业出口全面下跌

2009年机械工业汇总的13个行业，年度出口全面下降。具体而言，工程机械行业累计出口71.26亿美元，同比下降38.53%，汽车行业累计出口219.68亿美元，同比下降30.24%，为出口降幅最大的两个行业。重型矿山行业和文化办公设备行业同比降幅分别为4.75%和7.98%，为出口降幅最小的两个行业。

（三）分行业贸易顺差减少，逆差增加

2009年机械工业汇总的13个行业中，农业机械、工程机械、文化办公设备、石化通用、重型矿山、电工电器6个行业实现贸易顺差，较上年减少两个行业。其中绝大多数行业顺差较上年缩水，电工电器行业顺差较少幅度最大，达64.07亿美元。

（四）东部地区受剧烈冲击

长三角地区受冲击程度超过珠三角地区和东北地区，进口、出口同比分别下降14.35%和22.15%。

2009年机械行业进口前五位省市情况

表7

位次	省市	进口金额（亿美元）	第一位行业			第二位行业			第三位行业		
			名称	金额（亿美元）	占比（%）	名称	金额（亿美元）	占比（%）	名称	金额（亿美元）	占比（%）
1	广东	363.84	电工电器	119.06	32.72	仪器仪表	59.09	16.24	文办设备	42.37	11.65
2	北京	302.47	汽车	104.20	34.45	石化通用	47.41	15.67	仪器仪表	38.88	12.85
3	上海	277.43	电工电器	64.46	23.23	仪器仪表	41.54	14.97	石化通用	39.93	14.39
4	江苏	239.28	电工电器	53.87	22.51	仪器仪表	48.11	20.11	石化通用	29.24	12.22
5	天津	92.79	汽车	23.44	25.26	电工电器	19.18	20.67	石化通用	10.27	11.07

2009年机械行业出口前五位省市情况

表8

位次	省市	进口金额（亿美元）	第一位行业			第二位行业			第三位行业		
			名称	金额（亿美元）	占比（%）	名称	金额（亿美元）	占比（%）	名称	金额（亿美元）	占比（%）
1	广东	547.96	电工电器	173.56	31.67	文化办公	125.17	22.84	石化通用	86.89	15.86
2	江苏	305.80	电工电器	77.54	25.36	石化通用	49.06	16.04	文化办公	36.03	11.78
3	浙江	250.64	电工电器	65.71	26.22	石化通用	56.39	22.50	汽车	32.46	12.95
4	上海	229.22	电工电器	54.94	23.97	石化通用	37.73	16.46	重型矿山	31.70	13.83
5	山东	123.79	电工电器	34.93	28.22	汽车	21.31	17.21	石化通用	20.39	16.47

（五）对主要贸易伙伴国进出口状况

中日贸易：日本依旧为机械工业的首要贸易伙伴国，2009年实现进出口总额660.02亿美元，同比下降13.99%。累计实现贸易逆差304.97亿美元，为机械工业最大贸易逆差国。

在对日本出口中，电工电器、石化通用和文化办公设备行业产品位居出口额前三位。从贸易方式看，机械工业对日本出口多为加工贸易，所占比例高达72.28%，一般贸易仅占24.51%。

在自日本进口中，汽车、电工电器和仪器仪表行业产品位居进口额前三位。

中美贸易：美国是机械工业第二大贸易伙伴国，全年累计实现进出口总额473.59亿美元，同比下降15.47%。其中，自美国进口171.23亿美元，同比下降8.76%，向美国出口302.35亿美元，同比下降18.85%，累计实现贸易顺差131.12亿美元。

在对美国出口中，电工电器、石化通用和文化办公设备行业产品位居出口的前三位。在自美国进口中，仪器仪表、汽车和石化通用行业产品位居进口的前三位，分别实现进口44.15亿美元、28.61亿美元和27.65亿美元，共计占机械工业自美进口总额的58.64%。从贸易方式看，机械工业自美一般贸易进口占比为66.84%，加工贸易进口仅占12.22%。

十大贸易伙伴变动：机械工业十大贸易伙伴近两年发生一定变化。其中，进口位次前十位的国家未发生变化，而出口位次前十位的国家变化显著。越南、新加坡两个东南亚国家取代英国和俄罗斯联邦跻身前十，印度超越韩国、德国跻身前五，且同比实现正增长。数据显示，全球金融危机对机械工业发达国家市场的冲击显著。而发展中国家，特别是亚洲地区发展中国家，则逐步成长为机械工业对外贸易的重要合作伙伴。

（六）一般贸易进口小幅回升，出口大幅下降

2009年，机械工业一般贸易实现进出口总额2043.02亿美元，同比下降11.02%，占机械工业进出口总额的比重为54.23%，其中，一般贸易进口1080.84亿美元，同比增长6.69%。一般贸易出口962.18亿美元，同比下降25%。

（七）加工贸易进出口降幅收窄缓慢

2009年机械工业加工贸易进出口总额为1242.95亿美元，同比下降14.84%。其中进口425.28亿美元，同比下降11.31%，出口817.68亿美元，同比下降16.57%，累计实现贸易顺差392.4亿美元，

（八）出口产品结构变化

2009年机械工业重点统计的92种产品中，49种产品的出口平均单价上升，其中收获及场上作业机械、扫雪机及吹雪机、大地测量仪器、气体分离设备、环保设备、输送升降搬运装卸机械、金属冶炼设备、金属轧机、燃气轮机和高压开关10类产品，出口数量同比下降，而出口金额实现同比增长。在一定程度上，显现出我国机械出口产品的价值正逐步提高。

2009年机械工业在重大装备出口方面成绩斐然。超重型机床出口英国，创我国超大规模机床出口先例。世界最大规格的宽厚板轧机（5.5米轧机）顺利出口韩国，标志我国具备向世界一流钢铁企业提供关键生产设备的能力。向新西兰出口世界窄轨线路功率最大的机车，实现我国机车首次批量出口。国产盾构机生产厂家与新加坡、英国伦敦地铁建设方达成合作意向，为国产盾构机走出国门迈出新的一步。

（撰稿：赵新敏）

钢铁行业

2009年是新世纪以来我国经济发展最困难的一年，也是钢铁工业经历严峻考验的一年。2008年下半年爆发国际金融危机以来，受世界经济衰退的影响，我国钢铁产品直接和间接出口急剧下降，钢铁企业效益大幅下滑，企业生产经营陷入严重困难的局面。在严峻形势面前，钢铁行业广大干部职工，迎难而上，奋力拼搏，认真落实党中央、国务院应对国际金融危机的一系列政策措施，使钢铁生产经营逐步恢复，并实现平稳较快增长，行业扭亏为盈，初步摆脱了困难局面，为国家实现“保增长、扩内需、调结构”的战略目标做出了积极贡献。

一、2009年钢铁行业取得的主要成绩

1. 战胜国际金融危机的严重冲击，钢铁生产复苏，全年钢产量再创新高。

由于中央采取了一系列有效的政策措施，极大地拉动了国内钢铁市场需求，2009年5月我国钢铁生产全面复苏，6月份钢铁生产超过上年历史最高水平，9月份日产水平再创新高，已相当于年产6.17亿吨钢。在其他主要产钢国家粗钢产量大幅度下降的情况下，我国全年粗钢产量达56784.24万吨，比上年增长13.50%。

2005—2009年我国粗钢、生铁、钢材生产情况

表1 **单位：万吨**

	2005年	2006年	2007年	2008年	2009年
粗 钢	35324	41915	48929	51234	56784
生 铁	34375	41245	47652	48323	54375
钢 材	37771	46893	56561	61379	69244

数据来源：中国钢铁工业协会《中国钢铁统计（2009）》《中国钢铁工业统计月报》（2009年12月）。①其中2005－2008年为国家统计局年报数据，2009年为快报数据；②国家统计局2010年2月28日发布的《2009年国民经济和社会发展统计公报》中，粗钢产量为56803.3万吨，增长12.90%，钢材产量为69626.3万吨，增长15.2%；③钢材产量包含重复材。

2005—2009 年我国粗钢产量增加情况

表 2　　单位：万吨

	2005 年	2006 年	2007 年	2008 年	2009 年
粗钢产量	35324	41915	48929	51234	56784
增 加 量	7033	6591	7014	2305	5550 *
年增长（%）	24.9	18.7	16.7	4.7	10.83 *

数据来源：中国钢铁工业协会《中国钢铁统计（2009）》《中国钢铁工业统计月报》（2009 年 12 月），2005－2008 年数据为国家统计局年报数据，2009 年为快报数据。＊根据快报数据2009 年粗钢产量与2008 年同口径相比，粗钢产量增加6753.09 万吨，增长13.5%，本文涉及2009 年粗钢产量及增长率均采用这一数据，特此说明。

2005—2009 年全球产钢前 10 位国家

表 3　　单位：百万吨

年份	第 1 位	第 2 位	第 3 位	第 4 位	第 5 位	第 6 位	第 7 位	第 8 位	第 9 位	第 10 位
2005	中国	日本	美国	俄罗斯	韩国	德国	印度	乌克兰	巴西	意大利
	353.2	112.5	94.9	66.1	47.8	44.5	40.9	38.6	31.6	29.3
2006	中国	日本	美国	俄罗斯	印度	韩国	德国	乌克兰	意大利	巴西
	419.2	116.2	98.6	70.8	49.5	48.5	47.2	40.9	31.6	30.9
2007	中国	日本	美国	俄罗斯	印度	韩国	德国	乌克兰	巴西	意大利
	489.3	120.2	98.2	72.4	53.1	51.5	48.6	42.8	33.8	31.5
2008	中国	日本	美国	俄罗斯	印度	韩国	德国	乌克兰	巴西	意大利
	512.3	118.7	91.3	68.5	55.1	53.6	45.9	37.3	33.7	30.6
2009	中国	日本	俄罗斯	美国	印度	韩国	德国	乌克兰	巴西	土耳其
	567.8	87.5	59.9	58.1	56.6	48.6	32.7	29.8	26.5	25.3

数据来源：国际钢铁协会。其中2009 年数据为2010 年1 月公布的统计数据。

2009 年全球产钢前 10 位国家粗钢产量增长率

表 4　　单位：百万吨，%

年　份	第 1 位	第 2 位	第 3 位	第 4 位	第 5 位	第 6 位	第 7 位	第 8 位	第 9 位	第 10 位
国　家	中国	日本	俄罗斯	美国	印度	韩国	德国	乌克兰	巴西	土耳其
产　量	567.8	87.5	59.9	58.1	56.6	48.6	32.7	29.8	26.5	25.3
增长率	13.5	－26.3	－12.5	－36.4	2.8	－9.4	－28.7	－20.2	－21.4	－5.6

数据来源：国际钢铁协会2010 年1 月公布的数据。

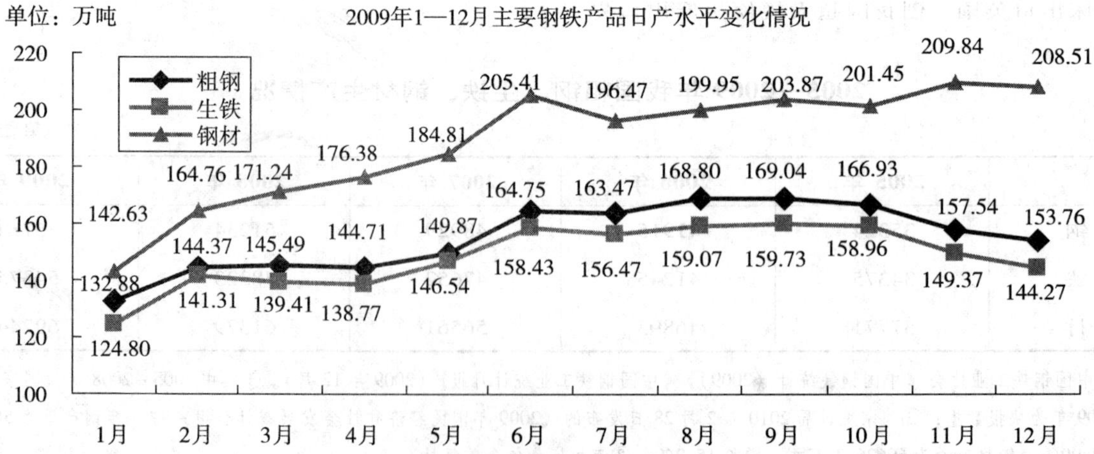

图 1　2009 年各月粗钢、生铁、钢材日产水平

2005—2009 年我国粗钢产量居前 5 位的省市

表 5 单位：万吨

年份	第 1 位	第 2 位	第 3 位	第 4 位	第 5 位
2005	河北省 7425	江苏省 3301	山东省 3188	辽宁省 3059	上海市 1928
2006	河北省 9096	江苏省 4205	山东省 3715	辽宁省 3687	山西省 1949
2007	河北省 11047	江苏省 4862	山东省 4394	辽宁省 4141	山西省 2515
2008	河北省 11523	江苏省 4861	山东省 4458	辽宁省 4056	山西省 2346
2009	河北省 13536	江苏省 5490	山东省 4857	辽宁省 4783	山西省 2649

数据来源：中国钢铁工业协会《中国钢铁工业统计月报》(2009 年 12 月)《中国钢铁工业统计年报（摘要)》。其中 2005—2007 年数据为年报数据，2008 年、2009 年为月报数据。

2. 有力支撑了国家扩大内需措施对钢铁的需求。

2009 年全社会固定资产投资完成额达 22.49 万亿元，比上年增长 30.1%。新开工项目计划总投资额高达 15.19 万亿元，比上年增加 6.11 万亿元，增长 67.2%。保增长、扩内需主要靠扩大固定资产投资，钢铁行业 2009 年增产 6753 万吨钢，以及由于出口减少转供国内 4400 多万吨钢，满足了大规模固定资产投资对钢材的需求，有力地支撑了国家应对国际金融危机措施的实施。2009 年国内市场粗钢表观消费量 56497 万吨，比上年增加 11229 万吨，增长 24.8%，考虑 2009 年全社会钢材、钢坯库存折合粗钢增加 3000 万吨以上，国内市场实际增加消费粗钢 8200 万吨左右，为国家保增长目标的实现做出了积极贡献。

2009 年国产钢材国内市场占有率和自给率

表 6 单位：万吨，%

	消费量	产量	进口	出口	市场占有率（%）	自给率（%）
钢材总计	68547.3	69243.7	1763.2	2459.6	97.4	101.0
上年同期	54054.4	58434.0	1538.7	5918.3	97.2	108.1
增减量	14492.9	10809.7	224.5	-3458.7	0.3	-7.1
同比增长（%）	26.8	18.5	14.6	-58.4		
长材	32683.1	32953.6	147.8	418.3	99.5	100.8
上年同期	25176.9	26715.3	134.5	1672.9	99.5	106.1
增减量	7506.3	6238.4	13.4	-1254.5	0.1	-5.3
同比增长（%）	29.8	23.4	9.9	-75.0		
板带材	30220.9	29877.8	1527.4	1184.3	94.9	98.9
上年同期	24578.6	26184.7	1273.2	2879.3	94.8	106.5
增减量	5642.3	3693.1	254.2	-1695.0	0.1	-7.7
同比增长（%）	23.0	14.1	20.0	-58.9		
管材	4773.7	5281.6	62.4	570.4	98.7	110.6
上年同期	3772.9	4656.6	105.8	989.5	97.2	123.4
增减量	1000.8	625.0	-43.4	-419.2	1.5	-12.8
同比增长（%）	26.5	13.4	-41.0	-42.4		

数据来源：中国钢铁工业协会《中国钢铁工业统计月报》(2009 年 12 月)。

3. 在钢材价格持续处于低位的形势下，大力降低成本，调整结构，实现全行业扭亏为盈。

国际金融危机爆发后，钢铁企业通过加强管理，大力开展降本增效活动。据钢铁协会统计的68户大中型钢铁企业在连续亏损7个月后，于2009年5月份实现当月扭亏为盈，6月份实现上半年累计扭亏为盈，全年累计实现销售收入22441.4亿元，实现利税1254.55亿元，实现利润553.88亿元，其中投资收益131.02亿元，资产减值损失转回36.50亿元。

太钢启动全员降本增效行动，紧盯市场，通过倒逼成本制定产品目标盈利水平；河北钢铁集团宣钢公司立足于ERP系统，减少管理环节，降低成本；凌钢以行业内同口径先进指标为标杆，通过比、学、赶、超缩小与先进企业差距；马钢进行全方位、全流程降本增效，全年降低成本36亿元。

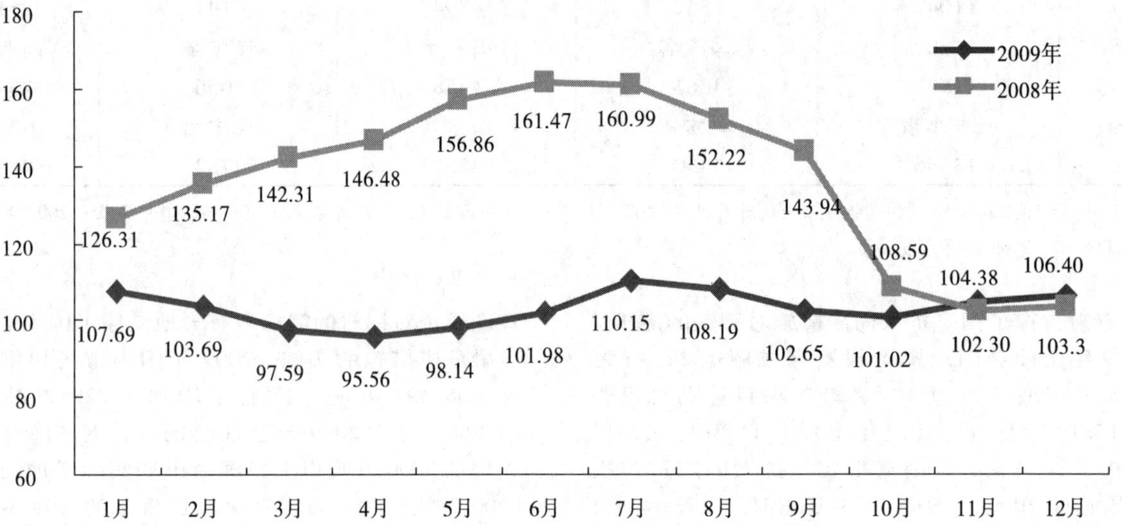

图2　2009年各月中国钢材价格指数（CSPI）情况

4. 技术进步取得重大进展，品种质量进一步改善。

鞍钢营口鲅鱼圈临海新钢铁基地投产一年，主要生产技术经济指标全面达到或超过设计水平，其厚板轧机已成功生产出核电站用的高强度高韧性厚钢板；首钢京唐曹妃甸临海新钢铁基地1号高炉系统自2009年5月份投产以来，各项新技术新工艺应用和开发取得可喜成绩；武钢、宝钢着力于自主创新取得重大突破，具有自主知识产权的高档取向硅钢实现批量生产并已用于替代进口硅钢生产50万伏以上等级的超高压大型变压器；宝钢、鞍钢、本钢在高强度汽车板研发和生产上正不断缩小与国际先进水平的差距；武钢、马钢自主研发的汽车板产量迅速上升，武钢2070毫米宽汽车板成功进入市场；太钢不断开发新品种，不锈钢材产量增长30%；攀钢、包钢、鞍钢、武钢生产的重轨满足了我国高速铁路建设的需要；沙钢在开发长材产品方面又取得新成绩。

2009年主要钢材品种变化情况

表7　　　　　　　　　　　　　　　　**单位：万吨**

	2009年	2008年	增减量	累计增长（%）
钢材合计	69243.7	58434.0	10809.7	18.5
铁道用钢材	586.0	474.4	111.6	23.5
所占比重（%）	0.8	0.8	0.0	
长材	32367.6	26240.9	6126.8	23.3
所占比重（%）	46.7	44.9	1.8	
板管带材	35159.4	30841.3	4318.0	14.0
所占比重（%）	50.8	52.8	-2.0	
其中：板材（不含窄带）	24628.5	22040.7	2587.9	11.7

续表

	2009 年	2008 年	增减量	累计增长（%）
所占比重（%）	35.6	37.7	−2.2	
窄带	5249.2	4144.0	1105.2	26.7
所占比重（%）	7.6	7.1	0.5	
管材	5281.6	4656.6	625.0	13.4
所占比重（%）	7.6	8.0	−0.3	

数据来源：中国钢铁工业协会《中国钢铁工业统计》（2009 年 12 月）

5. 节能减排取得新成绩。

2009 年钢协会员企业粗钢产量增长 11.27%，但总能耗只增长 5.42%。吨钢综合能耗下降 1.74%；吨钢耗新水下降 12.75%，平均已降到 4.43 立方米。二氧化硫排放减少 4.90%，烟尘排放减少 7.87%；钢渣和高炉渣利用率进一步提高，一大批节能环保综合利用项目建成，为加快节能减排步伐创造了条件。

6. 积极实施“走出去”发展战略，加大对境外资源投资的力度，促进与上下游企业之间的战略合作。

2009 年是钢铁行业对境外资源投资力度最大的一年。武钢、鞍钢、华菱、宝钢、沙钢、中钢、中冶、中信泰富等一大批企业抓住机遇，在澳大利亚、巴西、加拿大等地投资参股铁矿山开发建设取得较大进展，资源保障能力增强；太钢在成功收购土耳其 CVK 公司西部铬矿部分股权的基础上，又出资收购了其东部和南部铬矿 43% 的股权，成为合资公司第一大股东。首钢等与国内煤炭企业以股份合作方式结成战略结盟；一些企业加强了与重大战略客户形式多样的紧密合作；钢材剪切配送中心布点建设加快；特大型钢铁集团的国际化经营与合作迈出新步伐。

7. 企业联合重组取得新进展，信息化建设步伐加快。

宝钢重组宁波钢铁，首钢重组长治钢铁和贵阳特钢，河北钢铁、山东钢铁实行大集团统一运营，管理上了新台阶。一大批企业将信息化与企业发展战略、核心业务相结合，提升企业的软实力。南钢利用信息系统，提升成本管理和盈利能力，合同兑现率从 87% 提高到 96%，2009 年还获得全国质量奖；马钢搭建产销一体化信息平台，实现了在现有条件下的生产系统优化。

二、2009 年钢铁行业运行存在的主要问题

1. 由于供大于求，造成市场价格低迷，企业增产减收。

尽管国家刺激经济的政策措施极大地拉动了钢材需求，但钢材市场供大于求的基本格局没有改变，导致市场供需维持平衡的难度加大，2009 年 12 月末 CSPI（中国钢材价格指数）仍只有 106.4 点，处于较低水平，钢铁行业出现了增产不增收的现象。2009 年钢协会员企业钢产量比上年增长 11.27%，产品销售收入同比下降 10.14%，实现利税下降 34.37%，其中实现利润下降 33.64%。

2. 钢材（坯）进口增加，出口大幅度下降，国内市场压力增大。

2009 年进口钢材 1763.2 万吨，进口钢坯 458.5 万吨，折合粗钢进口 2334.25 万吨，同比增加 672.76 万吨，增长 40.5%；出口钢材 2459.65 万吨，出口钢坯 4.32 万吨，折合粗钢出口 2620.96 万吨，同比减少 3803.69 万吨，下降 59.1%。进出口相抵，折合粗钢净出口 286.71 万吨，比 2008 年的 4763.16 万吨，减少 4476.45 万吨，下降 94%。这部分粗钢由出口转向国内市场，进一步加剧了国内市场供大于求的压力。

2009 年钢材进出口主要国家和地区

表 8 单位：万吨

进口						
国家（地区）	2009 年	2008 年	同比增长（%）	2009 年比例（%）	2008 年比例（%）	增减（个百分点）
钢材合计	1763.2	1538.7	14.6	100.0	100.0	0.0
日本	611.3	701.8	−12.9	34.7	45.6	−10.9
韩国	457.4	353.5	29.4	25.9	23.0	3.0
中国台湾	250.3	248.0	0.9	14.2	16.1	−1.9

续表

进口						
国家（地区）	2009 年	2008 年	同比增长（%）	2009 年比例（%）	2008 年比例（%）	增减（个百分点）
俄罗斯	151.3	15.8	860.6	8.6	1.0	7.6
欧盟 25 国	95.0	110.5	-14.0	5.4	7.2	-1.8
哈萨克斯坦	51.3	15.5	230.6	2.9	1.0	1.9
出口						
国家（地区）	2009 年	2008 年	同比增长（%）	2009 年比例（%）	2008 年比例（%）	增减（个百分点）
钢材合计	2459.7	5918.3	-58.4	100.0	100.0	0.0
韩国	556.1	1395.4	-60.2	22.6	23.6	-1.0
欧盟 25 国	160.5	756.4	-78.8	6.5	12.8	-6.3
越南	147.8	276.3	-46.5	6.0	4.7	1.3
印度	118.3	195.3	-39.4	4.8	3.3	1.5
美国	105.0	502.3	-79.1	4.3	8.5	-4.2
泰国	68.7	157.7	-56.5	2.8	2.7	0.1
东南亚合计	553.8	1087.47	-49.1	22.52	18.37	4.1

数据来源：海关总署。

3. 国产铁矿石增长增速同比大幅下降，进口铁矿石超常增长，增大了进口铁矿和海运费价格上涨压力。

受价格等因素影响，2009 年我国铁矿石原矿生产 8.80 亿吨，同比增产 7212 万吨，仅增长 8.92%，而生铁产量同比增加 7446 万吨，增长 15.87%，需要增加成品矿 1.19 亿吨，而国产成品铁矿石只增产 2400 万吨左右，需增加进口矿石 9500 万吨，实际全年进口矿石 62778 万吨，比上年增加 18142 万吨，增长 41.50%。铁矿石超需求进口增大了铁矿石和海运费上涨压力。

4. 产能继续增长，淘汰落后进展缓慢。

根据钢协 2008 年年报统计，当年新增炼钢产能 6229 万吨，当年淘汰落后炼钢产能 648 万吨，到 2008 年底我国钢的生产能力为 64400 万吨。

2009 年黑色金属冶炼及压延加工完成投资 3206.12 亿元，约新增炼钢能力 5500 万吨左右。

5. 产业结构调整难度进一步增大。

2009 年河北钢铁、宝钢、武钢、鞍本、沙钢等五大集团合计产钢 1.65 亿吨，仅占同期全国钢产量的 29%；沿海、沿江钢铁企业产钢占全国产量比例尚不到 20%，与《钢铁产业调整和振兴规划》提出的“国内排名前 5 位钢铁企业的产能占全国产能的比例达 45% 以上，沿海沿江的钢铁产能占全国产能的比例达到 40% 以上”的目标还有很大差距。

而与此同时，非钢协会员的中小企业粗钢产量快速增长，2009 年钢产量增长 24.73%，而钢协会员企业只增长 11.27%。大企业发展缓慢，小企业数量不断增多，使今后调整产业结构的难度加大。

近年来，大中型企业伴随大量板材项目投产，形成了先进产能的过剩和同质化竞争，如何根据我国城市化、工业化市场需求特点和企业自身优势进行产品结构调整，是危机之后大中型企业要深入研究的课题。

（撰稿：王德春）

石油和化工行业

2009 年，中国石油和化学工业已走出 2008 年的低迷状态，特别是随着国家《石化产业调整和振兴规划》的出台，2009 年下半年石油和化学工业企稳向好，生产大幅增长，利润稳步回升。2009 年全国石油和化学工业企业数（规模以上，下同）35222 家，比 2008 年的 34567 家增长 15.11%；工业总产值 64953.12 亿元（现行价格），比 2008 年的 65182.88 亿元增长 -0.4%，基本持平，实属不易；工业销售产值 63774.37 亿元（现行价格），比 2008 年的 62913.62 亿元增长 -1.23%；产品销售率 98.2%，上升 0.2 个百分点。全国石油和化学工业进出口总额 3122.8 亿美元，比 2008 年大幅下降 26.7%，贸易逆差 1620.1 亿美元，比 2008 年减少 15.3 亿美元。

2009 年，经济危机为我国企业海外并购提供了绝好良机。2009 年 2 月，中石油以 4.99 亿美元收购加拿大油气公司 VerenEnergy 在利比亚的石油资产；4 月，中石油联手哈萨特斯坦国家油气公司，收购了曼格什套石油天然气公司全部股权；6 月，中石油以 10.2 亿美元收购新加坡石油公司45.51股份；同月，中石化耗资72.4亿美元购得瑞士Addax石油公司普通股。

2009年，中石油、中石化、中海油、中国中化、陕西延长等五大公司全年主营业务收入3.12万亿元，比2008年仅下降了5.6%，利润总额2680.42亿元，增长8%，成效卓著，为全行业企稳回升发挥了龙头作用。

2009年，我国石化产业的格局未发生大的变化，重心仍在东部沿海一带，但部分产业正由东部向中西部地区转移。山东省、江苏省、广东省和辽宁省，四省的行业产值合计已达全行业总产值的46.2%；内蒙古自治区、江西省、四川省和湖北省等中西部省区的增速已位于全国前列。

2009年，化工行业比较大的问题是生产能力过剩。据统计，50%的石化产品供需基本平衡，20%的产品供过于求，只有30%的产品供不应求。纯碱生产能力过剩27.4%、烧碱过剩33.4%、硫酸过剩25.2%、聚氯乙烯过剩超过40%、黄磷过剩61.8%、甲醇过剩50%、电石过剩30%、焦炭过剩也超过30%。调整产业结构，合理布局，治愈生产能力过剩仍是我国要尽快解决的难题。

一、2009年石油和化工行业经济运行情况

（一）工业总产值

2009年，全国国有及年销售收入500万元以上的非国有（以下简称规模以上企业）石油和化学工业企业完成工业总产值（当年价格）64953.12亿元，比2008年增长-0.4%。绝大数行业与产品的工业总产值，比2008年有所增长。其中，化学工业实现工业总产值40159.72亿元，增长9.2%，是2009年石油和化学工业经济运行的一大亮点；有机肥料及微生物肥料制造实现工业总产值236.95亿元，增长49.4%；专项化学用品制造3515.33亿元，增长30.2%。

2009年全国石油和化学工业总产值（当年价格）

表1　　单位：亿元

行业名称	2008年	2009年	2009年比2008年增长（%）
石油和化学工业合计	65182.88	64953.12	-0.4
天然原油和天然气开采	8981.45	6052.85	-32.6
原油加工及石油制品制造	18340.63	17626.99	-3.9
人造原油生产	27.30	28.70	5.1
石油钻采专用设备制造	1059.16	1084.86	2.4
化学工业合计	36774.34	40159.72	9.2
化学矿采选	191.65	213.35	11.3
基本化学原料制造业	9321.76	9579.21	2.8
无机酸制造	569.11	478.45	-15.9
无机碱制造	1096.11	990.63	-9.6
无机盐制造	1158.74	1212.43	4.6
有机化学原料制造	5291.58	5549.40	4.9
其他基础化学原料制造	1206.23	1348.31	11.8
化学肥料制造业	4433.51	4578.48	3.3
氮肥制造	1793.94	1757.69	-2.0
磷肥制造	465.78	404.44	-13.2
钾肥制造	174.54	200.72	15.0
复混肥料制造	1794.84	1928.55	7.4
有机肥料及微生物肥料制造	158.57	236.95	49.4
其他肥料制造	45.83	50.12	9.4

续表

行业名称	2008 年	2009 年	2009 年比 2008 年增长（%）
化学农药制造业	1286.25	1331.74	3.5
化学农药制造	1158.24	1182.16	2.1
生物化学农药及微生物农药制造	128.01	149.58	16.8
涂料、油墨、颜料及类似产品制造	2898.78	3198.40	10.3
涂料制造	1627.00	1859.10	14.3
油墨及类似产品制造	210.76	230.62	9.4
颜料制造	349.98	387.53	10.7
染料制造	564.62	567.00	0.4
密封用填料及类似品制造	146.43	154.16	5.3
合成材料制造业	5712.48	6051.87	5.9
初级形态的塑料及合成树脂制造	3620.84	3923.02	8.3
合成橡胶制造	364.42	441.33	21.1
合成纤维单（聚合）体的制造	1462.93	1395.67	-4.6
其他合成材料制造	264.28	291.85	10.4
专用化学品制造业	8144.49	9839.93	20.8
化学试剂和助剂制造	3151.18	3662.89	16.2
专项化学用品制造	2700.90	3515.33	30.2
林产化学产品制造	236.24	298.93	26.5
炸药及火工产品制造	724.04	939.06	29.7
信息化学品制造	603.49	728.12	20.7
环境污染处理专用药剂材料制造	87.22	76.16	-12.7
动物胶制造	55.61	65.07	17.0
其他专用化学产品制造	585.80	554.38	-5.4
橡胶制品业	4228.61	4767.86	12.8
轮胎	2150.57	2437.41	13.3
车辆、飞机及工程机械轮胎制造	2052.27	2306.01	12.4
力车胎制造	71.92	92.29	28.3
轮胎翻新加工	26.39	39.11	48.2
橡胶板、管、带的制造	513.99	606.11	17.9
橡胶零件制造	395.99	457.59	15.6
再生橡胶制造	141.57	152.77	7.9
日用及医用橡胶制品制造	202.95	232.27	14.4
橡胶靴鞋制造	454.30	471.06	3.7
其他橡胶制品制造	369.23	410.65	11.2
炼油、化工生产专用设备制造	429.92	466.56	8.5
橡胶加工专用设备制造	126.90	132.31	4.3

（二）工业销售产值

2009年全国石油和化学工业产品销售产值快速增长，实现产品销售产值63774.37亿元（当年价格），比2009年增长1.4%。其中原油加工及石油制品制造销售产值17476.60亿元，增长-3.7%；化学工业销售产值为39218.84亿元，增长9.5%。销售产值增长最大的是有机肥料及微生物肥料制造，销售产值由2008年的154.01亿元，增长到2009年的231.69亿元，增长高达50.4%。

2009年全国石油和化学工业销售产值（当年价格）

表2 单位：亿元

行业名称	2008年	2009年	2009年比2008年增长（%）
石油和化学工业合计	62913.62	63774.37	1.4
天然原油和天然气开采	7902.64	6023.13	-23.8
原油加工及石油制品制造	18150.78	17476.60	-3.7
人造原油生产	26.66	28.29	6.1
石油钻采专用设备制造	1002.39	1027.51	2.5
化学工业合计	35831.15	39218.84	9.5
化学矿采选	184.11	202.64	10.1
基本化学原料制造业	9085.49	9325.42	2.6
无机酸制造	559.17	455.67	-18.5
无机碱制造	1072.81	970.82	-9.5
无机盐制造	1123.02	1165.18	3.8
有机化学原料制造	5167.90	5448.85	5.4
其他基础化学原料制造	1162.60	1284.90	10.5
化学肥料制造业	4256.28	4486.51	5.4
氮肥制造	1754.49	1740.20	-0.8
磷肥制造	430.28	405.16	-5.8
钾肥制造	143.91	165.24	14.8
复混肥料制造	1729.05	1895.31	9.6
有机肥料及微生物肥料制造	154.01	231.69	50.4
其他肥料制造	44.56	48.91	9.8
化学农药制造业	1237.72	1290.04	4.2
化学农药制造	1115.49	1145.58	2.7
生物化学农药及微生物农药制造	122.23	144.45	18.2
涂料、油墨、颜料及类似产品制造	2824.30	3104.68	9.9
涂料制造	1588.83	1814.08	14.2
油墨及类似产品制造	204.78	226.20	10.5
颜料制造	337.98	366.21	8.4
染料制造	547.85	547.51	-0.1
密封用填料及类似品制造	144.86	150.67	4.0
合成材料制造业	5655.67	5949.20	5.2
初级形态的塑料及合成树脂制造	3559.37	3849.97	8.2
合成橡胶制造	360.83	430.13	19.2

续表

行业名称	2008 年	2009 年	2009 年比 2008 年增长（%）
合成纤维单（聚合）体的制造	1473.68	1383.17	-6.1
其他合成材料制造	261.78	285.92	9.2
专用化学品制造业	7917.94	9600.11	21.2
化学试剂和助剂制造	3074.38	3593.15	16.9
专项化学用品制造	2618.21	3432.58	31.1
林产化学产品制造	226.69	286.36	26.3
炸药及火工产品制造	712.41	923.36	29.6
信息化学品制造	576.22	685.55	19.0
环境污染处理专用药剂材料制造	84.71	74.06	-12.6
动物胶制造	54.22	63.06	16.3
其他专用化学产品制造	571.10	541.98	-5.1
橡胶制品业	4144.00	4680.28	12.9
轮胎	2115.66	2404.31	13.6
车辆、飞机及工程机械轮胎制造	2018.68	2275.91	12.7
力车胎制造	70.99	90.32	27.2
轮胎翻新加工	25.99	38.08	46.5
橡胶板、管、带的制造	497.96	588.26	18.1
橡胶零件制造	386.92	443.88	14.7
再生橡胶制造	137.15	149.70	9.2
日用及医用橡胶制品制造	200.82	230.43	14.7
橡胶靴鞋制造	445.72	461.27	3.5
其他橡胶制品制造	359.77	402.43	11.9
炼油、化工生产专用设备制造	411.57	451.39	9.7
橡胶加工专用设备制造	114.08	128.59	12.7

二、2009年石油和化工行业主要产品产量

2009 年，全国主要石油、化工及相关行业产品产量，绝大部分都有不同程度的增长。全国天然原油产量为 1.89 亿吨，比 2008 年下降 0.1%；原油加工量 3.75 亿吨，增长 9.5%；乙烯产量 1069.69 万吨，增长 4.3%；合成树脂及共聚物产量（包括聚乙烯、聚丙烯、聚氯乙烯）3603.24 万吨，增长 15.1%；合成橡胶产量 275.50 万吨，增长 15.6%；合成纤维单体产量（包括对苯二甲酸、乙二醇、丙烯腈、己内酰胺、尼龙 66 盐）1171.87 万吨，增长 20.7%；合成纤维共聚物产量 1302.11 万吨，增长 12.5%；合成纤维产量（包括涤纶、腈纶、锦纶、维纶和丙纶）2494.05 万吨，增长 11.3%；随着数码技术的进步与普及，照像胶卷产量继续大幅下降，已不在国家统计局统计范围之内。

2009 年全国石油和化学工业主要产品产量

表 3 单位：万吨

产品名称	2008 年	2009 年	2009 年比 2008 年增长（%）
天然原油	18972.81	18948.97	-0.1
天然气（亿 m^3）	760.81	829.92	9.1
硫铁矿（折含 S35%）	1243.54	1247.94	0.4
磷矿石（折含 $P_2O_5$30%）	5074.07	6020.89	18.7
原油加工量	34206.59	37460.12	9.5
汽油	6347.54	7194.77	13.3
煤油	1165.36	1479.46	27.0
柴油	13323.62	14126.78	6.0
润滑油	640.84	744.46	16.2
燃料油	2228.69	1856.72	-16.7
石油沥青	1477.59	2354.41	59.3
液化石油气	1859.78	1791.69	-3.7
原盐	5535.21	5845.10	5.6
焦炭	32359.24	34501.69	6.6
机械化焦炉生产的焦炭	27615.08	29447.07	6.6
硫酸（折 100%）	5110.11	5958.37	16.6
浓硝酸（折 100%）	183.76	205.57	11.9
盐酸（含量 31% 以上）	757.12	803.46	6.1
氢氧化钠（烧碱，折 100%）	1852.16	1890.99	2.1
离子膜法烧碱	819.04	1034.89	26.4
碳酸钠（纯碱）	1881.30	2001.36	6.4
碳化钙（电石，折 300L/kg）	1360.81	1503.27	10.5
合成氨	4995.14	5135.51	2.8
农用氮、磷、钾化学肥料总计（折纯）	5867.55	6706.19	14.3
氮肥（折含 N100%）	4331.18	4863.68	12.3
尿素	2591.23	2932.42	13.2
磷肥（折合 $P_2O_5$100%）	1258.88	1479.74	17.5
钾肥（折含 K_2O100%）	277.48	362.78	30.7
磷酸铵肥	1386.98	1810.11	30.5
化学农药原药	190.27	226.24	18.9
杀虫剂原药	65.77	79.67	21.1
杀菌剂原药	19.64	23.97	22.0
除草剂原药	61.59	81.59	32.5
乙烯	1025.63	1069.69	4.3
纯苯	403.45	463.77	15.0
精甲醇	1126.28	1133.39	0.6
冰醋酸	254.04	272.06	7.1
涂料	832.67	911.34	9.4
建筑涂料	194.08	261.67	34.8
油墨	43.39	51.46	18.6
颜料	159.73	183.88	15.1

续表

产品名称	2008 年	2009 年	2009 年比 2008 年增长（%）
染料	124.81	142.40	14.1
塑料树脂及共聚物	3129.59	3603.24	15.1
聚氯乙烯树脂	881.64	915.53	3.8
聚乙烯树脂	689.47	812.85	17.9
聚丙烯树脂	733.21	742.36	1.2
合成橡胶	238.30	275.50	15.6
合成纤维单体	970.70	1171.87	20.7
合成纤维聚合物	1156.99	1302.11	12.5
聚酯	1058.31	1152.09	8.9
化学试剂	224.63	362.02	61.2
催化剂	46.45	58.48	25.9
化学原料药	187.29	193.59	3.4
化学纤维	2404.61	2726.06	13.4
粘胶纤维	131.88	151.22	14.7
合成纤维	2241.31	2494.05	11.3
锦纶纤维	101.61	137.27	35.1
涤纶纤维	1924.97	2204.39	14.5
腈纶纤维	60.37	68.39	13.3
维纶纤维	5.47	4.78	-12.6
丙纶纤维	25.99	26.38	1.5
轮胎外胎（万条）	54614.52	65464.12	19.9
子午线轮胎外胎（万条）	25744.31	29803.64	15.8
胶鞋（万双）	198122.15	199708.71	0.8
塑料制品	4048.58	4479.28	10.6
塑料薄膜	590.10	690.43	17.0
农用薄膜	93.91	119.34	27.1
塑料板片材	301.07	320.26	6.4
塑料丝及编织制品	477.18	581.56	21.9
塑料人造革	160.47	184.82	15.2
泡沫塑料	170.83	187.05	9.5
塑料包装箱及容器	227.48	274.49	20.7
日用塑料制品	501.88	544.18	8.4
塑料制管子及其附件	488.01	580.37	18.9
塑料加工设备	25.32	20.50	-19.0
肥（香）皂	74.75	88.33	18.2
合成洗涤剂	633.88	692.87	9.3
合成洗衣粉	335.30	380.23	13.4
香精及其他香料混合物（香精）	23.51	26.46	12.5
牙膏（折65g标准支）（万支）	718939.01	741234.04	3.1
火柴（折50支标准盒）（万件）	517.81	530.55	2.5
平板玻璃（万箱）	55184.63	56073.29	1.6
氧化铝	2278.82	2382.61	4.6

注：表中数据为国家统计局快报数据。

三、2009年石油和化工行业进出口贸易情况

2009年，全球金融危机尽管有所缓和，但对石油和化工产品的需求疲软亦然，使我国进出贸易受到极大的影响，特别是出口，比2008年大幅降低63.2%。全国石油和化学工业进出口总额3122.8亿美元，比2008年大幅下降26.7%。其中，进口2302.5亿美元，降低29.8%；出口820.3亿美元，降低63.2%；贸易逆差1620.1亿美元，比2008年减少15.3亿美元。

进口金额居前列的行业为：天然原油和天然气开采，进口924.3亿美元，占石油和化学工业进口总额的40.1%；合成材料，进口399.6亿美元，占17.4%；有机化工原料，进口365.9亿美元，占15.9%。

出口金额居前3名的行业为有机化工原料、橡胶制品和专用化学品，出口额分别为183.6亿美元、105.5亿美元和78.8亿美元，在石油和化学工业出口总额中所占比重分别为22.4%、12.9%和9.6%。

2009年全国石油和化学工业产品进出口金额

表4　　单位：万美元

行业（产品）名称	进口金额	同比增长（%）	出口金额	同比增长（%）
石油和化学工业	23025487.12	-29.78	8203069.59	-63.18
天然原油和天然气开采	9243296.55	-42.67	315322.85	-19.12
石油加工及炼焦制品	1825736.85	-73.80	1378836.10	-53.66
化工产品小计	11956453.73	-4.78	6508910.62	-39.83
基础化学原料	553401.72	-60.02	787044.53	-70.05
有机化学原料	3658806.32	-8.37	1836411.31	-27.78
化肥	198344.67	-74.88	260796.77	-69.17
涂料、油墨、颜料	359300.21	-11.94	306639.45	-21.10
日用化学品	159258.88	-0.72	314495.45	-4.35
专用化学品	1272175.85	-5.42	788169.06	-19.72
农药	33384.95	11.53	142082.38	-48.27
合成材料	3996078.93	-0.71	518722.18	-39.73
橡胶制品	881736.84	-21.93	1054971.70	-235.58
化工生产专用设备	448489.06	-25.87	351003.42	-15.64
化学矿	81128.05	-395.63	48545.23	-160.65
其他化学制品	314348.25	-3.62	100029.14	-14.32

四、2009年石油和化工行业投资项目

2009年，石油和化学工业投资仍然呈较快增长势头，全国石油和化学工业施工项目13366个，比2008年增长20.7%；新开工项目9447个，增长29.9%；竣工项目8051个，增长48.7%。

2009年石油和化学工业投资项目

表5　　　　单位：个

行　业	本年施工项目数	同比增长（%）	本年新开工项目数	同比增长（%）	本年竣工项目数	同比增长（%）
总　计	13366	20.66	9447	29.91	8051	48.71
天然原油和天然气开采	254	6.72	151	9.42	125	28.87
化学矿采选业	143	-2.72	101	0.00	89	17.11
石油加工业	1030	37.88	636	40.09	530	82.76
原油加工及石油制品制造	983	36.15	597	36.30	509	84.42
人造原油生产	47	88.00	39	143.75	21	50.00
基础化学原料制造业	2924	16.22	2061	28.57	1770	41.71
无机酸制造	378	19.24	266	26.07	238	54.55
无机碱制造	246	24.24	160	68.42	141	85.53
无机盐制造	527	42.82	406	46.04	330	72.77
有机化学原料制造	1092	-2.15	738	6.80	653	8.65
其他基础化学原料制造	681	31.98	491	49.70	408	79.74
化学肥料制造业	1781	30.38	1346	35.55	1098	60.29
氮肥制造	396	3.66	245	2.51	232	42.33
磷肥制造	219	36.02	180	40.63	137	85.14
钾肥制造	54	31.71	34	61.90	32	113.33
复混肥料制造	589	28.04	464	31.44	377	47.84
有机肥料及微生物肥料制造	393	78.64	322	90.53	239	106.03
其他肥料制造	130	27.45	101	21.69	81	30.65
化学农药制造业	474	12.06	333	23.33	272	35.32
化学农药制造	335	17.54	249	36.07	195	32.65
生物化学农药及微生物农药制造	139	0.72	84	-3.45	77	42.59
涂料、油墨、颜料及类似产品制造业	1148	26.85	847	36.83	719	61.94
涂料制造	732	25.56	543	36.09	451	52.36
油墨及类似产品制造	77	50.98	55	66.67	46	130.00
颜料制造	116	20.83	81	32.79	81	107.69
染料制造	143	37.50	108	42.11	90	80.00
密封用填料及类似品制造	80	12.68	60	20.00	51	30.77
合成材料制造	780	16.59	526	31.50	444	63.84
初级形态的塑料及合成树脂制造	401	53.05	285	109.56	240	128.57
合成橡胶制造	117	-23.03	81	-28.95	62	3.33
合成纤维单（聚合）体的制造造	92	-1.08	50	-1.96	47	23.68
其他合成材料制造	170	4.94	110	11.11	95	39.71
专用化学产品制造业	2711	18.38	1936	27.87	1672	43.64
化学试剂和助剂制造	936	22.03	712	36.66	592	39.62
专项化学用品制造	805	17.01	585	29.14	518	41.92
林产化学产品制造	189	16.67	113	14.14	99	54.69
炸药及火工产品制造	179	27.86	86	1.18	87	67.31
信息化学品制造	102	29.11	78	59.18	66	57.14
环境污染处理专用药剂材料制造	55	12.24	41	2.50	33	43.48
动物胶制造	445	9.88	321	20.22	277	42.78

续表

行　业	本年施工项目数	同比增长（%）	本年新开工项目数	同比增长（%）	本年竣工项目数	同比增长（%）
橡胶制品业	1366	13.64	950	18.45	844	33.12
轮胎制造	325	12.46	193	21.38	145	25.00
车辆、飞机及工程机械轮胎制造	233	7.87	121	14.15	90	18.42
力车胎制造	36	38.46	25	56.25	18	63.64
轮胎翻新加工	56	19.15	47	27.03	37	27.59
橡胶板、管、带的制造	350	23.67	267	27.14	245	48.48
橡胶零件制造	249	16.90	182	23.81	165	30.95
再生橡胶制造	78	-4.88	62	-1.59	54	-10.00
日用及医用橡胶制品制造	71	0.00	44	-10.20	47	62.07
橡胶靴鞋制造	62	0.00	47	20.51	41	20.59
其他橡胶制品制造	231	14.36	155	14.81	147	41.35
石油钻采专用设备制造	465	35.96	345	41.98	302	52.53
炼油、化工生产专用设备制造	220	22.22	169	60.95	153	88.89
橡胶加工专用设备制造	70	34.62	46	53.33	33	37.50

五、2009年石油和化工行业科研情况

2009年，在重大项目科技攻关、引进技术消化吸收与创新、科技成果推广应用以及利用先进技术改造提升传统产业等方面都有了长足的进步。全国石油和化学工业有近钻头地质导向钻井系统与工业化应用等12项成果获国家技术发明奖二等奖；石脑油催化重整成套技术的开发与应用获国家科学技术进步奖一等奖，化学固壁与保护油气储层的钻井液技术及工业化应用等19项获二等奖。中国石油和化学工业协会，科学技术奖322项，其中：技术发明奖22项（一等奖8项、二等奖9项、三等奖5项）；科学技术进步奖300项（一等奖51项、二等奖108项、三等奖141项）。

（撰稿：刘宇）

轻工行业

2009年我国轻工业受到国际金融危机较大冲击，在异常困难的情况下，全行业坚定信心，顽强拼搏，坚决贯彻中央应对国际金融危机的决策部署，积极推动《轻工业调整和振兴规划》（以下简称《规划》）和扶持轻工业政策的出台和实施，有力地遏制了轻工业急剧下滑局面，轻工业整体企稳向好，实现平稳较快增长。

一、2009年轻工行业运行效果好于预期

（一）行业运行企稳向好

轻工业整体生产经营状况转好，已经走出2008年第四季度以来最困难的时期。2009年，轻工业工业总产值107615亿元，同比增长13.5%；工业增加值同比增长11.2%；1—11月实现利润4846亿元，同比增长23.8%，增速比1—2月提高28.0个百分点，比1—8月提高11.8个百分点，增幅高于全国工业平均水平16个百分点；1—11月轻工业平均销售利润率为5.3%，高于上半年同期0.5个百分点，其中，食品工业作为刚性需求行业，实现利润2164亿元，占轻工全行业的44.6%，同比增长29.7%，带动了轻工业整体回升；家电行业受益于“家电下乡”政策的推广，在出口大幅下降的情况下，2009年完成工业产值7433亿元，同比增长6.7%，1—11月实现利润295亿元，同比增长50%。

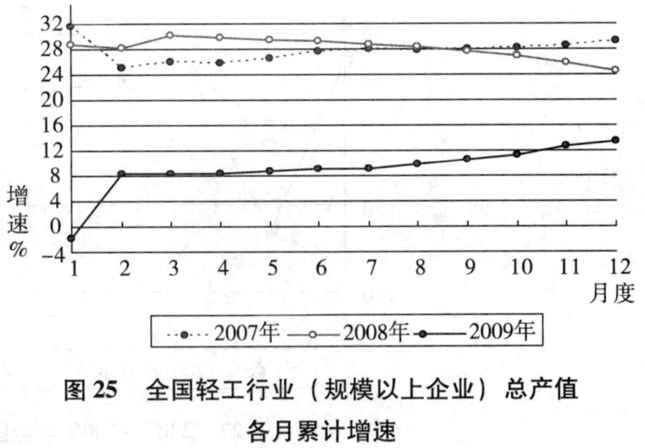

图25　全国轻工行业（规模以上企业）总产值各月累计增速

（二）内需拉动效果明显

轻工产品销售额中内销比重已由2008年的78%上升到2009年的83.5%，提高了5.5个百分点。2009年全国销售“家电下乡”产品3768万台件，实现销售额693亿元。“以旧换新”政策既拉动了内需，也引导了城乡居民消费升级，2009年试点省区市共回收五大类废旧家电403万台，销售五大类新家电（电视机、冰箱冰柜、洗衣机、空调、电脑）共360万台，销售额达141亿元，发放补贴超过14亿元。节能产品惠民工程通过财政补贴推广高效节能产品，让老百姓享受到节电省钱的实惠，照明电器行业2009年推广节能灯达到1.2亿只，销量是2008年的两倍，拉动消费15亿元，此外，农副食品加工，食品制造，饮料制造，皮革、毛皮、羽毛（绒）及其制品，玻璃等行业在出口不畅的情况下，产值增长均在10%以上。

（三）出口降幅逐步收窄

轻工业出口下滑的速度和趋势得到遏制，确保了我国轻工产品在美、欧、日等主要国际市场份额的基本稳定。出口呈现环比逐季回升、降幅收窄的态势。据海关统计，2009年轻工产品出口2778亿美元，同比负增长10.2%。比1—2月、1—8月分别收窄4.9和3.0个百分点，明显小于全国出口16.0%的降幅。食品饮料、家具、家电等行业是轻工产品出口的重点行业，食品饮料出口负增长从1—2月－17.5%回升至1—12月的－6.3%，收窄11.2个百分点；家具从－13.2%回升至－6.0%，收窄了7.2个百分点；家电从－20.3%回升至－13.3%，收窄了7.0个百分点。

（四）吸纳就业成效显著

据中国轻工业联合会2008年12月对皮革、塑料等35个行业的调查，当时由于企业经营困难，影响到约300万职工的就业，给社会稳定带来较大隐患。《规划》实施后，全行业经营状况好转，开工率提高，特别是广大中小企业生产和经营逐步恢复，轻工业产业集群和特色区域快速发展，吸纳就业的能力迅速增强。据统计，2009年11月末，规模以上轻工业企业从业人员达到2067万人，比2月末增加了184万个就业岗位，占全国城镇规模以上企业新增就业人数的18.2%。

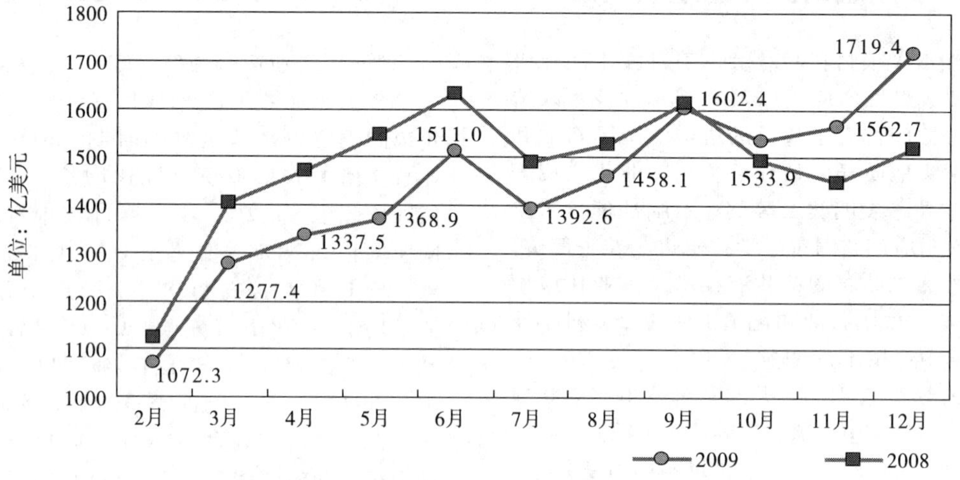

图26　2009年1—12月轻工行业出口交货值月度走势

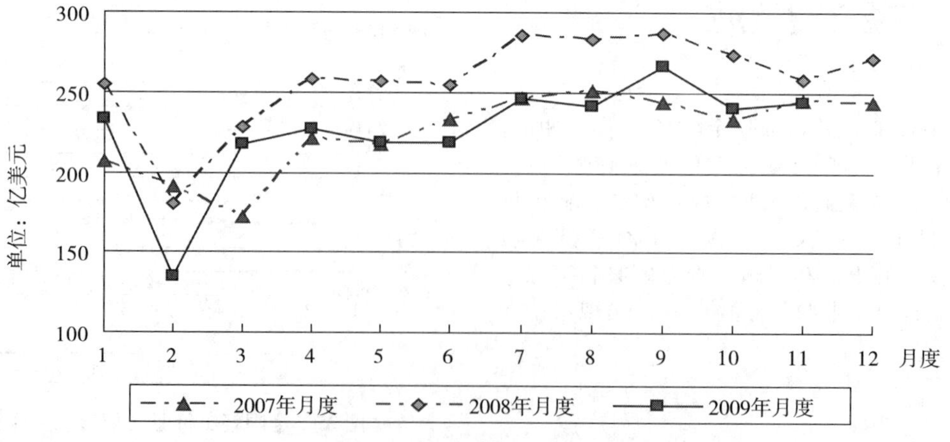

图27　2007—2009年全国轻工业主要商品出口值月度情况

2009 年轻工行业主要经济指标

表 1

主要经济指标	计算单位	2009 年	比 2008 年增长（%）
一、全国轻工业规模以上工业企业产销总值			
汇总企业单位数	万个	12.28	
工业总产值（当年价格）	亿元	107614	13.52
其中：新产品产值	亿元	7032	14.78
工业销售产值（当年价格）	亿元	104704	13.40
其中：出口交货值	亿元	17117	-5.21
产品销售率	%	97.30	-0.11
出口交货值占工业销售产值比重	%	16.35	-16.41
新产品产值占工业总产值比重	%	6.53	1.10
二、全国轻工行业主要商品海关进出口总值			
轻工行业主要商品进出口总值	亿美元	3505	-9.96
其中：出口总值	亿美元	2778	-10.15
进口总值	亿美元	727	-9.19
进出口差额（+出超、—入超）	亿美元	2052	-10.49
出口占进出口总值比重	%	79.27	-0.22
进口占进出口总值比重	%	20.73	0.85

2009 年全国轻工行业主要产品产量

表 2

产品名称	单位	2009 年产量累计	比 2008 年增长（%）
原盐	吨	58450994	5.60
成品糖	吨	13228866	-8.49
糖果	吨	1453133	19.98
糕点	吨	980381	6.41
饼干	吨	3430728	18.59
速冻米面食品	吨	2477332	18.75
方便面	吨	5737762	11.53
乳制品	吨	19351161	12.88
其中：液体乳	吨	16416413	13.49
罐头	吨	7450655	19.45
味精（谷氨酸钠）☆	吨	2549806	10.84
酱油	吨	5033041	28.86
发酵酒精（折 96 度，商品量）	千升	7317360	6.06
饮料酒	千升	51885558	9.50
其中：白酒（折 65 度，商品量）	千升	7069307	23.82
啤酒	千升	42363769	7.09
黄酒	千升	1062906	13.99
葡萄酒	千升	960016	27.63
软饮料	吨	80862052	24.33
其中：碳酸饮料☆	吨	12542429	7.09

续表

产品名称	单位	2009 年产量累计	比 2008 年增长（%）
果汁和蔬菜汁饮料 *	吨	14476085	
包装饮用水类	吨	31590310	24.60
冷冻饮品	吨	2338978	6.03
精制茶	吨	1193236	17.32
羽绒服	万件	24302	4.35
轻革	平方米	692046918	0.44
皮革鞋靴	万双	354617	-1.94
皮革服装	件	56123452	6.61
天然皮革手提包（袋）、背包	万个	79276	-8.73
天然毛皮服装	件	2500876	21.74
家具	件	608143574	4.85
其中：木质家具	件	205010557	4.50
软体家具	件	36833806	6.37
金属家具	件	333664678	5.68
纸浆（原生浆及废纸浆）	吨	19345571	-0.44
机制纸及纸板	吨	93887411	12.11
其中：未涂布印刷书写用纸 *	吨	8760439	0.59
其中：新闻纸	吨	4896031	-7.72
卫生用纸原纸 *	吨	2104795	
箱纸板	吨	13911399	8.16
纸制品	吨	39223165	14.91
其中：瓦楞纸箱（纸箱）☆	吨	21771989	11.82
本册	万本	986106	5.71
木杆铅笔	万支	2095198	21.43
油墨	吨	514606	10.00
肥（香）皂	吨	883254	14.48
合成洗涤剂	吨	6928728	9.31
其中：合成洗衣粉	吨	3802339	7.46
香精 *	吨	264638	15.87
牙膏（折 65 克标准支）	万支	741234	2.86
火柴（折 50 支标准盒）	件	5305520	2.46
塑料制品	吨	44792763	10.64
其中：塑料薄膜	吨	6904337	12.06
其中：农用薄膜	吨	1193412	18.39
塑料板片及类似型材 *	吨	3202580	6.37
塑料制管子及其附件 *	吨	5803665	18.92
塑料丝、绳及编织品 *	吨	5815626	26.58
塑料人造革、合成革 *	吨	1848160	15.17
泡沫塑料	吨	1870542	15.81

续表

产品名称	单位	2009 年产量累计	比 2008 年增长（%）
塑料包装箱及容器	吨	2744856	20.67
日用塑料制品	吨	5441831	8.43
日用玻璃制品	吨	11638866	1.67
玻璃保温容器	万个	61015	5.69
卫生陶瓷制品☆	件	177682429	12.31
日用陶瓷制品☆	万件	2046607	28.43
搪瓷制品☆	吨	583629	8.64
日用不锈钢制品	吨	1927577	2.13
锁具	万把	159310	3.89
家用燃气灶具	台	26384310	-5.07
家用燃气热水器	台	11594091	6.65
缝纫机	台	10230564	-13.04
两轮脚踏自行车☆	辆	52892001	-14.79
电动自行车*	辆	7185756	12.92
铅酸蓄电池	千伏安时	119302547	22.78
碱性蓄电池☆	只（自然只）	381679785	-18.79
锂离子电池	只（自然只）	1875173241	-1.91
原电池及原电池组（折 R20 标只）	万只	2904219	-5.57
灯具及照明装置	套（台、个）	2078136488	1.72
电光源	万只	1639629	-2.6
其中：灯泡	万只	272586	-18.43
家用洗衣机	台	49358246	12.96
家用吸尘器	台	56694235	-10.37
家用电冰箱	台	60635546	18.80
家用冷柜（家用冷冻箱）	台	12580359	23.84
家用电风扇	台	143653272	0.80
房间空气调节器	台	81532809	-4.12
家用吸排油烟机☆	台	16847449	2.68
家用电热水器☆	台	19892311	15.67
微波炉	台	60382069	-3.96
电饭锅	个	149569346	12.54
家用电热烘烤器具	个	149328834	-11.90
电冷热饮水机	台	17140623	11.85
钟	只	144550196	-12.75
表	只	133063707	-12.94
眼镜成镜（眼镜）☆	副	447629827	-16.91
伞类制品☆	把	845818456	-5.85

注：*是 2009 年产量统计新增产品，数据仅供参考；☆是 2009 年产量统计更名产品，数据与上年不完全可比。

2009 年全国轻工行业主要商品海关出口进口值

表 3　　单位：万美元

商品分类名称	累计出口值	同比增长（%）	累计进口值	同比增长（%）
全国轻工行业出口、进口总计	27783753	-10.15	7265814	-9.19
纸浆、纸及纸制品	662271	-3.15	1104881	-1.47
日用机械	759171	-14.92	201196	-17.70
日用硅酸盐	787134	-1.15	45971	-8.09
日用化学产品	1065149	-19.20	864500	-12.01
制盐	6457	6.61	6842	-14.42
食品饮料	2673145	-6.28	2023608	-9.93
皮革、毛皮及其制品	2582765	-11.64	438703	-16.58
木制品及其他天然植物制品	299399	-10.17	5873	-13.65
家具	2595804	-6.00	129680	6.22
文教体育用品	3233301	-18.38	159298	-11.66
工艺美术品	1311162	-8.89	95289	5.15
塑料制品	3343077	-5.44	1155694	-3.74
金属制轻工业品	1979704	-15.61	163141	-12.47
家用电器	3132446	-13.27	280385	-12.08
照明器具	1428072	-12.77	204080	-1.16
衡器及其零配件	69277	-12.21	8350	3.28
日用杂品	951127	-0.89	91246	-6.25
轻工机械	201186	-18.40	279428	-29.69
其他	703108	30.04	7650	-2.59

二、《规划》工作任务得到推动和落实

根据《规划》中确定的工作任务，充分发挥协会的作用，配合政府有关部门主动工作，着力推动相关任务的落实。

（一）举行业之力整体推动任务的落实

主动与发改委、科技部、工信部、财政部等部委衔接，组织协调各方力量推进《规划》中相关政策和任务的落实。争取提高出口退税率政策惠及更多的行业和产品；协调解决造纸、制糖、饮料等行业的涉农产品收储问题；推动“家电下乡”活动，争取更多的轻工产品下乡；促进扶持各类中小企业的资金向轻工行业倾斜；协调落实技术改造专项、节能减排专项、重点装备自主化专项、食品安全监测能力建设专项等；落实重点行业技术创新与产业化专项，推进相关行业技术创新服务平台和技术创新战略联盟的组建和建设；组织协会、标准化组织落实相关的标准项目。在这个过程中，注意动态反映行业政策性问题，如经向财政、税务部门反映并获批准，化妆品、饮料企业广告费和业务宣传费税前抵扣率由 15% 提高到 30% 等。

（二）推进技改项目和轻工中小企业发展资金项目

国家审查并下达了中央地方投资和中小企业发展专项资金技术改造项目共 1453 项，项目数占全国技术改造项目的 32.7%；项目总投资 774.8 亿元，占全国技术改造项目投资的 12.3%；中央财政安排专项资金 31.4 亿元，占中央财政安排专项资金的 16.7%。中央投资和中小企业发展专项资金扶持轻工重点行业实施技术改造，带动社会和企业投资合计 743 亿元，是中央投资的近 25 倍。

（三）食品工业企业诚信体系建设工作取得初步进展

认真贯彻《食品安全法》，配合十部委联合在人民大会堂举办《食品工业企业诚信体系建设工作指导意见》发布暨试点启动仪式，共同推进以河南省肉类加工行业和黑龙江省乳制品行业的企业为试点的食品工业企业诚信体系建设。制定了《乳制品企业诚信体系建设评价准则》，乳制品质量安全监控系统列入国家发改委的技术改造计划。同时参与清理整顿食品添加剂和非法添加物的工作，完成 19 项食品添加剂标准的制修订任务。食品添加剂的安全生产和使用得到进一步规范，食品工业企业的诚信守法意识得到进一步提高。

（四）推动产业有序转移

家电、皮革、陶瓷和发酵等传统优势行业开始由沿海地区向中西部地区转移。在承接东部沿海产业转移的推动下，安徽建立“合肥家电工业园”、重庆建立了“中国西部鞋都工业园”等。在产业的有序转移和有效承接中，四川、湖北、安徽等中西部省市轻工业得到了快速发展，总产值累计增幅近30%。同时积极探索发展产业集群的新模式。2009年8月，中轻联、辽宁省政府、皮革协会、阜新市政府四方签署协议，共同培育“承接转移—中国制革示范基地·阜新”，建设集中生产、统一治污、符合循环经济发展模式的产业集群，探索资源枯竭型城市经济转型和劳动密集型产业有序转移的有机结合。《规划》发布以来，已新培育“中国家电产业基地”、“中国工艺礼品产业基地”、“中国传统工艺美术特色基地”、“中国提琴产业基地”、“中国（宜宾）白酒之都”等16个产业集群，加快涵养轻工业新的经济增长点。

（五）加强科技、标准和质量工作

组织开展“十一五”国家科技支撑计划项目实施工作。向科技部重点推荐了对行业科技进步推动作用大的5项关键技术。根据科技部要求，参加首批技术创新服务平台试点工作，申报了“日用化工技术产业创新服务平台”和“中国轻工重点行业技术创新服务平台”。向科技部申报了《造纸装备产业技术创新联盟组建方案》《包装装备产业技术创新联盟组建方案》和《制糖产业技术创新联盟组建方案》。积极参加科技部“十二五”科技规划前期研究工作，组织造纸、洗涤用品（表面活性剂）、皮革、塑料、照明电器、陶瓷和家电7个行业参加新材料领域科技规划前期研究工作。组织开展2009年度中国轻工业联合会科学技术奖励工作。召开轻工院校科研院所座谈会，交流探讨加强联动工作，促进人才、科技支撑作用的发挥，并祝贺孙宝国、石碧当选为工程院院士，促使产学研的合作在更大范围内得到实效。

截至2009年底，完成国家标准报批286项、行业标准110项，及时召开了全国轻工标准化工作会议。组织完成部分加工贸易单耗标准评审工作，并通过审定。与工信部、国家质检总局衔接，配合“质量和安全年”活动的开展，制定了《关于进一步加强轻工产品质量工作的实施意见》。积极开展轻工业标准体系的研究和制定，参加国家标准委《贯彻落实〈轻工业调整和振兴规划〉标准化工作方案》的研究和制定。进一步加强生产许可证管理和轻工现有各行业检测站的监督管理。

（六）推进节能减排

一是发挥舆论导向作用，加强行业节能减排宣传。2009年7月16日，中国轻工业联合会和中国洗涤用品工业协会联合举行了浓缩洗衣粉标志及市场推广新闻发布会，推广浓缩洗衣粉。浓缩洗衣粉比传统标准洗衣粉体积缩小一倍，去污效果增加一倍，单次洗涤成本更低。同时，生产能耗仅相当于普通洗衣粉的四分之一。2009年12月4日，中国轻工业联合会和中国皮革工业协会、中国电池工业协会、中国照明电器协会在北京联合举办了“推进轻工行业节能减排新闻发布会”，有关部委的相关负责人参加会议并讲话。轻工产品与人们的日常生活密切相关，通过新闻发布会的形式让全社会各个方面了解轻工相关行业开展的节能减排工作，进一步推动行业节能减排工作的开展。

二是深入企业调研，发现推广典型经验。与工信部联合在广州珠江啤酒股份公司联合召开“酿酒行业推行清洁生产现场交流会议”，推动相关行业清洁生产、节能减排工作的深入开展。造纸、啤酒等行业实现了增产不增污，既产量增长但排放污染物总量的下降。积极配合工信部组织专家对以麦草浆为主要原料的山东泉林纸业公司的循环经济经验进行了调研总结，提出了相关建议。

三是配合相关政府部门，开展节能减排工作。配合发改委组织国家清洁生产轻工业专家的申报工作，组织重点节能技术（第二批）的申报工作。受工信部委托，制定造纸、发酵、酿酒行业的清洁生产推行方案。协助工信部对各省市上报的35项轻工行业清洁生产示范项目组织了相关行业专家评审，并向工信部重点推荐了8个示范项目，主要涉及造纸、发酵和酿酒3个行业。

四是承担政府相关节能减排课题研究，摸清家底，为政府相关部门提供政策措施建议。先后完成发改委下达的“轻工重点行业节水综合措施（模式与政策）研究”课题和“轻工业产业政策研究课题”，节能减排方面涉及造纸、皮革、电池、发酵、制糖、罐头、饮料、酿酒、日用陶瓷和日用玻璃等10个行业。承担工信部组织的“重点行业节能减排技术评估与应用研究”国家科技支撑项目中的“轻工行业节能减排技术筛选与评估”课题，包括造纸、发酵、酿酒、制糖、皮革、电池、制盐等7个行业。组织造纸、发酵、制糖、皮革、家电和电池6个行业参加科技部“十二五”循环经济和资源与环境领域两个科技规划前期研究工作。

（七）加强产业政策引导

按照《规划》要求，为促进制革、家电、农膜行业结构调整和产业转型升级，实现有序发展，组织行业配合工信部制定出台《关于制革行业结构调整的指导意见》《加快我国家用电器行业转型升级的指导意见》《农用薄膜行业准入条件》；配合发改委、工信部对《乳制品工业产业政策》进行了修订。组织行业对发改委、工信部等10部委共同制定下发的《食品工业企业诚信体系建设指导意见》贯彻落实。

（八）鼓励兼并重组和淘汰落后

鼓励规模效益型行业中有实力的企业在全国范围内进行跨省跨地区重组兼并，向集团化、特色化、多元化方向发展。如中粮集团联手厚朴基金投资61亿港币收购蒙牛公司20%的股权，成为蒙牛第一大股东，这不仅有利于行业重组和升级，而且避免了外资并购造成的产业安全问题；山东华泰纸业股份公司兼并了年产30万吨新闻纸的河北诺斯克纸业公司，成为造纸产业实现规模化生产、做大做强的又一成功范例。参与工信部2009年淘汰落后产能任务的编制工作，下达淘汰落后产能计划造纸50.7万吨，酒精35.5万吨，味精3.5万吨，柠檬酸0.8万吨。据辽宁、河北和大连市等省市反映已陆续关闭了一批小造纸企业。

（撰稿：李培松）

纺织行业

一、2009年纺织行业运行情况

2009年是我国纺织工业努力克服金融危机影响、在逆境中寻求发展的一年。年初，受到国际金融危机影响，行业产销、投资增速全面下滑，效益严重恶化。但国家围绕“保增长、扩内需、调结构”采取了一系列宏观调控政策，出台了《纺织工业调整和振兴规划》，为我国纺织行业提供了较为宽松的国内发展环境；行业多年来围绕加快产业结构调整、转变发展方式所作的工作取得成效，为行业发展提供了动力和支撑。因此，在全球经济不景气、国际市场持续低迷的情况下，我国纺织行业仍然呈现出企稳回升、发展逐渐向好的良好局面。

（一）生产增速稳步回升

根据国家统计局数据，2009年，我国纺织行业5.3万户规模以上企业累计实现工业总产值37979.89亿元，同比增长10.3%；累计实现工业销售产值37167.07亿元，同比增10.58%。

虽然总产值和销售产值全年累计增速分别较2008年下降了3.43和3.33个百分点，但在2009年内，纺织行业产销增速整体呈现稳步回升趋势。1—2月，规模以上企业工业总产值和工业销售产值同比分别仅增长2.63%和3.13%，为近年来的最低增速，但到11—12月已分别回升至16.7%和18.48%，超过2008年同期水平。

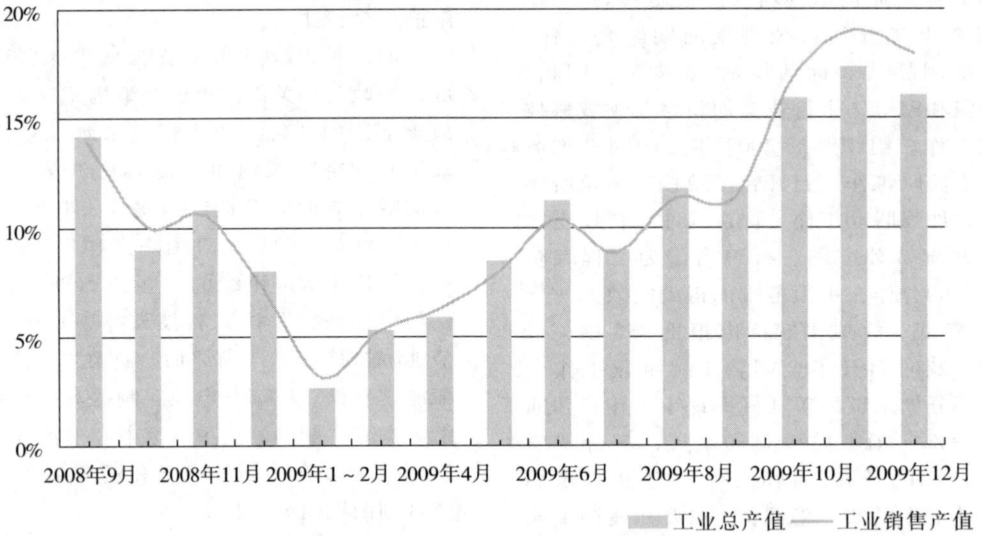

图1 规模以上纺织行业工业总产值、工业销售产值当月同比增长情况

资料来源：国家统计局、中国纺织工业协会统计中心。

主要大类产品产量增速普遍持续回升。根据国家统计局快报数据，2009年化学纤维产量达到2726.06万吨，同比增长14.31%，增速高于2008年12.01个百分点；纱产量达到2405.62万吨，同比增长12.71%，增速高于2008年4.61个百分点；布产量达567.44亿米，同比增长5.27%，已基本接近2008年水平；服装产量为237.50亿件，同比增长6.94%，增速高于2008年2.14个百分点。

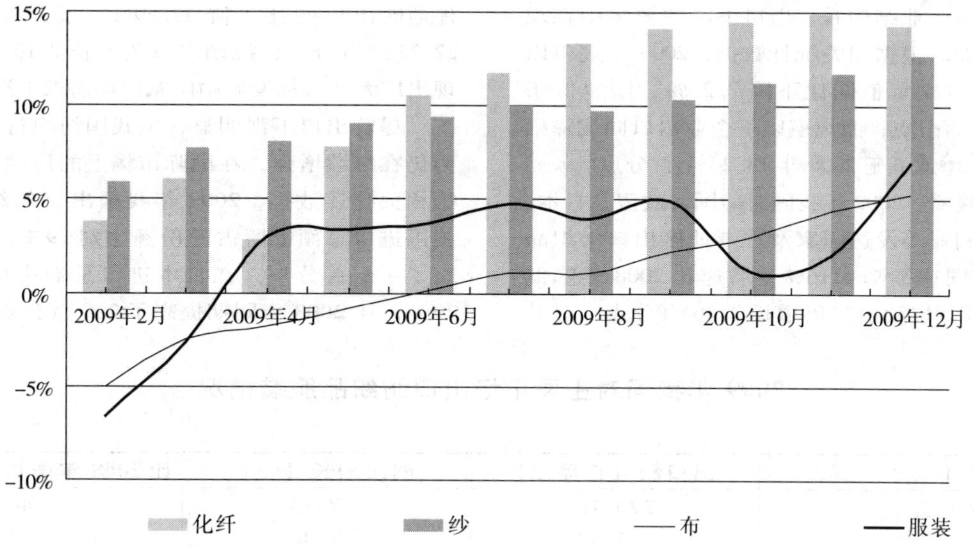

图 2　规模以上纺织行业化纤、纱、布、服装产量分月累计增长情况

资料来源：国家统计局、中国纺织工业协会统计中心。

2009 年规模以上纺织行业主要产品产量

表 1

产品名称	单　位	2009 年产量	同比增长（%）	比 2008 年增长（个百分点）	比 2009 年 1—2 月增长（个百分点）
化学纤维	万吨	2726.06	14.31	12.01	10.47
纱	万吨	2405.62	12.71	4.61	6.80
布	万米	5674382	5.27	-0.07	10.29
印染布	万米	5398042	7.68	4.65	8.70
亚麻布	万米	24453	2.31	5.65	14.11
毛机织物	万米	49506	-4.99	-10.75	-6.94
丝织品	万米	77595	5.90	10.00	-1.64
棉被	万条	7222	13.29		
无纺布	万米	1309817	29.25	8.00	16.72
服装	万件	2375013	6.94	2.14	13.55

注：本表格中数据为快报数据。

资料来源：国家统计局、中国纺织工业协会统计中心。

（二）出口持续负增长

受金融危机引发国际市场需求持续低迷影响，2009 年以来纺织行业出口出现近年来最大幅度的下降。根据海关统计数据，2009 年，我国纺织品服装出口总额为 1713.32 亿美元，同比下降 9.65%，增速比 2008 年下降 17.63 个百分点。其中前 10 个月行业出口持续在 -11% 左右的低位徘徊，虽然 11 月以来出口降幅有所收窄，但 2 个月收窄幅度仅有 1.56 个百分点，恢复速度较为缓慢。

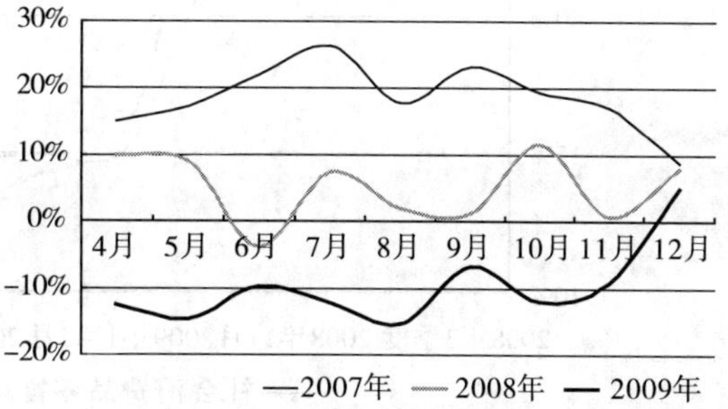

图 3　我国纺织品服装出口额当月同比增长情况

资料来源：中国海关、中国纺织工业协会统计中心。

从国内出口企业结构看，出口下滑主要集中在规模以下的小企业。根据相关统计数据，2009 年规模以上纺织企业出口交货值同比下降 3.23%，增速低于 2008 年 1.33 个百分点；而规模以下企业出口同比降幅达到 22.28%，增速低于 2008 年 13.24 个百分点。

分出口市场看，2009 年我国对美国、欧盟、日本、加拿大、澳大利亚等发达国家及香港地区出口纺织品服装的总金额同比下降 4.16%，增速比 2008 年降低 14.17 个百分点，拉动出口负增长 2.46 百分点；对其他地区出口同比下降 17.59%，增速比 2008 年下降 22.75 个百分点，拉动出口负增长 7.19 个百分点，体现出广大新兴和发展中国家市场需求下滑更加突出。

尽管出口下滑明显，但我国纺织行业的国际竞争力仍在继续增强，在国际市场上的份额持续上升。根据相关统计数据，2009 年我国出口的纺织品服装在美国进口总额中所占的份额达到 39%，比 2008 年提高了 4 个百分点；在日本进口总额中所占份额达到 79%，比 2008 年同期提高了 2 个百分点。

2009 年我国对主要市场出口纺织品服装情况

表 2

国家（地区）	出口额（亿美元）	同比增长（%）	比 2008 年增长（个百分点）
欧　盟	370.79	-7.13	-40.79
美　国	278.37	3.44	2.40
日　本	220.80	0.27	-7.97
中国香港	139.98	-12.88	-1.03
东　盟	110.06	-2.16	-5.13
韩　国	41.80	-24.80	-22.40
加拿大	33.03	-12.94	4.12
澳大利亚	31.73	-7.04	-23.33
土耳其	10.72	-18.08	36.3
墨西哥	9.09	-34.48	-15.79
中国台湾	7.37	-10.69	-30.81
中国澳门地区	3.82	-51.84	-37.44

资料来源：中国海关、中国纺织工业协会统计中心。

（三）内销起到支撑作用

受金融危机影响，2009 年初，我国纺织品服装内需增速一度放缓，根据国家统计局数据，前 4 个月国内衣着类消费品零售总额同比增速逐月放缓，其中 4 月低至 13.9%，比 2008 年同期下降了 14.7 个百分点，并出现近年来罕见的增长速度低于社会消费品零售总额同期增速的情况。但 5 月以来，随着国家围绕“扩内需”采取的各项调控政策效果释放，内需消费提振明显，到年末持续保持稳定较快增长，成为支撑纺织行业企稳回升的首要因素。统计数据显示，2009 年我国衣着类消费品零售总额累计增长 18.8%，增速虽然比 2008 年有所下降，但整体仍保持了较高水平，且增速比年初 1—2 月提高了 2.9 个百分点。

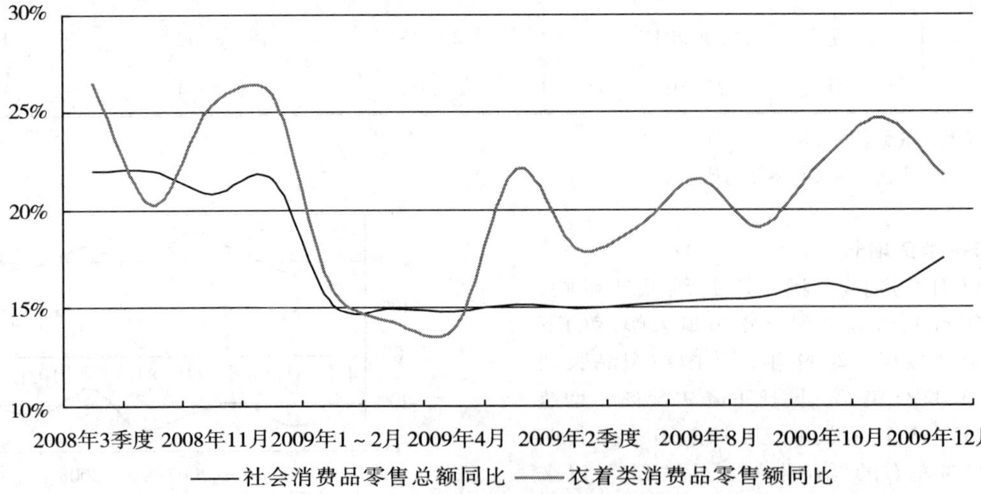

图 4　我国内需消费同比增长情况

资料来源：国家统计局。

在内需市场支撑下，行业内销产值增长持续加速。2009 年，规模以上纺织企业累计实现内销产值 29712.24 亿元，同比增长 14.69%，增速虽然较 2008 年下降了 2.36 个百分点，但比 1—2 月的谷底提高 8.06 个百分点；其中四季度内销产值增速已超过 20%，基本达到危机前水平。2009 年全年，行业内销产值比重达到 79.94%，比 2008 年同期提高 2.86 个百分点。

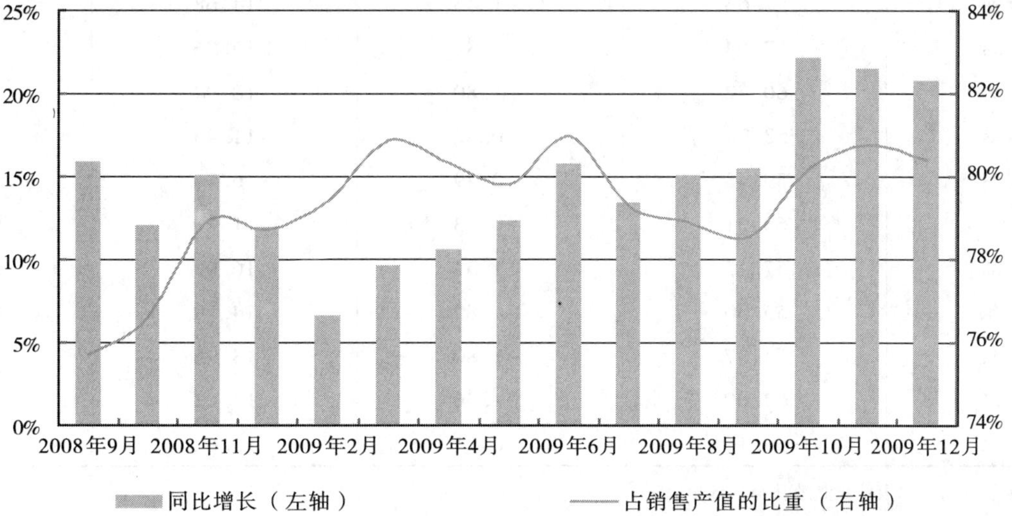

图 5　规模以上纺织行业内销产值当月同比增长及占比情况

资料来源：国家统计局、中国纺织工业协会统计中心。

（四）运行质量稳步提高

尽管金融危机以来纺织行业面临的外部形势严峻，但行业调整升级步伐从未停止，全行业科技、管理水平继续进步，运行质量稳步提高。

2009 年，规模以上企业产销率达到 97.86%，较 2008 年提高 0.25 个百分点，产销衔接顺畅；新产品产值同比增长 13.62%，高于同期销售产值增速 3.04 个百分点，产品创新对行业回升向好的贡献突出；1—11 月，规模以上企业劳动生产率（以工业总产值计算）达到 34.48 万元/人，同比增长 10.22%，生产效率继续提升；三费比例为 6.06%，比 2008 年同期下降 0.35 个百分点，管理水平继续提高；资产负债率为 57.66%，比 2008 年同期下降 1.45 个百分点，企业运营风险下降；产成品周转率为 14.68 次/年，较 2008 年同期加快 1.12 次，企业的市场反应能力和运转效率得到改善。

2009 年规模以上纺织行业运行质量情况（一）

表 3

行业 / 指标	产销率（1—12 月）		劳动生产率（1—11 月）		三费比例（1—11 月）	
	本年累计（%）	同比增长（个百分点）	本年累计（%）	同比增长（个百分点）	本年累计（%）	同比增长（个百分点）
全行业	97.86	0.25	34.48	10.22	6.06	-0.35
棉　纺	98.31	0.48	39.98	12.31	4.70	-0.27
印　染	98.05	0.00	46.33	8.34	5.10	-0.44
毛　纺	96.41	-0.05	50.2	9.03	4.23	-0.52
麻　纺	96.10	-0.56	26.25	24.71	6.50	-0.20
丝　绸	97.78	0.06	37.83	11.00	5.06	-0.44
制成品	97.29	-0.49	43.22	11.97	6.65	-0.24
针　织	97.60	-0.55	28.00	10.20	6.53	-0.34
服　装	97.51	0.25	23.77	12.82	8.09	-0.67
化　纤	98.55	1.1	92.63	-1.46	4.76	-0.03
纺　机	99.11	1.56	44.34	21.54	8.75	-0.83

资料来源：国家统计局、中国纺织工业协会统计中心。

2009 年规模以上纺织行业运行质量情况（二）

表 4

指标＼行业	资产负债率（1—11 月）		产成品周转率（1—11 月）	
	本年累计（%）	同比增长（个百分点）	本年累计（次）	同比增长（次）
全行业	57.66	-1.45	14.68	1.12
棉　纺	57.64	-2.81	15.96	1.36
印　染	60.72	-1.80	18.94	1.54
毛　纺	53.74	-0.32	11.43	1.27
麻　纺	59.43	-0.49	6.96	1.39
丝　绸	63.51	-0.73	11.29	0.18
制成品	57.15	-1.54	16.93	0.95
针　织	55.30	-1.89	14.79	0.91
服　装	54.37	-1.80	13.95	0.42
化　纤	62.69	1.36	14.52	2.18
纺　机	59.16	0.71	11.62	1.52

资料来源：国家统计局、中国纺织工业协会统计中心。

（五）效益明显改善

伴随着行业产销回升以及国家提高出口退税率、放松融资环境等政策效果逐步显现，行业的效益状况得到明显改善。2009 年 1—11 月，规模以上全行业亏损企业数较 2008 年同期减少 1.29%，亏损面（17.69%）下降 2.75 个百分点，亏损企业亏损额同比减少 23.76%。继 1—8 月行业利润总额一年来首度扭转负增长局面后，1—11 月，规模以上纺织企业实现利润总额 1331.49 亿元，同比增长 25.39%，增速比 1—2 月显著回升 36.4 个百分点，比 1—8 月又提高 13.11 个百分点；行业平均利润率达到 4.04%，高于 2008 年同期 0.48 个百分点。

2009 年 1—11 月规模以上纺织行业运行质量情况（三）

表 5

指标＼行业	利润总额			亏损企业亏损额			利润率	
	本年累计（亿元）	同比增长（%）	同比增减（个百分点）	本年累计（%）	同比增长（%）	同比增长（个百分点）	本年累计（%）	同比增长（个百分点）
全行业	1331.49	25.39	27.16	159.65	-23.76	-123.61	4.04	0.48
棉　纺	350.38	14.12	1.97	43.23	-9.95	-94.95	3.94	0.12
印　染	76.72	22.84	25.85	8.74	-30.38	-130.44	3.64	0.42
毛　纺	57.02	9.43	0.84	4.67	-8.66	-26.55	4.19	0.01
麻　纺	5.17	19.48	26.64	3.06	25.1	-13.93	2.42	0.19
丝　绸	31.50	25.66	14.20	5.31	-11.15	-12.08	2.74	0.38
制成品	131.76	21.40	0.82	11.03	-6.20	-48.23	4.37	0.31
针　织	124.65	24.02	24.00	13.39	-0.63	-53.89	3.75	0.43
服　装	395.85	22.02	9.76	33.82	-9.01	-63.70	4.71	0.29
化　纤	113.91	187.40	262.29	27.14	-58.24	-340.83	3.30	2.13
纺　机	24.51	26.40	66.96	6.76	29.08	-192.48	4.27	0.50

资料来源：国家统计局、中国纺织工业协会统计中心。

（六）投资实现稳定增长

行业产销和盈利状况的好转带动企业的市场信心逐步得到恢复，行业固定资产投资增速逐步回升并实现稳定增长。2009 年全年，纺织行业 500 万元以上项目固定资产投资实际完成额达到 3102.04 亿元，同比增长 13.86%，增速高于 2008 年 7.11 个百分点，新开工项目数为 7731 个，同比增速达到 27.85%，高于 2008 年 35.71 个百分点。

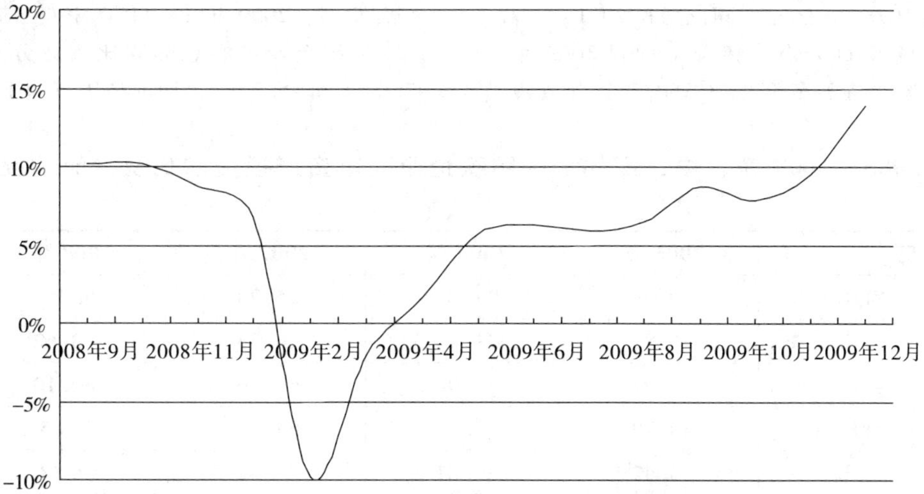

图 6 纺织行业 500 万元以上项目固定资产投资累计同比增长情况

资料来源：国家统计局、中国纺织工业协会统计中心。

各分行业中，棉纺、印染、丝绸、制成品和针织行业投资增速较 2008 年有所加快，其中棉纺行业完成投资额同比增长 11.25%，印染行业同比增长 15.46%；毛纺、麻纺和化纤行业投资出现萎缩，其中化纤行业完成投资额同比减少 4.81%；服装、纺机行业投资实现增长，但增速较 2008 年有所下滑。

2009 年纺织行业固定资产投资完成情况（分行业）

表 6

行 业	完成投资额（亿元）	同比增长（%）	比 2008 年增长（个百分点）
全行业	3102.04	13.86	7.11
棉 纺	794.19	11.25	17.11
印 染	98.46	15.46	12.2
毛 纺	85.84	-1.75	-10.59
麻 纺	28.90	-8.70	-28.61
丝 绸	72.24	27.10	23.47
制成品	366.08	23.98	12.37
针 织	290.16	24.18	23.47
服 装	949.44	24.64	-6.10
化 纤	273.30	-4.81	-10.58
纺 机	61.78	7.00	-1.68

注：本表格中数据统计范围为 500 万元以上项目。

资料来源：国家统计局、中国纺织工业协会统计中心。

二、2009 年纺织行业结构调整取得的成效

2009 年以来，在内外环境的驱动下，纺织行业产业结构调整和产业升级的步伐明显加快，创新能力不断提高，市场竞争力得到进一步提升，为行业摆脱困境、较早实现企稳回升提供了动力和支撑。

（一）科技进步取得新成果

2009 年，纺织行业科技进步成果显著，高新技术纤维、新型纺纱技术、产业用纺织品、新型纺机等一批纺织高新技术研发及产业化应用取得新进展。全行业有 6 项科技成果荣获 2009 年度国家科学技术奖，其中高效短流程嵌入式复合纺纱技术获得国家科技进步奖一等奖，其余 5 项技术分获国家科技发明奖二等奖和科技进步奖二等奖；144 项科技成果获得 2009 年度中国纺织工业协会科技进步奖，其中 9 项获一等奖，这些科技成果对于全行业的技术进步起到积极推动作用。2009 年，化纤差别化率比 2008 年提高 5 个百分点，国产纺织机械市场占有率比 2008 年提高了近 10 个百分点。

（二）行业结构调整加快

作为纺织工业中技术型子行业和新经济增长点，产业用纺织品行业 2009 年以来始终保持良好发展态势，行业产销、效益、出口增长速度均明显好于全行业平均水平，全年产业用纺织品产量达到约 700 万吨，同比增长 17%，占行业纤维加工总量的比重约达到 19%，比 2008 年提高 2 个百分点，对纺织全行

业发展的拉动作用更加突出。

(三) 区域结构进一步优化

2009 年，纺织产业向中西部地区转移的进程明显加快。中部地区承接产业转移的积极性较高，新规划纺织产业园区不断增加，2009 年中部地区实际完成固定资产投资 1076.76 亿元，同比增长 30.1%，高于东部地区 22.24 个百分点；新开工项目 3069 个，同比增长 48.69%，高于东部地区 26.31 个百分点。2009 年，中部地区规模以上纺织企业工业总产值同比增长 18.17%，高于东部地区 9.36 个百分点；1—11 月利润总额同比增长 44.95%，高于东部地区 22.56 个百分点。

羊绒、地毯、丝绸等西部地区特色纺织产业得到较快发展，2009 年 1—11 月宁夏、青海、四川规模以上纺织企业利润总额同比增速分别达到 61.57%、47.04% 和 45.93%，均远高于行业平均水平。

2005—2009 东、中、西部地区纺织企业固定资产投资增长及占比情况

表 7

地 区		2005 年	2006 年	2007 年	2008 年	2009 年
全 国	同比（%）	39.09	27.09	25.74	6.75	13.86
东 部	同比（%）	36.82	21.14	16.33	-3.62	7.86
	占比（%）	73.97	71.94	66.56	60.10	56.93
中 部	同比（%）	40.79	46.93	54.20	27.05	30.10
	占比（%）	16.42	20.81	25.52	30.38	34.71
西 部	同比（%）	15.57	41.06	37.39	28.47	-0.05
	占比（%）	6.61	7.25	7.92	9.52	8.36

注：本表格中数据统计范围为 500 万元以上项目。

资料来源：国家统计局、中国纺织工业协会统计中心。

2009 年东、中、西部地区规模以上纺织企业主要经济指标增长情况

表 8

行业 / 指标	工业总产值（1—12 月）		利润总额（1—11 月）	
	本年累计（亿元）	同比增长（%）	本年累计（亿元）	同比增长（%）
全 国	37979.89	10.30	1331.49	25.39
东 部	31956.67	8.81	1111.16	21.28
中 部	4319.97	18.17	179.06	44.95
西 部	1703.25	20.91	41.26	86.76

资料来源：国家统计局、中国纺织工业协会统计中心。

(四) 企业优胜劣汰加快

一批优势企业在逆境中得到发展，在国内外市场上的综合竞争能力进一步提高。根据国家统计局数据，2009 年 1—11 月，占规模以上企业数 32.17% 的 17038 户优势企业利润总额同比增长 30.72%，高于行业平均水平 5.33 个百分点，利润率达到 8.22%，高于行业平均水平 4.18 个百分点；其中 3666 户骨干企业利润总额同比增速达到 40.15%，利润率率达到 15.68%。

一批缺乏市场竞争力的企业在市场机制的作用下实现了淘汰和重组，2009 年化纤行业共淘汰落后生产能力 137.2 万吨，常州等环太湖地区半数以上的落后印染设备被淘汰，纺织企业的整体素质得到优化。

（撰稿：孙淮滨　赵明霞）

建材行业

2009 年是新世纪以来建材工业发展遇到困难最多的一年。受国际金融危机影响，从 2008 年 8 月份以后，建材产品出口受挫，建材工业增长速度下滑，部分建材产品生产下降。针对国际经济环境的复杂多变，国家及时采取了一系列保增长扩内需的宏观调控措施，建材行业广大职工更是团结一心，奋力拼搏，克服各种困难，终于在 2009 年底成功遏止了下降颓势，同时保证了经济增长的质量，行业盈利水平平稳，产业结构调整取得新进展。

一、增长速度是2003年以来最低水平

2008年前7个月，建材工业增加值月平均增长速度保持在30%以上，从8月份以后开始下滑，12月份仅比上年同月增长9.9%。2009年第一季度，建材工业增加值仅比上年同期增长13.1%（见图1-1），是新世纪以来建材工业从未出现过的低值。虽然2009年下半年建材工业增长速度有所恢复，8月份以后月同比增长速度接近2008年全年平均水平，仍是2003年以来最低水平（见图1-2）。2009年规模以上建材工业完成工业增加值6532亿元，按可比价格计算比上年增长19.3%。

在建材主要产品中，2008年8月份以后全国水泥产量接近零增长，全国损失水泥产量在5000万吨以上，2008年全国水泥产量只比2007年增长4.3%，是新世纪以来最低增长速度。2009年初全国水泥产量陷入负增长，6月份以后，增长率恢复到16.1%，全年全国水泥产量16.5亿吨。受国内市场萎缩和出口大幅度下降的双重影响，全国平板玻璃产量从2008年11月份开始进入下行区间，2009年前7个月持续下降；全国平板玻璃月销售量从原4700万重量箱急剧减少到2009年年初的不足4000万重量箱，是2006年末以来最低水平。2009年全国平板玻璃产量5.77亿重量箱，比2008年下降2.3%。因出口减少，2008年8月至2009年7月全国钢化玻璃产量平均下降了5.3%；夹层玻璃产量在2009年初大幅度下降，2008年8月至2009年8月平均仅增长0.2%。2008年前7个月，水泥制品业工业增加值月平均同比增长速度保持在40%以上，2008年8月份以后下跌到20%左右，2008年12月和2009年1月分别只有4.5%和3.7%。2009年全国卫生陶瓷产量1.58亿件，比上年增长11.69%，增幅比金融危机前下降14个百分点；全国陶瓷砖产量68.79亿平方米，比上年增长9.9%，增幅比金融危机前下降8个百分点。其他如建筑用石、轻质建材、防水材料等行业工业增加值增长速度在2008年第四季度和2009年第一季度都大幅度下滑。

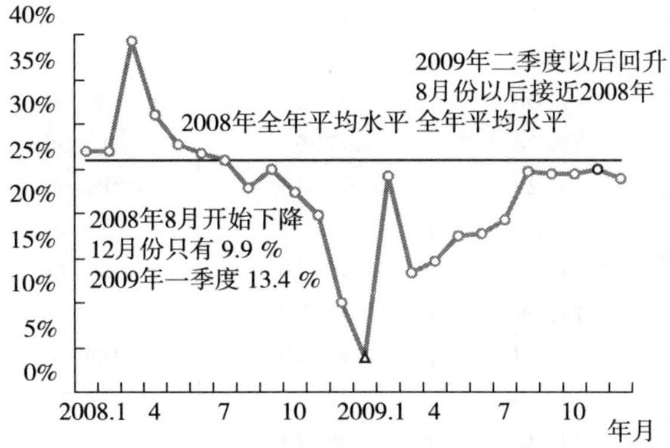

图1-1 2008—2009年建材工业增加值月同比增长率

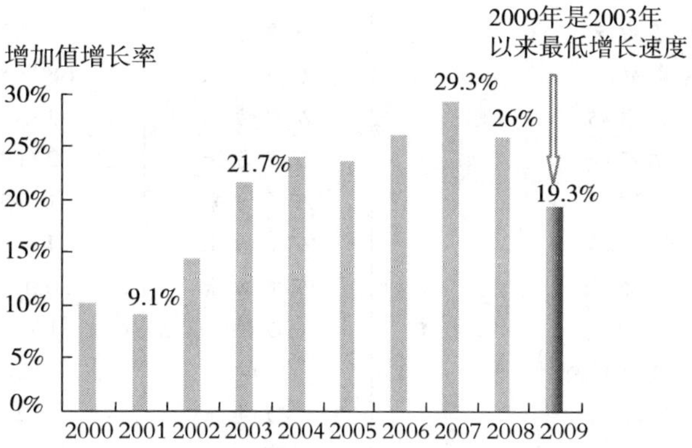

图1-2 2008—2009年建材工业

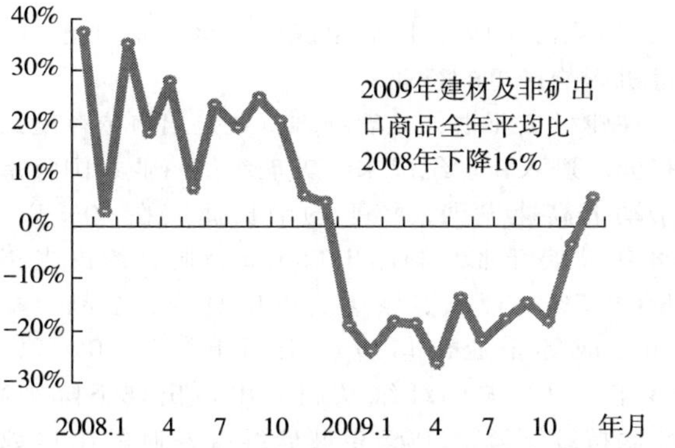

图1-3 2008—2009年建材及非矿出口商品月同比增长率

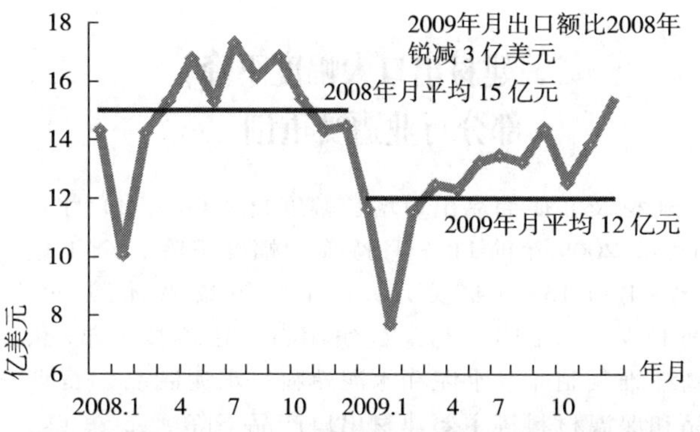

图1-4 2008—2009年建材及非矿出口商品月出口金额

图1　2009年建材工业经济运行态势

2009 年主要建材产品产量

表 1

名称	单位	2009 年累计	比 2008 年增长（%）	产品销售率（%）	
				本年累计	2008 年同期
水泥熟料	万吨	107886	10.42	97.36	98.19
其中：预分解窑熟料	万吨	77945	26.05	97.51	98.64
水泥	万吨	164831	16.07	97.41	98.28
水泥排水管	千米	40324	50.82	93.78	95.79
水泥压力管	千米	2849	39.88	92.11	95.27
水泥电杆	万根	816	21.73	94.27	97.15
商品混凝土	万立方米	41690	21.64	97.99	99.23
水泥混凝土桩	万米	22175	10.10	95.97	96.45
砖	亿块	2443.55	43.42	97.23	98.10
瓦	亿片	57.14	17.56	95.10	96.58
大理石板材	万平方米	3363	17.44	98.62	97.62
花岗石板材	万平方米	26034	13.02	97.64	97.52
石膏板	万平方米	135950	16.24	98.64	97.24
平板玻璃	万重量箱	57685	-2.33	97.76	96.89
中空玻璃	万平方米	3010	22.13	95.88	97.43
钢化玻璃	万平方米	14898	-0.06	95.58	97.67
夹层玻璃	万平方米	3630	5.59	93.93	97.96
陶瓷砖	万平方米	687855	9.97	97.14	96.34
瓷质砖	万平方米	437369	7.08	97.25	96.39
炻瓷砖	万平方米	22180	33.28	97.92	97.56
细炻砖	万平方米	13950	-3.27	97.83	98.69
炻质砖	万平方米	49299	17.83	98.47	97.79
陶质砖	万平方米	165057	14.49	96.40	94.73
卫生陶瓷	万件	15790	11.69	97.70	95.23
玻璃纤维纱	万吨	205.67	-11.03	97.49	95.76
建筑涂料	万吨	261.67	21.19	98.45	98.23
水泥专用设备	万吨	76.45	24.48	96.73	96.54

二、建材出口大幅度下降，部分行业遭受重创

建材及非矿商品出口增长幅度自 2008 年 11 月开始下滑，2009 年前 11 个月持续大幅度下降，全年建材产品出口 151.5 亿美元，比上年锐减 29 亿美元，下降 16%（见图 1-3）。建筑用石、建筑技术玻璃、玻璃纤维及制品、水泥和水泥熟料、水泥制品、石膏制品和保温材料等主要建材出口产品下降。

进入新世纪以来，我国建材出口占生产总量的比重有所提高。2008 年建材及非矿商品出口曾达到 180 亿美元，即使按 2005 年 7 月之前的人民币汇率计算，也只占当年建材工业销售额的 8.7%，对建材工业总体而言，出口依存度并不高。但是建材工业中的玻璃纤维、建筑卫生陶瓷、建筑技术玻璃等行业，出口已是其主要增长动力，因而也成为建材工业中受国际金融危机影响最重的行业。

在建材工业中，玻璃纤维行业是出口依存度最高的行业。进入新世纪以来，玻璃纤维行业在国际市场的带动下高速发展，年平均增长速度在 40% 以上。2008 年玻璃纤维及制品出口 122 万吨，约占当年生产量的 35%。巨石、泰山、重庆复合、金晶、圣戈班和必成等企业出口量占全国出口量 70% 以上。2008 年 8 月，玻璃纤维及制品出口出现下降征兆，到年底持续下降。2009 年玻璃纤维及制品出口数量锐减 24 万吨，下降 19.5%，出口金额下降 30.3%。2009 年玻璃纤维及制品出口离岸价格比上年下降 22.1%，出口企业即使大幅度降价也未能挽回出口数量下降的颓势，导致 2009 年全国玻璃纤维纱产量 206 万吨，比上年下降 11.4%。

2008 年我国卫生陶瓷出口 5632 万件，占当年生产

量的40%；陶瓷砖出口6.71亿平方米，占当年生产量的11%。建筑卫生陶瓷出口企业众多，卫生陶瓷生产企业直接出口占50%以上，知名企业出口比重在60%～90%之间，知名陶瓷砖企业出口比重也在20%左右。2009年卫生陶瓷出口下降18.3%，2009年1—8月份，陶瓷砖出口数量下降5.7%。2009年卫生陶瓷出口生产企业产量平均下降1.8%，其中主要出口企业下降幅度10%～40%；陶瓷砖出口生产企业虽因转内销力度较大，产量平均增长3.3%，仍远低于全国平均水平，斯米克等知名企业产量下降幅度在20%以上。

建筑技术玻璃出口企业集中度相当高，前10家出口企业占出口总量80%以上，出口企业出口量占生产量比重多在50%～95%之间。2009年建筑技术玻璃出口比上年同期下降19.1%，其中平板玻璃下降44.1%，中空玻璃下降11.9%，钢化玻璃前8个月下降6.1%，夹层玻璃前10个月下降6%。建筑技术玻璃出口量的减少是2009年平板玻璃产量下降的重要原因。

三、固定资产投资拉动建材工业复苏

2009年第二季度建材工业就扼止了增长速度持续下滑局面，5—7月份在上年同期基数较高的基础上，建材工业增加值同比增长速度已经恢复到18%左右，8月份在建材工业遭受金融危机增速下滑一年以后，8—12月份建材工业增加值同比增长速度恢复到24%左右，接近2008年全年平均增长水平。

固定资产投资是拉动建材工业复苏的主要因素，国家扩大内需追加的4万亿投资扩大了基础设施建设，启动了国内建筑市场。全国固定资产投资完成额增长速度从2008全年的25.9%提高到2009年的30.1%，考虑到2009年固定资产投资价格指数比上年下降2.4%，其中建筑安装工程中的材料费下降7.2%，设备器具购置下降2.4%，2009年全国固定资产投资增长速度实际上达到33.3%，比2008年实际增长速度高出约10个百分点。在建材主要行业中，高速增长的主要是受固定资产投资拉动行业：2009年规模以上砖瓦及建筑砌块制造业工业增加值比上年增长44.4%，轻质建材增长40.5%，粘土砂石开采增长33.8%，防水材料增长22.1%，石灰石开采和石灰制造增长25.2%，建筑用石增长21.3%，水泥制品增长19.9%，水泥制造增长14.1%。

下游和新兴产业的拉动也是推动建材工业复苏的因素。2009年我国汽车产销量突破1200万辆，在汽车、新能源等下游新兴产业的拉动下，全国技术玻璃制造业摆脱了出口量骤减影响，2009年下半年产量止跌回升，2009年全国中空、钢化、夹层玻璃产量分别比上年增长19.7%、7.2%、12.3%。技术玻璃产量的止跌回升带动了平板玻璃，特别是浮法玻璃产量的回升，2009年全国浮法玻璃产量4.86亿重量箱，比上年增长0.1%，而普通玻璃产量则下降13.5%。

国内消费市场对建材工业复苏也起到一定作用。建筑卫生陶瓷行业出现了从沿海地区向中西部和欠发达地区转移的趋势，2009年在高档建筑卫生陶瓷产品出口受阻的情况下，国内中低档产品市场，特别是农村和中小城镇市场弥补了出口的下降。2009年河南卫生陶瓷产量比上年增长22.2%，弥补了广东、河北产量的下降，保持了全国卫生陶瓷产量的增长；四川、辽宁、江西、湖北等地分别增长24.1%、33.3%、50.1%和52.7%，保持了全国陶瓷砖产量的增长。

2009年建材工业增加值增长速度和行业、地区构成

表2

行业分类	企业户数			增加值增长率（%）			增加值比重（%）			2009年比2008年增减（±）
	2007年	2008年	2009年	2007年	2008年	2009年	2007年	2008年	2009年	
年建材工业	20868	26553	27488	28.5	26.0	19.3				
水泥制造	5028	5156	5119	16.7	12.6	14.1	30.46	27.11	25.89	－1.22
水泥制品	3106	4332	4636	36.5	35.6	19.9	12.97	13.99	14.05	0.06
建筑卫生陶瓷	1649	1847	1860	32.0	11.6	9.4	13.12	11.59	10.63	－0.96
建筑陶瓷制品制造	1374	1532	1540	31.2	12.6	10.2	11.08	9.88	9.13	－0.75
卫生陶瓷制品制造	275	315	320	36.7	5.2	3.8	2.04	1.72	1.50	－0.22
建筑用石开采与加工	2293	2967	3038	32.3	36.6	21.3	8.61	9.41	9.64	0.23
建筑技术玻璃	841	1057	1056	31.0	18.6	17.9	7.21	6.83	6.72	－0.11
平板玻璃	258	305	313	34.5	－11.1	20.3	3.11	2.20	2.21	0.01
技术玻璃	583	752	743	28.5	42.7	16.7	4.10	4.62	4.51	－0.12
玻璃纤维制品和增强塑料	1036	1274	1289	39.4	31.0	8.3	5.73	5.95	5.44	－0.51

续表

行业分类	企业户数			增加值增长率（%）			增加值比重（%）			2009年比2008年增减（±）
	2007年	2008年	2009年	2007年	2008年	2009年	2007年	2008年	2009年	
玻璃纤维及制品	625	773	796	40.2	38.8	−1.5	3.39	3.74	3.11	−0.63
玻璃纤维增强塑料	411	501	493	38.4	19.5	25.4	2.34	2.21	2.33	0.12
砖瓦及建筑砌块制造业	1930	3203	3482	42.4	54.5	44.4	3.91	4.74	5.68	0.94
粘土及土砂石开采业	816	1096	1142	43.1	47.2	33.8	2.94	3.42	3.81	0.39
石灰石石膏开采与石灰石膏	910	1275	1312	31.9	32.8	25.2	2.77	2.94	3.08	0.14
轻质建材	641	842	882	35.2	32.5	40.5	2.25	2.37	2.80	0.43
轻质建筑材料制造	369	430	451	33.8	18.8	33.4	1.43	1.34	1.49	0.15
隔热和隔音材料制造	272	412	431	37.9	58.7	52.0	0.82	1.03	1.31	0.28
防水建筑材料	382	494	532	88.9	53.9	22.1	1.66	2.03	2.06	0.04
石棉云母采选与制品	198	255	254	27.9	55.6	25.8	0.65	0.81	0.85	0.04
石墨滑石采选	110	139	140	52.9	6.8	19.6	0.82	0.69	0.69	0.01
东部地区	12501	14964	14959	25.2	21.9	12.2	61.13	59.05	55.75	−3.30
中部地区	5124	7368	8007	36.7	34.7	25.3	24.76	26.43	27.78	1.35
西部地区	3243	4221	4522	35.4	29.9	35.5	14.12	14.53	16.47	1.94

注：2009年数据为初步统计数。

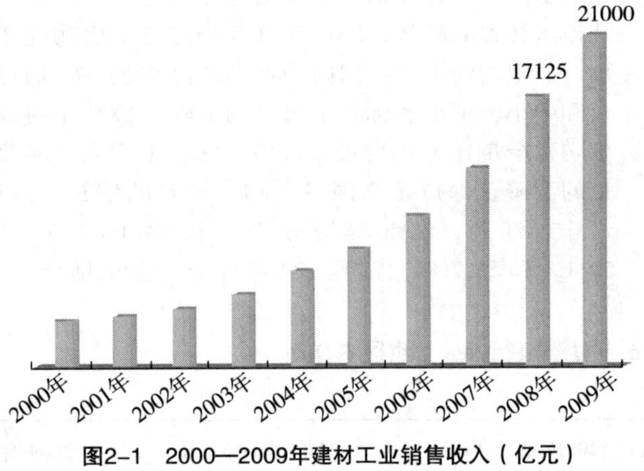

图2-1 2000—2009年建材工业销售收入（亿元）

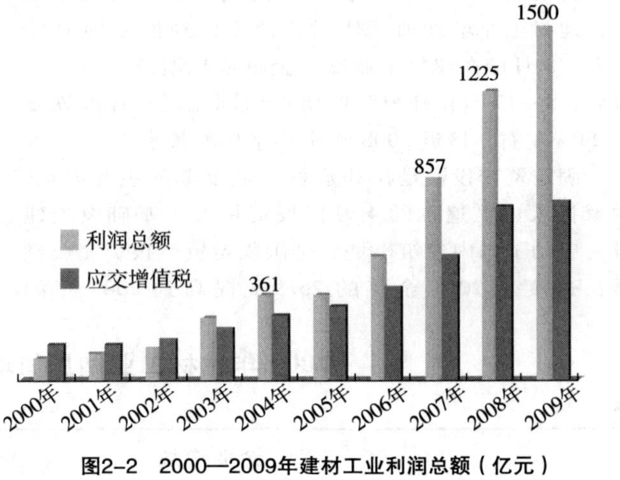

图2-2 2000—2009年建材工业利润总额（亿元）

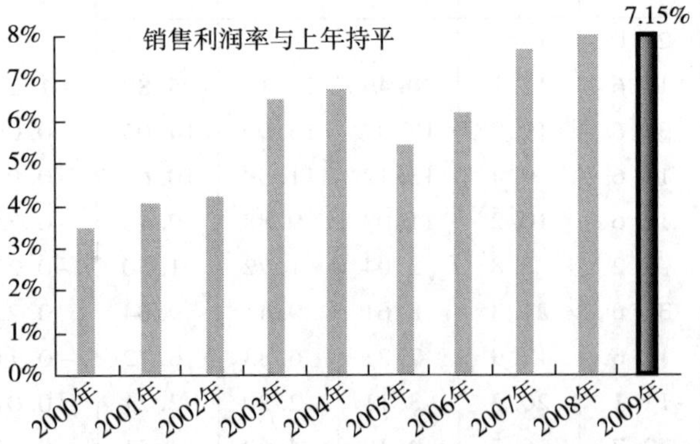

图2-3 2000—2009年建材工业销售利润率

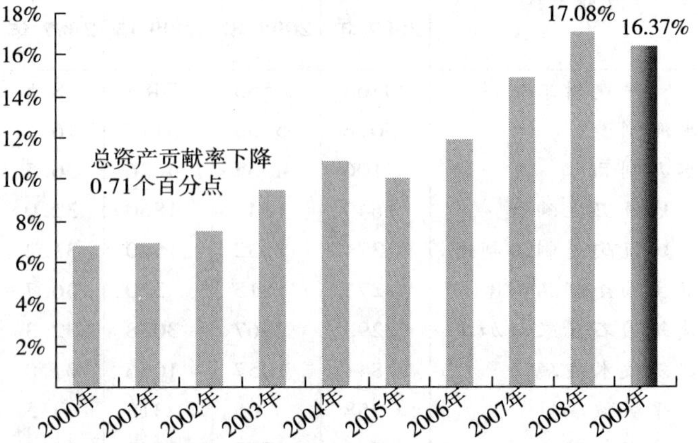

图2-4 2000—2009年建材工业总资产贡献率

图2 建材主要经济效益指标对比

总资产贡献率是利润总额、销售税金及附加、应缴增值税、利息支出与资产总额的比值，全面反映企业和行业资产获取收益的水平。2009 年建材工业总资产贡献率的下降，表明建材工业综合经济效益的下降。

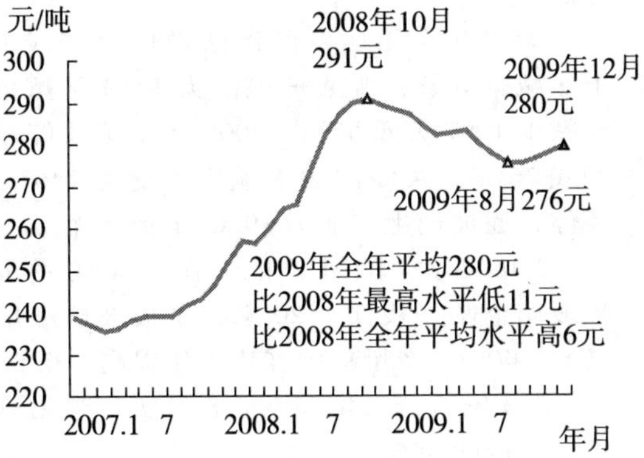

图3-1 全国水泥平均出厂价格

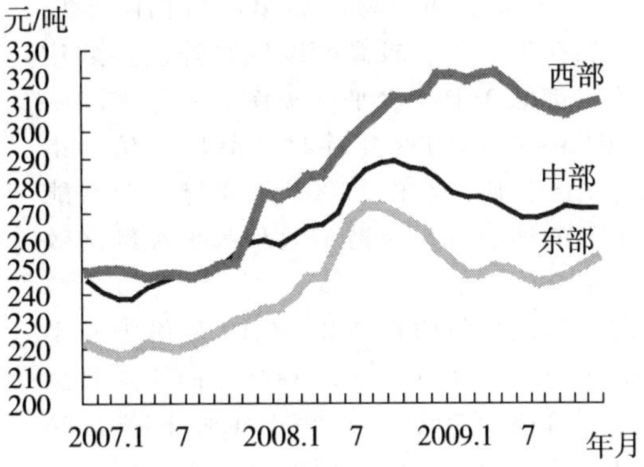

图3-2 东中西部水泥平均出厂价格

图3-3 全国平板玻璃平均出厂价格

图3-4 全国玻璃纤维纱平均出厂价格

图3-5 建材企业煤炭平均购进价格

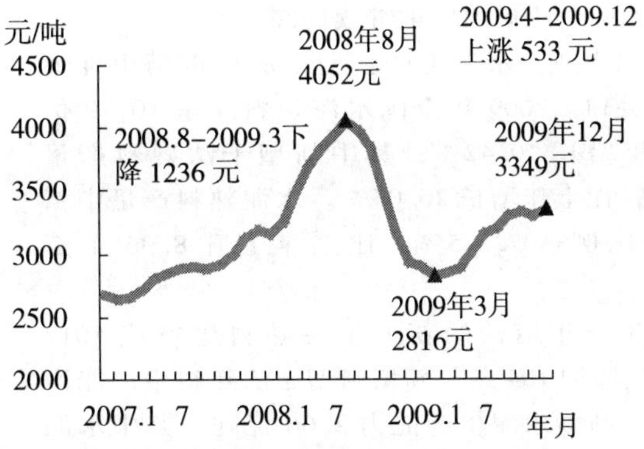

图3-6 建材企业重油平均购进价格

图 3 建材主要产品出厂价格

四、建材工业既保持了增长也保证了增长的质量

2009 年建材企业盈利水平保持平稳，行业部分产业结构比例继续优化，建材工业在保增长的同时，也保证了经济增长的质量。

2009 年规模以上建材工业完成销售收入 2.1 万亿元，比上年增长 22.6%，实现利润总额 1500 亿元，比上年增长 22.5%。2009 年建材企业平均毛利率

15%，销售利润 7.15%，与上年基本持平（见图 2-2）。2008 年末和 2009 年上半年，建材企业的原材料、燃料、动力购进价格虽然从高位回落，但 2009 年下半年部分能源产品价格重新上涨（见图 3-5、图 3-6），2009 年建材企业能源购进价格全年平均仍比 2008 年上涨 1.34%。而建材产品出厂价格除平板玻璃等少数产品在下半年有较高幅度反弹外，多数建材产品出厂价格都低于上年水平（见图 3-1、图 3-2、图 3-3、图 3-4）。2009 年建材产品出厂价格指数 100.8%，与上年基本持平。2009 年建材工业在能源价格居高不下的情况下，保持了盈利水平和经济效益的稳定。

全国水泥平均出厂价格在 2008 年 10 月份曾经攀升至每吨 291 元的近年来最高点，2009 年前 8 个月全国水泥平均出厂价格比 2008 年最高点每吨下降了 26 元。2009 年 2 至 4 月份，全国平板玻璃平均出厂价格跌破能源价格上涨后的平板玻璃盈亏平衡点，3 月份曾经跌到每重量箱 57.6 元。

玻璃纤维纱平均出厂价格下降近 1000 元，玻璃纤维制品利润总额下降 40%。与出口密切相关的池窑玻璃纤维纱产量自 2009 年年初开始持续下降，2009 年产量 165 万吨，比上年下降 8.5%，产量和销量减少 10 多万吨。六家出口型企业产量下降 15%，部分企业减产幅度在 20% 以上。玻璃纤维及制品行业在国际金融危机中遭受重创。

五、结构调整取得新进展

2009 年建材工业抓住时机，继续推动结构调整，在调整产业结构方面取得新进展，主要产品中先进生产工艺和大型企业集团比重继续提高：

1. 水泥产业。水泥生产新型干法比例历史性地突破 70% 关口。2009 年全国水泥熟料产量 10.79 亿吨，比上年增长 10.42%；其中新型干法熟料产量 7.79 亿吨，比上年增长 26.05%。水泥熟料产量中新型干法的比例达 72.25%，比上年上升 8.96 个百分点。

2009 年全年运营的新型干法熟料生产线 1017 条，比上年增加 104 条；新增新型干法熟料生产能力 1.57 亿吨；新增水泥生产能力 2.66 亿吨，其中水泥粉磨企业能力 5785 万吨。2009 年全国关停新型干法熟料生产线 27 条，关停水泥生产能力 7173 万吨。

水泥产业集中度提高。2009 年规模以上水泥熟料生产企业 3077 家，比上年减少 713 家，其中年生产能力在 500 万吨以上水泥企业（集团）65 家，水泥熟料产量占全国总量 51.91%，产量集中度比上年提高 7.61 个百分点。水泥粉磨企业 1846 家，比上年增加 312 家，粉磨企业水泥产量 5.01 亿吨，占水泥产量 30.37%；水泥生产企业 4932 家，比上年减少 391 家。出现了水泥产量超过 1 亿吨的大型水泥企业集团。

2. 平板玻璃产业。2009 年全国浮法玻璃产量 4.86 亿重量箱，比上年增长 0.1%；浮法玻璃产量占全国总产量比例 84.24%，比上年上升 2.03 个百分点。

2009 年全年运营的浮法玻璃生产线 181 条，比上年减少 7 条；普通玻璃能力 1.18 亿重量箱，比上年减少 1097 万重量箱。2009 年全国关停浮法玻璃生产线 26 条，关停浮法玻璃生产能力 7467 万重量箱；关停普通玻璃生产能力 1986 万重量箱。

2009 年全国年生产能力在 1000 万重量箱以上平板玻璃企业（集团）20 家，平板玻璃产量占全国总量 67.47%，产量集中度比上年提高 1 个百分点。

3. 3 家石膏板生产企业石膏板产量占到全国石膏板总产量的 35%。

4. 地区结构继续优化。中西部地区建材工业发展势头强劲，中西部建材工业增加值分别比上年增长 25.3% 和 35.5%，远远超过东部地区 12.2% 的增长率。

中西部地区建材工业增加值占全国建材工业比重分别比上年上升 1.35 和 1.94 个百分点，东部地区建材工业比重从上年的 59.05% 下降到 55.75%，比上年下降 3.3 个百分点。

（撰稿：谷东玉）

烟草行业

2009 年，烟草行业面对市场环境的重大变化和卷烟税收政策的重大调整，在党中央、国务院和工信部坚强领导下，以邓小平理论和“三个代表”重要思想为指导，深入贯彻落实科学发展观，紧紧围绕“烟叶防过热、卷烟上水平、税利保增长”三项任务，坚持把“税利保增长”建立在尊重市场规律、优化资源配置、良好经营秩序、保持价格稳定、管理水平提升“五个基础”之上。全年实现工商税利 5131.1 亿元，同比增加 559.3 亿元，增长 12.2%；其中实现税费（含国有资本经营收入）4163.4 亿元，同比增加 864.6 亿元，增长 26.2%，为保证国家财政收入做出了积极贡献。

一、现代烟草农业建设

2009 年，烟草行业认真贯彻中央提出的“以工促农、以城带乡”方针和建设社会主义新农村重大历史任务，按照“加强烟田基础设施建设，实现规模化种植、集约化经营、专业化分工、信息化管理”

的要求，扎实开展现代烟草农业建设，全国共安排现代烟草农业试点单位143个，其中整县推进3个，整乡推进41个。为加强烟田基础设施建设，全年共安排专项资金99.7亿元，新建密集式烤房16.6万座，新修机耕路9097.1公里、沟渠9669.2公里，烟田综合生产能力和抗御自然灾害能力得到进一步增强，烟区生产生活环境得到进一步改善。在烟叶生产过程中，全国商品化供苗面积比例达94.0%，机械化整地比例达57.7%，密集式烤房烘烤比例达66.8%，同比分别提高12.7、8.7个和20.0个百分点。通过扎实开展现代烟草农业建设，带动了烟叶工作水平的全面提高，有力促进了烟区经济社会发展和烟农增收。2009年全国共种植烤烟1685.2万亩，同比减少44.5万亩；户均种烟规模11.2亩，同比增加3.5亩；烟叶平均亩产304斤，同比增加27斤；烟叶收购均价7.2元/斤，同比增加0.28元/斤；户均种烟收入24400元，同比增加7300元。

二、现代流通市场建设

2009年，烟草行业努力运用现代信息技术和手段，加快推进传统商业向现代流通转变，积极构建全国统一的卷烟销售网络体系，切实为广大零售客户提供优质高效的服务，有效保障广大零售客户合理利益。在全国495.3万户卷烟零售客户中，电话订货率为96%，电子结算率为68%，卷烟配送分拣到户率为88%。据调查统计，2009年全国卷烟零售毛利率接近10%，户均盈利额超过10000元。特别是在广大农村地区，各烟草企业不断加强农网设施建设，充实农网服务力量，保证农村货源供应，农村卷烟零售客户满意度和盈利水平明显提高。在全国城乡居民就业形势严峻、增收难度加大的情况下，卷烟销售为实现就业问题和增加城乡居民收入发挥了积极的作用。

三、卷烟减害降焦

2009年，烟草行业高度重视技术创新工作，按照“环境一流、手段一流、人才一流、成果一流”的要求，不断加强企业技术中心建设；加快推进重大专项实施，卷烟增香保润、卷烟减害技术、特色优质烟叶开发、中式卷烟制丝生产线等取得了积极进展；切实加强质检机构建设，不断强化卷烟产品质量监督；认真履行《烟草控制框架公约》有关的责任和义务，努力维护消费者健康。2009年，全国平均卷烟焦油量为12.2毫克/支，同比下降0.6毫克/支；一氧化碳量为13.7毫克/支，同比下降0.5毫克/支。

四、卷烟打假工作

2009年，烟草行业坚持把“端窝点、断源头、破网络、抓主犯”作为卷烟打假工作的突出重点，国家烟草专卖局与公安部加大对重大制售假烟网络案件的督导力度，组织多次大规模跨省打假行动。对制假源头开展全方位不间断打击，彻底销毁查获的制假设备和原辅材料，削弱制假生产能力。严查严堵运输、分销假烟和原辅材料，防止制假活动转移扩散。认真抓好打击非法经营烟叶行为，部署开展打击网上非法经营烟草专卖品工作。通过坚持不懈地打假，有效遏制了各种制售假烟违法犯罪活动的反弹。2009年全国共打掉制假窝点181个，查处案值5万元以上案件6014起，收缴制假烟机398台，查获假烟61.4万件，其中物流运输环节查获假烟32.2万件；依法拘留犯罪嫌疑人7730人，其中追究刑事责任3905人；打掉重大制售假烟网络606个，关闭非法从事烟草专卖品经营网站57家。卷烟打假是一场长期、持久、复杂的斗争，必须始终保持高压态势，更好地维护国家利益和消费者利益。

（撰稿：汪为民　审稿：郭联君）

2009年全国烟草系统主要指标

表1

指标名称	计量单位	2009年	2008年	2009年比2008年增长（%）
一、工业总产值（现价）	亿元	4910.88	4461.11	10.08
卷烟产值	亿元	4670.36	4288.58	8.90
二、工业增加值（现价）	亿元	3898.08	3528.52	10.47
三、复烤烟叶产量	万吨	191.88	166.94	14.94
打叶复烤	万吨	191.64	166.94	14.79
四、卷烟产量	亿支	22902.75	22198.76	3.17
一类	亿支	1821.80	1635.67	11.38
二类	亿支	833.12	708.38	17.61
三类	亿支	6211.33	5368.99	15.69
四类	亿支	8953.33	8635.95	3.68
五类	亿支	5083.16	5849.77	-13.10
11mg/支～15mg/支	亿支	22121.76	21560.34	2.60
5mg/支～10mg/支	亿支	766.31	623.96	22.81
4mg/支以下	亿支	14.68	14.36	2.23
烤烟型	亿支	22301.68	21661.33	2.96
混合型	亿支	541.30	495.02	9.35
出口和供应出口	亿支	172.00	139.71	23.11
百牌号	亿支	22235.27	21488.25	3.48
名优烟	亿支	14256.02	13211.37	7.91
五、雪茄烟产量	亿支	1.74	1.41	23.40
六、二醋酸纤维丝束产量	吨	137410.69	136960.00	0.33
七、技术经济指标				
卷烟质量抽检合格率	%	99.96	99.93	0.03
卷烟成品合格率	%	99.54	99.49	0.05
每万支卷烟耗用烟叶	千克	7.03	7.08	-0.71
每万支卷烟耗用盘纸	米	625.00	627.00	-0.32
每万支滤嘴烟耗用嘴棒	支	1915.00	1905.00	0.52
八、卷烟年末生产能力（三班）	亿支	32604.32	30369.70	7.36
九、烟叶收购量	万吨	273.43	251.05	8.91
烤烟	万吨	263.25	244.09	7.85
十、卷烟销售量	亿支	22626.71	21888.13	3.37
出口	亿支	150.03	136.33	10.05
百牌号	亿支	22001.60	21196.11	3.80
名优烟	亿支	14091.69	12916.24	9.10
十一、卷烟期末库存量	亿支	1575.55	1523.89	3.39
工业	亿支	384.48	364.08	5.60
商业	亿支	1191.07	1159.81	2.70
百牌号	亿支	1506.04	1463.43	2.91
名优烟	亿支	1019.63	970.58	5.05
十二、固定资产投资	亿元	273.61	215.71	26.84
十三、能源消耗总量	万吨	171.71	178.17	-3.63
万元产值耗能源（现价）	千克	34.97	39.94	-12.44

2009 年烟草系统全国工业企业主要指标

表 2

指标名称	计量单位	总计		卷烟厂、雪茄烟厂		复烤企业	
		2009 年	2008 年	2009 年	2008 年	2009 年	2008 年
卷烟产量	亿支	22902.75	22198.76	22902.75	22198.76		
软盒嘴烟	亿支	8211.79	8537.84	8211.79	8537.84		
硬盒嘴烟	亿支	14663.68	13636.45	14663.68	13636.45		
一类卷烟[100 元(含)以上]	亿支	1821.80	1635.67	1821.80	1635.67		
二类卷烟[70 元(含)~100 元]	亿支	833.12	708.38	833.12	708.38		
三类卷烟[30 元(含)~70 元]	亿支	6211.33	5368.99	6211.33	5368.99		
四类卷烟[16.5 元(含)~30 元]	亿支	8953.33	8635.95	8953.33	8635.95		
五类卷烟[16.5 元以下]	亿支	5083.16	5849.77	5083.16	5849.77		
11~15mg/支	亿支	22121.76	21627.38	22121.76	21627.38		
5~10mg/支	亿支	766.31	556.91	766.31	556.91		
4mg/支以下	亿支	14.68	14.36	14.68	14.36		
烤烟型卷烟产量	亿支	22301.68	21661.33	22301.68	21661.33		
混合型卷烟产量	亿支	541.30	495.02	541.30	495.02		
其他型卷烟产量	亿支	59.76	42.41	59.76	42.41		
供应出口和出口卷烟产量	亿支	172.00	139.71	172.00	139.71		
来牌或来料加工卷烟产量	亿支	1.35	1.11	1.35	1.11		
雪茄烟产量	亿支	1.74	1.41	1.74	1.41		
联营加工卷烟产量	亿支	2239.47	1912.27	2239.47	1912.27		
省外	亿支	2030.55	1867.56	2030.55	1867.56		
从生产者购进(指联营加工回购)	亿支	1320.79	1001.85	1320.79	1001.85		
省外	亿支	1220.72	999.60	1220.72	999.60		
工业企业卷烟销售量	亿支	24200.88	23022.34	24200.88	23022.34		
卷烟期末库存	亿支	384.48	364.08	384.48	364.08		
一类卷烟[100 元(含)以上]	亿支	63.32	83.62	63.32	83.62		
二类卷烟[70 元(含)~100 元]	亿支	16.05	16.50	16.05	16.50		
三类卷烟[30 元(含)~70 元]	亿支	117.02	120.30	117.02	120.30		
四类卷烟[16.5 元(含)~30 元]	亿支	114.94	81.16	114.94	81.16		
五类卷烟[16.5 元以下]	亿支	73.16	62.50	73.16	62.50		
供应出口和出口	亿支	16.91	11.41	16.91	11.41		
联营加工	亿支	48.84	66.45	48.84	66.45		
复烤烟叶产量	吨	1918851	1669445	262283	266937	1656568	1402508
打叶复烤	吨	1916395	1669445	259827	266937	1656568	1402508
期末烟叶库存	吨	4092807	3606017	3979714	3474053	113093	131964
二醋酸纤维丝束产量	吨	137411	136960				
丝束期末库存	吨	39379	34370	39379	34370		
二醋酸纤维丝束	吨	36951	32386	36951	32386		
卷烟质量抽检合格率	%	99.96	99.93	99.96	99.93		
卷烟成品合格率	%	99.54	99.49	99.54	99.49		
每万支卷烟耗烟叶	千克	7.03	7.08	7.03	7.08		
每万支卷烟耗盘纸	米	625	627	625	627		
每万支卷烟耗嘴棒	支	1915	1900	1915	1900		
万元产值耗能源(现价)	千克	34.97	40.71	18.91	23.05		
万元产值生产耗能源(现价)	千克	32.17	34.36	16.54	19.16		

烟草系统卷烟工业

指标名称	计量单位	陕西中烟工业有限责任公司		山西昆明烟草有限责任公司	
		2009 年	2008 年	2009 年	2008 年
卷烟产量	万支	8050000	7725000	1450000	1450000
软盒嘴烟	万支	3643502	4359084	534093	461287
硬盒嘴烟	万支	4406498	3365916	915907	988713
一类卷烟[100 元(含)以上]	万支	134992	113844		
二类卷烟[70 元(含)~100 元]	万支	59583	41144		
三类卷烟[30 元(含)~70 元]	万支	447793	277342	384840	293046
四类卷烟[16.5 元(含)~30 元]	万支	4724943	4293102	984860	1071319
五类卷烟[16.5 元以下]	万支	2682689	2999568	80300	85635
11~15mg/支	万支	8050000	7725000	1450000	1450000
5~10mg/支	万支				
4mg/支以下	万支				
烤烟型卷烟产量	万支	8050000	7725000	1450000	1450000
混合型卷烟产量	万支				
其他型卷烟产量	万支				
供应出口和出口卷烟产量	万支				
来牌或来料加工卷烟产量	万支				
雪茄烟产量	万支				
联营加工卷烟产量	万支	2050398	1850038	1449695	1449670
省外	万支	2050398	1850038	1449695	1449670
从生产者购进(指联营加工)	万支				
省外	万支				
工业企业卷烟销售量	万支	8085258	7670332	1450523	1450803
卷烟期末库存	万支	38444	73703	504	1027
一类卷烟[100 元(含)以上]	万支	4676	6625		
二类卷烟[70 元(含)~100 元]	万支	1112	537		
三类卷烟[30 元(含)~70 元]	万支	4775	3700	474	1000
四类卷烟[16.5 元(含)~30 元]	万支	26313	40021		
五类卷烟[16.5 元以下]	万支	1568	22820	30	27
供应出口和出口	万支				
联营加工	万支	1397	23190	474	1000
复烤烟叶产量	吨	10031	8186		
打叶复烤	吨	7574	8186		
期末烟叶库存	吨	116811	111356	4177	3529
丝束期末库存	吨	580	600	120	174
二醋酸纤维丝束	吨	479	468	120	174
卷烟质量抽检合格率	%	100.00	100.00	100.00	100.00
卷烟成品合格率	%	98.59	98.41	100.00	100.00
每万支卷烟耗烟叶	千克	7.32	7.47	6.91	7.23
每万支卷烟耗盘纸	米	702	656	597	629
每万支卷烟耗嘴棒	支	1833	1832	2116	1979
万元产值耗能源(现价)	千克	35.86	50.1	38.69	68.05
万元产值生产耗能源(现价)	千克	32.64	40.62	30.51	53

企业主要指标

内蒙古昆明卷烟有限责任公司		红塔辽宁烟草有限责任公司		吉林烟草工业有限责任公司	
2009 年	**2008 年**	**2009 年**	**2008 年**	**2009 年**	**2008 年**
1650000	1625000	2602800	2603500	3590000	3290000
532243	591038	2058659	1922824	1602795	1599125
1117757	1033962	544141	680676	1987205	1690875
10539	12961	31074	31497	42667	47628
235707	234585	129999	150338	1510	
200019	79096	963484	576561	2646421	2024079
773637	536034	707779	906288	605693	848106
430098	762324	770464	938816	293709	370187
1650000	1625000	2594405	2592034	3471584	3219505
	8395	11466	116427	70370	
			1989	125	
1650000	1625000	2602800	2554175	3590000	3290000
49325					
2800	3500				
973656	870872	2343395	2303720	702564	930800
973656	870872	2343395	2303720	702564	930800
1630058	1623677	2605480	2596971	3680978	3244400
53290	33348	35808	38488	45099	136077
1277	3746	532	4816	1284	12958
10105	9034	3356	15472	35	
8104	10746	19024	15634	42958	82442
25717	6822	12212	1847	115	31957
8087	3001	685	719	707	8720
33821	19365	26628	16984	6196	27273
11748	13643	29069	32889	36658	34416
385	313	424	471	831	721
376	313	424	471	647	478
99.88	97.91	100.00	100.00	100.00	100.00
100.00	100.00	100.00	100.00	100.00	100.00
7.02	7.27	7.28	7.40	6.61	7.67
600	619	608	588	574	602
2166	1979	1975	2043	2335	2325
34.02	37.92	22.93	26.66	29.01	36.97
27.73	31.89	21.01	24.28	25.48	26.05

指标名称	计量单位	黑龙江烟草工业有限责任公司		深圳烟草工业有限责任公司	
		2009 年	2008 年	2009 年	2008 年
卷烟产量	万支	4260000	4260000	1753150	1656000
软盒嘴烟	万支	2686846	3133381	806744	648700
硬盒嘴烟	万支	1573154	1126619	946406	1007300
一类卷烟[100 元(含)以上]	万支			34881	16703
二类卷烟[70 元(含)~100 元]	万支			162851	113889
三类卷烟[30 元(含)~70 元]	万支	734884	357430	1323498	1087309
四类卷烟[16.5 元(含)~30 元]	万支	1230763	1069934	231920	435849
五类卷烟[16.5 元以下]	万支	2294353	2832636		2250
11~15mg/支	万支	4226441	4159638	1742254	1656000
5~10mg/支	万支	33559	100362	10896	
4mg/支以下	万支				
烤烟型卷烟产量	万支	3516681	3491913	1753150	1656000
混合型卷烟产量	万支	743319	768087		
其他型卷烟产量	万支				
供应出口和出口卷烟产量	万支			90650	68500
来牌或来料加工卷烟产量	万支				
雪茄烟产量	万支				
联营加工卷烟产量	万支	1390000	1100000	215000	162448
省外	万支	1390000	1100000	215000	162448
从生产者购进(指联营加工)	万支				99751
省外	万支				99751
工业企业卷烟销售量	万支	4256219	4259109	1724253	1756989
卷烟期末库存	万支	10832	7085	49971	21074
一类卷烟[100 元(含)以上]	万支			3001	1340
二类卷烟[70 元(含)~100 元]	万支			6592	2433
三类卷烟[30 元(含)~70 元]	万支	2451	510	38752	13725
四类卷烟[16.5 元(含)~30 元]	万支	2558	3349	1626	3576
五类卷烟[16.5 元以下]	万支	5823	3226		
供应出口和出口	万支		20		450
联营加工	万支			9000	
复烤烟叶产量	吨				
打叶复烤	吨				
期末烟叶库存	吨	69332	71617	26129	26689
丝束期末库存	吨	432	447	120	246
二醋酸纤维丝束	吨	381	337	120	246
卷烟质量抽检合格率	%	100.00	100.00	100.00	100.00
卷烟成品合格率	%	100.00	100.00	100.00	100.00
每万支卷烟耗烟叶	千克	7.29	7.30	7.21	7.32
每万支卷烟耗盘纸	米	634	639	627	630
每万支卷烟耗嘴棒	支	1619	1838	1870	1861
万元产值耗能源(现价)	千克	56.96	71.39	10.65	14.32
万元产值生产耗能源(现价)	千克	44.60	55.92	9.72	13.13

续表

海南红塔卷烟有限责任公司		甘肃烟草工业有限责任公司	
2009 年	2008 年	2009 年	2008 年
824999	771622	3920000	3895000
671121	641615	712363	674417
153878	130007	3132379	3155879
		136012	104150
10495	7410	552048	389872
230591	196748	256089	149103
344408	272781	1262087	1381735
294683	1713764	1870140	
824999	771622	3863384	3848677
		56616	46323
824999	771622	3920000	3895000
814499	764212	262500	237500
814499	764212	262500	237500
820529	756277	3921532	3893163
28755	24285	18239	19815
		391	137
1295	1021	731	2008
13880	12302	371	94
11056	8438	11746	17567
2524	2524	5000	9
27460	23264		19507
3001	2625	66576	55070
52	156	800	573
52	156	800	573
100.00	100.00	100.00	100.00
100.00	100.00	100.00	100.00
7.25	7.29	6.87	6.91
626	607	575	638
2019	2013	1698	1792
34.39	38.14	27.52	40.74
30.65	33.01	27.38	40.46

有色金属行业

2009年，我国有色金属工业在党中央“保增长、扩内需、调结构”方针的指引下，全面贯彻落实《有色金属产业调整和振兴规划》，应对国际金融危机取得明显成效，全行业企稳向好的态势不断巩固，企业盈利能力逐步恢复，节能降耗取得新成效，兼并重组和境外资源开发取得新进展。

一、工业生产企稳向好

（一）十种有色金属产量同比增长2.11%

2009年，全国十种有色金属产量为2604.43万吨，同比增长2.11%，增幅比上年回落5.51个百分点，是新世纪以来增幅最低的一年。其中，精炼铜405.13万吨，同比增长6.75%；原铝（电解铝）1289.05万吨，同比下降2.19%；铅377.29万吨，同比增长9.3%；锌428.63万吨，同比增长6.04%。

全年十种有色金属产量超过100万吨的省、自治区有10个，分别为：河南471.13万吨；山东213.15万吨；云南211.75万吨；湖南196.79万吨；内蒙古175.72万吨；甘肃173.31万吨；安徽120.06万吨；广西109.27万吨；山西105.28万吨；青海100.53万吨。

（二）有色金属矿山及氧化铝产品产量稳步增长

1.2009年，规模以上企业生产六种精矿金属含量626.70万吨，同比增长2.92%。其中，铜金属含量104.45万吨，同比下降2.88%；铅金属含量160.41万吨，同比增长14.33%；锌金属含量332.44万吨，与上年大体持平。

2.2009年，全国钨精矿折合量9.59万吨，与上年大体持平；钼精矿折合量20.06万吨，同比增长4.86%。

3.2009年，全国氧化铝产量2380.51万吨，同比增长4.48%，增幅比上年下降12.52个百分点。

（三）铜、铝加工材产量呈增长态势

2009年，铜材产量为873.64万吨，同比增长4.41%；铝材产量为1592.91万吨，与上年大体持平。

二、规模以上有色金属企业盈利能力逐渐恢复

（一）有色金属企业实现主营业务收入与上年大体持平

1.2009年，规模以上有色金属工业企业（不包括独立黄金企业，下同）实现主营业务收入21972.44亿元，同比增长0.5%。按所有制划分，国有控股企业实现主营业务收入6292.6亿元，同比下降4.5%，占29.1%；集体控股企业实现主营业务收入1276.1亿元，同比下降12.1%，占5.8%；私人控股企业实现主营业务收入11464.9亿元，同比增长8.6%，占52.2%；港澳台商控股企业实现主营业务收入1052.7亿元，同比增长0.1%，占4.8%；外商控股企业实现主营业务收入1060.0亿元，同比下降7.8%，占4.8%。

2.2009年，有色金属独立矿山企业实现主营业务收入1758.6亿元，同比下降1.2%，占8.0%；有色金属冶炼企业（含联合企业中的矿山）实现主营业务收入9558.4亿元，同比下降4.4%，占43.5%；有色金属加工企业实现主营业务收入10655.5亿元，同比增长5%~3%，占48.5%。

3.2009年，规模以上有色金属工业企业实现主营业务收入超过1000亿元的省区有8个，他们依次是：江苏省2249.4亿元；山东省2150.8亿元；河南省2051.1亿元；江西省1930.4亿元；广东省1761.6亿元；湖南省1242.0亿元；浙江省1218.1亿元；内蒙古自治区1101.9亿元。

（二）有色金属企业实现利税比上年下降9.4%

1.2009年，规模以上有色金属工业企业实现利税1766.5亿元，同比下降9.4%。按所有制分，国有控股企业实现利税为382.1亿元，同比下降30.1%，占21.6%；集体控股企业实现利税：110.1亿元，同比下降17.2%，占6.2%；私人控股企业实现利税999.7亿元，同比下降1.6%，占56.7%；港澳台商控股企业实现利税120.1亿元，同比增长75.1%，占6.8%；外商控股企业实现利税86.8亿元，同比下降14.2%，占4.9%。

2.2009年，有色金属独立矿山企业实现利税301.3亿元，同比下降26.2%，占17.1%；有色金属冶炼企业（含联合企业中的矿山）实现利税677.4亿元，同比下降20.6%，占38.3%；有色金属加工企业实现利税787.8亿元，同比增长14.4%，占44.6%。

3.2009年，规模以上有色金属企业实现利税超过100亿元的省区有8个，他们依次是：河南省210.4亿元；山东省182.8亿元；江西省172.5亿元；广东省159.9亿元；江苏省137.5亿元；湖南省131.3亿元；内蒙古自治区122.6亿元；辽宁省117.7亿元。

（三）有色金属企业实现利润比上年下降3.7%

1.2009年，规模以上有色金属工业企业盈亏相抵后实现利润1034.74亿元，同比下降3.7%。按所有制分，国有控股企业实现利润170.7亿元，同比下降33.8%，占16.5%；集体控股企业实现利润75.5亿元，同比下降12.4%，占7.3%；私人控股企业实

现利润593.4亿元，同比增长2.7%，占57.3%；港澳台商控股企业实现利润95.3亿元，同比增长134.7%，占9.2%；外商控股企业实现利润54.5亿元，同比下降11.7%，占5.3%。

2.2009年，规模以上有色金属工业企业实现利润超过100亿元的省份有3个，他们依次是：河南省141.9亿元；山东省123.3亿元；广东省108.2亿元。

（四）有色金属工业完成固定资产投资继续增长，全行业资产总额达到1.78万亿元

2009年，有色金属工业累计完成固定资产投资（不包括独立黄金企业，下同）2717亿元，同比增长14.85%。其中，有色金属采选完成固定资产投资605.87亿元，占22.3%；有色金属冶炼完成固定资产投资1203.7亿元，占44.3%；有色金属压延加工完成固定资产投资907.38亿元，占33.4%。

截至2009年末，规模以上有色金属工业企业资产总额达到17797.9亿元，同比增长15.3%；负债10487.7亿元，同比增长19.1%，资产负责率为58.9%，同比上升了1.9个百分点。

三、有色金属出口额下降，但冶炼产品进口增加

2009年，有色金属进出口贸易总额为831.97亿元，同比下降11.3%，降幅比全国进出口总额低2.6个百分点。其中，进口额为659.39亿美元，同比增长0.4%；出口额为172.58亿美元，同比下降38.6%。

2009年，我国进口未锻轧铜323.8万吨，同比增长115.28%；进口铜材82.39万吨，同比下降11.88%；进口铜精矿实物量613.23万吨，同比增长18.22%；进口未锻轧铝173.94万吨，同比增长5.7倍；进口氧化铝514.07万吨，同比增长12.1%；进口铝土矿1969.19万吨，同比下降23.5%；进口铝材58.14万吨，同比下降6.0%。

2009年，我国出口未锻轧铜7.31万吨，同比下降24.19%；出口铜材45.51万吨，同比下降12.17%；出口未锻轧铝31.02万吨，同比下降63.1%；出口铝材139.35万吨，同比下降26.5%。

四、企业节能降耗取得新成效

2009年，全国铝锭综合交流电耗为14171千瓦时/吨，同比下降152千瓦时/吨，全年节电20亿千瓦时；氧化铝综合能耗为659千克标煤/吨，同比下降19.3%；铜冶炼综合能耗为366千克标煤/吨，同比下降7.2%；铅冶炼综合能耗降到459千克标煤/吨，同比下降2.8%；电锌综合能耗为922千克标煤/吨，同比下降3.2%。2009年有色金属工业（包括独立黄金企业）能源消耗量为8314万吨标准煤，同比下降3%；万元工业增加值能耗同比下降15%。

五、科技进步成果显著

产业技术创新战略联盟取得阶段性效果；列入《国务院关于发挥科技支撑作用，促进经济平稳较快发展的意见》中的三项有色金属产业重点先进技术均取得积极进展，其中新型阴极结构等铝电解技术使直流电耗有了大幅度降低，开始在部分铝厂推广应用；自主研发的氧气底吹熔炼多金属捕集技术，已建成处理多金属矿原料50万吨/年生产线，运行达到预期效果。中金岭南丹霞冶炼厂10万吨锌氧压浸出工程和株洲冶炼厂常压富氧浸出技改项目成功投产，标志着我国锌冶炼技术水平跃上一个新台阶。时速350公里高铁用铝材，已实现国产化。

六、企业兼并重组取得新进展

中国五矿集团公司与湖南有色金属控股公司2009年底正式签署战略合作协议，由中国五矿集团控股湖南有色控股公司；中国有色矿业集团收购山东奥博特铜铝业有限公司；云南冶金集团收购美铝持有的美铝（上海）公司100%股权；青铜峡能源铝业集团公司成功回购加宁铝业外方股权。

七、有色金属境外资源开发取得新突破

中国五矿集团公司以13.8亿美元收购澳大利亚第三大矿业公司（OZMineral公司）的主要资产。中国有色矿业集团成功收购赞比亚卢安夏铜业公司、澳大利亚特拉明矿业公司和吉尔吉斯斯坦恰拉特金矿；该集团在赞比亚谦比希的15万吨铜冶炼项目建成投产。中金岭南公司收购澳大利亚PEM公司50.1%的股权。华东有色地勘局在伦敦交易所收购WTI50.1%的股份，控股该上市公司。吉林吉恩镍业公司分别收购加拿大3个镍矿项目和澳大利亚1家公司的镍钴项目。

八、有色金属资本市场出现可喜的变化

2009年在境内外新上市的有色金属企业4家，在香港股票市场融资105亿港元，在深圳股市融资19.8亿元人民币。资本市场有色金属板块涨幅明显超过沪深两市大盘涨幅，有色金属板块总市值从2008年末的0.43万亿元，涨到2009年末的1.03万亿元，涨幅140%，比大盘涨幅高40%。

2009 年有色金属工业概况

表 1

项　目	单位	1990 年	1995 年	2000 年	2005 年	2006 年	2007 年	2008 年	2009 年
一、主要产品产量									
1. 十种有色金属合计	万吨	239.32	496.62	783.81	1639.02	1915.21	2370.05	2550.73	2604.43
(1) 精炼铜	万吨	56.16	107.97	137.11	260.04	300.32	349.94	379.46	405.13
(2) 原铝（电解铝）	万吨	84.71	167。61	279.41	780.60	935.84	1258.83	1317.82	1289.05
(3) 铅	万吨	29.65	60.79	109.99	239.14	271.49	278.83	345.18	377.29
(4) 锌	万吨	55.18	107.67	195.70	277.61	316.27	374.26	404.23	428.63
(5) 镍	万吨	2.75	3.89	5.09	9.51	10.19	11.57	12.87	16.48
(6) 锡	万吨	3.58	6.77	11.24	12.18	13.21	14.88	13。99	14.04
(7) 锑	万吨	6.00	12.95	11.33	13.83	14.04	14.66	15.81	16.54
(8) 汞	吨	930	779	203	1094	759	798	1333	1425
(9) 镁	万吨	0.54	9.36	14.21	45.08	51.97	62.47	55.52	52.56
(10) 钛	吨	1913	1723	1905	9161	18037	45200	57244	45730
2. 有色金属矿产品									
(1) 铜精矿含铜量	万吨	29.59	44.52	59.26	76.16	87.29	92.80	107.61	10445
(2) 铅精矿含铅量	万吨	36.39	51.98	65.95	114.20	133.06	140.21	140.27	160.41
(3) 锌精矿含锌量	万吨	76.31	101.07	178.03	254.78	284.42	304.77	334.26	332.44
(4) 镍精矿含镍量	万吨	3.32	4.18	5.03	7.27	8.21	6.64	7.95	8.48
(5) 锡精矿含锡量	万吨	4.22	6.19	9.94	12.56	12.63	14.59	8.55	9.72
(6) 锑精矿含锑量	万吨	5.48	12.50	9.93	15.15	15.26	16.30	10.23	11.20
(7) 钨精矿（折三氧化钨 65%）	万吨	6.28	5.33	4.55	9.94	8.73	8.00	9.73	9.59
(8) 钼精矿（折纯钼 45%）	万吨	3.29	7.33	6.39	8.84	9.59	15.06	19.13	20.06
(9) 钴精矿含钴量	吨	249	981	91	2104	1833	6136	6626	6003
(10) 铋精矿含铋量	吨	1055	739	1122	1886	1515	1363	1453	1688
3. 中间产品									
(1) 粗铜（矿产）	万吨	35.85	53.80	101.39	175.15	191.75	211.15	245.34	269.39
(2) 粗铅（矿产）	万吨	26.42	35.99	82.96	178.58	209.46	204.2	243.07	262.59
(3) 氧化铝	万吨	146.40	219.94	432.81	853.57	1369.98	1947.32	2278.41	2380.51
(4) 高冰镍（含量）	万吨	3.34	4.26	5.70	8.35	9.98	10.53	11.43	14.30
4. 有色金属加工材									
(1) 铜材	万吨	45.18	157.19	159.66	502.48	532.44	630.21	836.71	87364
(2) 铝材	万吨	39.38	174.23	217.15	647.86	879.25	1250.75	1620.82	1592.91
(3) 铅材	万吨	0170	3170	0.31	2.24	0.21	0.13	0.92	0.94
(4) 锌材	万吨	4.34	12.54	0.59	5.00	0.93	0.77	1.54	1.5
(5) 镍材	吨	912	1008	403	4885	2379	2441	4616	5115
(6) 锡材	吨	556	5502	458	15908	12243	17311	39999	35871
(7) 镁材	吨	28	11773	9		105	111	62	29
(8) 铜盘条	万吨	15.06	29.26	36.47	104.76	103.31	122.71	141.64	158.76
(9) 铝盘条	万吨	2.26	4.10	9.36	15.45	38.72	52.48	44.45	85.37

续表

	单位	1990 年	1995 年	2000 年	2005 年	2006 年	2007 年	2008 年	2009 年
5. 其他常用有色金属									
(1) 镉	吨	1129	1471	2368	4077	3791	4215	6964	7053
(2) 铋	吨	1058	803	768	10605	11758	12144	13069	12277
(3) 钴	吨	325	238	411	7148	8206	7580	6644	5992
(4) 硅	万吨	6.12	6.74	4.17	41.32	60.50	108.30	109.48	99.29
6. 辅助材料及其他									
(1) 炭素制品（有色企业）	万吨	42.80	65.46	83.80	224.36	317.21	410.9	477.12	491.15
(2) 氟化盐	万吨	6.05	9.38	9.93	25.85	31.85	46.98	48.08	43.02
(3) 选矿药剂	万吨	2.34	2.84	2.92	3.01	3.61	2.63	3.08	3.40
(4) 硫精矿	万吨	347.70	406.73	290.81	499.50	538.28	613.42	653.00	654.38
(5) 硫酸（有色企业）	万吨	189.20	240.35	557.79	831.86	990.32	1151.42	1638.27	1914.20
(6) 商品硫酸铜	万吨	1.07	1.07	1.31	4.55	4.57	3.97	4.26	4.76
(7) 商品硫酸锌	万吨	2.45	2.77	2.54	3.55	3.00	3.87	3.31	2.8
(8) 商品硫酸镍	万吨	0.17	0.49	0.16	2.40	2.70	2.36	2.68	2.99
(9) 发电量（有色企业）	亿度	11.54	17.72	26.27	168.80	219.21	369.44	429.25	477.52
(10) 水泥（有色企业）	万吨	169.00	199.91	265.19	174.63	122.62	372.51	366.73	522.05
二、能源消耗									
电	亿度	254.60	426.62	595.57	1419.02	1783.47	2107.70	2259.13	2361.71
煤	万吨	736.00	1032.85	1210.12	2190.74	2794.93	4204.75	4378.32	4655.73
焦炭	万吨	100.80	147.49	155.18	171.11	227.26	270.05	234.32	275.46
燃料油	万吨	53.40	58.26	48.90	51.34	58.62	73.50	73.51	80.43
三、固定资产投资	亿元		142.10	175	880.71	1182.66	1660.45	2365.59	2716.95
四、实现利税	亿元		95.53	169.66	897.50	1680.83	2288.63	1950.42	1766.53
其中利润	亿元		43.14	66.3	559.98	1117.09	1463.66	1074.20	1034.74

注：1. 从2004年起十种有色金属产量中不包括再生铝。

2. 从2006年起铝材、锌材等为系统内企业产量。

2009 年规模以上有色金属工业产值

表 2　　单位：千元

地区名称	工业总产值（当年价格）	工业销售产值（当年价格）
全国合计	2162259370	2105423895
北　京	5284735	5166714
天　津	24365263	23762561
河　北	30727418	29828708
山　西	28093135	27801840
内蒙古	114260548	110149155
辽　宁	96292329	95939576
吉　林	11106992	10960948
黑龙江	3269041	3281185

续表

地区名称	工业总产值（当年价格）	工业销售产值（当年价格）
上　海	32123602	31417731
江　苏	230800591	227207296
浙　江	126856398	122760680
安　徽	77141557	75689779
福　建	31360409	29979122
江　西	179917051	176372741
山　东	214913583	211727879
河　南	202126798	198568886
湖　北	40992260	40369255
湖　南	126527204	125978733
广　东	184897040	177473194
广　西	49899714	47181600
海　南	801754	745828
重　庆	32088540	30151351
四　川	56288589	54765958
贵　州	15743797	14932836
云　南	81472618	76124742
西　藏	734055	607736
陕　西	50097660	45904281
甘　肃	66496124	64317583
青　海	26652654	26319149
宁　夏	16217228	15488053
新　疆	4710683	4448795

注：2009 年规模以上有色金属企业工业增加值 5730 亿元，按可比价格计算比 2008 年增长 14.1%。

有色金属工业能源消耗

表 3

地区名称	电力（万千瓦时）	煤炭（吨）	焦炭（吨）	燃料油（吨）	柴油（吨）	汽油（吨）	天然气（万立方米）	其他燃料（吨标准煤）
全国合计	23617054	46557333	2754638	804315	627954	57445	192650	1843858
北　京	2341	1193	129	9	100	144	36	
天　津	3085	9523		2369	157	59		
河　北	39829	37217		7500	14805	277	1847	
山　西	1061418	5849784	468446	4510	13827	1532	2967	
内蒙古	2182335	5156341	33748	4353	4016	908	3002	134640
辽　宁	329633	1074028	154409	9526	5290	1053		28312
吉　林	53319	190049	1124		1443	397	43	
黑龙江	29457	41056	19142	1598	230	172		1000
上　海	47116	22755	1200	7104	12897	259		
江　苏	412754	31812	3367		10048	102	24881	12576

续表

地区名称	电力（万千瓦时）	煤炭（吨）	焦炭（吨）	燃料油（吨）	柴油（吨）	汽油（吨）	天然气（万立方米）	其他燃料（吨标准煤）
浙　江	421704	84750	58629	41934	16894	984	30918	943
安　徽	204512	215415	20980	36220	13079	582	7207	
福　建	237165	65000	5000	21266	6903	3093	2523	698
江　西	364772	243817	35801	68213	90755	12280	46	18405
山　东	1901559	4652895	62929	127315	16923	2258	35988	9115
河　南	3990695	13903131	375539	144442	99477	2703	41684	290266
湖　北	692172	149722	6618	8685	11987	1493	1761	2500
湖　南	714740	600469	372215	8288	62363	4388	552	1154
广　东	410807	328966	218203	24108	93988	5987	8896	1313
广　西	675077	2939831	121190	83102	18763	826		5596
重　庆	346695	521682		365	983	502	5981	93053
四　川	870969	355366	28994	35	13840	9235	2853	21895
贵　州	2161562	1296076	30133	116152	9462	304		
云　南	1243878	710630	238426	9550	39020	2238		82350
陕　西	569481	450136	34447	10	12644	1373	883	
甘　肃	2137851	3566043	234113	74292	40219	2727	5656	106
青　海	1369921	3108875	198391	3369	9672	716	5658	
宁　夏	1016071	376312			5106	358	9268	1139936
新　疆	126136	574459	31465		3063	495		

注：2009 年有色金属工业综合能源消耗为 6497.4 万吨标煤（按当量系数折算），同比下降 3.95%。

2009 年规模以上有色金属工业企业主要财务指标

表 4 单位：千元

地区名称	企业数（个）	主营业务收入	主营业务成本	利润总额	利税总额	资产总计	负债合计
全国合计	9806	2197243691	1966504260	103473879	176652776	1779794697	1048766310
北　京	91	6869141	6391043	121641	209026	5028022	2849134
天　津	132	22133857	21539764	349479	1501445	10388094	6621869
河　北	209	30429899	26488360	2442611	3342624	30234497	17243730
山　西	115	28096670	27745177	2957578	1904067	60957043	41980856
内蒙古	306	110187043	93858855	7762433	12261770	89423391	48424131
辽　宁	567	94672013	79391525	8567076	11766286	72104741	44186648
吉　林	65	10389437	8593458	748892	1116169	18403987	11660742
黑龙江	40	4195928	3819115	110109	254689	6406103	2752397
上　海	266	37157938	34964795	702995	1060972	23646977	13588092
江　苏	1319	224935103	206892990	8073807	13751286	93372277	57737182
浙　江	900	121812784	113553933	3834337	5908059	86940757	55890757
安　徽	268	87958997	81591097	3608861	6755480	58941244	41606078
福　建	220	30068316	26889419	2135539	2990442	28930498	16802029

续表

地区名称	企业数（个）	主营业务收入	主营业务成本	利润总额	利税总额	资产总计	负债合计
江　西	620	193040143	175815302	9075258	17250552	103446249	54676923
山　东	392	215081629	193604247	12331635	18278686	166437754	81142237
河　南	690	205106277	182149920	14186033	21036882	196500457	118411236
湖　北	235	51257424	47698492	1499247	2527507	27901746	17329944
湖　南	986	124198611	101895711	6121222	13134150	75667776	43467759
广　东	734	176155446	156290556	10819685	15991414	84889758	53952715
广　西	278	47523881	40993280	1310358	3411784	59789027	42916685
海　南	25	740753	609283	23393	60950	621642	297908
重　庆	126	29905767	27415663	860150	1562352	21516556	13220280
四　川	323	54055920	47778043	2105994	3991911	49644248	29249123
贵　州	121	16444124	16350491	-619474	-151751	25983087	1746845
云　南	299	75715417	65616373	3291554	6603464	117843182	75136666
西　藏	14	660109	330265	186031	262331	3686528	1625134
陕　西	248	50141877	45633971	1464078	3853324	68762761	29172269
甘　肃	103	93190865	86219220	2588422	4234269	99464741	53097314
青　海	44	35790972	30116476	1396578	3355145	51876476	30395608
宁　夏	27	14881324	13169219	424383	951961	30972534	21807180
新　疆	43	4446026	3098217	909130	1283662	10012544	4061839

2009年有色金属进出口情况

表5

项　目	出口数量（吨）	出口创汇额（万美元）	进口数量（吨）	进口用汇额（万美元）
合计		1725810		6593898
1. 铜		316769		3719111
未锻轧铜	73083	44027	3237987	1592080
其中：精炼铜	72937	43893	3185219	1571074
铜合金	146	134	52768	21006
铜材	455136	271866	823854	549931
其中：铜粉	1971	1679	3660	3411
铜条杆型材	7691	4383	85715	40843
铜丝	14182	8863	268629	145722
铜板带	22859	15229	149760	99588
铜箔	165913	82836	288010	231445
铜管	178743	108520	25622	21635
铜制管子附件	63776	50357	2457	7287
粗铜	33	28	228082	120211
铜矿	460	11	6132346	847868
铜废碎料	2184	836	3998098	609020

续表

项　目	出口数量（吨）	出口创汇额（万美元）	进口数量（吨）	进口用汇额（万美元）
*铜金属制品	47542	40676	45881	60726
2. 铝		518828		1012708
未锻轧铝	310240	50669	1739433	274258
其中：非合金铝	45904	9096	1496093	233508
铝合金	264336	41573	243340	40751
铝材	1393487	459649	581368	260259
其中：铝粉	2395	1231	2814	1592
铝条杆型材	462252	162981	77708	27214
锅丝	15177	4468	9161	3771
铝板带	482457	128918	429016	146513
铝箔	348532	127832	44756	66930
铝管	72767	27279	16368	11176
铝制管予附件	9908	6940	1545	3061
铝废碎料	894	150	2626116	275182
氧化铝	68581	2879	5140749	130385
铝矿砂及其精矿			19691931	70498
氢氧化铝	137855	5481	18358	2126
*铝金属制品	1033027	439384	28124	44331
3. 铅		12010		204329
未锻轧铅	24826	4367	204109	30332
其中：精铅	23029	4010	157269	23197
铅合金	1797	357	46840	7136
铅材	37782	7256	2517	298
铅废碎料			97	15
铅矿	11		1604829	173665
氧化锚/铅丹/铅橙	1935	387	38	18
*铅金属制品	2896	693	4064	1914
*铅酸蓄电池	117235727	121214	6053394	10462
4. 锌		13112		328349
未锻轧锌	29287	5868	802939	125718
其中：非合金锌	29271	5865	669549	100185
锌合金	16	3	133391	25532
氧化锌	16423	2317	17566	3713
锌钡白（立德粉）	33721	1790	57	19
锌材	9969	2749	28932	6801
锌矿	4684	388	3850875	188251
锌废碎料			30607	3848
*锌金属制品	39011	14383	2186	1371

续表

项　目	出口数量（吨）	出口创汇额（万美元）	进口数量（吨）	进口用汇额（万美元）
*原电池		148691		39389
5. 锡		2758		48422
未锻轧锡	686	1133	24284	29655
其中：非合金锡	685	1128	20740	25962
锡合金	2	4	3544	3692
锡材	1579	1625	9194	15058
锡矿			10207	3709
锡金属制品	3021	4070	637	2155
6. 镍		63346		604772
未锻轧镍	33631	57102	250216	362782
其中：非合金镍	33504	56930	242983	354264
镍合金	127	172	7234	8517
镍材	2524	5961	11321	38975
镍矿	4284	275	16420893	105657
镍废碎料	7	8	146	89
*镍金属制品	836	2871	2296	9029
7. 锑		19187		3922
未锻轧锑	4579	2058	160	65
粉末	1	1		3
氧化锑	37141	16773	1313	756
硫化锑	1074	301	437	109
锑矿	7		25154	2913
锑金属制品	81	54	236	75
8. 镁		64597		369
未锻轧镁	181049	49666	177	53
其中：含镁>998	117429	30400	15	4
含镁<998	63620	19266	162	49
镁粒、粉	40748	10724	39	30
镁材及金属制品	11486	4144	160	249
镁废碎料	240	63	348	37
9. 钨		35572		10922
钨材及金属制品	3056	10969	616	3775
其中：钨粉	738	2209	38	210
未锻轧钨及条杆型材	1638	4210	86	948
钨丝	412	2915	59	1259
钨矿	496	253	9124	6888
钨酸盐	5130	8933	42	76
其中：仲钨酸铵	3671	6212	40	66

续表

项　目	出口数量（吨）	出口创汇额（万美元）	进口数量（吨）	进口用汇额（万美元）
氧化钨及氢氧化钨	4441	8260	3	46
其中：三氧化钨	2013	3804	3	45
钨铁	1160	2376	1	7
碳化钨	11712	4782	24	131
硬质合金	481072	127898	194886	146716
10. 钼		25593		81147
钼材及金属制品	2086	8701	231	3433
其中：钼粉	263	934	38	325
未锻轧钼及钼材	1187	4740	83	1265
钼丝	305	1923	32	408
钼矿	8913	12937	61807	76571
氧化钼及氢氧化钼	90	146	123	193
钼铁	654	904	487	713
钼酸盐	2041	2905	368	238
其中：钼酸铵	1632	2475	113	170
11. 银		217526		68044
未锻造银	3554410	166221	737506	25069
银粉	65266	1283	1411622	19419
半制成银	109444	4511	2480482	14887
银手饰及零件	459393	44760	33187	2221
银器皿及零件	3126	751	319	22
12. 金		210600		19366
13. 钛		14209		46951
海绵钛	441	336	3626	1943
钛废碎料	17	9	72	22
钛材及金属制品	4471	13252	5477	28503
钛矿	591	25	1479222	16246
*钛白粉	103629	17315	244850	53764
14. 钴		16924		100139
钴及其制品	3034	10768	37955	38526
钴矿			282955	55490
氧化钴	1591	5079	1265	3333
硝酸钴	21	24	5	3
碳酸钴	446	1038	18	31
钴盐	7	15	408	2756
15. 锆		948		43888
锆及其制品	873	940	1002	7407
锆矿	77	7	469853	36481

续表

项目	出口数量（吨）	出口创汇额（万美元）	进口数量（吨）	进口用汇额（万美元）
16. 钽铌		12795		14347
钽及其制品	458	12795	177	6627
钽铌矿			9090	7719
17. 铋及其制品		4998		1179
18. 镉及其制品		43		3086
19. 锗及其制品		3037		100
20. 稀土		64884		18429
稀土金属	5345	7269	30	67
其中：钕	1594	2846		
镝	1	8		1
稀土合金	2075	2537	30	40
其中：电池储氢合金	225	222	2	8
稀土氧化物	22223	16677	3036	2669
其中：氧化（氢氧化）铈	2588	1104	235	298
氧化钇	1156	1194	451	564
氧化镧	12003	5386	1868	1030
氧化钕	439	767		
氧化铕	12	555	12	4
氯化稀土	631	138	28	1
氟化稀土	290	151	1	3
碳酸稀土	5162	1568	445	118
稀土永磁体	8581	36544	2565	15531
21. 硅及单晶硅		104321		240156
电子工业用直径＞＝30cm 单晶硅棒	26	1181	17	138
电子工业用直径＜7.5cm 单晶硅棒	4	90	1	31
其他含硅量不少于 99.99% 的硅	1595	8438	22728	170440
7.5cm≤直径≤15.24cm 单晶硅片	215	13314	138	12133
直径＞15.24cm 单晶石土片	137	6109	784	48243
其他硅	421670	75189	11011	9170
*硅铁含硅量不超过 55%	31705	3990	7546	440
22. 铼、锗、铱、钌及制品		14		22709
未锻造的锗或锗粉	1	6	4017	21170
板片状锗			6	15
其他半制成锗				1
未锻造或粉末状铼、铱、钌	13	8	3893	1514
板、片状铼、铱、钌			2	2
其他半制成铼、铱、钌			4	7
23. 其他稀有金属及制品		3743		1453

续表

项　目	出口数量（吨）	出口创汇额（万美元）	进口数量（吨）	进口用汇额（万美元）
未锻轧的铍、粉末			1	50
其他铍及其制品		5	12	57
未锻轧的铟、废碎料、粉末	45	1636	7	207
锻轧的铟及其制品	4	150	5	304
未锻轧的镓、铪、铼，废碎、料、粉末	23	1311	15	757
锻轧的镓、铪、铼及其制品	14	640	1	79

注：黄金、白银进出口量单位为千克，总计中不包括*产品。

2009 年有色金属分地区固定资产投资

表 6　　　　单位：万元

地区名称	2009 年完成投资额	2008 年完成投资额	同比增长（%）
全国合计	27169584	23655945	14.85
北　京	4536	4767	-4.85
天　津	96161	118712	-19.00
河　北	882360	679296	29.89
山　西	778449	857901	-9.26
内蒙古	2447288	2106162	16.20
辽　宁	1189586	1017086	16.96
吉　林	436669	315900	38.23
黑龙江	236348	279726	-15.51
上　海	72647	5969	1117.07
江　苏	791299	460292	71.91
浙　江	224773	185360	21.26
安　徽	694493	461340	50.54
福　建	790816	491544	60.88
江　西	2801109	2436844	14.95
山　东	1017833	853318	19.28
河　南	4057273	3570324	13.64
湖　北	461903	277066	66.71
湖　南	1840816	1455732	26.45
广　东	377202	393536	-4.15
广　西	1427854	1776128	-19.61
海　南	1486	15426	-90.37
重　庆	570433	529014	7.83
四　川	966305	652638	48.06
贵　州	399620	633722	-36.94

续表

地区名称	2009 年完成投资额	2008 年完成投资额	同比增长（%）
云　南	1548435	1394496	11.04
西　藏	110263	106975	3.07
陕　西	887626	728533	21.84
甘　肃	854305	710746	20.20
青　海	454599	434822	4.55
宁　夏	381026	447093	-14.78
新　疆	366071	255477	43.29

电子信息行业

2009 年是我国电子信息产业发展较为困难的一年。受国际金融危机影响，产业出现负增长，成为国民经济中受冲击最明显的行业。但可喜的是，随着国内政策效应不断显现和世界经济逐步回暖，电子信息产业自 2009 年下半年起开始呈现企稳向好的态势，生产增速低位回升、出口下滑速度放缓、经济效益降幅收窄，总体回升趋势基本清晰。展望未来，产业发展形势总体向好，但不确定因素依然较多，产业转型升级要求迫切，需要加强形势监测并加大调整力度，才能确保产业平稳协调发展。

一、2009 年电子信息行业发展基本情况

（一）产业规模继续扩大

2009 年，规模以上电子信息制造业实现收入 51305 亿元，同比增长 0.1%；利润 1791 亿元，同比增长 5.2%；出口交货值 28932 亿元，同比下降 5.6%。软件业务收入 9513 亿元，同比增长 25.6%。

（二）发展速度总体回落，前低后高态势明显

1. 生产增速低位回升。全年规模以上电子信息制造业增加值增长 5.3%，扭转了上半年下滑的势头，但比上年增速下降 7 个百分点；实现销售产值 50202 亿元，同比增长 2.4%，扭转了前 10 个月连续下滑的势头。

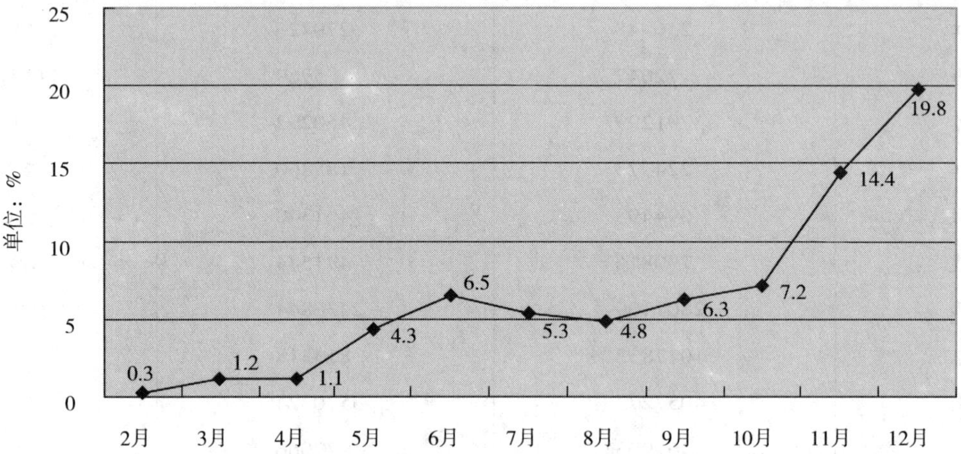

图 1　2009 年规模以上制造业增加值月度增长情况

数据来源：工业和信息化部。

2. 重点产品增长面扩大。自二季度起，重点监测的 27 个电子信息产品中，实现正增长的产品面不断扩大，12 月有 20 个产品产量实现正增长，是全年增长产品最多的月份。彩电、微型计算机、手机累计产量分别于 4、5、9 月扭转了下滑势头，集成电路于 10 月起开始出现月度正增长；累计到 12 月底，微型计算机、显示器、彩电、手机产量分别增长 33.3%、7.2%、9.6%、10.7%，集成电路产量同比下降 0.7%。

3. 经济效益速度回升。前 11 个月，规模以上电子信息制造业销售收入下降 1%，利润下降 3.4%，二者降幅分别比上半年回升 7.5、37.6 个百分点；至

12 月底，二者均扭转下滑势头，增速分别达到 0.1% 和 5.2%。全行业亏损面为 26.1%，比上半年下降 9.4 个百分点；亏损企业亏损额达到 382 亿元，同比增长 45%。计算机和电子元器件行业效益相对较差，利润降幅分别达到 26.7%、9%、39.4%；通信和视听行业效益较好，利润分别增长 49% 和 23%。

4. 外贸出口下滑明显。2009 年，电子信息产品进出口 7719 亿美元，同比下降 12.8%，这是本世纪以来首次负增长。其中出口 4572 亿美元，下降 12.5%，占全国出口的 38%；进口 3147 亿元，下降 13.5%，占全国进口的 31%。出口降幅逐步收窄，11、12 月连续正增长。基础产品下滑明显，电子元件、材料分别下降 23.6%、36.3%；整机产品降幅相对较小，通信、视听、计算机产品出口分别下降 3.8%、12%、8.9%。

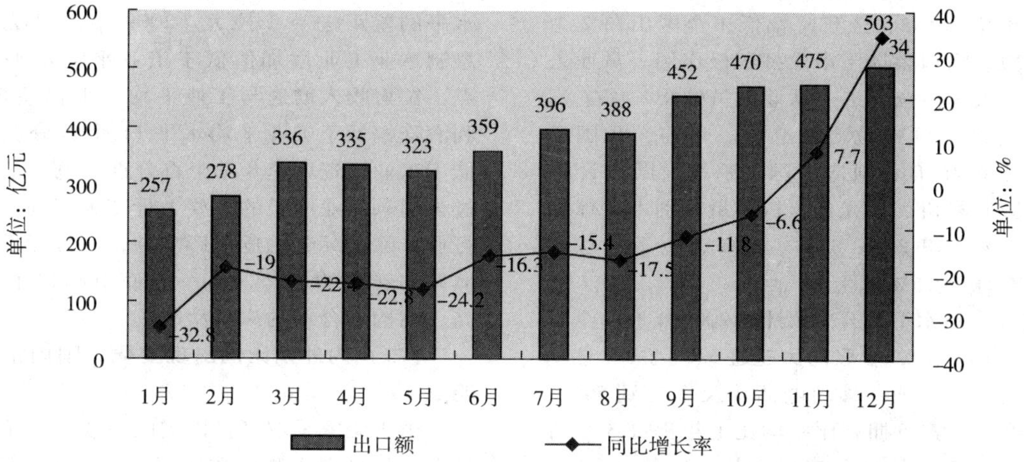

图 2　2009 年 1—12 月电子信息产品单月出口情况

数据来源：工业和信息化部。

5. 投资增速出现回落。2009 年，全行业 500 万元以上项目累计完成投资 4147 亿元，同比增长 17.5%，增幅低于上年 15.8 个百分点。新增固定资产 2621 亿元，同比增长 34.9%，增幅高于上年 3.4 个百分点。通信设备行业投资增长较快，增速达到 36.5%；电子器件行业投资增长 2.8%，其中集成电路行业下降 21.7%。全年新开工项目 4443 个，同比增长 41.4%，占全部施工项目的 63.5%，主要集中在光电器件、通信设备、光纤光缆等领域。

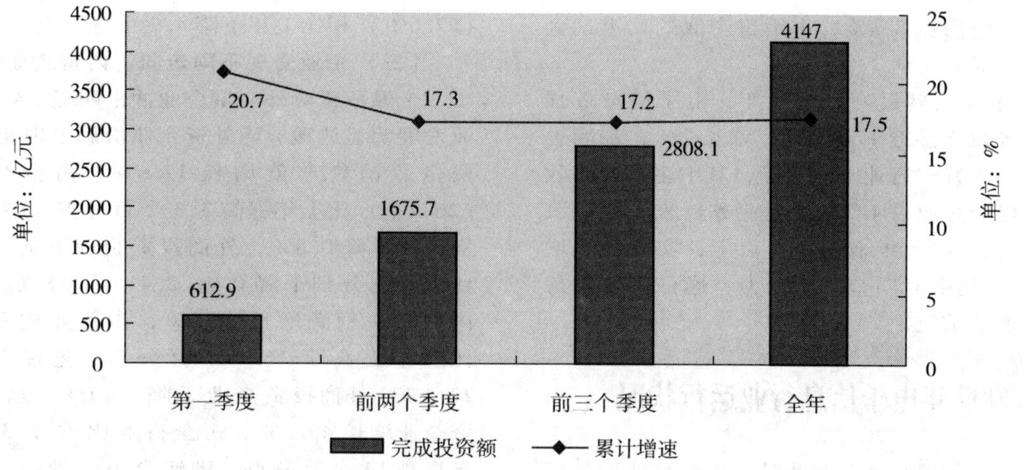

图 3　2009 年电子信息产业固定资产投资完成情况

数据来源：工业和信息化部。

6. 软件保持平稳增长。2009 年，全国软件产业实现业务收入 9513 亿元，同比增长 25.6%，增速比上年低 4.2 个百分点。前三季度中，每月增速呈放慢趋势，自 9 月份起开始回升，11、12 月增速达 30%

以上。分领域看，软件技术服务增长31.4%，占全行业比重（22.4%）比上年提高2个百分点。嵌入式软件和IC设计收入增速均比上年下降5个百分点以上。软件外包服务出口24亿美元，同比增长15%。

（三）产业发展实力增强

1. 在国民经济中依然保持重要地位。2009年，尽管电子信息产业收入下滑，但在全国工业中的比重依然达到10%左右。电子信息产品出口在全国外贸出口中的比重超过1/3，全年降幅低于全国出口2个百分点，为减缓出口整体下滑发挥积极作用。从业人员达到755万人，占全部工业从业人员的9%左右。

2. 全球生产大国地位更加凸显。目前，我国已成为世界电子产品第一制造大国，手机、微型计算机、彩电、数码相机、激光视盘机产量分别占全球的49.9%、60.9%、48.3%、80%、85%，电子信息产品贸易额占全球的15%以上。

3. 信息化发展水平提升。累计到2009年底，全国电话用户超过10亿户，互联网民超过3.8亿户，移动网民突破2亿户。目前，移动电话普及率达到56%，城镇居民彩电、计算机拥有比率均比上年提高3个百分点以上。工业企业信息化建设加快，通信、金融、电力、交通行业应用软件收入均超过25%。金卡工程稳步推进，目前已累计发放各类IC卡超过70亿张，广泛用于金融、社保以及城市生活各个领域。

4. 科技创新稳步推进。至2009年底，全国信息技术领域专利申请总量达100万件左右，比上年增长20%以上；其中发明专利占比超过六成，通信、信息材料与加工工艺等领域是国内创新较好的领域；华为、中兴仍然位列内地企业专利申请总量排行榜的前两位，申请总量均超过1万件。新品开发保持平稳增长，新产品产值增长2.3%，占销售产值的比重达到22%，比上年提高了0.3个百分点。

5. 重点企业发展良好。2009年，电子信息百强实现主营业务收入接近1万亿元，增长2%，利润也保持正增长，均好于行业平均水平，其中主营业务收入超过1百亿的企业占1/5。软件业务百家企业收入超过2000亿元，比上年增长15%以上，实现利润增长超过30%，其中面向金融、电力、通信、交通行业应用的企业业绩突出。

二、2009年电子信息行业运行状况

近几年，电子信息产业逐步从过去的高速增长期转入平稳发展的新阶段，产业各项指标增速开始趋向甚至慢于工业平均水平，过去产业增长相对依赖产品出口、依赖外资企业、依赖整机行业、依赖东部地区的格局逐步改变。2009年以来，国际金融危机对产业带来较大冲击，也从一定程度上促进产业转型升级的步伐，国内市场、内资企业、中西部地区在产业中的比重进一步攀升，电子元器件行业从前两年拉动产业增长的主要力量转变成受冲击最明显的行业，产业结构的阶段性特征出现新变化。具体表现为：

（一）全行业指标增速与工业平均水平差距拉大

近几年，全行业指标增速逐步与工业持平，部分指标甚至慢于工业平均水平。国际金融危机使外需大幅下滑，电子信息制造业由于出口依存度相对较高，受冲击十分明显，导致行业各项指标增速与工业平均水平的差距进一步拉大。2009年，规模以上电子信息制造业工业增加值低于工业平均水平5.7个百分点，销售收入增速与工业平均水平相差8个百分点，利润降幅低于工业平均水平11个百分点，投资增速低于工业投资增速8.7个百分点。电子信息制造业从过去引领工业增长的重要力量变为当前下滑最明显的行业，除国际金融危机影响外，一方面反映了产业整体调整转型的趋势，另一方面也凸显了对外依赖度高、结构不合理的深层次问题。

（二）内外销比例出现变化，国内市场拉动效应明显

由于国家采取了扩内需的一揽子政策措施，实施了电子信息产业调整和振兴规划，出台了3G与TD、家电下乡、以旧换新等一系列政策措施，有力地拉动了国内市场的增长。全年规模以上电子信息制造业实现内销产值21270亿元，同比增长15.8%；进入二季度以后，每月内销产值均保持两位数增长，其中9月份以来每月增速均达20%以上。出口受外需影响下滑明显，全年完成出口交货值28932亿元，同比下降5.6%。国际金融危机在一定程度上导致行业市场格局的调整，规模以上电子信息制造业内外销比例从上年的1:1.71变为当前的1:1.36，出口依存度（57.6%）相比上年下降4.9个百分点。

（三）企业呈现不同走向，内资企业比重提升

金融危机对外向型企业冲击明显，特别是三资企业发展明显放缓，内外资企业份额出现变化。全年内资企业销售产值增长17.6%，占全行业的比重（26.7%）比上年提高3.3个百分点；港澳台企业销售产值下降0.8%，外商投资企业下降1.5%，所占比重同比分别下降0.9、2.4个百分点。从效益看，内资企业利润增长48.4%，占行业比重（46.5%）比上年提高了16.2个百分点；港澳台企业下降27.4%，外商投资企业下降25.1%。从投资看，内资企业增长49.5%，占全行业比重（63.3%）比上年提高14个百分点；港澳台企业投资下降11.2%，外商投资企业下降15.7%。从出口看，三资企业下降13%，高于全行业降幅1个百分点，占全行业比重比上年下降近1个百分点。

（四）整机调整回升较快，元器件下滑明显

整机行业中，视听产品行业发展较快，受家电下

乡、以旧换新政策拉动，全年行业销售产值增长7.3%；通信设备行业和终端行业呈现不同走向，前者保持10%以上增速，后者则下降10%以上；计算机行业受价格下降影响，增量不增收现象突出，销售产值下降0.6%。整机产品结构调整明显，平板电视对CRT的替代加快，液晶电视占彩电产量的比重由上年的40.5%上升到68.3%；笔记本电脑增势迅猛（38.2%），占微型计算机的比重（82.4%）比上年提高了2.5个百分点。电子元器件行业下滑明显，尽管产能恢复较快，但投资、效益仍大大低于行业平均水平。前11个月电子元件、器件行业利润分别下降9%、39.4%，下降额占全行业下降额的一半以上；全年投资增速分别为3.9%、2.8%，远低于全行业17.5%的平均水平。

（五）中西部增势明显，东部地区增长趋缓

2009年，中西部地区规模以上电子信息制造业销售产值分别增长24.1%、25.6%，成为遏制全行业下滑势头的重要力量，东部地区销售产值同比仅增长1.5%。从效益看，中西部地区收入分别增长18.9%、17%，利润分别增长23.4%、2.4%，但东部地区收入利润分别下降了2.3%、5.4%。从投资看，全年中西部地区增速均达40%以上，四川、陕西、河南、湖南、安徽增速均超过35%；东部地区与上年基本持平，广东、江苏、北京、上海、福建降幅均达两位数。从出口看，广东、江苏、上海等东部沿海省市出口分别下降1%～27%，但中西部地区中，部分比重较大的省市出现正增长，如四川、安徽、湖北实现5%～50%不等的增长。

三、2009年电子信息行业发展特点

（一）产业调整升级趋势加快

一是技术和网络的融合。信息技术融合发展使整机产品的界限日趋模糊，三网融合逐步走向实质发展阶段，互联网电视、手机电视、PCTV等融合产品成为新的增长点。移动互联网成为产业链发展的重要平台，同时随着智慧地球概念的不断研究和落实，传统的网络将进一步拓及物联网，也将影响制造业的发展格局。

二是服务化趋势。随着经济社会发展水平的不断提高，人民生活需求日益从产品转向服务，信息服务业是现代服务业的重要代表和发展方向，特别是基于网络的内容开发和在线服务成为下一步重要的增长点。

三是产业链分工整合。电子信息产业分化整合趋势更加清晰，跨国公司日益将战略重心转向芯片设计、软件开发和信息服务等高端环节，日益将低端环节外包出去。软件外包服务更加深入，传统的业务外包转向战略合作和产业链整合，传统的半导体制造企业也逐步向整合设计生产模式转型。

四是生态发展要求。废旧电子产品对环境污染问题日益突出，电子产品充电器、电池、网络接口等统一标准的要求日益明确，生态设计模式从源头整合产业各个环节的能耗、环保要求，将成为产业重要的发展方向。

（二）国际产业竞争日趋加剧

一是国家力量介入明显。为应对国际金融危机影响，各国家和地区纷纷加大对IT等高技术领域的战略投入，产业竞争上升为国家间的竞争。

二是大企业并购增多。2009年是电子信息企业并购重组的重要一年，最突出的变化体现在大企业并购和基础领域整合增多，如日本NEC电子和瑞萨合并成立了第三大半导体公司，台湾地区多家半导体企业整合建立了“台湾记忆体公司”，群创并购奇美等，都将在全球半导体、面板领域形成新的竞争格局。此外，松下并购三洋、甲骨文并购SUN等重大并购案件，也将对家电、软件产业格局带来深远影响。

三是产业链竞争突出。当前企业间的竞争不仅是产品的竞争，更多是基于产业链开展的竞争。近年来，跨国公司经常基于完整的产业链优势，利用局部领域打击竞争对手。

（三）行业发展秩序仍需规范

一是产品质量和售后服务问题突出。由于电子产品更新换代快，企业为适应市场需要，更多注重新品开发的节奏，而相对忽视了质量和服务的问题。根据中国电子商会315消费电子投诉网统计，2009年手机、平板电视质量投诉案件同比增长30%以上，成为消费市场的投诉热点。

二是低价竞争现象明显。电信运营商集中采购时价格竞争现象明显，通信产品价格同比下降20%以上。计算机产品价格下降明显，上网本、一体机对传统微机价格冲击明显，2009年价格降幅比往年正常水平提高10%以上。

三是山寨产品已成为行业发展不容忽视的力量。山寨产品从手机行业日益向彩电、计算机等多个领域延伸，成为行业发展不容忽视的力量。

四是部分领域盲目建设的苗头有所显现，一些低水平重复建设倾向突出。

（四）产业环境亟待改善

一是核心领域的政策仍不能满足产业需要。软件和集成电路产业的新政策始终未能出台，严重影响企业发展的信心。国家增值税制转型后，集成电路、液晶面板企业进口面临的增值税税负压力巨大，严重影响企业的流动资金。以旧换新政策不断落实，但配套的电子产品回收处理体系仍需完善。

二是管理机制仍不适应产业发展和三网融合的要求。行业主管部门在发展产业中的手段依然不足，难

以有效反映和协调产业发展的问题。广电、通信网络不能有效地互联互通，数字电视标准不统一，导致制造企业难以适从。网络电视管理体制需要改善，加强内容管理和促进制造业发展应统筹推进。

三是宏观环境变化影响产业比较优势。近几年，国家实施汇率改革、出台新劳动合同法、统一企业所得税率等措施，在一定程度上增加了企业的成本。人民币升值预期明显，将对产品和服务出口带来不利影响。

四、固定资产投资情况

2009 年，在全球金融危机的冲击下，我国电子信息产业受到较大冲击，生产和出口大幅下滑，固定资产投资增速明显放缓。国家适时出台了扩内需政策和产业调整振兴规划，促进电子信息产业加快投资结构调整步伐，部分新兴领域新开工项目和投产项目快速增长，为下一步产能增长和结构升级打下重要基础。

（一）基本情况

1. 投资增速明显下滑，新增固定资产高于上年。2009 年，全行业 500 万元以上项目累计完成投资 4146.6 亿元，同比增长 17.5%，增幅低于上年 15.8 个百分点。新增固定资产 2621 亿元，同比增长 34.9%，增幅高于上年 3.4 个百分点。

2. 新开工项目与新投产项目快速增长。2009 年，电子信息产业新开工项目 4443 个，比上年增加 1300 个，同比增速为 41.4%，占全部施工项目数的比重达到 63.5%，新开工项目增加较多的领域主要是光电器件、电子计算机整机、通信交换设备、光纤光缆等行业，分别同比增长 40.1%、43.5%、43.8% 和 105.9%；本年累计投产项目个数达到 3624 个，同比增长 66%。

3. 通信、专用设备等行业增势突出，家用视听行业出现下滑。2009 年，通信设备制造业完成投资 374.8 亿元，同比增长 36.5%，增幅比全行业高 19 个百分点，比上年高 21.1 个百分点；电子专用设备及信息机电行业的增势突出，增速分别超过 30%、50%。

2009 年，计算机行业完成投资 284.9 亿元，同比增长 5.7%，增速比上年下降 16.7 个百分点；电子元件行业累计完成投资 829.1 亿元，同比增长 3.9%，增速比上年低 21.9 个百分点；电子器件行业累计完成投资 1054.5 亿元，同比增长 2.8%，增速比上年低 10.2 个百分点，其中半导体分立器件和集成电路行业投资下滑明显，降幅分别为 17.7% 和 21.7%；家用视听设备行业完成投资 109.9 亿元，同比下降 4.1%。

4. 企业投资差别明显，内资企业增长快速。2009 年，内资企业完成投资 2625.7 亿元，同比增长 49.5%，增速高于全行业平均水平 32 个百分点，分别比一季度和上半年增速提高 4.5 和 7.2 个百分点，占全行业投资的比重为 63.3%；累计新开工项目数增长 56.1%，占全部新开工项目数的 84.8%。

三资企业累计完成投资 1520.8 亿元，同比下降 14.1%，增速分别比一季度和上半年下降 9.5 和 3.2 个百分点，其中外商投资下降 15.7%，港澳台企业投资下降 11.2%；三资企业新开工项目数下降 7.5%。

5. 中西部地区投资增势突出，东部地区投资增长缓慢。2009 年，东部地区完成投资 2485.2 亿元，同比增长 1.4%，增速低于上年 21.8 个百分点；西部地区完成投资 561.5 亿元，同比增长 72.3%，增速高于同期全国和上年 54.8 和 12 个百分点；中部地区完成投资 1099.9 亿元，同比增长 46.6%，增速高于全国 29.1 个百分点。

6. 投资资金以自筹为主，利用外资和国家预算内资金大幅下降。2009 年，本年固定资产投资到位资金 4407.7 亿元，同比增长 21.5%，增速比上年低 5.1 个百分点。其中：国家预算内资金同比下降 42.1%，仅占到位资金的 0.5%；利用外资同比下降 18%，占到位资金的 15.7%；自筹资金同比增长 37.2%，占到位资金的 70.3%；国内贷款同比增长 28.9%，占到位资金的 11.3%。

（二）需要关注的问题

投资效益有所下降，投资结构需要调整。多年来，电子信息产业增长相对依赖投资拉动增长，消费需求不足，必然出现投资回报递减的现象。2007 年和 2008 年，电子信息产业投入产出比（固定资产投资与销售产值之比）分别为 1:16.5 和 1:13.9，即 2007 年投资 1 元可得到 16.5 元销售产值，2008 年可得 13.9 元销售产值。2009 年，投入产出比为 1:12.3，投入产出比呈下降趋势。部分投资项目因前期市场调研不足、项目管理不规范、项目趋同化倾向突出等问题，导致项目回报达不到预期，使投资效益下降。

五、软件行业发展情况

2009 年，面对国际金融危机的冲击，我国软件行业大力拓展国内市场，推进产业结构调整，总体保持平稳运行态势，产业规模继续扩大，结构和布局不断调整，行业应用水平和创新能力显著提升，在推动工业发展方式转变和经济结构调整中发挥着积极作用。

（一）运行情况

1. 产业增速整体低于上年水平，三季度开始回升。2009 年，我国软件产业完成软件业务收入 9513 亿元，同比增长 25.6%，增速比上年低 4.2 个百分点。其中，月度增速自 3 月份起逐月下降，8 月份达到最低点后开始逐月回升，12 月当月完成软件业务收入 812 亿元，同比增长超过 50%，创全年月度最高水平，比上年高 30 个百分点。

2. 软件技术服务增势明显，产业结构进一步优化。软件产品增长稳定。2009 年，全行业完成软件产品收入 3288 亿元，同比增长 26.3%，增速高于全行业 0.7 个百分点，但比上年低 2.4 个百分点。软件技术服务增势突出。全年完成软件技术服务收入 2126.3 亿元，同比增长 31.4%，高于全行业 5.8 个百分点，占全行业收入比重 22.4%。其中外包服务收入 307 亿元，增长35%。系统集成增长放缓。2009 年系统集成收入 2202.9 亿元，同比增长 23.7%，低于上年增速 26.7 个百分点。随着国内企业信息化基础设施的普及，通用型系统集成业务正在萎缩，中小系统集成企业竞争激烈；另一方面，受益于 3G 建设加快、电子政务稳定增长、金融业扩张等，一些规模大、管理较好的大型企业系统集成业务增长稳定。受电子制造业下滑影响，嵌入式软件和 IC 设计收入增长较为缓慢。全年嵌入式软件收入 1673.6 亿元，同比增长 22.1%，低于全行业 3.5 个百分点；IC 设计业收入 222.2 亿元，同比增长 10.1%，低于全行业 15.5 个百分点。

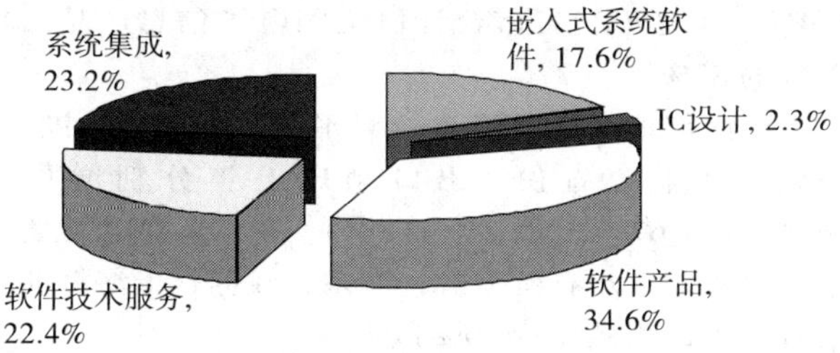

图 4　2009 年软件产业收入构成情况

数据来源：工业和信息化部。

3. 东部增速下半年回升，中西部增长稳定。2009 年，东部地区增长前低后高，年中增速达到最低点后，下半年增速逐月回升，全年完成软件业务收入 8066.9 亿元，同比增长 26.3%，增速比上年下降 2.5 个百分点，但高于全国 0.7 个百分点，占全国软件业务收入比重 84.8%。其中，江苏、辽宁等省增速达 30% 左右，北京、上海增速降为 16% ~17%。2009 年西部地区完成软件业务收入 783.5 亿元，同比增长 19.6%，低于全国 6 个百分点，其中陕西和贵州等省增速超过 25%，成都软件园、西安软件园等软件园增速超过 30%。中部地区保持平稳增长，完成软件业务收入 662.6 亿元，同比增长 24.5%。

4. 出口和外包服务增长明显放缓。2009 年我国软件出口 185 亿美元，同比增长 14%，低于上年 44.2 个百分点；其中软件外包服务出口 24 亿美元，同比增长 15%，低于上年 86 个百分点。软件外包服务受到金融危机一定影响，出口增速逐季下降，其中对日外包下降较多、对欧美外包则保持一定增长。

5. 重点企业增长低于上年，部分企业业绩突出。2009 年，软件前百家企业完成软件业务收入超过 2000 亿元，比上年增长 15% 以上，低于上年 5 个百分点，实现利润增长超过 20%，其中以电信、金融行业业务为主的公司继续保持较快增长，如南京南瑞（电力）、广电运通（金融、交通）软件收入增速超过 35%；汽车、交通、电力行业，受国家基础设施建设的拉动，相关企业收入也保持 20% 以上的增长。

（二）需要关注的问题

1. 国际金融危机带来一定冲击，中小型企业情况堪忧　在全球金融危机的影响下，全球 IT 支出同比下降 3% 以上，对软件产业带来不利影响，特别是对日外包出口同比下降超过二位数，嵌入式软件也因整机市场需求下滑出现增长放缓。中小型软件企业受冲击明显，由于存在产品和服务同质化现象，市场萎缩情况下价格恶性竞争严重，严重影响企业经济效益。尽管国内投入 4 万亿元用于扩大内需，并实施了相对宽松的货币政策，但由于中小软件企业可担保资产少，在市场不景气形势下融资更加困难；同时，行业大客户门槛不断提高，中小企业难以承接大型基础设施投资的信息化项目。

2 企业研发投入减少，影响后续发展。我国软件企业规模较小，资金实力有限，对高端人才吸引力差，技术积累较少，软件研发能力有限。2009 年受市场收缩的影响，企业研发投入有明显下降趋势。软件业务收入前百家企业研发投入占软件业务收入 12%，比上年度下降 2.7 个百分点。研发投入降低，导致软件企业开发的新产品减少，据北京软件协会统计，截至 11 月底，北京市软件产品登记比上年减少 10%。

3. 政策落实较慢，影响企业发展信心。国家鼓励软件产业和集成电路产业发展的新政策始终未能出台，对软件企业信心和确定未来战略十分不利。《电子信息产业调整和振兴规划》对软件产业的支持细则仍需加快落实，国家“核高基”等重大项目的资金落实和项目推进速度相对较慢，影响了企业的资金投入和创新步伐。

4. 企业并购增加，行业整合明显。近年来，全球软件企业掀起一股并购潮，国际软件巨头均连续进行了大宗并购，如：甲骨文宣布收购 SUN，将对数据库等基础软件行业竞争格局产生重大影响。国内软件业并购也开始增多，并购案例数和金额均大幅增长。还要看到，我国软件产业企业规模总体偏低，缺乏能与国际级大公司相抗争的大型企业，随着跨国软件公司大举进军国内市场，国内优势软件企业也面临被跨国公司收购的压力。

六、2009 我国电子信息产品进出口概况

2009 年，在国际金融危机冲击下，我国电子信息产品进出口下滑明显。进入下半年，随着国内稳定外需政策效应显现和国际市场逐步回暖，电子信息产品进出口形势逐步好转，降幅不断收窄，为减缓产业下滑发挥了积极作用。

（一）总体情况

2009 年，受外需下降影响，全国电子信息产业外贸形势整体低迷。实现进出口总额 7719 亿美元，同比下降 12.8%，比全国外贸降幅低 1.1 个百分点，占全国外贸总额的 35%。其中，出口 4572 亿美元，同比下降 12.4%，比全国出口降幅低 3.6 个百分点，占全国出口额的 38%；进口 3147 亿元，同比下降 13.5%，比全国进口降幅高 2.3 个百分点，占全国进口额的 31%。

从每月情况看，下半年电子信息产品进出口形势逐步好转，单月降幅不断收窄，11 月开始扭转全行业负增长态势，增幅达 14.2%，12 月进出口额增速继续提高，达 38.9%。

从出口看，上半年电子信息产品累计出口一直低于全国出口增速，从 7 月份开始，出口增速超过全国出口增速。从进口看，11 月单月的进口额为 317.8 亿美元，同比增长 25.6%，是 2009 年单月进口额首次出现正增长，12 月进口额达 347 亿美元，增速进一步提高至 46.7%。综合来看，我国电子信息产品对外贸易正逐步走出金融危机的影响，开始进入平稳增长阶段。

（二）主要特点

1. 各类产品出口均有下滑，基础产品降幅明显。2009 年，各类电子信息产品出口额均比上年同期有所下滑：计算机类产品出口 1683 亿美元，同比下降 12%；通信设备产品出口 836.2 亿美元，同比下降 3.8%；家用电子电器产品出口 759 亿美元，同比下降 8.9%。电子元件、电子材料等基础产品出口下滑较为明显，出口额同比分别下降 23.3% 和 36.3%。

从进口看，电子器件、电子元件、计算机三大类产品的进口额达到 2244 亿美元，占电子信息产品总进口额的 80.3%。其中，电子器件进口 1367.6 亿美元，同比下降 7.7%；电子元件进口 709.1 亿美元，同比下降 22.9%；计算机类产品进口 449.1 亿美元，同比下降 8.2%。

2. 加工贸易仍是主要贸易方式，一般贸易份额提高。2009 年，我国电子信息产品出口中，一般贸易份额有所提升，贸易结构进一步调整。进料加工贸易出口 3233 亿美元，同比下降 11.6%，占出口额的 70.9%。来料加工装配贸易出口 456.9 亿美元，同比下降 25.5%，占出口额的 10%。进料加工贸易、来料加工装配贸易占出口总额的 80.9%，比上年下降 0.9 个百分点。一般贸易出口 652.6 亿美元，同比下降 10.5%，所占比重从上年的 14% 提升至 14.3%。

3. 各类型企业出口均有所下滑，私营企业降幅较小。2009 年，外商独资企业出口 3009.1 亿美元，同比下降 13.5%，占电子信息产品出口总额的 66%；中外合资企业出口 743.7 亿美元，同比下降 9.6%，占出口总额的 16.3%；私营企业出口降幅相对较小，出口 328.4 亿美元，降幅为 2.58%；国有企业出口 305.1 亿美元，同比下降 21.1%。

4. 东部沿海出口下滑明显，中西部地区相对平稳。东部沿海的珠三角、长三角和环渤海地区是我国电子信息产品进出口贸易的重要基地，在金融危机冲击下，这些地区的电子信息产品出口下滑幅度相对较大。

2009 年，电子信息产品出口额前五位的省市分别为：广东省 1927 亿美元，同比下降 12.2%，占出口总额的 42.3%；江苏省 1017 亿美元，同比下降 12.3%，占出口总额的 22.3%；上海市 694.4 亿美元，同比下降 12.1%，占出口总额的 15.2%；山东省 184.1 亿美元，同比下降 1.2%，占 4.0%；浙江省 154.5 亿美元，同比下降 27.1%，占出口总额的 3.4%。上述五个省市合计占全国电子信息产品出口总额的 87%。

中西部地区出口形势相对平稳，如四川、湖北、安徽、甘肃等省份，出口额比上年分别增长了 36.4%、5.67%、50.2% 和 88%。进口方面，主要省市进口额比上年有所下滑，广东、江苏、上海等前三个省市进口降幅均达 10% 以上。

5. 出口市场集中于欧美发达国家，进口主要来自亚洲地区。2009 年，我国电子信息产品出口市场中，通过中国香港特区转口仍排在第一位，出口额为 1073.7 亿美元，同比下降 14.7%，占出口总额的 23.6%。美国排第二，出口额为 914 亿美元，同比下降 9.04%，占出口总额的 20.1%。日本排第三，出口额为 291.5 亿美元，同比下降 13.8%，占出口总额的 6.4%。第四位至第十位的国家和地区分别为：韩国、荷兰、德国、新加坡、中国台湾、英国和印度。排在前十位的国家和地区出口总额达到 3345.4 亿美元，占总额的 73.4%。在前十位国家和地区中，除对印度的出口维持正增长外，对其他国家和地区的出口均有所下滑。

从主要进口来源地看，国货复进口 693 亿美元，同比下降 8.1%。从中国台湾进口 525.4 亿美元，同比下降 15.2%；从韩国进口 525.1 亿美元，同比下降 7.1%；从日本进口 425.9 亿美元，同比下降 22.1%。我国从以上国家和地区进口的增速，与上年相比均有较大幅度的下滑。

6. 出口产品层次和技术含量依然偏低，贸易结

构仍待调整。由于核心技术相对缺乏，我国具有自主知识产权和自主品牌的电子信息产品出口额占出口总额的比重较低，而且产品大多走低价出口路线；大部分电子信息产品出口企业从事加工贸易，以贴牌方式出口，主要在加工制造环节参与国际分工，产品附加值普遍偏低。另一方面，我国电子信息产品由于缺乏自主知识产权，出口还面临着高额的专利费用压力。

目前，我国电子信息产业在贸易结构方面还存在一些深层次的问题，贸易结构不尽合理，亟需调整。一是我国电子信息行业出口依存度依然较高，规模以上电子信息制造业出口依存度超过55%，导致我国电子信息产业受国际市场影响大。二是构成我国电子信息制造业产品出口的主要成分仍是外资企业，仅外商独资企业的出口占全部出口比重超过60%，加上中外合资企业出口占全部出口的比重超过80%。三是加工贸易比重偏高，加工贸易占据近八成的出口份额，一般贸易仅占15%左右。

2009年电子信息产业固定资产投资完成情况（500万元以上项目）

表1 单位：亿元

项目	2009年累计完成投资			2009年新增固定资产		
	本年累计	上年同期	同比增长（%）	本年累计	上年同期	同比增长（%）
合计	4146.6	3527.8	17.5	2621.1	1942.6	34.9
其中：通信设备制造	374.8	274.6	36.5	184.7	129.3	42.9
广播电视设备制造	31.8	32.5	-2.0	16.7	21.3	-21.3
电子计算机制造	284.9	269.6	5.7	195.0	170.5	14.4
家用视听设备制造	109.9	114.7	-4.1	44.4	51.9	-14.5
电子器件制造	1054.5	1026.2	2.8	710.2	661.7	7.3
电子元件制造	829.1	797.6	3.9	641.3	482.3	33.0
测量仪器行业	114.3	92.5	23.5	45.8	38.1	20.3
电子工业专用设备	442.1	319.9	38.2	239.3	133.3	79.6
电子信息机电行业	670.9	426.9	57.2	416.6	181.2	130.0
其他电子信息行业	234.3	173.4	35.1	127.1	73.2	73.6
其中：内资企业	2625.7	1756.8	49.5	1457.9	872.8	67.0
三资企业	1520.9	1771.0	-14.1	1163.2	1069.7	8.7

数据来源：国家统计局。

2009年全国各省（区、市）电子信息产业固定资产投资完成情况（500万元以上项目）

表2 单位：亿元

地区	2009年累计完成投资			2009年新增固定资产		
	本年累计	上年同期	同比增长（%）	本年累计	上年同期	同比增长（%）
合计	4146.6	3527.8	17.5	2621.1	1942.6	34.9
北京市	27.0	41.1	-34.4	12.5	31.5	-60.3
天津市	89.3	75.6	18.2	52.2	37.0	41.1
河北省	184.7	126.4	46.1	137.4	43.8	213.5
山西省	49.1	45.0	9.2	7.7	5.6	37.5
内蒙古自治区	22.0	13.1	67.9	7.2	2.0	264.8
辽宁省	269.5	175.1	53.9	138.9	67.4	106.2
吉林省	60.7	45.5	33.5	41.4	30.3	36.9
黑龙江省	17.5	9.4	87.1	9.1	8.5	7.2
上海市	58.2	139.8	-58.3	23.4	185.2	-87.4

续表

地　区	2009 年累计完成投资			2009 年新增固定资产		
	本年累计	上年同期	同比增长（%）	本年累计	上年同期	同比增长（%）
江苏省	860.0	944.1	-8.9	755.2	606.2	24.6
浙江省	160.9	167.3	-3.8	81.2	122.3	-33.6
安徽省	159.1	85.0	87.3	71.8	35.3	103.3
福建省	89.7	94.9	-5.5	46.0	50.3	-8.5
江西省	308.0	213.7	44.1	249.8	122.2	104.4
山东省	365.0	222.6	64.0	129.4	56.1	130.7
河南省	221.6	156.3	41.8	144.9	109.2	32.8
湖北省	149.0	126.1	18.2	75.9	32.0	137.2
湖南省	112.8	56.3	100.2	55.5	24.7	124.8
广东省	323.2	436.5	-26.0	200.4	268.3	-25.3
广西壮族自治区	54.3	28.2	92.7	25.2	7.3	243.6
海南省	3.4	0.05	6620.0	0.0	0.0	0.0
重庆市	86.3	48.0	79.7	19.6	28.0	-29.9
四川省	293.5	199.1	47.4	267.3	31.5	749.1
贵州省	6.2	2.5	150.8	2.2	1.5	47.9
云南省	21.6	2.3	833.3	17.4	1.1	1494.5
西藏自治区	0.2	0.0	0.0	0.0	0.0	0.0
陕西省	131.0	55.2	137.3	42.8	28.1	52.5
甘肃省	2.25	6.7	-66.5	1.8	0.7	161.4
青海省	1.4	0.3	325.0	0.3	0.0	0.0
宁夏回族自治区	5.5	2.8	97.8	0.5	0.3	63.3
新疆维吾尔自治区	13.7	9.0	52.5	4.3	6.4	-32.9

数据来源：国家统计局。

2009 年规模以上电子信息产业主要指标情况

表 3

主要指标	计量单位	2009 年	2008 年	同比增长（%）
一、制造业				
主营业务收入	亿元	51305	51253	0.1
利润	亿元	1791	1703	5.2
税金	亿元	664	586	13.3
从业人员	万人	755	760	-0.6
销售产值	亿元	50202	49019	2.4
出口交货值	亿元	28932	30651	-5.6
二、软件业				
软件业务收入	亿元	9513	7573	25.6%

数据来源：工业和信息化部。

2009 年主要电子信息产品产量完成情况

表 4

主要产品名称	单位	产量	同比增长（%）
移动通信手持机	万部	61925	10.7
移动通信基站	万信道	3022	102.2
彩色电视机	万台	9899	9.6
微型计算机	万部	18215	33.3
打印机	万台	3641	-13.6
数码相机	万台	8026	-1.7
集成电路	亿块	414	-0.7

数据来源：工业和信息化部。

表5 2007—2009年电子信息产业主要指标在工业中占比情况

指标	2009年	2008年
收入占全部工业比重（%）	10.0	12.0
利润占全部工业比重（%）	6.0	5.6
税金占全部工业比重（%）	8.4	9.3
从业人员占全部工业比重（%）	9.0	8.5
进出口占全国外贸比重（%）	35.0	34.5

数据来源：工业和信息化部。

表6 2009年主要产品占全球比重情况

产品名称	2009年		2008年
	中国产量/收入	占全球比重（%）	占全球比重（%）
手机(亿部)	6.19	49.9	44.7
计算机(万台)	18215	60.9	47.0
彩电(万台)	9899	48.3	43.9
集成电路(亿美元)	283	12.9	12.2

数据来源：工业和信息化部。

表7 2009年我国主要信息化指标情况

指标		2009年	2008年
电话用户	总量（万户）	106107	98203
	普及率（%）	79.9	73.9
移动电话用户	总量（万户）	74740	64123
	普及率（%）	56.3	48.5
互联网用户	总量（万户）	38400	29800
	普及率（%）	28.9	22.6
微型计算机	总量（万台）	22000	18056
	每百人拥有量	16.7	13.6
家用电视机	总量（万台）	56000	51840
	每百户拥有量	132	128.4

数据来源：工业和信息化部。

表8 2009年出口额前10位的电子信息产品出口情况

排名	产品名称	出口额（亿美元）	同比增长（%）
1	便携式电脑	666.5	1.62
2	手机	395.6	2.65
3	液晶显示板	192.1	-14.14

续表

排名	产品名称	出口额（亿美元）	同比增长（%）
4	手持式无线电话机的零件	160.5	-10.85
5	处理器及控制器	129.9	4.92
6	液晶显示器	101.5	-38.3
7	硬盘驱动器	74.4	-4.68
8	液晶电视机	93.9	15.3
9	存储器	67.1	-19.01
10	数字照相机	62.8	-14.25

数据来源：工业和信息化部。

表9 2009年进口额前10位的电子信息产品进口情况

排名	产品名称	出口额（亿美元）	同比增长（%）
1	处理器及控制器	709.5	-12.3
2	液晶显示板	349.8	-20.68
3	其他集成电路	236.8	7.34
4	存储器	217.6	-4.64
5	硬盘驱动器	123.1	1.03
6	手持式无线电话机的零件	95.3	-0.18
7	四层以下的印刷电路	53.5	-15.43
8	锂离子电池	43.8	-8.84
9	四层以上的印刷电路	41.1	-13.3
10	光盘驱动器	35.7	-14.2

数据来源：工业和信息化部。

表10 2009年各地区累计完成投资增长及比重变动情况

地区	累计增速	比重（%）	比重变化（比2008年同期）
东部	1.4	60	-9.5
中部	46.6	26.5	5.2
西部	72.3	13.5	4.3

数据来源：工业和信息化部。

2009 年软件产业主要经济指标完成情况（一）

表 11　　单位：万元

地　区	单位数（个）	软件业务收入		软件产品收入		系统集成收入	
		2009 年累计	同比增长（%）	2009 年累计	同比增长（%）	2009 年累计	同比增长（%）
合　计	18010	95130292	25.6	32880966	26.3	22028546	23.7
北京市	4462	18612206	17.4	7779147	18.2	4684436	17.1
天津市	300	2050000	32.3	450000	32.4	117000	30
河北省	229	416422	17.6	213184	49.5	143874	4.8
山西省	85	89128.4	40.9	41441	6.2	15604.6	59.3
内蒙古自治区	37	160230	35.6	86409	11.6	9897	51.1
辽宁省	700	5601122	29.6	2451378	32.5	1077936	28.8
吉林省	366	1350000	29.8	400000	33.3	491000	19.8
黑龙江省	337	637003	10.9	219687	12.8	190864	-1.1
上海市	1200	6710000	16.1	2880000	23.1	1330000	5.6
江苏省	1805	16050429	27.2	3267721	37.7	2018593	36.5
浙江省	991	5051145	19.6	1552475	14.1	1409008	15.2
安徽省	110	389746	12.2	184362	14.1	169828	8
福建省	895	3631500	23.4	1097000	27.6	1213900	22.8
江西省	67	327631.5	21.2	76408.14	0.7	161431.7	42.9
山东省	534	4841761	24.9	1428077	27.1	1098601	8.9
河南省	196	854487	10.6	347724	11	380408	10.9
湖北省	458	1409875	28.2	802653	25.5	268129	30
湖南省	483	1408281	33.3	695691	36.1	246449	20.3
广东省	2872	17302170	25.1	5421201	26.4	4288010	23.8
广西壮族自治区	70	382347	49.9	192528	50.4	113269	49.7
海南省	20	20141	13.9	557	-33.8	1965	43.2
四川省	433	4492365	20.1	2399810	13.9	1138546	19.1
贵州省	78	239110	40	96887	42.3	129575	40.6
云南省	60	180012.7	1.7	35920	-15.4	130714.7	9.9
重庆市	264	703825	3.8	181286	8.4	313884	1.5
陕西省	750	1905700	25.2	515600	25.6	686200	27
甘肃省	58	113023	16	33136	12.2	62592	17.5
宁夏回族自治区	43	32547.3	13.1	11839.58	11.8	9460	23.6
新疆维吾尔自治区	107	168084	33.6	18845	12.3	127371	39.6

数据来源：工业和信息化部。

2009 年软件产业主要经济指标完成情况（二）

表 12　　单位：万元

地　区	软件技术服务收入		嵌入式系统软件收入		IC 设计收入	
	2009 年累计	同比增长（%）	2009 年累计	同比增长（%）	2009 年累计	同比增长（%）
合　计	21263163	31.4	16735708	22.1	2221909	10.1
北京市	5637335	17.8	199990	-0.5	311298	7.9
天津市	450000	28.6	950000	35.7	83000	18.6

续表

地　区	软件技术服务收入		嵌入式系统软件收入		IC 设计收入	
	2009 年累计	同比增长（%）	2009 年累计	同比增长（%）	2009 年累计	同比增长（%）
河北省	59364	92.2				
山西省	13327	150.3	18527.8	103.9	228	2180
内蒙古自治区	63924	86.8				
辽宁省	1910950	25.4	120000	41.8	40858	58.2
吉林省	455500	39.2	3500	29.6		
黑龙江省	165212	7.8	59627	84.3	1613	59.2
上海市	1650000	-6.3	500000		350000	-16.7
江苏省	3078276	59.1	6881193	12.2	804646	14.8
浙江省	1432423	50.9	537024	-9.5	120215	25.8
安徽省	26895	19.8	605		8056	32.8
福建省	640300	33.1	554000	10.1	126300	14.8
江西省	77498.29	11.5	12191.4	3.1	102	-8.1
山东省	1031016	72.5	1270019	11.8	14047.6	48.9
河南省	100063	10.1	26292	2.2		
湖北省	173981	32.5	155982	32.6	9130	79.5
湖南省	181527	22.8	284473	48	141	
广东省	2680054	33.5	4829607	21.9	83299	-20.6
广西壮族自治区	75912	49.3	638	13.9		
海南省	17619	13.9				
四川省	756185	45.1	18099	14.1	179725	29.2
贵州省	12648	20.1				
云南省	13376	-12				
重庆市	81587	8.5	127068	0.3		
陕西省	428700	24	186000	26.3	89200	14.1
甘肃省	17273	18.6			22	-12
宁夏回族自治区	10451.72	6.3	796	13.2		
新疆维吾尔自治区	21766	22.6	76		26	-29.7

数据来源：工业和信息化部。

房地产行业

随着国家宏观调控政策的作用凸显，2009 年全国房地产市场在经历短暂的调整之后出现快速反弹，房地产开发投资逐月加快，房地产建设规模逐步恢复，商品房销售市场持续升温，房地产信贷的快速增长以及销售的迅速回暖为房地产开发投资增长提供了充裕的资金的来源，房地产业保持平稳较快增长。随着实施适度宽松的货币政策和抑制过高房价的相关措施的推行，全国房地产市场将保持平稳增长。受房价快速上涨原因的影响，房地产市场未来发展具有一定的不确定性，如果房价继续快速上涨，不排除市场会再次出现较大幅度的调整。

一、房地产开发完成情况

从 2009 年房地产市场的运行情况来看，随着 2008 年年底出台的各项政策措施的逐步落实，促进房地产市场健康发展的政策效果逐步得到体现。2009

年市场总体保持着持续回升的态势，整体表现好于预期。

（一）房地产开发投资低位补涨

2009年，在货币政策持续宽松、销售回暖直至火爆、融资力度加大等因素的影响下，房地产开发投资资金得到及时、有力补充，呈现自年初低位稳步增长、年末稍有回落态势，有效缓解了开发企业资金紧张的局面。

全年全国完成房地产开发投资36232亿元，同比增长16.1%，比上年回落4.8个百分点。其中，商品住宅投资25619亿元，增长14.2%，占房地产开发投资的比例为70.7%。房地产投资仍以商品住宅投资为主，商业营业用房与其他工程用途类投资增长较快。此外，商品住宅投资同比增幅仍高于经济适用房投资增幅。从年内变化来看，上半年房地产开发投资累计增速均低于10%，其中2月最低，仅为1%，反映出当时受国际金融危机影响，房地产开发企业资金紧缺、投资意愿降至冰点；此后稳定增长，1—10月增速达到年内最高的189%，11、12月则稍有回落。

分地区来看，全年东、中、西部地区房地产开发投资同比增长分别为12.3%、24.6%、19%。其中，东部地区的住宅开发投资增长9.1%，西部地区的经济适用房开发投资仅增长5.6%，均远低于其他地区。从投资绝对量来看，东部地区占据主导和优势地位的局面仍将长期存在（占总投资的比例约为60%），但近年来中西部地区房地产业发展相当迅速，增速明显高于东部，持续高速增长，成为拉动地方经济增长的主要驱动力。从资金来源情况看，房地产开发企业本年资金来源57128亿元，比上年增长44.2%。其中，个人按揭贷款、定金及预收款、国内贷款增幅明显，分别增长116.2%、63.1%和48.5%，表明宽松货币政策的扶持和市场销售的向好是缓解开发企业资金短缺的重要因索。

从近3年的变化趋势来看，2007年房地产开发投资增速开始全面超越固定资产投资增速，并且差距越拉越大，全年差距达到4.4个百分点，房地产开发投资过热趋势明显；而在2008年，国家宏观调控政策开始显现初步成效，房地产开发投资增速见顶之后步入下行通道，与2007年投资过热相比开始逐步回归，但由于宏观经济态势疲软的影响，全年20.9%的增速比2006年还低0.9个百分点；此后，受金融危机的影响、国家和地方巨额投资计划的刺激，2009年房地产开发投资虽然从谷底反弹，但全年增速仍远低于城镇固定资产投资达14.4个百分点，表明房地产开发投资对整个宏观经济恢复的拉动不足、贡献有限。而住宅开发投资的增幅更为缓慢，可能造成2010年特别是上半年住宅供给紧张局面，需引起高度关注。

预期随着房地产行业的稳步向好，以及市场供求趋紧难以在短时间内缓解，再加上完善保障性住房制度的进程加快，住房保障投资的加大将对整个房地产开发投资提供强大的支撑，2010年房地产开发投资增幅将有望超过20%，达到2008年的增长水平。从长期来看，国家宏观调控尤其是土地调控政策中针对房地产开发投资的目标既要有效抑制其猛增疯涨，也要避免其下降过快，即要维持在合理区间平稳运行（年增长25%左右），以保证房地产及其关联行业乃至整个国民经济的协调、持续、健康发展。

（二）房地产开发竣工面积增幅回升

全国商品房建设速度保持平稳，新开工面积降幅减缓。分地区看，东部地区施工及新开工面积增速最低，竣工面积增速居中；西部地区施工、新开工面积增速最快，但竣工面积增速最低。

2009年，全国房地产开发企业房屋施工面积31.96亿平方米，比上年增长12.8%；房屋新开工面积11.54亿平方米，增长12.5%；房屋竣工面积7.02亿平方米，增长5.5%。其中，住宅竣工面积5.77亿平方米，增长6.2%。

2009年，全国房地产开发企业完成土地购置面积31906万平方米，比上年下降18.9%；完成土地开发面积23006万平方米，下降19.9%。

从年内变化来看，1—10月房屋新开工面积8.14亿平方米，同比增长3.3%，增速自年初以来首次实现由负转正。新开工面积稳步回升说明房地产开发企业对市场行情的预期较好。

二、市场成交显著放大，捂盘惜售现象明显

2009年全国房地产市场成交大幅增长，成交量和价格水平创历史新高。全国商品房销售面积93713万平方米，比上年增长42.1%。其中，全年商品住宅销售面积8.53亿平方米，销售金额3.82万亿元，较2008年分别增长43.9%和80.0%，较2007年分别增长23.4%和50.7%。商业营业用房销售面积增长24.2%。办公楼和商业营业用房销售额分别增长66.9%和45.5%。

从2009年第2季度开始，到年底，重点城市成交量显著放大，与2008年同期相比，成交量增加幅度达到80%～90%，甚至超过100%，例如北京、广州、上海和深圳，2009年第3季度与2008年相比分别增长97%、146%、114%和52%，其中2009年第3季度上海成交量达到季度值高峰，为936万平方米，超过以往年度成交量的一半。

2009年极度宽松的货币政策、促进经济增长率提升的财政政策等有效地支撑了房地产市场高速发展，产生市场价格和成交量持续上升的趋势。这种趋势在全国的不断扩散为房地产市场形成了强烈的上涨预期。由于上涨预期具有自我实现的特性，即一旦有

超过临界数量的开发企业和购房者持有上涨预期，那么开发企业会减少项目上市数量、减缓项目上市节奏，从而减少当期房地产市场供给，而购房者担心房价持续上涨的心理会使其加快入市步伐，这样有效地增加了当期市场需求。两种力量的作用使得房地产市场价格呈现加速上涨的趋势。成交量上升一段时间后，开发企业减少当期供应的意愿日益增强，市场会呈现一段价格提高而成交量下降的时期。再加上传统节假日效应的影响，出现了2010年第1季度成交量大幅下滑的态势。

三、房地产开发企业资金来源情况

2009年，房地产开发企业本年资金来源57128亿元，比上年增长44.2%。其中，国内贷款11293亿元，增长48.5%；利用外资470亿元，下降35.5%；企业自筹资金17906亿元，增长16.9%；其他资金27459亿元，增长71.9%。在其他资金中，定金及预收款15914亿元，增长63.1%；个人按揭贷款8403亿元，增长116.2%。

2009年年末，全国主要金融机构商业性房地产贷款余额7.3万亿元，同比增长38.1%。地产开发贷款和个人购房贷款持续回升，增速比上年分别提高98.4个和33.3个百分点。同年，全国共完成房地产开发投资3.6万亿元，各地保障性住房支出550.6亿元，同比增长202.7%。

2009年中国中外资金融机构人民币个人住房贷款余额达4.4万亿元，同比增47.9%。东部地区在个人房贷款余额中占比最高，而西部和东北地区增速较高。当年全国个人房贷累计发放2.2万亿元，支持购买住房707.1万套，个人房贷发放额占同期住房销售额的53.8%。

四、70个大中城市房屋销售价格先跌后涨

2009年，70个大中城市房屋销售价格呈现先跌后涨的态势，且同比增幅越来越大：1—3月同比分别下降0.9%、1.2%、1.3%，4月和5月降幅已缩减至1.1%和0.6%，终止了自上年1月同比涨幅达到近几年最高点以来连续14个月呈现加速回落的趋势，最终在6月实现同比上涨0.2%；此后增幅迅速拉升并逼近高位，12月同比增长已达到7.8%，接近2008年的年中水平。环比增长则呈波动上涨态势：前两个月环比均下降0.2%，3—8月环比上涨，涨幅最高为0.9%，终止了自上年8月以来环比涨幅连续7个月出现负增长的趋势；此后9、10月环比涨幅均保持在0.7%，11、12月则再次上扬到1.2%和1.5%的高位与前两年变化态势相反，2009年第四季度房屋销售价格尤其是二手房销售价格环比增长呈逐月上行的现象，主要是受营业税优惠政策即将结束等因素的影响。

从住宅类型来看，全年普通住宅和高档住宅的价格均逐月上涨，12月环比增长分别达到2.4%和1.3%，其中普通商品住宅上涨较快。另外，90平方米以下住宅价格环比同样增长迅速，经济适用房的价格则保持稳定。从主要区域来看，全年三大区域（环渤海、长三角、珠三角）新建住房和二手住房的价格均上涨；在70个大中城市中，12月新建住房和二手住房价格同比上涨的城市均为69个，房价上涨的城市数量将近99%，而6月两者数据均在40个以下、2008年12月两者数量则在20个左右，表明2009年下半年房价普涨态势非常明显。

总体来看，全国房价整体上已基本走出了2008年底、2009年初的阶段性谷底，随着2009年3、4月份销售大幅回暖，尤其是二手房成交量井喷的带动，普通住房需求、改善住房需求与投资性需求等先后涌入市场，买涨不买跌的消费心理再次显现；到5、6月份，在信贷宽松等因素的影响下，部分一线城市的房价又出现暴涨现象；而年底营业税优惠等利好政策到期的刺激，更是加速了11、12月房价的普遍疯涨，涨价潮也从一线城市蔓延至二、三线城市。随着2009年底国务院常务会议提出“增加供给、抑制投机、加强监管、推进保障房建设”四大举措，到五部委提高土地出让金首付比例至50%，以及2010年初出台《关于促进房地产市场平稳健康发展的通知》，房地产调控政策密集出台。上述政策的重点是抑制投资与投机性需求，进而缓解房价快速上涨的压力。

五、全国房地产开发景气指数

2009年12月份，全国房地产开发景气指数（简称“国房景气指数”）为103.66，比11月份提高0.88点。

从分类指数看：房地产开发投资分类指数为100.42，比11月份下降0.18点；本年资金来源分类指数为110.77，比11月份提高1.25点；土地开发面积分类指数为95.69，比11月份提高0.33点；商品房空置面积分类指数为96.87，比11月份提高3.03点；房屋施工面积分类指数为102.51，比11月份下降0.50点。

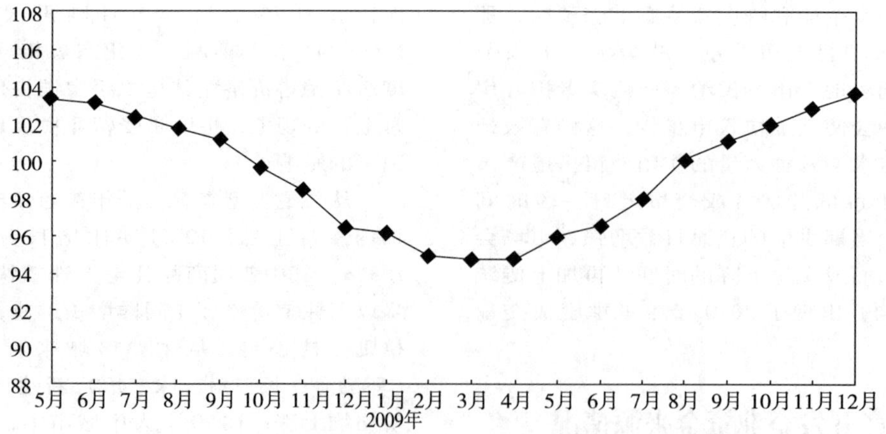

全国房地产开发景气指数图

2009 年，国房景气指数触底反弹、稳步回升，房地产市场经历了由冷趋热的变化过程。与 2007 年下半年至 2008 年上半年的火爆市场相比，2009 年强大资金的注入对整个行业和市场的拉动作用明显（不仅仅是房地产开发投资），存量商品房消化速度加快，土地开发力度则有所下降。

从年内变化来看，3 月国房景气指数跌至 94.74，成为自 2003 年以来的最低点，比 2003 年 2 月的近 7 年最高点下跌 14.4 点，房地产市场降温触底凸显；4 月份指数为 94 ~ 76，比 3 月提高 0.02 点，尽管反弹力度非常微弱，但这却是继 2007 年 11 月以来连续 16 个月后的首次止跌回升；5 月、6 月和 7 月国房景气指数分别环比上扬 1.18 点、0.61 点和 1.46 点，虽然市场回暖逐渐提速，但仍然连续 10 个月处于非景气状态；8 月国房景气指数突破百点大关，环比增长 2.07 点，此后一路向上，12 月冲至 103.66 点，房地产市场景气程度逼近前两年的年中水平。

从分类指数来看，国房景气指数涵盖了影响房地产市场的土地、资金、供需等多方面的重要因素。其中，土地开发面积分类指数虽然还没有恢复到前两年水平，但自 2008 年初经过多月持续下滑后出现稳步回升，再加上 2009 年下半年尤其是 9、10 月份“地王”迭出，房地产行业预期和市场信心在不到一年的时间里经历了由缓慢恢复到急速爆膨的变化。此外，资金的强势注入也是市场升温的重要推力。资金来源分类指数持续领涨其他分类指数，房地产开发投资分类指数也在波动中上涨，与国家和地方扩大投资、信贷大幅增长以及房屋销售火爆等密切相关。如全年房地产开发企业国内贷款 11293 亿元，同比增长 48.5%；个人按揭贷款 8403 亿元，增长 116.2%；全国商品房销售面积 93713 万平方米，比上年增长 42.1%；销售额 43995 亿元，比上年增长 75.5%；商品住宅销售面积也增长了 43.9%。

总体来看，为积极应对国际金融危机的冲击，避免房地产市场持续低迷影响宏观经济运行，国家把宏观调控的思路转移到维持房地产市场稳定、最大限度降低金融危机对房地产市场的影响和冲击上来，通过加大信贷支持力度、放宽税收优惠政策等刺激消费，活跃二手房市场、拉动新房消费，房地产市场在 2009 年逐步升温。在未来几个月中，房地产市场将面临新一轮调控的严峻考验，而国房景气指数短期内估计也将维持低位缓慢增长。2010 年国房景气指数仍将呈缓慢上行态势，但能否贯穿全年、上行至多高点位，关键还要看房价能否在合理区间趋稳、成交量是否能够维持、市场预期怎样变化等综合因素的影响。

五、行业整体竞争性依旧，市场集中度大幅下降

根据中国房地产测评中心 2009 年房地产开发企业 500 强研究的成果，2006 年、2007 年、2008 年和 2009 年最大的四家房地产开发企业销售收入各年占全国总销售额的比重分别为 4.6%、5.2%、7.8% 和 3.3%，2009 年出现市场集中度异乎寻常的大幅下降。

另一方面，我国房地产市场的 HHI 指数（赫芬达尔—赫希曼指数），即以所有开发企业市场占有率平方和再乘以 10000 计算，2009 年仅为 3.52。由此可见，在 2009 年市场高速发展的情况下，房地产市场的集中度并未提高，反而呈现规模庞大、实力较强企业的相对市场占有率下降的态势，与 2008 年和 2009 年测算的市场竞争性程度相似，整体房地产市场仍呈现较强的竞争性。

究其原因，2009 年相当数量的中小房地产开发企业销售情况良好，受利润吸引由其他行业进入的企业也大量增加，从而使原有较大企业的相对市场占有率下降，较小企业的相对市场占有率提高。另一方面，全国整体市场容量扩大了八成，少数几家大企业所占的相对比例势必下降。

六、投资性需求旺盛，市场供求结构矛盾缓解

结合 CRIC 系统对北京、上海、广州和深圳的统计，目前市场供求结构矛盾缓解，市场供应面积与成交面积结构基本一致，改变了前些年两者分歧严重的局面。例如，北京供应结构中占主导地位的是二房和三房户型，分别占供应量的35%和23%，成交结构中两者的占比分别为34%和28%。上海的供应结构中二房和三房户型分别占供应量的42%和20%，成交结构中两者的占比分别为41%和24%。由此可见供求结构性矛盾有所缓解。

但是，结合2009年中国房地产市场的具体特点，这种供求结构矛盾缓解只是一种表象，并不意味着供求结构矛盾从根本上得到了解决。供求结构数据上的平衡可能仅仅反映了2009年市场投资性需求旺盛，只要市场有供应就有成交，或者说只要提供到市场上来购房者会迅速吸纳进来，将住房具有的投资品属性反映出来，只考虑购房带来的资本收益，而不考虑住房的其他属性。通常这种结构性平衡可能预示着房地产市场具有更多投资性特征，决定其价格和供求走势的因素与其他投资品市场相似，已经无法用一般消费品的理论进行解释。

从成交价格结构方面来看，无论以销售面积还是以销售金额计算，成交价格向高位漂移现象十分明显，即相对低价格成交占比下降，高价格成交占比上升，如2008年北京成交价格8000元以下的占比为17%，到2009年变为10%，与此同时，成交价格介于15000~20000元的占比从15%增加到19%。上海的情形也类似，成交价格低于8000元的占比从29%变化为10%，介于15000~20000元的占比从12%增加到19%。

通常而言，价格向高位漂移会产生两种效应：其一会鼓励房地产开发企业增加投资，在未来提供较多的产品；其二会抑制购房者的需求，当前住房需求水平下降。这种两种效应的综合净结果会使价格在未来存在下降的压力，即存在向低位回归的趋向。这是房地产开发企业在经营过程中必须密切关注的重要市场特征。

七、企业效益继续提高，部分企业发展乏力

2009年中国房地产开发企业经历了“冰火两重天”的洗礼，市场由2008年底2009年初的滞胀、低迷，发展为年中至年底的极度亢奋的爆发性上涨。145家上市公司的总资产规模近2.5万亿元，总营业收入达到5363亿元，净利润总额为1067亿元。如果没有2010年4月中旬各种强硬的紧缩性宏观经济政策的约束，市场持续亢奋的局面仍看不到结束的征兆。

通过2009年上市公司的测评表明，在市场大幅调整时期能够增强实力的企业，业绩波动幅度小于市场波幅，或者业绩呈现逆市上涨态势，这类企业具备较强的持续竞争优势。反之，在市场高速成长、行业整体利润水平大增时，企业业绩较为平淡，劣于市场平均水平，而在市场处于大幅下调期间，业绩波动幅度大于市场波幅，这类企业缺乏竞争优势，面临巨大的生存压力。

2009年净利润水平大于行业均值的上市公司数均达到43家，结构发生变化，其中2008年有14家净利润大于行业均值的上市公司在2009年滑入低于行业均值的群体，表现出高于市场波幅的巨幅波动，盈利能力的持续性较差。

通过房地产上市公司2009年净利润的比较，表明受益于市场环境好转，企业两极分化现象有一定改观。房地产上市公司中有61.42%出现净利润增加，由亏损转为盈利达到8.66%，而由盈利转为亏损、亏损减少和亏损扩大等三类公司的占比均为零，与2008年相比出现明显好转，显得得益于自2009年第二季度开始市场形势急剧转暖。

2009年全国房地产的热销带给房地产上市公司丰厚收益。2009年房地产上市公司共实现营业收入2727.31亿元，同比增长21.2%，实现净利润371.98亿元，同比增长39.62%。其中市值前20位和市值前40位的房地产上市公司实现营业收入分别占全部营业收入的55.79%和69.74%，行业集中度有所提高。

2009年房地产上市公司有息负债率仅46.95%，比2008年下降3.58个百分点。2008年房屋的滞销使得开发商在新开工和购置土地方面较为谨慎，多入少出为房地产上市公司积累了高达1985.63亿元的现金，同比增长84.12%，占流动资产的22.06%。整体而言，房地产上市公司资金较为充裕，资产状况良好，无短期偿债压力。

八、房地产市场回暖的因素分析

2009年，全国房地产市场快速升温，房价上涨偏快。这种上涨，从南到北，从东到西，遍及全国大中小城市。房价的涨幅，不仅远远高于GDP增幅，更高于老百姓收入增幅。加之中小户型商品住宅比例过低，一套房子动辄过百万、甚至几百万，不仅普通百姓买不起房，城市白领等中高收入群体也感到难以承受。另外，由于保障性住房供应不足，大城市相当部分的低收入群体无房可买、无房可租。这就导致房价问题成为社会热点，再加上新闻媒体尤其网络媒体高度关注，逐步转变为社会焦点。这正是当前房地产市场的主要问题。

2009年房地产市场快速回暖，出现销售旺盛、市场成交活跃、房价水平不断攀升的局面，主要有以下

四方面的因素：

第一，中国国情决定了住房需求的强劲。经过房地产市场持续一年的观望期，市场累积了一批具有购房需求和购买能力的自住型和改善型消费者，房价的回调为他们进入市场提供较好进机。

一是中国人口众多，13亿的人口基数，每年1500万的新增人口，主要集中在中东部地区的人口分布，日益小型化的家庭结构，都决定了长期旺盛的住房需求。目前全国城市每年新增家庭户数1100万户，而新增商品住房大约500万套，远远不能满足需求。二是土地稀缺。我国虽有960万平方公里的国土面积，但适宜生产生活的并不多。为保证粮食安全，18亿亩耕地红线必须坚守。非农业用地中，刨除工业、交通、水利等用地外，可供建设城市住宅的土地就更少了。这使许多城市不得不做存量土地的文章，拆旧建新，而拆迁成本是相当高的。城市住宅建设用地资源的稀缺和拆迁成本高企，导致商品住宅用地价格飞涨，房价水涨船高。三是城镇化进程加快。截至2009年底，全国城镇人口6.22亿，城镇化水平46.6%，近5年城镇化水平年均递增0.9个百分点，这意味着每年1170万人由农村转移到城镇。按2005年全国城镇居民人均26平方米的住房建筑面积计算，每年需新增住房3亿平方米。专家预测，这种快速城镇化进程将持续15～20年。另外，全国每年还有600多万高校毕业生走上社会，大部分涌入大中城市，他们的住房需求是刚性的。

第二，随着上年年底全球各国救市政策的出台，人们对未来通胀的预期加强，为避免通胀带来了的资产损失，人们将转向一些实现投资保值的资产和商品，而住房就是投资保值的重要对象。

“有恒产者有恒心”的传统观念，让国人不爱租房爱买房；攀比心理、一步到位意识，让国人不买小房买大房；买涨不买落的从众心理，让不少人跟风抢购。佑护子女的传统观念，使部分还不具备购房能力的年轻人，靠父辈资助提前买房。另外，受通胀预期的影响，相当一部分人通过购房置业来使财产保值增值，加之我国对房地产只是在交易环节征收契税、营业税、所得税，对保有环节没有征税，使老百姓特别是有钱人更愿买房。

第三，2008年年底，中央政府出台了促进房地产市场健康的若干意见，对住房消费给予了相应的政策优惠，降低了住房消费和交易中的税费负担，进一步刺激了人们的住房消费。

第四，适度宽松的货币政策使得流向房地产业的信贷资金增长较快。为应对国际金融危机，国家实施积极的财政政策和宽松的货币政策，成功地遏制了经济下滑，保持了经济平稳较快发展。同时，这也增加了货币供应量，使货币流动性比较充裕。然而，因国际市场不景气，企业出口受挫，加之煤炭、石油、铁矿石等重要原材料价格和工人工资不断上涨，许多制造业企业利润率降低，不少行业产能过剩，实体投资环境恶化，再加上股市投资风险大、收益低，以及国家鼓励支持住房消费的税收、信贷等优惠政策，使大量资金从实体经济、从证券市场流向房地产市场。

第五，国家财税体制。多年来，我国实行的是分税制和“分灶吃饭”的财政体制，增值税的75%、消费税的100%、企业和个人所得税的60%归中央，营业税、契税、增值税的25%、所得税的40%归地方。要增加地方财政收入，除发展工商业、获取增值税外，大力发展房地产和建筑业、获取营业税是地方政府的必然选择。随着中央不断向地方下放事权，大量地方财政收入被用于教育、医疗、社会保障等，建设城市基础设施、改善城市环境，只能依靠出让城市国有土地使用权。加之单纯“价高者得”的土地招拍挂制度，使推高地价、拉高房价，成为城市政府的选择取向。

邮政通信行业

一、2009年我国邮政业发展状况

（一）总体情况

2009年，邮政企业和全国规模以上快递企业业务收入（不包括邮政储蓄银行直接营业收入）累计完成1094.7亿元，同比增长14%；业务总量累计完成1632.1亿元，同比增长16.4%。

12月份当月全行业业务收入完成113.3亿元，同比增长14.2%；业务总量完成154.1亿元，同比增长20.5%。

邮政函件业务累计完成75.2亿件，同比增长3%；包裹业务量累计完成7172.4万件，同比下降9.6%；报纸业务累计完成162亿份，同比下降0.7%；杂志业务累计完成10.2亿份，同比下降2.5%；汇兑业务累计完成2.7亿笔，同比增长2.8%。

全国规模以上快递企业业务量累计完成18.6亿件，同比增长22.8%；业务收入累计完成479亿元，同比增长17.3%。

12月份当月快递业务量完成1.9亿件，同比增长27.2%；业务收入完成47.3亿元，同比增长25.5%。

同城、异地、国际及港澳台快递业务收入分别占全部快递收入的7.3%、55.7%和31.7%；业务量分别占全部快递业务量的23.5%、70.4%和6.1%。

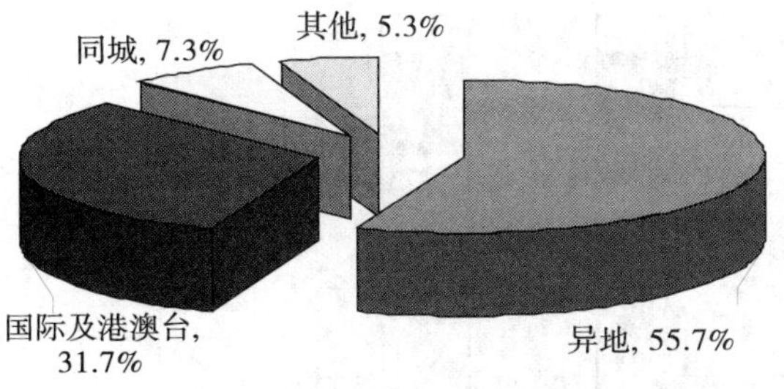

图 1　2009 年全国快递业务收入结构图

数据来源：国家邮政局。

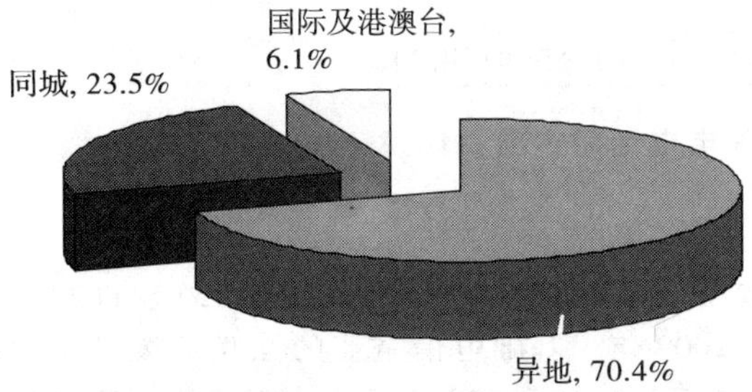

图 2　2009 年全国快递业务量结构图

数据来源：国家邮政局。

东、中、西部地区快递业务收入的比重分别为 81. 1%、10% 和 8. 9%，业务量比重分别为 80. 2%、10. 6% 和 9. 2%。

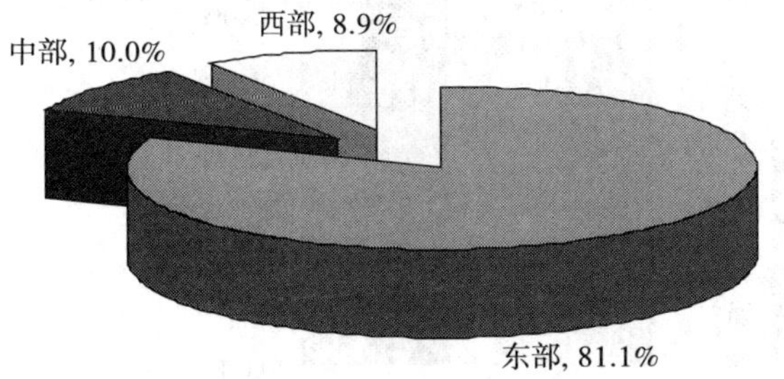

3　2009 年东、中、西部快递业务收入结构图

数据来源：国家邮政局。

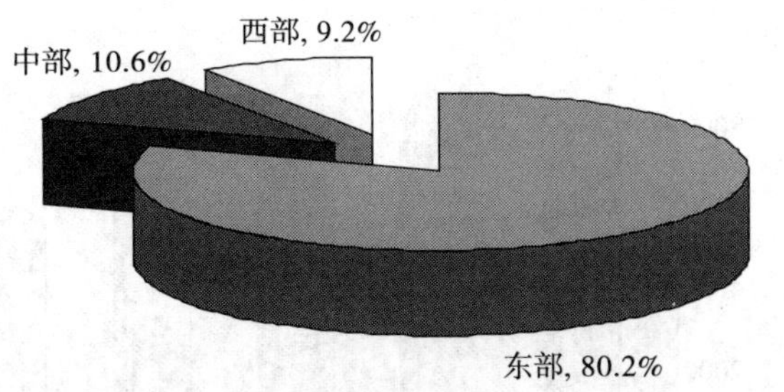

4　2009 年东、中、西部快递业务量结构图

数据来源：国家邮政局。

二、2009 年我国通信业发展状况

2009 年，在党中央、国务院的正确领导下，我国电信业紧紧围绕“保增长、扩内需、调结构、惠民生”的目标，认真落实应对国际金融危机的各项政策措施，积极开展 3G 建设及业务应用，大力推进 TD 产业化、商业化进程，加快通信业转型步伐，市场竞争格局得到进一步优化，全行业保持平稳健康发展。

（一）总体情况

2009 年我国累计完成电信业务总量 25680. 6 亿元，同比增长 14. 4%；实现电信主营业务收入 8424. 3 亿元，同比增长 3. 9%；完成电信固定资产投资 3724. 9 亿元，同比增长 26. 1%；实现电信增加值 5012. 2 亿元，同比增长 7. 0%。

2009 年，电信综合价格水平同比下降了 9. 0%。

（二）电信用户

2009 年，全国电话用户净增 7946. 7 万户，总数达到 106107. 2 万户。移动电话用户在电话用户总数中所占的比重达到 70. 4%，移动电话用户与固定电话用户的差距超过 4 亿户。

1. 移动电话用户。2009 年，全国移动电话用户净增 10613. 8 万户，达到 74738. 4 万户。2009 年是移动电话用户增长最多的一年，其中 3 月份净增移动电话用户 1055. 1 万户，刷新单月增长纪录。移动电话普及率达到 56. 3 部/百人，比上年底提高 7. 8 部/百人。

移动电话用户中，移动分组数据用户净增 12924. 0 万户，达到 38455. 9 万户。移动分组数据业务的渗透率从上年底的 39. 8% 进一步上升到 51. 5%。

2. 固定电话用户。2009 年，全国固定电话用户减少 2667. 1 万户，达到 31368. 8 万户。其中，城市电话用户减少 1978. 3 万户，达到 21177. 6 万户；农村电话用户减少 688. 8 万户，达到 10191. 2 万户。固定电话普及率达到 23. 6 部/百人，比上年底下降 2. 2 部/百人。

固定电话用户中，传统固定电话用户减少 373. 4 万户，达到 26769. 4 万户；无线市话用户减少 2293. 7 万户，达到 4599. 4 万户。无线市话用户在固定电话用户中所占的比重从上年底的 20. 3% 下降到 14. 7%。

固定电话用户中，住宅电话用户虽然仍是我国固定电话用户的主体，但受无线市话用户大幅下降的影响，所占比重下降了 4. 6 个百分点；政企电话用户仍然保持增长，所占比重也逐年上升；公用电话用户所占比重略微上升到 8. 6%。

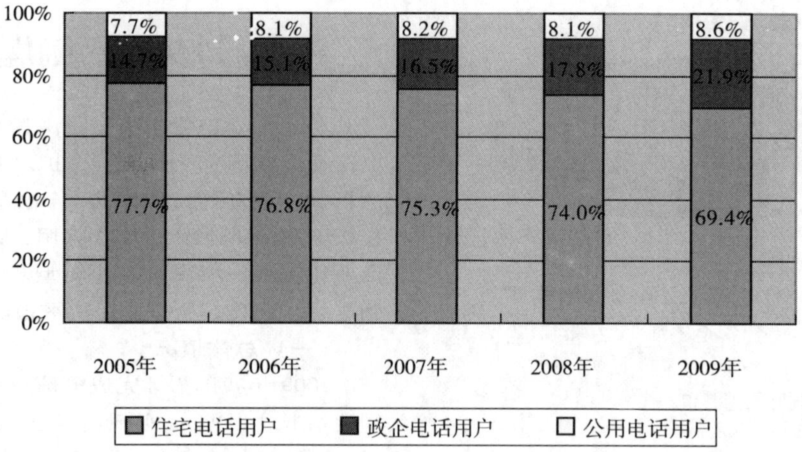

图5 2005—2009年公用、政企、住宅电话用户所占比重

数据来源：工业和信息化部。

3. 互联网用户。2009年，全国网民数净增0.86亿人，达到3.84亿人，互联网普及率达到28.9%。其中宽带网民数净增0.76亿人，达到3.46亿人，占网民总数的90.1%；手机网民数净增1.2亿人，达到2.33亿人，占网民总数的60.8%；农村网民数净增0.22亿人，达到1.07亿人，占网民总数的27.8%。

2009年，基础电信企业的互联网拨号用户减少357.1万户，达到870.7万户，而互联网宽带接入用户净增2034.7万户，达到10322.6万户。

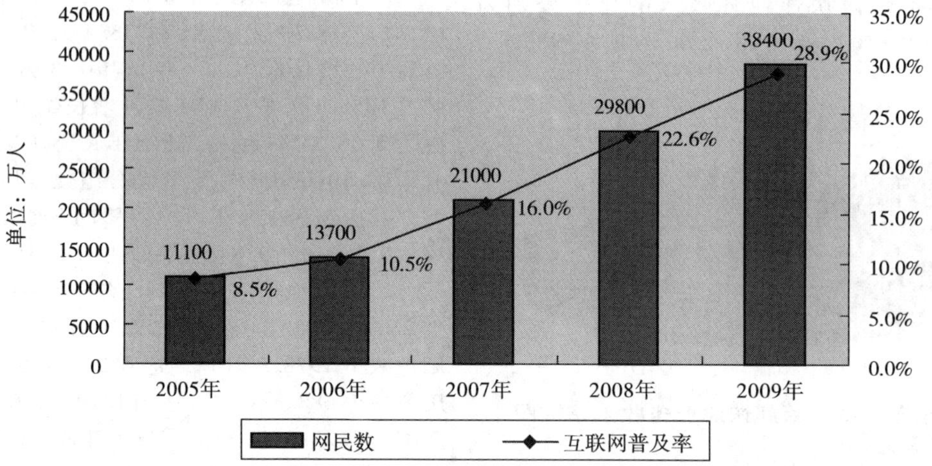

图6 2005—2009年网民数和互联网普及率

数据来源：工业和信息化部。

（三）业务使用情况

1. 本地电话业务。2009年，固定本地电话通话量累计达到5398.2亿次，同比下降12.7%。其中，本地网内区间通话量663.7亿次，下降11.0%；区内通话量4645.5亿次，下降12.8%；拨号上网通话量89.1亿次，下降22.7%。固定本地通话中，传统电话通话量4222.3亿次，下降9.0%；无线市话通话量1175.9亿次，下降23.9%。

2009年，移动本地电话通话时长累计达到32964.5亿分钟，同比增长19.5%。

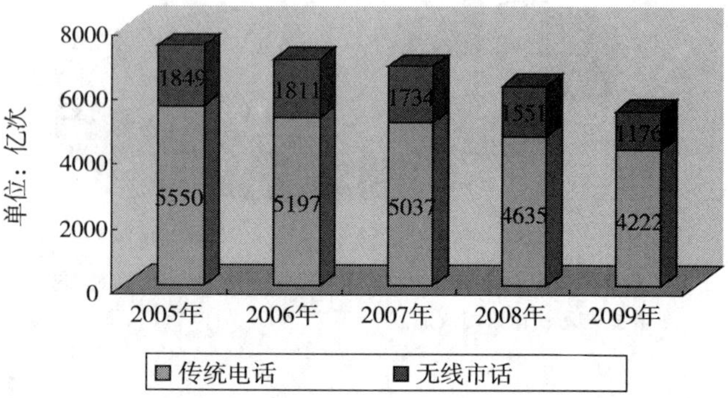

图7 2005—2009年固定本地电话通话量

数据来源：工业和信息化部。

2009 年，移动本地电话通话时长累计达到 32964.5 亿分钟，同比增长 19.5%。

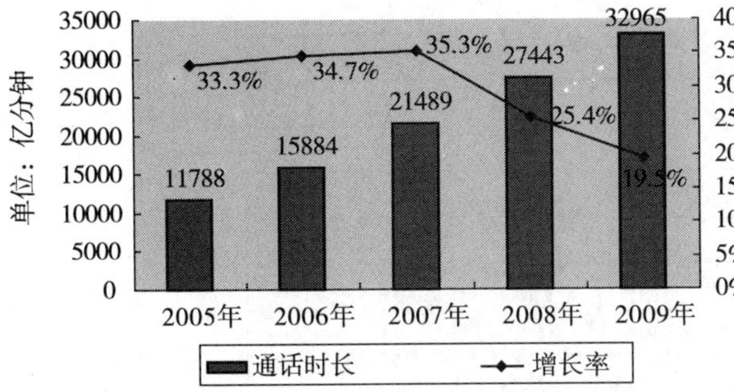

图 8　2005—2009 年移动本地电话通话时长

数据来源：工业和信息化部。

2. 长途电话业务。2009 年，全国长途电话通话时长累计达到 4387.6 亿分钟，同比增长 7.5%。其中，国内长途电话通话时长 4346.0 亿分钟，增长 7.8%；国际电话通话时长 21.4 亿分钟，下降 14.2%；港澳台电话通话时长 20.2 亿分钟，下降 9.0%。

长途通话中，固定传统长途电话通话时长 825.6 亿分钟，下降 6.3%；移动长途电话通话时长 2376.4 亿分钟，增长 31.8%；IP 电话通话时长 1185.6 亿分钟，下降 15.1%。

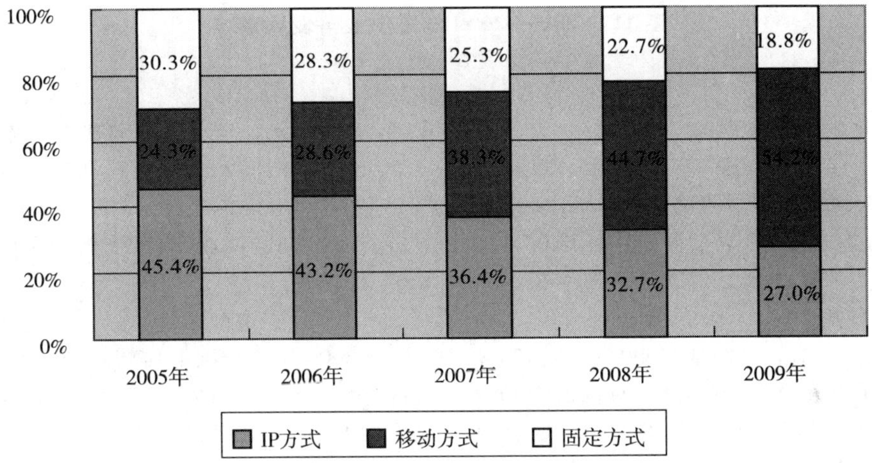

图 9　2005—2009 年长途电话市场构成

数据来源：工业和信息化部。

IP 电话中，从固定电话终端发起的通话时长 491.7 亿分钟，同比下降 27.6%；从移动电话终端发起的通话时长 693.9 亿分钟，同比下降 3.3%。通过移动电话终端发起的 IP 电话所占比重从上年底的 51.0% 上升到 58.5%。

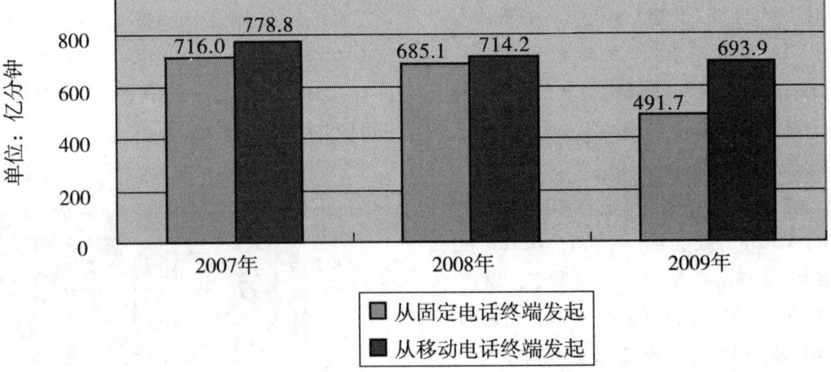

图 10　2007—2009 年 IP 电话发起方式

数据来源：工业和信息化部。

3. 短信业务。2009 年，各类短信发送量达到 7840.4 亿条，同比增长 8.4%。其中无线市话短信业务量 127.4 亿条，下降 45.6%；移动短信业务量 7713.0 亿条，增长 10.2%。

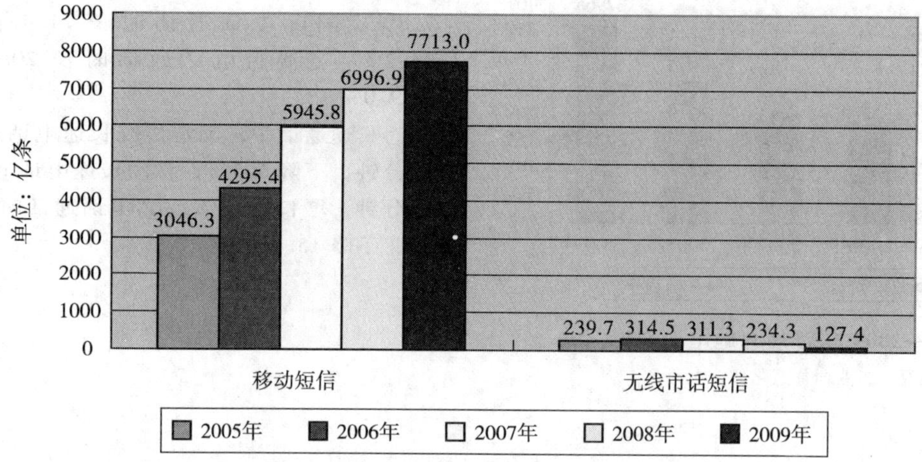

图 11　2005—2009 年短信业务发展情况

数据来源：工业和信息化部。

（四）3G 和 TD 发展总体情况

3G 牌照发放一年来，我国 TD 产业化、商业化进程明显加快，3G 网络建设、业务开发、市场推广有序展开，呈现起步扎实、开局良好、快速推进、规范有序的发展态势。在扩内需、保就业、促增长、惠民生中发挥了重要作用。

1. 投资计划稳步落实，网络建设迅猛推进。2009 年三家基础电信企业共完成 3G 网络建设直接投资 1609 亿元。2009 年共完成 3G 基站建设 32.5 万个，建设规模超过十多年来累计规模的一半，开创了全球电信发展史上建设规模最大、建设速度最快的新记录。

2. 用户规模加速扩大，业务应用不断推陈出新。截至 2009 年 11 月底，我国 3G 用户规模达到 1307 万。2009 年底，3G 用户超过 1500 万户。3G 可视电话、手机视频等面向个人应用，宽带上网、家庭网关等面向家庭应用，无线城市、视频监测、移动办公等行业信息化应用不断涌现，移动支付、手机阅读等新型业务得到开发。中国移动推出 TD 移动应用商场，吸引众多开发者利用 TD 手机平台开发软件、游戏、视频等应用。中国电信推出了手机影视、全球眼等天翼品牌 3G 特色业务。中国联通手机搜索、手机音乐等 3G 特色业务也陆续投入运营。

3. TD 芯片性能快速提升，终端产业化能力增强。芯片工艺从 2008 年的 130nm 提升到 90nm，65nm 的解决方案即将推向市场，45nm 方案开始研发；2009 年 TD 芯片出货量达 1200 万片。终端稳定性和成熟性进一步提升，已有 130 多个终端厂家 266 款不同档次的 TD 终端投入市场。

4. 3G 发展有力促进了国民经济增长。据测算，2009 年 3G 直接投资 1609 亿元，间接拉动国内投资近 5890 亿元；带动直接消费 364 亿元（终端消费 297 亿元，业务消费 67 亿元），间接消费 141 亿元；直接带动 GDP 增长 343 亿元，间接带动 GDP 增长 1413 亿元；直接创造就业岗位 26 万个，间接创造就业岗位 67 万个。

（五）经济效益

2009 年，全国电信营业收入累计完成 8707.3 亿元，同比增长 4.1%，其中，电信主营业务收入累计完成 8424.3 亿元，同比增长 3.9%。各项电信业务中，移动通信网业务收入 5090.9 亿元，同比增长 13.2%，占主营业务收入的比重为 60.4%；固定本地电话网业务收入 1356.8 亿元，同比下降 14.4%，占主营业务收入的比重为 16.1%；长途电话网业务收入 982.6 亿元，同比下降 5.3%，占主营业务收入的比重为 11.7%；数据通信网业务收入 994.0 亿元，同比增长 0.3%，占主营业务收入的比重为 11.8%。

电信主营业务收入中，非话音业务收入 3135.5 亿元，同比增长 8.8%，占主营业务收入的比重从上年底的 34.5% 上升到 37.2%。

2009 年，完成电信固定资产投资 3724.9 亿元，同比增长 26.1%。

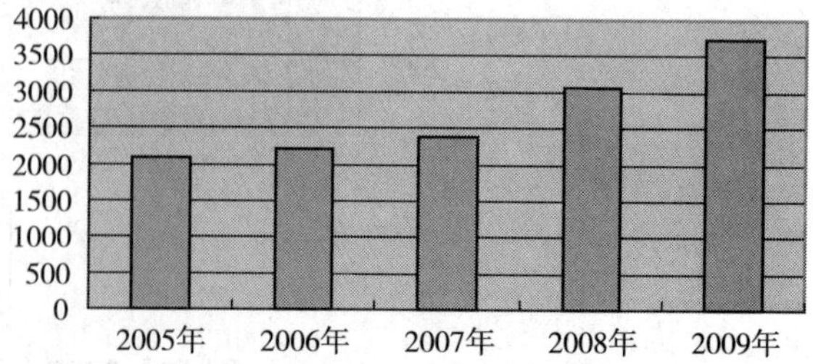

图 12　2005—2009 年电信固定资产投资

数据来源：工业和信息化部。

（六）电信能力建设

2009 年，全国光缆线路长度净增 148. 8 万公里，达到 826. 7 万公里。其中，长途光缆线路长度净增 3. 9 万公里，达到 83. 7 万公里。固定长途电话交换机容量净增 15. 1 万路端，达到 1705. 9 万路端；局用交换机容量（含接入网设备容量）减少 1643. 8 万门，达到 49219. 4 万门。移动电话交换机容量净增 27579. 9 万户，达到 142111. 2 万户。基础电信企业互联网宽带接入端口净增 2702. 0 万个，达到 13592. 4 万个。全国互联网国际出口带宽达到 866367Mbps，同比增长 35. 3%。

（七）增值电信业务

2009 年，基础电信企业实现增值电信业务收入 1923. 0 亿元，同比增长 12. 8%，占主营业务收入的比重从上年底的 21. 3% 上升到 22. 8%。

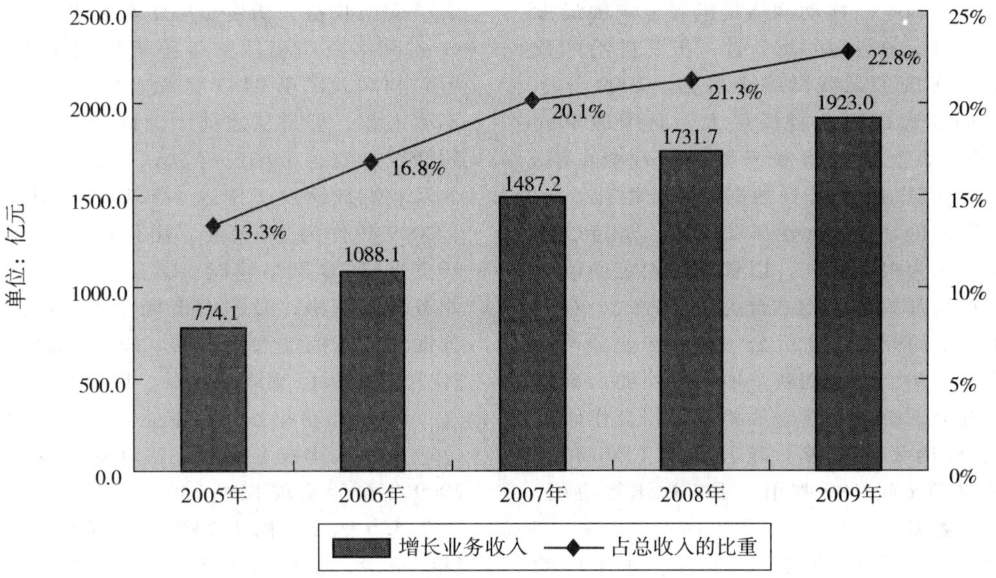

图 13 2005—2009 年基础电信企业的增值业务收入

数据来源：工业和信息化部。

（八）企业发展情况

2008 年，我国电信业通过重组，形成了中国电信、中国移动、中国联通三家全业务经营的基础电信企业。

1. 中国电信集团公司。

（1）业务发展。2009 年，中国电信稳健发展，实现了预定目标，全集团完成经营收入 2428. 96 亿元（含初装费），同比增长 9. 77%。非话音收入占经营收入比重达到 52. 8%，同比增长 6. 8 个百分点。固定电话用户总数达到 1. 94 亿户，其中小灵通用户达到 2941 万户，CDMA 网上用户到达 6236 万户。数据与互联网通信业务收入继续保持较高增长，用户发展达到预定目标，互联网用户达到 6174 万户（含宽、窄带）；DDN 用户达到 15 万户；帧中继及 ATM 业务用户达到 8. 01 万户。

（2）通信能力。2009 年，中国电信立足全业务经营，积极推进网络的宽带化、IP 化、融合化，通过升级改造进一步构建了全业务综合信息服务网络架构。

固定电话及宽带接入网．中国电信拥有全世界规模最大的固定电话通信网络，截至 2009 年底，本地电话交换机总容量达到 3. 06 亿门；国内长途自动交换机达到 984 万路端。

2009 年中国电信积极推进宽带提速，规模部署 PON 网络，宽带网络能力和质量得到全面提升，南方城市地区（含县城）基本具备 2M 以上带宽接入能力，商务楼光缆通达率达到 91%，全网宽带接入端口达到 7936 万个。

传输网。中国电信拥有一个以光缆为主、卫星和数字微波为辅的全方位、大容量、多手段、高速率、安全可靠的立体通信传输网络，SDH 和 DWDM 技术在现网大规模应用。2009 年中国电信在骨干传输网中规模引入 40GWDM 技术，覆盖东南沿海地区，有效提升了传输容量和传输效率。截至 2009 年底，全国接入网光缆长度达到 219 万公里，本地中继光缆长度达到 68 万公里，国内长途光缆长度达到 22 万公里。

数据及互联网。中国电信拥有覆盖全国的多功能、多层次、高效先进、完整统一的公用数据通信网络平台。ChinaNet 是全国最大的 IP 网络，具有带宽最宽、覆盖范围最广、网络性能最稳定、信息资源最丰富、网络功能和架构最先进的特点，通过灵活的接入方式和遍布全国各城市的接入点，可为用户提供各种信息解决方案。2009 年中国电信 ChinaNet 网络在东南沿海地区首次应用长途 40G 白光链路，大大简化网络结构，实现流量负载分担，有效提升网络管理性能。截至 2009 年底，ChinaNet 骨干网带宽达到 14T。CN2 作为同时支持语音、数据、视频业务的中国电信下一代多业务核心承载平台，网络覆盖 308 个城市，可为用户提供高品质的 MPLSVPN 和互联网专线接入服务。

移动网络。中国电信移动网络是世界上规模最大的 CDMA 网络之一，在全国 31 个省、市、自治区及澳门特别行政区实现了无线网络全覆盖。2009 年中国电信以最快速度建成国内规模最大、商用最早的 3G 网络，网络覆盖全国 2055 个县城和 2 万个乡镇，基本实现市区（含县城）的 3G 数据业务全覆盖。

中国电信积极创新 3G 业务开发模式，坚持以服务社会信息化需求为根本导向，以移动与固定通信相融合、自主创新与开放合作相结合为主要方式。对内整合集团所属三个研究院、省级公司和各专业公司的研发力量，建立了 9 个产品创新基地；对外加大合作力度，与产业链上下游企业建立战略联盟，合作研发 3G 业务，先后推出无线宽带、音乐下载（iMusic）、即时通信（天翼 Live）、189 邮箱、手机视讯等应用，有效满足用户业务需求。

2. 中国移动通信集团公司。2009 年，中国移动运营收入实现平稳增长，达到 4521.03 亿元，比上年增长 9.8%，盈利能力继续保持同行业领先水平。稳固保有存量市场客户，保持低离网率，并在新增客户市场保持较高份额，平均每月每户通话分钟数保持相对稳定。在 2009 年，中国移动集团净增客户 6503 万户，客户规模达到 5.22 亿户，增值业务持续发展，对总收入的劳动更加显著，其中无线音乐业务收入持续超过百亿元人民币。移动客户通话分钟数为 29187.12 亿分钟，平均每月每户通话分钟数 494 分钟，平均每月每户收入为 77 元。

增值业务保持快速增长，增值业务收入比上年增长 16%，增值业务收入占运营收入的比重达到 29.1%。其中，已具规模的短信、彩铃、彩信、手机上网、手机报等业务保持增长，无线音乐俱乐部、飞信和 12580 服务客户实现了规模增长。139 邮箱、手机游戏等业务快速成长；手机视频、手机阅读、手机支付等产品不断得到开发和优化，形成良好的增值业务产品。

2009 年，中国移动继续配合国家扶持农村经济发展政策，利用规模化效应，开展整合营销，提升效率，大力拓展农村市场。满足农村客户个性化需求，提高农村客户黏性，提升客户价值。

2009 年，中国移动高效快速进行了 3G 网络建设和优化，3G 二、三期工程建设已经完成，网络覆盖拓展到全国 238 个城市，地级市覆盖率超过 70%。积极参与和推动 TD—SCDMA 产业链发展，加快产业成熟。在 2009 年率先发布 3G 标识，品牌优势进一步巩固。

3. 中国联合网络通信集团有限公司。

（1）公司收入和利润情况。

2009 年全年，公司实现营业收入 1583.7 亿元，其中通信服务收入 1533.1 亿元，按可比口径比上年下降 1.1%；在剔除固话初装费递延收入、非货币性资产交换收益、衍生金融工具公允值变动损益、南方 21 省网络资产租赁费等不可比因素影响，实现调整后净利润人民币 94.3 亿元。虽然中国联通财务数据不尽人意，但是从之前中国移动及中国电信年报发布的情况来看，市场已经默认了 2009 年电信运营商收入及利润放缓及下滑这一预期。究其原因，主要有：①2009 年作为 3G 元年，电信运营商需进行巨额资本开支进行 3G 网络建设；②三家电信运营商均获得全业务经营资格，激烈的市场竞争、用户 3G 认知度低等促使运营商加大营销推广投入；③电信运营商需对 3G 用户提供巨额终端补贴，降低用户入网成本。

（2）移动业务及宽带业务发展状况。

从收入构成上来看，移动业务保持了稳定增长，2009 年全年实现收入 740.7 亿元，其中通信服务收入 715.6 亿元，相比 2008 年增长 9.1%。而固网业务继续下滑，全年实现收入 875.6 亿元，其中通信服务收入 814.7 亿元，相比上年下降 8.5%。其中，宽带业务收入达到 246.4 亿元，比上年增长 14%。

从业务收入构成来看，移动业务收入占通信服务比重不断上升，而固网业务收入占比不断下滑，反映了移动对固定的持续替代作用。而宽带业务收入快速增长则得益于宽带用户的快速增加及宽带 ARPU 值的相对稳定。

而从用户发展来看，中国联通 2G 用户 2009 年净增 1148 万户，达到 14484.5 万户；而 3G 用户实现较快增长达到 274.2 万户，其中无线上网卡用户为 44.8 万户。总体来说，虽然中国联通拿到产业链及商业运营最成熟的 WCDMA 牌照，但由于商用时间尚短，因此，在移动用户发展上仍然处于下风。而从固网业务来看，公司固定电话用户继续流失，到 2009 年底本地电话用户减少 674.8 万户，达到 10282.2 万户。

2009 年中国联通宽带用户保持了较好的发展态势，全年净增 846.9 万户宽带用户，宽带用户总数达到 3855.0 万户。从接入带宽来看，2M 及以上固网宽带用户占比达到 83.2%，比上年提高 21.3 个百分点。从与中国电信的比较来看，宽带用户发展表现抢眼，但在第四季度略显后劲不足。

（九）村通工程与农村信息化建设

2009 年，村村通电话工程确立了“完善基础设施、建设信息平台、开展信息下乡”三大目标任务，通过全行业攻坚克难、奋力拼搏，整体超额完成工程年度计划，各项工作取得新的成效：

偏远农村基础设施建设取得新突破。中国电信、中国移动、中国联通三家基础电信企业克服困难筹集资金103亿元，组织力量在大山深处、雪域高原艰苦施工，全年共为2.7万多个偏远自然村和行政村开通电话，全国开通电话的行政村和20户以上自然村的比重分别达到99.86%和93.4%。

农村信息服务能力迈上新台阶。全年共为4228个乡镇和行政村开通互联网，开通互联网的乡镇比重从上年底的98%提高到99.3%，开通互联网的行政村比重从上年底的89%提高到91.5%。三家基础电信企业的“农信通”、“信息田园”、“金农通”等基础性综合信息平台已覆盖全国，为广大农民群众提供了功能强大、种类丰富、经济便捷的公共服务、便民服务和农产品交易服务，极大地促进了农村经济社会的发展。

信息下乡活动进展迅速。目前已在15个省份的1.3万余个乡镇开展信息下乡活动，并基本实现“一乡一个信息服务站，一村一个信息服务点，一乡一个互联网站，一村一个网上农副产品信息栏目”的“四个一”目标，全国三分之一的乡镇建立了乡村信息服务体系，信息内容、信息业务和信息终端的进乡入村初显成效。

2009年全国邮政业发展情况

表1

指标名称	单位	12月份		比上年同期增长（%）	
		累计	当月	累计	当月
一、邮政行业业务收入	亿元	1094.7	113.3	14.0	14.2
其中：快递业务收入	亿元	479.0	47.3	17.3	25.5
二、邮政行业业务总量	亿元	1632.1	154.1	16.4	20.5
其中：函件	万件	751797.3	63642.9	3.0	7.2
包裹	万件	7172.4	620.7	-9.6	-27.4
快递	万件	185784.8	19299.0	22.8	27.2
订销报纸累计数	万份	1620146.6	140304.2	-0.7	-2.0
订销杂志累计数	万份	101529.0	8237.4	-2.5	-7.7
汇兑	万笔	27150.1	2521.9	2.8	9.2

注：2009年邮政行业业务收入中未包括邮政储蓄银行直接营业收入。

数据来源：国家邮政局。

2009年12月电话用户分省情况

表2 单位：万户

地区	固定电话			移动电话
	合计	城市电话	农村电话	
全国	31368.8	21177.6	10191.2	74738.4
东部	16887.5	11747.2	5140.3	38414.3
北京	893.1	694.2	198.9	1825.5
天津	385.3	381.6	3.7	992.5
河北	1343.9	870.1	473.8	3788.9
辽宁	1529.1	1075.7	453.4	2882.1
上海	935.5	923.5	12.0	2113.2
江苏	2662.4	1694.3	968.0	4940.3
浙江	2118.6	1313.8	804.8	4459.3

续表

地区	固定电话			移动电话
	合计	城市电话	农村电话	
福建	1244.8	853.8	391.0	2639.1
山东	2225.3	1260.3	965.0	5341.8
广东	3366.7	2554.4	812.2	8935.2
海南	182.8	125.5	57.4	496.4
中部	7941.9	5140.7	2801.2	18982.0
山西	758.8	498.6	260.2	1954.3
吉林	581.3	425.4	155.9	1574.2
黑龙江	870.2	659.1	211.1	1869.3
安徽	1267.3	625.8	641.5	2154.6

续表

地　区	固定电话			移动电话
	合　计	城市电话	农村电话	
江　西	748.5	448.0	300.5	1548.0
河　南	1460.6	1009.0	451.6	3990.2
湖　北	1088.3	710.2	378.0	3136.9
湖　南	1166.9	764.6	402.4	2754.4
西　部	6539.4	4289.7	2249.7	17326.5
内蒙古	441.6	372.8	68.7	1616.0
广　西	787.6	485.8	301.8	1960.1
重　庆	627.7	397.8	229.9	1440.9
四　川	1551.2	985.3	565.9	3466.9

续表

地　区	固定电话			移动电话
	合　计	城市电话	农村电话	
贵　州	451.1	254.5	196.6	1453.4
云　南	583.1	359.5	223.6	1936.4
西　藏	53.9	51.2	2.7	124.0
陕　西	815.0	525.7	289.2	2337.4
甘　肃	453.9	285.9	168.0	1194.7
青　海	109.3	84.1	25.2	301.0
宁　夏	114.5	77.3	37.1	382.8
新　疆	550.5	409.6	140.8	1113.0

数据来源：工业和信息化部。

2009 年我国通信业主要指标完成情况

表 3

指标名称	单　位	本年 12 月止累计到达	比上年同期累计增长（%）
电信营业收入	亿元	8707.3	4.1
其中：电信主营业务收入	亿元	8424.3	3.9
电信固定资产投资完成额	亿元	3724.9	26.1
本地网内区间电话通话量	万次	6636538.8	-11.0
本地网内区内电话通话量	万次	46454857.0	-12.8
本地网内拨号上网通话量	万次	890572.5	-22.7
固定传统长途电话通话时长合计	万分钟	8256022.1	-6.3
国内长途电话通话时长	万分钟	8174294.8	-6.0
国际电话去话通话时长	万分钟	43414.3	-25.4
港澳台电话去话通话时长	万分钟	38312.9	-26.2
移动电话通话时长合计（含本地）	万分钟	353409617.4	20.2
移动电话国内长途通话时长	万分钟	23574903.5	32.0
移动电话国际电话通话时长	万分钟	83198.4	7.5
移动电话港澳台电话通话时长	万分钟	106017.0	10.3
IP 电话通话时长合计	万分钟	11856001.5	-15.1
IP 电话国内长途通话时长	万分钟	11711118.7	-15.0
IP 电话国际电话通话时长	万分钟	87457.3	-23.3
IP 电话港澳台电话通话时长	万分钟	57425.4	-22.0
移动短信业务量	万条	77130304.3	10.2

注：移动电话国内长途通话时长的统计口径有所变化。

数据来源：工业和信息化部。

2009 年末电话用户情况

表 4

指标名称	单　位	年末到达	比上年末净增
固定电话用户合计	万户	31368.8	-2667.1
无线市话用户	万户	4599.4	-2293.7
公用电话用户	万部	2708.8	-62.7
城市电话用户	万户	21177.6	-1978.3
住宅电话用户	万户	12960.7	-2627.6
农村电话用户	万户	10191.2	-688.8
住宅电话用户	万户	8821.4	-790.8
移动电话用户合计	万户	74738.4	10613.8
移动分组数据用户	万户	38455.9	12924.0
互联网拨号用户	万户	870.7	-357.1
互联网专线用户	户	98855	41834
互联网宽带接入用户	万户	10322.6	2034.7
其中：xDSL 用户	万户	8389.6	1687.9
固定电话普及率	部/百人	23.6	
移动电话普及率	部/百人	56.3	
已通电话的行政村比重	%	99.7	

注：1. 与上年末相比，城市住宅电话用户和互联网专线用户的统计口径有所变化。

2. 已通电话的行政村比重为2008 年年底数据。

数据来源：工业和信息化部。

2009 年末我国通信业主要通信能力

表 5

指标名称	单位	2009 年末到达	比 2008 年末新增
固定长途电话业务电路	2M	220975	-73700
移动长途电话业务电路	2M	4484202	1799810
光缆线路长度	公里	8266655	1488159
其中：长途光缆线路长度	公里	837159	39180
固定长途电话交换机容量	万路端	1705.9	15.1
局用交换机容量	万门	49219.4	-1643.8
其中：接入网设备容量	万门	24094.7	-1311.7
移动电话交换机容量	万户	142111.2	27579.9
互联网宽带接入端口	万个	13592.4	2702.0

数据来源：工业和信息化部。

2009年底通信水平分地区情况

表6

地区	固定电话	移动电话
	普及率（部/百人）	普及率（部/百人）
全　国	23.6	56.3
东　部	32.3	73.5
北　京	52.7	107.7
天　津	32.8	84.4
河　北	19.2	54.2
辽　宁	35.4	66.8
上　海	49.5	111.9
江　苏	34.7	64.4
浙　江	41.4	87.1
福　建	34.5	73.2
山　东	23.6	56.7
广　东	35.3	93.6
海　南	21.4	58.1
中　部	18.9	45.2
山　西	22.2	57.3
吉　林	21.3	57.6
黑龙江	22.8	48.9
安　徽	20.7	35.1
江　西	17.0	35.2
河　南	15.5	42.3
湖　北	19.1	54.9
湖　南	18.3	43.2
西　部	17.9	47.4
内蒙古	18.3	66.9
广　西	16.4	40.7
重　庆	22.1	50.8
四　川	19.1	42.6
贵　州	11.9	38.3
云　南	12.8	42.6
西　藏	18.8	43.2
陕　西	21.7	62.1
甘　肃	17.3	45.5
青　海	19.7	54.3
宁　夏	18.5	61.9
新　疆	25.8	52.2

数据来源：工业和信息化部。

2005—2009年电话用户到达数和净增数

表7

指　标	单　位	2005年	2006年	2007年	2008年	2009年
到达数	万户	74385.1	82884.4	91273.4	98160.4	106107.2
净增数	万户	9727.0	8499.3	8389.1	6866.1	7946.7

数据来源：工业和信息化部。

2009年长途电话通话时长

表8

类　型	固定方式		移动方式		IP方式	
	通话时长（亿分钟）	增长率（%）	通话时长（亿分钟）	增长率（%）	通话时长（亿分钟）	增长率（%）
国内长途	817.4	-6.0	2357.5	32.0	1171.1	-15.0
国　际	4.3	-25.4	8.3	7.5	8.7	-23.3
港澳台	3.8	-26.2	10.6	10.3	5.7	-22.0

数据来源：工业和信息化部。

2009 年电信业务总量、收入、投资分省情况

表 9

地区	电信业务总量		电信主营业务收入		电信固定资产投资	
	2009 年（亿元）	比上年增长（%）	2009 年（亿元）	比上年增长（%）	2009 年（亿元）	比上年增长（%）
全国	25680.6	14.4	8424.3	3.9	3724.9	26.1
北京	883.1	15.8	404.0	-1.2	137.6	21.3
天津	362.5	9.1	124.5	3.7	58.6	33.5
河北	1152.2	11.3	355.7	0.7	160.7	25.8
山西	601.2	13.2	204.3	3.4	103.7	22.2
内蒙古	541.0	19.9	147.4	12.1	93.0	53.6
辽宁	908.9	15.7	349.5	1.8	155.2	43.3
吉林	512.0	15.9	144.4	6.2	89.1	55.8
黑龙江	663.7	15.5	201.5	4.8	105.2	45.1
上海	839.1	5.0	418.4	0.2	152.0	19.7
江苏	1658.8	13.9	641.3	5.2	228.8	21.9
浙江	1623.4	8.4	584.6	1.5	227.1	30.5
安徽	666.7	25.2	240.0	9.6	115.3	42.7
福建	960.1	12.4	325.3	3.5	125.9	20.4
江西	588.6	25.8	170.7	8.9	71.2	11.2
山东	1604.0	12.8	509.6	3.1	197.8	33.1
河南	1226.1	13.8	351.7	2.7	168.0	29.3
湖北	797.9	17.7	282.1	9.6	125.6	20.2
湖南	861.6	16.8	292.4	10.9	130.0	34.6
广东	3849.0	9.2	1211.9	0.2	399.6	31.8
广西	673.4	18.4	201.4	8.3	96.9	42.4
海南	184.6	19.8	59.9	9.9	36.2	79.0
重庆	464.3	13.8	147.8	6.8	72.7	38.3
四川	1123.5	25.9	357.2	9.5	183.8	24.4
贵州	473.5	31.4	137.6	12.3	66.1	0.0
云南	664.2	17.4	193.1	9.3	89.2	23.5
西藏	50.9	28.1	22.3	19.6	15.5	26.5
陕西	718.1	16.7	210.1	10.5	90.9	14.8
甘肃	355.1	26.9	103.5	12.6	66.3	33.4
青海	87.5	27.0	30.5	8.7	24.5	65.7
宁夏	117.1	24.4	36.2	12.9	22.1	57.9
新疆	466.3	26.4	126.5	4.4	80.0	33.5

数据来源：工业和信息化部。

2009 年电信用户分省（区、市）情况

表 10

地 区	固定电话用户		移动电话用户		互联网宽带接入用户	
	2009 年（万户）	比上年增长（万户）	2009 年（万户）	比上年增长（万户）	2009 年（万户）	比上年增长（万户）
全 国	31368.8	-2667.1	74738.4	10613.8	10322.6	2034.7
北 京	893.1	8.2	1825.5	209.3	451.8	69.0
天 津	385.3	-11.3	992.5	127.5	158.7	19.9
河 北	1343.9	-113.5	3788.9	574.9	522.7	134.0
山 西	758.8	-44.2	1954.3	255.8	279.9	65.4
内蒙古	441.6	-20.9	1616.0	271.6	157.1	42.6
辽 宁	1529.1	-75.2	2882.1	460.6	502.9	87.6
吉 林	581.3	-40.3	1574.2	211.3	227.9	51.9
黑龙江	870.2	-157.8	1869.3	223.0	277.2	38.3
上 海	935.5	-79.9	2113.2	232.3	434.0	43.4
江 苏	2662.4	-305.9	4940.3	983.3	929.4	212.4
浙 江	2118.6	-179.0	4459.3	482.6	821.1	129.3
安 徽	1267.3	-112.7	2154.6	439.6	258.3	73.0
福 建	1244.8	-186.2	2639.1	271.0	360.3	70.6
江 西	748.5	-98.4	1548.0	270.7	238.7	58.2
山 东	2225.3	-195.8	5341.8	713.9	747.4	126.1
河 南	1460.6	-101.9	3990.2	489.2	503.9	129.4
湖 北	1088.3	-83.6	3136.9	608.1	361.3	78.8
湖 南	1166.9	-90.4	2754.4	514.1	286.0	65.4
广 东	3366.7	-206.6	8935.2	539.5	1123.6	175.6
广 西	787.6	-60.8	1960.1	336.2	248.3	65.9
海 南	182.8	-41.9	496.4	98.7	48.9	12.3
重 庆	627.7	-51.2	1440.9	159.3	201.0	44.8
四 川	1551.2	-109.2	3466.9	614.6	396.1	76.9
贵 州	451.1	-48.5	1453.4	274.3	112.8	28.3
云 南	583.1	-33.2	1936.4	300.5	172.6	33.9
西 藏	53.9	-16.7	124.0	37.0	8.8	1.8
陕 西	815.0	-66.3	2337.4	425.1	221.3	48.4
甘 肃	453.9	-65.1	1194.7	299.4	86.6	20.2
青 海	109.3	-10.1	301.0	53.8	27.9	6.6
宁 夏	114.5	-7.1	382.8	59.5	33.9	9.0
新 疆	550.5	-61.7	1113.0	61.8	122.1	16.0

数据来源：工业和信息化部。

2009 年电信能力、电话普及率分省（区、市）情况

表 11

地区	光缆线路长度（公里）	互联网宽带接入端口（万个）	局用交换机容量（万门）	移动电话交换机容量（万户）	固定电话普及率（部/百人）	移动电话普及率（部/百人）
全国	8266655	13592.4	49219.4	142111.2	23.6	56.3
北京	98171	563.2	1483.0	3814.0	52.7	107.7
天津	48680	183.5	614.6	1688.0	32.8	84.4
河北	407055	655.3	2057.2	7757.0	19.2	54.2
山西	431575	368.3	1063.5	4223.5	22.2	57.3
内蒙古	168772	174.5	714.2	3345.4	18.3	66.9
辽宁	296450	549.9	2115.9	4338.8	35.4	66.8
吉林	163832	260.6	860.0	3060.0	21.3	57.6
黑龙江	256232	365.4	1384.1	4501.6	22.8	48.9
上海	121983	660.0	1386.4	4548.0	49.5	111.9
江苏	585358	1091.8	4455.4	7950.4	34.7	64.4
浙江	528194	942.2	3109.7	7973.0	41.4	87.1
安徽	331672	462.0	1606.3	4584.5	20.7	35.1
福建	302749	471.2	1924.7	5741.2	34.5	73.2
江西	294685	281.8	1208.5	3630.8	17.0	35.2
山东	391767	1006.2	3353.1	10537.7	23.6	56.7
河南	352092	689.8	2316.9	7288.3	15.5	42.3
湖北	311407	422.1	1732.8	5447.7	19.1	54.9
湖南	263768	384.5	1745.0	4287.5	18.3	43.2
广东	663816	1734.7	5426.0	15675.1	35.3	93.6
广西	267710	402.4	1401.8	3749.5	16.4	40.7
海南	44797	77.3	289.0	864.4	21.4	58.1
重庆	199209	285.6	1166.2	2340.2	22.1	50.8
四川	480466	494.5	2363.6	9611.0	19.1	42.6
贵州	210105	163.5	851.0	2326.2	11.9	38.3
云南	279183	247.1	1040.4	3722.5	12.8	42.6
西藏	26633	15.7	127.5	189.0	18.8	43.2
陕西	260268	271.9	1325.4	3636.6	21.7	62.1
甘肃	190245	121.1	799.1	1719.0	17.3	45.5
青海	57640	32.9	162.9	438.0	19.7	54.3
宁夏	36626	38.4	219.0	661.4	18.5	61.9
新疆	195517	175.1	914.2	2461.0	25.8	52.2

数据来源：工业和信息化部。

交通运输行业

2009年，在国家积极拉动内需政策带动下，交通运输业运行态势由年初的低谷缓慢回升，进入三、四季度，中国经济走势向好，中国运输总体呈明显平稳回升态势，但涉及外贸运输的远洋运输恢复仍然缓慢。2009年一季度，各种运输方式市场处于低谷，需求严重不足，效益明显下滑。即便是长期处于运力紧张、运能不足的铁路货运，也需求不足：2月煤炭月度装车数量，同比降幅14.9%，铁路日请车数量由30多万辆下降到15万辆左右。二季度，随着中国经济企稳，交通运输业出现止跌趋势。铁路货运量降幅收窄，受发电量回升拉动，煤炭需求量回升，铁路煤炭装车数下滑幅度得到抑制；民航国内货邮运输量回暖；沿海煤炭运输、集装箱内贸运输运量回升；在中国对铁矿石等大宗商品需求的带动下，BDI指数上扬。从三季度起，随着经济进一步好转，运输业除受国际贸易影响的远洋运输、国际航空客货运总体仍处低迷外，中国铁路、公路、航空和沿海运输均有回升，铁路货运量7月实现年度首次正增长后，保持增长态势，国内航空客运和货邮运输也保持增长态势，公路运输运量继续回稳。进入四季度，铁路、公路、航空等国内运输业均稳步回升，航运市场随着经济的逐步恢复而改善。但是，交通运输业的全面恢复和持续增长，仍需依赖中国整体宏观经济形势持续的稳定增长和国际贸易的复苏。

2009年中国交通运输业运行特点：一是国内货运与客运中，客运受到冲击相对较小，不论铁路、航空和公路运输，总体均不同程度保持增长。其中，民航国内旅客运输增长最快，月平均同比增速在两位数以上；铁路客运增长较快，主要是城际铁路开通后的中短途旅客运输增加；公路客运受民航客运和铁路客运增长分流影响，增长相对较少。二是国内运输与国际运输中，受冲击最大的是国际运输。由于外需萎缩，国际航运、航空运输及服务于出口贸易的物流服务受到严重打击。远洋航运损失最大，尤以国际集装箱航运为甚。在外需严重不足和运力过剩的双重压力下，航运企业严重亏损，远洋运输处于困境之中。三是新运输格局市场化调整处于演进之中。新增的城际铁路及高速铁路陆续投入运营，对航空客运和公路客运形成新的竞争态势；由于能源资源的压力和减少排放保护环境及对运输效率和便捷化要求，同时随着铁路建设客货分线规划的逐步实现，货运能力释放，运输需求更多地转向使用铁路和水运，使综合运输的理念得到空前重视。四是单一从事运输的企业，受金融危机影响较大，而一部分提供包括运输服务在内的、服务功能较完善的物流服务企业，化危为机，形成较为稳定的经营与盈利能力，成为成长性较好的第三方物流服务企业。

一、铁路运输

2009年，全国铁路系统以“高标准、讲科学、不懈怠”精神，应对国际金融危机，加速和谐铁路建设，运输经营、铁路建设、技术创新、铁路改革等方面成效卓越。

（一）铁路运输持续发展

1. 客运。强化客运营销，推行以客补货战略，统筹新增和既有运力资源，适时调整列车运行图，优化列车开行方案，推广多样化售票方式，旅客运输再上新台阶。全国铁路旅客发送量完成152451万人，比上年增加6321万人、增长4.3%。其中，国家铁路150798万人，增长4.4%；非控股合资铁路1234万人，下降2.6%；地方铁路419万人，增长2.0%。全国铁路旅客周转量完成7878.89亿人公里，比上年增加100.28亿人公里、增长1.3%。其中，国家铁路7840.09亿人公里，增长1.3%；非控股合资铁路33.16亿人公里，下降1.3%；地方铁路5.63亿人公里，下降3.8%。

2. 货运。增运增收，加强重点区域运输组织，继续实施大客户战略，发挥战略装车点、路企直通运输优势和大秦、侯月运力，批量投入和谐型大功率机车，调整机力布局，优化车流路径，提高分界口通过能力，全年货运增长，四季度创纪录。全国铁路货运总发送量（含行包运量）完成33.33亿吨，比上年增加6101万吨、增长1.9%。其中，国家铁路277572万吨，增长0.8%；非控股合资铁路31903万吨，增长14.0%；地方铁路23873万吨，下降0.5%。全国铁路货运总周转量（含行包周转量）完成25239.17亿吨公里，比上年增加132.88亿吨公里、增长0.5%。其中，国家铁路23649.88亿吨公里，略超上年水平；非控股合资铁路1462.71亿吨公里，增长12.0%；地方铁路126.59亿吨公里，下降16.1%。全国铁路行包发送量完成1307万吨，比上年减少12万吨、下降0.9%。其中，国家铁路1296万吨、下降1.2%；非控股合资铁路10.50万吨，增长42.1%；地方铁路0.3万吨，增长23.5%。全国铁路行包周转量完成295.68亿吨公里，比上年增加6.85亿吨公里、增长2.4%。其中，国家铁路295.37亿吨公里，增长2.4%；非控股合资铁路0.28亿吨公里，增长35%；地方铁路0.03亿吨公里，下降15.3%。

3. 重点物资运输保障有力。完善重点物资运输保障机制，完成国庆60周年物资、人员运输保障任务，确保迎峰度夏、冬季供暖等阶段煤炭运输。完成粮食移库任务，加大支农惠农物资运输支持力度，完成各类重点物资运输任务。全国铁路煤炭运量完成175071万吨，比上年增运2229万吨、增长1.3%。冶炼物资运量完成77682万吨，比上年增运6112万吨、增长8.5%。粮食运量完成10137万吨，比上年减运1610万吨、下降13.7%。石油运量完成13238万吨，比上年减运318万吨、下降2.3%。棉花运量完成443万吨，比上年增运54万吨、增长13.9%。化肥及农药运量完成8359万吨，比上年增运188万吨、增长2.3%。集装箱运量完成7172万吨，比上年增运309万吨、增长4.5%。

4. 换算周转量再创新高。全国铁路总换算周转量完成33118.06亿吨公里，比上年增加233.17亿吨公里、增长0.7%。

5. 运输效率提高。依形势变化，3次调整列车运行图，增开动车组列车，增配和谐型大功率机车，利用新线能力，调整车流径路，优化列车开行方案；发挥调度集中统一指挥优势，推进战略装车点建设和路企直通运输，加强集疏运一体化运输组织，优化调整机车运用，提高分界口能力，提高夜卸车比重，提高区域间运输能力，运输效率提高，运输生产力进一步释放。国家铁路（不含控股合资铁路）日均运用机车13489.6台，比上年减少662.0台、下降4.7%；机车总走行公里27.92亿公里，减少0.39亿公里、下降1.4%；货运机车日车公里487公里，延长4公里、增长0.8%；货运列车平均总重3391吨，提高102吨、增长3.1%；货运机车日产量128.6万吨公里，提高5.0万吨公里、增长4.0%。全国铁路日均装车完成145162车，比上年增加294车、增长0.2%；国家铁路货车平均净载重完成62.6吨，提高0.6吨；国家铁路日均卸空车122092车，比上年减少88车、下降0.1%。货车周转时间完成4.68天，缩短0.05天。

6. 科技创新取得新成果。在世界一流水平的技术平台上，注重关键技术创新。国产时速350公里动车组实现批量生产，在京津城际铁路，武广、郑西等高速铁路表现出优良的运行品质。铁道部与科技部实施“中国高速列车自主创新”联合行动计划，研发新一代高速动车组，大功率机车关键技术创新取得重大进展，6轴7200千瓦、6轴9600千瓦大功率电力机车和6000马力大功率内燃机车投入批量生产。70吨级新型货车交付使用，推进80吨级通用车、专用车等新型货车的技术升级，货车升级换代加快推进。利用京津城际铁路技术创新成果，依托京沪、武广高速铁路等重大工程，在线路基础、通信信号、牵引供电、列车控制、运营调度等方面深化重点技术攻关，中国高速铁路技术标准体系进一步完善。铁路数字移动通信系统（GSM－R）覆盖范围扩大，高速铁路列车运行控制技术实现重大突破，初步建成具有自主知识产权的CTCS—3级列控系统技术标准体系和技术平台，成功运用于武广、郑西高速铁路。新一代调度集中系统（CTC）应用范围扩大，货运安全检测监控系统建设加快推进，客票发售与预订系统和货票信息管理系统优化升级。成功突破宜万铁路世界级风险岩溶隧道修建难题，全线高风险岩溶隧道全部贯通。铁路行业国家级实验平台建设取得显著进展。3个科研项目获2009年度国家科学技术进步奖：“时速250公里动车组高速转向架及应用”项目获国家科技进步一等奖；“客运专线钢轨成套技术开发与应用”“列车过桥动力相互作用理论、安全评估技术及工程应用”项目获国家科技进步二等奖。

7. 安全生产稳定。继续开展“安全生产年”活动，推进站段管理结构优化、自控型班组建设、主要行车工种队伍建设“三项工程”，强化安全基础建设。加强高速铁路安全管理，完善提速安全保障体系，高速和提速安全持续稳定。开展安全生产专项整治，集中解决安全关键问题，消除安全隐患。全年未发生重大以上铁路交通事故，行车A类及以上事故同比下降47.6%，铁路交通事故路外死亡人数同比下降20.1%。

（二）大规模铁路建设有序优质高效推进

拓宽融资渠道，加大投资力度，加快建设步伐，铁路建设取得前所未有的业绩。全国铁路固定资产投资（含基本建设、更新改造和机车车辆购置）完成7013.21亿元，比上年增加2865.79亿元、增长69.1%，为“九五”和“十五”投资总和的80.3%，创历史新高，为促进国民经济增长发挥了重要作用。

1. 基本建设投资。全国铁路完成投资6005.64亿元，比上年增加2630.1亿元、增长77.9%。国家铁路（不含控股合资公司）和合资铁路完成投资5971.36亿元，比上年增加2621.66亿元、增长78.3%。路网建设大中型项目完成投资5966.14亿元，比上年增加2630.69亿元、增长78.9%。其中，新建铁路完成投资4695.34亿元、既有线扩能改造完成投资1270.80亿元，分别比上年增长79.9%和75.3%；地方铁路完成投资34.28亿元。一是一批项目建成投产。武汉—广州等项目建成投产，改善了路网结构和质量，提高了运输能力。全年投产新线5557.3公里、复线4128.8公里、电气化铁路8448.3公里，分别比上年增长2.2倍、1.1倍和3.3倍，均为历史最多。完成新线铺轨5461.4公里、复线铺轨4063.2公里，分别比上年增长94.5%和83.8%。二是一大批项目开工（见表1）。三是客运专线建设加快。至2009年底，累计完成投资7875.6亿元，建成投产10条客运专线共3459.4公里，其中2009年完成投资3774.9亿元，建成投产武广、甬台温、温福等5条客运专线2318.9公里。新开工宁安、宁杭、杭甬、成绵乐、柳南等客运专线，建设规模2283.8公里。2009年12月26日开通运营的武汉—广州客运专线，全长1068.6公里，是世界上里程最长的高速铁路，最高时速350公里，武汉—广州间直达3小时到达，累计完成投资1298.8亿元，其中2009年完成348亿元。京沪高速铁路全面攻坚，累计完成投资1225.2亿元，为总投资的52.6%，其中2009年完成640.7亿元。哈大客专和沪宁城际铁路线下工程基本完成。四是推进区际大通道建设。兰渝、南广、太（中）银、包西通道、宜万铁路等区际大能力通道项目建设进度加快。五是既有线扩能改造效果显著。武安、安重、达成、乌精复线和京九北京—向塘西段、武九、洛张、横南电气化等一批扩能改造项目建成投产，提高了既有线运输能力，缓解了运能不足的压力。沪汉蓉通道达成段是西南地区北部的重要干线，经过增建双线和电气化后，与遂渝线构成成渝快速客运通道，实现成渝间2小时左右到达。京九铁路北京西—向塘电气化，于2009年底开通，对于提高南北通道的运输能力和服务质量作用明显。全年既有线增建复线和电气化改造完成投资736.73亿元。六是枢纽建设取得成效。武汉北编组站、北京动车段、贵阳南编组站、上海动车段、广州动车基地、武汉动车基地等项目全部或部分建成投产，武汉、长沙南等新客站交付使用，缓解了通道“瓶颈”制约。武汉北编组站作为华中地区重要铁路枢纽，投资36亿元建成现代化编组站并投入使用，为提高路网运输效率、加快中南与华东地区人员往来和物资交流发挥重要作用。全年枢纽及客站建设完成投资534.07亿元。

2009年新开工项目情况

表1

项　目	项目个数	投资总规模（亿元）	建设总规模（公里）		
			Ⅰ线	Ⅱ线	电气化
总　计	99	5278.0	6612.7	5035.1	8287.6
复　线	26	888.6	631.1	2375.5	1753.6
电气化	7	142.9	44.6	0.0	2162.2
枢　纽	22	421.2	166.5	220.7	204.7
客专和城际	14	2949.9	2283.8	2267.6	2283.8
新建铁路	30	875.3	3486.7	171.3	1883.3

2. 更新改造稳步推进。国家铁路（不含控股合资公司）更新改造完成投资226.81亿元，比上年增加21.28亿元、增长10.4%。运输设备更新改造完成投资161.42亿元，比上年下降2.7%。成都、西安、昆明局地震灾后重建项目完成投资41.90亿元（含铁路局配套资金），其中使用铁路灾后重建专项资金36.92亿元。

3. 路网规模快速扩展，结构优化。至2009年底，全国铁路营业里程8.6万公里，里程长度升至世界第2位。路网密度89.1公里/万平方公里，比上年增加6.1公里/万平方公里。全国铁路营业里程（见表2）。

2009年全国铁路营业里程

表2

指　标	单　位	2009年末数	比上年增长（%）	
营业里程	万公里	8.6	7.3	
复线里程	万公里	3.3	15.0	
复线率	%	38.8	百分点	2.6
电气化里程	万公里	3.6	29.4	
电化率	%	41.7	百分点	7.1

（三）机车车辆装备水平现代化成效显著

1. 机车车辆品质结构优化。至2009年底，全国铁路机车拥有量1.9万台，比上年增加485台。全国铁路客车拥有量4.9万辆，比上年增加4279辆。动车组投用285列。其中，时速200～250公里动车组215列；时速300～350公里动车组70列。国家铁路货车保有量603082辆，其中提速货车占94.2%；比上年增加货车11289辆，其中新增C70型通用敞车、P70型通用棚车和NX70A型集装箱共用平车25000辆。此外，投用大型养路机械70台，其中三枕连续式捣固稳定车53台，在线路大修、维修和新线建设中发挥作用。

2. 机车车辆购置投资大幅增加。全国铁路机车车辆购置完成投资780.76亿元，比上年多214.41亿元、增长37.9%，其中动车组和大功率交流传动机车国产化项目及大型养路机械购置512.87亿元。

（四）劳动效率提高

1. 劳动用工持续减少。至2009年底，国家铁路从业人员207.90万人，比上年末减少0.53万人。其中，部属单位200.21万人，比上年末减少0.68万人；运输业从业人员145.06万人，比上年末增加0.39万人。职工人数210.20万人，比上年末减少

0.81 万人。其中，部属单位 204.16 万人，比上年末减少 1.10 万人；运输业职工人数 147.61 万人，比上年末减少 0.43 万人。

2. 劳动生产率稳步提高。国家铁路运输业劳动生产率分别完成25.04 万元/人、208.5 万吨公里/人，比上年增长 5.5%、0.4%，其中部属单位分别完成 24.92 万元/人、208.4 万吨公里/人，比上年增长 5.1%、降低 0.2%。

（五）节能减排成效显著

1. 单位运输工作量综合能耗降低 5.4%。国家铁路（不含控股合资公司）运输企业能源消耗折算标准煤 1597.55 万吨，比上年减少 96.36 万吨、降低 5.7%。单位运输工作量综合能耗 5.30 吨标准煤/百万换算吨公里，比上年减少 0.30 吨标准煤/百万换算吨公里、降低 5.4%。

2. 主要污染物排放量下降 4.0% 以上。国家铁路（不含控股合资公司）运输企业化学需氧量排放量为 2214.39 吨，比上年减少排放 91.07 吨、下降 4.0%。二氧化硫排放量为 4.02 万吨，比上年减少排放 0.21 万吨、下降 5.1%。

3. 沿线绿化里程延长 6.7%。国家铁路（不含控股合资公司）运输企业开展铁路沿线绿化，继续加厚补齐，至 2009 年底，绿化里程 3.53 万公里，比上年增加 0.22 万公里、增长 6.7%。

（六）多元经营平稳较快发展

2009 年新建成战略装车点 55 个，总数 308 个。新增客票代售点 1179 个，总数 3601 个。全年完成营业收入 1721 亿元，实现利润总额 24 亿元，年末铁路局多元经营企业职工 30.32 万人，净安置主业分流职工 1.70 万人。

（七）改革迈出新步伐

一是合资建路规模扩大，新组建合资铁路公司 43 家，全路合资铁路公司 145 家，投资规模 3 万亿元。二是建设债券发行规模扩大，创新铁路融资方式，股改试点工作推进，融资能力增强。三是铁路公检法管理体制改革推进，实施铁路专用通信管理体制改革，优化和完善站段管理结构，加大生产资源整合力度，深化劳动组织改革，管理机制创新取得成效。

（八）"走出去"取得突破

一是 100 多个国家的元首、政要和代表团参观考察京津城际铁路，对中国高速铁路的发展给予高度评价，一些国家期望与中国合作。二是提升铁路全行业的国际竞争力，开展铁路对外交流与合作，铁道部成立中美、中俄、中巴、中沙、中委、中缅、中吉乌、中波、中印等境外合作项目协调组，组织国内有关企业开拓境外铁路工程承包和装备出口市场。三是广泛参与双边、多边及区域铁路合作，推进泛亚铁路建设，发展铁路口岸运输。2009 年 6 月，在上海举办第 9 届国际重载运输大会暨第 9 届中国国际现代化铁路技术装备展。

二、公路、水路运输

2009 年，公路、水路运输行业转变交通运输发展方式，加快结构调整，转变发展方式，建设畅通高效安全绿色的交通运输业，交通基础设施建设取得新成果，运输服务保障能力增强，安全监管和救助能力提升。

（一）交通基础设施

1. 公路。一是公路里程持续增长，村道所占比重提高。至 2009 年底，全国公路总里程 386.08 万公里，比上年末增加 13.07 万公里。其中，国道 15.85 万公里、省道 26.60 万公里、县道 51.95 万公里、乡道 101.96 万公里、专用公路 6.72 万公里、村道 183.00 万公里，分别比上年末增加 0.32 万公里、0.28 万公里、0.72 万公里、0.84 万公里、减少 39 公里和增加 10.91 万公里。各行政等级公路里程占公路总里程的比重比上年末分别下降 0.1 个、0.2 个、0.3 个、0.7 个、0.1 个百分点和提高 1.3 个百分点。二是公路技术等级提升，路面状况好转。全国等级公路里程 305.63 万公里，比上年末增加 27.77 万公里，占公路总里程的 79.2%，比上年末提高 4.7 个百分点，其中，二级及以上高等级公路里程 42.52 万公里，比上年末增加 2.55 万公里，占公路总里程的 11.0%，比上年末提高 0.3 个百分点。按公路技术等级分，各等级公路里程分别为：高速公路 6.51 万公里、一级公路 5.95 万公里、二级公路 30.07 万公里、三级公路 37.90 万公里、四级公路 225.20 万公里、等外公路 80.46 万公里，分别比上年末增加 0.48 万公里、0.52 万公里、1.55 万公里、0.48 万公里、24.75 万公里和减少 14.71 万公里。全国有铺装路面和简易铺装路面公路里程 225.25 万公里，比上年末增加 25.69 万公里，占总里程的 58.3%，比上年末提高 4.8 个百分点。按公路路面类型分，各类型路面里程分别为：有铺装路面 172.00 万公里，其中沥青混凝土路面 48.89 万公里、水泥混凝土路面 123.10 万公里，比上年末分别增加 25.51 万公里、4.78 万公里和 20.73 万公里；简易铺装路面 53.25 万公里，比上年末增加 0.17 万公里；未铺装路面 160.83 万公里，比上年末减少 12.62 万公里。三是公路密度增加，通达水平提高。全国公路密度 40.22 公里/百平方公里，比上年末提高 1.36 公里/百平方公里。全国通公路的乡（镇）占全国乡（镇）总数的 99.60%，通公路的建制村占全国建制村总数的 95.77%，分别比上年末提高 0.36 个和 2.91 个百分点。农村公路、高速公路建设取得新进展。至 2009

年底，全国农村公路（含县道、乡道、村道）里程336.91万公里，比上年末增加12.47万公里。农村公路里程超过10万公里的省（区）为17个：四川（22.52万公里）、河南（21.82万公里）、山东（20.01万公里）、湖北（17.89万公里）、湖南（17.55万公里）、云南（17.37万公里）、广东（16.33万公里）、安徽（13.59万公里）、江苏（13.10万公里）、贵州（13.08万公里）、河北（13.08万公里）、陕西（13.02万公里）、内蒙古（12.61万公里）、黑龙江（12.58万公里）、江西（12.29万公里）、新疆（11.52万公里）和山西（11.24万公里）。湖北、重庆、甘肃、陕西和安徽全年新增高速公路通车里程均超过300公里。高速公路突破3000公里的省7个：河南（4861公里）、山东（4285公里）、广东（4035公里）、江苏（3755公里）、河北（3303公里）、浙江（3298公里）和湖北（3283公里）。四是公路桥梁、隧道总量增加。至2009年底，全国公路桥梁62.19万座2726.06万米，比上年末增加2.73万座201.37万米。其中，特大桥梁1699座288.66万米、大桥42859座981.90万米。全国公路隧道为6139处394.20万米，比上年末增加713处75.56万米。其中，特长隧道190处82.11万米、长隧道905处150.07万米。五是养护、绿化公路里程所占比重提高。至2009年底，全国公路养护里程368.83万公里，占公路总里程的95.5%，比上年末提高1.5个百分点。全国公路绿化里程177.29万公里，占公路总里程的45.9%，比上年末提高0.9个百分点。

2. 内河航道。至2009年底，全国内河航道通航里程12.37万公里。其中，等级航道6.15万公里，占总里程的49.8%；三级及以上航道0.88万公里，占总里程的7.1%；五级及以上航道2.48万公里，占总里程的20.0%。各等级内河航道通航里程分别为：一级航道1385公里、二级航道2741公里、三级航道4716公里、四级航道7402公里、五级航道8521公里、六级航道18433公里、七级航道18348公里。各水系内河航道通航里程分别为：长江水系64016公里、珠江水系15952公里、黄河水系3333公里、京杭运河1410公里、闽江水系1973公里、淮河水系17201公里。至2009年底，全国内河航道4153处枢纽，其中具有通航功能的枢纽2344处。通航建筑物中，有船闸847座、升船机42座。

3. 港口。一是港口码头泊位增加。至2009年底，全国港口拥有生产用码头泊位31429个，其中万吨级及以上泊位1554个，比上年底分别增加379个和138个。全国沿海港口拥有生产用码头泊位5320个。其中，万吨级及以上泊位1261个，比上年底分别增加201个和104个；内河港口拥有生产用码头泊位26109个，其中万吨级及以上泊位293个，比上年底分别增加178个和34个。二是港口码头泊位大型化、专业化程度提升。全国港口万吨级及以上泊位中，1万~3万吨级（不含3万吨级）泊位682个，3万~5万吨级（不含5万吨级）泊位276个，5万~10万吨级（不含10万吨级）泊位427个，10万吨级以上泊位169个，比2008年底分别增加26个、24个、61个和27个。其中，沿海港口万吨级及以上泊位中，1万~3万吨级、3万~5万吨级、5万~10万吨级、10万吨级以上泊位分别为533个、193个、371个和164个，比2008年底分别增加16个、16个、47个和25个。内河港口万吨级及以上泊位中，1万~3万吨级、3万~5万吨级、5万~10万吨级、10万吨级以上泊位分别为149个、83个、56个和5个，比2008年底分别增加10个、8个、14个和2个。

全国万吨级及以上泊位中，通用散货泊位274个，通用件杂货泊位284个，专业化泊位863个，比2008年底分别增加22个、12个和85个。专业化泊位中，集装箱泊位280个，煤炭泊位168个，金属矿石泊位44个，原油泊位66个，成品油泊位108个，散装粮食泊位24个。

（二）公路水路运输装备

1. 公路运输车辆。公路营运车辆突破1000万辆，货运车辆增长较快。至2009年底，全国公路营运汽车1087.35万辆，比上年底增长16.8%。载客汽车180.79万辆2799.71万客位，比上年底分别增长6.6%和9.3%；大型客车29.08万辆1258.13万客位，比上年底分别增长14.0%和14.7%。载货汽车906.56万辆4655.23万吨位，比上年底分别增长19.1%和26.3%，其中，普通载货汽车859.27万辆4002.80万吨位，比上年底分别增长19.3%和27.5%；专用载货汽车47.29万辆652.43万吨位，比上年底分别增长15.9%和19.4%。

2. 水路运输船舶。运力结构调整优化。至2009年底，全国拥有水上运输船舶17.69万艘，比上年末减少3.9%；净载重量14608.78万吨，比上年末增长17.7%；平均净载重量826吨，比上年末增长22.5%；载客量98.16万客位，比上年末减少2.7%；集装箱箱位119.09万标准箱，比上年末增长3.2%；船舶功率4620.91万千瓦，比上年末增长6.1%。至2009年底，全国拥有内河运输船舶16.48万艘，比上年末减少4.4%；净载重量5988.57万吨，比上年末增长8.5%；平均净载重量363吨，比上年末增长13.5%；载客量80.52万客位，比上年末减少4.4%；集装箱箱位10.11万标准箱，比上年末增长29.4%；船舶功率2085.31万千瓦，比上年末增长2.0%。拥有沿海运输船舶10018艘，比上年末增长3.5%；净载重量3860.00万吨，比上年末增长36.7%；平均净载重量3853吨，比上年末增长32.1%；载客量

15.62 万客位，比上年末增长 3.2%；集装箱箱位 13.27 万标准箱，比上年末增长 1.8%；船舶功率 1170.15 万千瓦，比上年末增长 14.1%。拥有远洋运输船舶 2079 艘，比上年末减少 2.7%；净载重量 4760.22 万吨，比上年末增长 16.8%；平均净载重量 22897 吨，比上年末增长 20.0%；载客量 2.02 万客位，比上年末增长 35.9%；集装箱箱位 95.71 万标准箱，比上年末增长 1.3%；船舶功率 1365.45 万千瓦，比上年末增长 6.2%。

（三）公路水路运输量

1. 公路运输。公路货物运输增长较快。全国营业性货运车辆完成货运量 212.78 亿吨、货物周转量 37188.82 亿吨公里，比上年分别增长 11.0% 和 13.1%，平均运距为 174.77 公里，比上年提高 1.9%。全国营业性客车完成公路客运量 277.91 亿人、旅客周转量 13511.44 亿人公里，比上年分别增长 3.6% 和 8.3%，平均运距为 48.62 公里，比上年提高 4.5%。

2. 水路运输。水路旅客、货物运输均增长较快。全国完成水路客运量 2.23 亿人、旅客周转量 69.38 亿人公里，比上年分别增长 9.7% 和 17.2%，平均运距为 31.09 公里，比上年提高 6.8%。全国完成水路货运量 31.90 亿吨、货物周转量 57556.67 亿吨公里，比上年分别增长 8.3% 和 14.5%，平均运距为 1804.31 公里，比上年提高 5.7%。在全国水路货运中，远洋运输完成货运量 5.17 亿吨、货物周转量 39524.12 亿吨公里，分别比上年增长 22.2% 和 20.3%；沿海运输完成货运量 11.04 亿吨、货物周转量 13399.81 亿吨公里，分别比上年减少 6.0% 和增长 1.0%；内河运输完成货运量 15.68 亿吨、货物周转量 4632.73 亿吨公里，分别比上年增长 16.4% 和 11.6%。在内河货物运输中，长江水系完成货运量 6.53 亿吨、货物周转量 2897.36 亿吨公里，分别占全国内河货运量和货物周转量的 41.6% 和 62.5%；珠江水系完成货运量 2.72 亿吨、货物周转量 514.33 亿吨公里，分别占 17.4% 和 11.1%；京杭运河完成货运量 1.88 亿吨、货物周转量 338.42 亿吨公里，分别占 12.0% 和 7.3%；黑龙江水系完成货运量 0.13 亿吨、货物周转量 7.95 亿吨公里，分别占 0.8% 和 0.2%。

3. 集装箱运输。集装箱运输出现明显回落。全国公路运输集装箱 5281.94 万标准箱、货运量 59588.22 万吨，分别比上年减少 21.9% 和 16.6%。全国水路运输集装箱 3011.03 万标准箱、货运量 34578.31 万吨，分别比上年减少 6.5% 和 1.1%。

（四）城市客运

至 2009 年底，全国拥有城市（含县城，下同）公共汽电车运营车辆 41.19 万辆、44.39 万标台，轨道交通运营车辆 5479 辆、13585 标台，出租汽车运营车辆 119.31 万辆，客运轮渡 1356 艘。全国拥有城市公共汽电车运营线路网 28.92 万公里，公交专用车道 7452 公里，轨道交通运营线路长度 1011 公里。城市公共交通全年运送旅客 1145.95 亿人次。其中，公共汽电车完成 742.91 亿人次，占 64.8%；轨道交通完成 36.58 亿人次，占 3.2%；出租汽车完成 363.54 亿人次，占 31.7%；客运轮渡完成 2.91 亿人次，占 0.3%。

（五）国道交通量

1. 国道网交通量回升。全国国道网年平均日交通量 10765 辆/日（当量标准小客车，下同），与上年相比增长 4.3%。全年国道网车流量较大的地区主要集中在北京、天津、上海、浙江、广东，上述地区国道网的年平均日交通量均超过 2 万辆。2009 年，全国国道网年平均行驶量 178786 万车·公里/日（当量标准小客车，下同），比上年增长 11.6%。河北、山东、广东的国道网年平均行驶量均超过 10000 万车·公里/日。

2. 国道网交通拥挤程度有所下降。全国国道网年平均交通拥挤度 0.37，与上年相比下降 5.1%。北京、天津、河北、上海、浙江、广东省（市）国道相对拥挤，上述省（市）国道年平均拥挤度均超过 0.6。全国高速公路年平均日交通量 16837 辆/日，与上年相比增长 3.5%；年平均行驶量为 109563 万车·公里/日，比上年增长 11.7%；年平均交通拥挤度为 0.27，与上年相比下降 2.2%。一般国道年平均日交通量 8705 辆/日，与上年相比增长 3.7%；年平均行驶量为 92458 万车·公里/日，比上年增长 3.7%；年平均交通拥挤度为 0.52，比上年增长 10.6%。

（六）港口吞吐量

1. 港口货物吞吐量保持增长。全国港口完成货物吞吐量 76.57 亿吨，比上年增长 9.0%，增速比上年回落 0.5 个百分点；完成外贸货物吞吐量 21.80 亿吨，增长 9.8%，增速提高 2.4 个百分点。全国沿海港口完成货物吞吐量 48.74 亿吨，比上年增长 8.6%；完成外贸货物吞吐量 19.94 亿吨，增长 9.3%。全国内河港口完成货物吞吐量 27.83 亿吨，比上年增长 9.9%；完成外贸货物吞吐量 1.86 亿吨，增长 15.3%。货物吞吐量超过亿吨的港口由上年的 16 个增加到 20 个。其中，沿海亿吨港口 16 个：宁波 - 舟山港 5.77 亿吨、上海港 4.95 亿吨、天津港 3.81 亿吨、广州港 3.64 亿吨、青岛港 3.15 亿吨、大连港 2.72 亿吨、秦皇岛港 2.49 亿吨、苏州港 2.46 亿吨、深圳港 1.94 亿吨、日照港 1.81 亿吨、营口港 1.76 亿吨、唐山港 1.76 亿吨、烟台港 1.24 亿吨、湛江港 1.18 亿吨、厦门港 1.11 亿吨、连云港港 1.08 亿吨。内河亿吨港口为 4 个，分别为：湖州港 1.49 亿吨、南通港 1.36 亿吨、南京港 1.21 亿吨、江阴港 1.01

亿吨。受金融危机影响，集装箱吞吐量小幅下降，沿海内河港口一降一升。全国港口集装箱吞吐量为1.22亿标准箱，比上年减少4.6%。其中，沿海港口完成1.10亿标准箱，比上年减少5.6%，内河港口完成1220万标准箱，实现比上年增长5.4%。集装箱吞吐量超过100万标准箱的16个港口完成情况分别为：上海港2500.23万标准箱、深圳港1825.01万标准箱、广州港1119.99万标准箱、宁波－舟山港1050.33万标准箱、青岛港1026.24万标准箱、天津港870.35万标准箱、厦门港468.04万标准箱、大连港457.65万标准箱、连云港303.18万标准箱、佛山港292.33万标准箱、苏州港271.80万标准箱、营口港253.73万标准箱、烟台港140.11万标准箱、泉州港125.12万标准箱、福州港122.27万标准箱和南京港121.22万标准箱。滚装汽车、液体散货和干散货吞吐量增长较快。全国港口完成滚装汽车吞吐量（按重量计算）3.75亿吨，比上年增长35.4%；液体散货7.42亿吨，增长12.9%；干散货吞吐量44.04亿吨，增长10.8%；件杂货8.60亿吨，增长1.1%；集装箱吞吐量（按重量计算）12.75亿吨，增长1.0%。液体散货、干散货、件杂货、集装箱和滚装汽车在港口货物吞吐量中所占比重分别为9.7%、57.5%、11.2%、16.7%和4.9%。有色金属、金属矿石、化工原料及制品在港口货类中增长较快。全国规模以上港口完成货物吞吐量69.72亿吨，比上年增长9.2%。其中，完成有色金属吞吐量1021万吨，金属矿石吞吐量11.37亿吨，化工原料及制品吞吐量1.33亿吨，比上年分别增长29.5%、24.6%和20.7%。

（七）交通固定资产投资

交通基础设施建设投资规模继续加大。全国完成公路水路交通固定资产投资11142.80亿元，比上年增长33.7%，占全社会固定资产投资的5.0%。

1. 公路建设。公路建设投资显著增长。全社会完成公路建设投资9668.75亿元，比上年增长40.5%。其中公路重点项目完成投资4321.35亿元，增长41.7%；路网建设完成投资3214.51亿元，增长80.7%；农村公路建设完成投资2132.88亿元，增长4.0%。公路建设资金来源仍以国内贷款和地方自筹资金为主。全年公路建设到位资金8768.09亿元，同投资完成额相比，资金到位率为90.7%。到位资金中，国内贷款占38.5%，地方自筹占31.5%，所占比重比上年分别提高2个和下降3.3个百分点；国家预算内资金占4.0%，车购税占10.9%，利用外资占0.6%，企事业单位资金占8.3%，其他资金占1.6%，上年末节转资金占4.6%。全年公路建设投资超过400亿元的省有9个，分别是湖南（668.50亿元）、广东（589.34亿元）、山西（563.11亿元）、四川（539.01亿元）、浙江（492.61亿元）、河北（489.27亿元）、陕西（481.60亿元）、福建（454.78亿元）和湖北（412.27亿元）。

2. 水运建设。水运建设投资平稳增长。全国沿海及内河建设完成投资1059.88亿元，比上年增长7.3%。其中沿海建设完成投资758.32亿元，增长3.2%；内河建设完成投资301.57亿元，增长19.6%。沿海港口新建及改（扩）建码头泊位158个，新增吞吐能力33858万吨，其中万吨级以上泊位85个，新增吞吐能力31921万吨。内河港口新建及改（扩）建码头泊位312个，新增吞吐能力10472万吨，其中万吨级以上泊位17个，新增吞吐能力3195万吨。全年新增及改善内河航道里程967公里。

3. 其他建设完成投资414.16亿元，比上年减少11.4%。其中，海事系统完成12.61亿元，救助、打捞完成18.82亿元，科研、教育完成12.39亿元，信息、通信完成5.86亿元。

（八）水上安全和搜救

1. 水上安全形势稳定。发生运输船舶水上交通事故358件，死亡336人，沉船199艘，直接经济损失3.47亿元，比上年分别上升4.7%、下降4.3%、6.6%和33.1%。

2. 水上搜救能力增强。组织、实施搜救行动1964次，组织、协调各类船艇7708艘次、飞机302架次；在中国搜救责任区范围内，中外遇险人员19128人，经救助18397人获救，搜救成功率96.2%；遇险船舶2090艘，获救船舶1588艘，搜救成功率76.0%。

（九）公路水路运输安全形势

2009年，公路、水路运输安全形势平稳。

一是积极应对国际金融危机冲击。制定保持公路、水路平稳较快发展的相关措施。基础设施建设明显加快。新增公路通车里程9.8万公里；新增万吨级以上深水泊位96个；改善内河航道里程1192公里。大广高速公路北京—承德三期工程、洋山深水港区三期工程、广州港出海航道二期工程、天津滨海机场飞行区改造工程等重点项目建成投入运营。四川加快灾区公路基础设施恢复重建，映秀—汶川高速公路开工；福建围绕海峡西岸经济区战略，组织实施交通“加快发展”计划；湖南推进长株潭交通一体化；广西加快泛北部湾地区交通运输基础设施发展和西江干线亿吨航道建设；辽宁建成1443公里的沿海公路；黑龙江公路建设“三年决战”启动；湖北加快由水运大省向水运强省转变，着力推进武汉新港新城建设。各地在基础设施建设中加强质量监管，开展工程混凝土质量通病、桥隧工程风险评估和试验检测等专项治理活动，工程建设质量稳中有升。加快国家公路运输枢纽总体规划的审查；加快推进长江干线航道治理，京杭运河、西江航运干线和长江、珠江三角洲高等级航道建设项目前期工作；启动长江口深水航道向上延伸项目前期研究工作；完成港珠澳大桥工程可行性审查。

二是提升服务保障能力。确保旅客、重点物资和城乡居民生活用品运输，有效组织铁矿石疏港和电力“迎峰度夏”、冬储煤运输，强化内河枯水期通航保障和三峡工程175米试验性蓄水期间船闸通航管理。完成国庆60周年庆典活动公路、水路等运输保障任务。抢运大陆支援台湾“莫拉克”特大水灾的救灾物资业绩突出。公路水路等交通工具甲型H1N1流感防控有力。公路、水路和等运输生产业务增长。

三是发展农村交通运输。加大农村公路建设中央投资比重，并向中、西部倾斜，加大对“少边穷”地区扶持力度，实施第三批农村公路示范工程。中央车购税安排农村公路投资比上年幅度较大。总结推广陕西等省农村公路建管养运经验，促进农村公路有序健康发展。全年新改建农村公路38万公里，北京、天津、上海、江苏、浙江、辽宁、山西、安徽八省市提前完成“十一五”农村公路建设目标。推进农村公路管理养护体制改革，广东、贵州、宁夏等省区全面落实管理养护责任、养护机构人员和养护资金，建立协调监管考核机制。发展农村客运，探索建立农村客运财政补贴制度。国家和区域性鲜活农产品运输“绿色通道”网络畅通，减免通行费超过100亿元。

四是稳步有序推进成品油价、税改革。至2009年底，13个省市取消政府还贷二级公路收费，撤销站点1430个，占全国同类站点的74%。印发《取消政府还贷二级公路收费中央补助资金管理办法》，每年安排260亿元中央专项补助资金用于债务偿还。制定中央燃油税增量资金分配办法和城乡道路客运、岛际和农村水路客运成品油价格补助专项资金管理办法。

五是强化公路、水路等运输市场监管。建立覆盖全国100个重点城市道路旅客运输的动态监测机制。颁布《汽车运价规则》《道路运输价格管理规定》。推广山西等省治超经验，加大车辆超限超载源头治理和联合治理的力度，全国干线公路货车超限率下降到6%左右。制定公路施工企业信用评价规则、公路水运工程监理和试验检测信用评价办法。加强工程建设项目招投标管理。开展水运项目代建制和内河水运工程建设项目管理绩效考核。发布实施9项水运工程强制性标准。加快建立和实施注册验船师、道路工程注册土木工程师等职业资格制度。推进水运运力调控和结构调整，强制淘汰超龄船舶，鼓励老旧运输船舶提前淘汰。开展水路内贸集装箱超载集中治理。建立渤海湾客滚运输和国际集装箱班轮的运价备案制度。延长中资方便旗船特案免税政策。制定促进两岸海上直航12项政策措施，首次开通大陆至台湾本岛客滚班轮运输。提出优先发展城市公交的政策措施。落实国办《关于进一步加强管理促进出租汽车行业健康发展的意见》，《关于规范发展出租汽车行业的若干意见》报送国务院。妥善处置出租汽车群体性事件。开展打击非法从事出租汽车经营专项治理活动，查处“黑车”24.8万辆。开展新时期道路运输业发展调研活动。

六是保持公路、水路等运输安全形势。组织危险化学品运输、砂石运输船和施工船安全管理、渡口渡船安全管理、运输船舶吨位丈量、海船检验质量等专项整治和专项检查，查出事故隐患的整改率94.9%。完善《水路交通突发事件应急预案》《国家海上搜救应急预案》修订并印发。制订完善搜救应急预案，建立海上搜救联动机制。举行“2009年国家海上搜救桌面演习暨东海搜救演习”“2009中俄界河应急联合演习”等。完善海上动态待命救助值班制度，建立海上救捞信息化决策指挥系统，建成环渤海湾水域陆岛空中救援网，有序推进东海、南海水域陆岛空中救援网建设，加强海峡两岸救助打捞技术交流合作。助力中国海军护航舰队亚丁湾索马里海域护航。加强水运反恐和治安防控体系建设，维护港航治安局势。上海世博会公路运输安全保障措施与东海水域安全保障工作机制启动。全年运输船舶交通事故、死亡和失踪、沉船、直接经济损失4项指标比上年上升4.7%、下降4.3%、下降6.6%和下降33.1%，组织协调搜救1964次，成功救助遇险人员18397人，救助成功率96.2%。成功防抗12次影响中国沿海海域的台风。加强公路交通应急保障能力建设。武警交通部队纳入国家公路交通应急救援力量。修订《公路交通重大突发事件应急预案》，初步建成国家公路网管理与应急处置中心并投入运行。建设危险品运输和长途客车的GPS联网联控系统。交通运输部安排安保工程完成投资24.8亿元，整治隐患路段2.6万公里，危桥改造完成投资46.9亿元，改造危桥2407座。工程建设安全生产事故得到有效控制，3人以上较大事故件数下降。

七是加强法制建设和对外交流合作工作。《城市公共交通条例》《潜水条例》报送国务院。开展《公路保护条例》《水路运输管理条例》《海上交通安全法》审核修改工作。颁布规章15件。完善《加强交通运输法制工作的若干意见》，开展交通运输执法人员执法证件管理信息系统试点工作。举办上合组织交通部长第四次会议。与立陶宛政府联合举办首届亚欧交通部长会议和亚欧交通发展论坛。中美交通论坛第2次会议就深化相关合作达成共识。启动实施中国－东盟交通合作发展战略规划的有关工作。参加和承办中俄运输合作分委会第13次会议、中哈交通合作委员会第5次会议，中蒙汽车运输协定及其议定书完成谈判草签工作。举办亚太经合组织港口服务网络第一届亚太港口发展大会，在香港特区举办国际拆船公约外交大会。与欧盟、加拿大签署海运协定修改议定书，与美国、俄罗斯、英国、日本、南非等国签署15个交通合作谅解备忘录。中国再次当选国际海事组织A类理事国。报请国务院批准中国加入《有毒有害物质污染事故防备、反应与合作议定书》。

八是科技创新引领。完成“国家高速公路联网不停车收费和服务系统”等一批国家级科技项目的攻关任务。“多年冻土青藏公路建设和养护技术”获国家科学技术进步一等奖。“十一五”交通行业重点实验室建设任务基本完成。实施交通科技信息资源共享平台建设试点工程和首批交通职业教育示范院校认定工作。在京津冀和长三角地区推广电子不停车收费示范工程。开展国家高速公路安全和服务技术、营运车辆安全保障技术、山区公路安全保障技术体系等研究应用。推进国家高速公路网命名编号实施工作。出台《道路交通标志和标线》国家标准。九是加强“低碳”工作。颁布《道路运输车辆燃料消耗量检测和监督管理办法》，实施营运车辆燃料消耗量市场准入制度。公布“十一五”期第二批全国重点推广营运车船节能产品（技术）目录，推出第三批行业节能减排示范项目。开展机动车驾驶员节能、筑养路机械操作手职业技能竞赛。对年能耗量2000吨标准煤以上的港口新（改、扩）建工程项目建立节能评估审查制度。开展港口节能减排联合技术攻关。制订营运船舶燃料消耗和二氧化碳排放相关标准。

三、航空运输

2009年，中国民航系统统筹做好保安全、扩需求、控运力、增效益、抓服务、促建设、推改革、维稳定等工作，扭转了生产效益一度滑坡的态势，在全球民航不景气的大背景下取得增长最快、效益最好的优异成绩，呈现安全状况保持平稳、国内运输迅速回升、增长结构趋向优化、经济效益显著提高、服务质量改善的良好发展态势。

（一）全国机场生产统计

1. 通航城市和机场。至2009年底，中国民用航空（颁证）机场166个（不含香港地区、澳门地区和台湾地区，下同），其中定期航班通航机场165个、定期航班通航城市163个。年内定期航班新通航的城市有黑龙江大庆、黑龙江伊春、黑龙江鸡西、云南腾冲、广东佛山、青海玉树，四川广元恢复执行定期航班。

2. 主要生产指标。机场吞吐量各项指标再创历史新高，旅客吞吐量48，606.3万人次，比上年增长19.79%。其中，国内航线完成44，900.9万人次，比上年增长22.02%（内地至香港地区、澳门地区和台湾地区航线为1166.0万人次，比上年增长13.46%）；国际航线完成3705.4万人次，比上年降低1.92%。完成货邮吞吐量945.6万吨，比上年增长7.04%，国内航线完成625.1万吨，比上年增长10.85%（内地至香港地区、澳门地区和台湾地区航线为45万吨，比上年增长2.45%）；国际航线完成320.5万吨，比上年增长0.32%。飞机起降架次484.1万架次，比上年增长14.52%，其中运输架次为436.5万架次，比上年增长15.12%。起降架次中国内航线447.4万架次，比上年增长16.57%（内地至香港地区、澳门地区和台湾地区航线为11.2万架次，比上年增长1.82%）；国际航线36.7万架次，比上年降低5.41%。

3. 旅客吞吐量分布。所有通航机场中，年旅客吞吐量在100万人次以上的有51个，比上年增加4个，完成旅客吞吐量占全部机场旅客吞吐量的95.77%；年旅客吞吐量在1000万人次以上的为14个，比上年增加4个，完成旅客吞吐量占全部机场旅客吞吐量的64.71%；北京、上海和广州机场旅客吞吐量占全部机场旅客吞吐量的32.80%。全国各地区旅客吞吐量的分布情况是：华北地区占17.60%、东北地区占6.04%、华东地区占29.46%、中南地区占25.68%、西南地区占14.81%、西北地区占4.72%、新疆地区占1.70%。

4. 机场货邮吞吐量分布。各机场中，年货邮吞吐量在10000吨以上的有45个，比上年增加1个，完成货邮吞吐量占全部机场货邮吞吐量的98.81%；北京、上海和广州机场货邮吞吐量占全部机场货邮吞吐量的57.25%。全国各地区货邮吞吐量的分布情况是：华北地区占18.35%、东北地区占3.80%、华东地区占43.80%、中南地区占21.67%、西南地区占9.64%、西北地区占1.87%、新疆地区占0.87%。

（二）保证运输飞行和空防安全

全行业没有发生运输飞行事故和空防事故。至2009年底，航空运输连续安全飞行61个月1825万小时，创造了新的安全纪录。通用航空事故比上年下降12.2个百分点。

（三）运输总周转量、旅客运输量分别突破400亿吨公里和2亿元人大关

全年全行业完成运输总周转量、旅客运输量和货邮运输量为427.1亿吨公里、2.3亿人和445.5万吨，分别比上年增长13.4%、19.7%和9.3%。北京首都国际机场年旅客吞吐量突破6500万人次，列世界机场排名第4位；武汉、长沙、厦门、南京机场年旅客吞吐量首次超过1000万人次，全国年旅客吞吐量超过1000万人次的机场14个。运输增长结构发生积极变化，呈现4个特点：国内运输增长好于国际运输增长；客运增长快于货运增长；中、小城市机场业务量增长快于大、中城市机场增长；西部、中部、东北地

区运输增长快于东部地区增长。

（四）通用航空增长加速

全行业完成作业飞行12.6万小时（不含院校训练飞行），比上年增长13.5%。至2009年底，有通用航空企业99家，比上年底增加20家。

（五）经济效益大幅度提高

全行业全年实现营业收入2971亿元，利润总额122亿元，比上年减亏增盈382亿元。其中，航空公司实现营业收入2120亿元，利润总额74亿元，比上年减亏增盈392亿元；机场实现营业收入340亿元，利润总额30亿元，比上年减少5亿元；保障企业实现营业收入511亿元，利润总额18亿元，比上年减少5亿元。中航集团经济效益保持领先地位，东航、南航集团大幅扭亏增盈，春秋、吉祥航空公司表现出较强盈利能力。华东、中南地区机场整体盈利，西北、东北地区机场整体盈亏基本持平。

（六）服务质量较大改善

9家主要航空公司平均航班正常率为81.9%，与上年基本持平。旅客投诉率为百万分之零九五，比上年下降54%。北京首都国际机场在全球著名的旅游杂志评选的世界最佳十大机场中名列第一。海南航空股份有限公司被全球著名的航空公司与机场服务调查和咨询机构评为“四星航空公司”。

（七）基础设施建设取得新成绩

全行业完成固定资产投资总额约600亿元。民用机场航站楼总建筑面积增加66万平方米。新增腾冲驼峰、玉树巴塘、伊春林都、大庆萨尔图、鸡西兴凯湖和佛山沙堤（军民合用）等6个运输机场，全国颁证运输机场从2008年底的160个增加到166个。机场设计、施工项目分获鲁班奖等国家级奖项10余项。

（八）对外关系获得新发展

与克罗地亚、智利、苏丹正式签署双边航空运输协定。至2009年底，中国共与112个国家签署航空运输协定。

（九）保障完成重大、紧急航空运输任务

完成国庆60周年重大航空运输保障、运送救灾物资、接返滞留旅客等重大紧急航空运输任务。

四、管道运输

2009年，中国石油天然气股份有限公司天然气与管道分公司（以下简称天然气与管道公司）面对国际金融危机的严重冲击和国内经济不确定性的影响，紧紧围绕提高效益和安全运行中心，推进主营业务快速发展，强化基础管理工作，加强HSE管理体系建设，扎实推进重点项目建设，全面完成生产经营任务和业绩指标。主要成果：天然气与管道业务继续保持快速发展态势，各项工作均按计划、平稳、有效推进，取得较好成绩。全年管输原油6760.8万吨，完成年计划6255.7万吨的108.1%，比上年增加188.3万吨。管输成品油1124.2万吨，完成年计划830.0万吨的135.4%，比上年增加227.1万吨。管输天然气337.4亿立方米，完成年计划296.9亿立方米的113.6%。节能8.88万吨标煤，完成年度节能考核指标3.95万吨的224.8%。油品调运：坚持“超前安排、优化运行”原则，积极与铁道部、交通部，以及油田、炼厂和销售管理部门等沟通协商，切实作好产运销协调工作，实现油气管网安全平稳运行。强化调运计划执行，突出管道优化运行，保证了油田正常生产和炼化企业的资源，保持原油调运平稳有序。坚持把成品油管道增输、提升效益作为工作重点，兰成渝管道全年输量再创新高。随着兰郑长管道干线和郑州等6条支线的投产，成品油管输量较上年同期增加25%，首次登上千万吨关口。强化天然气产运销协调和管理，特别在“两会”、国庆、低温雨雪天气等特殊期间，通过组织优化管道运行和储气库注采方案、合理安排上中下游维、检修和改造、制定应急预案和保障措施，有效缓解冬季供需矛盾，确保重点地区和重点用户的用气。重点项目建设：全年开工建设西二线东段、陕京三线、秦沈线、山东管网、漠大线、石兰线、惠银线、日照－东明等30个重点项目，继续实施永唐秦、涩宁兰复线、大连LNG、江苏LNG等25个续建项目，建成投产西二线西段、兰郑长、西气东输和陕京二线增输等23个项目，油气战略通道和骨干管网建设取得重要突破。修订完善建设项目管理规章制度。全面启动三化设计，编制完成并发布271个《油气储运项目设计规定》（CDP）文件。加强重点建设项目过程管理。充分发挥管道大规模、集中建设的体制优势，实施统一采购，节约了采购资金，控制了项目投资。组织开展西二线西段等质量检查，针对检查的问题督促建设单位进行整改闭合。资产完整性管理：推进管道完整性管理平台建设和完整性管理方案制订，开展完整性管理审核和督促整改工作。安全隐患治理完成25项，剩余13项将并入其他产能改造项目一并完成。通过开展违章占压清理、第三方破坏风险预防、自然与地质灾害风险防治等工作，进一步提高了管道的本质安全。优化压缩机组检修方案，机组无故障运行时间比2008年有较大提高。加强维抢修体系建设，提高了管道应急处置能力。

（一）油气调运

1．储运能力。至2009年底，天然气与管道分公司管理运营的油气长输管道约32695.2公里，比上年增加2695.2公里，其中原油管道约5500公里。天然气管道约20480.2公里，成品油管道7215公里。管理运营的原油储罐154座，比上年新增储罐35座，新增库容330万立方米。

2. 原油资源配置。中国石油天然气股份有限公司原油销售商品量完成 11680.71 万吨。其中，供中国石油天然气股份有限公司炼厂原油 9868.84 万吨；供中国石油化工股份有限公司炼厂原油 686.79 万吨；供地方炼厂原油 527.68 万吨，出口原油 52.42 万吨；其他 544.96 万吨。

3. 原油储运。中国石油天然气股份公司有限自产原油国总运量完成 11433.20 万吨。其中，管道运输完成 9299.56 万吨；铁路运输完成 1228.31 万吨；水路运输完成 459.89 万吨；公路运输完成 445.44 万吨。

4. 天然气储运。

（1）2009 年主要输气管线运行情况（见表 3）。

2009 年主要输气管线运行情况

表 3

管线名称	年输气计划（亿立方米）	实际输气量（亿立方米）	比计划增长（亿立方米）
西气东输	160.6	166.5	8.5
陕京线	126.0	144.0	17.5
忠武线	23.0	21.9	2.7
涩宁兰线	28.6	27.6	–1.4
鄯乌线	6.0	4.8	–1.1

（2）储气库运行情况。2009 年注气 18.1 亿立方米，采气 17.8 亿立方米。

5. 成品油储运。2009 年，兰成渝管道输送成品油 570.0 万吨，港枣线输送成品油 67.5 万吨，西部成品油管道输送成品油 373.5 万吨，兰郑长输送成品油 113.2 万吨。

（二）储运设施建设

2009 年，中国石油油气管道建设强化项目前期工作，认真组织项目建设，加强工期管理和质量管理，一批管道工程项目按计划推进。

1. 天然气管道工程。西气东输二线管道（续建）至 2009 年底，西段焊接 2746 公里，东段焊接 1398 公里；涩宁兰输气管道复线（续建）至 2009 年底，管道焊接完成，站场和阀室尚未完工；长长吉输气管道（续建）至 2009 年底，一期长岭至长春段具备投产条件；纳溪——安边输气管道（续建）至 2009 年底，累计焊接 133 公里；威青线三四类地区改造工程（续建）于 2008 年 12 月 19 日开工；中青线改造工程（续建）至 2009 年底，管道及站场工程基本完成；陕京二线增输工程（续建完工），2009 年 10 月 31 日建成投产；西气东输增输工程（续建完工），2009 年 10 月 20 日建成投产；永唐秦输气管道（续建完工），2009 年 6 月 14 日建成投产；山西煤层气外输管道（续建完工），2009 年 9 月 15 日建成投产；卧渝线改造工程（续建完工）2009 年 6 月 27 日建成投产；川渝地区天然气管道调整改造工程肖溪 – 石桥段（续建完工）2009 年 6 月 27 日建成投产；秦皇岛——沈阳输气管道工程至 2009 年底，累计焊接 250 公里，5 座站场开工；陕京三线输气管道工程 2009 年 5 月 15 日开工；山东天然气管网工程 2009 年 9 月 28 日开工；江都——如东天然气管道至 2009 年底，江都—泰州段线路干线连通，泰州——南通段线路焊接 10 公里，站场全部开工；角直——宝钢供气管道工程至 2009 年底，累计焊接 2.1 公里；辽河天然气利用工程 2009 年 11 月 10 日开工；南干线东段安全隐患改造工程 2009 年 1 月 20 日开工；兰银线增压工程 2009 年 10 月 26 日开工。

2. 原油管道工程。漠河——大庆原油管道至 2009 年底，累计焊接 740 公里；石空——兰州原油管道至 2009 年底，累计焊接 234 公里；惠安堡——银川原油管道至 2009 年底，累计焊接 60 公里；日照——东明原油管道工程 2009 年 11 月 28 日开工；铁秦线葫芦岛占压改线工程 2009 年 10 月 22 日开工。

3. 成品油管道工程。兰郑长成品油管道（续建）兰郑段 2009 年 4 月 17 日建成投产，2009 年 8 月 10 日郑长段建成投产；永登成品油支线工程（续建完工）2009 年 7 月 15 日建成投产；克乌成品油管道复线工程（续建完工）2009 年 11 月 16 日建成投产。

4. 原油储备库工程。鄯善 20 万方原油商储库扩容工程（续建完工）2009 年 12 月 5 日建成投产；林源 120 万方原油商储库（续建完工）2009 年 9 月 16 日建成投产；兰州原油商储库（续建）至 2009 年底，9 座储罐具备投产条件；林源原油储备库至 2009 年底，累计完成综合进度 53%；鄯善生产运行库 2009 年 12 月 30 日建成投产；玉门生产运行库 2009 年 12 月 30 日建成投产。

5. 液化天然气接收站工程。江苏 LNG 项目至 2009 年底，接收站完成 51%，码头完成 90%，码头栈桥主体完工；大连 LNG 项目至 2009 年底，完成 2 个储罐升顶，码头水下部分全部完成，栈桥连通，取水口工程完成；唐山 LNG 项目至 2009 年底，完成储罐桩基试桩和检测；深圳 LNG 项目至 2009 年底，下达投资 0.9 亿元，劈山造地等控制性工程开工；储气库工程至 2009 年底，大港储气库加快达容一期工程，完成新钻 3 口注采井及地面井口配套建设，并与当年 10 月 22 日投产注气；金坛储气库一期工程 2009 年完成 18 %（累计完成综合进度的 68 %）。华北储气库群全年完成工程进度 81.62 %，完成 4 台压缩机的安装，16 口新井钻井。

（三）储运设施管理

2009 年，天然气与管道分公司推进管道完整性管理，不断完善维抢修体制机制，加强管道保护和隐患治理工作，开展重点设备维护和检修，有效提高了管道本质安全。

1. 完整性管理体系建设。对天然气与管道分公司HSE体系中《资产完整性管理程序》《油气储运设施维抢修管理程序》《管道完整性管理实施细则》《维抢修体系建设工作方案》等进行完善、升版，新增《完整性管理审核与效能评价》《油气管道失效事件管理》作业文件。完成适用于地区公司层面的《资产完整性管理业务管理文件》的升版工作，新增管道站场及控制部分程序文件、作业文件及线路部分程序文件、作业文件。10—11月，针对管道分公司、西气东输、北京天然气、西部管道和西南油气田开展2009年完整性管理外审工作，5家地区公司完整性管理水平普遍比上年提升一级。

2. 维、抢修体系建设。《天然气与管道分公司管道及储运设施维抢修体系规划》于2009年4月执行。至2009年底，建成的维抢修机构为11个维抢修中心、32个维抢修队、8个维修队。

3. 管道管理。主要管道地区公司完成油气管道完整性管理方案的编制。通过加强人防、物防、技防、信息防相结合的“四维立体防护”，完成国庆60周年安保任务，有效控制了打孔盗油事件的发生。发生打孔盗油事件12起，发案率比上年下降25%。全年清理各类管道占压385处，西气东输、北京天然气、大港油田、华北油田实现管道零占压。汛前排查347项自然与地质灾害风险，应用地质灾害风险评价，对高风险点及时进行治理或采取监测措施，汛期未发生大的险情。汛后各地区公司均再次开展汛后自然与地质灾害风险排查，于2010年汛前完成高风险点的消减工作。

4. 设备管理。至2009年底，天然气与管道分公司在用压缩机组104套，总装机功率1654385kW。2009年，继续开展压缩机组失效分析，加强运行管理，取得良好效果。压缩机组累计发生停机251次，比上年的576次减少56%，MTBF（平均无故障运行时间）1587小时，比上年的590小时上升168%。

（四）基础管理

2009年，天然气与管道分公司紧紧围绕提高效益和安全运营中心，从适应天然气与管道业务快速发展着眼，强化基础管理，推进管理体系建设，切实加强安全环保、科技信息、成本控制、员工培训等工作，全面提升业务管理水平。

1. 管理体系建设。一是推进专业公司体系升版工作，健全专业公司HSE管理职责，增加城市燃气、天然气利用业务的管理程序和管理要求，补充程序文件和作业文件，完善管理手册；二是推进体系对接工作，在完成西气东输对接试点工作基础上，确定体系对接工作方法，规范体系对接工作程序，基本实现地区公司与专业公司业务管理的无缝对接、闭环管理；三是统一规范“两书一表”，制定统一工作模板和工作流程，发布实施作业指导书100项。

2. 三化设计。进一步明确“标准化、模块化、信息化”设计管理工作思路。按“综合成套、整体协调、重在实施、闭环控制、持续改进”工作方针，编制《油气储运项目设计规定》（简称CDP）系列文件。2009年发布271个CDP文件。

3. 管道节能。天然气与管道分公司推动资源节约型企业建设，加强节能管理，通过科学分解节能量、设定单耗基准值、实施储运设施气代油、变频调速和太阳能利用等节能改造，节约燃油、电力和天然气消耗。同时，合理改造不合理工艺流程，减少天然气放空损耗。全年实现节能量6.87万吨标煤，输油气综合单耗得到有效控制。

4. 管道科技。一是科技计划管理。年度科技项目计划3000万元，新开课题12项，开展专项研究课题14项，总经费300万元。年度科技计划完成率100%。二是科技规划管理。开展专业公司科技发展滚动规划编制工作，分析“十一五”科技规划执行效果，提出“十二五”期间专业公司科技发展对策及保障措施。三是重点科技项目成果：①股份公司科技重大专项“西气东输二线关键技术研究（一期）”完成全部研究内容，取得多项重大成果，形成多项技术创新。研究西气东输二线用卷板、钢板、钢管、弯管、管件关键技术指标，制订17项板材和管材技术标准，研制满足西气东输二线工程要求的X80螺旋焊管、直缝焊管、弯管、焊丝焊剂及三通管件，形成规模化生产能力；制订基于应变的管道设计程序与设计导则，研究抗大变形钢管管材技术指标，提出管道通过特殊地质地形地段设计方法、设计方案与防治技术；制定X80钢管焊接工艺及规程、西气东输二线管道工程系列标准，研制Φ1219mm间隙自调式管道内对口器和多焊头管道内环缝自动焊机；形成X80钢管道的低温涂敷防腐涂料和涂装工艺、防腐补口新工艺；形成西气东输二线水层目标库址最优注采运行指标、水层目标库址建库地质方案。建立西气东输二线管道完整性管理体系、数据库及应用平台。②科技重大专项“西气东输二线关键技术研究（二期）”步入实质性研究阶段。③完成漠大线冻土工程技术研究项目。④开展“LNG接收站关键技术集成研究”。⑤开展东北原油管网节能降耗方案研究。四是多项科技项目奖励：“输气管道内粉尘在线检测技术研究”项目获集团公司技术发明二等奖；“东北管网输送大庆与俄罗斯原油配套技术研究”获集团公司科技进步一等奖；“高压液体管道应急抢险技术研究”“油气管道水工保护工程效能评价研究”“天然气物性参数测试技术研究及应用”3个项目，获集团公司科技进步二等奖；“管道腐蚀完整性管理体系及外防腐直接评价技术”等3个项目，获集团公司科技进步三等奖。

6. 管道信息。一是编制完成《天然气与管道公司2010—2015年信息化建设发展规划》。二是天然气与管道ERP系统建设全面完成，相继实现单轨运行。三是管道工程建设管理系统推广实施，不断提升完善。四是完整性管理系统建设可行性研究报告及蓝图设计方案编制完成。五是管道生产管理系统推广实施，进一步深化应用。六是天然气与管道数据仓库系统全面应用，开展系统运维。

7. 管道安全。一是夯实安全环保基础工作。二是强化风险和应急管理。三是加强建设项目安全环保三同时管理。以安全环保评价为重点，强化建设项目专项评价过程管理，编写安全环保评价报告编制细则，与安全环保部建立环评工作例会制度。针对环境影响评价问题，配合法律事务部和安全环保部分别开展司法解释工作和现场督查工作，取得工作进展。召开专项工作会议和项目预审会。10月底发布油气管道HSE专家库，收录专家80名。2009年上报安全环保评价项目26项，已通过审查23项。四是加强标准化管理工作。

8. 标准化工作。一是加大天然气与管道专业标准制修订力度。完成5条输油气管道工艺运行规程。加快科研成果转化标准的步伐，制定《输气管道环境及地质灾害风险评估方法》《输油气站场管道在线检测技术规范》《管道站场防雷接地设计规范》《管道内检测开挖验证实施规范》等技术标准。推广HSE有效做法，制定《关键生产装置锁定管理规范》等安全技术标准，修订《油气管道安全检查规范》。制定《压缩天然气加气站建设规范》《压缩天然气加气站运行管理规范》《城镇燃气输配系统运销计量管理规范》等天然气利用和城市燃气技术标准，制定储气库生产运行管理标准。编制完成《油气藏型地下储气库废弃井封堵技术规范》。二是重视标准前期研究，开展油气管道通过采空区安全标准研究工作，完成采空区安全评价及管道通过采空区防护与应急处置技术的研究工作。三是加强标准信息化工作。完成天然气与管道专业标准查询系统开发工作。标准查询系统收纳1400条标准，其中500条国际标准、281条国家标准、355条行业标准、264条集团公司企业标准（天然气与管道专业89项）。

（撰稿：肖春华）

物流行业

2009年，物流业以贯彻落实国务院《物流业调整和振兴规划》为契机，抓住机遇，迎接挑战，努力克服国际金融危机影响，实现了止跌企稳，回升向好的发展态势，为国民经济较快复苏提供了有力支撑。但回升基础还不够稳固，后市发展还存在不确定、不稳定因素，物流业振兴仍面临艰巨任务。随着经济结构的调整升级，以及物流业调整振兴规划实施细则的陆续出台，我国物流业发展空间将得到进一步拓展。与此同时，低碳经济发展模式和物联网技术的应用与创新，也对我国物流业发展提出新的更高的要求。今后物流运行将继续保持平稳较快发展，物流业结构调整步伐将进一步加快，物流企业竞争将更加激烈。

一、2009年我国物流运行的基本情况

（一）社会物流需求在低谷中回升

1. 社会物流总额由降转升。2009年，全国社会物流总额96.7万亿元，同比增长7.4%。按可比价格计算，增长11.3%.2009年GDP总量与物流总额相比的物流需求系数为2.88，同比略有缩小，即我国每单位GDP产出需要2.88个单位的物流总额来支持。社会物流总额增长与GDP增长的弹性系数为1.3，虽然与经济扩张期水平相比仍然偏低，但比2009年上半年回升了0.45个点，表明物流需求在经济增长的带动下，得到很大恢复。分季度情况看，一季度下降3.3%，这是自1991年有物流统计以来出现的首次负增长；上半年下降0.8%，降幅有所缩小；前三季度由降转升，增长2%。物流需求呈现出明显的止跌企稳，回升加快态势。

从构成情况看，受国际金融危机影响，在需求和美元对人民币汇率双下挫的影响下，进口物流总额6.86万亿元，同比下降12.8%，进口物流总额占社会物流总额的比重为7.1%，同比下降1.6个百分点。与此同时，工业品物流总额87.41万亿元，同比增长9.4%，占社会物流总额的比重为90.4%，同比提高1.6个百分点。反映出在我国工业化中后期发展阶段，特别是在国际贸易萎缩的情况下，工业品物流更多地担当了拉动社会物流总额增长的重要力量。农产品物流总额、再生资源物流总额和单位与居民物品物流总额保持平稳较快增长，同比分别增长4.3%、12.3%和16.4%。

2009 年社会物流总额构成及增长变动情况

表 1

指 标	同比增长（%）	在物流总额中所占比重（%）
农产品物流总额	4.3	2.0
工业品物流总额	9.4	90.4
进口货物物流总额	-12.8	7.1
再生资源物流总额	12.3	0.3
单位与居民物品物流总额	16.4	0.2

2. 物流量需求逐月回升。2009 年，国内货运量、货运周转量、港口货物吞吐量同比分别增长 7.6%、9.8% 和 8.1%，增幅分别比前三季度提高 2.6 个、3.3 个和 2 个百分点。全国规模以上快递企业业务量累计完成 18.6 亿件，同比增长 22.8%；业务收入累计完成 479 亿元，同比增长 17.3%。与此同时，在 12 月份 PMI 调查中，反映原材料质量和配送问题的企业比例环比上升了 4.1 个百分点；反映运输紧张的企业比例环比上升了 2.5 个百分点。表明随着物流需求的逐步恢复，物流量需求也逐步回升。不过与社会物流总额 11.3% 的增长相比，物流量的增长仍然偏低，一定程度上反映出供需不够匹配，仍有相当商品处于库存状态，未通过流通环节进入消费领域。

（二）社会物流总费用稳中有升

2009 年，全国社会物流总费用为 60826 亿元，同比增长 7.2%，社会物流总费用与 GDP 的比率为 18.1%，与 2008 年持平。分季度情况看，一季度增长 3.3%，上半年增长 4.8%，前三季度增长 6.4%，增幅呈逐季提高态势。

从构成情况看，运输费用为 33628 亿元，同比增长 7%，占社会物流总费用的比重为 55.3%，比 2008 年下降 0.1 个百分点。保管费用为 19955 亿元，同比增长 7.5%，占社会物流总费用的比重为 32.8%，比 2008 年提高 0.1 个百分点。管理费用为 7244 亿元，同比增长 7.4%，占社会物流总费用的比重为 11.9%，与 2008 年持平。

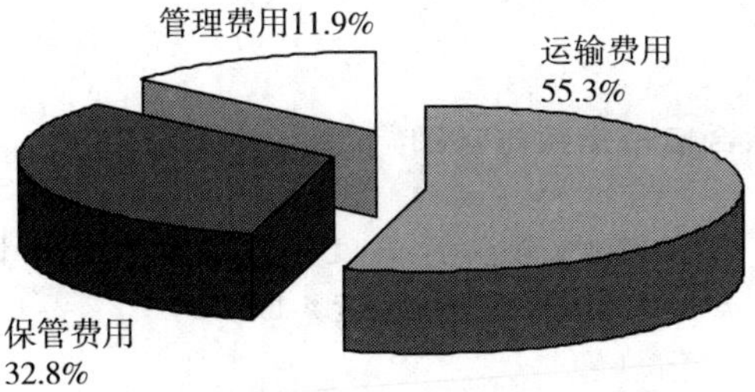

图 1 2009 年社会物流总费用构成

（三）物流业增加值逐季回升

2009 年，全国物流业增加值为 23078 亿元，同比增长 7.3%，占 GDP 的 6.9%，比 2008 年提高 0.1 个百分点；占服务业增加值的 16.1%，比 2008 年下降 0.3 个百分点。分季度情况看，一季度增长 1.2%，上半年增长 2.1%，前三季度增长 4%，增幅亦呈逐季提高态势。2009 年物流业增加值增幅高出物流总费用 0.1 个百分点，虽然不大，但一定程度上反映出物流专业化社会化程度有所提高，制造业与物流业联动有所增强。

从构成情况看，交通运输业增加值为 1.68 万亿元，增长 6%，仓储业增加值增长 10.6%，贸易业、邮政业增加值分别增长 10.6% 和 14%。

（四）物流业固定资产投资持续快速增长

2009 年，我国物流业固定资产投资为 2.6 万亿元，同比增长 47.6%，增幅创近年新高，比 2008 年提高 25 个百分点，比同期全社会固定资产投资高出 18 个百分点。从投资构成看，交通运输业投资额为 1.9 万亿元，同比增长 48.4%，比 2008 年提高 29 个百分点，占物流业固定资产投资的 76%。仓储、邮政业投资额为 1766 亿元，同比增长 57.5%，贸易业投资额为 4451 亿元，同比增长 40.6%，均保持较快增长。反映出国家加大物流相关产业基础建设投资措施取得成效，对物流业的振兴与发展将产生良好的促进作用。

（五）重点物流企业规模有所扩大，企业集中度有所提高

2009 年重点物流企业统计调查汇总数据显示，前 50 名物流企业主营业务收入共达 4756 亿元，比上年增长 14.7%。其中，中国远洋运输（集团）总公司主营业务收入超过千亿元，中国海运集团总公司等 6 家企业主营业务收入超过百亿元，前 43 家企业主营业务收入超过十亿元。排名第 50 名物流企业的主营业务收入达到 7.6 亿元，同比增长 2.7%。前 10 名物流企业占社会物流总收入的比重由上年的 9.1 提高到 9.3%，提高了 0.2 个百分点，企业集中度有所提高。

（六）电子商务物流已成为快递产业发展新增长点

快递物流与电子商务是新经济时代两个发展密切相关、业务互为支撑的行业。互联网络信息中心（C..IC）发布的报告表明，到 2009 年上半年，我国网民规模已达到 3.38 亿，较 2008 年底增长 13.4%，半年增长了 4000 万，目前依然保持着快速增长势头。

随着互联网应用的深化和网民的增加，电子商务的交易额增长迅速。调查显示，40.7% 的网民在最近一年内进行过网上购物，16.5% 的网民经常访问购物网站，电子商务正越来越走向普通大众。

电子商务的发展，使快递产业与电子商务平台、网商企业的合作日趋密切，合作范围不断扩大。2009年，全国个人网上购物销售额达到2000亿元，约占社会商品零售额的1.2%。仅淘宝网的日交易规模就达到600万笔，其中75%的交易商品要通过实物递送。由电子商务带动的邮递包裹达到10亿件。

尽管这样，我国快递业发展与发达国家相比仍有很大差距。据不完全统计，2009年中国13亿的人口一年消费了约20亿件的快递业务量，而美国3亿人口却拥有75亿件的快递业务量。由此看出，中国庞大的人口与目前的快递消费量是不对称的，有巨大发展潜力。

二、2009年我国物流运行存在的主要问题

2009年，虽然我国物流运行呈现探底企稳、加快回升态势，但物流业整体上还没有完全摆脱困难的局面，持续向好的基础还不稳定，成效还不巩固。主要存在以下问题：

（一）物流服务价格走低，产业发展后劲不足

2009年，全国社会物流总费用增长7.2%，低于同期物流量平均8.5%左右的增长率．反映出物流服务价格依然呈下降之势。在原材料汽柴油价格上涨和劳动力成本上升的背景下，物流服务价格走低，影响物流产业的进一步回升，发展后劲不足。

从2009年公路货运市场综合价格指数看，继2008年11月以来一直在70左右徘徊，2009年2月、3月、8月更是低至66左右，11月受需求回升和油价上涨的共同影响达到79.2，12月又有所回调，为78.3，环比下降0.9个百分点。

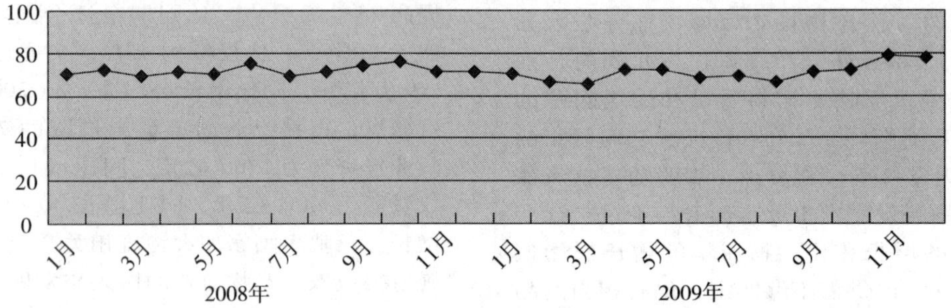

图1 公路运价指数变化情况

2009年沿海干散货综合运价指数自2008年6月达到2886.92高点后，一路下滑，2008年11月后在1000～1200点之间小幅波动，2009年11月中旬开始出现较为明显的上升，但与2008年高点相比仍有700多点的差距。

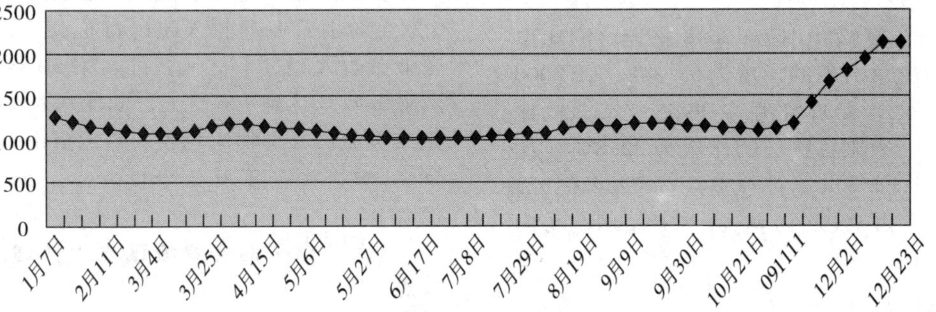

图2 2009年中国沿海（散货）综合运价指数走势图

受我国铁矿石、煤炭进口量大增等因素影响，波罗的海干散货运价指数6月出现较大幅度反弹，进入8月逐步回落，进入四季度后又出现反弹，11月中旬达到4661年内高点后再度下滑，12月24日报收3005点，比反弹高点下跌近4成。

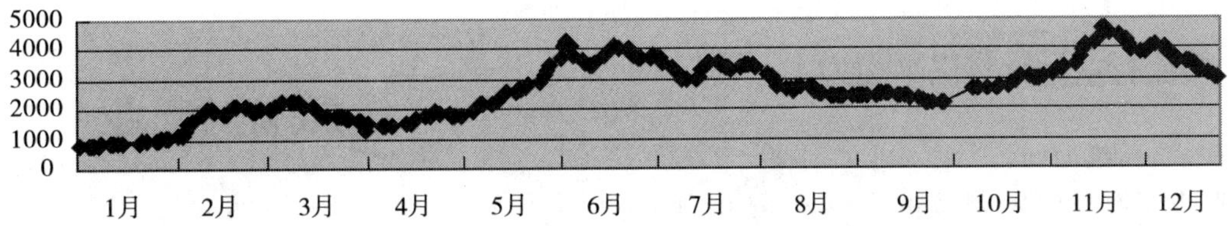

图 3　2009 年波罗的海干散货运价指数 BDI

（二）物流行业运营仍面临较大困难

从物流业总体情况看。2009 年物流业增加值虽然逐季回升，但全年同比增幅仍比 2008 年回落 8.1 个百分点。由于物流需求减缓和经营成本上升，物流业对国民经济增长贡献不断增加的趋势继续有所减缓。2009 年物流业增加值占服务业增加值的比重比 2008 年下降 0.3 个百分点。由于物流成本提高较大，而物流行业分散，竞争激烈，难以通过提价把成本压力转移给下游客户，不得不挤占行业自身利益，导致物流总体效益增势趋缓。

从物流企业经营情况看，据对全国重点物流企业统计调查结果显示，我国重点物流企业 2009 年三季度经营效益虽然好于上半年，但仍呈普遍下降之势。其中，主营业务利润额下降 17%。在调查企业中，近六成企业利润额同比负增长，17% 的企业亏损。扣除港口企业后的利润率只有 3% 左右。企业后续发展资金匮乏，后劲不足。因此，要进一步加快物流业调整和振兴规划的落实，促进现代制造业与物流业的有机融合与联动发展，提高物流企业经营效益。

（三）国际物流巨头加大在华投资并购力度，物流业竞争加剧

近年来，跨国物流企业不断加大投入，通过建设大型转运中心来提升网络实力、战略地位，形成对物流网络渠道的控制。2009 年，国际物流巨头 TNT 启动武汉分拨中心，并投建广州分拨中心；联邦快递在广州的亚太转运中心于投入运营；2010 年，UPS 位于深圳、DHL 在上海的转运中心也将投入使用。

自外资企业可以在中国自行设立分销网络以来，中国巨大的物流市场促使跨国物流公司加快了在中国的布局。尤其是在金融危机下，以中国为代表的新兴市场，成为并购行动的主要目标。2009 年，中东的亚致力、德国的 DHL、日本的雅玛多继续在中国大举并购。将为上海世博会提供物流服务的中东国际物流巨头亚致力（Agility），在 2008 年底收购百岁新联物流（上海）有限公司，亚致力在中国迅速拥有了 8 个物流配送中心和超过 13 万平米的仓储面积。2009 年 7 月，DHL 通过合资公司中外运—敦豪，完成了对年营业收入 3.5 亿元左右的民营企业全一快递 100% 股权的收购。2009 年 8 月，日本最大的包裹运送服务商雅玛多（Yamato）以 4.8 亿元人民币收购上海巴士物流有限公司 65% 股份。UPS 行政总裁戴维斯 11 月在纽约表示，正积极考虑通过收购活动壮大旗下物流供应链和货代业务，以中国、印度和中东地区为首的新兴市场，将成并购行动的主要目标。跨国物流公司借助资金、技术和管理等优势，通过收购从单一业务走向综合物流业务，从集中于中心城市物流业务向构筑全国性物流网络全方位展开。不仅在高端市场领域占据了主导，而且向传统物流领域进行渗透和扩张，对我国经济的稳定运行势必产生重大影响，我国物流产业安全形势不容乐观，物流业必将面临越来越激烈的竞争。

（四）物流企业税收压力依然较重

如物流企业库房租金收入适用税，依照现行的《房产税暂行条例》，房产出租部分，以房产租金收入为房产税的计税依据，适用税率为 12%；自用部分，以房产余值计算缴纳，适用税率为 1.2%。此外，物流企业出租仓库的租金收入，还要缴纳 5% 的营业税，总体税负高达 17%，并存在重复纳税问题。物流行业本身就是微利行业，尤其是在目前成本上升的情况下，企业税收压力很大。以土地使用费为例，与 2007 年同期相比，部分物流企业的土地使用费最高翻了 15 倍，还面临着重复交税费的问题。如此一来，物流企业举步维艰，在金融危机之下，已经有部分物流企业关门倒闭。物流基础设施具有基础性和公益性，应该获得国家产业政策的支持和鼓励。

（五）第三方物流服务规模较小

第三方物流是指物流供应链一体化过程中由物品的供方、需方以外的第三方提供物流服务。物流业发展要经历企业内部分散化物流、企业内部专业化物流和第三方物流三个阶段。西方国家物流业的发展表明，独立的第三方物流需占社会的 50%，物流产业才能形成。所以第三方物流发展程度反映了一个国家物流业发展的整体水平。

（六）物流企业信息技术水平较低

运用信息技术是发展物流业的关键。由于第三方物流企业要和许多货主建立合作关系，要处理来自多个企业的不同种类的数量商品的传递，因此，第三方物流企业必须利用互联网来汇集运输、储存、装卸、包装、加工、配送等众多合作伙伴的信息，根据企业的需要选择每一个环节最合适的合作伙伴，并能及时满足客户的需求，这就要求物流企业要有很强的信息收集、储存和处理的能力。

三、物流行业运行将以平稳为主

一是国民经济持续向好，为物流业发展奠定了有利基础。2009年12月中国制造业PMI指数达到56.6%，连续10个月保持在50%以上，显示出中国经济回升态势已基本稳固，并呈进一步增强趋势。

二是国家宏观调控政策调整将促进物流业进一步提升发展。今后我国将继续实施积极的财政政策和适度宽松的货币政策，保持宏观经济政策的连续性和稳定性，扩大内需、增加消费为重点，加大调结构力度，提升经济发展质量是关键。针对“后危机时代”新的经济增长点，国家将继续抓好重点产业调整振兴规划的贯彻落实，发展新兴产业，推进企业兼并重组。

三是生产性服务业需求回升明显表明物流业逐步趋于活跃。2009年12月生产性服务业商务活动指数为58.0%，比上月回升4.4个百分点，自2009年3月以来，连续10个月保持在50%以上，全年平均水平达到55.5%。12月生产性服务业新订单指数为53.2%，比上月回升5.2%，回升幅度居三大行业之首，连续四个月保持在50%以上。数据表明，在制造业经济活动稳步回升的带动下，生产性服务业的活动也趋于活跃。

四是未来市场预期继续向好。自2009年3月以来，非制造业业务活动预期指数一直在62%以上高位运行，2009年12月为65.7%，比上月回升1个百分点。建筑业、生产性服务业和消费性服务业三大行业的全年业务活动预期指数均保持在60%以上的高位。数据表明在整体经济形势逐步趋好的情况下，我国非制造业企业对未来市场变化充满信心。

五是物流业发展环境和条件将得到改善。物流业调整和振兴规划细则有望陆续出台。目前，首个关于税收政策的规划细则开始试点，已惠及六百多家物流企业。

六是物联网突进助推物流业进一步提升。奥巴马政府的“智慧地球”计划明确以物联网为基础。被看作推动此次金融危机后经济增长的科技基础之一，新一轮国际经济竞争的主要着力点。物联网的兴起，将促使物流业信息化整合进入新的周期。信息化相对薄弱的我国物流业，可以借助“物联网”东风，积极构建统一信息平台，提高全社会生产效率，实现跨越式发展。快捷准时、经济合理、用户满意的产业物流服务体系，促使物流业发展水平进一步提升。

七是全球经济曲折缓慢复苏，并进入较长的结构调整时期，将拉动物流市场进一步回升。

旅游行业

旅游业作为第三产业的重点，是现代服务业的重要组成部分。目前我国旅游业增加值占GDP的比重超过了4%，旅游业对经济增长的拉动作用日益明显。数据显示，旅游消费对住宿业的贡献率超过90%，对民航和铁路客运业的贡献率超过80%，对文化娱乐业的贡献率超过50%，对餐饮业和商品的贡献率超过40%。

2009年，在国际金融危机的背景下，我国旅游业经受了严峻考验和挑战，总体上保持了平稳较快增长，全年国内旅游人数达19.02亿人次，增长11.1%；国内旅游收入达到1.02万亿元，增长16.4%。红色旅游与绿色旅游紧密结合，实现快速发展。全年红色旅游接待人数3.53亿人次，增长29.8%；红色旅游综合收入1385亿元，增长11.8%。2009年虽然中国旅游业也遇到较多的困难，但是总体发展相对稳定，仍保持正常态势。目前，国内旅游业已经步入快速发展时期，旅游业作为现代服务业的龙头，成为拉动第三产业快速发展的战略性支柱产业之一。

一、2009年度全国旅行社基本情况

2009年是旅游业发展过程中极不平凡的一年，国际金融危机和甲型HIN1流感，对旅游业的发展带来了一定冲击。

随着国家旅游局提出“国民旅游休闲计划”，旅游市场得到快速恢复；2009年11月25日，国务院通过《关于加快发展旅游业的意见》，第一次明确将旅游产业定位为“国民经济的战略性支柱产业和人民群众更加满意的现代服务业”，对旅游业的发展更是产生深远的影响。国民经济的快速发展和人民生活水平的进一步提高，为旅游业的快速发展提供了有力的支持，国内旅游行业已经步入一个快速发展时期，旅游行业的中长期发展趋势仍然十分乐观。

（一）行业规模

截至2009年底，全国有旅行社21649家，同比增长4.63%。参加年度统计调查的有21224家，占总数的98.04%。

2009年底，全国旅行社总资产585.96亿元，同比增长12.28%，其中，负债345.99亿元，同比增长15.34%；所有者权益239.97亿元，同比增长8.15%。按形态分，固定资产106.31亿元，占总量的18.14%，同比增加14.23%；流动资产430.39亿元，占总量的73.45%，同比增加20.95%；其他类

型资产49.26亿元，占总量的8.41%。

旅行社直接从业人员为340894人，其中，导游人员112777人、领队人员29593人、会计人员32845人、经理人员84271人、其他人员81408人。

（二）经营规模和效益

参加统计调查的21224家旅行社中，填报数据有效的共计20399家。据有效数据统计，2009年度全国旅行社营业收入1806.53亿元，同比增长8.64%；毛利润总额134.36亿元，毛利率为7.44%；净利润总额11.48亿元，净利率为0.64%；旅游业务营业收入1745.58亿元，同比增长8.87%；旅游业务毛利润为120.28亿元，旅游业务毛利率为6.89%；实缴税金为12.69亿元，同比增长12.37%；外汇结汇10.51亿美元，同比减少11.24%；全年促销费支出6.76亿元，同比增长13.87%。

（三）旅游业务分项

根据对出游动机的进一步细分，我国国民旅游中休闲成分的保持较高比例。根据对各年度国内旅游抽样调查资料的分析，城镇居民以“休闲”为目的（包括“观光游览”、“度假休闲”、“探亲访友”）的旅游近年来始终保持在86.7%到91.4%之间，农村居民以“休闲”为目的的过夜旅游也在77.34%到78.75%之间。2000年到2009年，中国居民出境人数已经从1047亿人次增加到4766亿人次，每年因私出境旅游人数已经从563万人次增加到4221万人次，分别增加2.55倍和5.49倍。从部分资料可以判断，出境旅游中因私出境居民的绝大多数都属于休闲目的的旅游。

1. 入境旅游业务。2009年度全国旅行社入境旅游业务营业收入为222.15亿元，同比减少1.21%，占全国旅行社旅游业务营业收入总量的12.73%；入境旅游业务毛利润为18.69亿元，同比增加4.72%，占全国旅行社旅游业务毛利润总额的15.54%，毛利率为8.42%。入境外联1261.43万人次，同比减少4.78%，其中外国人516.83万人次，同比减少15.81%；外联人天数为5615.89万，同比减少3.28%，其中外国人为2399.31万人天，同比减少15.22%；接待入境旅游者1873.38万人次，同比减少7.85%，其中外国人774.84万人次，同比减少16.45%；接待入境旅游者6304.59万人天，同比减少1.61%，其中接待外国人2604.42万人天，同比减少16.89%。

国际旅游（外汇）收入和过夜旅游者人数情况

表1

年份	过夜旅游者人数（万人次）	过夜旅游者人数增速（%）	过夜旅游者人数居世界位次	旅游（外汇）收入合计（亿美元）	旅游（外汇）收入增速（%）	旅游（外汇）收入居世界位次
2000	3122.88	15.5	5	162.24	15.1	7
2001	3316.67	6.2	5	177.92	9.7	5
2002	3680.26	11.0	5	203.85	14.6	5
2003	3297.05	-10.4	5	174.06	-14.6	7
2004	4176.14	26.7	4	257.39	47.9	7
2005	4680.90	12.1	4	292.96	13.8	6
2006	4991.34	6.6	4	339.49	15.9	5
2007	5471.98	9.6	4	419.19	23.5	5
2008	5304.92	-3.1	4	408.43	-2.6	5
2009	5087.52	-4.1	*	396.75	-2.9	*

2. 国内旅游业务。从世界旅游的发展历程来看，当人均GDP达到1000美元时，国内旅游快速发展，观光游剧增；当人均GDP达到2000美元时，国内旅游规模巨大，国际旅游高速增长，旅游方式从观光旅游向休闲游过渡，休闲旅游骤升；当人均GDP达到3000美元时，国际旅游高度发展，休闲旅游已成常态，并且休闲旅游开始向度假旅游过渡。

2000年到2009年，中国国内旅游人次从7.44亿增加到19.02亿，国内旅游总花费从3175.5亿元增长到10183.7亿元，分别增加了1.55倍和2.20倍。

2009年度全国国内旅游业务营业收入1139.10亿元，同比增长11.79%，占全国旅行社旅游业务营业收入总量的65.26%；国内旅游业务毛利润为76.33亿元，同比增长16.64%，占全国旅行社旅游业务毛利润总额的63.46%，毛利率为6.70%。

国内旅游组织10123.47万人次，同比增长

18.53%；30018.97 万人天，同比增加 18.12%；接待 13696.05 万人次，同比增加 31.07%；26339.34 万人天，同比增加 14.69%。

3. 中国居民出境旅游迅速增长。在 2000 年以前，每年总增量均在百万人次以下。而进入 21 世纪以后，仅因私出境每年增量就达三四百万人次之多。2009 年我国出境人数达到 4766 万。2005 年到 2009 年，因私出境占总出境人数的比例一直保持在 85% 以上，2009 年更达到了 88.6%。从三大市场的结构比例来看，2009 年，国内、入境、出境三大市场旅游人次比例大致为 90.8:6.5:2.7。可见，国民旅游，尤其是国内旅游占绝对主体地位。

国际旅游外汇收入构成

表 2　　单位：亿美元

指　标	2006 年	2007 年	2008 年	2009 年
总　计	339.49	419.19	408.43	396.75
一、商品收入	147.19	142.42	124.07	127.63
1. 商品销售	112.07	104.94	85.34	91.49
2. 餐饮	35.12	37.48	38.73	36.14
二、劳务收入	192.30	276.77	284.36	269.12
1. 长途交通	73.76	111.43	124.87	117.41
民航	66.63	87.91	90.47	85.84
铁路	2.79	7.71	13.46	12.77
汽车	3.10	6.94	10.47	9.58
轮船	1.24	8.87	10.47	9.22
2. 游览	9.86	18.00	22.02	20.80
3. 住宿	48.97	59.38	48.60	44.34
4. 娱乐	12.53	21.10	29.70	28.82
5. 邮电通讯	5.11	7.61	10.02	9.55
6. 市内交通	12.01	12.42	13.55	13.29
7. 其他服务	30.06	46.83	35.60	34.91

2009 年度出境旅游业务营业收入 384.34 亿元，同比增长 6.92%，占全国旅行社旅游业务营业收入总量的 22.02%；出境旅游业务毛利润为 25.25 亿元，同比增长 28.99%，占全国旅行社旅游业务毛利润总额的 21.00%，毛利率为 6.57%。

出境旅游组织 1234.68 万人次，5767.87 万人天，其中，出国游 685.29 万人次，同比增长 13.54%；4073.87 万人天，同比增长 17.17%；港澳游 519.58 万人次，同比增长 6.61%；1694.01 万人天，同比增长 7.94%；组织边境游 29.82 万人次，同比减少 30.53%。

2009 年中国出境旅游市场呈现出了五大特征。

第一，出境旅游市场规模持续扩大，因私旅游成为其中重要的驱动力。从统计数据来看，2009 年中国出境旅游人次数达到了 4766 万，同比增长达到 4%，这个数据和全球旅游业在 2009 年下滑 4% 的数据形成了非常大的反差。2009 年因私出境已经占到了总出境人数的 89%。

第二，出境旅游的目的地范围进一步扩大，但是仍然以进城游为主。2009 年实施的旅游目的地和 2008 年相比增加了 9 个，但出境旅游目的地仍然以港澳台、日、韩、东南亚等周边国家和地区为主。扣除港澳台地区，出国的旅游人次数为 1288 万人次，仅仅占到总出境人数的 27%。这个数据比 2008 年的 34% 和 2007 年的 29% 低，但是，2009 年内地赴台的市场实现了高速增长，全年达到了 60.61 万人次。

第三，消费规模大幅度扩大，旅游服务贸易出现近 30 年来的首次逆差。根据中国旅游研究院的预测，2009 年出境旅游的总体消费达到了 420 亿美元，同比增长的速度 16%。根据统计，人均出境旅游消费将达到 880 美元，其中购物成消费里面最重要的组成部分，统计显示，赴港游客购物支出比例占 71%，赴澳门游客购物比例占 65%。由于 2009 年受到世界金融危机的影响，中国的入境市场是相对萎缩的，2009 年旅游服务贸易自 1982 年以来出现了第一个逆差，逆差规模大概是 20 亿美元。

第四，游客出现两高一低。一个是收入比较高，以月收入5千和8千之间的游客为主，学历也是比较高的，以大学专科和本科以上的学历为主，年纪是比较轻的，大概25～44岁这样一个年龄段。根据调查，网络已经成为所有的游客获取信息的渠道里面最重要的一个，虽然现在对于大部分游客来说出国去观光游览还是最主要的目的，但是选择休闲度假的游客比例正在逐步的上升。

第五，出境的游客在出境的过程中往往关心的是住宿和景区的服务。根据游客满意度的评价，出境的游客对于购物和旅行社服务的满意度是比较低的。根据调研结果，在旅游的过程当中出境的游客往往认为住宿和景区景点的服务是最为重要的，增加过多的购物内容以及行程中自费项目如果安排过多是影响顾客满意度的最主要因素。

二、2009年度全国旅行社总体结构

（一）旅行社区域分布

旅行社数量排在前十位的省（自治区、直辖市）依次为：山东（1802家）、江苏（1704家）、浙江（1501家）、河北（1116家）、辽宁（1110家）、广东（1085家）、河南（1052家）、湖北（886家）、北京（875家）、上海（873家），十省市旅行社总量占全国旅行社总量的55.45%。

（二）旅行社经营状况分布

经对各省（直辖市、自治区）旅行社经营的旅游业务营业收入、旅游业务毛利润、实缴税金、外汇结汇、入境外联人天、入境接待人天、国内组织人天、国内接待人天等八项指标进行综合排名，前十名地区为北京、广东、浙江、上海、山东、辽宁、江苏、云南、湖南、四川。

（三）旅行社类别分布

2009年度获得国家旅游局批准的出境游组团社共计1069家，占全国旅行社总数的4.94%；旅游业务营业收入1037.31亿元，占全国的59.42%；旅游业务毛利润74.54亿元，占全国的61.97%；实缴税金6.76亿元，占全国旅行社的53.25%；外汇结汇8.22亿美元，占全国的78.23%；入境外联人天、入境接待人天分别为4873.23万、5166.84万，占全国的86.78%和81.95%。

2009年度获得国家旅游局批准的外商投资旅行社共计38家：外商独资旅行社21家、外商控股合资旅行社8家、中方控股合资旅行社9家；北京19家，广东7家，上海6家，湖南、福建、天津、云南、浙江、海南各1家。外资旅行社旅游业务营业收入25.14亿元，占全国的1.44%；旅游业务毛利润2.71亿元，占全国的2.25%；实缴税金0.25亿元，占全国的1.97%；外汇结汇1.36亿美元，占全国的12.93%；入境外联人天、入境接待人天分别为23.14万、110.55万，占全国的0.41%和1.75%。

（四）旅行社所有制结构分布

全国旅行社中，国有独资企业占8.23%，股份制企业占76.24%，其他类型企业占15.53%。

2001—2009年入境旅游人数

表3　　单位：万人次

年　份	合　计	#过夜旅游者	外国人	港澳台同胞*	#台湾同胞
2001	8901.29	3316.67	1122.64	7778.65	344.20
2002	9790.83	3680.26	1343.95	8446.88	366.06
2003	9166.21	3297.05	1140.29	8025.92	273.19
2004	10903.82	4176.14	1693.25	9210.57	368.53
2005	12029.23	4680.90	2025.51	10003.71	410.92
2006	12494.21	4991.34	2221.03	10273.19	441.35
2007	13187.33	5471.98	2610.97	10576.36	462.79
2008	13002.74	5304.92	2432.53	10570.21	438.56
2009	12647.59	5087.52	2193.75	10453.84	448.40

三、旅游业对2009年经济发展的推动作用

（一）旅游业具有较好的经济效益

与其他产业相比，旅游业具有投入少、产出高的优势。以我国为例，除国家对旅游业的投资外，主要靠自身较好的经济效益实行滚雪球式的积累，我国在“七五”期间，旅游业的投入产出之比为1:4.6，旅游投入与旅游创汇之比为1:2.03，换汇成本低。同时，旅游业是创造高附加值的产业，全球旅游业每年所创造的附加价值一直处于稳定增长的状态，它的增值水平明显高于其他产业。例如美国旅游业年平均增

值为3300亿美元，而农业为900亿美元，汽车工业为550亿美元，金属工业为400亿美元。其他发达国家如德国、法国、英国、日本等亦都如此。此外，旅游业是各国财政中的主要纳税产业。1990年世界旅游业提供税收2510亿美元，占全球企业直接和间接税收的5.6%。

（二）发展旅游业可带动其他关联产业的发展，并增加就业岗位

由于旅游业是综合性很强的行业，其经营范围涉及国民经济的许多部门，因而发展旅游业，首先使许多其他有关联的产业都随之得到发展。据测算，旅游收入每增加1元，第三产业产值相应增加10.2元。其次，扩大了社会就业机会。旅游业涉及饮食、娱乐、商业、交通等高度劳动密集型的许多行业，因而旅游业每增加1个直接就业人数，就可增加有关联的间接就业人数5个以上。

（三）促进国际经济合作的加深和世界经济的增长

通过国际旅游的频繁交往，加深各国间的经济生活联系和相互合作。不仅推动旅游及其相关联产业的发展，并带动一系列经济上的连锁反应。例如从其他产业中采购原料设备、购入先进技术、利润和员工收入的增长和消费等等，使旅游业成为全世界规模最大的产业，其贡献已超过其他各个工业部门，从而有助于世界国民经济及其总产值的不断增长。

（四）为国民经济的持续快速增长做贡献

改革开放30多年，旅游业总收入年均增长23%。据国家统计局、国家旅游局初步编制的《中国国家级旅游卫星账户》测算，2004年旅游业实现增加值6472亿元，已占当年国内生产总值（GDP）的4.05%。

（五）为拉动内需、促进相关行业发展发挥积极作用

旅游消费涵盖人们外出旅游时所有的日常消费，包括交通、餐饮、住宿业、景区、零售、文化、体育、银行、保险、通讯等109个细分行业受益于旅游业发展。

（六）促进了农村和中西部地区经济发展

我国约70%的旅游资源分布在农村和中西部地区。全国乡村旅游年接待超过5亿人次，收入超过3000亿元，受益村（寨）超过2万个，受益农民超过2400万。

各省、市、自治区经济贸易发展概况

中国各地区工业主导产业的遴选与发展方略

一、引言

我国正处在工业化中期阶段，工业主导产业在区域经济发展中扮演着至关重要的角色，是区域特色经济的主要体现，是区域产业结构的核心。选择、培育区域工业主导产业，从而形成各具特色的区域地方经济，是区域政策和产业政策的主要内容，也是当前结构调整的重要举措。改革开放以来，全国范围内各地区积极开展培育具有跨区域竞争优势的主导产业的行动，谋求自身在全国区域专业化分工体系中乃至全球产业链上的重要地位。目前就全国来看，除少数地区已经开始逐步形成有一定竞争力、带动作用强、发展前景好的主导产业外，各地区“主导产业”林立，主导产业的地位、作用不突出；区域间结构雷同，低水平重复建设现象时有发生；对主导产业的认识和定位不准确，盲目跟风现象严重。

面对科技迅猛发展、经济全球化以及金融危机引发和促进的世界经济新一轮的产业结构调整的大势下，我国产业结构和地区产业结构正处于一个快速的变动时期，如何抓住机遇，选择一个正确的产业发展政策，合理地调整我国产业结构及各地区产业结构，促使我国经济健康快速的发展，是当前面临的一个重要课题。而抓住机遇，调整好我国产业结构及各地区产业结构的关键是选择好各地区主导产业。加强对我国主导产业的研究，找出其发展演变规律，对各个省份在新一轮经济发展中作出正确的决策提供良好的参考。

二、“十一五”期间各地区重点发展的行业

根据各地区“十一五”规划，“十一五”时期的我国大陆31个省、自治区和直辖市重点发展的行业如表1。

表1　我国各省（区、市）“十一五”期间产业发展主要规划

地　区	产业发展主要规划
北　京	电子通讯设备制造、汽车制造、装备制造、生物医药、光机电一体化、石化新材料等六大行业
天　津	电子信息产业、石化产业、装备制造业、汽车制造业、医药产业
上　海	保持电子信息、石化、汽车和钢铁产业、高端装备制造业、光电子产业、太阳能利用、新材料等新兴产业、船舶、航天、航空等战略性产业
浙　江	高技术产业、装备制造业、临港工业和新兴产业
江　苏	电子信息、生物工程和新医药、新材料产业，做大做强装备制造（含汽车、造船）、石油化工、冶金、能源产业
福　建	电子、机械、石化、装备制造业
广　东	电子信息、石油化工、汽车、装备制造，积极培育生物工程、新材料、新能源等战略产业，改造提升纺织服装、食品饮料、建材等传统产业
山　东	电子信息、汽车、船舶、石化、家电、食品、服装产业
河　南	食品工业、石油化工和煤化工业、有色工业、汽车及零部件制造业、装备工业等支柱产业，振兴纺织工业
内蒙古	化工、冶金、装备制造、农畜产品加工、高科技产业
安　徽	汽车产业、化工产业、装备制造业、材料产业、轻纺产业、农产品加工业
四　川	重大装备制造业、水电及天然气、农产品加工业、高新技术产业
海　南	天然气与天然气化工、石油加工与石油化工、林浆纸一体化、汽车制造、制药等产业
吉　林	汽车产业、石油化工和玉米化工项目、农产品加工业
辽　宁	装备制造业、原材料加工业、高新技术产业
黑龙江	装备制造、石化、煤化、能源、绿色食品、医药和森林工业等产业及高新技术产业
陕　西	能源化工、装备制造、高新技术三大支柱产业

续表

地　区	产业发展主要规划
甘　肃	石油化工、冶金有色、能源、机械制造等产业
河　北	钢铁、装备制造、石油化工等支柱产业
广　西	汽车、铝业、钢铁、石油化工、锰业、糖业、林浆纸、医药、茧丝绸、工程机械等产业
湖　北	光电子信息产业、汽车、钢铁及深加工、石化产品、农产品加工业
湖　南	装备制造、钢铁有色、卷烟
江　西	汽车航空及精密制造产业、特色冶金和金属制品产业、中成药和生物医药产业、电子信息和现代家电产业、食品工业、精细化工及新型建材产业等产业
重　庆	汽车摩托车产业、装备制造业、铝业基地
山　西	煤炭、炼焦、电力、冶金、高新技术产业、装备制造业、食品加工业等
西　藏	特色农牧业及加工业、矿产开发及加工业、藏医药业、民族手工业和建筑建材业
宁　夏	能源化工产业、新材料产业、特色农产品加工业、装备制造业
新　疆	石油天然气、重化工产业、纺织及绿色食品加工产业、矿产资源勘探开发、高新技术产业及相关科研和服务等支柱产业
云　南	电力工业、化学工业、冶金工业、烟草、生物资源加工产业
青　海	盐湖化工、油气化工、煤炭深加工和综合利用、电力工业和有色金属工业、医药工业
贵　州	能源、煤炭、烟酒工业、金属冶炼

资料来源：根据各省、自治区和直辖市“十一五”规划内容提取

据统计，在“十一五”初期，我国几乎全部的光纤制造装备、集成电路制造装备的85%、石油化工制造装备的80%、数控机床的70%、医疗装备的95%都依赖进口，这在很大程度上削弱了“中国制造”在国际上的竞争力。因此，中央在《中共中央关于制定国民经济和社会发展第十一个五年规划的建议》中就提出“要依托重点建设工程，坚持自主创新与技术引进相结合，强化政策支持，提高重大技术装备国产化水平”。从表1可以看出，装备制造业是我国各地“十一五”时期重点发展的产业之一。

从地区而言，根据自身经济条件，结合区位、资源等优势，有重点地发展本地区的优势产业和支柱产业是各地“十一五”规划中产业布局的共同特征。广东凭借其优越的地理区位和产业基础，决定承接世界石化工业转移、打造亚洲石化生产中心，“十一五”期间准备投资1800亿构建具有国际竞争力的石化工业体系；山西、内蒙古等省区利用其得天独厚的煤炭资源优势，大力发展煤化工产业，竞逐全国煤化工行业榜首之位；吉林、河南、山东、湖南等粮食主产区也都将食品加工和农产品加工产业列为重点发展对象，而京、沪、津、粤、苏等发达地区则将发展高新技术产业、高端准备制造业作为优化产业结构的重要措施。

三、中国各地区主导产业的初步识别

基于本文的研究目的以及海量的研究数据，特选择区位商、比较劳动生产率指标、产值规模指标、固定资产规模指标、利税规模指标、平均增长率等六个指标，其中区位商视为体现区域产业在全国范围内产值比重，比较劳动生产率指标为显示全国范围内的技术优势，产值规模指标、固定资产规模指标、利税规模指标则体现产业在区域内的竞争优势，主导产业的平均增长速度应大于GDP的增长速度。

1. 区位商

区域主导产业应是具有区位优势的产业，区位商是指专门化产业在区域产业中所占比重与该产业在全国产业结构中所占比重之比，其计算公式为：

$$SI_{ij}=\frac{G_{ij}/G_i}{G_j/G}$$

其中，SI_{ij}为i地区j产业的区位商，G_{ij}为i地区j产业的增加值，G_i为i地区的各产业增加值总额，G_j为全国j产业的增加值，G为全国各产业的增加值总额。

2. 产值规模指标

$$SY_i(t)=\frac{Y_i(t)}{\Sigma_{i=1}^{n}Y(t)_i}$$

其中，$SY_i(t)$为i产业在t年的总产值比重，$Y_i(t)$为该产业在t年的总产值，n为产业个数。

3. 固定资产规模指标

$$SKQ_i(t) = \frac{KQ_i(t)}{\sum_{i=1}^{n} KQ_i(t)}$$

其中，$SKQ_i(t)$ 为产业 i 在 t 年的固定资产比重，$KQ_i(t)$ 为该产业在 t 年的年末固定资产原值。

4. 利税规模指标

$$SU_i(t) = \frac{U_i(t)}{\sum_{i=1}^{n} U_i(t)}$$

其中，$SU_i(t)$ 为产业 i 在 t 年实现的利润和税收在全部利税总额中的比重，$U_i(t)$ 为该产业在 t 年的利润和税收。

5. 比较劳动生产率

比较劳动生产率是指区域中该产业与各产业平均劳动生产率之比，表明该产业的生产效率。其计算公式为：

$$B_i = \frac{g_i/g}{l_i/l}$$

其中 g_i 和 l_i 分别代表区域内产业 i 的国民收入和劳动力，g 和 l 分别代表区域国民收入总额和劳动总数，B_i 代表区域内 i 产业的比较劳动生产率。

6. 平均增长率

平均增长率是区域中该产业的平均增长速度，主导产业的发展速度要比 GDP 增长率高。其计算公式为：

$$V_{ij} = \left(\frac{G_{ij}(t) - G_{ij}(t_0)}{G_{ij}(T_0)}\right)^{1/(t-t_0)}$$

其中，V_{ij}表示 j 地 i 产业的发展速度，$G_{ij}(t)$ 表示 t 年 j 地 i 产业的生产总值，$G_{ij}(T_0)$ 表示基年 t_0 年的 j 地 i 产业的生产总值。本文选用 2005—2009 年 4 年的平均增长率。

本文采用的数据来自 2009 年各省、自治区、直辖市（其中云南省、河北省、海南省、湖南省、甘肃省、贵州省依据历年数据插值取得），选取工业中所有行业，并以国有及非国有规模以上企业的数据作为该行业的实际情况。

采用四个标准选择主导产业：一是产业的平均增长率大于 GDP 增长率，二是区位商大于 2 的产业，三是区位商和比较劳动生产率均大于或接近 1 的产业，四是利税规模、产值规模和固定资产投资规模均大于 0.1 的产业，其中第一个是前提条件，符合后三个条件之一的即作为我国大陆各省、自治区和直辖市的主导产业，31 个省份的主导产业见表 2。

表 2　2009 年中国各省（区、市）的主导产业的初步识别

地　区	主导产业	地　区	主导产业
江　苏	烟草制品业、纺织业、文教体育用品制造业、化学纤维制造业、通信设备、计算机及其他电子设备制造业、仪器仪表及文化、办公用机械制造业	辽　宁	石油和天然气开采业、化学纤维制造业、水的生产和供应业
浙　江	纺织业、皮革、毛皮、羽毛（绒）及其制品业、造纸业及纸制品业、印刷业和记录媒介的复制、文教体育用品制造业、化学纤维制造业、塑料制品业、废弃资源和废旧材料回收加工业、电力、热力的生产和供应业、水的生产和供应业	内蒙古	煤炭开采和洗选业、黑色金属矿采选业、有色金属矿采选业、非金属矿采选业、食品制造业、有色金属冶炼及压延加工业、燃气生产和供应业
安　徽	农副食品加工业、木材加工及木、竹、藤、棕、草制品业、非金属矿物制品业、黑色金属冶炼及压延加工业、电气机械及器材制造业、电力、热力的生产和供应业	宁　夏	煤炭开采和洗选业、石油加工、炼焦及核燃料加工业、电力、热力的生产和供应业
福　建	纺织业、纺织服装、鞋、帽制造业、皮革、毛皮、羽毛（绒）及其制品业、化学纤维制造业、工艺品及其他制造业	青　海	煤炭开采和洗选业、石油和天然气开采业、有色金属矿采选业、其他采矿业、化学原料及化学制品制造业、电力、热力的生产和供应业

续表

地　区	主导产业	地　区	主导产业
北　京	饮料制造业、石油加工、炼焦及核燃料加工业、医药制品业、专用设备制造业、交通运输设备制造业、工艺品及其他制造业、电力、热力的生产和供应业、水的生产和供应业	山　东	有色金属矿采选业、农副食品加工业、纺织业、家具制造业、造纸及纸制品业、文教体育用品制造业、化学原料及化学制品制造业、橡胶制品业、工艺品及其他制造业
甘　肃	石油和天然气开采业、石油加工、炼焦及核燃料加工业、有色金属冶炼及压延加工业	山　西	煤炭开采和洗选业、电力、热力的生产和供应业
广　东	纺织服装、鞋、帽制造业、皮革、毛皮、羽毛（绒）及其制品业、家具制造业、造纸及纸制品业、印刷业和记录媒介的复制、文教体育用品制造业、塑料制品业、金属制品业、电气机械及器材制造业、通信设备、计算机及其他电子设备制造业、仪器仪表及文化、办公用机械制造业、工艺品及其他制造业	陕　西	煤炭开采和洗选业、石油和天然气开采业、有色金属矿采选业、饮料制造业、石油加工、炼焦及核燃料加工业
广　西	有色金属矿采选业、烟草制品业、木材加工及木、竹、藤、棕、草制品业、印刷业和记录媒介的复制、专用设备制造业、交通运输设备制造业	四　川	其他采矿业、农副食品加工业、饮料制造业、皮革、毛皮、羽毛（绒）及其制品业、印刷业和记录媒介的复制、通用设备制造业、水的生产和供应业
贵　州	煤炭开采和洗选业、饮料制造业、烟草制品业、医药制造业、电力、热力的生产和供应业	天　津	石油和天然气开采业、食品制造业、金属制品业、专用设备制造业、交通运输设备制造业、通信设备、计算机及其他电子设备制造业、废弃资源和废旧材料回收加工业
海　南	黑色金属矿采选业、有色金属矿采选业、造纸及纸制品业、石油加工、炼焦及核燃料加工业、燃气生产和供应业	上　海	烟草制品业、家具制造业、印刷业和记录媒介的复制、文教体育用品制造业、石油加工、炼焦及核燃料加工业、化学原料及化学制品制造业、通用设备制造业、专用设备制造业、交通运输设备制造业、通信设备、计算机及其他电子设备制造业、仪器仪表及文化、办公用机械制造业
河　南	黑色金属矿采选业、有色金属矿采选业、木材加工及木、竹、藤、棕、草制品业、家具制造业、造纸及纸制品业、非金属矿物制品业	西　藏	有色金属矿采选业、医药制造业、非金属矿物制品业
黑龙江	石油和天然气开采业、农副食品加工业、食品制造业、石油加工、炼焦及核燃料加工业、通用设备制造业	新　疆	石油和天然气开采业、黑色金属矿采选业、化学纤维制造业、黑色金属冶炼及压延加工业

续表

地　区	主导产业	地　区	主导产业
湖　北	非金属矿采选业、烟草制品业、交通运输设备制造业、水的生产和供应业	重　庆	非金属矿采选业、交通运输设备制造业、燃气生产和供应业
湖　南	有色金属矿采选业、非金属矿采选业、其他采矿业、烟草制品业、有色金属冶炼及压延加工业、专用设备制造业、废弃资源和废旧材料回收加工业	云　南	烟草制品业、木材加工及木、竹、藤、棕、草制品业、医药制造业
吉　林	石油和天然气开采业、其他采矿业、农副食品加工业、饮料制造业、木材加工及木、竹、藤、棕、草制品业、医药制造业、交通运输设备制造业	河　北	石油和天然气开采业、黑色金属矿采选业、石油加工、炼焦及核燃料加工业、医药制造业、黑色金属冶炼及压延加工业、电力、热力的生产和供应业
江　西	有色金属矿采选业、非金属矿采选业、烟草制品业、医药制造业		

结合表1和表2可以看出，“十一五”工业主导产业的既定目标建立在各个区域传统资源优势和产业优势的主导产业发展良好，比如云南、贵州的烟草制造业，贵州、内蒙古、山西等能源资源丰富省（区、市）的能源产业及相关产业；东部发达省份完成了以通信技术、高端装备制造业等先进产业的提升和壮大；而相应的中西部省份在类似产业的要求和目标则很少达成。

具体到表2而言，我国各地区有超过10个以上的省（区、市）都有条件把煤炭开采和洗选业、石油和天然气开采业、电力、热力的生产和供应业、石油加工、炼焦及核燃料加工业、有色金属采选业、烟草制品业、专用设备制造业、交通运输设备制造业作为本省（区、市）的主导产业。前五个产业均是能源及相关产业，这体现了我国国民经济在发展过程中对能源的大量需求，也反映了大部分省份的国民经济发展仍依靠基础能源开发来推动经济的发展。

高新技术产业成为主导产业的省份较少，只有广东、天津、上海等少数经济技术较发达的省将通信设备、计算机及其他电子设备制造业等作为该省市的主导产业，这是中国作为制造业大国所面临的尴尬，也是我国经济发展的突破口。在后金融危机时代，随着新一轮的产业转移和产业机构升级，高新技术产业必将成为我国经济新一轮增长的主要推动力。

纺织业及纺织服装、鞋、帽制造业等劳动密集型产业依然是东部发达省份（浙江、福建、山东、广东等）的主导产业，预期中的产业转移并未得到体现，也说明产业转移是一个长期的过程，我国产业和经济发展的梯度推移还有很长的路要走。

四、中国工业主导产业布局的地域类型和特点

将上述39个行业作为聚类变量，并定义当j行业是i省（区、市）的主导产业时，则相应的元素取值为1，否则为0，运用聚类分析中的R型聚类中的欧式距离平方模型（Squared Euclidean distance）对31个省（区、市）进行聚类分析，经整理得到图1。

根据图1定量分析结果，结合定性判断，可将除西藏外的30个省（区、市）划分为5类（西藏情况特殊：统计数据不完整，工业几乎为0，实际上不存在工业主导产业）。

第一类包括北京、天津、江苏、福建、浙江、山东、广东、上海等八省市，其主导产业主要是通信设备、计算机及其他电子设备制造业、仪器仪表及文化、办公用机械制造业、工艺品及其他制造业、文教体育用品制造业、塑料制品业。这些省市是我国经济最为发达的，代表着我国目前经济发展的前沿和发展方向。其主导产业主要为工业，也有高新技术产业的代表，在未来的发展中，这些地区的主导产业的结构升级和产业转移关乎到我国的经济走势。

第二类是海南、河南、内蒙古、安徽、吉林、四川等六省区，其主导产业主要包括黑色金属矿采选业、有色金属矿采选业、木材加工及木、竹、藤、棕、草制品业、农副食品加工业等。这些省区具有特色鲜明的资源优势：能源资源、农产品资源、劳动力资源，在建国初期和三线建设中有一定的工业基础，但现在面临升级改造的问题。如何更大程度地发挥这种优势，提升产业结构，是这些地区在以后产业发展中所面临的重点。

第三类是湖北、重庆、江西、云南、广西、湖南

等六省（区、市）。其主导产业主要是烟草制品业、非金属矿采选业、有色金属矿采选业。这些省（区、市）在资源方面的优势不明显，但各个产业都有一定的发展基础，且与东部发达地区的经济联系较为紧密，全面提升工业水平，能为这些地区的发展带来极大的推动作用。

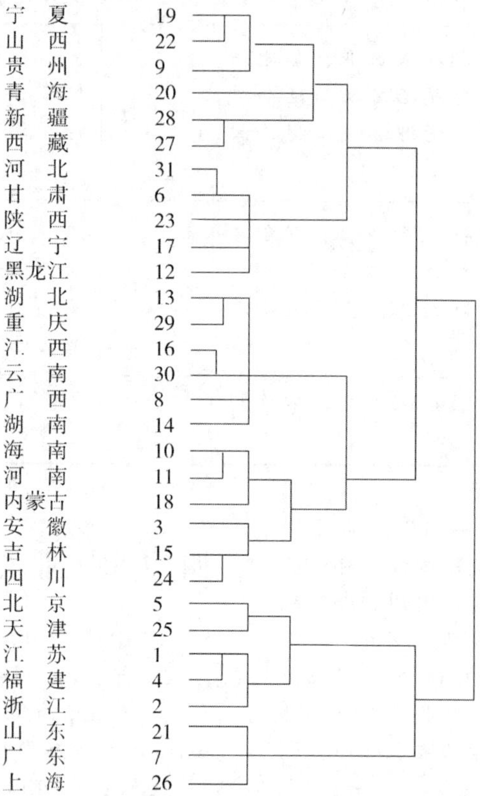

图 1　中国各地区 29 个行业聚类分析图

第四类是河北、甘肃、陕西、辽宁和黑龙江五省。其主导产业是煤炭开采和洗选业、石油和天然气开采业、石油加工、炼焦及核燃料加工业、电力、热力的生产和供应业。这些省份具有较好的能源资源优势，且在经济发展早期有一定的工业基础，尤其是重工业，完善产业结构，及相应的产业结构升级，能为这些省份的经济发展注入新的活力。

第五类是宁夏、山西、贵州、西藏、青海和新疆等西部省区，主导产业多为有色金属冶炼及压延加工业、有色金属矿采选业、煤炭开采和洗选业。主要依赖初级能源资源的开采，传统工业体系薄弱，且生态环境资源脆弱，能源资源的粗放型开采和加工在未来的发展中必将面临困境，因此其主导产业要改进生产技术，转换经营管理理念，化资源优势为经济优势。

五、"十二五"期间各地区主导产业发展策略

1. 产业生命周期及其政策取向

先导产业、主导产业、支柱产业等产业所处的不同状态。先导产业强调潜在的、未来的作用，是对较长时期内经济发展不至于出现方向性偏离而起带头作用的产业而言的；支柱产业强调现状规模，现状已经很大、增长速度不比 GDP 快的产业是支柱产业；而主导产业强调的是对经济增长的作用，增长作用甚微的产业不可能成为主导产业。

不同产业对区域经济的推动作用和产业自身的演变规律均不相同，良好的区域经济发展建立在不同产业间相互协调的基础之上。不同产业的规模、速度、效益及发展演变规律和发展策略如表 3 所示。

表3　各种产业的特点及其政策取向

指　标	先/潜导产业	主导产业	支柱产业	夕阳产业
规　模	小	较大	大	由小到大
速　度	不一定快于 GDP	明显快于 GDP	初期略快于 GDP 后期略大于 GDP	明显慢于 GDP
效　益	不一定好	较好→很好	很好→一般	差
当前地位	低	较高	高	由高到低
未来影响	逐渐增大	越来越大	大而稳，后期开始减小	逐渐减小
政策取向	政府大力扶持；制定优惠政策；给予资金扶持	依靠社会力量建设；政府的作用主要是引导、服务，发展配套产业、相关产业	自我积累、自我发展；政府的作用是适当提供技术援助，及时更新换代延长黄金时间	鼓励转移；适当促退，但要解决好有关的社会问题，诸如失业后的再就业安排、最低生活保障等

2. “十二五”期间各地区工业主导产业发展方略

国家在《中共中央关于制定国民经济和社会发展第十二个五年规划的建议》中针对工业的发展明确指出：“根据科技进步新趋势，发挥我国产业在全球经济中的比较优势，发展结构优化、技术先进、清洁安全、附加值高、吸纳就业能力强的现代产业体系”。具体而言就是要改造提升制造业，培育发展战略性新兴产业，加快发展服务业，加强现代能源产业和综合运输体系建设，全面提高信息化水平和发展海洋经济。

结合国家《十二五规划建议》，根据表1各省（区、市）十一五主导产业发展规划和表2关于各省（区、市）2009年工业主导产业的识别，对十二五各省（区、市）主导产业选择做出大致预判，并对各个省市主导产业的发展提出相应建议，具体内容如表4所示：

表4　中国各省（区、市）“十二五”主导产业选择及建议

地　区	十二五	地　区	十二五
北　京	汽车制造、装备制造、生物医药、石化新材料，主要涉及战略性新兴行业	陕　西	煤化工、能源工业、装备制造业，依托人力资源优势和西部大开发政策优势，壮大和激活原有工业，实现经济快速发展
天　津	汽车制造、装备制造、电子信息产业、石化产业，借助港口、资金、技术、政策优势发展高端制造业和重化工工业	甘　肃	石油化工、能源、金属冶炼，延长产业链条，提高资源利用效率，保护环境
上　海	石化产业、汽车及钢铁产业、高端装备制造业、新能源、新材料等战略性新兴产业，依托自身经济、技术、对外交流优势，成为我国工业的带头兵	河　北	石油化工、装备制造、钢铁工业，承接北京工业转移，实现京津冀“三地”产业联动
浙　江	装备制造业、生活用品、新兴产业，实现产业结构改造升级	广　西	铝业、木材加工业、医药制造业，发展优势产业，壮大龙头企业

续表

地　区	十二五	地　区	十二五
江　苏	电子信息产业、新材料工业、能源产业，实现结构升级和改造	湖　北	光电子信息产业、烟草制造业、汽车产业，打造武汉光谷，承接产业转移
福　建	装备制造业、生活用品加工业，在巩固原有产业基础上，实现产业升级改造	湖　南	装备制造业、烟草制品业、钢铁工业，合理承接产业转移，增强长株潭的工业带动作用
广　东	电子信息、装备制造、轻工业、石化产业等，增加产业附加值和自主创新能力，有计划地减少对外贸易依存度	江　西	医药制造业、金属制品业、轻工业，依托区位优势和能源优势，承接珠三角、长三角产业转移，实现产业结构升级
山　东	石化产业、装备制造业、有色金属加工业、制造业，增大工业总量，提升技术水平、逐步实现产业结构升级	重　庆	汽车产业、装备制造业，发挥西部龙头作用，壮大工业基础，增强经济实力
河　南	农副产业加工业、纺织业、装备制造业，化人口、农产品等资源优势为经济优势，实现人均经济收入的提高	山　西	煤炭工业、电力、冶金，增强煤炭资源利用效率，化资源优势为经济优势，共享经济成果
内蒙古	能源工业、化工业、农产品加工业，提高资源利用效率，实现经济和环境的共同发展进步	西　藏	特色农牧业及加工业、医药制造业，发挥民族特色，改善发展环境
安　徽	轻纺产业、装备制造、农产品加工业，做好产业转移，依托区位优势和自身资源优势，实现经济的进一步发展	宁　夏	能源化工产业、装备制造业，提高资源利用效率，发展循环经济
四　川	重大装备制造业、能源产业、农产品加工业，借助西部大开发和产业转移，改造和提升原有工业基础，增强经济存量	新　疆	石油和天然气开采业、重化工产业、纺织工业，依托资源优势，提高经济发展水平
海　南	天然气、石油等能源产业、制药业和海洋产业，依托国家发展海洋经济的机遇，实现经济的飞跃发展	云　南	烟草制品业、电力工业，加大水电开发，实现绿色发展
吉　林	汽车产业、石油化工、农副产品加工业、医药制造业，改造老工业基地，加大改革开放力度，增强经济活力	青　海	盐湖化工、金属开采、电力工业，提高资源利用效率和环境保护水平，实现经济和社会的绿色增长
辽　宁	装备制造业、石化工业、原材料加工业，依托原有工业基础，加大升级改造力度，进一步增强经济活力和实力	贵　州	能源工业、烟酒工业，借助资源优势，增强经济存量

续表

地　区	十二五	地　区	十二五
黑龙江	石油化工、煤化工等能源工业、森林工业，发挥资源优势，延长产业链条，改造老工业基地，增强经济实力		

根据主导产业关联性强、带动作用大等特点，各省（区、市）要根据自身的实际情况和产业发展趋势，正确的选择主导产业，并科学地培育主导产业。通过以上的分析，“十二五”期间对于主导产业的发展给出以下对策建议：

（1）明确自身定位，合理选择主导产业

首先，区域主导产业选择要目光长远，突出经济和产业发展方向，各省（区、市）如何在新一轮产业转移的背景下准确定位，科学选择符合自身的主导产业，在经济发展中占据先机，如中部具有劳动力资源和交通资源优势的湖北、河南等省份可积极承接东部发达省份劳动密集型产业的转移，进一步发挥自身资源优势；其次，主导产业选择要因地制宜，突出区域分工，以当地的特色产业、优势产业作为选择基础，从中找出该省份富有代表性和竞争优势的产业作为主要对象，详细分析该产业的市场环境、未来成长性、关联能力、战略地位等各方面的综合能力，为主导产业选择做出科学依据，在交通运输成本日渐降低的今天，原料和燃料大量依赖进口的石化工业、金属冶炼业等应靠近具有市场、技术、资金和远洋航运优势的沿海港口，诸如上海、天津等，而实际趋势也正是如此。

（2）提高技术水平，着力延长产业链条

推动信息化和工业化深度融合，加强工业产业信息化建设；提高生产性服务业水平，扩大服务范围；优化结构，改善品种质量，增强产业配套能力，淘汰落后产能；支持企业技术改造，增强新产品开发能力和品牌创建能力。各省还应从经济全局和产业系统整体角度出发，增强主导产业的自组织能力，通过市场的作用优化资源配置、提高资源利用效率，并借助政府政策成功选择和培育接替主导产业，在大力发展主导产业的同时，协调发展关联产业，优先发展基础产业，鼓励扶持先导产业，逐渐退出衰退产业，延长产业链条，实现新旧主导产业的交替，中西地区主导产业多为原材料粗加工和能源矿产的开采加工，产品附加值低，且对当地的资源、环境破坏极大，合理发展下游产业，延长产业链，增强区域竞争力，提高经济发展水平。

（3）加大科技投入，培育新兴战略产业

主导产业的技术水平是影响产业机构的重要因素。要积极鼓励产业内部的企业积极引进、采用先进的高新技术，实现产业结构技术水平的跳跃式升级；通过政策支持主导产业内企业技术研发能力，提高核心竞争力。战略性新兴产业是各个区域，乃至世界各国走出金融危机困境的首选道路，也是经济未来发展的重点，更是创新的源泉，有经济实力和智力基础的东部沿海省份可通过科学判断未来市场需求变化和技术发展趋势，加强政策支持和规划引导，强化核心关键技术研发，突破重点领域，积极有序发展新一代信息技术、节能环保、新能源、生物、高端装备制造、新材料、新能源汽车等产业，加快形成先导性、支柱性产业，切实提高产业核心竞争力和经济效益。

（4）拓展经济领域，寻找新的经济增长点

随着我国陆地资源开采力度的加大和消耗的加剧，拓展新的经济领域是国家未来经济的重要方向。沿海省份是我国经济最为发达的省份，积极发展海洋经济，合理开发利用海洋资源，即是对我国海洋权益的维护，也是经济新的发展方向；内陆边疆省份应加大对外开放力度，借助边境贸易，发展相关产业，增强对外交流和联系。

（撰稿：王乐乐　吴殿廷　姜　晔）

2008—2009 年全国经济社会发展主要指标

序　号	指　标	单　位	2008 年	2009 年	增长率（%）
1	**一、人口和就业**				
2	年底人口数	万人	132802	133474	0.5
3	人口自然增长率	‰	5.08	5.05	
4	就业人员数	万人	77480	77995	0.7
5	**按产业分：**				

续表

序号	指标	单位	2008 年	2009 年	增长率（%）
6	第一产业	万人	30654	29708	-3.1
7	第二产业	万人	21109	21684	2.7
8	第三产业	万人	25717	26603	3.4
9	**城镇就业人员（按登记注册类型分）**				
10	国有单位	万人	6447	6420	-0.4
11	集体单位	万人	662	618	-6.6
12	股份合作单位	万人	164	160	-2.4
13	联营单位	万人	43	37	-13.7
14	有限责任公司	万人	2194	2433	10.9
15	股份有限公司	万人	840	956	13.8
16	私营企业	万人	5124	5544	8.2
17	港澳台商投资单位	万人	679	721	6.2
18	外商投资单位	万人	943	978	3.7
19	个体	万人	3609	4245	17.6
20	城镇登记失业人数	万人	886	921	4.0
21	**二、国民经济核算**				
22	国内生产总值	亿元	314045.4	340506.9	9.1
23	**按产业分：**				
24	第一产业	亿元	33702.0	35226.0	4.2
25	第二产业	亿元	149003.4	157638.8	9.9
26	工业	亿元	130260.2	135239.9	8.7
27	建筑业	亿元	18743.2	22398.8	18.6
28	第三产业	亿元	131340.0	147642.1	9.3
29	#交通运输、仓储和邮政业	亿元	16362.5	17057.7	3.7
30	批发和零售贸易业	亿元	26182.3	28984.5	12.1
31	**三、固定资产投资**				
32	投资总额	亿元	172828.4	224598.8	30.0
33	**按投资种类分：**				
34	城镇	亿元	148738.3	193920.4	30.4
35	#房地产开发	亿元	31203.2	36241.8	16.1
36	农村	亿元	24090.1	30678.4	27.3
37	#农户	亿元	5951.8	7434.5	24.9
38	非农户	亿元	18138.3	23243.9	28.1
39	**按建设规模分：**				
40	建设总规模	亿元	498441.0	647024.1	29.8
41	在建总规模	亿元	388122.0	500444.4	28.9
42	在建净规模	亿元	184516.6	246082.2	33.4
43	**按资金来源分：**				
44	国家预算内资金	亿元	7954.8	12685.7	59.5
45	国内贷款	亿元	26443.7	39302.8	48.6
46	利用外资	亿元	5311.9	4623.7	-13.0
47	自筹资金	亿元	118510.4	153514.8	29.5
48	其他投资	亿元	24694.4	40102.6	62.4

续表

序号	指标	单位	2008年	2009年	增长率（%）
49	**四、房地产开发**				
50	本年完成土地开发面积	万平方米	28710	23037	-19.8
51	本年土地购置费用	亿元	5995.6	6023.7	0.5
52	本年土地购置面积	万平方米	39353	31910	-18.9
53	本年完成投资额	万元	312031942	362418080	16.1
54	#住宅	万元	224408742	256136938	14.1
55	#经济适用房屋	万元	9709063	11340755	16.8
56	房屋施工面积	万平方米	283266	320368	13.1
57	房屋竣工面积	万平方米	66545	72677	9.2
58	本年新开工房屋面积	万平方米	102553	116422	13.5
59	#住宅	万平方米	83642	93298	11.5
60	#经济适用房屋	万平方米	5622	5355	-4.8
61	商品房屋销售面积	万平方米	65970	94755	43.6
62	#住宅	万平方米	59280	86185	45.4
63	#经济适用房屋	万平方米	3627	3059	-15.7
64	商品房屋销售额	万元	250681830	443551695	76.9
65	#住宅	万元	211960034	384328951	81.3
66	商品房屋平均销售价格	元/平方米	3800	4681	23.2
67	#住宅	元/平方米	3576	4459	24.7
68	#经济适用房屋	元/平方米	1929	2134	10.6
69	**五、规模以上工业企业**				
70	企业单位数	个	426113	434364	1.9
71	工业总产值	亿元	507448.3	548311.4	8.1
72	资产总计	亿元	431305.6	493692.9	14.5
73	利润总额	亿元	30562.4	34542.2	13.0
74	总资产贡献率	%	14.0	13.4	
75	资产负债率	%	57.7	57.9	
76	**六、交通运输业**				
77	运输线路长度				
78	铁路营业里程	公里	79687	85518	7.3
79	内河航道里程	公里	122763	123683	0.7
80	公路里程	公里	3730164	3860823	3.5
81	#高速公路	公里	60302	65055	7.9
82	货运量	万吨	2585937	2825222	9.3
83	#铁路	万吨	330354	333348	0.9
84	公路	万吨	1916759	2127834	11.0
85	水运	万吨	294510	318996	8.3
86	客运量	万人	2867892	2976898	3.8
87	#铁路	万人	146193	152451	4.3
88	公路	万人	2682114	2779081	3.6
89	水运	万人	20334	22314	9.7
90	**七、国内商业**				
91	社会消费品零售总额	亿元	114830.0	132678.4	15.5

续表

序号	指标	单位	2008年	2009年	增长率（%）
92	八、对外贸易和旅游				
93	货物进出口总额（按经营单位所在地分）	万美元	256325523	220753500	-13.9
94	出口	万美元	143069307	120161181	-16.0
95	进口	万美元	113256216	100592320	-11.2
96	外商投资企业货物进出口总额	万美元	140992119	121747836	-13.6
97	出口	万美元	79049270	67207409	-15.0
98	进口	万美元	61942848	54540427	-12.0
99	外商投资企业基本情况				
100	年底登记数	户	434937	434248	-0.2
101	投资总额	亿美元	23241.3	24999.7	7.6
102	注册资本	亿美元	13005.5	14034.8	7.9
103	#外方	亿美元	10388.5	11369.5	9.4
104	对外承包工程				
105	完成营业额	万美元	5661168	7770611	37.3
106	对外劳务合作				
107	完成营业额	万美元	805691	891114	10.6
108	接待国际旅游人数	万人次	13003	12648	-2.7
109	#外国人	万人次	2433	2194	-9.8
110	国际旅游外汇收入	百万美元	408.43	396.75	-2.9
111	九、财政				
112	地方财政一般预算收入	亿元	28650	32603	13.8
113	#国内增值税	亿元	4499	4565	1.5
114	营业税	亿元	7394	8847	19.6
115	个人所得税	亿元	1488	1583	6.3
116	地方财政一般预算支出	亿元	49248	61044	24.0
117	十、物价指数				
118	商品零售价格指数	上年=100	105.9	98.8	
119	居民消费价格指数	上年=100	105.9	99.3	
120	#城市	上年=100	105.6	99.1	
121	农村	上年=100	106.5	99.7	
122	十一、人民生活				
123	收入				
124	农村居民家庭人均纯收入	元	4761	5153	8.5
125	城镇居民家庭人均可支配收入	元	15781	17175	9.8
126	居民消费水平	元	8349	9098	9.2
127	农村居民	元	3795	4021	7.1
128	城镇居民	元	13845	15025	8.5
129	住房				
130	农村居民人均住房面积	平方米	32.4	33.6	3.6
131	十二、教育				
132	高等学校数	所	2263	2305	1.9
133	高等学校招生数	人	6076612	6394932	5.2
134	高等学校在校学生数	人	20210249	21446570	6.1

续表

序号	指标	单位	2008年	2009年	增长率（%）
135	高等学校毕业生数	人	5119498	5311023	3.7
136	十三、卫生				
137	卫生机构数	个	891480	916571	2.8
138	#医院、卫生院	个	59572	59918	0.6
139	医疗机构床位数	张	4036483	4416612	9.4
140	#医院、卫生院	张	3748245	4080662	8.9
141	卫生技术人员数	人	5174478	5535124	7.0
142	#执业（助理）医师	人	2201904	2329206	5.8

注：1. 国内生产总值及其三次产业、城镇居民人均可支配收入和居民消费水平的增长速度按可比价格计算。
2. 卫生机构数2009年起含村卫生室，与历史数据不可比。

北京市

工业经济

2009年，北京市规模以上工业生产呈现一季度探底、二季度复苏、三季度回升、四季度上扬的运行态势。全年工业完成增加值2303.1亿元，同比增长8.8%，工业增加值占全市GDP的比重为19%。

全年共组织62家“高污染、高耗能、高耗水”企业退出，每年节约能源5.4万吨标准煤，节约新鲜水321万立方米。工业万元增加值水耗为22.6吨，工业万元增加值能耗降至0.87吨标准煤，同比下降12.8%。中小企业约25万户，占全市企业的99%以上，主营业务收入占全市企业总量的56%以上，从业人员占全市企业就业人口的70%以上，应税总额占全市企业总量的60%以上。全年重点项目建设共获得中央财政支持13.5亿元，北京市经济和信息化委员会重点推进产业项目共201项，总投资1941亿元，项目建成后预计新增销售收入5407亿元。开发区累计招商项目2780个，项目总投资747亿元，同比增长72.6%。

推进产业调整振兴。出台电子信息、汽车、装备制造、生物医药、新能源和都市型产业等产业调整振兴实施方案，推进产业加速发展。重点推进以京东方八代线为核心的数字电视产业园建设，发展LED产业；启动并推进福田中重卡技改以及现代三工厂建设等一批重大项目，推动新能源汽车的研发和产业基地建设；支持三一重工北京制造中心、金风风电设备产业园等项目建设，推动数控机床、工程机械等产业基地的建设；完善生物医药产业基地建设，承担肿瘤、疫苗、医疗器械等国家重大科研项目，推动苏灵等国家一类新药上市；启动建设石化新材料科技产业基地，双酚A、聚碳酸酯等一批项目相继落户；支持都市型企业开拓市场，开展2009年北京“时装之都”活动，创新发展工艺美术事业；以中航发动机项目为依托，启动建设航空航天产业园，努力把握通用航空产业的发展前沿。

优化产业布局。指导工业开发区建设，明确功能定位。首钢工业区启动区规划改造工作全面展开；延庆新能源和平谷绿能产业基地先后落成，雁栖、天竺空港等开发区成为第二批市级生态试点园；电子信息、石化新材料和汽车产业基地成为国家新型工业化产业示范基地。

推进自主创新。以中关村国家自主创新示范区建设为契机，推进01至04国家科技重大专项工作，02专项的装备制造和工艺项目取得重要突破，修订企业技术中心认定办法，认定54家企业技术中心，支持资金5400万元。

推进节能减排。实施耗能企业退出、资源再利用项目、生态工业园试点建设等措施；出台“高污染、高耗能、高耗水”小水泥企业有序退出的实施意见；做好污染扰民企业搬迁工作；组织重点行业开展能效对标工作；完善重点用能企业在线监测平台建设；召开绿色节电、节水技术推广会，提前两年实现“十一五”确定的单位能耗、水耗分别下降30%的目标。

技术改造

2009年，全市工业固定资产投资累计完成406.2亿元，同比增长6.7%。工业投资占全市固定资产投资比重8.36%，同比降低1.53个百分点。其中：城镇工业投资完成337.2亿元，同比增长3.6%，占全部工业投资比重83%；农村工业投资完成69亿元，同比增长24.5%，占全部工业投资比重17%。扣除煤气、水、电生产供应业投资，北京六大产业完成固定资产投资240.6亿元，同比增长1.79%。

1. 重点项目推进情况。根据市委市政府的总体部署，为帮扶企业应对金融危机，市经济信息化委成立重点项目推进领导小组，建立每两周一次的重点项目协调工作例会制度，制定北京工业重点项目计划，共计201项，总投资1941.2亿元，当年完成固定资产投资240.6亿元。其中储备项目50项（包括在谈项目31项，意向项目5项，已签约项目14项），年内新开工项目69项，在建项目82项。201个项目中有51项计划当年竣工，涉及总投资136.96亿元，新增销售收入403.8亿元。投资较大的项目主要集中在电子信息、汽车和交通设备制造业、装备产业、航空航天以及石油化工产业，这些重大项目的实施，对北京工业投资和增加值的增长起到重要的支撑作用。对列入计划中的项目重点跟踪，积极推进，有效地加快项目建设进程。4月28日，举行开工和竣工项目新闻发布会，共计36个项目，涉及总投资158.2亿元。8月18日，举行北京工业重大项目签约、开工和竣工项目新闻发布会，共计64个项目，涉及总投资430亿元。

2. 研发基地建设项目。北京汽车研究总院有限公司北京汽车产业研发基地建设项目，总投资16.9亿元。建筑面积15.8万平方米，主要建设产品工程中心、研究中心、造型中心、试验试制中心以及综合配套设施，新增整车研发试验手段和关键零部件及电器试验设备。

3. Rc轿车技术改造项目。北京现代汽车有限公司新雅绅特轿车（Rc轿车）技术改造项目，总投资6.8亿元（9880万美元）。主要对现有厂区内冲压车间、焊装车间、涂装车间、总装车间进行技术改造，形成年产13万辆新雅绅特轿车的生产能力，并替代原雅绅特轿车，项目达产后可实现销售收入70.6亿元。

4. 汽车升级换代技术改造项目。北汽福田汽车股份有限公司重型载货汽车升级换代技术改造项目，总投资6.7亿元。新增车架冲压和车架纵梁铆接生产线，购置关键生产设备等，进行重型载货汽车升级换代和产品结构调整，项目完成后将形成高端重型载货汽车2.8万辆及中低端中重型载货汽车3.2万辆的生产能力。达产后新增销售收入17.5亿元。

5. 新增V212产品技术改造项目。北京奔驰汽车有限公司新增V212产品技术改造项目，总投资8亿元。主要对现有克莱斯勒产品生产线的车身焊装、涂装、总装和厂区内的发动机、车桥总成装配等生产车间以及部分仓储、动力设施等进行技术改造，项目完成后达到年产4.5万辆V212的生产能力。达产后预计实现销售收入178亿元。

6. 8代TFT－LCD生产线。8月31日，京东方8代TFT－LCD生产线项目奠基。截至年底，京东方集团用100天的时间完成了2.18万个桩基工程施工，同期先后完成了项目施工手续办理、工程施工方案设计、管理公司和工程施工招标、工程质量和安全保障体系建立及部分设备招标等工作，正在进行总建筑面积达68万平米的主体厂房施工，现场施工人员总数8500人。曝光机、溅射机、显影机、PECVD等55台关键进口设备正在招标过程中，部分关键设备已开标。彩膜涂覆机、水处理、电梯等辅助设备正在商务谈判中。11月京东方发布公告，拟从资本市场募集资金净额不超过100亿元，用于北京8代线的建设。项目其余所需的资金正与相关投资机构及银行接洽中。

7. 移动硅谷产业园。亦庄移动硅谷位于开发区路东区，总规划面积约100公顷，在亦庄开发区建成一个以大型营运商为龙头，以京芯半导体为核心，依托3G－4G核心芯片技术，集聚移动通讯产业链（制造商两端）优秀企业的高端移动通信产业园区。8月7日，移动硅谷产业园的核心企业—京芯世纪（北京）半导体科技有限公司，与飞思卡尔半导体公司、摩托罗拉公司移动通信核心技术转让签约仪式举行，标志着移动硅谷产业园建设正式启动。12月2日，20家企业与北京经济技术开发区集中签署了入区协议、意向协议，入驻移动硅谷产业园。移动硅谷将建设包括研发基地、企业办公、交易平台等在内的配套设施。重点引进核心芯片的研发设计企业、软件及操作系统终端解决方案的企业，发展核心芯片技术和操作系统与软件；吸引电信运营商、多媒体应用内容服务商，建立与运营商的广泛合作的应用内容及增值服务综合平台；集聚移动终端的渠道销售商、品牌商，培育终端品牌，建设大规模的渠道交易平台和分销网络。

8. 太阳能电池项目。中锦阳150兆瓦非晶硅薄膜太阳能电池项目，该项目由福建均实能源公司为主体，在平谷马坊工业区投资9.5亿元，建设年产150兆瓦非晶硅薄膜太阳电池及其组件产业化基地。该项目4月14日举行奠基仪式，一期投资3.5亿元建设50兆瓦生产线，于10月份建成投产

9. 金风风电产业园一期项目。由新疆金风全资子公司北京金风科创公司投资6.4亿元，在亦庄开发区建设金风风电设备产业园，包括国家工程研发中心及全国风电服务信息中心、服务中心以及管理中心等，形成500台1.5兆瓦、2.5兆瓦、3兆瓦风机整机制造能力；逐步将公司行政管理中心、财务中心、销售中心、物流中心转移到北京。

10. 煤气化装备产业基地。航天万源煤气化装备产业基地总投资4.22亿元、占地78亩，在亦庄开发区建设煤气化技术及相关产品的研发和设备生产基地，项目建成投产后可实现年产20套以上中型醇/氨装置的设备生产能力，新增销售收入8亿元。12月

10 日，产业基地举行奠基仪式。

11. 基础施工设备生产线技术改造。三一重机地基基础施工设备生产线技术改造，该项目总投资 5.9 亿元，其中固定资产投资 3.6 亿元，通过对现有地基基础工程施工设备生产线进行技术改造，进一步提高生产自动化程度，有效提高产品的生产能力和产品质量，并实现节能降耗。已完成生产厂房改造，正在进行机器设备安装调试和产业园电力增容改造。

12. 技术改造项目。北京第一机床厂（三机床分厂）污染扰民企业搬迁项目，总投资 2.38 亿元，其中固定资产投资 1.62 亿元。本项目通过建设联合厂房、研发中心楼，购置工艺生产设备，搬迁拆装利旧设备，形成年产重型普通机床 60 台、普及型数控机床 350 台、高档数控机床 50 台的生产能力。项目已取得立项核准、土地使用证、规划意见书，一期工程建筑基槽、地梁及柱基础等施工已基本完成。

13. 重型机床制造部扩建项。总投资 9548 万元，其中固定资产投资 8440 万元。一机床通过扩建超重型机床制造车间，试制自用的重型数控立车等工艺设备，建设露天成品库，扩大生产超重型数控机床的装配和加工能力。该项目基本完成建设。

14. 1.5 兆瓦级风电叶片项目。中材科技风电叶片股份有限公司，在八达岭经济技术开发区，建设兆瓦级风电叶片项目。总投资 4 亿元，通过新建厂房，新增生产设备、工装、检验设备 300 多台套，形成年产 500 套大型复合材料风机叶片的产业化能力，产品品种增加 2～3 个；并建立复合材料风机叶片设计、模具设计制造、产品制造、检测评价等平台，达产规模 8 亿元。项目主厂房已建设完成，主要设备安装调试完成，正进行部分叶片模具试生产。

15. 新生产基地建设项目。天坛生物亦庄新生产基地建设项目总投资 25.7 亿元。建设满足新版 GMP 认证的疫苗类制品生产基地，厂区总建筑面积 19.6 万平方米。项目生产包括百白破及麻腮风系列产品在内的 7 个疫苗产品和特种生物制品，从根本上解决企业产能不足的问题，满足国内计划免疫市场的需求。项目达产后可实现年销售收入 20 亿元。

16. 疫苗研发生产基地项目。民海生物科技有限公司疫苗研发生产基地项目总投资 2.99 亿元。建设符合 GMP 标准的疫苗生产基地，开展麻风二联疫苗、无细胞百白破等九个新药的研发和产业化工作。达产后产能达到年产 9100 万支各类疫苗规模，年平均营业收入 6.6 亿元，吸纳 600 人就业，成为国内一流、国际先进的基因工程药物、疫苗和诊断试剂研发生产基地。年内项目基本完成厂房建设，正在进行试生产并申请 GMP 认证。

17. 二期产业基地项目。舒泰神（北京）药业有限公司二期产业基地项目总投资 4 亿元。基地占地 3 万平方米，规划建筑面积 6 万平方米，包括符合 cGMP 生产基地以及研发中心。基地建成以后，将使企业产品同时符合中国 GMP 及美国 cGMP 标准，提高年生产能力，形成覆盖生物药、化学药及天然药全系列的研发和生产能力。生产基地建成后将新增 200 个新的就业岗位，年产值可达 8 亿元。

18. 冰爽纯生技术改造项目。燕京啤酒股份有限公司冰爽纯生技术改造项目，该项目在发酵车间增设 36 套 250m^3 发酵罐、12 套 250m^3 发酵罐、4 套 50t/h PVPP 过滤机、1 套 5t/h 冰啤机、1 套 CIP 清晰、1 套 5t/h 精滤机以及管路管件等附属设施；在包装车间增设 1 套 36000b/h 纯生瓶装灌装线、1 套 36000tin/h 纯生易拉罐灌装线、部分包装车间系统改造以及其他附属设施。项目建成后达到年产 5 万吨冰爽纯生啤酒的生产规模。总投资为 19000 万元。年销售收入及节约收益为 40950 万元，年新增销售税金为 15581 万元，年新增利润为 9485 万元，投资回收期 4.71 年，可解决劳动力就业 70 人。

19. 搬迁改造项目。东方石化公司搬迁改造工程总体设计自 2006 年 3 月启动，包括将醋酸乙烯（VAC）、醋酸乙烯－乙烯共聚乳液（VAE）、聚乙烯醇（PVA）和醋酸乙烯－乙烯共聚树脂（EVA）等装置搬迁到燕山石化（部分装置进行改造），截至年底完成所有生产装置中交，并投产试运行。该项目总投资 16.4 亿元，占地 22 万平方米。项目建成后 VAC 与 VAE 年产能分别达到 18 万吨、10 万吨。此外，经装置改造后可年产 PVA 年 2.7 万吨，EVA 4 万吨。

20. 反渗透膜及膜元件生产项目。蓝星东丽膜科技（北京）有限公司反渗透膜及膜元件生产项目是由中国蓝星（集团）股份有限公司、日本东丽株式会社和东丽（中国）投资有限公司合资建设的项目，公司注册名为蓝星东丽膜科技（北京）有限公司。项目通过引进反渗透膜生产和卷膜技术，建设反渗透膜及膜元件生产装置，生产海水淡化、抗污染、纳滤等三大系列 7 个品种的高品质反渗透膜及膜元件，年产反渗透膜 620 万平方米、反渗透膜元件 13 万支。完成基础设计工作开始土建施工，项目总投资 5.8 亿元。

技术创新

2009 年，北京市新认定第 12 批企业技术中心 54 家。截至年底，北京市共有认定企业技术中心 271 家，其中国家级 43 家（国家认定企业技术中心分中心 7 家），市级 228 家。2009 年，北京企业技术中心仍然呈现覆盖行业范围广、重大行业比重大的分布格局。其中：机电行业 70 家，占总数的 26%；电子信息行业 64 家，占总数的 24%；轻工行业 28 家，占总数的 10%；生物医药行业 17 家，占总数的 6%。

截至年底，具有代表性的 253 家企业技术中心，完成销售收入46572亿元，产品销售利润3083亿元。全市企业技术中心科技活动经费筹集总额729亿元。科技活动经费支出总额705亿元，其中研发经费支出43亿元。新产品销售收入达10398亿元；专利申请数12087件；科技活动人员数289843人，其中研究与试验发展人数160775人，拥有博士学位的4125人。享受研究开发费用加计扣除的减免税额6.5亿元。

产业基地

年内，北京汽车生产基地共完成工业产值483.2亿元，同比增长75.4%，占顺义区工业总产值（1508亿元）的31%，是2003年全年（107亿元）的4倍多；完成收入503亿元，同比增长78.2%；上缴税金51.6亿元，同比增长99.5%；实现顺义区全区地方财政收入7亿元，同比增长54%。2月19日，北京汽车产业研发基地项目在北京汽车生产基地奠基。国家工业和信息化部副部长苗圩出席奠基仪式。北京市委常委、常务副市长吉林出席仪式并讲话。副市长苟仲文主持仪式。11月20日，市经济信息化委联合市发展改革委发布《北京市调整和振兴汽车产业实施方案》。北京汽车产业2009年至2011年的发展思路是，以科学发展观为统领，以落实国家汽车产业调整和振兴规划为契机，统一思想，抓住机遇，举全市之力，推动新能源汽车研发和产业化；支持骨干企业调整结构、加快发展；促进产业做强做大；力争通过三年的努力，为建成国内一流的汽车研发制造城市奠定基础。

电子信息产业推进两大重点产业园区建设。以京东方8代TFT－LCD生产线为核心的北京数字电视产业园和以京芯半导体为核心的移动硅谷是本市当前重点建设的两大产业园区。年内，组织京东方8代线及北京数字电视产业园奠基仪式。发起成立以常务副市长吉林为组长的项目推进协调小组，履行协调小组办公室主任的职责，全面协调京东方8代线的环保审批、资金筹措、园区规划、工程建设及配套保障等任务，指导京东方、亦庄开发区及项目施工建设单位建立工程指挥体系，做好项目进度、施工质量和安全保障工作。推动德信无线、亦庄国际联合出资收购飞思卡尔及摩托罗拉公司在第三代移动通信核心芯片及底层软件方面的知识产权工作，研究建设以京芯世纪半导体为核心的移动硅谷产业园。组织举办京芯半导体与飞思卡尔、摩托罗拉技术转让签字仪式及首批计划入驻移动硅谷企业集体签约仪式，有20多家企业与亦庄开发区签订入区协议，意向投资金额约40亿元。组织实施三个国家科技重大专项。组织实施16个国家科技重大专项中的01、02、03专项，履行02专项实施管理办公室主任的职责。

促成四个重大外商投资项目落地。年内，促成冠捷液晶电视生产基地、UT斯达康IPTV、恩智浦汽车电子、英飞凌智能卡及移动通信四个重大项目落户北京。其中冠捷年产800万台液晶电视生产基地项目将结束北京市没有液晶电视整机生产企业的历史，项目总投资达2.4亿美元，建成后年产值可达120亿元。UT斯达康项目是在黄石资本及亦庄国际的共同出资下，投资5000万美元对该公司进行重组，重组后UT斯达康主营业务将由原来的电信业务转变为IPTV业务开发及生产并将总部由美国迁至北京，各方已就重组问题达成协议。恩智浦汽车电子项目将依托恩智浦在汽车电子方面的雄厚实力，在京设立分别从事和汽车模拟混合信号产品开发的公司。英飞凌智能卡及移动通信项目计划投资9000万美元，在京设立新能源汽车、大功率工业电子器件、移动通信、智能卡等先进技术研发中心及销售中心。

开展一批重大招商引资项目的谈判。围绕建设“绿色北京、科技北京、人文北京”的工作要求，与康宁玻璃、亿光LED、中国移动国际信息港、天安数码、粤海物流、相变存储器、香港晶门科技、美国亚索尔光刻机、宽带资本云计算基地、维信诺OLED等一些技术水平高、产业辐射性强的项目开展接洽。围绕北京数字电视产业园上下游配套的项目共24个，总投资达370亿元。

加快特色装备产业基地建设。6月10日，延庆北京新能源产业基地举行揭牌仪式。产业基地位于延庆县八达岭经济开发区，占地面积约为2.5平方公里，重点定位于发展风能、太阳能等新能源产业，将产业发展与示范应用相结合，通过制定《新能源产业基地发展规划》及《推进实施方案》和首期100亩地的孵化器设计方案，2011年基地将实现销售收入30亿元以上，2015年实现销售收入80亿元以上。12月22日，延庆县政府分别与京仪集团、英利集团、京能集团、中科院热物理所、中国国电龙源集团、国电华北公司签订项目投资合作协议，入驻延庆新能源产业基地的6个新能源项目，总投资达40多亿元。8月5日，举行“北京市绿色能源产业基地”揭牌仪式，产业基地位于平谷区马坊工业园区，一期规划面积133公顷，未来发展备用地200公顷。定位以太阳能光伏和LED产业为主导产业，发展绿色能源和环保产业，在5年内，吸引30家从事绿色能源产业研发、制造龙头企业进驻，力争2015年产值达到200亿元。截至年底，基地土地开发、基础设施和项目引进工作已全面展开，太阳能光伏产业链雏形初显。投资9.5亿元的中锦阳150兆瓦薄膜太阳能电池生产基地项目、投资1.5亿元的清大天达薄膜太阳能装备制造项目已正式入驻。10月份，北京工程机械产业基地在昌平区南口镇挂牌设立，产业基地将以三一北京制造中心项目建设为契机，按照《北京工程机械产业基地建设方案》部署，通过构建工程机械关键零部件高端配套产业链，加快建设桩工机械、履带吊、盾构机、石油钻机等工程机械研发中心、整机及关键零部件制造基地，带动设计、物流、租赁等生产性服务业发展，规划到“十二五”末期，北京工程机械产业基地将形成拥有450亿元产业规模和最具国际水平的工程机械产业集群。

生物与医药产业基地集群发展。重点促进中关村科技园区大兴生物医药产业基地发展，协助基地做好三期的规划工作，打造一个覆盖医药、保健品及生命科学的大生物概念，集研发服务、成果转化、现代制造、物流服务的完整产业园，提升园区整体形象，加速产业集群。是年，大兴生物医药基地实现总收入440786万元，同比增长35.7%；工业总产值348805万元，同比增长10.1%；工业利润29433万元，同比增长23.4%；应缴税金及附加总额25911万元，同比增长13.1%。年内与中国保健品协会及中国医疗器械协会合作，在园区规划反复论证的基础上，联合市发展改革委、市科委为基地内“北京国际保健产业园”授牌，同时协助引入临床试验、蛋白质药物开发等平台项目，以及与北京普罗吉生物公司的合作项目。支持大兴生物医药基地组织区域内的优秀企业参加全国医疗器械展、美国生物大会以及德国Medica等境内外有影响力的展会，并举办宣传和招商活动，进一步扩大园区影响力。同时做好入区企业的扶持与服务工作，其中民海生物国内首创的无细胞百白破b型流感嗜血杆菌联合疫苗获得成功，该项目是“863”疫苗与抗体重大专项中第一个获得新药证书并产业化的产品，北京以岭药业有限公司生产的莲花清瘟胶囊被列为《甲型H1N1型流感诊疗方案（2009第三版）》热毒袭肺证治疗首位中成药。

石化新材料产业基地建设取得重大进展。3月2日，北京市委、市政府决定成立以市政协主席阳安江为组长，副市长苟仲文、市政协副主席熊大新为副组长的推进燕房合作协调小组。7月16日，市政府与中石化集团签署《战略合作框架协议书》，中央政治局委员、市委书记刘淇，市委副书记、市长郭金龙出席签约仪式。9月13日，市政府办公厅印发《北京市人民政府关于加快北京石化新材料科技产业基地建设的若干意见》。10月20日，市经济信息化委、市发展改革委、市科委联合发函，正式批准同意成立北京石化新材料科技产业基地。11月5日，市政协主席阳安江、市政府副市长苟仲文为北京石化新材料科技产业基地揭牌。年内，石化新材料产业基地共完成产业投资总额23亿元，实现工业总产值650亿元，税金100亿元。

工业资源再利用

年内，对现有工业用地、厂房进行效能管理。对已入住开发区或在其他适宜长期工业生产的用地上建成投产项目，由于各种原因停产或长期效益低下，实施调整，腾出空间资源配置给新项目；利用城区或规划调整区域内搬迁企业工业生产转移后的厂区资源，打造创意产业集聚区；推进制造业向两端延伸，大力发展设计、研发、品牌经营、工业旅游等生产性服务业。

市经济信息化委会同市规划委和市文物局共同制定并发布《北京市工业遗产保护与再利用工作导则》（京工促发〔2009〕32号）。根据《北京市关于推进工业旅游发展的指导意见》和《北京市工业旅游区（点）服务质量要求标准（征求意见稿）》，指导企业完善各项设施建设方案，使企业达到工业旅游标准。截至年末，已有60余家企业开展工业旅游活动，14家企业获得“全国工业旅游示范点”称号，累计参观游客达数百万人次。

组织申报并初审文化创意产业专项资金支持项目。年内，由市经济信息化委负责工业领域内市属企业文化创意产业项目的征集申报工作经过形式审查，共申报项目16个，其中，北京茶叶总公司、北京铜牛集团有限公司、北京开元合通文化创意有限公司、北京龙顺成中式家具厂、北京六必居食品有限公司等5家企业通过终审，共获得专项资金支持825万元。

组织专家对全市申请文化创意产业专项资金的工业资源类、IC设计类、工艺美术类、服装设计类和工业旅游类项目进行评审，列入初审项目的共计52个，按专业由11位专家组成专家委员会进行评审。按照本次初审工作标准，符合标准的贷款贴息和奖励类项目原则上保留，此类项目共计6个；补贴类项目，按照筛选50%的原则，共选出23个。合计初审合格项目29个，未通过项目23个。10月29日，由市经济信息化委和香港贸易发展局主办的第13届京港洽谈会“京港文化创意产业交流合作洽谈会”在金融街威斯汀酒店召开。此次洽谈会京港双方政府机构、设计师代表、企业代表和媒体等130余人参加会议。以“文化创意产业与经济振兴”为主题，从工业设计和利用工业资源打造创意产业聚集区两个方面，组织两地著名企业和专家进行交流研讨。11月25至29日第四届中国北京国际文化创意产业博览会工业分展场——“北京工业成就摄影展、印刷高仿书画艺术品展和北京工业旅游活动”与大会同期在正通时代创意中心举办。工业分会场活动内容分三个部分。第一部分为北京工业成就摄影展，摄影比赛共征集作品近800幅，经业内人士和专家评审后，筛选出80幅在展会现场展出。第二部分为高仿书画艺术品展，展品展示了北京印刷业文化创意产业的丰硕成果。利用高仿真印刷技术，将传统工艺与高新技术手段结合，制作出与原作相媲美的高仿真艺术品，使名画、古画走进寻常百姓家成为现实。高仿印刷艺术品展共有11家企业参展，展区面积2000平米。第三部分为工业旅游活动，主题是“工业旅游—创意生活新体验”。活动内容包括展览和观光游览两部分。

节能与环保

2009年，工业能耗继续保持下降趋势，工业万元增加值能耗同比下降9.55%；工业能源消耗总量为2392.6万吨，同比下降1.58%。

加大产业结构调整力度，搬迁淘汰与首都功能定位不符的行业、企业。由12个区县和控股公司上报的有退出意向的“三高”工业企业合计93家。市经济信息化委“三高”退出工作组组织对“三高”企业实地调研44家次，对正式提出验收申请的87家企业的材料进行审查和反馈。市经济信息化委联合市发展改革委等7个委办局组织召开6次“三高”企业退出联合验收工作会，对其中达到验收标准的70家企业进行验收。经初步核查，这70家企业退出后，每年可节约能源5.26万吨标准煤，节约新鲜水301.85万立方米，减少排放废水198.55万立方米，减少排放废气2.49亿立方米，减少排放固体废弃物6.58万吨。市经济信息化委会同市财政局，对其中符合《关于鼓励退出“高污染、高耗能、高耗水”企业奖励资金管理暂行办法》（京财经一〔2008〕44号）的16家企业和2008年核实退出转由2009年给予奖励的7家企业，奖励金额2400万元。年内，市经济信息化委继续落实200号文件，批复包括一机床（三机床分厂）、北化集团大郊亭厂区在内的24家污染扰民企业享受搬迁优惠政策。

加强政策标准制定，合理引导工业节能深入开展。3月，市经济信息化委、市发展改革委、市财政局等7部门发布《关于北京市“高污染、高耗能、高耗水”小水泥企业有序退出的实施意见》（京工促发〔2009〕76号），对优化水泥行业结构调整、促进工业节能减排产生重要影响。按照实施意见，截至年底，全市持有水泥生产许可证的企业由2008年底的25家减少到10～12家，做到北京城区没有水泥生产企业，年产水泥控制在1000万吨左右。通过整合重组和关停并转，在妥善分流安置企业职工的前提下，实现“三高”小水泥企业有序退出，提高北京市水泥生产的集中度，优化资源配置，节能降耗，减少污染物的排放，发展循环经济，促进北京市水泥行业的持续稳定发展。

组织重点用能企业能源利用状况报告培训。为进一步加强重点用能单位节能管理，建立健全重点用能单位能源利用状况报告制度，按照《节能法》和工信部有关要求，成立有关的工作组和专家审查组，组织工业行业重点用能企业填报能源利用状况报告，建立健全工业重点用能单位能源利用状况报告报送和审查制度，委托北京节能环保中心开展全市年耗能量为5000吨标准煤以上227家工业重点用能企业报送能源利用状况报告有关的培训、报送以及审查等工作。完成166家企业能源利用状况报告培训，并在网上开通北京市工业重点用能企业能源利用状况报告网，实现网上直报工作。

组织重点行业能效对标工作。为贯彻国家有关规定，充分挖掘本市重点耗能企业节能潜力，组织工业重点行业开展重点耗能企业能效水效水平对标活动。2月19日，市经济信息化委召开12家水泥企业的能效水效对标活动启动会，率先在建材行业中选定有水泥生产许可证，且水泥年产量达到20万吨以上的水泥企业开展首批北京市能效水效对标的试点工作。组织编制《北京市能效水效对标管理指南（水泥行业）》，指导企业开展能效能效水平对标活动，同时把在此次对标活动中开展较好的企业经验与措施进行总结，与水泥企业能源主管人员进行交流，使企业明白自身的差距，帮助其加快节能技术改造，强化节能管理，降低能源消耗。

推进重点用能企业在线监测试点建设。12月25日，市经济信息化委召开北京市工业重点用能企业（第二批）用电在线监测项目验收会。此次验收会的对象是年综合能耗在1万～2万吨标煤间的38家重点用能企业用电在线监测项目以及正东电子动力集团有限公司全能源在线监测试点建设项目。截至年底，北京市已实现对16个区县、12个行业、年综合能耗1万吨以上的88家工业重点用能企业用电在线监测。

节电技术推广。10月28日，在北京市琉璃河水泥厂召开“2009年北京市工业企业绿色节电技术推广会”。重点宣传推广琉璃河、毕捷电机等5家企业的节能新技术和节能先进管理经验。

商品流通

社会消费品零售额再次位居全国各城市之首。社会消费品零售额在高位基础上增长15.7%，突破五千亿大关，达5309.9亿元。北京被《福布斯》列为世界第15大“购物之都”、第8大“美食之都”。

政府出面，搭建平台，提振消费信心。提早下手，谋划全年促销活动，做到全年有安排、每季有策划、月月有活动。围绕节日、汽车、餐饮、农村四个重点领域，利用各种资源，开展主题促销活动。市、区商务部门直接组织购物季、点击消费、刷卡消费、特色街消费节、北京国际美食盛典等50余项大型促销活动，全力营造消费氛围，有力拉动全市消费增

业收入4656亿元，同比增长11%；实现利润106亿元，上缴税金210亿元。其中省国资委监管企业实现营业收入3505亿元，同比增长14.3%；实现利润85亿元，上缴税金169亿元，国有资产保值增值率达106%。民营经济企稳回升。民营经济实现增加值9041.1亿元，比上年增长10.9%；占全省生产总值的比重达53.1%，同比提高0.2个百分点。实缴税金1011.5亿元，增长1.4%，占全部财政收入的比重为50.1%；完成出口103.9亿美元，占全省出口总值的66.2%，提高5.5个百分点；就业人员1411.2万人，增长4.0%。

技术进步

科技事业成绩明显。科技投入增加，用于科技活动的经费支出为216亿元，比上年增长17.3%。其中研究与发展（R&D）经费支出130亿元，增长19.0%，占全省生产总值的0.76%，同比提高0.08个百分点。科技队伍不断壮大，年末从事科技活动人员15.0万人，增长4.2%，其中科学家和工程师10.4万人，增长4.4%。科技创新能力增强，建设省级以上企业技术中心、工程技术研究中心、重点实验室360家。组织实施高新技术产业化项目179项，其中在建国家重大专项和示范工程项目34项，新增国家重大专项和示范工程项目22项。科技成果显著。2009年共登记省以上科技成果3392项，其中国际领先的46项，国际先进的453项，国内领先的2045项，国内先进的848项。知识产权保护工作加强，专利事业较快发展。全年专利申请量11362件，授权量6839件，分别比上年增长24.5%和24.4%。技术市场活跃。共签订技术合同4392份，技术合同成交金额17.2亿元，分别增长7.1%和3.7%。

综合技术服务能力有所增强。河北省共有产品质量、体系认证机构10个，完成对17132个企业的产品认证。共有法定计量技术机构149个，强制检定计量器具196.6万台（件）。共有天气雷达观测站点11个，卫星云图接收站点8个。有地震台站28个，地震遥测台网2个。测绘部门审核地图51件。省级地质环境监测站1个。

商品流通

（一）消费品市场稳步回升

社会消费品零售总额实现5764.9亿元，比上年增长18.1%，增速比上半年提高0.3个百分点。农村零售额增速快于城市。城市零售额2751.0亿元，增长17.8%；农村零售额3013.9亿元，增长18.4%，快于城市0.6个百分点。分行业看，住宿和餐饮业保持较快增长，实现零售额767.4亿元，增长22.2%；批发和零售业平稳增长，实现零售额4914.4亿元，增长17.7%。分类别看，限额以上批发零售企业中，粮油、食品类增长14.9%，烟酒类增长19.0%，服装类增长17.2%，日用品类增长15.8%，家用电器和音像器材类增长10.8%，中西药品类增长22.9%，文化办公用品类增长10.3%，石油及制品类增长11.4%，汽车类增长27.5%。

（二）大力开展农村市场流通体系建设

实施万村千乡、双百市场、农超对接等工程，共建设农家店10000个，已覆盖85%的乡镇和65%的行政村。实现年销售额99.2亿元。新增仓储面积21万平方米，年增加销售额37亿元。全年新建农家店和配送中心带动承办企业投资5.4亿元，安排就业岗位2.7万人。建设和改造6个农产品批发市场和25个县乡农贸市场，建设交易厅棚、冷链系统、服务设施项目34个，带动社会投资1.3亿元，年增销售额36.5亿元。2009年建成省级标准化农产品批发市场100家，引导13个大型连锁超市或农产品流通企业与农村专业合作社对接，建设配送中心、冷链系统13个，带动社会投资9209万元，年增销售额42.5亿元。全年销售家电下乡产品182.5万台，销售额38.2亿元。强化商业网点规划和流通大项目建设，全省投资1000万元以上的在建项目百余个，投资总规模超过700亿元。全省共发展典当行161个，实收注册资本212872万元，资产总额236250万元，净资产总额227141万元，税后利润5490万元；拍卖企业207个，成交额99.55亿元。沃尔玛、特易购等世界500强企业在内的一批知名企业纷纷落户河北。投资1000万元以上的商贸流通项目已运营的42个，投资总额77.2亿元；其中，10亿元以上项目已运营的2个，投资额20.6亿元。

外经外贸

（一）对外贸易

2009年全省进出口总额2961131万美元，同比下降22.9%，高于全国平均降幅9.0个百分点。其中，出口完成1569129万美元，同比下降34.6%，降幅较前11个月缩小2.7个百分点，高于全国平均降幅（16.0%）18.6个百分点；进口完成1392002万美元，同比下降3.4%，降幅较前11个月缩小3.8个百分点，低于全国平均降幅（11.2%）7.8个百分点。主要特点：一是月度进出口全线飘红，金额、同比均创当年最高。2009年12月，月度进出口30.7亿美元，高出平均月度进出口6亿美元，同比增长20.3%，创当年最高。月度出口完成16.6亿美元，同比增长2.4%，为当年首次增长。月度进口完成14.1亿美元，同比增长51.3%，比上年同期多进口一半以上。二是年度出口由快速下跌转为触底反弹。

从主要出口商品看，钢材、煤炭及汽车跌幅较深；高新技术、医药品跌幅较小；服装、农产品为增长。2009年钢材、煤炭量值均大幅下降，钢材出口232万吨、177078万美元，同比分别下降63.3%和70.9%；煤炭出口346万吨、37170万美元，同比分别下降69.9%和67.1%；汽车零件出口42484万美元，同比下降33.4%；汽车出口34076辆、28706万美元，同比分别下降39.0%和46.4%；机电产品出口578730万美元，同比下降24.4%；纺织品出口91036万美元，同比下降10.4%；光伏电池出口2563万个、116824万美元，同比分别下降13.0%和11.5%。高新技术、医药品小幅下降，高新技术产品出口204333万美元，同比下降3.2%；医药品出口86911万美元，同比下降4.4%。服装增幅继续扩大，出口201733万美元，同比增长18.8%；农产品小幅增长，出口101701万美元，同比增长1.7%。从企业所有制结构看，国有、集体企业所占份额缩小，外资、私营企业所占份额增加。2009年国有企业出口270154万美元，同比下降51.0%，占全省出口总额的17.2%，较上年减少5.7个百分点；集体企业出口32519万美元，同比下降58.5%，占全省出口总额的2.1%，较上年减少1.2个百分点。外商投资企业出口657876万美元，同比下降32.5%，占全省出口总额的41.9%，较上年增加1.2个百分点；私营企业出口603614万美元，同比下降23.8%，占全省出口总额的38.5%，较上年增加5.5个百分点。从十大出口市场看，俄罗斯为增长；韩国、阿联酋、中国台湾地区降幅较大。2009年十大出口市场共出口116.9亿美元，比上年同期少出61.2亿美元，同比下降34.4%。其中，对俄罗斯出口为正增长，同比增长5.8%；对韩国、阿联酋、中国台湾地区出口降幅较大，同比分别下降60.0%、62.9%、61.9%；另外，对欧盟、美国、东盟、日本、印度和中国香港的出口同比分别下降25.9%、25.5%、34.1%、29.8%、16.5%和12.6%。从贸易方式看，一般贸易降幅较大，加工贸易降幅较小。2009年一般贸易出口1232708万美元，同比下降38.6%；加工贸易出口285241万美元，同比下降15.4%。另外，对外承包工程货物出口50188万美元，同比下降6.0%。三是全年进口在震荡中收于小幅下跌。主要特点：从主要进口商品看，铁矿砂、大豆量增价跌；煤炭成倍增长；机电、高新技术产品呈现增长。2009年主要商品进口量增价减，铁矿砂进口8276万吨，增长60.7%，金额661790万美元，下降5.3%；大豆进口320万吨，增长10.3%，金额140808万美元，下降15.5%；由于进口价格较低的原因，河北省煤炭进口成数倍增长，全年累计进口492.6万吨、61219万美元，同比分别增长17.3倍和9.4倍；机电、高新技术产品进口均为增长，分别进口251309万美元、107124万美元，同比分别增长4.7%、20.4%。从企业所有制结构看，国有、集体企业所占份额缩小；外资、私营企业所占份额增加。2009年国有企业进口387456万美元，同比下降14.7%，占全省进口总额的27.8%，较上年减少3.5个百分点；集体企业进口31598万美元，同比下降37.3%，占全省进口总额的2.3%，较上年减少1.2个百分点。外商投资企业进口685464万美元，同比下降1.6%，占全省进口总额的49.2%，较上年增加0.8个百分点；私营企业进口287458万美元，同比增长19.4%，占全省进口总额的20.7%，较上年增加3.9个百分点。从贸易方式看，一般贸易呈现增长；加工贸易大幅下降。2009年一般贸易进口1228780万美元，同比增长3.3%；加工贸易进口115779万美元，同比下降24.4%。另外，外商投资企业投资进口的设备物品39760万美元，同比下降50.3%。从十大进口市场看，自澳大利亚、巴西、韩国和南非进口依然增长。2009年十大进口市场中增长的有澳大利亚、巴西、韩国和南非，分别增长24.6%、9.3%、11.4%和121.6%；下降的有欧盟、美国、日本、印度、东盟和中国台湾地区，分别下降11.4%、9.9%、3.0%、61.6%、6.3%和10.7%，其中，美国和东盟的进口降幅收窄幅度大。

2009年河北省进出口情况

表4　　单位：亿美元

指　标	绝对值	比上年增长（%）
进出口总值	296.1	－22.9
其中：进口总值	139.2	－3.4
出口总值	156.9	－34.6
其中：一般贸易	123.3	－38.6
加工贸易	28.5	－15.4
其中：亚洲	63.1	－44.8
日本	10.3	－29.8
韩国	13.1	－60.0
非洲	11.9	－17.1
拉丁美洲	7.0	－42.4
欧洲	49.4	－23.6
欧盟	39.3	－25.9
北美洲	22.8	－27.5
美国	20.3	－25.5
大洋洲	2.8	－15.4

2009 年河北省分企业性质和贸易方式进出口情况

表 5

金额单位：万美元

项　目	进出口			出　口			进　口		
	金额	同比增长（%）	比重（%）	金额	同比增长（%）	比重（%）	金额	同比增长（%）	比重（%）
全省总值	2961131	-22.9	100.0	1569129	-34.6	100.0	1392002	-3.4	100.0
按企业性质分	657610	-34.6	22.2	270154	-51.0	17.2	387456	-14.7	27.8
国有企业									
外商投资企业	1343340	-19.6	45.4	657876	-32.5	41.9	685464	-1.6	49.2
集体企业	64117	-50.2	2.2	32519	-58.5	2.1	31598	-37.3	2.3
私营企业	891072	-13.7	30.1	603614	-23.8	38.5	287458	19.4	20.7
按贸易方式分									
一般贸易	2461488	-23.0	83.1	1232708	-38.6	78.6	1228780	3.3	88.3
加工贸易	401020	-18.2	13.5	285241	-15.4	18.2	115779	-24.4	8.3
其他贸易	98624	-35.8	3.3	51181	-6.0	3.3	47443	-51.7	3.4

2009 年河北省分商品（类）进、出口情况

表 6

金额单位：万美元

出口商品	金额	同比增长（%）	比重（%）	进口商品	金额	同比增长（%）	比重（%）
* 机电产品	578730	-24.4	36.9	铁矿砂及其精矿	661790	-5.3	47.5
* 高新技术产品	204333	-3.2	13.0	* 机电产品	251309	4.7	18.1
服装及衣着附件	201733	18.8	12.9	* 农产品	181132	-16.3	13.0
钢材	177078	-70.9	11.3	大豆	140808	-15.5	10.1
二极管及类似半导体器件	117417	-11.7	7.5	* 高新技术产品	107124	20.4	7.7
* 光伏电池及组件（85414）	116824	-11.5	7.4	煤	61219	941.3	4.4
* 农产品	101701	1.7	6.5	初级形状的塑料	34679	9.2	2.5
纺织纱线、织物及制品	91036	-10.4	5.8	钢材	23233	-27.3	1.7
医药品	86911	-4.4	5.5	废金属	18912	47.6	1.4
汽车零件	42484	-33.4	2.7	制造单晶柱或晶圆用的机器及装置	15016	114.7	1.1
煤	37170	-67.1	2.4	通断保护电路装置及零件	14762	53.0	1.1
汽车（包括整套散件）	28706	-46.4	1.8	计量检测分析自控仪器及器具	13331	-8.3	1.0
钢丝布、网、篱、格栅	28128	-40.1	1.8	制造半导体器件或集成电路用的机器及装置	8704	-54.4	0.6
陶瓷卫生设备	22183	-12.5	1.4	制造平板显示器用的机器及装置	8501	3458.1	0.6
家具及其零件	18093	-11.1	1.2	金属加工机床	8288	-52.7	0.6
食品工业残渣	13700	86.9	0.9	蓄电池	8184	-3.5	0.6
手用或机用工具	12467	-32.9	0.8	汽车（包括整套散件）	8010	167.4	0.6
玻璃制品	12223	-5.0	0.8	建筑及采矿用机械及零件	7836	53.8	0.6
塑料制品	9594	24.7	0.6	金属轧机及零件	7646	13.8	0.5
家用陶瓷器皿	9262	-28.7	0.6	印刷电路	7317	330.3	0.5

2009 年河北省十大贸易伙伴

表 7　　金额单位：万美元

贸易伙伴	本年贸易额	上年同期贸易额	同比增长（%）	比重（%）
合计	2405151	2969175	-19.0	81.2
欧洲联盟	560519	719537	-22.1	18.9
澳大利亚	396933	325889	21.8	13.4
美国	335018	418772	-20.0	11.3
巴西	286954	274860	4.4	9.7
韩国	205359	394163	-47.9	6.9
日本	190106	236745	-19.7	6.4
东盟	158634	222487	-28.7	5.4
印度	121649	248772	-51.1	4.1
俄罗斯联邦	95950	85138	12.7	3.2
南非	54030	42813	26.2	1.8

（二）利用外资

2009 年，全省实际利用外资先后经历了“先降—后收—缓增”的基本走势。前 5 个月降幅逐月增大，6 月份开始大幅收窄，9 月份开始转小幅正增长。2009 年实际利用外资 36.9 亿美元，同比增长 1.6%。其中，直接利用外资 36 亿美元，同比增长 5.3%，增幅高于全国 7.9 个百分点，好于全国同比下降 2.56% 的平均水平。2009 年新批了特易购投资的特易购商业（河北）、嘉里集团投资的恒运置业（唐山）和瑞和置业（唐山）、空气化工投资的空气化工产品（邢台）、双日投资的石家庄裕华丰田汽车销售等 8 个世界 500 强投资项目，合同利用外资 1.8 亿美元。全年世界 500 强投资企业到位外资 6.9 亿美元，同比增长 109.7%。2009 年新批外商投资项目 215 个，合同利用外资 26.1 亿美元，同比下降 9.8%。其中，新批合同外资 1000 万美元以上项目 54 个，合同利用外资 14.1 亿美元，占全省合同外资的 54%。全年到位外资 1000 万美元以上项目 61 个，到位外资 27.4 亿美元，占全省到位外资的 74.3%。2009 年重点跑办推进的华润电力（唐山曹妃甸）项目，投资总额 4.6 亿美元，合同外资 1 亿美元，审批当月到位外资 1700 万美元。2009 年，全省新批准河北喜之郎食品、衡水汇源食品、廊坊伊利乳品等一批合同外资千万美元以上国内品牌农业深加工项目；新批三道沟（张家口）旅游、秦皇岛栖云山国际旅游胜地等一批合同外资 4000 万美元以上旅游类大项目。2009 年，食品、建材、医药、纺织等行业到位外资分别为 4.7 亿美元、2.3 亿美元、1.6 亿美元和 0.9 亿美元，同比分别增长 45.7%、9.1%、24.1% 和 42.9%。省级以上开发区利用外资 14.9 亿美元，同比增长 1.6%，占全省利用外资的 40.4%。亚洲和欧美一直以来是河北省利用外资的主要来源地。亚洲直接投资 21.1 亿美元，同比增长 10.9%，占全省的 58.6%；其中，香港投资 15.9 亿美元，同比增长 18.9%。北美直接投资 5.3 亿美元，同比增长 308.6%，占全省的 14.7%，其中，美国投资 5.2 亿美元，同比增长 338.8%。欧洲直接投资 1.7 亿美元，同比下降 16%，占全省 4.7%，其中，英国投资 7720 万美元，同比增长 40.4%。拉丁美洲直接投资 6.2 亿美元，同比下降 33.8%，其中，英属维尔京群岛投资 5.5 亿美元，同比增长 11.8%。大洋洲直接投资 1.5 亿美元，同比下降 34%，其中，澳大利亚投资 8807 万美元，同比增长 22.5%。

2009 年河北省分行业外商直接投资及增速

表 8

行　业	累计投产企业数（家）	外商直接投资（万美元）	比上年增长（%）
外商直接投资	2056	359824	5.3
农、林、牧、渔业	28	1044	-80.9
采矿业	11	3178	-23.6

续表

行业	累计投产企业数（家）	外商直接投资（万美元）	比上年增长（%）
制造业	1743	273255	-4.7
电力、燃气及水的生产和供应业	45	44566	374.1
建筑业	11	3023	11526.9
交通运输、仓储和邮政业	34	8535	1102.1
信息传输、计算机服务和软件业	14	760	-75.4
批发和零售业	34	3240	-59.3
住宿和餐饮业	24	3292	412.0
金融业	1		
房地产业	56	14190	-29.5
租赁和商务服务业	21	2	-99.4
科学研究、技术服务和地质勘查业	9	2188	37.5
水利、环境和公共设施管理业	6	797	20.0
居民服务和其他服务业	9		
教育	1		
卫生、社会保障和社会福利业	1		
文化、体育和娱乐业	8	1754	223.6
公共管理和社会组织			

（三）对外经济技术合作

1. 对外投资。2009年核准非贸易类境外投资项目53个，投资总额3.79亿美元，同比增长146.82%；中方投资额3.64亿美元，同比增长253.06%。53个对外投资项目分布在27个国家和地区。其中，亚洲地区28个，中方投资额28314.52万美元，占中方投资总额的77.69%，主要集中在中国香港地区和韩国、老挝、印尼、朝鲜等国家。非洲地区8个，中方投资额2010.40万美元，占中方投资总额的5.52%，主要集中在埃塞俄比亚、乌干达；欧洲地区8个，中方投资额1772.57万美元，占中方投资总额的4.86%，主要集中在俄罗斯、法国；北美洲地区4个，中方投资额660万美元，占中方投资总额的1.81%，主要集中在美国；大洋洲地区3个，中方投资额3389万美元，占中方投资总额的9.30%，主要集中在澳大利亚；南美洲地区2个，中方投资额300万美元，占中方投资总额的0.82%，主要在阿根廷。亚洲国家和地区仍是对外投资的重点区域。全年新核准中方投资500万美元以上大项目14个，中方投资额3.05亿美元，占中方投资总额的83.79%。核准中方投资5000万美元以上超大项目两个，中方投资额1.46亿美元，占中方投资总额的40.05%。三河汇福粮油集团有限公司出资9600万美元在香港独资设立汇福（香港）国际投资有限公司，是截止年底河北省最大的对外投资项目。

2. 承包工程和劳务合作。对外承包工程新签合同额26.67亿美元，同比下降33.38%；完成营业额28.72亿美元，同比增长77.12%。外派劳务人员2198人/次，期末在外人数4385人。亚洲的中国香港、日本、新加坡、韩国等国家（地区）仍是全省外派劳务的主要市场。2009年，全省对外承包工程营业额中，亚洲市场17.79亿美元，占61.94%，同比增长183.40%；非洲市场7.62亿美元，占26.53%，同比增长4.67%；欧洲市场2.17亿美元，占7.56%，同比增长65.65%；拉美市场0.44亿美元，占1.53%，同比下降26.67%；大洋洲市场0.69美元，占2.40%，同比增长305.88%。在全省对外承包工程行业分布中，石油行业独占鳌头，共完成营业额21.23亿美元，占73.92%；建筑建材行业完成营业额6.14亿美元，占21.38%；勘察设计行业完成营业额0.84亿美元，占2.92%；水利水电行业完成营业额0.31亿美元，占1.08%；其他行业完成营业额0.2亿美元，占0.70%。石油物探、石油天然气管道施工和大型水泥厂成套设备制造与施工行业是全省主要的对外承包工程行业，两项合计占全省对外承包工程总额的90%以上。廊坊中国石油天然气管道局哈萨克斯坦、乌兹别克斯坦和阿联酋石油管道工程项目完成营业额分别为5.52亿美元、1.69亿美元和1.54亿美元。涿州中国石油东方地球物理勘探公司在利比亚承揽的石油物探项目完成营业额分别为1.05亿美元和1亿美元。

交通运输、邮电通信和旅游业

交通运输业平稳发展。2009 年交通运输、仓储和邮政业实现增加值 1513.9 亿元，比上年增长 6.8%。货物周转量 5981.6 亿吨公里，比上年增长 9.1%；旅客周转量 1043.3 亿人公里，增长 5.2%。港口吞吐量达5.1 亿吨，增长 15.5%。公路通车里程 15.2 万公里（包括村路），其中高速公路 3303.3 公里，新建成高速公路 69.2 公里。新、改建农村公路 9919.6 公里，总里程达 132142 公里。民用轿车拥有量 167.3 万辆，增长 36.1%，其中私人轿车 149.3 万辆，增长 37.3%。

2009 年，完成邮电业务总量（2000 年不变价）1199.7 亿元，比上年增长 12.6%。其中，邮政业务量 47.5 亿元，增长 14.7%；电信业务量 1152.2 亿元，增长 12.1%。年末局用电话交换机总容量达到 1129.4 万门，减少 991.9 万门；固定电话用户达到 1343.9 万户，其中城市电话用户 870.1 万户，农村电话用户 473.8 万户，分别减少 113.6 万户、59 万户和 54.6 万户。年末移动电话用户达到 3788.9 万户，增加 574.8 万户。河北省固定及移动电话用户总数达 5132.8 万户，增加 461.2 万户。电话普及率达到 73 部/百人，其中移动电话普及率达 53.9 部/百人，分别增加 6.1 部/百人和 7.9 部/百人。互联网宽带接入用户数达 522.7 万户，增长 35.1%。

旅游业平稳增长。2009 年接待国际游客 84.2 万人次，旅游外汇收入 3.1 亿美元，分别比上年增长 12.3%和 12.4%；接待国内游客 12164.1 万人次，创收 688.7 亿元，分别增长 24.8% 和 28.6%。旅游业总收入 709.7 亿元，增长 28.0%。

资源节约

节能降耗取得新进展。大力推进“双三十”节能减排攻坚，取得明显成效。河北省淘汰落后炼钢 400 万吨、炼铁 900 万吨、水泥 1700 万吨、平板玻璃 710 万重量箱。全省规模以上工业多数行业能源消耗比上年下降，单位工业增加值能耗持续降低，其中六大高耗能行业单位工业增加值能耗均比上年下降，能耗反弹的势头得到一定控制；单位产品能耗指标继续降低；能源综合利用水平不断提高。

（撰稿：钱江）

2008—2009 年河北省经济社会发展主要指标

序　号	指　标	单　位	2008 年	2009 年	增长率（%）
1	一、人口和就业				
2	年底人口数	万人	6988.8	7034.4	0.7
3	人口自然增长率	‰	6.55	6.50	
4	就业人员数	万人	3652	3900	6.8
5	按产业分：				
6	第一产业	万人	1488	1484	-0.3
7	第二产业	万人	1195	1215	1.6
8	第三产业	万人	968	1201	24.1
9	城镇就业人员（按登记注册类型分）				
10	国有单位	万人	334.80	328.84	-1.8
11	集体单位	万人	28.31	27.24	-3.8
12	股份合作单位	万人	7.80	6.40	-17.9
13	联营单位	万人	1.30	1.60	23.1
14	有限责任公司	万人	61.30	66.30	8.2
15	股份有限公司	万人	36.20	39.10	8.0
16	私营企业	万人	147.54	110.21	-25.3
17	港澳台商投资单位	万人	9.20	11.10	20.7
18	外商投资单位	万人	15.90	16.50	3.8
19	个体	万人	108.29	342.10	215.9
20	城镇登记失业人数	万人	32.24	34.50	7.0
21	二、国民经济核算				
22	地区生产总值	亿元	16188.6	17235.5	10.0
23	按产业分：				

续表

序号	指标	单位	2008年	2009年	增长率（%）
24	第一产业	亿元	2034.6	2207.3	3.3
25	第二产业	亿元	8777.4	8959.8	10.5
26	工业	亿元	7967.6	7983.9	
27	建筑业	亿元	809.8	976.0	
28	第三产业	亿元	5376.6	6068.3	11.4
29	#交通运输、仓储和邮政业	亿元	1281.3	1491.9	
30	批发和零售贸易业	亿元	844.9	1157.8	
31	**三、固定资产投资**				
32	投资总额	亿元	8866.6	12269.8	38.4
33	**按投资种类分：**				
34	城镇	亿元	7463.8	10476.5	40.4
35	#房地产开发	亿元	1084.4	1520.0	40.2
36	农村	亿元	1402.8	1793.3	27.8
37	#农户	亿元	395.6	393.4	-0.6
38	非农户	亿元	1007.1	1399.8	39.0
39	**按建设规模分：**				
40	建设总规模	亿元	17996.2	28093.6	56.1
41	在建总规模	亿元	12215.2	19743.4	61.6
42	在建净规模	亿元	5330.1	10051.4	88.6
43	**按资金来源分：**				
44	国家预算内资金	亿元	186.3	405.9	117.9
45	国内贷款	亿元	944.5	1595.0	68.9
46	利用外资	亿元	103.9	85.1	-18.2
47	自筹资金	亿元	7130.0	9978.8	40.0
48	其他投资	亿元	857.3	1239.6	44.6
49	**四、房地产开发**				
50	本年完成土地开发面积	万平方米	1403	1119	-20.3
51	本年土地购置费用	亿元	175.5	217.8	24.1
52	本年土地购置面积	万平方米	1948	2023	3.9
53	本年完成投资额	万元	10844418	15200387	40.2
54	#住宅	万元	8585817	12192376	42.0
55	#经济适用房屋	万元	380481	243713	-35.9
56	房屋施工面积	万平方米	8958	12753	42.4
57	房屋竣工面积	万平方米	1664	2212	32.9
58	本年新开工房屋面积	万平方米	3769	6786	80.1
59	#住宅	万平方米	3320	5772	73.9
60	#经济适用房屋	万平方米	259	178	-31.2
61	商品房屋销售面积	万平方米	2232	2967	32.9
62	#住宅	万平方米	2129	2820	32.5
63	#经济适用房屋	万平方米	168	100	-40.7
64	商品房屋销售额	万元	6202410	9680476	56.1

续表

序　号	指　标	单　位	2008年	2009年	增长率（%）
65	#住宅	万元	5838850	9051453	55.0
66	商品房屋平均销售价格	元/平方米	2779	3263	17.4
67	#住宅	元/平方米	2743	3210	17.0
68	#经济适用房屋	元/平方米	2208	2060	-6.7
69	**五、规模以上工业企业**				
70	企业单位数	个	12447	13096	5.2
71	工业总产值	亿元	23030.7	24062.8	4.5
72	资产总计	亿元	17261.8	20662.7	19.7
73	利润总额	亿元	1369.8	1440.3	5.1
74	总资产贡献率	%	14.8	13.0	-11.9
75	资产负债率	%	61.0	60.9	-0.1
76	**六、交通运输业**				
77	运输线路长度				
78	铁路营业里程	公里	4853	4880	0.6
79	内河航道里程	公里			
80	公路里程	公里	149503	152135	1.8
81	#高速公路	公里	3233	3303	2.2
82	货运量	万吨	106922	123065	15.1
83	#铁路	万吨	14750	15483	5.0
84	公路	万吨	91342	106530	16.6
85	水运	万吨	830	1052	
86	客运量	万人	73058	77773	6.5
87	#铁路	万人	6816	7194	5.5
88	公路	万人	66242	70579	6.5
89	水运	万人			
90	**七、国内商业**				
91	社会消费品零售总额	亿元	4991.1	5764.9	15.5
92	**八、对外贸易和旅游**				
93	货物进出口总额（按经营单位所在地分）	万美元	3842053	2962725	-22.9
94	出口	万美元	2400412	1568890	-34.6
95	进口	万美元	1441641	1393835	-3.3
96	外商投资企业货物进出口总额	万美元	1671332	1343558	-19.6
97	出口	万美元	975029	657571	-32.6
98	进口	万美元	696303	685987	-1.5
99	外商投资企业基本情况				
100	年底登记数	户	10536	9559	-9.3
101	投资总额	亿美元	338.4	370.4	9.5
102	注册资本	亿美元	187.5	198.7	5.9
103	#外方	亿美元	129.4	140.6	8.7
104	对外承包工程				
105	完成营业额	万美元	155593	287157	84.6

续表

序号	指标	单位	2008年	2009年	增长率（%）
106	对外劳务合作				
107	完成营业额	万美元	1297	3074	137.0
108	接待国际旅游人数	万人次	75.02	84.22	12.3
109	#外国人	万人次	67.02	74.69	11.4
110	国际旅游外汇收入	百万美元	273.95	307.81	12.4
111	**九、财政**				
112	地方财政一般预算收入	亿元	947.6	1067.1	12.6
113	#国内增值税	亿元	196.9	190.6	-3.2
114	营业税	亿元	217.1	268.0	23.5
115	个人所得税	亿元	42.5	42.4	-0.2
116	地方财政一般预算支出	亿元	1881.7	2347.6	24.8
117	**十、物价指数**				
118	商品零售价格指数	上年=100	106.7	99.0	
119	居民消费价格指数	上年=100	106.2	99.3	
120	#城市	上年=100	105.2	98.8	
121	农村	上年=100	108.1	100.3	
122	**十一、人民生活**				
123	收入				
124	农村居民家庭人均纯收入	元	4795	5150	7.4
125	城镇居民家庭人均可支配收入	元	13441	14718	10.8
126	居民消费水平	元	6570	7193	10.7
127	农村居民	元	3553	3606	3.7
128	城镇居民	元	10955	12195	12.0
129	住房				
130	农村居民人均住房面积	平方米	30.7	31.9	4.0
131	**十二、教育**				
132	高等学校数	所	105	109	3.8
133	高等学校招生数	人	310592	329224	6.0
134	高等学校在校学生数	人	1000033	1060450	6.0
135	高等学校毕业生数	人	271335	282705	4.2
136	**十三、卫生**				
137	卫生机构数	个	15632	80963	
138	#医院、卫生院	个	3069	3085	0.5
139	医疗机构床位数	张	213965	232638	8.7
140	#医院、卫生院	张	197791	213528	8.0
141	卫生技术人员数	人	247451	268049	8.3
142	#执业（助理）医师	人	109968	124127	12.9

注：1. 地区生产总值及其三次产业、城镇居民人均可支配收入和居民消费水平的增长速度按可比价格计算。

2. 卫生机构数2009年起含村卫生室，与历史数据不可比。

山西省

综 述

2009年是山西经济发展经受严峻考验并取得明显成绩的一年。面对深幅回落的严峻经济形势，山西省以“保增长、调结构、促转型”为主线，以科学发展观统领全局，全面落实中央促进经济增长的各项政策措施，突出结构调整、经济运行、优化布局、节能降耗、循环经济、淘汰落后、技术创新等重点，攻坚克难，积极应对，山西省经济逐步呈现低位趋稳回升、总体向好的运行态势。

全省地区生产总值7365.7亿元，比上年增长5.5%。其中，第一产业增加值477.6亿元，增长4.2%；第二产业增加值4021.2亿元，增长2.3%；第三产业增加值2867.0亿元，增长10.3%。第三产业中，金融保险业增加值351.6亿元，增长22.3%；交通运输、仓储和邮政业增加值513.4亿元，增长3.2%；批发和零售业增加值557.9亿元，增长17.1%；房地产业增加值173.3亿元，增长5.7%。人均地区生产总值21544元，按2009年平均汇率计算达到3154美元。全省第一、第二和第三产业增加值占全省生产总值的比重分别为6.5%、54.6%和38.9%，对经济增长的贡献率分别为5.3%、22.2%和72.5%。

全年全社会固定资产投资5033.5亿元，比上年增长38.5%。其中，第一产业投资220.2亿元，增长96.6%；第二产业投资2155.1亿元，增长15.3%；第三产业投资2658.2亿元，增长60.7%。

全年全省财政总收入1537.5亿元，比上年增长1.28%。一般预算收入805.8亿元，增长7.7%。其中，税收收入581.9亿元，增长2.7%，国内增值税、营业税、企业所得税、个人所得税、资源税和城建税共计完成税收521.6亿元。

年末全省金融机构本外币各项存款余额15759.8亿元，比年初增长22.8%。各项贷款余额7915.4亿元，增长31%。人民币消费贷款216.6亿元，增长28.2%，其中个人住房贷款169.4亿元，增长36.7%。全年累计现金收入21746.7亿元，累计现金支出22024亿元，货币净投放277亿元。

全年城镇居民人均可支配收入为13996.55元，比上年增长6.7%；城镇居民人均消费性支出9355.1元，增长6.2%。农村居民人均纯收入4244.10元，增长3.6%；农村居民人均生活消费支出3304.76元，增长6.7%。城镇占调查总户数20%的低收入家庭人均可支配收入6154.86元，增长6.8%；农村占人口20%的低收入者收入1422.03元，下降4.8%。城镇居民家庭恩格尔系数（即居民家庭食品消费支出占家庭消费支出的比重）32.8%，农村居民家庭恩格尔系数37.1%。

年末参加城镇基本养老保险的人数为564.1万人；参加农村社会养老保险的人数为378.2万人；参加城镇基本医疗保险的人数为879.3万人；参加失业保险的人数为293.3万人；参加工伤保险的人数为280.3万人，其中农民工96万人；参加生育保险的人数为185.6万人。

总体来看，2009年，山西经济社会发展呈现以下特点：

一是经济在应对危机中实现较快发展。受国际金融危机的影响，2009年山西省经济下行压力较大，由于及时采取有力措施，迅速扭转了经济下滑的局面，全年生产总值同比增长6%左右（下同）；一般预算收入增长8%左右；全社会固定资产投资增长40%，增速创15年以来新高；社会消费品零售总额增长19%，明显高于全国平均水平；居民消费价格总水平下降0.4%。

二是产业结构调整迈出新步伐。全面推进产业结构调整，制定实施十大产业调整振兴规划，特别是煤炭资源整合、煤矿兼并重组取得重大阶段性成果。节能减排和环境保护取得新的成效，万元生产总值综合能耗下降5.6%，化学需氧量，二氧化硫排放量分别下降3.6%、2.7%，全部完成年度任务，特别是二氧化硫指标提前实现“十一五”目标。

三是重点工程建设取得历史性突破。纵贯南北的高速铁路大西客运专线、横跨东西的出海大通道山西中南部铁路项目启动实施；新开工建设27条高速公路，建设里程超过2000公里；引黄北干工程全线开工，35项应急水源工程进展顺利；省城十大建筑全部开工。省级重点工程完成投资1500亿元，是上年的3.9倍。

四是安全生产形势明显好转。全省各类安全生产事故死亡人数同比减少1018人，下降27%。其中，一次死亡10人以上的重特大事故死亡人数下降72%；煤矿事故起数下降40%，原煤生产百万吨死亡率下降到0.328。

五是社会事业全面发展。在财力十分紧张的情况下，用于发展社会事业和改善民生的投入高达1013亿元，增长20%。“五大惠民工程”深入推进，农村“五个全覆盖工程”全面实施。城镇新增就业人数42.2万人（计划40万人），城镇登记失业率控制在3.9%以内（年度目标为4.6%以内）。城镇居民人均可支配收入和农民人均纯收入，在经济形势十分严峻的情况下，分别增长6.7%和

3.6%。重点领域、关键环节改革实现新突破，社会保持和谐稳定。

工业经济

2009 年是新世纪以来山西省工业经济发展最为困难的一年，工业发展遇到严重的困难。面对严峻复杂的经济形势，全省工业系统积极贯彻落实中央和省委、省政府关于“扩内需、保增长”的一系列政策措施，坚定信心、迎难而上、共克时艰，努力化挑战为机遇，有效遏制了工业经济的下滑态势，实现了全年工业经济形势总体回升向好。

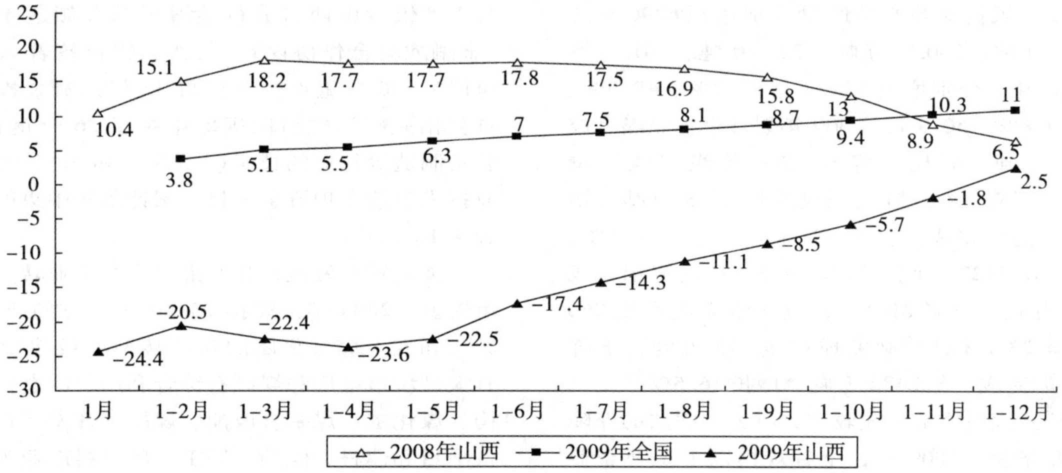

图 1　2008—2009 年山西省工业增加值累计增长情况

一是工业经济走出危机影响，逐步呈现高速增长。2009 年，全省规模以上工业企业 4502 户，资产总值 15541.7 亿元，职工人数 212 万人。受国际金融危机冲击影响，2009 年一季度全省规模以上工业增加值增长 -22.4%，二季度增长 -17.4%，三季度增长 -8.5%，逐季回升，特别是六月份当月增速扭转了 2008 年四季度以来连续八个月负增长的局面，11 月（42.5%）、12 月（40.5%）连续两月当月增速全国排名第一。全省规模以上工业累计完成工业增加值 3379.2 亿元，同比增长 2.5 %（全国为 11%），扭转了 2009 年以来的工业增加值累计增长持续下滑的局面。全部工业增加值 3551.9 亿元，占全省 GDP 的 48.2%。工业化率达到 54.6%。

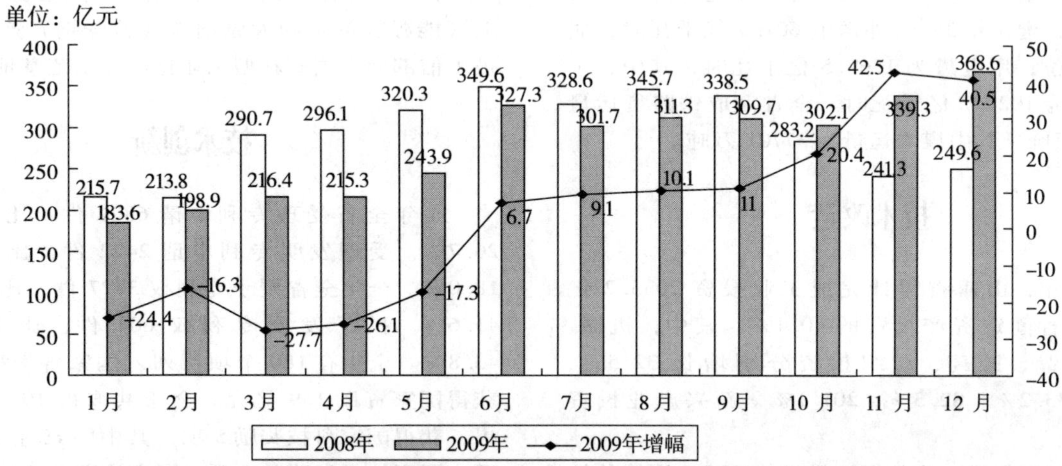

图 2　2008—2009 年山西省规模以上工业增加值月度完成情况

二是能源原材料工业占绝对主导地位，经济结构依然偏重。2009 年，重工业完成增加值 3209.7 亿元，轻工业完成增加值 169.4 亿元，轻重比为 5:95，重工业占绝对优势地位。煤炭、冶金、焦炭、电力、化工、机电、建材等七大行业分别实现销售收入 3383.8 亿元、1889.1 亿元、1086.4 亿元、912 亿元、475.5 亿元、711.2 亿元、167.9 亿元，合计占全省的 95.2%；四大传统支柱产业（煤炭、冶金、焦炭、电力）销售收入占全省工业的 80.25%；销售收入上千亿的有煤炭、冶金、焦炭三个行业。销售收入超百亿元的工业企业9户，其中太钢集团连续三年销售收入超过千亿元。

三是重点产品产量逐月回升，但全年总体降幅较大。随着煤炭资源整合工作取得重大阶段性成果和市场需求的回升，全省煤、焦、钢铁等主导产品产量下半年以来逐月回升，月度产量连创新高，同比实现大幅增长。12月份，全省规模以上原煤、焦炭、粗钢、钢材、生铁、氧化铝等产品产量分别达到6296.9万吨、724.6万吨、260.9万吨、225万吨、301.5万吨、29.5万吨，分别增长33.3%、71.7%、48.5%、46.4%、49.8%、50.9%。2009年累计全省原煤完成产量6.15亿吨，同比下降6.2%；焦炭完成产量7649万吨，下降5%；粗钢完成产量2648万吨，增长12.9%；钢材完成产量2288万吨，增长16.1%；生铁完成产量3127万吨，增长14.2%；电解铝完成产量76.4万吨，下降21.1%；氧化铝完成产量260万吨，下降23.8%；化肥完成产量375万吨，下降4.6%；水泥完成产量2482万吨，增长16.5%。

四是经济效益降幅明显收窄，电力、铁路的保障作用进一步增强。2009年，全省规模以上工业企业实现销售收入、利润、利税分别为9060亿元、428.4亿元和1093.4亿元，同比分别下降9.1%、26%和20.2%，但降幅较上半年分别大幅收窄12.8、43.2和23.6个百分点。全省工业亏损企业亏损额218.5亿元，增亏幅度由上半年的2.1倍缩小到49.3%。全省完成工业销售产值8982.6亿元，同比下降6.8%，产销率为96.96%，同比下降0.47个百分点。2009年，全省完成出口交货值198.4亿元，同比下降42.8%。全省电力装机容量4089.36万千瓦，其中，省调装机容量2794.25万千瓦；全省发电量为1873.8亿千瓦时，增长4.3%；外送电601.3亿千瓦时，居全国第二位；用电量为1267.5亿千瓦时，其中，工业用电量为1027.7亿千瓦时。全省完成铁路货运量45605.7万吨，其中煤炭运量为37701万吨。

技术改造

2009年，山西省累计完成工业投资2033.2亿元，占全省固定资产投资的40.4%。其中，机械、建材、食品、医药、纺织投资分别增长32.5%、69.3%、33.2%、82.3%、207.1%，新兴产业投资增速加快。

加强规划引导，实施了一批优势项目。围绕传统产业的改造提升、新兴产业的培育壮大，重点实施了钢种结构优化及镁铝合金深加工、载重汽车及配套零部件、煤矿机械成套设备、轨道交通设备、煤化工产业链延伸及煤气化装置升级、食品百项、晋药振兴、重点新产品培育等八大技改工程，实施了838个技术水平高、市场潜力大、辐射带动性强的重大项目，有161个项目建成投产或部分投产，累计完成固定资产投资1100亿元，新增销售收入400亿元。

加大支持力度，多渠道解决项目资金。为解决项目资金瓶颈，加快项目建设步伐，全年使用1.5亿省级技改专项资金支持重点项目建设，有效发挥了财政资金的杠杆和调节作用。先后举办了重点技术改造项目金融推介会，为推介项目落实银行贷款50多亿元；与工商银行山西省分行签署了总金额达490亿元的《金融战略合作协议》；与晋商银行签署《战略合作协议》，38户重点企业获得32亿元资金授信。会同省直相关部门先后向国家申报了26个钢铁、有色、装备制造等行业的技术改造项目和91个国家中小企业技术改造专项资金项目，累计落实中央财政专项资金4.16亿元。

强化转型发展，扎实推进煤炭企业转产、煤炭城市转型。2009年，安排25.29亿元支持七个资源型城市和五大煤炭集团的转产转型项目建设。2009年有大型坑口电厂和煤矸石综合利用、冶金优化品种结构、煤化工、煤基合成油、煤层气开发、重大机械装备项目和建材、医药、轻工、新材料产业等200个接替项目投产或部分投产。一批转产转型园区建设初具规模，转产转型项目的产业集中度显著提高。

突出平台作用，工业园区建设取得明显成效。采取综合措施，大力实施新建项目入园工程，工业布局不断优化。全省共建设各类工业园区80个，其中，煤化工业园区16个，冶金工业园区13个，装备制造业园区11个，医药园区9个，焦化工业园区8个，建材、轻纺等其他类型的工业园区13个，综合性工业园区10个。以工业园区为基础，启动实施了新型工业化产业基地建设工作，山西省申报的太原装备制造（能源装备）和太原钢铁（特殊钢）产业基地已被工信部列为国家新型工业化产业示范基地。

技术创新

全年全省受理专利申请6822件，比上年增长26.7%。受理发明专利申请2422件，比上年增长18.0%。全年全省授予专利权3227件，比上年增长41.6%。授予发明专利权604件，比上年增长43.8%。全年有180个项目列入国家各类科技计划，获得国家资助1.9亿元。全年共取得197项科技成果，获得国家科技奖励5项，其中国家科技进步奖4项，国家技术发明奖1项。国家认定企业技术中心达到17家。省级企业技术中心达到95家。按照国家新的高新技术企业认定办法，截至2009年底，全省累计认定高新技术企业达到147家。全年全省19个省级以上经济技术开发区和高新技术开发区科工贸总收入2143亿元，比上年增长8%；区内生产总值676亿元，增长6.5%；税收收入74亿元，增长5.3%；进出口总额18亿美元，增长26.4%；引进国内资金194亿元，增长0.6%。

大力加强以企业为主体、以技术为纽带的产学研合作，进一步加大技术中心的建设力度。2009年，全省已拥有国家级企业技术中心17户，省级企业技术中心96户，省级行业技术中心9户，自主创新能力显著增强。太钢集团技术中心、太重集团技术中心、天脊集团技术中心荣获“国家认定企业技术中心成就奖”，其中太钢技术中心位列国家认定企业技术中心第2名。组织32家企业技术中心参加在太原举办的第四届高展会。成立山西中药注射剂产业技术联盟；制定了《装备制造业重点领域首台（套）产品及关键部件认定办法》，鼓励企业开展装备制造业重点领域首台（套）产品的试制和产业化工作。充分发挥信息化对于工业核心竞争力的提升作用，积极推进高能耗、高污染行业企业的信息技术改造，有效提升企业的研发、设计、生产和管理现代化水平。

固定资产投资

全年全社会固定资产投资5033.5亿元，比上年增长38.5%。按城乡分，城镇投资4599.9亿元，增长39.5%；农村投资433.6亿元，增长28.8%。按产业分，第一产业投资220.2亿元，增长96.6%；第二产业投资2155.1亿元，增长15.3%；第三产业投资2658.2亿元，增长60.7%。按登记注册类型分，国有投资2487.8亿元，增长51.4%；非国有投资2545.7亿元，增长27.8%。

围绕国家鼓励支持的六大领域，安排两年投资6500亿元，带动全社会投资1万亿元。这一投资规模相当于山西省过去三个五年计划投资的总和。成立了由省主要领导和分管领导任组长、副组长的重点工程建设领导组，协调解决工程建设中的问题；确定了152项省级重点工程，对建设用地、环评、立项审批实行统一受理、集中办公，重点推进；争取国家资金98亿元，推进银企签约2365亿元，有效调动社会资金，带动固定资产投资大幅增长，全年突破5000亿元。其中，铁路、公路、机场、水利等基础设施建设完成投资1300亿元，增长70%；保障性住房、农村“五个全覆盖工程”等重大民生工程完成投资965亿元，增长45%；以技术改造为主的产业投资达到2370亿元，增长20%。大规模的投资，不仅有效地拉动了当年的经济增长，而且为长远发展打下了坚实的基础。

全面落实“家电下乡”、“农机下乡”等扩大消费政策措施，出台了搞活流通扩大消费的实施意见，提高部分农机具补贴标准、扩大补贴范围，销售各类家电、农机67万台（件），销售额达到26亿元。出台促进房地产健康发展的意见，商品房销售额增长39.7%。实施扩大旅游消费春季、金秋行动，旅游总收入达到893亿元，增长20.7%。完成30个大型农产品批发市场、7000个农家店（便民店）和1000个放心粮油店的建设改造任务，强化市场监管，城乡消费环境和市场秩序明显改善。

商品流通

2009年随着国家一系列扩大内需、刺激消费政策落实实施，山西省消费品市场呈现平稳较快的发展态势。2009年全省实现社会消费品零售总额2808.9亿元，比上年同期增长19.2%。其中：12月份实现社会消费品零售额249.6亿元，比上年同期增长20.5%。山西省消费品市场主要有以下特点：

一是城乡市场共同发展，农村增速快于城市。2009年山西省城市消费市场实现消费品零售额1783.5亿元，比上年同期增长18.9%，农村消费市场实现社会消费品零售额1025.4亿元，比上年同期增长19.8%。农村市场的增速比城市高出0.9个百分点。

二是住宿餐饮业增速位于分行业之首。2009年山西省住宿餐饮业实现社会消费品零售额362.3亿元，比上年同期增长23.3%，分别比批发业、零售业和其他行业的增速高出6.5、4.2和10.6个百分点。

三是批发零售业是山西省消费市场较快发展的根本动力。2009年山西省批发零售业实现社会消费品零售额2370.5亿元，比上年同期增长18.8%，占山西省全社会消费品零售总额的比重为84.4%。

四是汽车销售市场增势强劲。据限额以上批发和零售业商品销售分类情况统计数据显示，2009年汽车类实现零售额232.2亿元，比上年同期增长58.3%，占全社会消费品零售总额的比重为8.9%，同比提高0.6个百分点，创历史新高。受汽车销售火爆的影响，石油及制品类销售增长速度较快，2009年实现零售额248.4亿元，比上年同期增长26.4%。

对外经贸

2009年，山西省进出口总额85.5亿美元，在全国排名由上年的17位下滑至21位，下降40.6%。2009年，全省出口28.4亿美元，在全国的排名由第17位下滑至第24位。2009年，山西省进口为57.2亿美元，在全国排第18位，比上年前移2位。2009年全省外经贸运行的主要特点：

一是实际使用外资取得新进展，外经合作主要指标大幅增长。2009年新批外资企业58个，投资总额10.9亿美元，合同金额6.7亿美元，外资到位13.5

亿美元，其中商务部口径4.93亿美元，下降51.8%。从项目所涉及的行业看，第一产业3个，第二产业34个，占总数的58.6%，第三产业21个，占总数的36.2%。全省对外承包工程和劳务合作完成营业额11.5亿美元，增长118.5%，其中对外承包工程营业额11.4亿美元，占99.5%，劳务合作营业额608万美元，占0.5%。期末在外人数6248人（次），增长24.4%。其中对外承包工程项下5066人（次）、对外劳务合作项下1182人（次）。

二是进口走势强于出口，进出口跌幅有所收窄。2009年全省进口57.2亿美元，增长11.2%，占到全省进出口总额的66.9%，比上年的35.7%提高了33.2个百分点。净增进口5.7亿美元，拉动全省进出口回升3.97个百分点；出口28.4亿美元，下降69.3%，比上年的92.4亿美元减少64.1亿美元，拖累全省进出口下跌44.5个百分点。1月份全省进出口下降38.8%，1—5月全省下降54.7%，1—12月全省下降40.6%，比1—5月收窄了14.1个百分点。

三是一般贸易比重上升，国有集体企业出口大幅下降。2009年全省一般贸易进出口74.1亿美元，下降34.2%。其中出口20.8亿美元，下降72.2%，高于全省平均跌幅，进口53.3亿美元，大幅增长41.1%。加工贸易进出口为10.7亿美元，占全省进出口减少额的32.9%，影响全省进出口下跌13.3个百分点。2009年国有企业进出口50.7亿美元，下降36.7%，其中出口11.7亿美元，下降74.9%，进口39.1亿美元，增长15.9%。

四是资源性产品出口低迷，进口量增价跌。2009年全省焦炭、煤炭、金属镁和不锈钢板材四大产品共出口7.48亿美元，占全省出口减少额64.1亿美元的80.9%。其中焦炭出口22.7万吨，比上年同期的678万吨下降96.6%；不锈钢板材出口11.5万吨，比上年的32.3万吨下降64.4%；金属镁出口7.3万吨，下降56.2%；煤炭出口160万吨，下降62.6%。

2009年山西省主要商品出口与上年同期情况对比

表1

品名 \ 年份	2008年 数量（万吨）	2008年 金额（万美元）	2008年 占出口总值（%）	2009年 数量（万吨）	2009年 金额（万美元）	2009年 占出口总值（%）	2009年 同比±（%）	2009年 出口额减少（万美元）
全省出口总值		924474	100		283836	100	-69.3	640638
一、四大商品		593174	64.2		74802	26.4	-88.6	518372
焦炭	678	325443	35.2	22.7	9460	3.3	-97.1	315983
不锈钢板材	32.3	130852	14.1	11.5	25552	9.0	-80.5	105300
金属镁	16.5	66952	7.2	77	19915	7.0	-70.3	47037
煤炭	428	69927	7.6	159.9	19875	7.0	-71.7	50052
二、其他商品		331300	35.8		209034	73.6	-37.0	122266
机电产品		137727	14.4		111022	39.1	-18.6	26705
化工产品		47559	5.0		30587	10.8	-35.7	16972
陶瓷玻璃制品		15393	1.6		11601	4.1	-24	4795
农产品		9269	1.0		5732	2.0	-39.6	3537

2009年山西省原材料进口达47.6亿美元，占进口总值的83%。2009年铁矿砂进口平均单价81.3美元，比上年的131.7美元下降38.3%，因价格下降，减少外汇支出13.5亿美元。镍及其制品进口5.9万吨，增长83.5%；铁合金进口39万吨，增长149.2%；煤炭进口232万吨，增长561.9%。机电产品进口9.6亿美元，增长14.7%。高新产品进口2.6亿美元，下降23.5%，农产品进口777万美元，增长0.5%。

五是进出口企业规模大幅缩水。截至2009年底，全省获进出口经营权的企业已达3569家，比2008年增加354家。受金融危机影响，多数企业未开展进出口业务。2009年有进出口实绩的企业为1056家，比上年减少39家，占有进出口经营资质企业的29.6%。2009年进出口1000万美元以上的企业为73个，比2008年的137个减少64个。其中5000万美元以上的19个，比2008年的44个减少25个，亿美元以上的16个，比2008年的30个减少14个。

资源节约和综合利用

全面加大节能降耗工作力度。对全省11个市和双百家重点耗能企业年度节能目标责任进行了考核评价。以重点行业和重点企业为依托，建立企业能耗直报制度，开展企业节能对标，严格节能评估，推广合同能源管理。规划“省千家”重点耗能企业2009年、2010年重点节能改造项目1043个，总投资622.9亿元，预计节能量1768万吨标准煤。截至2009年底，已有453个项目建成投产，总投资218.1亿元，实现节能量927.6万吨。通过开展节能宣传周等活动，加大节能宣传力度，有效增强了全社会节能意识。结构节能、技术节能、管理节能、社会节能齐抓并举，节能工作成效显著。

扎实推进循环经济和资源综合利用工作。按照《山西省循环经济发展总体规划》要求，大力实施煤炭、冶金、焦化、电力、化工、建材六大行业循环经济推进计划，在重点企业、工业园区实施了一批循环经济项目。加强资源综合利用，落实国家推进资源节约综合利用税收优惠政策，开展资源综合利用企业建材产品及煤矸石综合利用电厂的认定及免税工作，2009年共认定85家资源综合利用企业（包括上报国家的12家资源综合利用电厂企业）。2009年，全省工业固体废弃物综合利用率达58%，工业用水重复利用率达85%，废水处理回用率达到60%以上。全省规模以上工业回收利用高炉煤气316.7亿立方米，回收热力208.6万百万千焦，利用煤矸石1466.6万吨，三项合计达843.9万吨标准煤；全省新型墙材占墙材总量的41%，禁止使用实心粘土砖保护和节约土地约1.07万亩，节约标煤69.5万吨，减少SO_2排量约1.56万吨。

坚决淘汰落后生产能力。严格按照国家《产业结构调整指导目录》和行业准入标准的要求，紧紧抓住市场回调机遇，对不按期淘汰的企业或设备坚决采取停电、停水、停气、停运、停贷及收回生产许可证、工商营业执照等断然措施强制淘汰。严肃查处各类违法违规行为，加强对已淘汰企业的“后管理”，有效防止落后产能死灰复燃。2009年，全省关停淘汰落后钢铁676万吨、小火电107.6万千瓦、焦化100万吨、水泥351万吨、电石27.8万吨、铁合金产能5万吨，特别是小火电和水泥行业已提前完成国家“十一五”下达给山西省的淘汰任务。2007年至2009年底，全省钢铁行业淘汰落后产能4338万吨，焦化行业淘汰落后产能2750万吨，电力行业淘汰落后产能280.4万千瓦，水泥行业淘汰落后产能1754万吨，电石行业淘汰落后产能119.8万吨，铁合金行业淘汰落后产能33.4万吨。大量落后产能的退出，为新上转型转产项目提供了充分的市场容量和发展空间。

节能降耗取得积极成效。“十一五”以来，在全省各级各部门和企业的共同努力下，山西省节能工作取得积极成效。2006年山西省万元GDP能耗为2.89吨标煤，同比下降1.97%；2007年山西省万元GDP能耗2.757吨标煤，同比下降4.52%；2008年全省万元GDP能耗为2.554吨标准煤，同比下降7.39%；2009年，全省万元GDP能耗为2.2705吨标准煤，下降5.72%，超额完成年初确定的万元GDP能耗下降5.6%的节能目标。“十一五”前四年全省万元GDP能耗累计下降18.28%，完成“十一五”节能总目标（22%）的81.24%。

交通运输、邮电通信和旅游业

（一）交通运输

全省公路线路年末里程12.7万公里，其中高速公路1965.2公里。

2009年山西省客货运输量及其增长速度

表2

指　标	单位	绝对数	比上年增长（%）
旅客运输量	万人	36474	0.7
其中：铁路	万人	5320	12.3
公路	万人	31122	-0.9
旅客运输周转量	亿人公里	352.1	-6.6
其中：铁路	亿人公里	141.8	5.5
公路	亿人公里	210.3	-13.3
货物运输量	万吨	109890	-13.5
其中：铁路	万吨	55086	-8.7
公路	万吨	54793	-17.9
货物运输周转量	亿吨公里	2100.1	-9.8
其中：铁路	亿吨公里	1193.7	2.7
公路	亿吨公里	906.4	-17.8

2009年末全省民用汽车保有量达到234.9万辆（包括三轮汽车和低速货车30.8万辆），比上年末增长15.3%，其中私人汽车177万辆，增长20.4%。本年新注册汽车37.9万辆，比上年增长13.3%。年末轿车保有量97.2万辆，比上年末增长26.2%，其中私人轿车80万辆，增长31%。

（二）邮电通信

全年全省完成邮电业务总量627.8亿元，比上年增长12.2%。其中，邮政业务总量35.3亿元，增长12.4%；电信业务总量592.5亿元，增长11.7%。新增局用交换机3.7万门，总容量达到584.1万门。固定电话用户年末达到758.8万户。其中，城市电话用户498.6万户，农村电话用户260.2万户。新增移动电话用户259.3万户，年末达到1957.8万户。年末全省固定及移动电话用户总数达到2716.5万户，比上年末增加215.1万户。电话普及率达到79.26部/百人，其中固定电话和移动电话普及率分别达到22.14部/百人和57.12部/百人。全省宽带接入用户达到279.95万户，增长30.5%。

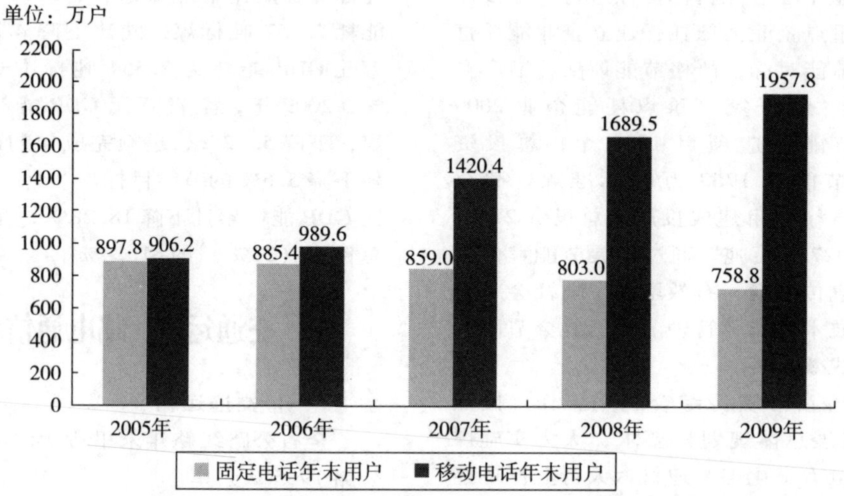

图3 2005—2009年山西省年末固定、移动电话用户

（三）旅游业

全年全省接待海外旅游者106.8万人次，接待国内旅游者1.06亿人次，分别增长13.7%和13.1%；旅游外汇收入3.8亿美元，国内旅游收入865.9亿元，旅游总收入892.5亿元，分别增长25.7%、20.1%和20.7%。

（撰稿：张占祥　闫林）

2008—2009年山西省经济社会发展主要指标

序号	指标	单位	2008年	2009年	增长率（%）
1	**一、人口和就业**				
2	年底人口数	万人	3410.6	3427.4	0.5
3	人口自然增长率	‰	5.31	4.89	
4	就业人员数	万人	1583	1600	1.0
5	**按产业分：**				
6	第一产业	万人	643	636	-1.1
7	第二产业	万人	417	419	0.5
8	第三产业	万人	523	544	4.1
9	**城镇就业人员（按登记注册类型分）**				
10	国有单位	万人	255.91	246.66	-3.6
11	集体单位	万人	27.92	24.19	-13.4
12	股份合作单位	万人	3.60	3.00	-16.7
13	联营单位	万人	0.50	0.30	-40.0
14	有限责任公司	万人	61.50	81.60	32.7
15	股份有限公司	万人	16.10	18.30	13.7
16	私营企业	万人	60.58	44.42	-26.7
17	港澳台商投资单位	万人	6.10	5.50	-9.8
18	外商投资单位	万人	3.40	4.20	23.5
19	个体	万人	72.84	87.58	20.2

续表

序号	指标	单位	2008年	2009年	增长率（%）
20	城镇登记失业人数	万人	17.47	21.65	23.9
21	**二、国民经济核算**				
22	地区生产总值	亿元	6938.7	7358.3	5.4
23	**按产业分：**				
24	第一产业	亿元	302.5	477.6	4.2
25	第二产业	亿元	4265.8	3993.8	1.9
26	工业	亿元	3919.8	3518.9	
27	建筑业	亿元	346.0	474.9	
28	第三产业	亿元	2370.5	2886.9	10.5
29	#交通运输、仓储和邮政业	亿元	476.5	523.4	
30	批发和零售贸易业	亿元	421.8	557.9	
31	**三、固定资产投资**				
32	投资总额	亿元	3531.2	4943.2	40.0
33	**按投资种类分：**				
34	城镇	亿元	3194.6	4509.6	41.2
35	#房地产开发	亿元	326.8	477.3	46.1
36	农村	亿元	336.6	433.6	28.8
37	#农户	亿元	144.3	178.6	23.7
38	非农户	亿元	192.3	255.0	32.6
39	**按建设规模分：**				
40	建设总规模	亿元	9533.6	13898.2	45.8
41	在建总规模	亿元	7235.4	10896.1	50.6
42	在建净规模	亿元	3442.7	5641.3	63.9
43	**按资金来源分：**				
44	国家预算内资金	亿元	195.2	355.2	82.0
45	国内贷款	亿元	542.1	856.7	58.0
46	利用外资	亿元	35.7	20.9	-41.3
47	自筹资金	亿元	2430.6	3000.4	23.4
48	其他投资	亿元	358.7	536.1	49.4
49	**四、房地产开发**				
50	本年完成土地开发面积	万平方米	551	866	57.2
51	本年土地购置费用	亿元	68.1	75.7	11.2
52	本年土地购置面积	万平方米	765	615	-19.6
53	本年完成投资额	万元	3267856	4772748	46.1
54	#住宅	万元	2278066	3778904	65.9
55	#经济适用房屋	万元	128573	131324	2.1
56	房屋施工面积	万平方米	3896	5487	40.8
57	房屋竣工面积	万平方米	921	861	-6.5

续表

序号	指标	单位	2008年	2009年	增长率（%）
58	本年新开工房屋面积	万平方米	1415	2444	72.8
59	#住宅	万平方米	1246	2103	68.7
60	#经济适用房屋	万平方米	63	131	107.2
61	商品房屋销售面积	万平方米	995	1034	4.0
62	#住宅	万平方米	893	964	7.9
63	#经济适用房屋	万平方米	58	39	-33.5
64	商品房屋销售额	万元	2342907	2799896	19.5
65	#住宅	万元	2011783	2459822	22.3
66	商品房屋平均销售价格	元/平方米	2355	2707	14.9
67	#住宅	元/平方米	2253	2552	13.3
68	#经济适用房屋	元/平方米	1466	1648	12.4
69	**五、规模以上工业企业**				
70	企业单位数	个	4415	4023	-8.9
71	工业总产值	亿元	10023.9	9250.0	-7.7
72	资产总计	亿元	13452.7	15424.5	14.7
73	利润总额	亿元	634.3	461.8	-27.2
74	总资产贡献率	%	12.3	8.7	-29.3
75	资产负债率	%	67.1	66.6	-0.7
76	**六、交通运输业**				
77	运输线路长度				
78	铁路营业里程	公里	3324	3536	6.4
79	内河航道里程	公里	467	467	0.0
80	公路里程	公里	124773	127330	2.0
81	#高速公路	公里	1965	1965	0.0
82	货运量	万吨	126864	109534	-13.7
83	#铁路	万吨	60152	54743	-9.0
84	公路	万吨	66710	54786	-17.9
85	水运	万吨	2	5	150.0
86	客运量	万人	36178	36474	0.8
87	#铁路	万人	4740	5320	12.2
88	公路	万人	31397	31122	-0.9
89	水运	万人	41	32	-22.0
90	**七、国内商业**				
91	社会消费品零售总额	亿元	2421.1	2809.0	16.0
92	**八、对外贸易和旅游**				
93	货物进出口总额（按经营单位所在地分）	万美元	1439506	856903	-40.5
94	出口	万美元	925312	283746	-69.3
95	进口	万美元	514194	573158	11.5

续表

序 号	指 标	单 位	2008 年	2009 年	增长率（%）
96	外商投资企业货物进出口总额	万美元	221303	163150	-26.3
97	出口	万美元	127618	69143	-45.8
98	进口	万美元	93685	94007	0.3
99	外商投资企业基本情况				
100	年底登记数	户	2168	3535	63.1
101	投资总额	亿美元	180.0	205.0	13.9
102	注册资本	亿美元	92.0	101.1	9.9
103	#外方	亿美元	51.7	64.0	23.8
104	对外承包工程				
105	完成营业额	万美元	51954	114297	120.0
106	对外劳务合作				
107	完成营业额	万美元	563	624	10.8
108	接待国际旅游人数	万人次	93.93	106.78	13.7
109	#外国人	万人次	57.94	66.63	15.0
110	国际旅游外汇收入	百万美元	300.65	377.94	25.7
111	**九、财政**				
112	地方财政一般预算收入	亿元	748.0	805.8	7.7
113	#国内增值税	亿元	197.1	175.6	-10.9
114	营业税	亿元	129.7	145.8	12.4
115	个人所得税	亿元	25.7	27.0	5.3
116	地方财政一般预算支出	亿元	1315.0	1561.7	18.8
117	**十、物价指数**				
118	商品零售价格指数	上年=100	107.2	99.1	
119	居民消费价格指数	上年=100	107.2	99.6	
120	#城市	上年=100	107.0	99.0	
121	农村	上年=100	107.7	100.9	
122	**十一、人民生活**				
123	收入				
124	农村居民家庭人均纯收入	元	4097	4244	3.6
125	城镇居民家庭人均可支配收入	元	13119	13997	7.7
126	居民消费水平	元	6187	6854	5.6
127	农村居民	元	3274	3705	4.7
128	城镇居民	元	9810	10617	4.5
129	住房				
130	农村居民人均住房面积	平方米	26.5	28.0	5.5
131	**十二、教育**				
132	高等学校数	所	69	71	2.9
133	高等学校招生数	人	147305	165407	12.3

续表

序号	指标	单位	2008 年	2009 年	增长率（%）
134	高等学校在校学生数	人	526756	547391	3.9
135	高等学校毕业生数	人	141214	153422	8.6
136	十三、卫生				
137	卫生机构数	个	9431	39917	
138	#医院、卫生院	个	2594	2808	8.2
139	医疗机构床位数	张	127263	144517	13.6
140	#医院、卫生院	张	118947	131122	10.2
141	卫生技术人员数	人	159591	186310	16.7
142	#执业（助理）医师	人	72259	84705	17.2

注：1. 地区生产总值及其三次产业、城镇居民人均可支配收入和居民消费水平的增长速度按可比价格计算。
2. 卫生机构数 2009 年起含村卫生室，与历史数据不可比。

内蒙古自治区

综　述

2009 年是新世纪以来内蒙古经济发展最为困难的一年，也是取得显著成绩的一年。面对国际金融危机的严重冲击，全区各族人民在党中央、国务院和自治区党委、政府的正确领导下，认真落实国家和自治区应对国际金融危机的一系列政策措施，从实际出发，创造性地开展工作，实现了经济社会又好又快发展。

全年生产总值 9740.25 亿元，按可比价格计算，比上年增长 16.9%。其中，第一产业增加值 929.6 亿元，增长 2.3%；第二产业增加值 5114 亿元，增长 21.1%；第三产业增加值 3696.65 亿元，增长 15%。全区生产总值中一、二、三次产业比例由上年的 10.7:51.5:37.8 调整为 9.5:52.5:38。城镇居民人均可支配收入 15849 元，农牧民人均纯收入 4938 元，分别增长 9.8% 和 6.1%。城镇登记失业率为 4.05%。

全年完成地方财政总收入 1377.7 亿元，其中地方财政一般预算收入 850.86 亿元，分别比上年增长 24.4% 和 30.8%。全年地方财政支出 1926.8 亿元，比上年增长 32.5%。其中，社会保障和就业支出 274.97 亿元，比上年增长 43.6%；科学技术支出 18.06 亿元，增长 17.6%；教育支出 243.48 亿元，增长 17.96%。

全年全社会固定资产投资总额 7535.15 亿元，比上年增长 34.44%。其中，城乡 50 万元以上项目完成固定资产投资 7381 亿元，增长 33.8%。从投资主体看，国有及国有控股经济单位投资 3699.67 亿元，增长 32.74%；集体单位投资 71.12 亿元，增长 10.57%；个人投资 100.61 亿元，下降 0.09%；其他经济类型单位投资 3663.75 亿元，增长 38.1%。按项目隶属关系分，地方项目完成投资 6705.91 亿元，增长 39.8%；中央项目完成投资 829.24 亿元，增长 2.54%。在全区固定资产投资中，第一产业投资 407.72 亿元，增长 42.18%；第二产业投资 3831.77 亿元，增长 32.33%；第三产业投资 2551.88 亿元，增长 5.3%。从城乡看，城镇固定资产投资 7340.64 亿元，比上年增长 35.53%。从主要行业投资看，农业投资 287.13 亿元，增长 46.38%；工业投资 3769.3 亿元，增长 30.95%；运输邮电业投资 824.71 亿元，增长 50.73%。

工业经济

从 2008 年四季度开始，国际金融危机迅速扩散蔓延，内蒙古工业经济受到严重冲击，市场需求严重不足，工业品价格大幅度下滑，多数产品有价无市，部分规模以上工业企业停产半停产，工业经济发展遇到了近些年来前所未有的困难。在挑战面前，全区工业战线认真贯彻落实科学发展观，狠抓保增长、调结构各项政策措施的落实，共克时艰，砥砺奋进，创造性开展工作，推动全区工业经济在困难和波折中率先企稳回升、持续向好，实现平稳较快增长。同时，还积极把握挑战中蕴含的发展机遇，充分利用金融危机形成的倒逼机制，大力推进产业结构优化升级，取得明显成效。

2009 年，全部工业完成增加值 4503.31 亿元，增长 21.2%；规模以上工业完成增加值 4400.45 亿元，增长 24.2%；规模以上中小工业企业完成增加值 3243.92 亿元，增长 27.3%；单位 GDP 能耗预计下降 7%。

保增长效果显现。主要体现在六个方面：

一是工业经济回升态势日益稳固、持续向好。通过综合施策，在较短时间内遏止了工业增速大幅下滑的势头。2009 年 1 月份规模以上工业增速由上年 12 月份的 3.6% 回升到 12.4%，而后逐月加快，月增速均在 18% 以上，全年增长 24.2%。各盟市规模以上工业增速全年均呈两位数增长。

自治区统计的 28 种主要产品中，产量增长的有 26 种，其中增幅在 10% 以上的有 17 种。原煤 6.04 亿吨，增长 22.8%；发电量 2242.57 亿千瓦时，增长 9.47%；精甲醇 157.43 万吨，增长 56.1%；聚氯乙烯 61.92 万吨，增长 53.5%；合成氨 81 万吨，增长 12.8%；焦炭 1838.39 万吨，增长 33.8%；粗钢 1261.94 万吨，增长 3%；十种有色金属 181.2 万吨，增长 21.1%，其中电解铝 128.09 万吨，增长 16.1%；铝材 22.53 万吨，增长 64.9%；水泥 4333.75 万吨，增长 48.1%；平板玻璃 1564.89 万重量箱，增长 6.3%；载货汽车 2.74 万辆，增长 8.4%；风力发电设备 826 台（套），增长 5.6 倍；液体乳 348.49 万吨，增长 5.5%；鲜冻冷藏肉 101.5 万吨，增长 49.6%；羊绒衫 1199.4 万件，增长 15.4%；稀土化合物 21.8 万吨，增长 7.4%。

二是工业固定资产投资稳定增长。认真落实促进工业固定资产投资增长的各项政策措施，以工业重点项目建设为抓手，狠抓项目前期工作和集中调度，确保了新开工项目早开工、续建项目不停工、竣工项目不延期。全年工业固定资产投资完成年度计划的 108%，150 个自治区工业重点项目完成固定资产投资 1231 亿元，完成年度投资计划的 107.8%；75 个计划新开工自治区工业重点项目开工 65 个，开工率达 86.7%；20 个自治区集中调度的新开工项目开工 12 个。

三是工业经济效益明显好转。2009 年初，受市场需求严重不足、工业品价格低位运行等因素影响，工业企业效益急剧下滑，随着刺激工业经济增长措施效果的逐步显现和市场需求的逐步回暖，规模以上工业企业效益水平逐渐好转。2009 年前 11 个月，全区规模以上工业企业实现利润 653.2 亿元，增长 5.9%，增幅比前 8 个月回升 16.3 个百分点；实现主营业务收入 9366.2 亿元，增长 22.5%，增幅比前 8 个月回升 5.4 个百分点；亏损企业亏损额增幅比前 8 个月回落 90 个百分点。

四是停产半停产企业全部恢复生产。通过采取联合重组、兼并收购、分类指导、逐一帮扶等措施，加之市场需求回暖，2008 年底的 731 个规模以上停产半停产工业企业，除因淘汰落后生产能力退出市场的企业外，其余企业全部恢复生产。

五是工业园区发展加快。进一步加强工业园区基础设施建设，积极打造产业集聚发展平台，促进了产业集群化发展。初步测算，2009 年，全区各级各类工业园区完成工业增加值占全区工业增加值的比重达到 60% 以上。国家核准的 45 个工业园区完成工业增加值 1859.2 亿元，增长 28.1%，占全区工业总量的 41.2%；实现利润 215.54 亿元，增长 17.7%。

六是煤电油运形势总体平稳。通过采取对重点行业、重点地区和重点企业的跟踪调度、重点监测，建立区内电煤供应长效机制，积极推动电力多边交易市场建设等措施，全区煤炭产销平衡，发用电量和成品油销量稳步回升，铁路和公路货运量实现双增长。2009 年，全区生产和销售原煤各 6 亿吨，增长 22.8%；完成发电量 2242.57 亿千瓦时，增长 9.47%；全社会用电量逐月回升，12 月份当月增长 52.2%，其中工业用电量增长 55.98%，全年全社会用电量 1277.72 亿千瓦时，工业用电量 1108.48 亿千瓦时；销售成品油 587.6 万吨，增长 5.3%；铁路完成货运量 5.2 亿吨，增长 11.9%，其中煤炭发运量 4.4 亿吨，增长 13.9%；公路完成货运量 7.1 亿吨，增长 16.2%。

结构调整

2009 年，内蒙古自治区工业结构调整出现积极变化。在积极应对金融危机、保持工业经济平稳较快增长的同时，紧紧抓住在危机中推进产业结构优化升级这一机遇，推动全区工业经济结构调整迈出了新的步伐。

一是从地区结构上看，东部盟市增速明显加快。在继续推进呼包鄂加快发展的同时，通过采取建设项目、扶持资金向东部盟市倾斜，加快东部盟市能源、化工等产业发展，促进东部盟市开发区扩容增效等措施，推动了东部盟市工业经济加快发展。2009 年，东部五盟市规模以上工业完成增加值 1283.7 亿元，占全区规模以上工业增加值的 29.2%，增长 27%，增幅高于全区平均水平近 2.8 个百分点，拉动全区工业增长 10.7 个百分点。

二是从产业结构上看，非资源型产业和新兴产业发展加快。2009 年，全区六大优势特色产业完成工业增加值 4082.9 亿元，增长 23.5%，占全区规模以上工业增加值的 93%，拉动全区工业增长 22 个百分点。其中，装备制造业在逆境中凸显了抗风险能力强的优势，月增速始终保持在 40% 以上，完成工业增加值占全区工业的比重比上年提高近 2 个百分点。化学工业形成现代煤化工产能 560 万吨甲醇当量，完成工业增加值占全区工业的比重比上年提高近 1 个百分点，增速持续加快。新能源开发利用迈出了新步伐，风电装机突破500万千瓦，继续保持全国第一位；太阳能、生物质能、燃气发电装机达到43.8万千瓦。

三是从企业组织结构上看，中小企业保持较快发展。深入推进实施“双百工程”，积极促进中小企业发展和园区扩容增效，中小企业发展环境进一步优化，金融服务和支持力度进一步加强，担保体系建设进一步完善，融资难题进一步缓解。2009年，自治区共安排下拨中小企业技术进步贴息、发展专项、自主知名品牌培育、节能技改等资金2亿元，积极争取国家各类中小企业发展专项、节能技改奖励、资源综合利用等资金3.2亿元。围绕有色金属延伸加工、装备制造、PVC延伸加工、陶瓷生产、稀土开发生产和“大电子”配套六大领域，积极承接产业层次高、与现有产业接续性强和有利于产业多元、产业延伸、产业升级的非资源型项目。2009年，全区承接发达地区陶瓷和装备制造等非资源型产业转移项目198个，涉及项目总金额1050亿元。

四是从产业技术结构上看，落后产能淘汰力度加大。充分发挥政策导向和市场的调节作用，按照国家产业政策，将不符合科学发展观要求、不符合新型工业化原则、不符合工业做大做强目标的落后产能和产品压下来，通过采取整顿关闭、拆除设备、兼并重组和技术改造等措施，确保落后产能逐步退出市场，保留的行业技术装备水平有了明显的提高。2009年，关闭小火电机组20万千瓦，淘汰落后产能电石10万吨、铁合金2万吨、水泥360万吨、钢20万吨、铁197万吨、焦炭495万吨、有色金属5.4万吨、造纸14.8万吨、味精0.6万吨。电石1.25万千伏安及以上的单套设备生产能力占全区电石总生产能力的95%，铁合金1.25万千伏安及以上单套设备生产能力占全区铁合金总生产能力的67%，这两个行业的总体装备水平均高于全国平均水平。

五是从能耗结构上看，工业能耗大幅下降。坚持把节能降耗作为提高工业运行质量和效益的主要手段，通过采取强化节能目标责任制、实行固定资产节能评估、开展重点耗能企业挂牌督办等一系列措施，节能效果明显。初步测算，2009年全社会能源消费总量增长9%，增幅同比回落1个百分点；全区规模以上工业能源消费增长2.9%，增幅同比回落5.4个百分点；规模以上工业单位增加值能耗下降15.8%，下降幅度比上年加大1.7个百分点。统计的22种主要耗能产品的66项能耗指标中53项下降。

煤矿安全生产

2009年，内蒙古自治区煤矿安全生产水平继续保持全国领先。加大了煤矿整顿关闭和整合技改力度，全区煤矿总数由2005年底的1378处减少到501处（不含新建煤矿），单井平均年生产能力由不足15万吨提高到目前的120万吨以上。加强了煤矿安全质量标准化建设，对井工煤矿达标标准进行了修改完善，增加了生产系统大屏幕监控、井下人员管理和现代通讯、产量计量等科技含量高的内容，全面提高了采煤、掘进、通风、运输、排水、提升、防瓦斯等达标标准。制定了加快煤矿安全质量标准化建设及验收进度和严格核发、换发煤炭生产许可证的办法，2009年全区已达标煤矿202处。继续实行煤矿安全驻矿承包责任制，扎实落实隐患排查治理工作。通过采取得力措施，煤矿安全生产水平和技术装备水平大幅提高。2009年，发生煤矿安全事故21起，死亡33人，煤炭百万吨死亡率为0.055。

商品流通

2009年内蒙古自治区社会消费品零售总额2855.31亿元，比上年增长19.2%。分城乡看，城市消费品零售额1954.7亿元，增长19.7%；县的消费品零售额562.5亿元，增长18.9%；县以下消费品零售额338.1亿元，增长17.3%。分行业看，批发零售贸易业零售额2223.3亿元，增长18.9%；住宿和餐饮业零售额574.2亿元，增长20.9%；其他行业零售额57.8亿元，增长13.9%。

2009年内蒙古自治区消费品市场呈现两大亮点：一是消费结构呈现积极变化，汽车、居住、家庭装饰等消费不断扩大。全年汽车类零售额182.3亿元，比上年增长54.2%；家电和通讯类消费品升级步伐加快，家用电器和音像器材类零售额比上年增长15.9%。二是“家电下乡”政策在内蒙古实施以来，有力带动了全区农村牧区的消费市场。2009年全区已备案家电下乡销售网点2514家，覆盖近80%的乡镇苏木，累计销售9大类家电下乡产品37.16万台，销售金额达6.32亿元，兑付补贴资金6900多万元。全年县及县以下实现零售额比上年增长18.3%。

外经外贸

2009年内蒙古自治区海关进出口总额67.64亿美元，比上年下降24.1%。其中，出口总额23.16亿美元，下降35.3%；进口总额44.48亿美元，下降16.6%。从主要贸易方式看，一般贸易进出口额达31.4亿美元，占46.4%，比上年下降35.5%；加工贸易进出口额达2.62亿美元，占3.9%，比上年下降11.5%。实际利用外商直接投资29.84亿美元，比上年增长13%。年内全区在工商部门注册的“三资”企业3675家，比上年增加1349家。全年共签订对外工程承包、劳务合作合同金额3889万美元，完成营业额4776万美元。

（撰稿：马俊）

2008—2009 年内蒙古自治区经济社会发展主要指标

序号	指标	单位	2008 年	2009 年	增长率（%）
1	一、人口和就业				
2	年底人口数	万人	2413.7	2422.1	0.3
3	人口自然增长率	‰	4.27	3.96	
4	就业人员数	万人	1103	1142	3.6
5	按产业分：				
6	第一产业	万人	557	558	0.2
7	第二产业	万人	186	193	3.8
8	第三产业	万人	360	391	8.6
9	城镇就业人员（按登记注册类型分）				
10	国有单位	万人	163.50	166.67	1.9
11	集体单位	万人	10.11	9.18	-9.3
12	股份合作单位	万人	1.40	1.90	35.7
13	联营单位	万人	0.30	0.20	-33.3
14	有限责任公司	万人	45.50	44.50	-2.2
15	股份有限公司	万人	18.30	17.90	-2.2
16	私营企业	万人	80.44	89.17	10.8
17	港澳台商投资单位	万人	1.40	1.50	7.1
18	外商投资单位	万人	2.80	2.90	3.6
19	个体	万人	89.63	104.50	16.6
20	城镇登记失业人数	万人	19.92	20.14	1.1
21	二、国民经济核算				
22	地区生产总值	亿元	7761.8	9740.3	16.9
23	按产业分：				
24	第一产业	亿元	907.0	929.6	2.3
25	第二产业	亿元	4271.0	5114.0	21.1
26	工业	亿元	3798.6	4503.3	
27	建筑业	亿元	472.4	610.7	
28	第三产业	亿元	2583.8	3696.7	15.0
29	#交通运输、仓储和邮政业	亿元	640.5	773.3	
30	批发和零售贸易业	亿元	548.4	915.9	
31	三、固定资产投资				
32	投资总额	亿元	5475.4	7336.8	34.0
33	按投资种类分：				
34	城镇	亿元	5327.0	7143.8	34.1
35	#房地产开发	亿元	744.3	815.5	9.6
36	农村	亿元	148.4	193.0	30.1
37	#农户	亿元	80.4	84.1	4.6
38	非农户	亿元	68.0	108.8	60.1
39	按建设规模分：				
40	建设总规模	亿元	12234.6	17834.7	45.8
41	在建总规模	亿元	8687.8	12838.3	47.8
42	在建净规模	亿元	3687.8	6188.4	67.8
43	按资金来源分：				
44	国家预算内资金	亿元	222.8	420.1	88.6
45	国内贷款	亿元	383.8	708.3	84.5

续表

序号	指标	单位	2008年	2009年	增长率（%）
46	利用外资	亿元	46.7	14.7	-68.4
47	自筹资金	亿元	4411.2	5801.5	31.5
48	其他投资	亿元	270.0	305.6	13.2
49	**四、房地产开发**				
50	本年完成土地开发面积	万平方米	1261	608	-51.8
51	本年土地购置费用	亿元	105.5	108.9	3.2
52	本年土地购置面积	万平方米	1771	1109	-37.3
53	本年完成投资额	万元	7442976	8154562	9.6
54	#住宅	万元	5791929	5737815	-0.9
55	#经济适用房屋	万元	687640	538418	-21.7
56	房屋施工面积	万平方米	7099	8288	16.8
57	房屋竣工面积	万平方米	1981	2315	16.8
58	本年新开工房屋面积	万平方米	3831	4388	14.5
59	#住宅	万平方米	3108	3212	3.3
60	#经济适用房屋	万平方米	420	255	-39.3
61	商品房屋销售面积	万平方米	2396	2582	7.7
62	#住宅	万平方米	2093	2254	7.7
63	#经济适用房屋	万平方米	262	241	-8.0
64	商品房屋销售额	万元	5950600	7672360	28.9
65	#住宅	万元	4741826	5970070	25.9
66	商品房屋平均销售价格	元/平方米	2483	2972	19.7
67	#住宅	元/平方米	2265	2649	17.0
68	#经济适用房屋	元/平方米	1690	2141	26.7
69	**五、规模以上工业企业**				
70	企业单位数	个	3993	4465	11.8
71	工业总产值	亿元	8740.2	10699.4	22.4
72	资产总计	亿元	10089.3	11650.9	15.5
73	利润总额	亿元	771.4	988.2	28.1
74	总资产贡献率	%	14.8	15.3	
75	资产负债率	%	62.5	60.3	
76	**六、交通运输业**				
77	运输线路长度				
78	铁路营业里程	公里	6840	8074	18.0
79	内河航道里程	公里	2403	2403	0.0
80	公路里程	公里	147288	150756	2.4
81	#高速公路	公里	1879	2176	15.8
82	货运量	万吨	99298	113916	14.7
83	#铁路	万吨	38357	43084	12.3
84	公路	万吨	60941	70832	16.2
85	水运	万吨			
86	客运量	万人	20068	22077	10.0
87	#铁路	万人	3861	4079	5.7
88	公路	万人	16207	17998	11.1
89	水运	万人			
90	**七、国内商业**				
91	社会消费品零售总额	亿元	2463.0	2855.3	15.9

续表

序号	指标	单位	2008年	2009年	增长率（%）
92	**八、对外贸易和旅游**				
93	货物进出口总额（按经营单位所在地分）	万美元	891848	677407	-24.0
94	出口	万美元	359185	231548	-35.5
95	进口	万美元	532663	445859	-16.3
96	外商投资企业货物进出口总额	万美元	149335	108694	-27.2
97	出口	万美元	90470	52317	-42.2
98	进口	万美元	58865	56377	-4.2
99	外商投资企业基本情况				
100	年底登记数	户	2326	3675	58.0
101	投资总额	亿美元	221.6	239.9	8.3
102	注册资本	亿美元	112.7	134.6	19.5
103	#外方	亿美元	76.3	94.6	23.9
104	对外承包工程				
105	完成营业额	万美元	2523	1692	-32.9
106	对外劳务合作				
107	完成营业额	万美元	2254	237	-89.5
108	接待国际旅游人数	万人次	154.93	128.96	-16.8
109	#外国人	万人次	153.23	126.61	-17.4
110	国际旅游外汇收入	百万美元	577.19	558.31	-3.3
111	**九、财政**				
112	地方财政一般预算收入	亿元	650.7	850.9	30.8
113	#国内增值税	亿元	103.3	109.6	6.0
114	营业税	亿元	134.8	170.2	26.3
115	个人所得税	亿元	24.0	29.7	23.6
116	地方财政一般预算支出	亿元	1454.6	1926.8	32.5
117	**十、物价指数**				
118	商品零售价格指数	上年=100	104.7	99.5	
119	居民消费价格指数	上年=100	105.7	99.7	
120	#城市	上年=100	105.4	99.7	
121	农村	上年=100	106.3	99.8	
122	**十一、人民生活**				
123	收入				
124	农村居民家庭人均纯收入	元	4656	4938	6.0
125	城镇居民家庭人均可支配收入	元	14433	15849	10.2
126	居民消费水平	元	8108	9668	14.9
127	农村居民	元	3668	3999	8.1
128	城镇居民	元	12386	14784	14.2
129	住房				
130	农村居民人均住房面积	平方米	21.5	22.2	3.6
131	**十二、教育**				
132	高等学校数	所	39	41	5.1
133	高等学校招生数	人	97846	109077	11.5
134	高等学校在校学生数	人	316700	351928	11.1
135	高等学校毕业生数	人	73554	75805	3.1
136	**十三、卫生**				
137	卫生机构数	个	7162	22677	

续表

序号	指标	单位	2008年	2009年	增长率（%）
138	#医院、卫生院	个	1800	1801	0.1
139	医疗机构床位数	张	81068	87390	7.8
140	#医院、卫生院	张	73205	77666	6.1
141	卫生技术人员数	人	109727	134988	23.0
142	#执业（助理）医师	人	49542	69197	39.7

注：1. 地区生产总值及其三次产业、城镇居民人均可支配收入和居民消费水平的增长速度按可比价格计算。

2. 卫生机构数2009年起含村卫生室，与历史数据不可比。

辽宁省

综述

2009年是实施东北振兴战略以来辽宁经济发展最为困难的一年。面对极其复杂的国内外环境，辽宁省各地、各部门认真落实中央扩大内需、促进经济增长的一系列政策措施，积极应对国际金融危机、世界经济衰退、国内外形势严峻复杂的环境，经过全省上下齐心协力，攻坚克难，保增长、保民生、保稳定、促振兴取得明显成效，经济持续回升、向好发展，主要经济指标好于预期。

经济总体企稳向好趋势明显，走出了一条扭转下滑、企稳回升、逐季向好的轨迹。2008年第四季度，受国际金融危机的严重影响，辽宁省经济一度下滑，2009年一季度达到近年来的谷底，GDP增速为9.6%；从二季度起，随着中央及省里刺激经济一揽子计划的政策效应逐步释放，经济运行中的积极因素不断增多，企稳向好的迹象逐渐显现，上半年GDP增速达到11.5%；进入三季度以来，经济回升速度明显加快，前三季度GDP增速达到12.7%，比一季度和上半年分别提高3.1个和1.2个百分点；四季度继续较快增长。初步核算，全年生产总值15065.6亿元，按可比价格计算，比上年增长13.1%，继续保持振兴以来的平均增幅，实现了中央提出的扩内需、保增长的目标要求，经济总量跃居全国第七位。其中，第一产业1414.9亿元，增长3.1%；第二产业7821.7亿元，增长15.6%；第三产业5829亿元，增长12.1%。

工业经济

2009年，辽宁省工业生产持续增长，回升态势不断巩固。一年来，辽宁省工业下滑的底部在2008年11、12月及2009年1月，从2月份起，辽宁省工业生产在经历2008年下半年陡降后，经济下行惯性压力逐步得到缓释，曲线波动走平，趋势企稳回升。一季度，辽宁省实现工业增加值1545.9亿元，比上年增长11.2%；上半年实现工业增加值3538.3亿元，增长12.7%；前三季度实现工业增加值5627.9亿元，增长14.4%；全年实现增加值7751.6亿元，增长16.8%，回升态势不断巩固。

（一）四大支柱产业带动了工业经济的回升

2009年全省规模以上工业39个行业大类中，有32个行业生产实现比上年增长。按三类51个行业对工业进行聚类分析，辽宁省产业结构对工业增长的影响，具有三个比较明显特征：

1. 装备制造业持续增长，经济效益水平较高。装备制造业增加值一季度增长20.5%，上半年增长17.3%，前三季度增长17.5%，全年装备制造业增加值比上年增长18.3%。内部各行业增长速度均较快，通用设备制造业增长22.0%，专用设备制造业增长23.8%，交通运输设备制造业增长13.5%，电器机械及器材制造业增长26.3%。

装备制造业实现主营业务收入8643亿元，比上年增长21.4%，7个行业中有6个行业的主营业务收入比上年增长，其中增幅较高的行业有通用设备制造业、专用设备制造业、电器机械及器材制造业、交通运输设备制造业等四个行业，增幅均在20%以上。

装备制造业实现利税总额601.1亿元，比上年增加127.8亿元。其中，通用设备制造业实现利税171亿元，增加32.2亿元；交通运输设备制造业实现利税161.8亿元，增加39.8亿元，其中的汽车制造业实现利税96.9亿元；电器机械及器材制造业和通信设备、计算机及其他电子设备制造业实现利税分别为78.2亿元和25.3亿元。

装备制造业实现利润总额399.1亿元，比上年增长28.5%。其中，通用设备制造业实现利润总额达115.7亿元，增加23.7亿元；交通运输设备制造业实现利润总额91.1亿元，增加20.6亿元，其中的汽车制造业实现利润总额39.3亿元，增加22.7亿元。

2. 原材料加工业发展稳定。2009年，原材料工业增加值比上年增长16.9%，拉动全省工业增长7.8个百分点，对工业增长的贡献率达到45.5%。实现主营业务收入11989.1亿元，比上年增长6.2%。实现利税总额1038.7亿元，比上年增加580.6亿元。实现利润总额327.8亿元，增加297.1亿元。

石化工业中的石油化工、炼焦及核燃料加工业完成工业增加值542.2亿元，所占比重最大，占石化工业增加值的42.1%，工业增加值比上年增长4.4%；石化工业实现主营业务收入5156.7亿元，比上年下降0.9%，实现利税577.1亿元，比上年增加637.5亿元。

冶金工业中的黑色金属冶炼及压延加工业增加值占冶金工业的65.6%，比上年增长13.7%；实现主营业务收入5121.4亿元，比上年增长6.7%。

建材工业增加值比上年增长22.0%，实现主营业务收入1711亿元，比上年增长32.3%。

3. 农产品加工业发展较快，已成为全省工业经济的支柱产业。2009年全年，全省农产品加工业增加值比上年增长21.7%，高于全省工业平均增速4.9个百分点。农产品加工业对全省工业贡献率达到22.9%，拉动全省工业增长4.9个百分点，成为促进全省经济发展的重要产业之一。其中，农副食品加工业增加值所占比重最大，占农产品加工业的35.7%，比上年增长24.0%；饮料制造业比上年增长27.9%；烟草制品业比上年增长3.8%。

全年农产品加工业实现主营业务收入4166.2亿元，比上年增长26.1%，其中主营业务收入超亿元的企业有854户，实现主营业务收入2779亿元，占农产品加工业的66.7%。农副食品加工业实现主营业务收入2007.3亿元，比上年增长25%，实现利税93.2亿元，比上年增加26.6亿元；饮料制造业实现主营业务收入263.4亿元，比上年增长33.6%，实现利税32.3亿元，比上年增加4.2亿元。

（二）多数重点产品产量提高

辽宁省重点监测的59种工业主要产品中有37种保持增产，增产面达62.7%。从产品品种看：原煤产量6624.2万吨，增长2.2%；水泥产量4693.4万吨，增长15.3%；生铁产量5061.3万吨，增长22.9%；汽车产量50.9万辆，增长49.1%；乙烯产量38.2万吨，增长12.4%；钢材产量4937.3万吨，增长19.4%。

（三）各种经济类型企业实现全面增长

2009年，国有企业增加值比上年增长0.6%，转降为升。集体企业增长较快，比上年增长21.1%，高出全省平均增速4.3个百分点。股份制企业、股份合作企业、外商及港澳台商投资企业均呈现两位数增长，分别增长18.2%、15.6%和11.3%；国有控股企业增长2.3%。其中，股份制企业完成工业总产值16116.6亿元，占全部工业总产值的57.7%，在辽宁省所有经济类型中所占比重最大，比上年增长14.5%。

（四）经济效益综合指数大幅度提升

2009年，全省经济效益水平持续稳步提升，规模以上工业经济效益综合指数为239.8，比上年提高27.25个点。从构成工业经济效益综合指数的7项指标看，全年总资产贡献率为10.16%，比1—11月提升0.5个百分点；资本保值增值率为105.4%，比1—11月提升2.58个百分点；流动资产周转率为2.5次，比1—11月提升0.03次；成本费用利润率为3.7%，比1—11月提升0.24个百分点；工业产品销售率为97.5%，比1—11月提升0.32个百分点。资产负债率为60.3%，比1—11月下降0.9个百分点。

（五）利润总额持续大幅增长，经济效益普遍好转

2009年1—7月，辽宁省规模以上工业盈亏相抵后利润同比增幅由负转正，下半年利润总额同比增幅呈现快速上升态势，全年辽宁省工业企业实现利润总额934.6亿元，比上年增盈450亿元，增长92.9%。

从轻重工业看，全省轻工业实现利润197.8亿元，占规模以上工业利润总额的21.2%，比上年增加68.5亿元，增长53%；重工业实现利润736.8亿元，占规模以上工业利润总额的78.8%，比上年增盈381.6亿元，增长107.4%。

分经济类型看，股份制企业和三资企业实现利润大幅增长，2009年，利润总额分别达441.3亿元和294.6亿元，股份制企业比上年增加296.6亿元，增长89.4%，外商及港澳台投资企业增盈137.8亿元，增长87.8%；增长最快的是股份合作企业，比上年增长130.6%；而国有企业利润额30.6亿元，下降47%。股份制企业和三资企业实现利润总额占辽宁省比重最大。

分地区看，全省14个市中，规模以上工业企业实现利润增盈的有10个市，其中大连、抚顺两市对辽宁省利润总额的快速增长带动最大，主要是中国石油天然气股份有限公司大连石化分公司和中国石油天然气股份有限公司抚顺石化分公司等石化企业经营情况明显好转所致。2009年中国石油天然气股份有限公司大连石化分公司实现利润比上年增加147.7亿元；中国石油天然气股份有限公司抚顺石化分公司实现利润增加101.2亿元。

分行业看，在工业39个行业大类中，有29个行业利润同比增长，其中增长最快的是石油加工、炼焦及核燃料加工业，比上年增盈389.2亿元；有10个行业利润比上年下降，其中下降最快的是石油和天然气开采业，减少108.9亿元。

（六）工业大户的拉动作用较强

在全省规模以上工业企业中，全年主营业务收入在20亿元以上的企业118户，实现主营业务收入

10301.7亿元，占全省主营业务收入的37.9%；这些企业实现利润总额达249.5亿元，比上年增加298.4亿元，占全省利润总额的26.7%。主营业务收入在100亿元以上的企业27户，实现主营业务收入6661.3亿元，占全省主营业务收入的24.5%；这些企业实现利润总额131.7亿元，比上年增加238亿元，占全省利润总额的14.1%。

（七）继续优化主导产业布局，积极推进结构调整

国家已把结构调整作为2009年经济工作的重中之重。全国工业正处在大调整的前夜，辽宁省工业发展仍处于重要战略机遇期，要在坚持继续优化主导产业布局的同时，积极融入全国工业调整，着力推进工业结构调整和技术水平升级。

近几年，经过全省工业系统的努力，结构调整工作已经取得了显著成效，工业结构逐步趋于合理。但是，辽宁省工业结构调整的任务仍然十分艰巨。特别是产业集中度低、产品结构不合理、产业链较短、附加值不高、配套能力不强、新兴产业发展滞后等问题，仍然制约着辽宁省的发展，如：辽宁省的装备制造业虽然拥有一批重大技术装备排头兵企业，但许多重大技术装备的核心技术仍受制于国外，关键零部件、元器件仍然依赖进口，辽宁省装备制造业大而不强，与先进装备制造业目标差距很大。

目前石化行业中辽宁省乙烯产量仅占原油加工量的0.8%，而广东为6.9%。虽然辽宁省原油加工能力已位居全国第一，但也应看到，辽宁省这种以成品油为主、以扩大原油加工能力发展为传统燃料型模式增长空间已经不大，加之乙烯生产能力又十分低，不调整结构，发展深加工，走石油化工一体化的路子只能会越来越窄。辽宁省冶金行业钢铁产能达到6000万吨，2009年产量接近5000万吨，在全国产能达到7亿吨的背景下，国家工信部已经明确表态不再批新的钢铁项目，辽宁省今后的产能也不能有大的提高，因此，传统产业的发展空间已经十分有限，很难支撑辽宁省工业的长远发展，辽宁的工业结构调整事关辽宁经济发展的未来，必须围绕国内外市场需求，增加产品品种，加快研制市场急需的高附加值产品，淘汰落后产品和工业装备。

固定资产投资

2009年，辽宁省固定资产投资继续保持较快的增长态势。一季度，全社会固定资产投资增长61.7%，二季度增长48.9%，三季度增长41.7%。到年末，全社会固定资产投资在2008年突破万亿元大关后，再创佳绩，达13074.9亿元，位于各省市区中第五位，增幅比上年增长30.5%，比同期全国增长30.3%的平均水平高0.2个百分点。其中城镇50万元以上建设项目8964.6亿元，增长31.4%；房地产开发投资2640.6亿元，增长28.1%。

（一）三次产业投资增速继续加快

第一产业完成投资507.9亿元，比上年增长56.2%，占全省投资的比重为3.9%，同比提高0.7个百分点。第二产业投资5886.9亿元，增长21.8%。第三产业投资6680亿元，增长37.4%，所占比重同比提高2.6个百分点。其中，交通运输仓储和邮政业增长18.3%，批发和零售业增长62.3%，房地产业增长37.6%，科学研究、技术服务和地质勘查业增长50.1%，水利、环境和公共设施管理业增长34.7%，居民服务和其他服务业增长64.7%，卫生社会保障和社会福利业增长55.5%，文化体育、娱乐业增长1.2倍，公共管理和社会组织业增长1.8倍。这9个行业共完成投资6041.5亿元，占第三产业投资的90.4%。

（二）基础设施投资建设稳步发展

全省基础设施建设完成投资3035.7亿元，比上年增长33.1%，增幅比上年提高3.4个百分点，比本期固定资产投资高2.6个百分点。基础设施投资占固定资产投资的比重由上年的22.8%上升至23.2%，带动固定资产投资增长7.5个百分点。其中，交通投资951.7亿元，增长18.3%，占基础设施投资总量的31.4%。水利、环境和公共设施建设投资921.8亿元，增长34.7%，占基础设施投资总量的30.4%。电力、燃气及水的生产和供应业投资，占基础设施投资总量的22.3%。

（三）民间投资支撑作用进一步显现

全省民间投资完成8830.2亿元，比上年增长37.5%，高于全省投资平均增长水平7个百分点，占全省投资的比重为67.5%，同比提高3.4个百分点，带动固定资产投资增长24.1个百分点。其中，私营个体投资完成4891.2亿元，增长55.7%，高于全省投资平均增长水平25.2个百分点，占全省投资的比重为37.4%，同比提高6.1个百分点。股份制经济投资完成3279.9亿元，增长21.5%，低于全省投资平均增长水平9个百分点，占全省投资的比重为25.1%。

（四）资金到位情况较好

全省本年累计到位资金14109.2亿元，比上年增长38.6%，高于同期投资增速8.1个百分点。其中，国内贷款资金到位1819.1亿元，增长55.2%；国家预算内资金到位636.1亿元，增长41.6%；债券到位31.3亿元，增长82.5%；自筹资金到位9892.5亿元，增长35.1%，占资金来源总量的70.1%；利用外资增长12.5%。

（五）房地产开发投资保持较快增长

全省房地产开发完成投资2640.6亿元，比上年增长28.1%。其中，商品住宅开发投资1932.9亿元，增长22.4%；商品商业营业用房开发投资433.1亿元，增长44.1%；商品办公楼开发投资86.8亿元，增长29.8%。全省开发企业施工的商品房房屋面积达18575.5万平方米，比上年增长24.6%。其中，新开工面积8299.7万平方米，增长22.7%。商品房销售继续保持增长的态势。到年末，全省共销售商品房5375.1万平方米，比上年增长31.4%。其中，现房2065万平方米，增长21.4%；期房3310.1万平方米，增长38.5%。全省商品房销售额2168.3亿元，比上年增长41%。商品房销售价格由上年的3758元增加到4034元。

（六）重点项目投资带动作用增强

全省施工计划总投资超亿元以上建设项目由上年的1831个增加到2332个，完成投资5038.4亿元，比上年增长19.9%，占全部50万元以上项目投资的53.5%，占全部投资的38.5%。其中，本年新开工亿元以上项目由上年的832个增加到1064个，完成投资2114.5亿元，增长73.3%。纳入全省400项重点基础设施、高技术、工业结构调整和服务业建设项目，完成投资1856亿元。其中：鞍钢鲅鱼圈新厂85.5亿元、STX（大连）造船集团厂房和设备39.4亿元，英特尔F68厂工程76.9亿元，华能营口热电厂新建27.8亿元，东北特钢33.7亿元，红沿河核电82.3亿元，鞍钢西部新区及老区技改工程59.8亿元，中油辽河油气田开发工程50.5亿元，盘锦华锦乙烯扩建和常减压蒸工程73.3亿元，五矿营口中板改造22.1亿元，大连中石油国际储备库项目26.3亿元，大连中远造船工业项目25.6亿元，大唐国际锦州热电厂建设项目23.2亿元，本钢集团其他技术改造项目39.9亿元，沈阳地铁一号线项目17.5亿元。

（七）高耗能行业投资增速继续下滑

全省高耗能行业完成投资1970.8亿元，比上年增长7.3%，同比下降35.2个百分点，与1—11月比下降4.6个百分点，所占比重同比下降3.2个百分点。其中，石油、炼焦及核燃料加工业增长24.9%；化学原料及化学制品业增长2.5%；黑色金属冶炼及压延加工业下降37.7%；有色金属冶炼及压延加工业增长23.8%；非金属矿物制品业增长31.7%。

（八）沿海经济带建设成果显现

沿海经济带六市全年完成固定资产投资5808.8亿元，比上年增长36.9%，增幅比上年提高2.6个百分点，比全省平均水平高6.4个百分点。“五点一线”沿海经济带规划的七个园区，全年完成固定资产投资556.1亿元，增长83.3%，比全省平均水平高52.8个百分点。完成投资超百亿元的有三个园区，其中盘锦船舶工业区完成投资152亿元，增长1.9倍；大连长兴岛临港工业区完成投资116.5亿元，增长65.8%；营口沿海产业基地完成投资100亿元，增长65.6%。

商品流通

2009年，面对国际金融危机、经济增速放缓等不利因素影响，辽宁认真贯彻落实中央关于扩大内需的“一揽子计划”，大力开拓城乡消费空间，全省消费品市场保持平稳较快增长。

（一）市场规模扩大，零售额稳步增长

2009年，全省社会消费品零售总额实现5812.6亿元，同比增长18.2%，比全国平均增幅高2.7个百分点，扣除物价因素，实际增长18.4%。从全国看，2009年辽宁省零售额总量居全国第七位，同比增速在东部沿海10省份中位居第5位，高出东部沿海地区平均增幅（17.5%）0.7个百分点。

（二）城市市场继续担当推动全省消费市场繁荣发展的主导力量，农村市场销售逐步旺盛

随着城市化进程进一步加快，各个地市不断涌现出各具特色的繁华商业区、高端商务区以及有品牌、有规模、有影响力的流通服务产业集群，成为新的经济增长点和城市亮点。在此带动下，辽宁省城市消费发展较快。2009年，全省城市消费品市场实现零售额4811.0亿元，占社会消费品零售总额的82.8%，比上年增长18.1%，对全省消费品市场增长的贡献率为82.5%，拉动全省消费品零售额增长15.0个百分点。农村市场销售比较旺盛。全年县以下农村消费品市场实现零售额688.5亿元，比上年增长18.1%，农村市场对全省消费品市场增长的贡献率为11.8%，拉动全省消费品零售额增长2.1个百分点。农村社会消费品零售额占全社会零售总额的比重达11.8%，比2008年增加了0.3个百分点，初步改变了城市消费一头热的状况。

（三）批零贸易业持续向好，住宿餐饮业快速发展

2009年，批发业实现零售额661.6亿元，比上年同期增长7.5%，零售业实现零售额4096.7亿元，增长19.5%，批零业累计实现零售额占全省消费品零售总额的81.9%，成为消费品市场的主导力量。同时，随着省内各地城市环境的改善，商务会展活动较往年增多，来辽旅游人数大幅增加，旅游升温等有效带动了住宿餐饮业的较快增长。全年住餐业实现零售额990.5亿元，比上年增长22.1%，比全社会消费品零售总额增幅高3.9个百分点；占零售总额的比重为17.0%，比2008年提高了0.4个百分点；住餐业对全省消费品市场增长的贡献率为20.0%，拉动全省消费品零售额增长3.6个百分点。

（四）各市零售额平稳增长，地区间发展比较协调

2009年，全省14个省辖市消费品市场均保持较快增长的势头，各市零售额增幅最高的（18.5%）

与增幅最低的（18.1%）仅相差0.4个百分点，增幅差距比上年同期的3.6个百分点缩小了3.2个百分点。零售额总量位居前三的是沈阳、大连和鞍山等三市，分别实现零售额1505.5亿元、1182.6亿元和368.3亿元，比上年增长18.1%、18.1%和18.4%，三市零售额占全省的62.1%，对全省零售额贡献举足轻重。从三大经济区域看，沈阳经济区、沿海经济带、辽西北分别实现零售额2897.2亿元、2467.4亿元和448.0亿元，比上年增长18.2%、18.2%和18.3%，分别占全省零售总额的49.8%，42.4%和7.7%。协调发展态势进一步显现。

（五）新型销售方式助推消费增长

从消费方式看，刷卡消费、网络购物、电子商务和送货上门消费日益增多，便利的购物方式，一定程度上推动了消费增长。随着银行卡和服务终端的普及，刷卡消费已经成为市民支出的重要形式，很多市民在小额消费时也选择刷卡方式支付。在全省各个领域已经发展银联网商户4.1万户，联网消费终端6.7万台。据省银联监测数据显示，仅2009年前三个月全省刷卡消费总额就达到158.9亿元，比上年同期净增加35亿元，增幅达27.7%；消费者刷卡交易笔数达到1237.2万笔，增长40.1%；零售超市刷卡更是异常升温，同比增幅达到56%。在金融危机下，网购以其便宜、丰富和方便的特性，成为越来越多居民的购物方式。目前，仅在淘宝网上，辽宁省注册会员至少有392万人，全省居民网购至少有40亿人民币，在全国各省份中排名前十位。

（六）拉动消费品市场发展的新亮点增多

2009年，全省消费市场上多种商品销售普遍看好，仅从限上批零业看，市场规模达1638.9亿元，比上年同期增长20.5%，市场热点也呈现出一些新的变化。

1. 吃穿用等刚性需求仍是消费持续增长的稳定动力。2009年，从限上批零业看，尽管受甲型H1N1流感的影响，肉禽蛋类消费下降22.6%，但食品类中的粮油类增长21.3%，居民在食品类上支出仍达139.2亿元，比上年仅下降2.1%。受酒价上调影响，烟酒类零售额27.7亿元，增长13.8%。服装、鞋帽、针纺织品类零售额256.0亿元，增长11.2%；日用品类商品零售额64.8亿元，增长20.4%，在穿、用两项生活支出上的稳定增长弥补了食品类的略微下跌。吃、穿、用三项基本需求的消费额达504.7亿元，占到限上批零业零售类值的30.7%，刚性消费对整个消费市场的支撑作用依然较强。

2. 与住房消费相关商品涨跌互现。年初，商品房经历了一段时间低迷，与之相关的建筑装潢材料类、五金电料类销售也连续数月呈现负增长。下半年以来，商品房销售逐步呈现攀好势头，商品房的回暖带动了相关商品的销售。2009年，全省商品房销售额达2168.3亿元，比上年增长41.0%，限上批零贸易业中家具类零售额11.4亿元，增长23.1%；建筑装潢材料类零售额10.4亿元，同比下降了2%；五金电料零售额11.5亿元，增长10.0%。

3. 药品、保健品销售明显增加。随着城乡医疗改革及居民对自身健康状况愈加重视，加上甲型H1N1流感的影响，全年药品、保健品销量大幅攀升，从限上批零业看，中西药品类零售额95.1亿元，同比增长55.1%，对限上企业的销售额贡献率达到12.1%。其中，西药类60.0亿元，增长41%，中草药及中成药类14.2亿元，增长44.7%，两者占药品类零售额的比例分别为63.1%和14.9%。

4. 文化娱乐相关商品增长明显。随着城乡居民收入水平的提高，发展型、娱乐型商品逐步成为市场亮点。2009年，体育娱乐用品类零售额8.4亿元，同比增长21.7%；家用电器及音像器材类零售额133.8亿元，增长21.2%；电子出版物及音像制品类零售额1.8亿元，增长27.2%；文化办公用品类零售额41.4亿元，增长29.8%；通讯器材类零售额31.2亿元，增长23%。此外，因电子出版物风行，传统的书报杂志类销售受到挤压，全年仅实现11.4亿元，同比下降了36.5%。

5. 金银珠宝类等奢侈品销售较好。2009年，在建国60周年大庆的推动下，各种与之相关的纪念品受到青睐，尤其是国际市场贵金属期货价格屡创新高，受其影响，全年限上批零业中金银珠宝类零售额43.0亿元，比上年增长23.6%。其他奢侈品，如化妆品类也大受市场欢迎，实现35.6亿元，增长23.6%。

6. 机动车销售持续高增长。2009年，全省汽车市场交易活跃。从价值量看，限上批零业中汽车类实现零售额440.0亿元，同比增长54.5%。分月看，汽车零售情况连续12个月保持高速增长，自3月开始月增幅均高于上年同期，年底11、12月份连续两月突破了100%的增长，实现翻番式的大跨越。汽车销售的持续快速增长，为全省消费品市场增长发挥了稳定的支撑作用。

外经外贸

（一）进出口规模逐步扩大，同比降幅回升

2009年，全省进出口总额629.2亿美元，比上年下降13.1%。其中：出口334.4亿美元，下降20.5%；进口294.8亿美元，下降3.0%。分季度看，一、二、三季度进出口分别为121.1亿美元、143.1亿美元和170.7亿美元，同比分别下降22.4%、22.6%和21.7%。辽宁省进出口总额降幅低于全国平均水平0.8个百分点，进口降幅低于全国平均水平8.2个百分点，出口降幅高于全国平均水平4.5个百分点。

从单月增幅看，全省进出口总额、出口、进口总额同比增速呈曲线上升态势。8月份起对外贸易单月降幅开始收窄，尤其是从10月份开始，进口、出口总额大幅增长，12月份当月创新高，当月实现出口额42.5亿美元，同比增长47.4%；进口额35.8亿美元，同比增长59.1%，出口、进口额及增长速度均为2009年以来最好水平。

（二）一般贸易出口降幅减缓，加工贸易出口逐步回升

2009年，全省加工贸易出口163亿美元，出口额占全省48.7%。比上年下降8.9%，降幅比三季度减少5.2个百分点。一般贸易出口139.4亿美元，比上年下降36.5%，降幅比三季度减少7.5个百分点。加工贸易出口降幅小于一般贸易出口降幅，主要得益于辽宁省来料加工贸易出口的持续增长。2009年，全省来料加工贸易出口48.7亿美元，增长36.4%。反映出国际市场虽然整体不景气，但部分产品依然具有较高的国外市场需求。

（三）国有、外资企业出口跌幅缩小，私营企业出口回升

2009年，全省国有企业累计实现出口额82.4亿美元，比上年下降33.9%，国有企业出口降幅加大的趋势逐渐缩小，从8月份最低点-43.7%，逐渐回升到12月的-33.9%，降幅减少9.8个百分点。外资企业累计实现出口额164.2亿美元，下降19.0%，从7月份最低点-27.0%，回升到12月的-19.0%，降幅减少8.0个百分点。国有、外资企业出口降幅总体呈收窄趋势。私营企业累计实现出口额80.4亿美元，下降1.0%。自9月份起，私营企业出口状况进一步好转，出口增速明显回升，9月份实现增长15.6%，10月份增长13.9%，11月份增长38.2%，12月份增长105.5%。

（四）劳动密集型产品出口总体好于全省总体水平，农产品、医药品、汽车零件进口增长

从出口产品看，受益于提高出口退税率等政策措施，加上需求弹性相对较小、国内竞争优势明显，服装等劳动密集型产品出口降幅明显低于出口总体降幅。2009年，全省服装及衣着附件出口30.9亿美元；比上年下降0.4%；纺织品出口6.8亿美元，下降3.6%；家具出口4.7亿美元，下降4.3%。从进口产品看，农产品进口20.4亿美元，比上年增长3.5%；其中，大豆进口5.0亿美元，增长14.1%；粮食进口6.0亿美元，增长3.8%；医药品进口3.0亿美元，增长42.0%；汽车零件进口6.6亿美元，增长12.9%。

（五）主要出口产品下滑有所放缓，铝材、船舶和成品油出口增长

2009年，辽宁省主要出口产品中，机电产品出口143.3亿美元，比上年下降10.3%，降幅比三季度减少4.1个百分点；高新技术产品出口37.7亿美元，下降10.2%，降幅比三季度减少8.1个百分点；钢材出口19.4亿美元，下降72.5%，降幅比三季度减少7.7个百分点；农产品出口30.7亿美元，下降8.3%，降幅比三季度减少2.4个百分点。铝材出口9.8亿美元，增长13倍，船舶出口28.5亿美元，增长57.1%，成品油出口29.8亿美元，增长0.8%。

（六）外资引进势头较好

全年新签外商直接投资合同项目1629个，比上年增长23.5%，新签订实际利用外商直接投资合同额281.8亿美元，增长38.9%，完成实际利用外商直接投资154.4亿美元，增长28.5%，位居全国前三甲。

大中型项目支撑作用进一步加强。2009年，全省新批合同外资1000万美元以上的大项目918个，比上年增长72.9%；项目合同外资额252.2亿美元，增长66.1%，占全省合同外资额89.5%。外商在辽宁省实际投资1000万美元以上的大项目321个，增长34.3%，实际利用外资108.1亿美元，增长22.5%，占全省实际利用外资额的70.0%。

外商独资企业投资仍占主导地位。2009年，全省外商独资企业新批项目1276个，比上年增长了24.0%，实际合同外资额243.8亿美元，增长44.2%，实际利用外资127.0亿美元，增长37.7%。

第一产业实际利用外资增速回升，第二产业实际利用外资稳步增长，第三产业实际利用外资增速加快。2009年，全省第一产业实际利用外资1.4亿美元，比上年下降10.2%，降幅比三季度减少37.7个百分点；第二产业实际利用外资74.1亿美元，增长30.5%；第三产业实际利用外资79.0亿美元，增长27.6%，比三季度增加39.1个百分点，占全省实际利用外资额的51.1%。在第二产业中，高新技术产业实际利用外商直接投资实现大幅增长，完成投资20.9亿美元，比上年增长272.3%，装备制造业实际利用外商直接投资49.1亿美元，增长33.9%，占全省实际利用外资的31.8%；在第三产业中，现代服务业利用外商直接投资26.7亿美元，增长71.6%。

从2009年经济运行走势分析，辽宁省经济持续回升、向好发展，扩内需、保增长取得明显成效，为今后全省经济的平稳较快发展奠定了坚实的基础。

交通运输、邮电通信和旅游业

（一）行业保持稳定发展

2009年，全省交通运输仓储及邮政业增加值789.9亿元，按可比价格计算，比上年增长6.9%。全省货物运量完成133010.5万吨，比上年增长11.2%，货物周转量完成7751亿吨公里，增长

10.2%；全省旅客运量完成96168.9万人，比上年增长6.0%，旅客周转量完成939.6亿人公里，增长5.3%。

1. 铁路客货运输保持增长，货运周转量略有下降。全年全省铁路货物运量完成18262万吨，比上年增长5.0%；货物周转量1302.1亿吨公里，下降3.0%。旅客运量完成13336万人，比上年增长11.5%；旅客周转量483.5亿人公里，增长3.8%。

2. 公路运输全面增长。全年公路货运量完成105088万吨，比上年增长13.1%；货物周转量1550.5亿吨公里，增长14.5%。公路客运量完成81585万人，比上年增长5.3%；客运周转量350.1亿人公里，增长8.4%。公路客、货运量在综合运输体系中的比重分别占84.8%和79.0%。

3. 水路货运增长，客运下降。全年水路货物运输完成9651万吨，货运周转量4896.8亿吨公里，比上年分别增长4.1%和13.0%。旅客运量完成543万人，客运周转量7.04亿人公里，比上年分别下降9.1%和9.5%。

4. 港口生产保持较快增长。全年港口货物吞吐量完成5.6亿吨，比上年增长13.8%，其中外贸货物吞吐量1.4亿吨，增长17.7%；集装箱吞吐量完成812.2万标准箱，比上年增长9.2%。

5. 民航货运量下降，客运量有所增加。全年民航货物运输量完成9.45万吨，货运周转量完成1.6亿吨公里，比上年分别下降9.4%和9.2%。客运量完成704.9万人，比上年增长6.2%；客运周转量完成99亿人公里，增长3.2%。

6. 邮政业务持续发展。全年邮电业务总量完成948.5亿元，比上年增长15.8%，其中，邮政业务总量完成39.6亿元，增长18.9%。邮政业务中，特快专递完成1319.6万件，增长15.1%；集邮邮票完成4159.5万枚，下降10.3%。传统业务中，国内函件业务完成7476.4万件，下降10.3%；报纸累计份数完成44415.7万份，增长2%；杂志累计份数完成2634万份，下降5.4%。

7. 电信业稳定增长。全年电信业务总量完成908.9亿元，比上年增长15.7%。各项业务中，移动电话用户2882.1万户，增长19.0%；固定电话用户1529.1万户，下降4.7%；其中，城市电话和乡村电话户1075.7万户和453.4万户，分别下降5.8%和1.9%。

（二）基础设施建设稳步推进

2009年，全省加快交通基础设施建设速度，全年交通基础设施建设完成投资407亿元，为年初计划的116%。

1. 高速公路建设。完成投资191亿元，为年计划的120%。续建和新开工高速公路项目17个，在建总里程接近1300公里，高速公路建设以空前规模全面展开。朝阳至赤峰等5个续建项目扎实有序推进，丹东至通化等12个新建项目全部按期开工。辽中至新民、沈阳至康平二期、沈阳至桃仙机场改扩建工程3个项目建成通车，新增通车里程91公里，通车总里程达2833公里。加大高速公路维修力度，实施完成了沈山高速公路维修工程和锦阜、盘海高速公路预防性养护试验段工程，完成鲅鱼圈立交、阜新北立交工程建设，高速公路通行功能明显增强。

2. 普通公路建设。完成投资120.4亿元，为年计划的113%。全长1443公里的滨海大道提前一年建成通车，为辽宁沿海经济带全面开发开放提供了重要支撑。全年新增农村公路黑色路面3081公里，实现全省100%行政村通油路，提前一年完成规划任务。完成改善大中修工程4018公里，沈本产业大道本溪段、沈辽鞍产业大道、沈抚南部通道等一批区域快速通道相继建成，全省干线公路的通行能力进一步提高。

3. 沿海港口建设。完成投资90亿元，为年计划的115%。45个项目开工建设，大连港大窑湾二期和三期工程、营口港鲅鱼圈港区通用泊位等重点项目推进顺利，大连港新30万吨级原油泊位、丹东港大东港区粮食泊位等8个泊位完工投产，全省港口生产性泊位总数达到325个。新增通过能力4502万吨，全省港口年综合通过能力超过4亿吨。

4. 运输站场建设。完成投资6亿元，为年计划的120%。共实施站场项目66个，其中市县级客运站17个、农村客运站49个。完成市县级客运站项目6个，农村客运站50个。

5. 铁路建设征地动迁。完成了哈大客专项目征地动迁工作，盘营、沈丹客专等重点铁路项目的征地动迁工作全面展开。

（三）旅游业快速发展，拉动作用加大

2009年，辽宁省旅游部门及时启动了“辽宁人游辽宁”等丰富多彩的旅游主题活动，部分景区（点）有针对性地开展促销活动，极大地推动了全省旅游消费。

据统计，辽宁省全年接待国内外旅游者24488.0万人次，比上年增长22.0%。其中，接待国内旅游者24194.8万人次，增长22.0%；接待入境旅游者293.2万人次，增长21.2%，其中，外国人250.7万人次，港澳台同胞42.5万人次，分别增长21.0%和22.7%。旅游总收入2225.1亿元，比上年增长27.8%。其中，国内旅游收入2098.8亿元，增长28.3%；旅游外汇收入18.6亿美元，增长21.6%。旅游业稳定发展使得高档餐馆酒店经常爆满，街头巷尾特色小吃生意红火，休闲旅游消费和饮食娱乐消费成为市场亮点，住餐业一路领跑市场。2009年，全省住餐业实现零售额990.5亿元，比上年同期增长22.1%，比全社会消费品零售总额增幅高3.9个百分点，占零售总额的比重为17.0%，比2008年提高了0.4个百分点；住餐业对全省消费品市场增长的贡献率为20.0%，拉动全省消费品零售额增长3.6个百分点。

2008—2009年辽宁省经济社会发展主要指标

序号	指标	单位	2008年	2009年	增长率（%）
1	一、人口和就业				
2	年底人口数	万人	4314.7	4319.0	0.1
3	人口自然增长率	‰	1.10	0.97	
4	就业人员数	万人	2098	2190	4.4
5	按产业分：				
6	第一产业	万人	698	694	-0.5
7	第二产业	万人	535	560	4.7
8	第三产业	万人	865	936	8.2
9	城镇就业人员（按登记注册类型分）				
10	国有单位	万人	303.78	281.73	-7.3
11	集体单位	万人	33.54	32.02	-4.5
12	股份合作单位	万人	4.70	4.70	0.0
13	联营单位	万人	1.40	1.40	0.0
14	有限责任公司	万人	80.40	85.50	6.3
15	股份有限公司	万人	27.80	46.60	67.6
16	私营企业	万人	206.12	240.68	16.8
17	港澳台商投资单位	万人	10.30	11.10	7.8
18	外商投资单位	万人	44.30	40.70	-8.1
19	个体	万人	216.62	259.20	19.7
20	城镇登记失业人数	万人	41.68	41.62	-0.1
21	二、国民经济核算				
22	地区生产总值	亿元	13461.6	15212.5	13.1
23	按产业分：				
24	第一产业	亿元	1302.0	1414.9	3.1
25	第二产业	亿元	7512.1	7906.3	15.6
26	工业	亿元	6735.7	6925.6	
27	建筑业	亿元	776.4	980.7	
28	第三产业	亿元	4647.5	5891.3	12.1
29	#交通运输、仓储和邮政业	亿元	715.2	790.6	
30	批发和零售贸易业	亿元	1239.9	1410.3	
31	三、固定资产投资				
32	投资总额	亿元	10019.1	12292.5	22.7
33	按投资种类分：				
34	城镇	亿元	8881.9	11605.1	30.7
35	#房地产开发	亿元	2060.8	2640.6	28.1
36	农村	亿元	1137.1	687.4	-39.6
37	#农户	亿元	201.7	228.1	13.1
38	非农户	亿元	935.5	459.2	-50.9
39	按建设规模分：				
40	建设总规模	亿元	24524.2	30461.9	24.2

续表

序　号	指　标	单　位	2008 年	2009 年	增长率（%）
41	在建总规模	亿元	17693.5	23561.1	33.2
42	在建净规模	亿元	8713.5	10648.9	22.2
43	**按资金来源分：**				
44	国家预算内资金	亿元	449.0	626.4	39.5
45	国内贷款	亿元	1173.5	1823.9	55.4
46	利用外资	亿元	380.3	427.9	12.5
47	自筹资金	亿元	7326.9	9112.0	24.4
48	其他投资	亿元	850.0	1336.2	57.2
49	**四、房地产开发**				
50	本年完成土地开发面积	万平方米	1797	1693	-5.8
51	本年土地购置费用	亿元	300.2	360.7	20.2
52	本年土地购置面积	万平方米	2954	2087	-29.3
53	本年完成投资额	万元	20607952	26405639	28.1
54	#住宅	万元	15792147	19339201	22.5
55	#经济适用房屋	万元	495296	637407	28.7
56	房屋施工面积	万平方米	14905	18579	24.7
57	房屋竣工面积	万平方米	3826	4032	5.4
58	本年新开工房屋面积	万平方米	6762	8305	22.8
59	#住宅	万平方米	5563	6640	19.4
60	#经济适用房屋	万平方米	214	282	31.6
61	商品房屋销售面积	万平方米	4091	5376	31.4
62	#住宅	万平方米	3731	4864	30.4
63	#经济适用房屋	万平方米	137	138	0.6
64	商品房屋销售额	万元	15376463	21685950	41.0
65	#住宅	万元	13338922	18834702	41.2
66	商品房屋平均销售价格	元/平方米	3758	4034	7.3
67	#住宅	元/平方米	3575	3872	8.3
68	#经济适用房屋	元/平方米	2095	2174	3.8
69	**五、规模以上工业企业**				
70	企业单位数	个	21876	23364	6.8
71	工业总产值	亿元	24769.1	28152.7	13.7
72	资产总计	亿元	22040.9	25333.8	14.9
73	利润总额	亿元	781.6	1382.0	76.8
74	总资产贡献率	%	8.8	11.7	32.3
75	资产负债率	%	58.4	58.4	-0.1
76	**六、交通运输业**				
77	运输线路长度				
78	铁路营业里程	公里	4195	4229	0.8
79	内河航道里程	公里	413	413	0.0
80	公路里程	公里	101144	101117	0.0
81	#高速公路	公里	2747	2833	3.1
82	货运量	万吨	121346	135055	11.3
83	#铁路	万吨	19141	20316	6.1

续表

序号	指标	单位	2008年	2009年	增长率（%）
84	公路	万吨	92938	105088	13.1
85	水运	万吨	9267	9651	4.1
86	客运量	万人	90112	95505	6.0
87	#铁路	万人	12004	13377	11.4
88	公路	万人	77510	81585	5.3
89	水运	万人	598	543	-9.2
90	**七、国内商业**				
91	社会消费品零售总额	亿元	5032.4	5812.6	15.5
92	**八、对外贸易和旅游**				
93	货物进出口总额（按经营单位所在地分）	万美元	7243385	6293438	-13.1
94	出口	万美元	4206950	3341493	-20.6
95	进口	万美元	3036435	2951945	-2.8
96	外商投资企业货物进出口总额	万美元	3709289	3076882	-17.0
97	出口	万美元	2026502	1640160	-19.1
98	进口	万美元	1682786	1436721	-14.6
99	外商投资企业基本情况				
100	年底登记数	户	22321	19893	-10.9
101	投资总额	亿美元	1247.6	1317.8	5.6
102	注册资本	亿美元	801.3	849.4	6.0
103	#外方	亿美元	642.1	692.9	7.9
104	对外承包工程				
105	完成营业额	万美元	84560	157858	86.7
106	对外劳务合作				
107	完成营业额	万美元	26139	24140	-7.6
108	接待国际旅游人数	万人次	241.87	293.20	21.2
109	#外国人	万人次	207.27	250.74	21.0
110	国际旅游外汇收入	百万美元	1526.18	1856.21	21.6
111	**九、财政**				
112	地方财政一般预算收入	亿元	1356.1	1591.2	17.3
113	#国内增值税	亿元	172.8	163.6	-5.3
114	营业税	亿元	304.0	363.9	19.7
115	个人所得税	亿元	51.7	48.9	-5.4
116	地方财政一般预算支出	亿元	2153.4	2682.4	24.6
117	**十、物价指数**				
118	商品零售价格指数	上年=100	105.3	99.8	
119	居民消费价格指数	上年=100	104.6	100.0	
120	#城市	上年=100	104.4	100.0	
121	农村	上年=100	105.5	100.3	
122	**十一、人民生活**				
123	收入				
124	农村居民家庭人均纯收入	元	5576	5958	6.8
125	城镇居民家庭人均可支配收入	元	14393	15761	9.5
126	居民消费水平	元	9625	10848	12.1

续表

序号	指标	单位	2008年	2009年	增长率（%）
127	农村居民	元	4321	4909	13.5
128	城镇居民	元	13216	14774	11.0
129	住房				
130	农村居民人均住房面积	平方米	26.4	27.0	2.2
131	十二、教育				
132	高等学校数	所	104	107	2.9
133	高等学校招生数	人	239475	237906	-0.7
134	高等学校在校学生数	人	820374	852467	3.9
135	高等学校毕业生数	人	202312	206211	1.9
136	十三、卫生				
137	卫生机构数	个	14627	34729	
138	#医院、卫生院	个	1916	1866	-2.6
139	医疗机构床位数	张	182972	191492	4.7
140	#医院、卫生院	张	166501	174368	4.7
141	卫生技术人员数	人	217904	226425	3.9
142	#执业（助理）医师	人	90714	95678	5.5

注：1. 地区生产总值及其三次产业、城镇居民人均可支配收入和居民消费水平的增长速度按可比价格计算。
2. 卫生机构数2009年起含村卫生室，与历史数据不可比。

大连市

综　述

2009年，大连人民在市委、市政府的正确领导下，深入贯彻落实科学发展观，抢抓东北振兴和沿海开放双重机遇，下大力气转变发展方式，积极应对国际金融危机挑战，着力解决发展中的突出矛盾和问题，“保增长、保民生、保稳定”取得重大成绩，经济建设呈现持续较快发展，经济发展步入了大开发、大开放和大发展的新阶段。

初步核算，2009年全市实现地区生产总值4417.7亿元，按可比价格计算比上年增长15%。其中，第一产业增加值313.4亿元，增长7.8%；第二产业增加值2314.8亿元，增长16.5%；第三产业增加值1789.5亿元，增长14.6%。三次产业构成比例为7.1：52.4：40.5，对经济增长的贡献率分别为3.5%、55%和41.5%。按常住平均人口计算，全市人均生产总值71833元，按年平均汇率折算10515美元。

伴随着国家战略实施，大连振兴发展焕发出勃勃生机，经济增长驶入超车道。据测算，“十一五”时期生产总值年均增长16.1%，高于规划目标3.1个百分点，高于“十五”时期2.1个百分点，是改革开放以来发展速度最快的五年。从经济发展规律看，大连已步入跨越发展的新阶段。

经济运行质量提高。大连在科学发展观指引下，战胜重重困难奋力前行，经济发展经受住了罕见自然灾害、国际金融危机、经济周期波动等一系列重大挑战和严峻考验，经济运行的稳定性和效益显著提高。在经济快速增长的同时，物价水平总体保持稳定，“十一五”前四年消费价格平均涨幅控制在2%以内，低于全国平均水平。万元GDP能耗逐年下降，“十一五”前四年已累计降低17.8%。公共财政实力快速提高，2009年，全市实现地方财政一般预算收入400.2亿元，预计2010年将突破500亿元，是2005年的3.3倍，“十一五”年均增长27%，高于规划目标14个百分点，高于“十五”年均增速12.7个百分点。

工业经济

2009年，大连市工业生产呈较快增长态势。

（一）规模以上工业保持较快增长

2009年规模以上工业实现全部工业增加值2061.8亿元，按可比价格计算比上年增长16.4%。其中，规模以上工业企业（即全部年主营业务收入500万元及以上的工业法人企业，下同）完成工业增加值1733.1亿元，增长17.5%。在规模以上工业增加值中，重工业 1266.3 亿元，增长 16.2%；轻工业 466.8 亿元，增长 21.3%。“四个基地”实现工业增加值 1126.3 亿元，增长 14.6%。其中，石化工业 345.5 亿元，增长 19.8%；现代装备制造业 547.2 亿元，增长 19.2%；船舶制造业 155.3 亿元，增长 8.6%；电子信息产品工业 78.3 亿元，下降 14%。产销衔接良好，规模以上工业企业产品销售率为 97.9%，提高 0.9 个百分点。实现销售产值 6037.6 亿元，增长 16.7%。主要工业产品产量如下。

2009 年主要工业产品产量

表 1

产品名称	计算单位	绝对数	比上年增长（%）
啤酒	千升	557462.18	8.4
软饮料	万吨	35.93	13.2
服装	万件	13881.15	11.0
橡胶轮胎外胎	万条	463.01	178.9
水泥	万吨	986.62	16.8
原油加工量	万吨	2465.44	9.0
平板玻璃	万重量箱	1098.81	12.8
煤气	万立方米	25422	6.1
金属切削机床	台	61199	-21.6
滚动轴承	万套	5234.1	-28.3
金属轧制设备	万吨	4.27	-50.9
起重设备	万吨	11.84	-18.8
改装汽车	辆	1394	25.8
程控交换机	万线	37.79	35.8
机车	辆	435	7.1
民用钢质船舶	万总吨	416.62	38.7
打印机	万台	48.73	-54.4
激光视盘机	万台	277.5	9.6
发电量	亿千瓦时	199.77	-3.7

（二）规模以下工业经济形势继续改善

2009 年，随着大连市委市政府各项经济政策的落实，大连市规模以下工业经济运行已经呈现出许多积极的变化，并具备了经济复苏的基础和条件。2009 年四季度国家统计局大连市调查队对大连地区的 208 户规模以下工业企业的经营者进行了问卷调查，调查结果显示，大连市规模以下工业企业效益明显回暖，经济向好的趋势得到加强。

调查的 208 户企业按企业登记注册类型分：集体企业占 5.8%，私营企业占 63.9%，有限责任公司占 20.7%，股份有限公司占 1.9%，股份合作公司占 1%，外商及港澳台投资企业占 4.8%，其它企业占 1.9%。208 户企业按工业大类覆盖 35 个行业。

1. 企业生产总量持续增加。生产总量是衡量企业发展快慢的一个重要指标，随着企业的良性快速发展，企业的生产总量也相应同步增加。据规模以下工业企业监测问卷调查资料显示，所调查的 208 户企业，四季度比三季度生产总量增加和持平的企业 131 户占被调查企业的 63%，比二季度增加了 9.1 个百分点；预计下季度生产总量增加和持平的企业将有 141 户占被调查企业的 67.8% 的，将比本季度增加 4.8 个百分点。

2. 企业产品定货继续看好，产品销售量保持稳定增长。产品定货是企业最终实现经营目的的重要环节。据调查资料显示，所调查的 208 户企业，2009 年四季度产品定货增加和持平的企业 128 户占被调查企业的 61.5%，比二季度增加了 10.1 个百分点；预计下季度产品定货增加和持平的企业将有 140 户占被调查企业的 67.3% 的，将比本季度增加 5.8 个百分点。

由于产品定货量的增多，企业的产品销售量也随之增加。2009 年四季度 16.8% 的企业产品销售量“增加”，42.8% 的企业产品销售量与上季度“持平”，44.8% 的企业产品销售量“减少”。产品销售量增加的企业比二季度上升 3.4 个百分点。

3. 劳动力的需求增加。规模以下工业始终是吸纳社会剩余劳力的重要途径之一。据调查资料显示，2009年四季度企业对劳动力的需求增加和持平的企业150户占被调查企业的72.1%，比二季度增加了3.8个百分点；预计下季度企业对劳动力需求增加和持平的企业将有159户占被调查企业的76.5%的，将比本季度增加4.4个百分点。

4. 投资方向多元化。随着经济的复苏，企业投资意向越来越活跃。2009年四季度企业资金用于增加固定资产的占被调查企业的44.2%，增加固定资产的企业比上半年增加了一倍；企业资金用于增加流动资金的占被调查企业的88%，增加流动资金的企业比上半年上升了4.4个百分点；企业资金用于更新设备或技术改造的占被调查企业的30.8%，更新设备或技术改造的企业比上半年上升了1.5个百分点；企业资金用于新产品或新技术开发的占被调查企业的12.5%，增加新产品或新技术开发的企业比上半年上升了1.9个百分点。

5. 企业融资渠道加宽。企业采取多种渠道获得资金来源，为解决企业资金不足起到了积极作用。在回答"当您企业资金缺乏时，主要是通过什么方式解决"的问题时，今年四季度占被调查企业总数95.2%的企业靠企业或个人积蓄，占74%的企业能从银行贷款，占90.4%的企业从民间借款。分别比二季度的增幅上升24个百分点、18.2个百分点、38.5个百分点。随着融资渠道的加宽，企业资金状况得到改善，资金缺乏的企业2009年四季度比三季度减少18.3个百分点。

（三）利税总额成倍增长

规模以上工业实现主营业务收入5755.9亿元，比上年增长12.7%；利税总额490.4亿元，增长6.1倍；利润总额239.3亿元，减亏增盈274.8亿元。剔除"两油"影响，规模以上工业利润和利税分别增长37.5%和31.2%。

（四）优势产业集聚效应明显

2009年大连市组织实施工业项目2580个，其中亿元以上项目180个，比上年增加9个。工业投资1338.1亿元，增长36.5%，占全社会固定资产投资总额的40.9%。一重大连核电装备基地、北车大连机车产业基地、一汽新能源客车生产基地等2320个项目开工建设。PTA、PX、甲醇项目投产，重工·起重风电扩能改造等9个项目列入国家产业振兴和技术改造计划，90型船用曲轴等一批具有领先水平的产品下线。英特尔芯片、中远旅顺造船基地、船柴扩能、9600KW电力机车等重点项目和大化、东北特钢、固特异等搬迁改造项目进展顺利。奇瑞、曙光整车项目落户保税区，填补了本市汽车产业的空白。

结构调整

2009年，大连以转变发展方式为主线，主动适应世界经济发展的新趋势，科学把握产业发展规律，坚持"存量提升、增量调整"原则，推动产业结构迈向高端化，加快构建新型产业体系；着力提高科技创新能力，以科技创新引领发展方式转变，以创新转型构筑经济发展新格局。大连成为国内少有的与国家"十大产业振兴规划"全面接轨的城市，2009年全市规模以上工业实现增加值1733.1亿元，2010年预计达到2200亿元，依此测算，"十一五"年均增长27.9%，高于"十五"年均增速8.6个百分点。

现代产业聚集区建设成绩斐然。提升改造传统产业，造船及海洋工程、重大装备、石化、电子信息等产业更具国际竞争力。"两区一带"临港临海装备制造业聚集区加速崛起，2009年全市规模以上装备制造业增加值占规模以上工业增加值的比重达到47.8%。逸盛大化PTA、福佳大化PX项目建成投产，石化产业布局优化、产业链条延伸。加快培育以绿色、低碳为特征的战略性新兴产业，新能源装备、节能与新能源汽车、集成电路、软件和服务外包等新兴产业快速发展。采用世界最先进技术的英特尔大连芯片厂成功投产。2009年，全市服务外包企业891家，从业人员8.8万人，国际数据公司IDC发布的全球交付指数城市排名，大连服务外包能力名列全球第五、中国第一。做大做强现代服务业，金融、物流、旅游等服务业蓬勃发展。2009年，大连金融资产突破万亿元，达10308.6亿元。大连成为首批"中国最佳旅游城市"。

科技创新能力显著增强。加快创新型城市建设，实施科技创新，推动全市经济走上创新驱动、内生增长的轨道。大力发展高新技术产业，2009年全市实现高新技术产业产值4010亿元，"十一五"前四年年均增长32%；年内专利申请量突破万件，达到11340件，"十一五"前四年年均增长19.4%。坚持原始创新、集成创新、引进消化吸收再创新并举方针，重点实施高档数控机床、光电子、新能源等10个自主创新重大专项，组建了半导体照明等8个产业技术创新联盟，大手笔启动大连生态科技创新城建设。大连成为全国唯一同时承担"十城千辆"节能与新能源汽车示范推广、"十城万盏"半导体照明应用、"金太阳"工程三个示范试点工程的城市，并入围全国首批"三网融合"试点城市。紧盯世界市场，优化产品结构，实施品牌战略，大连冰山、瓦轴、东北特钢等成为国内同行业的排头兵，船舶重工和大连机床集团在国际市场的竞争力明显提升，中远船务打破了韩国长期以来在世界钻井船建造领域的垄断。

企业改革

近年来，大连坚持先行先试、大胆创新，坚定信心不动摇，坚持改革不松劲，不断加大改革攻坚力度，大力推进以国有企业改革为中心环节的经济体制改革，积极稳妥推进行政管理体制改革和其他各项改革，以体制、机制创新破解发展新难题、焕发发展新活力、创造发展新优势。经济社会各领域改革不断向纵深发展，一些重要领域和关键环节的改革取得重大进展。

经济体制改革全面深化。继续推进国有企业改革，对国有经济布局和结构进行战略性调整，推进产业关联度高、具有优势互补和战略协同效应的国有企业实施联合重组，国有资本逐步向石化、钢铁、重大基础设施和成套装备制造、能源等重要行业、关键领域和优势企业集中。大船重工与新船重工、冰山集团与三洋电机等进行了重组，企业竞争力和活力不断增强。在巩固和发展公有制经济的同时，从出台扶持政策、优化发展环境和完善保障机制等方面积极鼓励、支持和引导民营经济等非公有制经济发展。大连成为东北地区民营经济发展最快的地区之一，民营企业影响力不断扩大，万达集团获得“改革开放30年中国商业地产十大影响力公司”称号，亿达集团荣获“中国服务业企业500强”称号，大杨集团荣获“中国服装百强企业”称号，宏光好运来集团荣获“中国最具有成长型企业十强”称号等。

行政管理体制改革稳步推进。推进政府运行机制创新，历时3年时间，在市政府职能部门中全面导入ISO9000质量管理认证体系，优化工作流程，明晰职责权限，形成了管理科学、行为规范、运转协调、公正透明、廉洁高效的行政管理体制。行政管理效能大幅提升，市政府已连续8年在省政府绩效考核中名列榜首。推进城市管理体制改革，探索建立资源共享、优势互补、功能完善、管理科学的区域管理体制和运行机制。提出加快全域城市化进程的战略决策，突破行政区划界限，对功能区进行全域布局，规划建设主城区、新市区、渤海组团和黄海组团“四大组团”，实现城市从“单中心”向“多中心”发展模式的战略转型。完成新市区管理体制改革，成立了金州新区、保税区和普湾新区。着力推进财税、金融、投融资体制等配套改革，完善要素市场，构建开放有序的市场体系。大连被评为“中国十佳金融生态城市”。智云自动化装备股份有限公司在深交所创业板挂牌上市，实现了大连企业创业板上市零的突破。

固定资产投资

2009年大连市固定资产投资快速增长，全年完成全社会固定资产投资总额3273.5亿元，比上年增长30.2%。其中，城镇投资2969.9亿元，增长39.1%；农村投资303.6亿元，下降19.9%。在城镇固定资产投资中，建设项目投资2391亿元，增长45.9%；房地产开发投资578.9亿元，增长16.8%。

第二产业投资比重上升。按产业划分，第一产业投资163.6亿元，增长23.7%；第二产业投资1366.8亿元，增长37.5%，增速提高12.6个百分点；第三产业投资1743.1亿元，增长25.7%。三次产业投资比例由上年的5.3:39.5:55.2调整为5.0:41.8:53.2。

基础设施建设进一步加强。哈大铁路客运专线大连段主体工程基本完工，滨海大道大连段860公里全线贯通，202路轨道延伸线开工。改建普通公路190公里，新建农村公路500公里。完成农村困难居民危房改造800户，生态移民搬迁700户。城市地铁、机场三期扩建、大连至旅顺轨道交通工程、新市民健身中心项目开工建设，大伙房水库输水应急入连、三道沟净水厂改扩建、大连国际会议中心、体育中心等工程进展顺利。完成东联路、迎客广场立交桥建设，新建绿波小区人行天桥、五惠路地下人行通道。维修主干路和街巷路170余条，面积54万平方米。完成城市供水管网改造30公里；新建煤气管网19公里，解决煤气配套历史遗留问题9479户；新增供热面积463万平方米，解决10.8万平方米旧城区无暖气住宅供暖问题。

商品流通

2009年全市实现社会消费品零售总额1396.7亿元，比上年增长18.1%。按地域划分，城市零售额1308.9亿元，增长18.4%；农村零售额87.8亿元，增长14.5%。按行业划分，批发和零售业1167.4亿元，增长18.2%；住宿和餐饮业217.9亿元，增长17.6%；其他行业11.4亿元，增长13.7%。汽车成为消费品市场热点，实现销售额193.7亿元，增长51.1%。在限额以上批发和零售业零售额中，金银珠宝类增长35.2%，粮油类增长31.4%，文化办公用品类增长26.5%，西药类增长21.9%，中草药及中成药类增长26.8%。实施“家电下乡”活动，设立销售网点574个、售后服务网点235个，销售产品11万台（部），实现销售额2亿元，兑付财政补贴1947万元。本市6个型号的电器产品进入全国“家电下乡”产品销售体系，填补了辽宁省空白。

消费层次继续提升，享乐性支出增长较快。随着城市居民收入水平的不断提高，追求个性化、舒适化、时尚化消费的群体在不断扩大。美容、理发洗浴等高标准服务消费已经在家庭消费中占有一席之地。据大连市500户城市居民抽样调查资料显示，2009年，全市城市居民人均其它商品与服务等支出为731.72元，同比增长20.5%。其中，增强个人形象、展现精神面貌的消费如美容费、理发洗澡费等支出同比分别增长84.50%和33.72%。随着居民休闲方式多样化，外出旅游增多带动旅馆住宿费用增多，人均旅馆住宿费支出同比增长2.4倍。另外，国际金价的不断上涨，导致居民理财观念发生改变，购买金银珠宝饰品进行保值的心理促使该项消费同比上升52.3%。

商贸设施建设速度加快。宜家家居、久光百货、新世界名店坊等一批商业项目建成开业；规划改造西安路、七七街等一批传统商业街，设施档次、服务功能和经营业态得到有效提升；加快农村商品配送中心建设和网点布局，庄河金玛物流园建成开业，金州旺客隆配送中心完成升级改造，改造农家连锁店91个。实施“双百市场工程”，金三角大市场、金州西河市场等6个农贸市场被商务部列入全国“双百市场工程”体系，对永乐、丰荣等14个农贸市场进行了标准化改造；大连北方粮食交易市场与辽宁省粮食批发交易中心整合升级为国家粮食交易中心，庄河成品粮油批发市场挂牌营业。

外经外贸

实际使用外资实现重大突破。2009年全年新批准外商投资企业473家，注册外资金额65.75亿美元；新批投资总额1000万美元以上项目170家，比上年增加42家。实际使用外商直接投资60.17亿美元，居全省首位，比上年增长20.2%，其中第二产业24.77亿美元，第三产业35.32亿美元，所占比重分别为41.2%和58.7%。实际投资1000万美元以上项目127家，比上年增加44家。先进制造业项目、高科技项目和现代服务业项目实际到位外资48.5亿美元，占全市使用外资总额的80.6%。中国香港、日本、韩国、美国、欧洲继续成为吸收外资的主要来源地。

受外需不足影响，进出口总额双双下降。大连地区（含中央、省公司）实现进出口总额422.4亿美元，比上年下降10.2%。其中，进口200.7亿美元，下降7.4%；出口221.8亿美元，下降12.5%。大连市自营进出口总额（不含中央、省公司）实现403.5亿美元，下降10%。其中，出口208.18亿美元，下降12.4%；进口195.3亿美元，下降7.24%。在自营出口总额中，机电产品占49.9%；一般贸易占29.3%；民营企业占17%，国有企业占18.3%。对日本、东盟、美国、欧盟、韩国、中国香港等主要市场出口占自营出口总额的86.6%。在自营进口总额中，原油进口70.2亿美元，占36%。

自营进出口额完成情况

表2

指标	绝对数（亿美元）	比上年增长（%）
进出口总额	403.47	-9.98
出口额	208.18	-12.42
其中：一般贸易	60.99	-23.87
加工贸易	130.14	-9.23
其中：机电产品	103.89	-7.87
高新技术产品	26.38	-11.00
进口额	195.29	-7.24
其中：一般贸易	65.42	-19.44
加工贸易	83.47	-14.83
其中：机电产品	63.33	-1.78
高新技术产品	24.29	8.41

“走出去”战略加快实施。全年实现境外投资额3亿美元，比上年增长243%。实现对外承包工程营业额5.9亿美元，增长98%；完成对外劳务合作营业额1.7亿美元，增长10%。

服务外包产业迅速发展。在线登记服务外包合同金额9.2亿美元；执行金额5.8亿美元，比上年增长96%，其中离岸外包5.7亿美元，增长153%。截至年末，服务外包企业891家，从业人员8.8万人。

大连外经贸稳步发展的另一特点是，软件服务外包业快速崛起。全年软件和服务外包出口14亿美元，同比增长34%；在线登记服务外包合同金额9.2亿美元，执行金额5.8亿美元，同比增长96%。大连市已成为中国软件和服务外包业代表城市，整个产业在国内已形成先发优势，特别是对日服务外包规模位居中国第一。

交通运输、邮电通信和旅游业

（一）客货运输稳定增长

运输企业完成客货换算周转量5201亿吨公里，比上年增长11.5%。实现货物周转量5129.4亿吨公里，增长11.6%；实现旅客周转量165.3亿人公里，增长4.9%。

沿海港口货物吞吐量达到2.7亿吨，比上年增长11%。其中，外贸吞吐量1亿吨，增长13.9%；集装箱吞吐量457.5万标箱，增长1.2%。旅客吞吐量601.9万人次，增长2.5%。周水子国际机场完成旅客吞吐量955万人次，增长16.4%；纯货邮吞吐量12.6万吨，下降2.7%。

货物、旅客周转量及港口货物吞吐量

表3

指　标	单　位	绝对数	比上年增长%
货物周转量	亿吨公里	5129.4	11.6
其中：公路	亿吨公里	224.8	15.2
水运	亿吨公里	4719.8	12.4
民航	亿吨公里	0.6	–15.7
旅客周转量	亿人公里	165.3	4.9
其中：公路	亿人公里	61	7.9
水运	亿人公里	6.5	–10.0
民航	亿人公里	38.3	4.9
港口货物吞吐量	亿吨	2.73	11.0
港口集装箱吞吐量	万标箱	457.5	1.2

（二）国际航运中心建设取得新进展

鲇鱼湾港区22号原油泊位、长兴岛疏港路主体工程、大窑湾疏港路港区段等工程竣工，机场三期扩建工程顺利推进，长兴岛深水港、大连湾疏港路开工建设。大连港与锦州港、葫芦岛港、丹东港的战略合作进一步加强，长春、哈尔滨等内陆干港建设全面推进。全年完成港航固定资产投资38亿元，新增通过能力3000万吨。在国际航运中心建设中具有重要影响的大窑湾二期集装箱码头4个泊位、矿石专用码头和30万吨级原油码头以及庄河港、旅顺新港通过国家口岸对外开放验收。海铁联运网络不断完善，开行大连至俄罗斯的国际过境班列，开通并运营大连至东北主要物流节点城市的集装箱班列达到6条、固定循环车组4条。全年海铁联运量25.7万标箱，增长10%。大连机场全年飞机起降8.5万架次；航线总数达到144条，其中国内航线107条，国际和特别行政区航线37条；与90个国内外城市通航，其中国际、特别行政区通航城市30个。

（三）邮电通信业较快发展

2009年完成邮电业务总量192.1亿元，比上年增长16%。其中，邮政业务总量8.5亿元，增长15.8%；电信业务总量183.6亿元，增长16%。完成特快专递289万件，增长1.3%。邮政储蓄年末余额196亿元，增长21.9%。截至年末，城乡固定电话用户303.4万户，下降4.1%；移动电话用户576.1万户，增长12.7%；国际互联网宽带用户119.8万户，增长17.6%。

（四）旅游业发展水平不断提升

2009年共接待国内游客3412万人次，比上年增长13.7%；接待海外游客105万人次，增长10.5%。实现旅游总收入480亿元，增长19.8%。其中，国内旅游收入430.5亿元，增长21.3%；旅游外汇收入7.27亿美元，增长10.5%。截至年末，全市拥有旅游宾馆（饭店）222家，增加10家，其中星级宾馆（饭店）177家，增加9家；旅行社357家，其中国际旅行社20家。国家A级旅游区（点）24个，其中5A级1个，4A级10个。

（五）会展规模持续扩大

2009年共举办各类展会106个，比上年增长10.4%；展览面积110.6万平方米，比上年增长15.6%，展会平均规模保持在1万平方米以上。参展企业22375家，其中国外参展企业1418家；到会参展商97777人，其中国外参展商5378人；参观人数677万人次，其中国外参观人数3.2万人次。

吉林省

经济运行

2009年吉林省工业经济保持较快增长，全省规模以上工业企业累计完成增加值2926.65亿元，占全省地区生产总值的40.6%，比2008年提高1.8个百分点，增幅达16.8%，高于全国平均水平5.8个百分点，位居全国第10位，前移1位。全省规模以上工业实现利润475.12亿元，增加121.3亿元，增长34.7%，创历史最高水平；经济效益综合指数为260.4%，提高18.8个百分点；总资产达8512.3亿元，增长15.6%。工业结构更趋合理，轻重工业比例达27.7：72.3，轻工业比重比2008年扩大2.8个百分点；大企业逐渐增加，产值超50亿元的企业13家，超30亿元的24家，超20亿元的36家；县及县以下企业产值占规模以上企业的48.5%，提高3.8个百分点，磐石市的工业总量达253.1亿元，公主岭、前郭、德惠等14个县（市）的工业产值也超过百亿元。

能源生产稳定增长，要素供应总体平衡。原煤产量4030万吨，增长11.37%；开采原油639.9万吨，销售成品油318万吨；开采天然气11.6亿立方米，增长1.3倍；全省发电量538.2亿千瓦时，增长7.7%；全社会用电量515.3亿千瓦时，增长3.8%，其中工业用电量351.7亿千瓦时，增长1.1%；铁路货物货物发送量7164万吨，增长0.7%。

重大项目建设

“工业项目年”活动成效明显，全省工业完成投资3818.4亿元，比2008年增长34.6%，占全社会固定资产投资的52.6%，提高2个百分点，其中技术改造完成投资1968.7亿元，增长41.8%。全省在建工业项目6871个，投产项目5483个。200万辆汽车、千万吨炼油、百万吨化工醇等一批重大项目建设稳步推进，50个20亿元以上重大项目开工建设35个，15个正在做前期工作；1000个3000万元以上技改项目在建959个，一汽吉林汽车有限公司扩能改造等274个项目已建成或部分建成投产；“五个一批”亿元以上重大工业项目完成年度建设目标任务。有183个工业项目获得4.4亿元的国债资金支持。列入全省规划管理的77个特色工业园区完成固定资产投资、工业产值、利润占全省比重分别比2008年提高8.4、12.9和15.9个百分点，新增入驻企业349家。

在全省十大产业中，有8个产业保持增长，增幅均高于全省平均水平，其中汽车、石化和食品三大支柱产业合计完成产值6009.6亿元，增长13.3%，对全省工业增长的贡献率达51%，拉动全省工业增长8.2个百分点。省内地方汽车零部件企业为一汽整车配套率达到38%，精细化工产值率达到32.5%，比2008年分别提高5.4和2.5个百分点。在“吉林省管理创新奖评选活动”中，13家企业被评选为管理创新企业，6项成果被评为国家级企业管理现代化创新成果；30家企业成为首批法人治理结构升级试点企业。通化通天葡萄酒于11月19日在香港主板上市，募集资金4.65亿元。近百家企业与投资机构达成股权融资合作意向。新增股权托管企业489家、托管股权82.3亿元；利用股权质押融资的企业78家，实现融资26.9亿元。

创新体系建设

全省规模以上工业企业完成新产品产值2480亿元，比2008年增长18%，新产品产值率达24.9%，高于全国平均水平15.4个百分点，首次投产新产品1100种。216个产业技术项目、51个产学研联合暨省校合作项目顺利实施。50个重大新产品全部投产，奔腾B50、碳纤维、生物化工醇等产品形成规模化生产，50个重点产业技术开发项目完成研发。富奥汽车零部件股份有限公司等22家企业技术中心、11家省产业公共技术研发中心获得省级认定。组建汽车、轨道客车产业技术创新合作联盟。

工业节能降耗

全省规模以上工业企业万元增加值综合能耗比2008年下降约8%左右，降低1.1个百分点，超额完成目标的7%；百家重点企业实现单位产值能耗0.67吨标准煤，下降11.4%，23家国家千户企业实现单位产值能耗0.62吨标准煤，下降8.5%。在全省100个工业节能降耗项目中，有88个已投产，完成投资近60亿元，建成后可实现年节能135万吨标准煤、减排化学需氧量750吨。

综合利用取得成效，全省工业固体废弃物利用率达65%，废水利用率达70%。完成松花江流域点源治理项目37个；18个试点单位通过清洁生产审核。淘汰83.6万千瓦电力机组、217万吨水泥、22.5万吨电石、4.5万重量箱玻璃等落后生产能力，24家企业得到中央财政奖励资金2.4亿元。

重点行业发展

（一）石油化学工业

1. 行业概况。制订《吉林省石油化工产业跃升计划》，全行业抓住资源和要素价格低廉的有利时机，推进石化装置的基地化、大型化、一体化，以炼油和乙烯为龙头，加快千万吨油气田、千万吨炼油、百万吨乙烯等重大工程项目建设。

全省规模以上石化企业完成产值1249亿元，比2008年下降5.3%，占全省的12.5%；实现增加值405.6亿元，增长5.8%，占全省的12.6%；实现销售收入1254.3亿元，下降7.2%；实现利润32.4亿元，下降19.6%。精细化工产值率达32.5%，比2008年提高2.5个百分点。全年原油开采量639.9万吨，下降6.8%；天然气11.6亿立方米，增长131.9%；原油加工量824.8万吨，下降1.2%；汽油151.7万吨，下降1.8%；柴油320.9万吨，增长0.5%；燃料乙醇45.5万吨，下降4.0%；聚乙烯57.7万吨，增长10.0%；ABS树脂17.6万吨，增长3.7%；丙烯腈20.8万吨，增长19.6%；尿素38.3万吨，增长11.3%；聚氯乙烯15.1万吨，增长100.5%。

全省乙烯、纯苯、醋酸、合成纤维单体、合成树脂、合成橡胶、薄膜、氯碱等30余种主要石化产品在国内占有优势。ABS树脂、乙二醇、醇醚、丁辛醇、聚乙烯等16套装置生产能力居国内前三位；丙烯腈、甲基丙烯酸甲酯、燃料乙醇国内第一。拥有国内惟一的乙丙橡胶生产厂家。

2. 特色园区建设。吉林化工园区实现地区生产总值289.8亿元，比2008年增长32.1%；工业增加值188.8亿元，增长36.0%；固定资产投资215亿元，增长30.3%；全年招商引资80亿元，增长25.0%。全年建设重点项目63个，总投资283.4亿元，其中40个新建项目中已投产33个。园区内化工生产企业200多家，其中规模以上企业63家，产品超过1000种，覆盖基础有机化工原料、合成材料、化肥、精细化学品、生物化工产品等多个领域。其中生产规模较大、在国内市场占有一定份额的重点产品约60余种。园区内初步形成炼油乙烯、乙烯下游、化肥、精细化工、生物化工等产业链。年末，园区被纳入第三批国家级园区列批重点，吉林碳纤维及新材料产业基地列入全省十大产业基地。

松原市化工园区规划加快推进，产业定位为重点发展石油化工、天然气化工、煤化工、生物化工和石油机械，已开展园区项目储备。主要产品产量保持增长，26种主要化工产品中，天然气、柴油、乙烯、聚乙烯、丁苯橡胶等17种产量比2008年有所上升。其中，天然气、无水酒精、离子膜烧碱、聚氯乙烯产量增长超过100%；三羟甲基丙烷、氨基酸、化工醇产量增长约50%。原油、汽油、乙丙橡胶、异丁烯、燃料乙醇等9种产量下降。

3. 吉林油田。吉林油田实施油气并举战略，在上半年油价低位震荡、原油成品油销售不畅造成限产的情况下，下半年增储上产，启动中石油新增100万吨原油产能建设项目，围绕油气勘探、石油产能建设、天然气产能建设、老油田改造等十大重点工程项目的建设实施，加大油田勘探开发力度，确保油气当量稳定在700万吨以上。石油价格恢复性上涨，由2月的1941元/吨上升至12月的3756元/吨。吉林油田全年油气当量实现701万吨，完成产值193亿元，实现增加值148亿元，分别占全行业的15.5%和36.2%。

4. 吉化公司。吉化公司全年完成产值409.8亿元，实现增加值113.6亿元，分别占全行业的32.8%和27.8%。公司克服一季度汽柴油销售困难、小乙烯装置停车，二季度部分装置窗口检修以及部分乙烯、丙烯下游产品严重亏损等困难，千万吨炼油项目于7月获中石油总部批复后抓紧建设，2万吨硫磺回收装置已建成，30万吨硫酸和三、四丙烯腈等项目稳步推进。

（二）装备工业

1. 轨道客车行业。实现工业总产值72.31亿元，比2008年增长13.5%；销售收入57亿元，增长11.4%；利润4.37亿元，增长78%。其中，长春轨道客车股份有限公司工业总产值56.85亿元，增长1%；销售收入41.75亿元，下降5.5%；利润2.45亿元，增长28%。长春长客—庞巴迪轨道车辆有限公司实现工业总产值15.45亿元，增长108.1%；销售收入15.45亿元，增长116%；利润1.92亿元，增长253.9%。

2. 换热器行业。实现工业总产值16.81亿元，增长25%；销售收入12.82亿元，增长27%；利润1.27亿元，增长86%。

吉林省四平市是国内换热器生产企业最集中的地区，有规模以上换热器生产企业72家，年生产板式换热器200万平方米，管式换热器10万吨，换热器机组1000台套。四平市生产的板式、管式换热器在国内市场占有率分别为19.5%和6.7%。拥有省级企业技术中心1家，专利产品100多个。大流量板式换热器、换热器机组和折流板、管式换热器技术水平国内领先。四平巨元、维克斯公司已被列入国家核电企业供应商，完成国际核电安全认证和船基社认证。其中巨元公司的大流量板式换热器、孤线管式换热器，维克斯公司的V系列板式换热器均达到国际一流产品要求。四平北方公司螺旋板式换热器、艾维公司无人值守换热器机组、东方换热设备公司空气类换热器、非金属换热器等产品在国际市场具备一定竞争力。四平红嘴换热器产业园区规划占地680万平方米，完成投资70亿元。

3. 汽车行业。全省汽车行业规模以上企业完成产值2982亿元，比2008年增长17.1%，实现销售收入2463亿元，增长9.2%，实现利润226亿元，增长

64.8%。其中，整车生产企业完成产值2240亿元，增长18.1%，实现销售收入1854亿元，增长10.9%，实现利润180亿元，增长76.1%；汽车零部件生产企业完成产值686亿元，增长14.4%，实现销售收入558亿元，增长3%，实现利润4.6亿元，增长29.5%。由于国际汽车市场仍处低位，全省汽车产业出口交货值仅实现19亿元，下降58.7%。整车产量方面，一汽集团全口径生产整车194.3万辆，增长29.2%，销售194.5万辆，增长26.9%；全省生产整车123.2万辆，增长37.6%，销售121.9万辆，增长37.1%。整车分类方面，轿车产销86.2万辆和85.8万辆，分别增长36.1%和38.4%。其中，一汽—大众全年产销67.1万辆和66.9万辆，分别增长39.5%和34.1%；一汽轿股产销19.1万辆和18.8万辆，分别增长67.2%和55.9%；载货车产销31.2万辆和29.9万辆，分别增长33.1%和26.9%，其中中重型车产销18.1万辆和18万辆，分别增长17.3%和16.3%；客车产销6.4万辆和6.2万辆，分别增长114.9%和83.7%。

制订并实施《吉林省汽车产业跃升计划》《吉林省人民政府关于落实国家汽车产业调整和振兴规划的实施意见》。落实一汽汽车享受“汽车下乡”政策补贴资金1亿元。

4. 汽车技术改造项目建设。一汽—大众一厂和二厂换型改造项目建设完成，奥迪A4L、高尔夫A6等新产品陆续上市；一汽轿车20万辆自主品牌车型扩建项目进入设备安装调试阶段；一汽丰越第三代普锐斯混合动力轿车换代改造项目基本完工。总投资72亿元的100个零部件重点项目完成投资43亿元，新增产值68亿元，占全年零部件新增产值的51%。其中，富奥工业园、旭阳工业园二期项目基本建设完成；长春富奥—江森自控汽车饰件系统有限公司睿翼和奥迪A4L仪表板座椅项目、吉林大华机械制造有限公司飞轮齿环总成出口基地建设项目、博超汽车零部件（长春）有限公司新宝来轿车内外饰件项目、吉林圆方机械集团有限公司轴头生产线扩能技术改造等超亿元项目达产达效。

5. 新能源汽车研发生产。建立新能源汽车产业协作体系，成立由一汽集团公司为理事长单位，由生产、研发新能源汽车整车和关键零部件的企业、科研院校及推广示范新能源汽车的城市公交公司等22家单位组成的吉林省新能源汽车产业联盟。混合动力客车进入向产业化过渡阶段，一汽客车公司在油电和气电混合动力技术上达到国内领先、国际先进水平，开始第二代混合动力车的开发，生产出的50辆气电混合动力客车在长春市66路等公交线上投入示范运营，并批量供给大连150辆。建立新能源汽车三大核心部件配套体系，长春锂源和辽源锂源的锂离子动力电池产能达8000万安时，辽源星源和辽源彤坤2000吨和1000吨磷酸亚铁锂材料项目投产；辽源汇丰电机的三项异步感应交流电机进入试制阶段；一汽启明电控系统研究有所进展。扶持全省新能源汽车发展若干政策意见和新能源汽车产业发展规划正在制定中。

6. 汽车零部件产业。推进汽车零部件深度国产化。制定200万辆汽车零部件配套体系计划，将奥迪A6L、奥迪A4L、奥迪Q5、迈腾CC、迈腾、高尔夫A6、速腾、睿翼等8个车型、95大类产品深度国产化项目布局在省内96家企业（包含一汽集团所属零部件企业），省级专项资金支持的38个深度国产化项目全部开工建设，多数投产见效。省内汽车零部件生产企业为一汽整车的配套率达38%，比2008年提高5.4个百分点。

汽车零部件自主开发能力得到提高。吉林大学、一汽集团公司、长春旭阳工业集团股份有限公司及长春一东离合器股份有限公司发起的吉林省汽车零部件研发中心有限公司组建工作顺利推进，研发中心将成为为全省汽车零部件企业服务的公共技术研发平台。自主研发能力较强的富奥汽车零部件股份有限公司等5家零部件企业技术中心被评为省级企业技术中心。落实专项资金支持10家零部件企业技术中心的研发能力建设。

（三）医药工业

1. 行业概况。全省医药工业累计完成产值473亿元，比2008年增长18%。其中，新产品产值45.1亿元，增长6.4%；完成销售产值440亿元，增长17.6%。实现产销率93.6%，提高0.2个百分点；完成增加值230亿元，增长17.5%；实现主营业务收入370亿元，增长20%；实现利税51.3亿元，增长20%，其中实现利润35亿元，增长20%。全年生产中成药4.31万吨，增长11.0%；生产化学原料药7299吨，下降6.8%。

制订《医药产业跃升计划》。调整医药储备计划，开展医药储备，新增省级医药储备资金300万元。甲型H1N1流感暴发后，7次赴北京协调，争取达菲26.65万人份、疫苗182万人份，达菲数量列全国前五位；全省有3个中药材基地项目获得国家2009年度中药材资金扶持，支持项目数和支持资金为历年最多。

2. 重点企业。生产形势好于2008年。全省30家重点调度企业累计完成产值比2008年增长29.9%，高出全省平均水平。其中保持增长的企业23家：吉林修正46.8%、吉林敖东6.9%、通化东宝8.7%、通化万通12.2%、集安益盛18.0%、通化茂祥16.8%、天风制药25.7%、生物制品所141.3%、喜来建医疗器械7.3%、长春长生科技169.4%、辉南长龙20.3%、长春金赛37.6%、紫鑫药业8.1%、博大制药49.4%、吉林康乃尔39.0%、通化振国36.0%、敦化华康22.3%、吉林金宝38.8%、辽源百康0.8%、通化华厦37.7%、吉林一正32.3%、长白山制药17.5%、吉林一心18.5%。

（四）食品工业

1. 行业概况。全省规模以上食品工业企业1130家，比2008年增加241家；完成产值1674.5亿元，产值总量仅低于汽车工业，居第二位，占全省规模以上工业的比重由2008年的16%上升到16.9%，提高0.9个百分点，产值增幅达24.7%，分别高出全国和全省平均水平6.9和9.5个百分点，在全国排名由2008年第12位升至第11位，创历史最高水平。

农副食品加工业完成产值1162.8亿元，增长28.7%；食品制造业完成115.5亿元，增长18.8%；饮料制造业完成277.4亿元，增长15.8%；烟草制品业完成78.9亿元，增长15.3%。食品工业完成增加值498.2亿元，增长20.7%；实现利润59.8亿元，增长6.5%，实现利税122.3亿元，增长15.4%；实现产销率97.9%，比2008年提高1.4个百分点。

重点产品产量稳步增长。全省25种主要产品中有21种产量增长，其中增幅较大的产品有糖果、饼干、葡萄酒、果蔬饮料、白酒、酱油和鲜冷藏肉，分别增长16倍、94.2%、73.7%、72.1%、70.9%、57.2%和50.5%。6种产品在全国排名居前5位。其中，生产发酵酒精146.5万吨，排第1位；生产葡萄酒22.1万吨、冷冻饮品21.7万吨，均排第2位；包装饮用水240.6万吨，排第3位；鲜冷藏肉125.9万吨，排第4位；速冻米面食品7万吨，排第5位。

2. 政策扶持。强化食品工业运行监测和产需衔接，制定《食品产业跃升计划》，筛选100个亿元以上有潜力项目作为产业跃升的重点。分析金融危机对玉米加工业的不利影响，提出《关于吉林省玉米加工业应对当前危机的建议》等扶持政策。省政府出台《促进农业产业化龙头企业和农产品加工业平稳较快发展政策措施》，下拨流动资金贴息贷款，配合国家出台并落实对大型玉米加工企业购入原料实行直补等政策，帮助全省玉米加工产业走出困境。完成乳品企业贴息贷款工作，累计为广泽乳业等3家符合条件的企业争取国家贴息贷款近65.3万元；开展“打击违法添加非食用物质和滥用食品添加剂专项整治”活动，对企业食品安全进行督导；开展食品工业良好生产规范试点验收工作，对泉阳泉饮品公司进行试点验收。

3. 经贸交流。组织企业参加第27届首尔国际食品展（韩国），有3家企业与韩国企业签约；参加2009年海峡两岸食品展览会（台北）。开展长白山矿泉水公益宣传；调整食品矿泉水专项资金使用方向，支持42个长白山矿泉水项目建设；参加第五届东北亚博览会蒙古国商务日、海峡两岸经贸合作论坛暨台湾—吉林企业项目洽谈会、亚太总裁与省市长国际合作项目洽谈会等有关专题活动；参加在广东中山举行的2009中国国际食品工业经贸洽谈会及在上海举行的中国国际饮料科技论坛，并召开长白山天然矿泉水暨泉阳泉矿泉水品鉴推介会。

（五）冶金工业

1. 行业概况。从市场需求看，2009年冶金行业面临前所未有的困难。钢铁价格大幅波动，主要产品最高价和最低价差距超过1000元/吨，平均价格比2008年有大幅度下降。钢材最高价格为3813元/吨，比2008年最高价格下降37.2%，硅锰下降32.9%，微铬下降95.8%，硫酸镍下降43.8%，高冰镍下降39.9%；普通电极下降40%，高功率电极下降32.9%。

产品销售下降。国内外市场需求急剧下降，出现“逆结构”变化。吉林省产品销售总体呈下降趋势，2009年钢材累计销售量为634.7万吨，下降3.5%，其中板材销售331.7万吨，下降2.9%；铁合金销售46.1万吨，下降14.2%；销售炭素制品9.3万吨，下降26.2%。

效益水平下降。全年利润水平起伏变化，1—5月亏损，6月开始连续3个月实现盈利，9月再次出现亏损。

出口急剧下降。由于国际需求不足、国际贸易摩擦加剧，冶金产品由往年的净出口变为净进口。全省全年完成出口交货值7.6亿元，下降81.7%。通钢集团11月份开始出口，完成出口交货值1.3亿元，下降92.8%。铁合金出口下降94.2%，炭素出口下降31.8%。

产品库存增长。10月后，吉林省钢材进入消费淡季，下游需求对库存的消耗有限，库存随之增长。全年钢材库存为9.7万吨，增长24.4%；铁合金库存4.3万吨，增长34.4%。

钢铁产量增长。5月，粗钢和钢材当月产量呈增长趋势，6月份开始累计产量也开始出现增长。

2. 主要经济指标。全年行业运行呈“前低后高”之势。一季度工业增加值增速下降80.3%；二季度下降73.3%，环比提高7个百分点。但随着形势的不断好转，增速下降幅度逐渐减小，三季度下降46.5%，环比提高26.8个百分点。全年下降28%。

全年冶金工业累计完成工业总产值434.2亿元，比2008年下降25.9%；工业销售产值427.2亿元，下降25.7%；出口交货值7.6亿元，下降81.7%；产销率98.2%，比2008年提高0.2个百分点；全年实现销售收入362.9亿元，下降27.9%；实现利润-9.1亿元，下降175.4%；完成工业增加值65.7亿元，下降28%。累计完成生铁产量611.2万吨，增长6.77%；粗钢803.3万吨，增长25.2%；钢材825.7万吨，增长20.63%；铁合金49.9万吨，下降11.2%；炭素制品9.1万吨，下降25.6%；硫酸镍2.9万吨，增长10.4%，高冰镍8027吨，下降18.1%。

3. 项目建设。制定落实国家钢铁产业调整振兴规划实施方案，重点推动20万吨特种铁合金基地、亚泰集团双阳六期等重点项目建设。对重点企业进行旬调度、月分析，召开全省产需衔接工作会议，制订《吉林省钢铁产业跃升规划》。全年签订省内钢材购销合作意向项目93个，需求量163万吨；政府协调项目31个，需求量54万吨；其它项目钢材需求量17.6万吨。

（五）建筑材料工业

1. 行业概况。全省建材工业经济运行态势良好，生产销售保持增长，特别是水泥工业高速发展，增幅居全国前列，经济效益创历史最高水平。全省规模以上建材企业完成工业总产值444.5亿元，比2008年增长39.9%，比全国平均水平高17.3个百分点，全国排名第15；完成工业增加值167.78亿元，增长19.98%，比全国平均水平高0.65个百分点，全国排名第13；实现利润34亿元，增长100%，比全国平均水平高71个百分点，全国排名第11；实现利税总额50.7亿元，增长74.8%，比全国平均水平高51.1个百分点；资产总计462.2亿元，增长30.5%，比全国平均水平高11.4个百分点。水泥产量2823.95万吨，全国排名第19。

2. 主要经济指标。建材工业增速明显加快，505家规模以上建材企业完成工业总产值444.5亿元，比2008年增长39.90%，比全国平均水平高17.3个百分点；完成工业增加值167.78亿元，增长19.98%，比全国平均水平高0.65个百分点；经济效益创历史最好水平，505家建材企业实现利润34亿元，增长100%，比全国平均水平高71个百分点；实现利税总额50.7亿元，增长74.8%，比全国平均水平高51.1个百分点；资产总计462.2亿元，增长30.5%，比全国平均水平高11.4个百分点；产成品资金23.9亿元，增长8.6%，比全国平均水平降低2.4个百分点；工业总量在全国排位前移加快，由2005年的全国第21上升到第15，工业增加值全国排名第13；利润总额全国排名第11；资产总计462.2亿元，全国排名第14；水泥产量2823.95万吨，全国排名第19。

（六）轻纺工业

1. 行业概况。全年完成工业总产值780亿元，比2008年增长29.8%；实现工业增加值224亿元，增长31.7%；实现出口交货值67.4亿元，增长13.2%；实现利润24.2亿元，增长100.7%。

2. 轻工业。全省轻工业持续快速增长。全年完成工业总产值604.6亿元，比2008年增长33.2%；实现工业增加值179.6亿元，增长33.3%；实现出口交货值52.4元，增长11.6%；实现利润20.3亿元，增长12.9。全省规模以上企业达765家。

3. 纺织工业。全省纺织工业实现恢复性增长。国家对纺织服装出口退税率调整等政策推动内需持续回升，行业结构调整和产业升级的稳步推进，提振了化学纤维行业市场的需求。全年完成工业总产值175.7亿元，比2008年增长19.5%；实现工业增加值44.4亿元，增长25.9%；实现出口交货值15亿元，增长19.5%；实现利润4亿元，增长167.6%。全省规模以上企业达144家。

商品流通

2009年，吉林省全年实现社会消费品零售总额2957.33亿元，增长19.0%。其中，城市实现消费品零售额2291.16亿元，增长18.3%；农村实现消费品零售额666.17亿元，增长21.6%，农村消费品零售额增长幅度高于全省平均增长水平2.6个百分点，高于城市3.3个百分点。

在全省限额以上批发零售贸易企业实现零售额中，汽车类增长37.9%；文化办公用品类增长17.7%；书报杂志类增长30.5%；体育、娱乐用品类增长37.7%；中西医药类增长56.4%；家具类增长22.0%；金银珠宝类增长2.4%；建筑及装潢材料类增长28.3%；石油及其制品类增长2.0%；日用品类增长16.6%。

外经外贸

根据海关统计，2009年吉林省全年累计实现外贸进出口总值117.47亿美元，比上年下降11.9%。其中实现出口总值31.32亿美元，同比下降34.4%，出口总值中一般贸易出口18.49亿美元，同比下降40.0%，加工贸易出口5.67亿美元，同比下降15.2%；实现进口总值86.16亿美元，增长0.6%。进口总值中一般贸易进口78.69亿美元，同比增长3.4%，加工贸易进口2.82亿美元，同比增长8.6%.

2009年吉林省实际利用外资35.67亿美元，增长18.6%，其中外商直接投资11.40亿美元，增长14.7%。全年域外资金实际到位1899.58亿元，同比增长32.7%，其中，引入外省资金1656.01亿元，同比增长35.5%。

（撰稿：王欣）

2008—2009 年吉林省经济社会发展主要指标

序号	指标	单位	2008 年	2009 年	增长率（%）
1	**一、人口和就业**				
2	年底人口数	万人	2734.0	2739.6	0.2
3	人口自然增长率	‰	1.61	1.95	
4	就业人员数	万人	1144	1185	3.6
5	**按产业分：**				
6	第一产业	万人	511	517	1.1
7	第二产业	万人	228	240	5.3
8	第三产业	万人	405	428	5.8
9	**城镇就业人员（按登记注册类型分）**				
10	国有单位	万人	168.42	164.63	-2.2
11	集体单位	万人	14.88	14.26	-4.2
12	股份合作单位	万人	2.00	1.80	-10.0
13	联营单位	万人	0.30	0.20	-33.3
14	有限责任公司	万人	38.10	43.70	14.7
15	股份有限公司	万人	23.10	25.30	9.5
16	私营企业	万人	76.68	85.77	11.9
17	港澳台商投资单位	万人	2.50	2.50	0.0
18	外商投资单位	万人	7.40	7.50	1.4
19	个体	万人	93.29	110.52	18.5
20	城镇登记失业人数	万人	24.30	23.45	-3.5
21	**二、国民经济核算**				
22	地区生产总值	亿元	6424.1	7278.8	13.6
23	**按产业分：**				
24	第一产业	亿元	916.7	980.6	2.8
25	第二产业	亿元	3064.6	3541.9	17.1
26	工业	亿元	2687.0	3054.6	
27	建筑业	亿元	377.7	487.3	
28	第三产业	亿元	2442.7	2756.3	13.0
29	#交通运输、仓储和邮政业	亿元	318.8	341.8	
30	批发和零售贸易业	亿元	591.4	673.1	
31	**三、固定资产投资**				
32	投资总额	亿元	5038.9	6411.6	27.2
33	**按投资种类分：**				
34	城镇	亿元	4592.7	5958.9	29.7
35	#房地产开发	亿元	641.0	756.7	18.0
36	农村	亿元	446.2	452.6	1.4
37	#农户	亿元	133.3	164.4	23.3
38	非农户	亿元	312.9	288.2	-7.9
39	**按建设规模分：**				
40	建设总规模	亿元	9452.7	11667.6	23.4
41	在建总规模	亿元	5616.2	6834.7	21.7
42	在建净规模	亿元	2389.6	2874.1	20.3
43	**按资金来源分：**				
44	国家预算内资金	亿元	145.3	258.9	78.1

续表

序号	指标	单位	2008年	2009年	增长率（%）
45	国内贷款	亿元	284.3	463.0	62.9
46	利用外资	亿元	76.3	48.9	-35.9
47	自筹资金	亿元	4199.7	5249.2	25.0
48	其他投资	亿元	301.6	438.1	45.3
49	**四、房地产开发**				
50	本年完成土地开发面积	万平方米	209	213	2.1
51	本年土地购置费用	亿元	56.9	71.3	25.3
52	本年土地购置面积	万平方米	808	724	-10.4
53	本年完成投资额	万元	6410364	7566737	18.0
54	#住宅	万元	5300778	6053047	14.2
55	#经济适用房屋	万元	220530	434696	97.1
56	房屋施工面积	万平方米	4965	5369	8.1
57	房屋竣工面积	万平方米	1549	1470	-5.1
58	本年新开工房屋面积	万平方米	2924	3262	11.6
59	#住宅	万平方米	2491	2740	10.0
60	#经济适用房屋	万平方米	107	186	72.8
61	商品房屋销售面积	万平方米	1584	1944	22.8
62	#住宅	万平方米	1436	1758	22.5
63	#经济适用房屋	万平方米	72	30	-58.2
64	商品房屋销售额	万元	3971105	5671879	42.8
65	#住宅	万元	3444370	4902250	42.3
66	商品房屋平均销售价格	元/平方米	2507	2917	16.4
67	#住宅	元/平方米	2399	2788	16.2
68	#经济适用房屋	元/平方米	1932	1917	-0.8
69	**五、规模以上工业企业**				
70	企业单位数	个	5257	5936	12.9
71	工业总产值	亿元	8406.9	10026.6	19.3
72	资产总计	亿元	7525.2	8525.1	13.3
73	利润总额	亿元	396.2	540.0	36.3
74	总资产贡献率	%	11.6	14.8	28.0
75	资产负债率	%	54.4	55.5	2.0
76	**六、交通运输业**				
77	运输线路长度				
78	铁路营业里程	公里	3829	3914	2.2
79	内河航道里程	公里	1456	1456	0.0
80	公路里程	公里	87099	88430	1.5
81	#高速公路	公里	925	1035	11.9
82	货运量	万吨	31105	34771	11.8
83	#铁路	万吨	7422	7478	0.8
84	公路	万吨	23558	27032	14.7
85	水运	万吨	125	261	108.8
86	客运量	万人	56029	58580	4.6
87	#铁路	万人	5320	5687	6.9

续表

序 号	指 标	单 位	2008 年	2009 年	增长率（%）
88	公路	万人	50511	52723	4.4
89	水运	万人	198	170	-14.1
90	**七、国内商业**				
91	社会消费品零售总额	亿元	2549.2	2957.3	16.0
92	**八、对外贸易和旅游**				
93	货物进出口总额（按经营单位所在地分）	万美元	1333213	1174241	-11.9
94	出口	万美元	477163	312494	-34.5
95	进口	万美元	856050	861747	0.7
96	外商投资企业货物进出口总额	万美元	571685	555747	-2.8
97	出口	万美元	134324	101950	-24.1
98	进口	万美元	437361	453797	3.8
99	外商投资企业基本情况				
100	年底登记数	户	4158	4203	1.1
101	投资总额	亿美元	174.9	192.7	10.2
102	注册资本	亿美元	98.0	106.3	8.5
103	#外方	亿美元	68.3	78.6	15.0
104	对外承包工程				
105	完成营业额	万美元	18393	23469	27.6
106	对外劳务合作				
107	完成营业额	万美元	27642	28048	1.5
108	接待国际旅游人数	万人次	61.73	68.05	10.2
109	#外国人	万人次	52.46	58.29	11.1
110	国际旅游外汇收入	百万美元	211.44	242.94	14.9
111	**九、财政**				
112	地方财政一般预算收入	亿元	422.8	487.1	15.2
113	#国内增值税	亿元	63.6	66.6	4.7
114	营业税	亿元	94.0	117.4	25.0
115	个人所得税	亿元	17.5	18.5	5.9
116	地方财政一般预算支出	亿元	1180.1	1479.2	25.3
117	**十、物价指数**				
118	商品零售价格指数	上年=100	106.2	99.3	
119	居民消费价格指数	上年=100	105.1	100.1	
120	#城市	上年=100	105.1	99.9	
121	农村	上年=100	105.3	100.7	
122	**十一、人民生活**				
123	收入				
124	农村居民家庭人均纯收入	元	4933	5266	6.8
125	城镇居民家庭人均可支配收入	元	12829	14006	9.3
126	居民消费水平	元	7591	8410	10.7
127	农村居民	元	3854	4239	9.2
128	城镇居民	元	10878	12061	11.0
129	住房				
130	农村居民人均住房面积	平方米	21.9	22.8	3.9

续表

序号	指标	单位	2008年	2009年	增长率（%）
131	十二、教育				
132	高等学校数	所	55	55	0.0
133	高等学校招生数	人	147628	155915	5.6
134	高等学校在校学生数	人	504084	530975	5.3
135	高等学校毕业生数	人	117946	127411	8.0
136	十三、卫生				
137	卫生机构数	个	9659	18543	
138	#医院、卫生院	个	1370	1361	-0.7
139	医疗机构床位数	张	99329	108345	9.1
140	#医院、卫生院	张	93496	100702	7.7
141	卫生技术人员数	人	127905	132554	3.6
142	#执业（助理）医师	人	57523	60152	4.6

注：1. 地区生产总值及其三次产业、城镇居民人均可支配收入和居民消费水平的增长速度按可比价格计算。
2. 卫生机构数2009年起含村卫生室，与历史数据不可比。

黑龙江省

综　述

2009年，全省各族人民在党中央、国务院和省委、省政府的正确领导下，全面落实应对国际金融危机的各项计划和政策措施，认真贯彻落实国家“扩内需、保增长、调结构、惠民生、促和谐”的方针政策，加快推进“八大经济区”和“十大工程”建设，全省经济迅速触底回升、保持了较快增长，社会事业全面进步，人民生活持续改善。

整体经济企稳回升。经初步核算，全年实现地区生产总值（GDP）8288.0亿元，按可比价格计算比上年增长11.1%。其中，第一产业增加值1154.3亿元，增长5.2%；第二产业增加值3920.4亿元，增长13.0%；第三产业增加值3213.3亿元，增长10.1%。三次产业结构为13.9:47.3:38.8。第一、二、三产业对GDP增长的贡献率分别为5.1%、62.9%和32.1%。人均地区生产总值21665元，增长11.1%。

市场物价总体平稳。全年居民消费价格（CPI）比上年上涨0.2%。其中，城市下降0.2%；农村上涨1.2%。从商品类别看，呈现“四升四降”：医疗保健和个人用品价格上涨2.4%、食品上涨1.2%（其中粮食价格上涨10.7%）、居住上涨1.0%、烟酒及用品上涨1.0%；衣着价格下降3.2%、交通和通信下降1.0%、家庭设备用品及维修服务下降0.7%、娱乐教育文化用品及服务下降0.6%。农业生产资料价格比上年下降5.8%。工业品出厂价格下降12.6%。原材料燃料动力购进价格下降6.6%。固定资产投资价格下降2.4%。

就业形势进一步好转。全年城镇新增就业74.9万人，下岗失业人员再就业61.0万人。年末城镇登记失业率为4.27%。

粮食生产再创历史新高。全年粮食总产量4353.0万吨，比上年增长3.0%；四大粮食作物产量“三增一减”：水稻产量1574.5万吨，增长3.7%；玉米1920.2万吨，增长5.4%；小麦116.3万吨，增长30.0%；大豆591.9万吨，下降4.6%。主要经济作物产量减少，蔬菜产量701.2万吨，下降33.7%；水果218.3万吨，下降29.2%；甜菜110.0万吨，下降57.7%；油料28.2万吨，下降1.1%；烤烟7.3万吨，下降6.2%；亚麻4.4万吨，下降70.5%。

畜牧水产业稳定发展。全年猪牛羊肉为156.6万吨，比上年增长12.1%；禽肉28.9万吨，增长5.4%；牛奶528.7万吨，增长4.0%；蛋101.9万吨，增长8.8%。水产品产量38.1万吨，增长7.0%。

绿色食品产业快速发展。年末全省绿色食品认证个数1600个，比上年增加100个，增长6.7%；绿色食品种植面积5760万亩，增长11.4%。

劳务产业逆势推进。全年转移农村劳动力512万人，实现劳务收入307亿元，分别比上年增长2.4%和16.7%。

农业生产条件不断改善。年末全省拥有农业机械总动力3401.3万千瓦，比上年增长12.7%。拥有农用拖拉机129.4万台，增长8.3%；农用运输车18.6

万辆，下降0.5%。全年农村用电量48.4亿千瓦小时，增长9.5%。农田有效灌溉面积340.6万公顷，增长9.1%；节水灌溉面积225.8万公顷，增长13.1%。

新农村建设成效显著。全年完成农村公路建设里程21300公里；解决了4000个村屯、204万农村人口的饮水安全问题；改造22万户、1826万平方米泥草房；新开工建设农村大中型清洁能源工程86处；完成9000个村屯绿化任务。新建和改造城镇卫生院185个，村卫生所76个、敬老院75家、五保家园50个；新建城镇文化站156个、“农家店”5000家。全省农村低保基本实现应保尽保。

房地产开发投资较快增长。全年完成房地产开发投资563.9亿元，比上年增长28.2%。商品房销售面积2015.5万平方米，增长35.6%；销售额652.5亿元，增长55.0%。

城乡市场购销两旺。全年实现社会消费品零售总额3401.8亿元，比上年增长19.2%。分城乡看，城镇零售额3026.1亿元，增长19.1%；农村（县以下）零售额375.7亿元，增长19.3%。从行业看，批发零售贸易业零售额2927.0亿元，增长19.1%；住宿和餐饮业零售额429.4亿元，增长21.2%；其他行业零售额45.4亿元，增长7.1%。

热销商品持续增长。在限额以上批发零售贸易业21类产品零售额中，增长的有18类，其中，汽车类增长1.3倍，化妆品类增长25.1%，家具类增长23.1%，金银珠宝类增长22.3%，服装鞋帽、针、纺织品类增长22.0%，食品、饮料、烟酒类增长16.1%，石油及制品类增长11.2%，家用电器和音像器材类增长8.5%。

财政金融运行稳中有升。全年实现地方财政收入885.6亿元，比上年增长15.4%。其中，一般预算收入641.6亿元，增长10.9%。主体税种中，国内增值税104.3亿元，下降19.4%；营业税125.9亿元，增长26.0%；企业所得税51.1亿元，增长11.0%；个人所得税20.7亿元，下降6.7%。地方财政支出2094.5亿元，增长21.9%。其中，一般预算支出1877.7亿元，增长21.7%。医疗卫生、社会保障和就业、城乡社区事务、农林水事务和环境保护等重点支出分别增长80.8%、37.0%、31.6%、29.8%和21.8%。

金融机构存、贷款规模扩大。年末金融机构各项存款余额11022.8亿元，比年初增加2063.4亿元。其中，企业存款余额2852.0亿元，增加780.9亿元；储蓄存款余额6430.1亿元，增加888.1亿元。金融机构各项贷款余额5988.3亿元，比年初增加1469.5亿元。其中，短期贷款余额2485.1亿元，增加312.7亿元；中长期贷款余额2952.8亿元，增加1032.1亿元。全年累计货币净投放97.3亿元。

证券市场继续平稳发展。年末共有境内外上市公司43家、发行股票44只。全年有3家企业在境外上市，实现首发融资1亿元，再融资43亿元。

保险事业稳步发展。全年保费收入278.4亿元，比上年增长10.8%，其中，财产险收入56.7亿元，增长18.2%；寿险收入207.4亿元，增长2.1%；健康险和意外伤害险收入14.2亿元，增长14.7%。全年赔付额96.7亿元，比上年下降6.2%，其中财产险赔付金额37.6亿元，增长14.3%；寿险赔付金额53.7亿元，下降18.5%；健康险和意外伤害险赔付金额5.3亿元，增长23.3%。

城乡居民收入稳步增加。全年城镇居民人均可支配收入12566元，比上年增长8.5%；城镇居民人均消费性支出9630元，增长11.7%。农村居民人均纯收入5206.8元，增长7.2%；农村居民人均生活消费支出4241.3元，增长10.3%。城镇恩格尔系数为35.3%；农村恩格尔系数为31.4%。城镇人均住房建筑面积24.6平方米，比上年增加0.6平方米；农村人均住房面积22.5平方米，增加0.8平方米。年末参加基本养老保险917.6万人，比上年增长6.8%。其中，职工586.6万人，增长0.5%；离退休人员331.1万人，增长20.0%。参加失业保险471.3万人，增长0.9%。参加基本医疗保险1544.3万人，增长46.2%。其中，职工594.8万人，增长3.9%；离退休人员256.5万人，增长18.8%。城镇居民得到最低生活保障人数154.5万人，增长2.4%。

工业经济

截至2009年末，全省共有规模以上工业企业4116户，资产总额8773.7亿元，从业人员142.8万人。2009年，全部工业实现增加值3412.9亿元，占全省GDP的41.2%，对全省经济增长的贡献率为45.8%。其中，规模以上工业实现增加值2905.5亿元，同比增长12.1%，连续10年保持两位数增长，2004年至2007年连续4年增速超过15%。

2009年，全省制造业比重为44.5%，采掘业比重为48.5%；重工业比重为85.7%；国有及国有控股工业比重为76.3%，非国有工业比重为20.2%；大中型企业比重为85.9%（按规模以上工业增加值计算）；中直企业比重为47.1%（按主营业务收入计算）。

工业生产逐步企稳回升。全年规模以上工业企业（年主营业务收入500万元及以上，下同）实现增加值2905.5亿元，比上年增长12.1%。从经济类型看，国有及国有控股企业增加值2218.0亿元，增长11.3%；集体企业增加值101.9亿元，增长12.5%；非公有制企业增加值585.6亿元，增长14.8%。从轻重工业看，轻工业增加值414.2亿元，增长15.8%；重工业增加值2491.3亿元，增长11.5%。从企业规模看，大中型企业增加值2496.5亿元，增长11.6%；小型企业增加值409.0亿元，增长15.3%。

地方工业经济增效明显。全年规模以上地方工业实现利税420.4亿元，比上年增长21.9%，其中利润211.8亿元，增长22.8%；地方工业经济效益综合指数171.9，提高13.6点。规模以上工业企业实现利税1461.3亿元，下降27.8%，其中利润860.1亿元，下降40.0%；工业经济效益综合指数288.4，减少62.6点。

四大主导产业稳步回升。全年四大主导产业实现工业增加值2617.6亿元，比上年增长11.2%，占规模以上工业的90.1%。其中，装备工业增长7.6%；石化工业增长14.5%；能源工业增长8.7%；食品工业增长31.5%。

工业产品产量增多降少。在规模以上工业企业285种工业产品中，全年产量比上年增长的有166种，占58.2%，其中有90种产品产量增幅超过20%。

2009年全省规模以上工业企业完成增加值2905.5亿元，增速达到12.1%。超过全国平均水平0.7个百分点。若扣除大庆油田，增速达到18.9%。11个市（地、局）增速在20%以上，七台河、农垦总局、大兴安岭、牡丹江增速超过30%。其中，七台河市增速为38.6%，为全省之首。

2009年全省规模以上工业企业实现利税1461.3亿元，比上年下降27.8%，其中利润860.1亿元，下降3.4%；实现主营业务收入7678.6亿元，比上年下降3.4%；经济效益综合指数为288.4，比上年减少62.6点。若扣除大庆油田，按可比口径计算，主营业务收入比上年增长12.4%，利税增长60.3%，其中利润增长54.8%。亏损企业729户，按可比口径计算，亏损企业亏损额67.7亿元，比上年减亏7.8%。

2009年全省规模以上地方工业企业实现利税、利润、主营业务收入分别突破400亿元、200亿元和4000亿元，均创历史新高。实现利税420.4亿元。比上年增长21.9%，其中利润211.8亿元，增长22.8%；主营业务收入4060.9亿元，比上年增长18.9%；地方工业经济效益综合指数为171.9，比上年增加13.6点。全省地方亏损企业701户，亏损企业亏损额31.7亿元，比上年减亏11%。

2009年，全省工业固定资产投资累计完成1931.38亿元，比上年同期增长32.5%。其中，中央完成投资459.36亿元，比上年同期下降14.7%；地方完成投资1472.02亿元，比上年同期增长60.2%。装备、化工、能源、食品四大支柱产业完成投资1515.04亿元，比上年同期增长27%，占全省工业固定资产投资的78.44%。

2009年，全省规模以上生产节能产品（设备）企业179户，实现主营业务收入577.5亿元，同比增长10%，利税60.2亿元，同比增长2.1%，其中，锅炉制造企业16户，实现主营业务收入122.3亿元，同比下降0.1%，利税5.5亿元，同比下降3.9%；机电制造企业97户，实现主营业务收入305亿元，同比增长18.7%，利税40.5亿元，同比增长19.5%；电力设备制造企业42户，实现主营业务收入106亿元，同比增长11.9%，利税79.7亿元，同比下降19.9%；采油设备制造企业8户，实现主营业务收入9.3亿元，同比下降11.5%；其他制造企业15户，实现主营业务收入27.1亿元，同比增长27.5%，利税4.5亿元，同比增长76.7%。

实施了工业“双百工程”，重点推进了高新技术产业和优势特色产业两大类共100个投资亿元以上的项目建设，已有建龙化工160万吨焦炭、海伦南华糖业日处理6000吨制糖生产线、哈药高致病性禽流感疫苗产业化等16个项目建成投产；大庆石化120万吨乙烯改扩建、鲁能宝清煤电化工程一期等84个项目开工建设。新型哈飞赛马乘用车产业化、一重大型半组合式船用曲轴锻件国产化等100个投资5000万元以上的技改项目全部建成投产。积极推动科技进步，引领创新发展。成立了大豆、乳业、动力装备、生物医药等9个产业技术创新战略联盟，其中大豆、乳业联盟被认定为国家级产业技术创新战略联盟。实施了年产200套兆瓦级风力发电变流器等50个重大科技项目，组织科技攻关，突破和掌握了一批关键技术，获得34项国家专利。全面启动了高新科技产业集中开发区“一带两区四基地”建设，大庆高新区国家创新型园区成为东北三省唯一的国家创新型科技园区；哈尔滨理工大学科技园被批准为国家大学科技园并正式挂牌，成为全省第三个国家级大学科技园。哈尔滨铝镁合金新材料特色产业基地上升为全省首个国家级高新技术产业化基地。齐齐哈尔重型机械装备、哈尔滨汽车制造、大庆石油石化装备制造、哈尔滨新媒体成为国家级科技特色产业基地。继续推进高教强省建设。组织了全省高校200项科技成果展和校企对接活动，省内14所高校和300余家民营企业参与。完善了26个校企共建工程技术研发中心，与省内40多家企业建立起长期紧密的科技合作联系。依托哈工大组建了服务高新技术产业发展的黑龙江工业技术研究院，组建装备制造、煤电化、现代农业与加工、新药和中药5个技术研发平台。

企业改革

2009年，全省国有企业三项主要经济指标实现大幅增长，省、市两级监管企业累计实现增加值224.9亿元、主营业务收入670.9亿元、应缴税金74.3亿元，同比分别增长9.7%、7.0%和24.5%。

国有企业改革继续深入，企业股改上市有新突破。龙煤股份公司成立，引进鞍钢、华能等7家战略投资者，通过转让股权和增资扩股等方式共筹资51亿元，2009年底向证监会递交上市申请，证监会正式受理并进入审核程序。辰能风投参股的九洲电气在深圳创业板发行上市，改写了自2002年北大荒上市后全省无一家企业在国内上市的历史。政策性破产稳步实施。全省88户企业政策性破产项目，近四分之三破产终结或基本终结。哈麻集团破产取得实质性进展，庆华工具厂破产已近尾声。

2009年，全省非公有制经济增加值总量达4019亿元，比上年增长16%。全省非公经济投资总额实现增加值2230.9亿元，同比增长50%左右，高于全社会固定资产投资总额增速10个百分点，占全社会固定资产投资总额40%。截至2009年底，全省非公经济单位户数193.8万户，比上年增长4.4%。其中：非公有制企业24.2万户，个体经营户169.6万户，分别比上年增长36%、1.1%。全省个体工商户达到92.39万户，同比增长12.02%；私营企业14.05万户，同比增长11.2%，中小企业单位数9.5万户，从业人员307.2万人，全省拥有主营业务收入在10亿元以上的非公企业49户，亿元以上的非公企业782户。形成产业集群89个，集群内企业达9856户，从业人员42.6万人，年实现销售收入1123亿元，完成增加值379.2亿元，实现利润79.1亿元，上缴税金97.6亿元。全省已有560户非公企业设立了研发机构，5100户企业实施了国际质量管理体系标准，2312户企业通过了认证。非公经济在促进全省经济增长、增加地方财政收入、安置就业和促进社会稳定等方面发挥了重要的作用。

固定资产投资

固定资产投资达到历史最好水平。全年完成全社会固定资产投资5029.1亿元，比上年增长37.6%，其中，城镇投资4696.1亿元，增长40.0%；农村投资333.0亿元，增长18.0%。在城镇投资中，民间投资1991.9亿元，增长54.4%；国有及国有控股投资2594.5亿元，增长31.1%；外商及港澳台投资109.7亿元，增长29.1%。装备、石化、能源、食品等四大主导产业完成投资1515.0亿元，增长26.9%，占城镇工业投资的78.4%。亿元以上建设项目共891个，比上年增加223个，完成投资2151.3亿元，增长39.2%。固定资产投资效益提升。全年城镇建成投产项目8575个，比上年增加3016个；项目建成投产率82.0%，提高9.9个百分点。各类房屋竣工面积5598.6万平方米；竣工率52.0%，提高4个百分点。新增固定资产3453.9亿元，增长52.4%；固定资产交付使用率73.5%，提高6.2个百分点。房地产开发投资较快增长。全年完成房地产开发投资563.9亿元，比上年增长28.2%。商品房销售面积2015.5万平方米，增长35.6%；销售额652.5亿元，增长55.0%。

技术进步

科技创新实力继续提升。全年科技经费支出129.0亿元，比上年增长10.2%，其中，研究与发展（R&D）经费支出78.0亿元，增长7.4%，R&D支出相当于地区生产总值的0.94%。全年共取得各类基础理论成果160项，应用技术成果1051项，软科学成果78项。受理专利申请9014件，增长13.0%；授权专利5079件，增长11.0%。全年共签订技术合同2071份，成交金额50.1亿元，增长19.9%。

企业自主创新能力在不断提高。全年有116家企业通过国家级高新技术企业认定，使全省国家级高新技术企业增至407家，继续保持东北三省一区的首位。高新技术产值继续保持20%以上的高速增长，全年实现产值3186亿元。一重集团、大庆石油有限责任公司、哈尔滨电机厂有限责任公司等企业的2150mm宽带钢热连轧机组装备关键技术自主创新及工程应用、高含水期油田整体优化工艺关键技术与工业应用、巨型全空冷水轮发电机组关键技术突破及工程应用等多个项目获得科学技术进步二等奖。全年共获得国家科技奖18项，其中科学技术进步奖13项（特等奖1项，二等奖12项）、技术发明二等奖4项、自然科学二等奖1项；共有321个项目获得省科学技术奖，拥有355项自主知识产权，比上年提高了31%；哈尔滨医科大学的杨宝峰院士获得2009年度最高科学技术奖。

商品流通

全年实现社会消费品零售总额3401.8亿元，比上年增长19.2%。分城乡看，城镇零售额3026.1亿元，增长19.1%；农村（县以下）零售额375.7亿元，增长19.3%。从行业看，批发零售贸易业零售额2927.0亿元，增长19.1%；住宿和餐饮业零售额429.4亿元，增长21.2%；其他行业零售额45.4亿元，增长7.1%。热销商品持续增长。在限额以上批发零售贸易业21类产品零售额中，增长的有18类，其中，汽车类增长1.3倍，化妆品类增长25.1%，家具类增长23.1%，金银珠宝类增长22.3%，服装鞋帽、针、纺织品类增长22.0%，食品、饮料、烟酒类增长16.1%，石油及制品类增长11.2%，家用电器和音像器材类增长8.5%。

外经外贸

对外贸易下降。全年实现进出口总值162.2亿美元，比上年下降29.9%。其中，出口100.8亿美元，下降40.0%；进口61.4亿美元，下降2.8%。从贸易方式看，一般贸易进出口102.4亿美元，下降31.7%；边境小额贸易进出口34.8亿美元，下降37.6%；加工贸易进出口8.4亿美元，增长3.9%。从企业性质看，国有企业进出口43.4亿美元，增长1.4%；私营企业进出口109.3亿美元，下降37.0%；三资企业进出口7.8亿美元，下降43.6%。从国别（地区）看，对俄罗斯进出口55.8亿美元，下降49.7%；对欧盟进出口16.0亿美元，下降33.7%（其中，对德国进出口5.4亿美元，下降26.7%）；对美国进出口13.6亿美元，下降5.8%；对日本进出口6.0亿美元，下降2.7%；对韩国进出口5.2亿美元，下降45.5%；对巴西进出口5.2亿美元，增长40.2%；对安哥拉进出口4.4亿美元，增长26.3倍。从商品类别看，机电产品出口29.4亿美元，下降26.2%；高新技术产品出口2.4亿美元，下降19.4%。

利用外资略有下降。全年实际利用外资25.1亿美元，比上年下降5.5%。其中，外商直接投资23.6亿美元，下降7.3%。

对外经济技术合作规模继续扩大。全年对外承包工程和劳务合作完成营业额82222万美元，比上年增长1.1%。年末在外劳务人员7489人，增长4.4%。

交通运输、邮电通讯和旅游业

客运上升、货运下降。全年各种运输方式共完成货物周转量1655.8亿吨公里，比上年下降2.9%。其中，铁路956.6亿吨公里，下降5.0%；公路657.1亿吨公里，增长0.6%；水运6.8亿吨公里，下降21.8%；航空1.3亿吨公里，增长6.4%；管道34.0亿吨公里，下降2.6%。全年完成旅客周转量577.1亿人公里，比上年增长10.1%。其中，铁路232.3亿人公里，增长5.3%；公路226.9亿人公里，增长6.2%；水运0.3亿人公里，增长1.9%；航空117.6亿人公里，增长31.5%。民用车拥有量增势迅猛。年末民用汽车保有量为174.5万辆，比上年增长23.3%，其中私人汽车121.8万辆，增长31.7%。民用轿车保有量66.9万辆，增长33.0%，其中私人轿车52.8万辆，增长41.6%。

邮电通信业继续保持较快增长。全年完成邮电业务总量697.3亿元，比上年增长16.0%。其中，电信业务总量657.6亿元，增长15.6%；邮政业务总量39.7亿元，增长22.5%。年末长途光缆线路总长度42722公里，增长5.5%。年末固定电话用户870.2万户，下降15.2%（其中，城市659.1万户，下降16.6%；农村211.1万户，下降10.4%）；移动电话用户1990.1万户，增长21.3%。全省电话普及率为74.7%，比上年提高5个百分点。国际互联网络用户318.3万户，增长3.8%，其中宽带接入户277.2万户，增长16.4%。

旅游业收入增长较快。全年共接待国内、外旅游者10986.5万人次，比上年增长28.5%；实现旅游业总收入649.9亿元，增长15.5%。其中，接待国内旅游人数10844万人次，增长29.8%，实现国内旅游收入606.2亿元，增长20.8%；接待国际旅游人数142.5万人次，下降29.0%，实现国际旅游外汇收入6.4亿美元，下降26.6%。

资源节约和综合利用

2009年全省单位GDP能耗同比下降5.61%，超额完成年度目标0.61个百分点。化学需氧量和二氧化硫排放量分别同比下降2.99%和3.15%，超额完成年度目标0.99和2.65个百分点。“十一五”前四年，单位GDP能耗累计降幅达16.39%，完成“十一五”能耗下降总体目标（20%）的80.25%，超过“十一五”年平均进度目标（80%）0.25个百分点。化学需氧量、二氧化硫完成“十一五”减排总体目标的81%和176.7%，二氧化硫减排目标提前一年完成任务。

省工信委、省财政厅、省国税局、地税局共同修改和完善了《黑龙江省〈国家鼓励的资源综合利用认定办法〉实施细则》。全年共认定273户资源综合利用企业，综合利用各种固体废弃物1895万吨。全年共有10个节能项目列入国家第三批扩大内需中央预算内投资计划，项目总投资10.73亿元，其中获得中央专项资金5820万元，项目建成投产后，可实现产值15.7亿元，节能19.36万吨标准煤，综合利用固体废弃物133.1万吨。西林钢铁公司能源管理中心项目被工业和信息化部批准为工业企业能源管理中心示范建设项目，总投资8030万元，其中，获得国家补助资金800万元。

（撰稿：李志刚）

2008—2009 年黑龙江省经济社会发展主要指标

序号	指标	单位	2008 年	2009 年	增长率（%）
1	**一、人口和就业**				
2	年底人口数	万人	3825.4	3826.0	0.0
3	人口自然增长率	‰	2.23	2.06	
4	就业人员数	万人	1670	1687	1.0
5	**按产业分：**				
6	第一产业	万人	776	781	0.7
7	第二产业	万人	343	344	0.3
8	第三产业	万人	552	563	2.0
9	**城镇就业人员（按登记注册类型分）**				
10	国有单位	万人	318.38	334.39	5.0
11	集体单位	万人	30.60	29.10	-4.9
12	股份合作单位	万人	22.00	14.30	-35.0
13	联营单位	万人	0.70	0.70	0.0
14	有限责任公司	万人	50.10	51.10	2.0
15	股份有限公司	万人	42.90	28.90	-32.6
16	私营企业	万人	108.46	112.09	3.4
17	港澳台商投资单位	万人	3.00	3.70	23.3
18	外商投资单位	万人	5.30	6.70	26.4
19	个体	万人	120.30	128.13	6.5
20	城镇登记失业人数	万人	32.07	31.41	-2.1
21	**二、国民经济核算**				
22	地区生产总值	亿元	8310.0	8587.0	11.4
23	**按产业分：**				
24	第一产业	亿元	1089.1	1154.3	5.2
25	第二产业	亿元	4365.9	4060.7	13.1
26	工业	亿元	3927.6	3549.7	
27	建筑业	亿元	438.3	511.0	
28	第三产业	亿元	2855.0	3372.0	10.7
29	#交通运输、仓储和邮政业	亿元	386.8	433.6	
30	批发和零售贸易业	亿元	632.6	757.4	
31	**三、固定资产投资**				
32	投资总额	亿元	3656.0	5028.8	37.6
33	**按投资种类分：**				
34	城镇	亿元	3354.8	4695.7	40.0
35	#房地产开发	亿元	439.9	563.9	28.2
36	农村	亿元	301.1	333.1	10.6
37	#农户	亿元	283.4	316.5	11.7
38	非农户	亿元	17.8	16.5	-6.8
39	**按建设规模分：**				
40	建设总规模	亿元	7473.4	10992.7	47.1
41	在建总规模	亿元	4645.7	7089.5	52.6
42	在建净规模	亿元	2263.0	4037.3	78.4
43	**按资金来源分：**				
44	国家预算内资金	亿元	219.9	345.6	57.2
45	国内贷款	亿元	232.8	377.1	62.0
46	利用外资	亿元	36.1	50.2	39.0

续表

序 号	指 标	单 位	2008 年	2009 年	增长率（%）
47	自筹资金	亿元	2728.8	3799.3	39.2
48	其他投资	亿元	462.7	586.6	26.8
49	四、房地产开发				
50	本年完成土地开发面积	万平方米	569	471	-17.1
51	本年土地购置费用	亿元	89.6	74.3	-17.1
52	本年土地购置面积	万平方米	871	833	-4.3
53	本年完成投资额	万元	4398563	5639170	28.2
54	#住宅	万元	3065870	4425157	44.3
55	#经济适用房屋	万元	324518	302376	-6.8
56	房屋施工面积	万平方米	3611	4521	25.2
57	房屋竣工面积	万平方米	1405	1888	34.4
58	本年新开工房屋面积	万平方米	2241	2996	33.7
59	#住宅	万平方米	1840	2438	32.5
60	#经济适用房屋	万平方米	182	150	-17.4
61	商品房屋销售面积	万平方米	1487	2017	35.7
62	#住宅	万平方米	1287	1751	36.1
63	#经济适用房屋	万平方米	75	69	-7.4
64	商品房屋销售额	万元	4209652	6536890	55.3
65	#住宅	万元	3399086	5370482	58.0
66	商品房屋平均销售价格	元/平方米	2832	3241	14.4
67	#住宅	元/平方米	2642	3067	16.1
68	#经济适用房屋	元/平方米	1785	1897	6.3
69	五、规模以上工业企业				
70	企业单位数	个	4392	4408	0.4
71	工业总产值	亿元	7624.5	7301.6	-4.2
72	资产总计	亿元	7826.9	8860.6	13.2
73	利润总额	亿元	1581.7	872.6	-44.8
74	总资产贡献率	%	29.2	17.3	-40.6
75	资产负债率	%	55.8	56.9	2.0
76	六、交通运输业				
77	运输线路长度				
78	铁路营业里程	公里	5755	5756	0.0
79	内河航道里程	公里	5131	5131	0.0
80	公路里程	公里	150845	151470	0.4
81	#高速公路	公里	1044	1219	16.8
82	货运量	万吨	53976	54208	0.4
83	#铁路	万吨	17795	16744	-5.9
84	公路	万吨	35424	36486	3.0
85	水运	万吨	757	978	29.2
86	客运量	万人	41567	43365	4.3
87	#铁路	万人	10012	10133	1.2
88	公路	万人	31379	32947	5.0
89	水运	万人	176	285	61.9

续表

序号	指标	单位	2008年	2009年	增长率（%）
90	**七、国内商业**				
91	社会消费品零售总额	亿元	2928.3	3401.8	16.2
92	**八、对外贸易和旅游**				
93	货物进出口总额（按经营单位所在地分）	万美元	2313059	1622951	－29.8
94	出口	万美元	1680624	1008213	－40.0
95	进口	万美元	632435	614739	－2.8
96	外商投资企业货物进出口总额	万美元	139005	78345	－43.6
97	出口	万美元	80686	49296	－38.9
98	进口	万美元	58319	29050	－50.2
99	外商投资企业基本情况				
100	年底登记数	户	5901	5957	0.9
101	投资总额	亿美元	161.7	180.5	11.6
102	注册资本	亿美元	99.1	108.7	9.7
103	#外方	亿美元	74.1	80.8	9.1
104	对外承包工程				
105	完成营业额	万美元	56920	78633	38.1
106	对外劳务合作				
107	完成营业额	万美元	24411	3589	－85.3
108	接待国际旅游人数	万人次	200.61	142.51	－29.0
109	#外国人	万人次	193.34	135.03	－30.2
110	国际旅游外汇收入	百万美元	869.95	638.68	－26.6
111	**九、财政**				
112	地方财政一般预算收入	亿元	578.3	641.7	11.0
113	#国内增值税	亿元	129.4	104.3	－19.4
114	营业税	亿元	99.9	125.9	26.0
115	个人所得税	亿元	22.2	20.7	－6.7
116	地方财政一般预算支出	亿元	1542.3	1877.7	21.7
117	**十、物价指数**				
118	商品零售价格指数	上年＝100	105.8	98.9	
119	居民消费价格指数	上年＝100	105.6	100.2	
120	#城市	上年＝100	105.0	99.8	
121	农村	上年＝100	107.2	101.2	
122	**十一、人民生活**				
123	收入				
124	农村居民家庭人均纯收入	元	4856	5207	7.2
125	城镇居民家庭人均可支配收入	元	11581	12566	8.7
126	居民消费水平	元	7039	7737	9.9
127	农村居民	元	3781	4183	11.2
128	城镇居民	元	9743	10592	8.5
129	住房				
130	农村居民人均住房面积	平方米	21.7	22.5	3.5
131	**十二、教育**				
132	高等学校数	所	78	78	0.0

续表

序号	指标	单位	2008 年	2009 年	增长率（%）
133	高等学校招生数	人	197909	203361	2.8
134	高等学校在校学生数	人	678139	708935	4.5
135	高等学校毕业生数	人	169988	174380	2.6
136	十三、卫生				
137	卫生机构数	个	7928	21825	
138	#医院、卫生院	个	1849	1913	3.5
139	医疗机构床位数	张	135600	146572	8.1
140	#医院、卫生院	张	125977	133911	6.3
141	卫生技术人员数	人	161939	175319	8.3
142	#执业（助理）医师	人	66771	74178	11.1

注：1. 地区生产总值及其三次产业、城镇居民人均可支配收入和居民消费水平的增长速度按可比价格计算。
2. 卫生机构数2009年起含村卫生室，与历史数据不可比。

上海市

综 述

2009年是浦东开发开放以来上海经济发展最困难的一年。面对国际金融危机冲击和自身发展转型的双重考验，肩负筹办世博会紧迫繁重的任务，全市人民在党中央、国务院和中共上海市委的领导下，坚决贯彻落实国家宏观调控各项政策，全力实施扩内需、调结构、促改革、惠民生、保稳定一揽子计划措施，实现了年初“四个确保”的目标。

经济增速逐季回升。全市经济运行在一季度触底基础上呈现持续回升态势，全年生产总值达到1.49万亿元，按可比价格计算比上年增长8.2%。第三产业成为支撑经济增长的主要动力，全年第三产业增加值达到8847.2亿元，增长12.6%，增速分别高出工业和全市经济9.7和4.4个百分点。

经济运行质量效益逐步改善。全年完成地方财政收入2540.3亿元，比上年增长7.7%，增速呈现持续回升态势。工业企业效益持续改善，全年利润达到1405.7亿元，比上年增长43.8%，汽车、石化等重点行业利润明显回升。

扩大内需政策效应逐步显现。全年社会消费品零售总额达到5172.9亿元，比上年增长14%。争取和实施扩大内需新增中央投资项目，全力推动一批重大项目建设，全年全社会固定资产投资总额完成5273.3亿元，比上年增长9.2%。

帮扶企业取得成效。建立覆盖全市主要部门和所有区县的服务企业网络，加强和改进对企业的服务。针对企业经营中遇到的各类困难，深化落实融资、财税、投资体制改革等政策措施，减轻企业税费负担，帮助企业拓宽融资渠道，拓展国内外销售市场。

全年批发和零售业实现增加值2183.86亿元，比上年增长13.6%。实现商品销售总额31974.39亿元，比上年增长19.3%。其中，批发销售额27568.74亿元，增长20.1%。至年末，全市共有商品交易市场1160个，全年成交额5100亿元，比上年增长12.6%。

全年实现社会消费品零售总额5172.88亿元，比上年增长14%。其中，吃的商品零售额2060.58亿元，增长14.5%；穿的商品零售额639.9亿元，增长15%；用的商品零售额2296.21亿元，增长14.9%。分行业看，批发零售贸易业实现零售额4395.65亿元，比上年增长14.1%；餐饮业实现零售额761.5亿元，增长13.7%。至年末，全市连锁商业网点达到13256家。其中，连锁超市门店3107家，便利店4352家。全年连锁商业销售额1819亿元，与上年基本持平。

全年上海关区进出口总额5154.89亿美元，比上年下降15%。其中，进口总额1903.61亿美元，下降10.6%；出口总额3251.28亿美元，下降17.4%。全市进出口总额2777.31亿美元，比上年下降13.8%。其中，进口总额1358.17亿美元，下降11.1%；出口总额1419.14亿美元，下降16.2%。

全年批准外商直接投资合同项目3090项，比上年下降17.6%；吸收外资合同金额133.01亿美元，下降22.3%；实际到位金额105.38亿美元，增长4.5%。全年第三产业吸收外商直接投资实际到位金额76.16亿美元，增长11.4%，占全市实际利用外资的比重达到72.3%。全年批准总投资在1000万美元以上的外商直接投资项目177项，合同金额107.92亿美元。至年末，在上海投资的国家和地区已达144个。年内新增跨国公司地区总部36家、投资性公司13家、外资研发中心30家。至年末，在上海落户的跨国公司地区总部达到260家，投资性公司191家，外资研发中心304家。

全年新批对外投资项目166项，投资总额15.36亿美元。签订对外承包工程和劳务合作合同7480项；合同金额124.02亿美元，比上年增长12.2%；实际完成营业额73.41亿美元，增长31.8%；派出劳务人员1.39万人次，下降13.7%。至年末，全市对外承包工程和劳务合作涉及的国家和地区已达177个。

工业经济

全年完成规模以上工业总产值23873亿元，同比增长3.2%；完成工业增加值5152亿元，同比增长3%；实现工业利润1406亿元，增长43.8%。确保高新技术产业化取得阶段性成效，先行启动209个项目，涉及总投资532亿元；全年产业化规模达7365亿元，增长13%以上。确保淘汰落后产能和节能降耗取得较大进展，全年调整淘汰落后产能846项，节约标煤102万吨，超额完成年初预定目标；工业增加值能耗同比下降5%。确保工业投资保持适度规模，全年完成1420亿元，与上年基本持平，其中技改投资占50%以上。

一是国家战略得到较好落实。发布了汽车、电子信息、装备等8个产业调整振兴规划《实施方案》。推进118个国家重点技改项目，涉及投资242亿元，其中由国家支持的重点产业振兴和技改资金8.5亿元。推进国家“两化融合”试验区建设，下发上海市“两化融合”实施意见和三年行动计划，推进“1010工程”，建立4个研究中心和10个重点实验室，形成“两化融合”评估指标体系。临港装备、上海化工区、民用航空、长兴造船与海洋工程装备等4个产业基地被工业和信息化部授予新型工业化示范基地。

二是高新技术产业化取得阶段性成果。上海市政府下发了《上海推进高新技术产业化实施意见》，成立市高新技术产业化领导小组及办公室，组建市高新技术产业化促进中心，负责推进高新技术产业化工作。建立8个由市领导挂帅的推进工作组。制定下发9个重点领域行动方案、《重大项目专项资金管理办法》以及生物医药、新能源、新能源汽车、软件和信息服务业专项扶持政策。建立41个高新技术产业化基地。跟踪2～3.6兆瓦大型风机、商用飞机航空电子等100个重点项目，研究智能电网、物联网等新的产业化方向。

三是服务企业工作进一步加强。建立“企业呼声直通车”，全年共收集企业呼声201项，办结率达85%。形成市推进政策落地服务企业办公室、区县、街道（镇）三级服务体系；逐一走访年产值超过10亿元的238户重点企业，收集意见185项，解决80%。梳理和协调解决了一批央企反映的问题。加强对重点非公和中小企业运行的动态跟踪，推进“中小企业百千万成长工程”，全年共有8家中小企业上市或过会；推进闵行区中小企业集合中期票据试点等，成立“上海五星联盟”，打造中小企业技术创新和股权融资平台。

四是推动淘汰落后产能和工业节能降耗工作。淘汰落后产能方面，完成世博园区及周边区域82家危险化学品企业的调整。推进实施5个重点区域专项调整，其中嘉定马陆、金山第二工业区、浦东滨海3个区域专项调整获批，浦东张江、松江九亭形成调整方案。工业节能降耗方面，实施节能技改项目270个，合同能源管理项目71个，共节约标煤62.5万吨；工业固体废弃物利用率超过96%，节能服务业营业收入比上年增长约40%。

企业改革

截至2009年末，全市地方国有资产总量（权益）达到12257亿元，比上年增长10.7%；地方国有经济共实现增加值3500亿元，增长8.8%。国资委系统企业全年累计实现营业收入8029亿元，增长10.6%；实现利润总额409亿元，增长53.3%。主要特点：

一是坚持以发展为导向，推进企业开放性、市场化重组。完成东方航空与上海航空、西安陕鼓动力与上海鼓风机厂、中航技集团与广电NEC第五代生产线项目重组等。许多企业通过“走出去”赢得了发展机遇，如电气集团收购美国高斯公司；锦江国际联手美国德尔集团收购美国洲际酒店管理公司；上汽集团收购上海通用1%股权实现控股，与美国通用在香港组件合资公司等。城建集团与公成建设共同投资建设青浦污水二厂，华谊集团、锦江国际和世博集团等也通过股权转让、项目合作等方式，积极与非公经济开展合作。

二是充分利用资本市场，推动资产资本化、资本证券化。建工集团51亿元主业资产注入建工股份，实现主业资产整体上市；上实集团采用“定向增发+吸收合并”的方式整合医药资产上市，为上海医药产业发展创造条件；百联集团华联超市4.9亿元资产注入联华超市；光明食品协议受让88亿元汽车零配件资产置换巴士股份公益性资产；仪电集团托管广电集团，对广电电子、广电信息两家上市公司进行置换，较好地解决了历史遗留问题。全年通过增发、配股等方式完成或启动现金融资781.1亿元，约有

270.5 亿元国资实现证券化，资本证券化率达到25.4%。

三是完善企业法人治理结构，大力推进董事会建设。向上汽集团、电气集团、百联集团、锦江国际、东方国际、光明食品集团等6家企业委派18名外部董事。制定企业董事会建设指导意见、外部董事管理办法，探索开展对董事会任期业绩评价，从制度设计上提高了董事会工作的规范性和有效性。董事会试点单位的监事会主席已经到位，开始探索外派监事团队化管理的新模式。

四是结合政府机关政企分开工作，实现国资监管全覆盖。形成以出资监管为主，委托监管为辅的模式。推进政企分开、企业划转工作。临港集团、机场集团、同盛集团等6家企业集团已划入市国资委监管；委办局所属企业划转工作稳步推进。市国资委分别与市委宣传部、市金融办等8家单位签订《国有资产委托监管书》，明确委托监管双方的责权。

五是推动企业非主业调整，加快解决历史遗留问题。以"联合委办形成政策合力"的方式，帮助解决"无资产、无人员、无业务"存续企业面临的人、税、债、费、企业更名、土地产权过户等历史遗留问题。全年国资委系统共完成非主业企业注销470户。

六是完善国资基础管理，提高监管效率和水平。加强统计、会计、审计"三位一体"的财务监督体系建设，制定企业内部审计管理暂行办法等规范性文件，推进企业执行《企业会计准则》。启动电气集团、纺织集团等9家企业评估备案试点，初步实现评估监管方式转型。

固定资产投资

全年完成全社会固定资产投资5273.3亿元，比上年增长9.2%。投资结构进一步优化，第一产业完成投资11.4亿元，增长35.8%，占全社会固定资产投资总额的比重为0.2%；第二产业完成投资1427.5亿元，增长0.5%，占比为27.1%；第三产业完成投资3834.4亿元，增长12.8%，占比为72.7%。

（一）主要领域投资情况

1. 城市基础设施投资较快增长。全年完成城市基础设施投资2113.5亿元，比上年增长21.9%，占全社会固定资产投资的40.1%。其中，电力设施领域完成投资253.4亿元，增长95.6%；城市公共交通领域完成投资447.9亿元，增长33.8%。全年共安排重大项目47项，年度累计完成投资1063.4亿元，约占全社会固定资产投资的21%。一批重大项目进展顺利，虹桥机场扩建工程、虹桥综合交通枢纽基础设施、申嘉湖高速公路、中环浦东段新建工程、轨道交通7号线工程、轨道交通9号线二期（首段）工程、轨道交通10号线工程等项目2009年完成投资均超过30亿元。

2. 房地产开发投资有所增长。全年房地产开发投资完成1464.2亿元，比上年增长7.1%，占全社会固定资产投资的27.8%。房地产施工面积9961.6万平方米，比上年减少4.1%，其中住宅施工面积6550.7万平方米，减少4.7%；房地产新开工面积2490.6万平方米，减少3.7%，其中住宅新开工面积1721万平方米，减少2.3%。2009年房屋销售面积3372.4万平方米，增长46.9%；房屋销售额4330.2亿元，增长128.5%。

3. 工业投资基本持平。2009年全市完成工业投资1420.3亿元，比上年增长0.2%，占全社会固定资产投资的26.9%。受国际金融危机影响以及部分工业企业全国、全球布局的影响，工业六大支柱产业出现一定下降，合计完成投资626.4亿元，比上年下降22.6%。在工业六大支柱产业中，汽车制造业和生物医药制造业保持较快增长，分别比上年增长14.9%和83.8%。

（二）投资体制改革情况

出台了《上海市市级建设财力项目管理暂行办法》，在梳理、总结、规范已有市级建设财力项目管理要求的基础上，针对管理中的薄弱环节，着力体现4个更加注重：一是更加注重发挥规划的引导作用，进一步加强政府投资项目的前期工作；二是更加注重发挥各个部门的作用，进一步加强管理部门的协调配合；三是更加注重规范项目的建设程序，进一步加强项目各个环节的管理；四是更加注重项目实施的监督管理，进一步强化项目安全质量监督和投资控制。

技术进步

一是科技投入稳定增长。全年用于研究与实验发展（R&D）经费支出达到401亿元，占全市生产总值的比重为2.7%，比2008年提高了0.12个百分点。

二是科技成果不断涌现。全年共申请专利62241件，比上年增长17.8%，其中发明专利申请22012件，增长23.5%；专利授权34913件，增长42.7%，其中发明专利授权5997件，增长40.8%。在2009年颁布的年度国家科学技术奖励获奖人选和项目中，上海科学家和科技创新成果再次囊括国家科技奖励五大奖项，共有56个项目获奖，占全国授奖总数的15.0%，已连续8年授权总数占全国比重保持两位数，其中谷超豪院士荣获国家最高科学技术奖。

三是高技术产业不断发展。全年高技术产业完成工业总产是5560.7亿元，比上年增长8.2%，增幅高出全市规模以上工业总产值5个百分点，所占比重达到23.3%。全年累计高技术产品出口636.2

亿美元，下降10.8%，占全市商品出口总额的比重达到44.8%。

四是技术交易市场保持良好发展势头。全年经认定登记的技术合同为27109项，比上年下降5.6%；成交额489.9亿元，增长0.8%，成交额连续10年保持全国第二。平均单笔技术交易额达到180.7万元，比上年增长6.8%。

商品流通

2009年，全市商业分别实现商品销售总额、社会消费品零售总额31974.4亿元、5172.9亿元，比上年增长19.3%、14%，剔除价格因素，社会消费品零售总额实际增长14.7%，增速比上年提高2.7个百分点。流通和消费分别保持了2003年、2004年以来连续7年、6年的两位数增长势头和全国中心城市商业发展的领先地位。

1. 消费增速逐月加快。除3月份社会零售总额出现较大回落外，在国家和上海促进消费的一系列政策带动下，6月份起居民消费信息增强，社会消费品零售增速加快，增幅保持在14%左右。

2. 各类消费全面增长。全市吃、穿、用商品分别实现零售额2060.6亿元、639.9亿元和2296.2亿元，比上年增长14.5%、15%和14.9%，在汽车、家电下乡和以旧换新政策实施推动下，汽车、家电销售旺盛，有力推动全市商品零售额增长。

3. 商贸业税收贡献突出。2009年，全市商业税收总额1219.2亿元，比上年增长7.4%，全年商业的税收分别占全市和第三产业税收总额的18.3%、34.6%，占比分别比上年提高1个、4.3个百分点。商业税收对全市税收的贡献率达到71.9%，拉动全市税收增长1.3个百分点。商业税收增速分别高于全市和第三产业税收增速5.6个、13.4个百分点。

外经外贸

（一）对外贸易

2009年，全市实现外贸进出口2777.3亿美元，比上年下降13.8%。其中出口1419.1亿美元，下降16.2%；进口1358.8亿美元，下降11.1%。全年全市外贸累计顺差61亿美元，比上年下降63.2%，占全国顺差的3.1%。全年服务贸易总额超过800亿美元。

1. 对外贸易发展呈现新特点。一是单月外贸进出口额逐步回升。3月起，全市外贸止住下滑势头，单月外贸环比呈现震荡盘升态势。9月后，外贸进出口额稳步上扬。全年进口、出口额占全国比重分别为13.5%和11.8%，与2008年基本持平。二是加工贸易出口率先复苏。从6月起，加工贸易月度出口连续实现环比增长，规模从5月的54.7亿美元扩大到12月的89亿美元，全年加工贸易出口占全市总额的57.4%。三是高新技术产品出口好于总体水平。全年高新技术产品出口达到636.2亿美元，占全市总额的44.8%；比上年下降10.8%，降幅低于出口总体降幅5.4个百分点，成为支撑上海出口的重要力量。四是民营企业出口降幅较低。民营企业进出口总额318.1亿美元，比上年下降8.6%，占全市进出口份额比上年提升0.65个百分点。五是传统市场格局基本不变。中国香港、日本、美国、欧盟等四大传统市场合计实现进出口额1579.4亿美元，其中出口941.2亿美元，分别占全市总额的56.9%和66.3%。

2. 采取积极措施实现外贸"保市场、保份额"。一是积极贯彻国家稳定外需的有关政策部署。出台上海市《保持对外贸易稳定增长的若干措施》。二是积极抓订单促成交。成功举办多项大型展会，以展会促成交。第十九届华交会成交22.4亿美元，跨国采购会采购金额180亿美元，工博会产品和技术成交17.4亿元，比上年增加42.8%。三是加速开拓海外市场。重点开拓北非、东盟、拉美等地新兴市场。上海在突尼斯举办的中国（上海）——突尼斯投资贸易洽谈会，成为迄今中国在突尼斯规模最大的投资贸易活动。四是大力推进贸易便利化。成立贸易便利化联系会议，出台《贸易便利化工作规程》和《上海市贸易便利化效率指标框架》。外高桥国际贸易示范区以及外高桥国际工程机械交易中心、医疗机械交易中心相继挂牌，成为推进贸易便利化的重要平台。五是积极推进人民币跨境贸易结算试点。全市已有92家企业获得试点资格，试点第一单落户上海。全年共有30家企业发生118笔业务，实现交易额21.4亿元，其中进口52笔17.5亿元，出口61笔2.2亿元，服务贸易5笔1.7亿元。六是建立出口信用保险保障机制。2009年短期出口信用保险规模已达59亿美元，完成国家安排规模的103%。大型成套设备出口的承保规模达到11.2亿美元，占全国的17%。

3. 大力发展服务贸易促经济转型。一是完善工作推进机制。全面实施"部市合作"推进上海服务贸易发展协议，建立服务贸易发展联席会议制度，形成服务贸易统计和评估系统。二是加大政策支持力度。出台《关于促进上海服务贸易全面发展的实施意见》《上海服务贸易中长期发展规划纲要》《促进服务外包产业发展的实施意见》，以及技术先进型服务企业、服务外包示范园区认定管理办法，设立服务贸易和服务外包专项资金。三是推进重点行业发展。成功举办"上海软件外包国际峰会"，重点推进软件出口和软件外包、文化贸易、中医药、国际物流等行业发展，为企业做大服务贸易提供融资服务。四是大力发展服务外包。全市服务外包企业已超过600家，2009年新增从业人员4万人，其中90%以上为本科以上学历。全年全市企业承接离岸服务外包合同金额超过16亿美元，比上年增长13.4%；承接离岸服务外包累计执行金额约10亿美元，增长14%。

4. 上海国际贸易中心建设加快推进。与商务部签订新的“部市合作”协议，成立由商务部和市政府主要领导牵头的上海国际贸易中心建设领导小组。制定《关于加快推进上海国际贸易中心建设的意见》，上报商务部，积极争取相关支持政策。虹桥商务区建设积极推进。

（二）利用外资

2009年，全市共引进外资项目3090个，吸收合同外资133亿美元；实到外资105.4亿美元，比上年增长4.5%。2009年利用外资的主要特点有：

1. 现代服务业利用外资保持增长。

全市第三产业实际利用外资76.2亿美元，比上年增长11.4%。批发零售业和商业服务业利用外资都保持强劲的发展势头，增幅均超过30%。一批国际著名公司纷纷抢滩上海，如星展资本、百仕通等创业投资和股权投资管理企业，劳氏船级社、挪威船级社等船舶检验公司，以及从事保理业务的高银保理，从事电子支付业务的中银通支付，知名物流公司DHL，日本三菱的工程塑料项目、上海电气变压器项目、英国BP公司投资的清洁能源项目等先进制造业新项目。

2. 总部经济继续保持良好发展态势。

截至2009年底，外商在上海累计设立总部经济机构755家，居国内各省市首位。年内共新增总部经济项目79家，其中，跨国公司地区总部36家，投资性公司13家，外资研发中心30家。

3. 服务外包成为新增长点。

全市服务外包从业人员10万多人，比上年新增4万人，其中90%以上为大学以上学历。全年服务外包企业承接离岸服务外包合同金额超过16亿美元，比上年增长13.4%；承接离岸服务外包累计执行金额约10亿美元，增长14%。

4. 外商投资企业继续成为上海市经济的重要支柱。

2009年外商投资企业销售收入比上年有所增长，纳税总额增长30%以上，外商投资企业对上海经济和社会的贡献度进一步提高。

（三）对外经济合作

全年新批对外投资项目166项，投资总额15.4亿美元，比上年增长1.2倍；其中中方投资额14.9亿美元，增长1.4倍。新签对外工程承包合同和劳务合作合同额124亿美元，增长12.2%，完成对外工程承包和劳务合作营业额73.4亿美元，增长31.8%。主要特点有：

1. 民营企业对外投资活跃。全市对外投资民营企业达139家，占对外投资主体的56%，成为对外投资的主力军。

2. 企业并购快速增长。全市对外投资并购类项目22个，投资总额6.94亿美元，占全市投资总额的45%。

3. 对外投资独资化趋势明显。中方投资额占投资总额的97%，比上年提高11个百分点，中方掌握了境外企业的绝大部分股权。

4. 对外承包工程规模档次不断提升。全年新签对外工程承包合同金额在5000万美元以上的大中型项目36个，这些项目对外承包工程的87.6%分布在科技含量较高的制造及加工业、电力工业、交通运输建设、电子通讯等领域。特别是交通运输建设领域和电子通讯领域境外承包工程快速发展，项目总额分别比上年增长193%、130%，反应上海对外工程承包项目结构不断优化，以土建工程为主的对外承包工程格局有进一步得到改变。

交通运输、邮电通信和旅游业

全年实现交通运输、仓储和邮政业增加值642.13亿元，比上年下降4.2%。各种运输方式完成货物运输总量76967.57万吨，比上年下降8.8%。旅客发送总量11136.25万人次，比上年增长1.8%。

全年全市港口货物吞吐量达到5.92亿吨，比上年增长1.8%。港口集装箱吞吐量2500.2万国际标准箱，比上年下降10.7%。上海浦东、虹桥两大国际机场全年共起降航班47.7万架次，比上年增长5.8%；进出港旅客达到5699.96万人次，增长11.5%。其中，国内航线进出港旅客4089.65万人次，增长18.2%；国际及地区航线进出港旅客1610.31万人次，下降2.4%。

至年末，全市轨道交通线路达到11条，运营线路长度达到355.05公里（含磁浮线路29.1公里）。全年优化调整公交线路282条。其中，新辟98条。公交运营车辆1.63万辆，运营出租车4.91万辆。全年市内公共交通客运量51.27亿人次，比上年增长4.6%。其中，轨道交通客运量13.18亿人次，增长16.9%；公共汽电车客运量27.06亿人次，增长1.6%。

全年完成邮政电信业务总量875.45亿元，比上年增长5%。其中，邮政业务总量68.59亿元，增长18.9%；电信业务总量806.86亿元，增长4%。至年末，全市固定电话用户935.48万户。其中，住宅电话616.24万户。移动电话用户2106.32万户，比上年末增加225.46万户。

全年实现旅游产业增加值1007.08亿元，比上年增长6.9%。至年末，全市已有星级宾馆298家，旅行社923家，A级旅游景点50家，红色旅游基地27个。

全年接待国际旅游入境人数628.92万人次，比上年下降1.8%。其中，入境外国人489.74万人次，下降3.5%；港、澳、台同胞139.18万人次，增长4.7%。在国际旅游入境人数中，过夜旅游人数533.39万人次，比上年增长1.3%。全年接待国内旅游者12360.74万人次，比上年增长12.3%。其中，外省市来沪旅游者8483.68万人次，增长8.2%。全年国际旅游外汇收入47.96亿美元，比上年下降4.6%；国内旅游收入1913.8亿元，增长18.7%。

节能减排

超额完成2009年节能减排指标，为实现“十一五”总体目标奠定了扎实基础。节能方面，据国家统计局初步核定，2009年上海万元生产总值综合能耗同比下降6.17%，年度下降率居全国前列，前四年累计下降幅度为17.1%，一举扭转了前几年节能降耗目标完成情况落后于时间进度的不利局面。减排方面，经环保部核定，2009年SO_2和COD排放量分别比2008年下降15.05%和8.74%，削减率全国第一，“十一五”前四年累计分别下降26.1%和19.9%，提前一年实现了“十一五”减排目标。

2009年上海节能减排工作呈现5个特点：一是“启动早”。一季度上海市政府召开节能减排推进大会，并引发《2009年节能减排重点工作安排》（沪府发〔2009〕16号），对全市节能减排工作进行总体部署和安排。二是“目标严”。对工业、建筑施工业、各区县的目标没有丝毫放松，并对商业、旅游、交通、教育、卫生等没有分解过年度节能目标的主要用能领域，也首次明确下达了年度量化目标。三是“措施细”。在《2009年节能减排重点工作安排》中共分解了171项重点工作，并对每项重点工作都进一步细化明确了具体内容、时间节点和责任部门。四是“投入大”。节能减排工作资金和人员力量的投入力度进一步加大，资金投入比上年增长了20%。五是“亮点多”。如建筑节能、节能空调地方补贴政策、节能宣传周等，政策实施和活动组织比较成功。

（撰稿：黄治国）

2008—2009年上海市经济社会发展主要指标

序号	指标	单位	2008年	2009年	增长率（%）
1	一、人口和就业				
2	年底人口数	万人	1888.5	1921.0	1.7
3	人口自然增长率	‰	2.72	2.70	
4	就业人员数	万人	896	929	3.7
5	按产业分：				
6	第一产业	万人	49	48	-3.7
7	第二产业	万人	352	347	-1.3
8	第三产业	万人	494	534	8.0
9	城镇就业人员（按登记注册类型分）				
10	国有单位	万人	140.73	141.83	0.8
11	集体单位	万人	11.46	10.27	-10.4
12	股份合作单位	万人	3.80	4.80	26.3
13	联营单位	万人	0.90	1.10	22.2
14	有限责任公司	万人	48.00	47.40	-1.3
15	股份有限公司	万人	36.80	37.20	1.1
16	私营企业	万人	282.63	311.10	10.1
17	港澳台商投资单位	万人	36.00	39.60	10.0
18	外商投资单位	万人	96.80	101.20	4.5
19	个体	万人	25.05	27.01	7.9
20	城镇登记失业人数	万人	26.56	27.87	4.9
21	二、国民经济核算				
22	地区生产总值	亿元	13698.2	15046.5	8.2
23	按产业分：				

续表

序号	指标	单位	2008年	2009年	增长率（%）
24	第一产业	亿元	111.8	113.8	-1.1
25	第二产业	亿元	6235.9	6001.8	3.5
26	工业	亿元	5785.0	5408.8	
27	建筑业	亿元	450.9	593.0	
28	第三产业	亿元	7350.4	8930.9	12.2
29	#交通运输、仓储和邮政业	亿元	769.6	635.0	
30	批发和零售贸易业	亿元	1266.4	2183.9	
31	**三、固定资产投资**				
32	投资总额	亿元	4823.1	5043.8	4.6
33	**按投资种类分：**				
34	城镇	亿元	4404.9	4618.9	4.9
35	#房地产开发	亿元	1435.7	1462.1	1.8
36	农村	亿元	418.2	424.8	1.6
37	#农户	亿元	3.2	1.5	-52.2
38	非农户	亿元	415.0	423.3	2.0
39	**按建设规模分：**				
40	建设总规模	亿元	22661.8	22637.1	-0.1
41	在建总规模	亿元	19756.4	19807.0	0.3
42	在建净规模	亿元	7675.8	7082.1	-7.7
43	**按资金来源分：**				
44	国家预算内资金	亿元	83.8	87.4	4.3
45	国内贷款	亿元	1470.1	1463.3	-0.5
46	利用外资	亿元	257.3	169.5	-34.1
47	自筹资金	亿元	2784.4	2846.0	2.2
48	其他投资	亿元	1031.8	1827.7	77.1
49	**四、房地产开发**				
50	本年完成土地开发面积	万平方米	138	88	-36.1
51	本年土地购置费用	亿元	220.6	213.9	-3.0
52	本年土地购置面积	万平方米	326	185	-43.4
53	本年完成投资额	万元	14357349	14620724	1.8
54	#住宅	万元	8754607	9186847	4.9
55	#经济适用房屋	万元		391773	
56	房屋施工面积	万平方米	10784	9950	-7.7
57	房屋竣工面积	万平方米	2571	2105	-18.1
58	本年新开工房屋面积	万平方米	2772	2483	-10.4
59	#住宅	万平方米	1881	1721	-8.5
60	#经济适用房屋	万平方米		127	
61	商品房屋销售面积	万平方米	2339	3372	44.2
62	#住宅	万平方米	2007	2928	45.9
63	#经济适用房屋	万平方米			
64	商品房屋销售额	万元	19171177	43302240	125.9
65	#住宅	万元	16290753	36202282	122.2
66	商品房屋平均销售价格	元/平方米	8195	12840	56.7
67	#住宅	元/平方米	8115	12364	52.4

续表

序　号	指　标	单　位	2008 年	2009 年	增长率（%）
68	#经济适用房屋	元/平方米		3445	
69	**五、规模以上工业企业**				
70	企业单位数	个	18792	17906	-4.7
71	工业总产值	亿元	25120.9	24091.3	-4.1
72	资产总计	亿元	22750.4	24595.3	8.1
73	利润总额	亿元	967.2	1432.0	48.0
74	总资产贡献率	%	8.8	10.9	23.9
75	资产负债率	%	53.1	52.8	-0.6
76	**六、交通运输业**				
77	运输线路长度				
78	铁路营业里程	公里	316	318	0.5
79	内河航道里程	公里	2226	2226	0.0
80	公路里程	公里	11497	11671	1.5
81	#高速公路	公里	637	768	20.6
82	货运量	万吨	84400	76669	-9.2
83	#铁路	万吨	1012	941	-7.0
84	公路	万吨	40328	37745	-6.4
85	水运	万吨	43060	37983	-11.8
86	客运量	万人	8507	9571	12.5
87	#铁路	万人	5343	5161	-3.4
88	公路	万人	2934	2995	2.1
89	水运	万人	230	1415	515.2
90	**七、国内商业**				
91	社会消费品零售总额	亿元	4577.2	5173.2	13.0
92	**八、对外贸易和旅游**				
93	货物进出口总额（按经营单位所在地分）	万美元	32205531	27771361	-13.8
94	出口	万美元	16914514	14179603	-16.2
95	进口	万美元	15291017	13591758	-11.1
96	外商投资企业货物进出口总额	万美元	21768521	18670215	-14.2
97	出口	万美元	11355935	9701509	-14.6
98	进口	万美元	10412585	8968706	-13.9
99	外商投资企业基本情况				
100	年底登记数	户	51532	52278	1.4
101	投资总额	亿美元	2939.9	3084.3	4.9
102	注册资本	亿美元	1691.7	1818.9	7.5
103	#外方	亿美元	1377.5	1479.2	7.4
104	对外承包工程				
105	完成营业额	万美元	490707	665664	35.7
106	对外劳务合作				
107	完成营业额	万美元	66324	68441	3.2
108	接待国际旅游人数	万人次	526.47	533.39	1.3
109	#外国人	万人次	441.62	439.05	-0.6
110	国际旅游外汇收入	百万美元	4971.72	4744.02	-4.6

续表

序号	指标	单位	2008年	2009年	增长率（%）
111	九、财政				
112	地方财政一般预算收入	亿元	2358.7	2540.3	7.7
113	#国内增值税	亿元	334.9	372.5	11.2
114	营业税	亿元	763.4	839.7	10.0
115	个人所得税	亿元	204.9	230.4	12.5
116	地方财政一般预算支出	亿元	2593.9	2989.7	15.3
117	十、物价指数				
118	商品零售价格指数	上年=100	105.3	99.4	
119	居民消费价格指数	上年=100	105.8	99.6	
120	#城市	上年=100	105.8	99.6	
121	农村	上年=100		0.0	
122	十一、人民生活				
123	收入				
124	农村居民家庭人均纯收入	元	11440	12483	9.1
125	城镇居民家庭人均可支配收入	元	26675	28838	8.6
126	居民消费水平	元	27343	29572	5.0
127	农村居民	元	12202	13748	4.9
128	城镇居民	元	29250	31608	5.2
129	住房				
130	农村居民人均住房面积	平方米	62.3	60.2	-3.4
131	十二、教育				
132	高等学校数	所	66	66	0.0
133	高等学校招生数	人	143328	143497	0.1
134	高等学校在校学生数	人	502899	512809	2.0
135	高等学校毕业生数	人	122069	126925	4.0
136	十三、卫生				
137	卫生机构数	个	2822	4460	
138	#医院、卫生院	个	299	296	-1.0
139	医疗机构床位数	张	97352	99704	2.4
140	#医院、卫生院	张	77174	79501	3.0
141	卫生技术人员数	人	127471	132826	4.2
142	#执业（助理）医师	人	51047	53024	3.9

注：1. 地区生产总值及其三次产业、城镇居民人均可支配收入和居民消费水平的增长速度按可比价格计算。
2. 卫生机构数2009年起含村卫生室，与历史数据不可比。

江苏省

综　述

2009年，江苏省深入贯彻科学发展观，认真落实中央决策部署和一系列政策措施，积极应对国际金融危机带来的严峻挑战和严重困难，统筹做好保增长保民生保稳定各项工作，经济企稳向好态势不断增强，结构调整和自主创新取得重大进展，发展质量稳步提高，民生继续得到改善，改革开放深入推进，各项社会事业全面进步。

全年经济发展迈上新台阶。全省实现生产总值34061亿元，比上年增长12.4%；其中，第一产业增加值2202亿元，增长4.5%；第二产业增加值18416

亿元，增长12.5%；第三产业增加值13443亿元，增长13.6%。人均地区生产总值44232元，按当年汇率折算达到6475美元。经济结构进一步优化。三次产业增加值比例调整为6:54:40。先进制造业水平提升，全年实现高新技术产业产值21987亿元，增长19.5%，占规模以上工业比重达30%，比上年提高1.5个百分点。服务业特别是现代服务业增长加快、比重上升，实现服务业增加值13556亿元，比上年增长13.6%，占GDP比重39.8%，提高1.1个百分点。新兴行业加快发展，新能源、新医药、新材料、环保产业产值分别增长66%、30%、22%和21%，软件业销售收入增长35.7%，服务外包执行总额增长177%。非公有制经济进一步发展，实现增加值在地区生产总值中的份额达64.1%，其中私营个体经济比重为39.4%，分别提高0.9个和2.3个百分点。城市化和城市现代化水平稳步提高，年末城市化率达55.6%，比上年提高1.3个百分点。区域发展格局进一步改善，加快推进苏南转型升级，巩固苏中、苏北快速发展局面，苏中、苏北对全省经济增长的贡献份额达到42.3%，提高2.9个百分点，全面实施沿海地区发展规划。

节能减排取得明显成效。大力推进资源节约型、环境友好型社会建设，实施重点节能减排项目，淘汰落后产能，深入开展化工生产企业专项整治。全年共实施1121个减排项目，关闭小火电组687.6万千瓦，淘汰落后炼铁能力245万吨、落后炼钢能力547.2万吨，分别完成“十一五”总目标的224.3%、51.1%和77.4%。化学需氧量、二氧化硫排放量分别削减3.1%和4.1%，累计完成“十一五”减排总目标的98.93%和121.1%。

物价水平年内小幅上升。全年居民消费价格下降0.4%，降幅比上半年收窄1.3个百分点。食品价格上涨0.9%，其中猪肉下降19.4%、油脂下降24.3%、鲜蛋上涨0.6%、禽上涨1.3%、鲜菜上涨18.1%。原材料、燃料、动力购进价格下降8.1%，其中燃料动力类下降12.0%、黑色金属材料类下降11.3%、有色金属和电线类下降14.1%、化工原料类下降11.0%、建筑材料及非金属类下降0.6%。工业品出厂价格下降4.8%。农业生产资料价格下降2.4%。

就业形势保持稳定。实行更加积极的就业政策，出台一系列稳定和促进就业再就业的政策措施，推进城乡统筹就业，着力解决困难群众就业问题。年末全省城乡从业人员4674.6万人，比上年末增加25.8万人。促进下岗失业人员再就业52万人，其中就业困难人员再就业18.1万人。城镇登记失业率为3.22%，城镇零就业家庭连续28个月保持动态为零。农村劳动力转移大力推进，新增农村劳动力转移31.1万人。

体制改革迈出新步伐。深化行政管理体制改革，省级政府机构改革基本完成，市、县政府机构改革和乡镇机构改革有序展开。积极推进医药卫生体制改革，基本药物制度启动实施。稳步推进金融体制改革，地方金融机构继续发展壮大，新型农村金融组织迅速发展。国有企业在改革中进一步发展。民营经济发展加快，年末全省工商部门登记的私营企业达91.2万户，比上年增长11.7%，注册资本20136.7亿元，增长28.1%；工商部门登记的个体户261.4万户。

经济社会发展中还存在一些突出的矛盾和问题：一是经济结构调整和发展方式转变的任务还比较艰巨，自主创新能力不够强，资源和环境约束日益强化；二是内需持续均衡增长存在较大制约，民间投资跟进有待进一步加强，城乡居民消费后劲有待进一步提高；三是农业基础地位还不够稳固，农民增收的长效机制尚需完善；四是民生和社会建设还存在一些薄弱环节，在就业、医疗、住房、市场物价、劳动保障、食品药品安全等方面的一些突出问题尚待有效解决等。

工业经济

工业生产稳步向好。规模以上工业企业完成增加值16727亿元，比上年增长14.6%，其中，轻、重工业增加值4829亿元、11898亿元，分别增长11.8%和15.7%。国有工业增加值1072亿元，增长2.6%；集体工业增加值264亿元，增长10.9%；股份制工业增加值7752亿元，增长17.4%；外商港澳台投资工业增加值6659亿元，增长12.7%。在规模以上工业中，国有控股工业增加值1921亿元，增长6.1%；私营工业增加值5624亿元，增长19.7%。

企业效益逐步回升。规模以上工业企业实现主营业务收入71181亿元，比上年增长11.4%，增幅分别比上半年、前三季度提高5.4个和4.1个百分点；实现利税6448亿元，增长21.2%，增幅比上半年、前三季度提高19.4个和11.7个百分点；其中利润3865亿元，增长24.3%，增幅比上半年、前三季度提高28.1个和17.1个百分点，呈现利润增幅高于利税增幅、利税增幅高于销售增幅的良好发展态势。企业亏损面11.7%，比上年末下降1.7个百分点；亏损企业亏损额290亿元，下降32.8%。工业经济效益综合指数为224.0，提高12.5个点。

先进制造业保持较快发展。在规模以上工业中，交通运输设备制造业产值4858亿元，比上年增长36.7%；医药制造业产值1079亿元，增长27.3%；专用设备制造业产值2322亿元，增长20.5%；电气机械及器材制造业产值6517亿元，增长14.6%；通用设备制造业产值4903亿元，增长13.4%；通讯设备、计算机及其他电子设备制造业产值10273亿元，增长

8.4%。产品结构继续优化，实现工业新产品产值6183亿元，比上年增长11.2%；在列入统计的75种主要工业产品中，保持增长的有46种，下降的有29种。

2009年江苏省主要工业产品产量情况

表1

产品名称	单位	产量	比上年增长（%）
纱	万吨	401.9	6.4
布	亿米	79.0	1.3
化学纤维	万吨	894.5	11.1
卷烟	亿支	924.6	3.4
彩色电视机	万台	1151.3	34.3
家用电冰箱	万台	667.1	4.7
房间空调器	万台	331.2	-53.2
原煤	万吨	2397.4	-2.6
天然原油	万吨	184.0	0.0
发电量	亿千瓦小时	2984.3	3.4
粗钢	万吨	5489.9	12.9
钢材	万吨	7859.7	8.4
十种有色金属	万吨	54.1	13.4
水泥	万吨	14434.1	6.7
硫酸	万吨	401.5	4.7
纯碱	万吨	248.3	-0.9
乙烯	万吨	141.6	5.1
化肥（折100%）	万吨	317.3	4.8
汽车	万辆	50.6	79.8
#轿车	万辆	21.5	84.7
发电设备	万千瓦	371.9	-43.7
集成电路	亿块	163.7	13.4
程控交换机	万线	4.7	-61.0
微型电子计算机	万台	8180.9	35.8
移动通讯基站设备	信道	519111.0	-27.4

固定资产投资

2009年江苏省固定资产投资继续保持快速增长态势，共完成18752亿元，同比增长24.5%。其中，第一产业完成投资130亿元，增长60.2%；第二产业完成投资10155亿元，增长21.4%；第三产业（不含房地产）完成投资4790亿元，增长47.4%。工业投入和技改投入继续保持平稳增长，投资结构进一步优化，重点项目进展顺利，为促进江苏经济又好又快发展发挥了积极作用。

（一）工业投资完成情况

工业投资保持平稳增长。2009年全省工业投资完成10015亿元，同比增长20.9%，增幅比上年下降4.6个百分点。全社会技术改造投资完成8813亿元，同比增长23.5%，增幅与上年同期持平。全年工业与技改投资基本上以20%以上的增速平稳增长。

新开工项目投资继续增长。全省在建项目总数为27127个，同比增长10.8%；计划总投资19242亿元，同比增长23.7%；平均投资规模7093万元，比上年同期增长11.6%。新开工项目19940个，同比增长18.3%；计划总投资8167亿元，同比增长26%；平均投资规模4096万元，比上年同期增长6.6%。

银行贷款增速攀高，利用外资降幅明显。2009年工业投资资金来源合计10579亿元，同比增长25.1%，比投资增幅高4.2个百分点，反映资金投入充沛，能够支撑投资稳定增长。全省工业投资资金来源中，国内银行贷款800.9亿元，增长48.5%，增幅比上年同期上升了26.1个百分点，所占比重为7.6%，比上年同期上升了1.2个百分点。利用外资1003亿元，同比下降17.9%；企业自筹资金8240.4亿元，增长29.7%，占工业投资资金比重达77.9%，是保持投资平稳增长的主要力量。

装备工业增长强劲，电子工业降幅趋缓。机械工业完成投资3577亿元，同比增长30%，高于平均增幅9.1个百分点。电子工业完成投资724亿元，同比下降6.6%，自8月份以来降幅逐月收窄。石化工业完成投资973亿元，同比增长12%，增幅比上年同期下降14.5个百分点。医药工业完成投资148亿元，同比增长11.6%，增幅比上年同期下降0.6个百分点。轻工完成投资1225亿元，同比增长22.6%，增幅比上年同期上升5.5个百分点。纺织工业完成投资861亿元，同比增长7.5%，增幅比上年同期提高13.3个百分点。冶金工业完成投资1130亿元，同比增长33.8%，增幅比上年同期上升7.3个百分点。建材工业完成516亿元，同比增长22.7%，增幅比上年同期下降17.4个百分点。

民营经济投资占全社会工业投资超四成。在全社会工业投资完成中，私营个体经济完成投资4621亿元，增长28.5%，占全社会工业投资的46.1%；有限责任公司及股份制经济完成投资2335亿元，增长30.5%；外商投资及港、澳、台投资完成2097亿元，下降4%；国有经济完成投资703亿元，增长32.9%；集体经济完成投资105亿元，增长18.5%；联营经济完成投资3.7亿元，下降48.6%；其他经济完成投资151亿元，增长73.1%。

投资增幅“北高南低”。苏南地区全社会工业完成投资5242亿元，同比增长14%，增幅比上年同期上升1.3个百分点。苏中地区全社会工业完成投资2872亿元，同比增长22.8%，增幅与上年同期持平。苏北地区全社会工业完成投资3442亿元，同比增长33%，增幅比上年同期降低4.7个百分点。

（二）重点内外资项目投资完成情况

重点内资项目投资额和项目数同步增长。全省正在实施的投资总额亿元以上的内资项目共1990项，比上年同期增加391项，项目总投资7273.9亿元，比上年同期增长16.7%。其中苏南544项，苏中571项，苏北875项。这批项目中总投资20亿元以上的项目52项，项目投资2790.8亿元。总投资50亿元以上的项目10项，项目投资871.3亿元。上述1990个项目至2008年底完成投资2076.9亿元，2009年完成投资3454.3亿元，累计共完成投资5531.2亿元，占全部项目总投资的76%。其中总投资20亿元以上的项目至2008年底完成投资726.7亿元，2009年完成投资650.9亿元，累计共完成投资1377.6亿元，占全部项目投资的49.4%；总投资50亿元以上的项目至2008年底完成投资217.7亿元，2009年完成投资116.6亿元，累计共完成投资334.3亿元，占全部项目投资的38.4%。

重点外资项目数有所增加，投资额快速增长。全省正在实施的投资总额5000万美元以上的外资项目共221项，比上年同期增加13项。项目总投资442.3亿美元，同比增长51%。其中苏南143项，苏中55项，苏北23项。这批项目中总投资2亿美元以上的项目30项，项目投资138.6亿美元。上述221个项目至2008年底完成投资129.9亿美元，2009年完成投资137.9亿美元，累计共完成投资267.8亿美元，占全部项目总投资的60.5%。其中总投资2亿美元以上的项目至2008年底完成投资38.1亿美元，2009年完成投资51.2亿美元，累计共完成投资89.3亿美元，占全部项目总投资的64.4%。

技术进步

科技创新产出大幅度提升。全省科技进步贡献率为52.3%。全年申请专利17.4万件，比上年增长36.2%，其中发明专利3.18万件。授权专利8.7万件，增长95.7%。企业成为专利申请主体，全省企业共申请专利7.9万件，占专利申请总数的45.6%。全省有51项成果获国家科技奖，其中自然科学奖4项、技术发明奖4项、科技进步奖43项，有195项成果获省科技进步奖。全年共签订各类技术合同1.4万项，技术合同成交额达113.3亿元，比上年增长20.5%。

高新技术产业加快发展。深入实施高新技术产业“双倍增”计划，全年实现高新技术产业产值21987亿元，比上年增长19.5%。组织实施省重大科技成果转化专项资金项目135项，项目总投入185.7亿元。全省高新技术企业达5241家，其中按国家新标准认定2723家。当年认定省级高新技术产品3487项，国家重点新产品247项，自主创新产品235项。已建国家级高新技术特色产业基地68个，其中当年新建9个。全省国家和省级高新技术产业开发区实现技工贸总收入24229亿元，比上年增长26.2%。

科技投入继续快速增长。全社会科技活动经费达1300亿元，比上年增长15%，研究与发展（R&D）活动经费680亿元，占地区生产总值的2%。全省从事科技活动人员58.9万人，其中研究与发展（R&D）人员22.3万人。全省拥有中国科学院和中国工程院院士92人。各类科学研究与技术开发机构4950个，其中政府部门属独立研究与开发机构149个，高等院校属科研机构436个，大中型工业企业办科研机构2100个。已建国家和省级高技术研究重点实验室、重大研发机构、工程技术研究中心、科技公共服务平台1061个，比上年增加520个，经国家认定企业技术中心37个。

质量检验不断加强。全省共有产品质量检验机构177个，国家检测中心25个；监督抽查产品263种，比上年上升15%。共有产品质量、体系认证机构4个，完成强制性产品认证的企业7904个；法定计量技术机构175个，强制检定计量器具433.5万台件，下降34%；制定、修订地方标准241项。

商品流通

消费品市场平稳较快增长。全年实现社会消费品零售总额11484.1亿元，比上年增长18.9%。城乡市场均保持良好增长。城市消费品市场实现零售额8471.5亿元，增长19.0%；县及县以下消费品市场实现零售额3012.6亿元，增长18.4%。分行业看，批发和零售业零售额9892.4亿元，增长18.3%；住宿和餐饮业零售额1485.3亿元，增长22.5%；其他行业零售额106.4亿元，增长19.6%。限额以上批发和零售企业经营状况良好，全年实现商品销售14707.2亿元，比上年增长38.6%，其中批发业10616.4亿元，零售业4090.8亿元，分别增长38.8%和38.1%。受汽车下乡、税费减免、以旧换新等利好政策推动，汽车销售持续快速增长，全年实现零售额1128.0亿元，增长36.3%，占限上贸易企业零售额的27.9%。

外经外贸

积极应对外需不足的严峻局面，对外贸易降幅不断收窄。全年进出口总额3388.3亿美元，比上年下降13.6%，降幅比上半年和前三季度分别收窄11.6个和7.7个百分点；其中出口1992.4亿美元、下降16.3%，进口1395.9亿美元、下降9.5%，降幅比上半年分别收窄8.5个和16.2个百分点，比前三季度分别收窄6.4个和9.9个百分点。进出口总额占全国份额上升到15.4%。

出口商品结构进一步优化，高技术含量产品出口增加。机电产品、高新技术产品出口额为1387.6亿美元和928.4亿美元，分别占出口总额的69.6%和46.6%。其中计算机与通信技术出口640.3亿美元，占高新技术产品出口额的69.0%。外商投资企业出口1466.4亿美元，占出口总额的73.6%。私营企业出口比重增大，出口额为311.8亿美元，占出口总额的15.6%。对欧盟、美国、日本、香港特别行政区出口逐步恢复，出口额分别为493.1亿美元、451.6亿美元、195.7亿美元和142.2亿美元；对东盟、韩国、中国台湾地区等市场出口额分别为166.8亿美元、100.9亿美元和49.0亿美元；对俄罗斯、拉丁美洲、非洲出口额分别为17.8亿美元、90.2亿美元和47.4亿美元。

2009年江苏省进出口贸易主要分类情况

表2

指标	绝对数（亿美元）	比上年增长（%）
出口总额	1992.4	-16.3
# 一般贸易	708.9	-23.0
加工贸易	1226.1	-13.6
# 工业制成品	1962.8	-16.4
初级产品	29.6	-8.4
# 机电产品	1387.6	-14.0
# 高新技术产品	928.4	-10.8
# 外商投资企业	1466.4	-16.2
国有企业	173.8	-16.4
进口总额	1395.9	-9.5
# 一般贸易	451.4	4.6
加工贸易	707.3	-15.8
# 工业制成品	1202.2	-10.5
初级产品	193.7	-2.8
# 机电产品	868.4	-12.2
# 高新技术产品	612.8	-13.2
# 外商投资企业	1130.8	-12.1

招商选资力度加大，利用外资结构不断改善。全年新批外商投资企业4219家，新批协议外资509.8亿美元；实际外商直接投资253.2亿美元，增长0.8%。新批及净增资3000万美元以上的大项目434个。全年服务业新批外商直接投资项目1352个，协议注册外资136.9亿美元，实际到账外资66.4亿美元，增长7.4%。开发区建设取得新进展。全省开发区完成进出口总额2600.2亿美元，其中出口总额1477.5亿美元，分别占全省总量的76.7%和74.1%；实际到账注册外资190.7亿美元，占全省总量的75.3%。

企业“走出去”步伐加快，境外投资较快增长。全年新签对外承包工程和劳务合作合同额50.3亿美元，增长3.0%；完成营业额50.8亿美元，增长10.4%。全年新批境外投资项目332个，增长43.1%，中方协议投资10.6亿美元，增长67.6%。

交通运输

交通运输业稳步增长。全年完成旅客运输量、货物运输量分别比上年增长9.5%和9.2%，旅客周转量、货物周转量增长8.1%和8.5%。完成港口货物吞吐量13.3亿吨，增长14.2%，其中外贸货物吞吐量2.0亿吨，增长24.5%。港口货物吞吐量中，集装箱吞吐量达878.0万标准集装箱，增长3.1%。年末全省公路里程14.2万公里、新增1071.1公里，年末高速公路里程3755公里。铁路营业里程1642.1公里，铁路正线延展长度2381.8公里。年末民用汽车保有量458.1万辆，净增84.9万辆，分别增长22.8%和97.5%。年末私人汽车保有量338.2万辆，净增74.9万辆，分别增长28.5%和106%。其中私人轿车保有量216.5万辆，净增56.4万辆，分别增长35.2%和59.3%。

2009 年江苏省各种运输方式完成运输量

表 3

运输方式	货物周转量		货运量		旅客周转量		客运量	
	绝对数（亿吨公里）	比上年增长（%）	绝对数（万吨）	比上年增长（%）	绝对数（亿人公里）	比上年增长（%）	绝对数（万人）	比上年增长（%）
总　计	5154.5	8.5	160966.8	9.2	1423.3	8.1	201262.9	9.5
铁　路	323.9	-6.2	6137.4	19.9	311.3	-2.5	9167.2	3.6
公　路	971.1	9.7	104002.0	8.8	1058.0	11.2	191001.0	9.8
水　路	3372.1	10.1	42016.0	9.1	1.4	85.6	686.5	9.8
民　航	0.6	-3.6	4.4	-5.1	52.7	15.4	408.2	16.3
管　道	486.8	6.4	8807.0	8.8				

环境保护和安全生产

环保工作取得新进展。年末全省设立自然保护区 31 个，其中国家级自然保护区 3 个，自然保护区面积 56.69 万公顷。加强太湖、淮河流域水污染防治，太湖水质进一步改善，饮用水安全保障和湖泛防控取得积极成效。工业废水排放总量 25.86 亿吨，工业废气排放总量 26400.5 亿标立方，工业粉尘排放量 20.15 万吨，空气质量监测达到二级标准的城市 11 个。

安全生产事故下降。事故起数和死亡人数实现“双下降”，全年发生各类事故 20225 起，死亡 5870 人，同比事故起数下降 12.24%，死亡人数下降 1.84%。亿元 GDP 生产安全事故死亡人数为 0.168 人，下降 12.04%。

（撰稿：王正）

2008—2009 年江苏省经济社会发展主要指标

序　号	指　标	单　位	2008 年	2009 年	增长率（%）
1	一、人口和就业				
2	年底人口数	万人	7677.3	7725.0	0.6
3	人口自然增长率	‰	2.30	2.56	
4	就业人员数	万人	4384	4536	3.5
5	按产业分：				
6	第一产业	万人	917	897	-2.2
7	第二产业	万人	1945	2031	4.4
8	第三产业	万人	1522	1608	5.7
9	城镇就业人员（按登记注册类型分）				
10	国有单位	万人	278.04	278.83	0.3
11	集体单位	万人	34.01	30.98	-8.9
12	股份合作单位	万人	6.50	6.80	4.6
13	联营单位	万人	1.20	1.00	-16.7
14	有限责任公司	万人	95.60	105.00	9.8
15	股份有限公司	万人	56.50	59.70	5.7
16	私营企业	万人	778.19	855.51	9.9
17	港澳台商投资单位	万人	60.10	60.40	0.5
18	外商投资单位	万人	128.00	131.40	2.7
19	个体	万人	240.94	291.57	21.0
20	城镇登记失业人数	万人	41.09	40.74	-0.8

续表

序　号	指　标	单　位	2008 年	2009 年	增长率（%）
21	**二、国民经济核算**				
22	地区生产总值	亿元	30312.6	34457.3	12.4
23	**按产业分：**				
24	第一产业	亿元	2100.0	2261.9	4.5
25	第二产业	亿元	16663.8	18566.4	12.5
26	工业	亿元	15069.0	16464.9	
27	建筑业	亿元	1594.8	2101.4	
28	第三产业	亿元	11548.8	13629.1	13.6
29	#交通运输、仓储和邮政业	亿元	1218.8	1423.3	
30	批发和零售贸易业	亿元	3026.3	3579.8	
31	**三、固定资产投资**				
32	投资总额	亿元	15300.6	18949.9	23.9
33	**按投资种类分：**				
34	城镇	亿元	11609.7	14266.8	22.9
35	#房地产开发	亿元	3304.6	3338.5	1.0
36	农村	亿元	3690.8	4683.1	26.9
37	#农户	亿元	303.2	351.3	15.9
38	非农户	亿元	3387.7	4331.8	27.9
39	**按建设规模分：**				
40	建设总规模	亿元	38860.0	48272.3	24.2
41	在建总规模	亿元	28315.2	33548.9	18.5
42	在建净规模	亿元	13100.0	15251.4	16.4
43	**按资金来源分：**				
44	国家预算内资金	亿元	153.9	277.8	80.6
45	国内贷款	亿元	1908.9	2774.4	45.3
46	利用外资	亿元	1404.1	1113.9	-20.7
47	自筹资金	亿元	10774.5	14063.9	30.5
48	其他投资	亿元	2495.7	4350.2	74.3
49	**四、房地产开发**				
50	本年完成土地开发面积	万平方米	3288	1647	-49.9
51	本年土地购置费用	亿元	770.0	560.5	-27.2
52	本年土地购置面积	万平方米	3296	1858	-43.6
53	本年完成投资额	万元	33045589	33384976	1.0
54	#住宅	万元	24593950	24237737	-1.4
55	#经济适用房屋	万元	966352	1111615	15.0
56	房屋施工面积	万平方米	28963	29954	3.4
57	房屋竣工面积	万平方米	8266	8443	2.1
58	本年新开工房屋面积	万平方米	10726	9209	-14.1
59	#住宅	万平方米	8286	7098	-14.3
60	#经济适用房屋	万平方米	440	335	-23.9
61	商品房屋销售面积	万平方米	6092	10248	68.2

续表

序号	指标	单位	2008年	2009年	增长率（%）
62	#住宅	万平方米	5283	9035	71.0
63	#经济适用房屋	万平方米	314	321	2.0
64	商品房屋销售额	万元	24666786	51063696	107.0
65	#住宅	万元	20087788	43410260	116.1
66	商品房屋平均销售价格	元/平方米	4049	4983	23.1
67	#住宅	元/平方米	3802	4805	26.4
68	#经济适用房屋	元/平方米	1922	2225	15.8
69	**五、规模以上工业企业**				
70	企业单位数	个	65495	60817	-7.1
71	工业总产值	亿元	67798.7	73200.0	8.0
72	资产总计	亿元	48321.9	53600.1	10.9
73	利润总额	亿元	3972.9	4099.6	3.2
74	总资产贡献率	%	15.0	13.7	-8.7
75	资产负债率	%	58.9	58.1	-1.2
76	**六、交通运输业**				
77	运输线路长度				
78	铁路营业里程	公里	1657	1656	-0.1
79	内河航道里程	公里	23596	24224	2.7
80	公路里程	公里	140930	143803	2.0
81	#高速公路	公里	3725	3755	0.8
82	货运量	万吨	139711	152581	9.2
83	#铁路	万吨	5575	6563	17.7
84	公路	万吨	95625	104002	8.8
85	水运	万吨	38511	42016	9.1
86	客运量	万人	183383	200713	9.5
87	#铁路	万人	8846	9167	3.6
88	公路	万人	174000	191001	9.8
89	水运	万人	537	545	1.5
90	**七、国内商业**				
91	社会消费品零售总额	亿元	9905.1	11484.1	15.9
92	**八、对外贸易和旅游**				
93	货物进出口总额（按经营单位所在地分）	万美元	39227193	33873970	-13.6
94	出口	万美元	23802941	19919919	-16.3
95	进口	万美元	15424252	13954051	-9.5
96	外商投资企业货物进出口总额	万美元	30349018	25969712	-14.4
97	出口	万美元	17495269	14661957	-16.2
98	进口	万美元	12853749	11307755	-12.0
99	外商投资企业基本情况				
100	年底登记数	户	49928	50241	0.6
101	投资总额	亿美元	4159.3	4443.9	6.8
102	注册资本	亿美元	2203.1	2394.7	8.7

续表

序号	指标	单位	2008年	2009年	增长率（%）
103	#外方	亿美元	1900.5	2044.6	7.6
104	对外承包工程				
105	完成营业额	万美元	388434	435771	12.2
106	对外劳务合作				
107	完成营业额	万美元	71304	75099	5.3
108	接待国际旅游人数	万人次	544.30	556.83	2.3
109	#外国人	万人次	396.11	396.07	0.0
110	国际旅游外汇收入	百万美元	3880.20	4016.01	3.5
111	**九、财政**				
112	地方财政一般预算收入	亿元	2731.4	3228.8	18.2
113	#国内增值税	亿元	483.0	516.6	6.9
114	营业税	亿元	663.9	833.9	25.6
115	个人所得税	亿元	129.2	140.2	8.5
116	地方财政一般预算支出	亿元	3247.5	4017.4	23.7
117	**十、物价指数**				
118	商品零售价格指数	上年=100	104.9	98.9	
119	居民消费价格指数	上年=100	105.4	99.6	
120	#城市	上年=100	105.2	99.6	
121	农村	上年=100	105.6	99.5	
122	**十一、人民生活**				
123	收入				
124	农村居民家庭人均纯收入	元	7356	8004	8.8
125	城镇居民家庭人均可支配收入	元	18680	20552	10.5
126	居民消费水平	元	11013	11993	13.0
127	农村居民	元	6461	7147	15.2
128	城镇居民	元	14930	15965	10.8
129	住房				
130	农村居民人均住房面积	平方米	44.1	45.2	2.7
131	**十二、教育**				
132	高等学校数	所	146	148	1.4
133	高等学校招生数	人	410705	429825	4.7
134	高等学校在校学生数	人	1572632	1653427	5.1
135	高等学校毕业生数	人	380924	412672	8.3
136	**十三、卫生**				
137	卫生机构数	个	13357	30571	
138	#医院、卫生院	个	2523	2555	1.3
139	医疗机构床位数	张	236541	250809	6.0
140	#医院、卫生院	张	222108	234698	5.7
141	卫生技术人员数	人	291125	308981	6.1
142	#执业（助理）医师	人	119461	125220	4.8

注：1. 地区生产总值及其三次产业、城镇居民人均可支配收入和居民消费水平的增长速度按可比价格计算。

2. 卫生机构数2009年起含村卫生室，与历史数据不可比。

浙江省

综 述

2009年是新世纪以来浙江省经济社会发展最为困难的一年。面对国际金融危机的深度冲击，浙江省按照科学发展观的要求，深入实施“八八战略”和“创业富民、创新强省”总战略，大力推进“全面小康六大行动计划”，坚持标本兼治、保稳促调，坚持民生为本、企业为基，坚持改革创新、克难攻坚，狠抓中央应对国际金融危机一揽子计划和政策措施的贯彻落实，统筹做好保增长、抓转型、重民生、促稳定的各项工作，迅速扭转了经济增速过快下滑的势头，全省各地呈现经济回升向好、社会和谐稳定的良好局面。年末全省有常住人口5180万人，比上年增长1.2%。其中，男性人口2614.00万人，女性人口2566.00万人，分别占总人口的50.5%和49.5%。自然增长人口23.8万人，自然增长率为4.63‰。全年实现地区生产总值22990.35亿元，比上年增长8.9%，其中第一产业增加值1163.08亿元，第二产业增加值11908.49亿元，第三产业增加值9918.78亿元，同比分别增长2.4%、6.8%和12.5%。人均GDP为44641元，增长7.7%。三次产业增加值结构从上年的5.1:53.9:41调整为5.1:51.8:43.1。全省财政一般预算总收入4122.04亿元，比上年增长10.5%，其中地方一般预算收入2142.51亿元，增长10.8%，财政支出2653.35亿元，增长20.1%。全省单位生产总值能耗为0.741吨标准煤/万元，同比下降5.41%；化学需氧量和二氧化硫排放量分别比上年下降4.6%和5.3%。全社会从业人员3591.98万人，比上年末增加105.45万人。其中城镇从业人员1585.34万人，乡村从业人员2006.63万人。全省城镇居民人均可支配收入24611元，农村居民人均纯收入10007元，扣除价格因素，分别比上年增长9.7%和9.5%，城镇居民人均可支配收入连续9年、农村居民人均纯收入连续25年列全国各省区第一位。年末全省城乡居民本外币储蓄存款余额18169.41亿元，比上年末增长22.7%。城镇居民收入基尼系数为0.2935，农村居民收入基尼系数为0.3634；城镇居民家庭恩格尔系数为33.6%，农村居民家庭恩格尔系数为37.4%。新型农村合作医疗机制继续完善，保障能力不断增强。年末全省参合人数3035万人，参合率为92%，人均筹资水平179元。全年新增上市公司16家。

工业经济

2009年，保工业成为保增长的关键和主体。为有效应对国际金融危机的挑战，浙江省积极引导工业企业调整发展战略，创新经营模式，增强创新能力，加强内部管理，全面推进转型升级，采取了八项措施：

一是从政策引导入手，着力营造转型升级的经济环境。省委省政府按照科学发展观的要求，把工业作为全省经济转型升级的重点领域和主战场，在调查研究的基础上制订出台了《关于加快工业转型升级的实施意见》和9个配套文件，初步形成了较为完善的推进工业转型升级的政策体系。

二是从制订规划入手，着力引领转型升级的方向路径。围绕传统优势产业，结合国务院制订出台的一系列产业调整和振兴规划，研究制订了纺织、轻工、装备制造、医药、汽车、船舶、有色金属等11个重点产业转型升级规划，详细提出各行业及其主要细分子行业的转型升级方向和路径，并确定一批推动产业转型升级的重大项目。同时，举办纺织、装备制造、新材料、汽车及零部件、新能源、船舶等9个专题的“工业转型升级系列报告会”，为各地制订转型升级规划解惑释疑、把握方向。

三是从构建抓手入手，着力用好转型升级的技术手段。实施技术改造“双千”工程，2009年共确定了1600项省级重点技术改造项目，总投资3390亿元。统筹安排省级部门的工业类、科技类财政资金，建立了总额达7亿元的工业转型升级专项资金。实施“958”行业龙头企业技术赶超计划，累计拥有591家省级企业技术中心、8家行业技术中心。推进“十大节能降耗工程”，全年新完成260个重点企业节能项目改造，新增约200万吨标准煤节能量。实施企业精细化管理“5111”工程和经营管理人员素质提升计划，在全省树立11家精细化管理示范标兵企业，推进500多家企业实施精细化管理改造，完成15万多人次的培训任务。

四是从产业集群入手，着力抓好转型升级的示范试点。把块状经济向现代产业集群转型升级作为工业转型升级的重中之重。省政府制订出台《关于加快块状经济向现代产业集群转型升级的指导意见》，决定从全省范围内选择21个产业规模大、提升空间广、带动能力强的块状经济作为产业集群转型升级示范区试点单位，制订工作标准和实施方案，为全省块状经济向现代向产业集群转型升级积累经验。

五是从龙头企业入手，着力培育转型升级的领军企业。根据企业的规模、竞争力和成长性，在全省范围内筛选确定了146家工业行业龙头骨干企业作为转型升级的领军企业，明确各项要素资源优先向龙头骨干企业倾斜，并要求企业所在地政府将当地的省工业行业龙头骨干企业作为支持重点，建立领导联系制度和长效服务机制，研究制订专门的扶持措施，通过做强做大这些企业来带动当地工业的转型升级。

六是从产业优化入手，着力发展转型升级的新兴产业。将新能源、电动汽车、新医药、新材料、海洋工程、物联网、高端生产性服务业等产业确定为今后一个时期全省着力发展的战略性新兴产业。制定出台了《关于加快光伏等新能源推广应用与产业发展的意见》，在全省范围实施新能源推广应用“6+1”计划。组织实施“新一代宽带无线移动通信网”国家重大科技专项和158项省级信息技术科技创新项目。开展了1000家企业分离发展服务业的试点。

七是从构建平台入手，着力建设转型升级的产业平台。积极引导各地建设区域产业发展新平台。全面实施“百万造地工程”。沿海地区通过围海造地、丘陵地区通过低丘缓坡改造、内陆地区通过开发区向工业功能区延伸发展以及腾笼换鸟等途径，加快形成一批区域性产业发展新平台。与此同时，狠抓招商选资工作，进一步加强与大企业大集团特别是跨国公司的联系，全年共引进100多个重大项目，规划建设了16个军民结合产业基地。

八是从机制建设入手，着力完善转型升级的工作机制。在省、市、县三级成立工业转型升级领导小组的同时，积极探索加快工业转型升级的工作手段、方法和路径。基本形成全省上下合力推进工业转型升级的工作机制，包括分类指导推进机制、目标考核推动机制、示范区评价机制。

在全省上下力保增长的推动下，浙江工业经济逐步止跌企稳回升。全年实现工业增加值10518.21亿元，比上年增长5.9%，其中规模以上工业实现增加值8232亿元，比上年增长6.2%，国有及国有控股工业企业增加值1223亿元，比上年增长3.6%；轻、重工业增加值分别为3639亿元和4592亿元，分别增长5.5%和6.7%。全省共有规模以上工业企业59971家，比上年增加1155家；职工年平均人数787.64万人，比上年减少26.91万人。工业经济运行呈现明显的V型反转特征。

年初：工业增速急剧下行。在国际金融危机的深度冲击下，浙江工业延续2008年四季度的急剧下行之势。全省工业生产、出口、效益和投资指标出现全面大幅度下降现象。1—2月，全省规模以上企业工业增加值、出口交货值和利润总额的降幅分别达-8.2%、-19.1%和-27%，均创下浙江省改革开放以来的最低点。

年中：主要指标止跌企稳。在国家一系列扩大内需、刺激经济政策的推动下，从二季度开始，主要工业指标的降幅逐月收窄，过快下行的工业走势得到遏制。规模以上企业工业增加值累计增长率，前5个月均是负增长，6月首次实现正增长。限额以上制造业投资累计增长率，从5月起扭转负增长。利润总额累计增长率也从8月起由负转正。

年末：工业走势回升向好。随着宏观调控措施的进一步落实，特别是广大企业奋力应对，四季度工业增长企稳回升势头进一步巩固。到12月底，除了工业品出口仍下降10.8%以外，全省规模以上企业工业增加值增幅已回升到10.1%；利润增幅更是高达32.4%；企业亏损面由年初的32.4%逐月下降到12月末的14.4%；工业新开工项目增长了23.6%。

企业改革

2009年，浙江省委十二届五次全会作出《关于深化改革开放推动科学发展的决定》（以下简称《决定》）。围绕这一《决定》，全省上下扎实推进包括企业改革在内的各项改革和试点，实现了国有经济和民营经济双发展。

（一）国有企业在改革中实现新发展

2009年，浙江省国有企业资产总额16950.6亿元，同比增长27.9%，实现营业收入5701.2亿元，增长59.7%，其中全省国资监管机构授权监管的国有及国有控股企业资产总额8947亿元，增长20.2%，实现营业收入4013亿元，增长2.9%，利润总额285亿元，增长64.6%。主要推进了三方面改革：

一是积极实施战略重组，继续推进产权多元化改革。省属企业加大了与中央企业的合作。杭钢集团成功引进宝钢作为战略投资者重组宁波钢铁，顺利完成宁钢重组和增资工作。建设集团实施了引入香港迪臣发展国际集团等战略投资者和经营团队参股的改制，已按照中外合资企业运转。能源集团合并重组了水利水电集团，进一步提高了国有资本在电力能源领域的集中度。

二是多种形式推进资源整合，努力构筑企业竞争新优势。积极推动省属企业加大子企业的重组整合，梳理管理流程，压缩管理层级，尽快退出不符合发展战略的低效资产。交通集团按照“一体化、市场化、专业化、品牌化”的经营思路，开展了高速公路衍生产业的资源整合和运作平台的搭建。国贸集团围绕企业资源要素集聚、母子公司协调发展、降低整体运行成本，实施了“瘦身强体”内部改革重组，2009年下属12家企业完成股权转让，9家企业正在积极实施。

三是加快股份制改革和上市工作，资本运作取得新进展。商业集团房地产企业借壳湖南亚华上市，实现了国有资产保值增值，成为省属国有企业市值最大的上市公司。物产集团对中大股份资产重组全部完成，重组后汽车业务成为公司第一大主业。企业股份制改造力度加大。能源集团所属天达环保、铁路集团所属凤起机床、商业集团所属百诚集团已经完成股份制改造。其中天达环保已正式提交上市申报材料。目前省属企业中已形成23家成长性好、商业模式新的上市后备资源库。

四是围绕建立现代企业制度，继续完善公司治理结构。制订出台了规范省属企业领导人员兼职及审批工作的暂行意见和规范省属企业领导人员投资、持股问题的具体贯彻意见。成功组建了两个省属企业外派监事会。完善了考核分配制度，强化了企业财务管理。

（二）民营企业在改革中转危为机

2009年，浙江省民营企业大力发扬“新四千精神”，在逆境中突围闯关，在改革中转型升级，较快地实现了企稳回升。

一是民营经济的发展环境进一步改善。浙江省工商部门出台了《浙江省公司债权转股权登记管理暂行办法》和《浙江省股权投资企业、股权投资管理企业登记办法》，集中解决了创业投资、产业投资等各种股权投资基金在工商登记中遇到的政策性问题，从而为上万亿元的浙江民间资金开辟了投资实体产业的新渠道。金融部门加大小额贷款公司试点力度，努力解决中小企业的融资难题。截至2009年底，全省在工商部门登记注册的小额贷款公司达105家，基本上覆盖了全省90个县（市、区）中的81个县（市、区）及3个开发区；全年共发放贷款551.7亿元，惠及全省5万多家中小企业与农户，平均单笔贷款为111万元，基本上2～3天即可完成一个新客户从业务申请到发放贷款的全部流程，且九成以上公司贷款逾期率为零。

二是民营企业的改革步伐进一步加快。浙江省政府把台州市和温州市列为省级民营经济创新发展综合配套改革试点区。台州市推出了一系列政策，计划在3年内帮助上百家民企完成股权改制。主要措施是：推动金融创新，割断民营企业间的互保链；推进产权结构创新，改变“一股独大”的传统产权结构；推动市场准入创新，打破一些行业的垄断，鼓励民营经济进入；推动治理结构创新，更新企业“当家人”面孔。2009年10月30日，华谊兄弟、银江电子、华星创业等3家浙江民营企业登陆创业板，开辟了民营企业做大做强的新途径。11月30日，浙江省个体私营（民营）企业协会正式更名为“浙江省民营企业发展联合会”，为全球浙商提供了维权、交流和学习的新平台。

三是民营企业在创业创新中发展壮大。2009年，全省个体工商户数量逆势增长，达198.69万户，资金数额850亿元，同比分别增长5%和15%，创历史新高；从业人员429.49万人，同比增长8.3%。全省实有内资企业69.01万户，比上年同期增长7.1%，注册资本（金）23447.47亿元，增长17.8%；其中私营企业56.66万户，同比增长9.4%，私营企业注册资本（金）12975.71亿元，增长20%，从业人员798.49万人，同比增长5.4%。全年共注销内资（含私营）企业31879户，吊销内资（含私营）企业24935户，比上年同期分别减少7.8%和14.1%。

四是民营龙头骨干企业实力进一步增强。2009年中国民营企业500强中浙江企业占182席，浙江百强企业中民营企业占了80%以上。与上年相比，全省百强民营企业的规模和实力大幅提高。2009年度浙江民企百强的资产总额为2848亿元，同比增长110%；销售收入为10411亿元，同比增长72%；年度净利润总额为521.31亿元，同比增长了168%。新民企百强中，上升最快的是房屋建筑及房地产行业，从2002年的4家，上升到2009年的27家，其中10家房地产企业销售总额达1463亿元，同比增长66%。另外，汽车销售、汽车及零部件制造企业由2008年度的4家增长到2009年的10家，净利润总额达48亿元，同比增长82%。

固定资产投资

2009年，为应对国际金融危机的挑战，浙江省坚定不移地实施扩大内需政策，把扩大投资需求作为保增长、调结构、惠民生的重要举措，全省全社会固定资产投资总量和增幅均创下近5年来新高。全年全社会固定资产投资突破1万亿元，达到10742亿元，比上年增长15.2%，投资规模居全国各省市区第8位。其中限额以上投资9906亿元，比上年增长15.8%。限额以上非国有控股投资6265亿元，增长10.8%。全年限额以上投资施工项目29912个，比上年增长13.6%；投产项目13942个，比上年增长29.9%；全年新增固定资产5838亿元，同比增长21%。固定资产投资主要运行特点如下：

一是基础设施投资较快增长。配合中央4万亿元投资，浙江省推出了一批政府主导的投资项目，以强力启动内需。2009年，全省限额以上基础设施投资2893亿元，增长21.9%。其中，占基础设施投资比重最大的交通运输仓储和邮政业投资985亿元，增长33.0%；文化艺术业投资增长71.1%，体育设施投资增长51.6%，卫生设施投资增长28.1%，均明显高于全社会和限额以上固定资产投资的增幅。

二是三大产业投资全面增长。2009年，全省限额以上第一产业投资57.21亿元，增长58.6%。其中，林业投资增长最快，增幅达1.3倍；农业、渔业和农林牧渔服务业投资分别增长49.5%、1.0倍和62.2%。限额以上第二产业投资4286.86亿元，占限额以上投资的43.3%，比上年增长8.8%。其中工业投资4253亿元，增长8.7%。工业投资中制造业投资3655.91亿元，同比增长7.4%。限额以上第三产业投资5562.39亿元，占限额以上投资的56.1%，增长21.6%。如扣除房地产开发投资，则增幅达到29.4%。

三是投资结构进一步优化。总体上呈现一产和三产投资增长快于二产投资增长的格局。2009年，浙江省委、省政府继续把发展服务业作为新的经济增长点和结构调整的战略重点，有力地推进了第三产业投资的较快增长。工业投资结构也不断优化，政府重点扶持的部分装备制造业投资增长相对较快，传统优势行业加大了技术改造力度，部分“两高”行业投资下降。房地产开发投资平稳增长。2009年，全省房地产开发投资2254亿元，增长11.4%。全省商品房销售面积5525万平方米，增长84.7%，其中住宅销售面积增长91.3%。

四是国有投资支撑作用增强。国有投资成为2009年浙江省投资增长的主导与推动力量。2009年，全省国有及国有控股投资3641亿元，同比增长25.6%，占限额以上固定资产投资的36.8%，比2008年提高2.6个百分点；国有投资增速高出非国有14.8个百分点。国有投资范围基本上覆盖了国民经济的各个领域，主要集中在电力、交通运输仓储和邮政业、水利环境和公共设施管理业、房地产业等基础设施领域。

五是投资资金较为宽裕。2009年，浙江省限额以上投资本年资金来源增长26.3%，远远高于限额以上投资的增幅。在本年资金来源中，国家预算内资金、国内贷款、自筹资金和其他资金分别增长34.6%、19.4%、13.9%和77.5%。但利用外资尤其是外商直接投资不甚理想，分别下降19.7%和26.3%。

技术进步

2009年，浙江省被科技部、财政部、教育部等六部委批准为首个国家技术创新试点省。浙江省紧紧围绕试点任务，认真实施“自主创新能力提升行动计划”，积极推进科技体制改革，着力引导创新要素向企业集聚，技术进步成为推进经济发展方式转变的强大动力。全省全社会科技活动经费投入720亿元，比上年增长16.2%；占全省生产总值的比例提高到3.13%，比上年提高0.34个百分点。R&D经费398.84亿元，占全省生产总值的比例为1.73%，比上年提高0.13个百分点。地方财政科技投入101亿元，比上年增长16.7%。年末全省拥有县级以上政府部门属研究与开发机构97家，从事科技活动人员7517人，经费投入25.93亿元；全省高等学校拥有科技活动机构575个，科技活动人员53160人，经费拨入45亿元。全省经认定登记的技术合同12786项，比上年减少26.5%；合同成交金额56.51亿元，比上年下降4.1%。

（一）科技创新平台建设取得新进展

2009年，浙江省获批国家工程实验室1家、国家重点实验室1家、国家工程技术研究中心3家、国家级生产力促进中心3家、国家级企业技术中心4家；新批省级企业技术中心99家、省级高新技术企业研发中心165家、省级企业研究院13家、省级重点实验室25家、省级区域科技创新服务中心10家、省级科技企业孵化器10家。中国农科院、浙江大学为主并牵头创建了中国茶产业、罐头产业、农产品冷链物流产业等三大国家技术创新联盟。省科研机构创新基地（科技城）建设正式启动，首批18家部省属科研院所正式签约入驻。

（二）技术创新成果实现新突破

知识产权工作呈现良好发展态势。全省经济、科技、知识产权、司法等部门相继制订出台了一系列推进知识产权战略实施的政策措施。2009年，浙江省专利申请量达108482件，同比增长20.6%，成为全国第三个突破10万件的省份。其中发明专利申请量15646件，增长29.7%。专利授权量79945件，增长51%，其中发明专利授权量4818件，增长47.4%。浙江省获得国家科学技术奖39项，其中国家技术发明二等奖8项，为主完成的6项，占全国技术发明奖通用项目总数（39项）的近六分之一；国家科技进步二等奖18项。评选出浙江省科学技术奖277项，其中一等奖28项，二等奖87项，三等奖162项。

（三）技术创新能力得到新提高

省委省政府出台《关于大力实施海外优秀创业人才引进计划的意见》。2009年全省共引进2000多名海外高层次人才，其中20人入选国家千人计划。全省从事科技活动人员45万人，比上年增长8.2%。全省规模以上工业企业共支出科技活动经费369.16亿元，比上年增长6.3%；实现新产品产值7361亿元，同比增长12.6%，新产品产值率为18.1%，比上年提高1.7个百分点。

（四）高技术产业获得新发展

2009年，浙江省争取到国家科技型中小企业创新基金3.15亿元。新获批杭州半导体照明、嘉兴无线传感网、长兴绿色动力能源、宁波新能源与节能照明、宁波北仑注塑机等5个国家高新技术产业化基地。新认定了1066家高新技术企业。全省高新技术产业实现增加值1771亿元，比上年增长6.9%，占规模以上工业的比重为21.5%。

商品流通

2009年，浙江省政府制订出台《关于进一步加大力度开拓国际国内市场的若干意见》和《关于搞活流通扩大开放的实施意见》，采取有效措施激活省内消费市场，充分发挥消费对经济企稳回升的带动作用。全省批发和零售业实现增加值2119.39亿元，比上年增长14.1%；从业人员223.46万人。住宿和餐饮业实现增加值416.84亿元，比上年增长5.2%，从业人员75.10万人。批零贸易业实现商品销售总额28738亿元，同比增长2.7%。

（一）市场规模不断扩大

全省完成社会消费品零售总额8622.26亿元，同比增长15.9%，扣除物价因素，实际增长17.3%，比上年同期增幅提高4.6个百分点，高出全国实际增速0.4个百分点；人均社会消费品零售额居各省区之首。其中，城市消费品零售额5770.67亿元，同比增长16.3%。农村市场销售网络进一步健全，全年新增建立连锁便利店的行政村1723个，新增村级连锁便利店2074个。到年底，全省29898个行政村中，已有14109个行政村开设了16776连锁便利店，覆盖面达到47.2%。

（二）电子商务快速发展

2009年浙江省成功举办了“第二届中国电子服务大会”和“第二届网货交易会”，10万多家参观商和来自国内外1200家参展商出席交易会。阿里巴巴B2B网、淘宝网、支付宝成为全球电子商务前三强。其中，阿里巴巴交易平台已经有240多个国家、超过4500万名注册用户；淘宝网注册用户数超过1.7亿，2009年交易额超过2000亿元人民币，成为我国最大的在线零售网站；支付宝的注册用户数已达2.7亿，日均交易额超过12亿元人民币，占有我国超过50%的第三方支付市场份额。

（三）专业市场重新活跃

2009年末，全省共有商品交易市场4194个，比上年增加107个，其中成交额超十亿元的市场180个，比上年增加41个，超百亿元的市场18个，比上年增加3个。全省商品交易市场累计实现成交额超过一万亿元，达10744.90亿元，比上年增长9.7%。全省亿元以上商品交易市场共有摊位392455个，比上年增加26123个，实现成交额9647亿元增长7.8%。

（四）消费价格大幅走低

2009年，浙江省居民消费价格总水平呈现前降后升、总体下降的特征。全省居民消费价格（CPI）同比下降1.5%，其中城市下降1.3%，农村下降1.8%，食品价格上涨0.7%，衣着价格下降1.8%，医疗保健和个人用品价格上升2.4%。全省商品零售价格同比下降1.2%，其中城市下降1.1%，农村下降1.4%。全省农业生产资料价格比上年下降4.1%。

（五）工业品下乡成效初显

2009年，浙江省相继实施了家电下乡、汽车摩托车下乡补贴政策，对农民购买纳入补贴范围的电视机、洗衣机、冰箱（冰柜）、手机、空调、电脑、热水器、微波炉、电磁炉和电动自行车等家电产品给予13%的财政补贴；对农民报废三轮汽车、换购轻型载货车及购买1.3升以下排量的微型汽车等给予一次性财政补贴。同时，开展了家电“以旧换新”活动，对交售补贴范围内旧家电并购买新家电的消费者给予新家电销售价格10%的补贴。

外经外贸

2009年，浙江省外经外贸领域遭受国际金融危机的严重冲击，出现了改革开放以来罕见的负增长现象。开放型经济对全省经济增长的贡献率明显降低，全省货物和服务净出口为1707.07亿元，只占全省地区生产总值的7.4%，比重比上年下降了4个百分点。

（一）对外贸易大幅下降

2009年，全省进出口总额1877.35亿美元，同比下降11.1%，其中商品出口1330.1亿美元，同比下降13.8%，降幅小于全国2.2个百分点；进口商品547.25亿美元，同比下降3.7%，降幅小于全国7.5个百分点。出口额中，一般贸易商品1066.44亿美元，同比下降12.5%；机电产品555.06亿美元，同比下降18.4%；高新技术产品98.74亿美元，同比下降28%；民营企业出口729.2亿美元，下降8.6%。出口市场中，对美国出口230.58亿美元，占全省出口的48.6%；对日本出口89.05亿美元，占全省出口的17.3%。

（二）利用外资持续下降

2009年，全省利用外资延续2008年的负增长态势，全年新批外商直接投资项目1738个，比上年减少120个，合同外资和实际到位外资分别为160.18和99.40亿美元，分别比上年下降10.1%和1.3%。大项目比重和质量进一步提高，新批投资总额3000万美元以上的重大项目168家，比上年增加63家。第三产业合同利用外资57.19亿美元，实际利用外资34.03亿美元，分别比上年增长7%和11.4%，分别占利用外资总额的35.7%和34.2%。

（三）对外投资大幅增长

企业进一步加快走出去步伐。全省经审批和核准的境外投资项目475个，投资总额13.4亿美元，其中中方投资12.35亿美元，分别增长11.2%、45.7%和43.5%。境外营销网络建设取得积极成效，全年共核准了区域营运中心、仓储中等境外营销网络机构425家。境外工业园区集群效应显现，全省已有7个境外合作区，境外经贸工业园区累计投资达1.6亿美元，带动入园企业50家，带动境外投资3.6亿美元，年均带动出口约10亿美元。企业参与国际承包工程取得较大突破，由一般的房屋建设不断向水电建设安装、机构工程等拓展。

交通运输、邮电通信和旅游业

2009年，浙江省交通运输业平稳增长。交通运输基础设施建设取得重大进展。全省完成铁路项目投资330.6亿元，其中铁道部对浙江省铁路基础设施建设投资282亿元，比上年增长1.98倍；铁路营业里程达1665公里；国家沿海铁路浙江段正式建成通车。完成公路建设基本投资481.3亿元；公路通车里程达106942公里。完成水运基本建设投资109亿元，增长3.8%；内河通航里程为9704公里。全年铁路、公路、水运和空运等运输方式共完成客运量222130万人，旅客周转量达1152.38亿人公里；货运量151239万吨，货物周转量5659.78亿吨公里。沿海港口货物吞吐量78569万吨，增长13.8%。

2009年，浙江省邮政电信业较快增长。全年邮电业务总量1666.37亿元，比上年增长7.8%。其中，邮政业务总量58.1亿元，增长19.2%；电信业务总量1608.2亿元，增长7.4%。全年本地电话交换机容量3110万门。新增移动电话交换机72万户，总容量为7973万户。年末本地电话用户达2118.6万户，其中城市电话用户1313.8万户，农村电话用户804.8万户；移动电话用户4436万户，全年新增459万户。年末全省互联网用户数为890.9万户，比上年新增86万户。

2009年，浙江省旅游业快速增长。全年国内旅游者24410万人次，比上年增长16.8%；国内旅游收入2424亿元，增长18.8%。接待境外入境旅游者570.64万人次，增长5.7%。其中，外国人377.6万人次，增长3.1%；香港、澳门和台湾同胞193.04万人次，增长15.2 %。国际旅游外汇收入32.24亿美元，增长6.6%。

资源节约和综合利用

2009年，浙江省充分利用金融危机形成的市场倒逼机制和“十一五”节能目标考核倒逼机制，大力推进资源节约和综合利用工作，全省资源节约型、环境友好型产业体系建设取得新进展。

节能工作。2009年，浙江省能源消耗继续保持减缓增长态势，全省能源消费总量1.56亿吨标准煤，比上年增长3.0%。万元GDP能耗0.74吨标准煤，比上年下降5.4%，单位GDP能耗水平位居国内第四位。能源利用效率39.5%，比上年提高0.7个百分点。“十一五”前四年，浙江省万元GDP能耗累计下降17.3%，能源利用效率累计提高约4.5个百分点，完成国家下达的“十一五”节能目标的85%。主要措施：一是落实节能降耗目标责任制。制定并实施《2009年节能降耗实施方案》，层层分解落实年度节能任务。完善政策法规标准体系，修订《浙江省实施〈中华人民共和国节约能源法〉办法（草案）》，制订10项行业能源标准。加强对各级政府和重点用能企业目标责任落实情况的考核和监察，全年完成对1000家重点用能单位的监察任务。二是积极推进节能“十大工程”。组织实施年度节能降耗重点项目计划。全年完成省重点节能改造项目260余个，总投资75亿元，可形成年节能约200万吨标煤。制定公布《浙江省节能技术、产品推广导向目录》（第五批）。完成推广国家下达的600万只节能灯任务。完成水泥余热发电项目22个，装机容量14万千瓦，在全国率先完成水泥纯低温余热发电改造，形成35万千瓦的发电能力，每年可节约78万吨标煤。全省共关停并网小火电机组63.3万千瓦；6000千瓦以上机组供电标准煤耗下降2克/千瓦时，年节能约45万吨标煤。淘汰直径2.2米以下水泥小磨机55台，产能560万吨；关停炼钢小电炉8座，产能30万吨。全年淘汰和改造工业锅炉超过1400台。

节水工作。2009年，全省总供水量217.07亿立方米，同比增长0.2%；其中，自来水供水总量26.98亿吨，增长0.7%。全省工业用水量为55.34亿立方米，比上年减少9.3%。万元工业增加值取水量52.9立方米，比上年下降1.1立方米。工业重复用水率为60.6%，比上年下降1.6个百分点。主要措施：一是实施重大工业节水示范工程，继续推进纺织、化工、印染、造纸、皮革、医药、食品加工等高耗水行业的节水技术改造。2009年省级财政共支持27个工业节水项目，项目总投资3.73亿元，这些项目实施后，年可节水3892万立方米。二是实施“千万亩十亿方节水工程”。组织了7个国家大中型灌区节水配套改造项目、3个节水灌溉示范项目和49个“千万亩十亿方节水工程”省级专项资金项目。到年底，全省完成渠道改造6000千米，新增节水灌溉面积6.67万公顷，新增节水能力1.7万立方米，提高农产品生产能力4.2亿公斤。

资源综合利用工作。2009年，全省共有资源综合利用企业439家，资源综合利用产值220亿元，年利用生活垃圾、粉煤灰、冶金炉渣等固废资源约5800万吨。其中21家利用垃圾焚烧发电企业装机容量达30.4万千瓦，可日处理生活垃圾1.3万吨，年节约发电能源68万吨标准煤。主要措施：一是以政策扶持为手段，加大资源综合利用企业认定力度。全年新认定资源综合利用生产企业80家，年新增固废利用量940万吨。全省资源综合利用企业增值税退税7亿元，资源综合利用产品免税销售额37.3亿元。二是以项目建设为抓手，促进资源综合利用工作。全年共组织实施26个资源综合利用项目，项目实际完成投资4.35亿元。全年关停粘土砖瓦窑121座，缩减落后生产能力5.53亿块标砖，盘活土地66.93公项。三是以新能源推广应用为新增点，大力开发利用太阳能资源。组织实施了一批光伏发电项目，共立项光伏发电项目54个近70兆瓦。国内装机规模最大的并网屋顶光伏发电项目于2009年在杭州市并网发电。

清洁生产工作。2009年，全省共完成清洁生产审核企业887家。这些企业清洁生产计划投入29.99亿元，实际完成投入22.36亿元，已产生经济效益16.87亿元。通过开展清洁生产，这些企业每年可节电7.48亿千瓦时，节煤26.04万吨，节蒸汽83.08万吨，节水5350万吨；可削减化学需氧量1.4万吨，氨氮318.77吨，二氧化硫1.02万吨，废水6534万吨，固体废弃物46.69万吨。实施工业循环经济“733”工程，加大了省财政对发展工业循环经济的支持力度。

（撰稿：贾帆联）

2008—2009年浙江省经济社会发展主要指标

序号	指标	单位	2008年	2009年	增长率（%）
1	一、人口和就业				
2	年底人口数	万人	5120.0	5180.0	1.2
3	人口自然增长率	‰	4.58	4.63	
4	就业人员数	万人	3692	3825	3.6
5	按产业分：				
6	第一产业	万人	672	659	-1.8
7	第二产业	万人	1715	1795	4.7
8	第三产业	万人	1305	1370	5.0
9	城镇就业人员（按登记注册类型分）				
10	国有单位	万人	201.23	207.25	3.0
11	集体单位	万人	26.56	29.43	10.8
12	股份合作单位	万人	14.60	15.00	2.7
13	联营单位	万人	1.90	1.40	-26.3
14	有限责任公司	万人	236.90	271.10	14.4
15	股份有限公司	万人	71.10	85.30	20.0
16	私营企业	万人	406.39	431.28	6.1
17	港澳台商投资单位	万人	83.30	86.90	4.3
18	外商投资单位	万人	101.70	111.10	9.2
19	个体	万人	239.94	258.57	7.8
20	城镇登记失业人数	万人	30.68	30.68	0.0
21	二、国民经济核算				
22	地区生产总值	亿元	21486.9	22990.4	8.9
23	按产业分：				
24	第一产业	亿元	1095.4	1163.1	2.4
25	第二产业	亿元	11580.3	11908.5	6.8
26	工业	亿元	10359.8	10518.2	
27	建筑业	亿元	1220.6	1390.3	
28	第三产业	亿元	8811.2	9918.8	12.5
29	#交通运输、仓储和邮政业	亿元	827.7	888.0	
30	批发和零售贸易业	亿元	2027.6	2119.4	
31	三、固定资产投资				
32	投资总额	亿元	9323.0	10742.3	15.2
33	按投资种类分：				
34	城镇	亿元	6551.1	7454.3	13.8

续表

序号	指标	单位	2008年	2009年	增长率（%）
35	#房地产开发	亿元	2023.1	2254.3	11.4
36	农村	亿元	2771.9	3288.0	18.6
37	#农户	亿元	396.3	434.7	9.7
38	非农户	亿元	2375.6	2853.3	20.1
39	**按建设规模分：**				
40	建设总规模	亿元	32287.7	36787.8	13.9
41	在建总规模	亿元	25827.1	29152.4	12.9
42	在建净规模	亿元	11143.2	12578.8	12.9
43	**按资金来源分：**				
44	国家预算内资金	亿元	335.5	454.3	35.4
45	国内贷款	亿元	1825.3	2177.1	19.3
46	利用外资	亿元	302.4	246.2	-18.6
47	自筹资金	亿元	6193.0	7026.7	13.5
48	其他投资	亿元	1774.2	3196.3	80.1
49	**四、房地产开发**				
50	本年完成土地开发面积	万平方米	1252	1062	-15.2
51	本年土地购置费用	亿元	604.4	697.1	15.3
52	本年土地购置面积	万平方米	1834	1308	-28.7
53	本年完成投资额	万元	20231177	22542664	11.4
54	#住宅	万元	14265508	15813232	10.8
55	#经济适用房屋	万元	491452	556000	13.1
56	房屋施工面积	万平方米	19273	19933	3.4
57	房屋竣工面积	万平方米	4458	3844	-13.8
58	本年新开工房屋面积	万平方米	5257	5606	6.7
59	#住宅	万平方米	3709	3948	6.4
60	#经济适用房屋	万平方米	111	209	89.3
61	商品房屋销售面积	万平方米	2992	5538	85.1
62	#住宅	万平方米	2481	4760	91.9
63	#经济适用房屋	万平方米	153	126	-17.7
64	商品房屋销售额	万元	18736825	43339772	131.3
65	#住宅	万元	15241113	37555286	146.4
66	商品房屋平均销售价格	元/平方米	6262	7826	25.0
67	#住宅	元/平方米	6144	7890	28.4
68	#经济适用房屋	元/平方米	3092	2989	-3.3
69	**五、规模以上工业企业**				
70	企业单位数	个	58816	59971	2.0
71	工业总产值	亿元	40832.1	41035.3	0.5
72	资产总计	亿元	35550.8	39752.8	11.8
73	利润总额	亿元	1634.2	2115.7	29.5
74	总资产贡献率	%	10.3	10.6	2.7

续表

序号	指标	单位	2008年	2009年	增长率（%）
75	资产负债率	%	61.9	61.3	-1.1
76	**六、交通运输业**				
77	运输线路长度				
78	铁路营业里程	公里	1319	1678	27.2
79	内河航道里程	公里	9695	9703	0.1
80	公路里程	公里	103652	106952	3.2
81	#高速公路	公里	3073	3298	7.3
82	货运量	万吨	139111	151566	9.0
83	#铁路	万吨	3830	3762	-1.8
84	公路	万吨	91625	95802	4.6
85	水运	万吨	43656	52002	19.1
86	客运量	万人	216879	199068	-8.2
87	#铁路	万人	7000	7024	0.3
88	公路	万人	206110	188364	-8.6
89	水运	万人	3769	3680	-2.4
90	**七、国内商业**				
91	社会消费品零售总额	亿元	7533.3	8622.3	14.5
92	**八、对外贸易和旅游**				
93	货物进出口总额（按经营单位所在地分）	万美元	21113373	18773086	-11.1
94	出口	万美元	15429623	13301295	-13.8
95	进口	万美元	5683750	5471791	-3.7
96	外商投资企业货物进出口总额	万美元	8350689	6929148	-17.0
97	出口	万美元	5422144	4477938	-17.4
98	进口	万美元	2928545	2451210	-16.3
99	外商投资企业基本情况				
100	年底登记数	户	28533	28252	-1.0
101	投资总额	亿美元	1582.6	1640.0	3.6
102	注册资本	亿美元	917.0	950.0	3.6
103	#外方	亿美元	686.0	722.2	5.3
104	对外承包工程				
105	完成营业额	万美元	170495	222269	30.4
106	对外劳务合作				
107	完成营业额	万美元	16364	17093	4.5
108	接待国际旅游人数	万人次	539.67	570.64	5.7
109	#外国人	万人次	366.13	377.60	3.1
110	国际旅游外汇收入	百万美元	3024.08	3223.58	6.6
111	**九、财政**				
112	地方财政一般预算收入	亿元	1933.4	2142.5	10.8
113	#国内增值税	亿元	348.9	368.5	5.6
114	营业税	亿元	574.3	663.6	15.6

续表

序号	指标	单位	2008年	2009年	增长率（%）
115	个人所得税	亿元	115.7	124.1	7.3
116	地方财政一般预算支出	亿元	2208.6	2653.3	20.1
117	**十、物价指数**				
118	商品零售价格指数	上年＝100	106.3	98.8	
119	居民消费价格指数	上年＝100	105.0	98.5	
120	#城市	上年＝100	104.8	98.7	
121	农村	上年＝100	105.3	98.2	
122	**十一、人民生活**				
123	收入				
124	农村居民家庭人均纯收入	元	9258	10007	8.1
125	城镇居民家庭人均可支配收入	元	22727	24611	9.7
126	居民消费水平	元	13893	15790	12.0
127	农村居民	元	7665	8324	8.7
128	城镇居民	元	18515	21251	12.6
129	住房				
130	农村居民人均住房面积	平方米	60.5	61.5	1.7
131	**十二、教育**				
132	高等学校数	所	98	99	1.0
133	高等学校招生数	人	245330	252503	2.9
134	高等学校在校学生数	人	832224	866496	4.1
135	高等学校毕业生数	人	203203	218226	7.4
136	**十三、卫生**				
137	卫生机构数	个	15290	29549	
138	#医院、卫生院	个	2506	2473	－1.3
139	医疗机构床位数	张	160873	170199	5.8
140	#医院、卫生院	张	149590	157877	5.5
141	卫生技术人员数	人	242908	266254	9.6
142	#执业（助理）医师	人	101893	113852	11.7

注：1. 地区生产总值及其三次产业、城镇居民人均可支配收入和居民消费水平的增长速度按可比价格计算。
2. 卫生机构数2009年起含村卫生室，与历史数据不可比。

杭州市

综　述

2009年，面对全球金融危机，杭州市各级政府和工业企业坚持“主攻工业、决战工业、稳定工业”不动摇，同舟共济、积极应对、迎难而上，工业生产持续回升，经济运行特点不断涌现。主要有四个特点：

一是生产回升力强面广。2009年，杭州规模以上工业企业生产一直呈现上扬态势。全市规模以上工业增加值增幅由一季度的－5.2%，回升到上半年的0.8%、1—3季度的3.7%和全年的6.1%。全年规模以上工业实现工业销售产值9425.99亿元，增长1.3%，实现了转负为正。生产回升对全市工业经济的发展起到了有力的支撑。从行业上看，全年在35个行业大类中，24个行业销售产值实现增长，增长面达68.6%，比一季度提高42.9个百分点。从区、县（市）看，有10个区、县（市）规模以上工业销售产值实现了增长。

二是经济运行质量显著改善。（1）运行质量明显领先全省。从反映工业经济综合实力的“十一项经济效益指标综合得分”情况看，杭州市明显好于全省平均水平。2009年，全市列入全省考核的十一项经济效益指标综合得分为262.62分，比一季度提高37.24分，分别高出全省平均水平与宁波25.56分和37.37分。其中，反映企业盈利能力的核心指标——成本费用利润率达5.86%，高出全省平均水平0.2个百分点。（2）工业利税首次突破800亿元。2009年，在部分行业受政策刺激需求回暖、工业品出厂价格与原材料价格下降等因素影响下，规模以上工业利税、利润仍双双实现增长，全年实现利税总额859.3亿元，增长15.5%，其中利润495.99亿元，增长20.8%，利税、利润增幅分别比一季度提高20.4和33.6个百分点，比上年提高12.3和20.5个百分点。呈现了利税增速快于销售，销售增速快于生产的良好发展态势。（3）企业亏损状况明显好转。2009年，在全市10116家规模以上工业企业中，全年亏损的企业有1794家，亏损面为17.73%，较一季度减少16.4个百分点；全年亏损企业亏损额51.59亿元，增长10.1%，较一季度回落36.1个百分点。

三是内需回升明显。2009年，在市委、市政府“主攻工业、决战工业、稳定工业”诸多政策的带动下，全市工业经济内需回升力度明显加快。全年规模以上工业内销7759.40亿元，增长5.9%，增幅比一季度提高14个百分点，其中11月、12月当月内销增幅达23.6%和28.3%，呈现了强劲的回升态势。四是企业应对危机能力和信心增强。经过一年多的危机影响，企业家应对能力和信心增强，面对渐趋活跃的国内需求和机遇，八成企业选择“采取有效措施主动出击，积极应对”。表现在：创新成为自觉行为。2009年，全市规模以上工业企业实现新产品产值1567.05亿元，增长18.8%，增幅比一季度提高23.8个百分点，高于全市生产增幅17.9个百分点。全年新产品产值率达16.73%，较上年提高2.53个百分点。企业创新能力的增强，对全市工业生产回升及转型升级发挥了积极作用。在规模以上工业企业中，全年增幅达20%以上的企业2504家，占全市规模以上企业数的24.8%。

工业经济

2009年，杭州市面对全球金融危机采取了一系列政策，及时出台了富有针对性的政策举措，制定实施装备制造业、汽车电子信息、纺织服装等产业调整振兴三年行动计划，积极扶持生物医药、新能源、物联网等战略性新兴产业发展，工业经济步出低谷，工业发展综合效益明显增强。工经济效益显著主要体现在五个方面：

一是效益增速快于生产。全市实现工业增加值2157.1亿元，增长6%，增幅比上半年提高5.9个百分点，其中规模以上工业增加值1792亿元，增长6.1%，工业总产值、销售产值为9367.79亿元、9245.99亿元，分别增长0.9%、1.3%，比上半年回升8.6和8.5个百分点；实现利税859.3亿元，其中利润495.99亿元，分别增长15.5%、20.8%，快于上半年19.7和31.6个百分点。

二是自主创新取得积极成效。加大创新力度，通过创新突破面临的困境。全年财政用于科技的支出增长19%；全市规模以上工业新产品产值率16.73%，新产品产值拉高工业经济增长2.7个百分点；规模以上高技术企业利润增长8.9%，比上半年回升15个百分点。

三是工业回升正进一步向纵深推进。轻工业销售产值3925.7亿元，增长4.7%，快于重工业5.8个百分点，增幅比上半年提高6.9个百分点。

四是骨干企业的引领和辐射作用增强。大型企业工业销售产值1887亿元，增长1.5%，分别高出全市平均水平和中型企业0.2和4.3个百分点，这是杭州工业回升进程有所加快的重要标志之一。

五是装备制造业生产增速有所加快，工业结构逐步改善。全市装备制造业销售产值1732.75亿元，增长0.7%，增幅比上半年提高8.2个百分点，占规模以上工业比重18.7%，比上半年提高0.6个百分点。

固定资产投资

2009年，杭州市全年完成全社会固定资产投资2291.65亿元，其中限额以上固定资产投资2195.17亿元，分别比上年增长15.7%和16.6%。在限额以上固定资产投资中，第一产业投资3.13亿元，比上年增长1.7%；第二产业投资611.55亿元，增长7.2%；第三产业投资1580.49亿元，增长20.8%。

2009年，杭州市工业投资受经济危机影响较大，一季度全市工业投资增速出现近年来首度负增长。随着市委市政府扶持工业经济稳定发展众多措施的相继出台和“主攻工业、决战工业、稳定工业”重要战略实施，全市的工业企业家投资信心大幅回升，信心指数由一季度的96.74提高到四季度的150.14，提高了53.4个点。全市的工业投资也一扫一季度负增长的颓势，全年累计完成工业投资609.25亿元，增长7%，增幅较一季度回升17.9个百分点。其中，制造业投资完成532.06亿元，增长4.5%，增速较一季度回升19.9个百分点。从工业投资的内部结构来看，全市部分行业如农副食品加工业、纺织业、塑料制品业、专用设备制造业等投资增幅较大，对全市整体工业投资的回升起到了关键的作用。

2009年，杭州市完成房地产开发投资704.68亿元，比上年增长14.5%。房屋施工面积5121.49万平方米，比上年增长2.7%；竣工面积763.95万平方米，下降25.9%。全年商品房销售面积1441.18万平方米，比上年增长86.0%，其中住宅销售1300.99万平方米，增长92.2%。市区公开销售经济适用房7002套，建筑面积50.09万平方米。2009年，杭州市全年实现建筑业增加值277.79亿元，比上年增长13.5%。全市有总承包和专业承包资格的建筑企业1227家，完成施工产值2025.78亿元，比上年增长12.5%；房屋建筑施工面积19437万平方米，增长21.0%；房屋建筑竣工面积5728万平方米，下降1.2%。2009年，杭州市全年完成基础设施投资601.84亿元，比上年增长11.2%。地铁一二期36个站点全部开工，20个站点完成主体施工。“十纵十横”道路综合整治工程全面完工。萧山机场公路改造、钱江通道及南接线（钱江大道）、杭新景高速公路延伸线（之江大桥）、庆春路过江隧道、杭长高速公路等重大交通项目开工，申嘉湖杭高速建成。中山路综保工程顺利开街。市区完成47条河道综保工程。七格污水处理厂三期建成试通水。2009年，杭州市全年累计投产110千伏及以上变电容量448.7万千伏安，35千伏5.8万千伏安，新增110千伏及以上线路262.27千米。全市用电量达到459.70亿千瓦时，比上年增长6.9%，其中城乡居民生活用电56.4亿千瓦时，增长10.1%。市区自来水日供水能力达到320万立方米，比上年增加21万立方米。年末市区居民家庭天然气用户达到50.99万户，比上年末增长17.0%；城区新辟公交线路15条，更新公交车855辆，公交空调车比例达93%以上。新增停车泊位9704个，累计停车泊位数达60129个。至年末，市区免费单车布点2150个，投放自行车50000辆。富阳、临安与主城区实现了公交一体化。

技术创新

2009年，杭州市工业技术创新围绕市委、市政府提出的工业经济发展目标，扎实开展技术创新和高新技术发展，努力提高企业自主创新能力，加快新产品研发，为实现全市工业经济结构调整，转变发展模式，实现产业升级起到了支撑作用。

（一）加快企业技术中心建设

2009年，杭州市各企业为应对世界金融危机，提高企业的创新能力，促进产业升级，加大了企业技术中心的投入和建设，取得了明显成效。杭州富通集团有限公司技术中心被认定为第16批国家级企业技术中心；杭州鸿雁电器有限公司企业技术中心等26家企业技术中心为第16批浙江省级企业技术中心。其中，制造业企业技术中心21家，建筑行业企业技术中心5家。浙江轻机实业有限公司企业技术中心等60家企业技术中心为第10批市级企业技术中心。截至年底，杭州市拥有国家、省、市级工业企业技术中心454家。其中国家级工业企业14家，省级132家，市级308家。省级工业企业技术中心的数量和年新增数量保持全省领先。

为促进全市企业技术中心建设，根据《国家认定企业技术中心管理办法》（发展改革委2007年第53号令）、省、市对企业技术中心认定和评价管理要求，按照企业技术中心考核标准，组织专家对全市168家企业技术中心进行再次评价考核。经过严格的考核，有16家为优秀，135家合格，11家不合格，6家注销。

（二）加大技术创新培育力度

在技术创新方面，杭州市委、市政府重点为企业技术创新创造良好的氛围和培育力度，加大扶持。2009年，重点做好五个方面工作：一是组织召开杭州市工业企业技术创新表彰会。对2008年度以前认定的国家级、省级、市级企业技术中心、市信息化示范和试点企业以及获得市优秀新产品新技术奖的项目进行了表彰，对2009年企业技术创新工作进行了动员部署。二是组织国家、省、市级技术创新项目的申报。其中，22个项目列入“958”企业技术赶超计划项目，29个项目列入省技术创新项目，315个列入市技术创新项目，16个列入省高新技术产品开发项目，27个列入省应对技术性贸易壁垒技术攻关项目。三是加强项目资金扶持。2009年，杭州市争取到国家对创新项目的扶持资金。杭州市中能汽轮动力和纸友科技两家企业共获得国家财政资助600万元，杭州创业软件集团、大华技术有限公司、三维通信集团等三家企业共获得国家重点项目开发资助1120万元，对53个创新项目安排市本级财政资助3000多万元。2009年，杭州市工业企业加大新产品的研发力度。全年完成新产品申报351项。据统计，全市规模以上工业实现新产品产值1325亿元，同比增长14.91%，高出总产值增幅12.7个百分点。

（三）加强企业信息化建设

2009年，杭州市工业企业信息化应用示范试点企业新增75家，其中示范企业25家，试点企业50家。至年底全市示范试点企业共计294家。申报国家国家信息化试点2个。即：杭州阿里巴巴和建华五金机电集团。上报浙江省企业信息化应用项目19个。对59个信息化应用项目进行了资助和奖励，其中资助41项，金额697万元；奖励18个项目，金额136万元。为加强企业信息化建设，组织开展杭州市工业企业信息化应用中介服务机构的问卷调查，编印《杭州市工业企业信息化应用中介服务机构调研报告汇编》。

（四）发展高新技术产业

2009年，受国际金融危机的影响，杭州市高技术产业发展也遇到了较大的困难。进入三季度以来，随着国际经济形势的好转，全市高新技术产业企稳回暖明显，实现了较快的回升。据统计，全市规模以上工业高新技术产业实现销售产值2200亿元，实现利润150亿元，实现利税225亿元。全市规模以上工业高技术产业可实现销售产值850亿元，较上年同期下降12%，实现利税110亿元。占全市工业比重为24.04%，与上年同期相比下降2.09个百分点；利税总额150.35亿元，与上年同期相比下降7.1%，比上年回升0.7个百分点；利润总额101.88亿元，同比下降13.7%。

2009年杭州市专利申请量达到26075件，专利授权量15507件，分别比上年增长40.6%和57.7%。新增国家重点扶持的高新技术企业302家，累计达到1236家；累计培育认定研发中心521家，其中省级182家；企业技术中心454家，其中国家级14家，省级132家。年内新增12个中国驰名商标，累计已达78个。

支柱产业

（一）机械行业

2009年，杭州市机械行业针对国际金融危机的冲击，抓住国家4万亿投资的机遇，企业采取各种有效措施，积极应对，从开拓市场和内部挖潜入手，主动调整产品结构，使全行业主要经济指标呈现止跌倚稳、稳步回升的良好态势。列入行业归口统计的100家规模以上企业，完成工业总产值1218亿元，同比增长2.32%；完成工业销售产值1207亿元，同比增长2.98%；工业产品产销率为99.07%，比上年同期上升0.63个百分点。全年实现产品销售收入1403亿元，同比增长9.45%；实现利税116.4亿元，同比上升24.30%，其中实现利润88.2亿元，同比上升25.78%；实现工业增加值227.6亿元，同比增长9.50%。亏损企业亏损额2.0亿元，比上年同期减少了27.7%。经济运行质量高于上年水平，经济效益综合指数为237.86，比上年上升15.34个点。资产负债率58.83%、总资贡献率10.09%、流动资产周转率1.83%，分别低于上年4.93、0.10、0.14个百分点。成本费用利润率6.61%，高于上年0.92个百分点；全员劳动生产率22.36万元/人·年，比上年提高2.05万元/人·年。

受国际金融危机的持续影响，机械企业出口乏力的局面仍有明显的改观，全年出口交货值为同比下降24.92%。其中，机械基础件产业、工程机械产业、石化通用和机床工具产业有不同程度的下降。受国家鼓励消费政策刺激，销售增长较快的食品包装机械产业同比增长45.87%；汽车产业同比增长13.25%；电工电器产业同比增长13.03%；仪器仪表产业同比增长12.72%。分别高于全行业平均增幅36.42、3.80、3.58、3.27个百分点。全市汽车及零部件、电工电器、仪器仪表三大重点产业，共完成工业销售产值1018.3亿元，占全行业经济总量比重84.3%。

尽管受国外市场和国内部分行业需求不足的因素影响，但企业还是积极应对，许多企业积极把握国家出台促进消费政策的机遇，乘势而上，涌现一批企业销售产值增长30%。其中杭州弹簧有限公司同比增长1.22倍、杭州汽车内饰件有限公司同比增长51.1%、杭州中亚机械有限公司同比增长45.6%、杭州大路实业有限公司同比增长36.6%、亚太机电集团有限公司同比增长35.7%、杭州（火炬）西斗门膜工业有限公司同比增长34.5%、杭州远翅塑料有限公司同比增长32.5%、杭州万减速杰机有限公司同比增长31.6%。

杭州机械企业自主创新能力强，创新成果显著。浙江西子富沃德电机有限公司企业技术中心、浙江金固股份有限公司企业技术中心、杭州河合电器股份有限公司企业技术中心、杰牌控股集团有限公司企业技术中心、杭州永磁集团有限公司企业技术中心、杭州天恒机械有限公司企业技术中心、浙江富春江水电设备有限公司企业技术中心等企业技术中心被认定为第十六批省级企业技术中心。机械科学研究院浙江分院有限公司中心行业技术中心等企业技术中心被认定为第十批市级企业技术中心，至此杭州市机械行业共有国家级、省级、市级企业技术中心94个，其中国家级企业技术中心5个，省级企业技术中心37个，市级企业技术中心76个。获杭州市优秀新产品新技术奖37项，其中杭州杭氧股份有限公司的五万等级化工型内压缩空分装置的研究开发、西子奥的斯电梯有限公司的Regen（锐进）能源再生电梯等2项获一等奖；中控科技集团有限公司的轨道交通综合监控系统模拟平台等14项获二等奖；浙江杭叉工程机械集团股份有限公司的新一代R系列内燃叉车研发等29项获三等奖。

（二）建材冶金

2009年，杭州建材冶金工业按照市委、市政府“主攻工业、决战工业、稳定工业”的重要决策，围绕着“转危为机、跨越发展”目标，加快推进产业结构调整和转型升级步伐，深入开展为企业“送温暖”活动，积极应对国际金融危机带来的不利影响，努力化解困难和问题，经济运行呈现触底回升态势，全市规模以上企业完成工业总产值1067.18亿元，同比下降3.18%；实现工业销售产值1047.50亿元，同比下降2.10%；实现利税58.27亿元，同比增长8.46%；其中利润32.53亿元，同比增长38.72%。从全年运行趋势看，前三季度建材冶金工业仍比较困难。继续面临市场需求不振、产能过剩、出口受阻、企业赢利水平快速下降的困境。自10月以后，随着我国经济的逐步企稳，产销情况开始好转。在全市建材冶金工业43个行业小类中，有22个行业销售产值实现增长，其中铜矿采选、铅锌矿采选、石灰和石膏制造、粘土砖瓦及建筑砌块制造、技术玻璃制品制造、铅锌冶炼、镁冶炼、金属门窗制造等8个行业增长幅度达30%以上。行业平均产销率为98.70%，比上年提高了0.48个百分点。主要行业产销情况是：水泥行业产销率98.86%；建筑陶瓷行业95.40%；技术玻璃行业98.58%；玻璃纤维及制品106.15%；钢结构行业97.44%；钢压延加工业96.89%；铜冶炼业97.44%。

经济效益出现恢复性增长。全市建材冶金工业过半以上行业效益实现增长，其中石灰石及石膏开采；建筑装饰用石开采；塑料板、管、型材的制造；石灰和石膏制造；平板玻璃制造；技术玻璃制品制造；炼钢；钢压延加工；有色金属合金制造；常用有色金属压延加工等10个行业利润增长在50%以上。面对金融危机，杭州市重点建材冶金骨干企业加快转型升级步伐，努力变危机为机遇，表现出较强的抗风险能力。杭州诺贝尔集团有限公司主动调整经营战略。一方面，努力加强营销网络建设。全国有600余家产品专卖店和120多家合作的建材超市，营销网络已覆盖除拉萨以外的所有省会城市及主要大中城市。另一方面，通过加大研发投入，加快新产品的开发力度，全年新产品产值达17亿元，同比增长49.63%。在较短时间内率先走出困境，进入下半年后，公司的40多条生产线全部投入运转，共生产瓷砖4100万平方米，销售和效益均实现2位数增长。

2009年，杭州市按照国家省市有关“扩内需、保增长、调结构”的政策，根据建材冶金工业特点，分别起草编制了《杭州市钢铁行业振兴三年行动计划》《杭州市钢结构行业振兴三年行动计划》和《杭州市薄钢板行业振兴三年行动计划》，计划期限三年，从2009年到2011年。三个《行动计划》提出了振兴行业的指导思想、基本原则、行动目标和行动举措。制定出台了全面淘汰杭州市落后水泥粉磨生产能力的政策，2009年关停淘汰直径2.4米以下水泥磨机96台。

（三）轻工行业

2009年，杭州市轻工企业积极落实市委、市政府关于“主攻工业、决战工业、稳定工业”工作部署，理清思路，统一认识，坚持拓市场调结构，工业生产稳步回升，经济效益大幅提高，经济运行呈现平稳增长态势。据统计：全市轻工行业实现主营业务收入1382亿，同比增长15.6%；实现利税346亿元，同比增长28.1%；利润总额179亿元，同比增长39.6%。利税增长幅度领先工业销售产值增长16.3个百分点，利润增幅则领先27.8个百分点。据对105家轻工工业归口企业统计：全年累计完成工业销售产值1312亿元，同比增长11.8%；工业增加值485亿元，同比增长22.6%；主营业务收入1382亿元，同比增长15.6%；实际利税346亿元，同比增长28.1%；其中利润总额179亿元，同比增长39.6%。杭州市轻工主要行业中，食品行业、日用化学制品行业保持较快增长。分别是20.9%，增长14.1%。食品行业全年累计工业销售产值742亿元，为轻工行业增长贡献了10个百分点。日用化学制品全年呈现良好发展势头，全年累计实现工业销售产值54亿元，同比增长14.1%。金融危机后，杭州轻工行业企业主动加大结构调整力度，加快技术升级和装备更新，增强技术创新能力和新产品开发能力。全年全行业新产品产值同比增长35.3%，研发高附加值、高利润的产品促进产业的持续快速发展。

（四）化工行业

杭州市化学工业由石油加工业、化学原料及化学制品制造业、橡胶加工业三大行业构成，涵盖基础化工、精细化工、生物化工、农用化工、橡胶制品等20余类1000余种产品。2009年，有规模以上企业694家，从业人员8.37万人，资产总计680.52亿元。

在市场需求低迷、出口形势严峻、进口冲击压力增大等国际金融危机导致的复杂宏观经济背景下，杭州化工行业经济下滑止于二季度，之后平稳回升，至年底实现正增长。据统计，全年规模以上化工企业完成工业总产值939.34亿元，工业销售产值947.71亿元，分别比上年增长1.57%和2.75%，增幅高出全市规模以上工业平均值0.67和1.45个百分点；产品产销率为100.89%；实现工业增加值199.23亿元，同比增长16.92%；实现利税88.7亿元，利润56.12亿元，同比分别增长14.36%和17.33%。化工行业经济总量占全市规模以上工业总量的10.25%，占比较上年提高1.3个百分点，产业规模列全市所有行业第5位，全省化工第2位。石油加工业完成工业销售产值39.99亿元，同比下降18.97%，实现利税总额7.64亿元，同比增长11.87倍；化学原料及化学制品制造业完成工业销售产值703.72亿元，同比增长1.8%，实现利税总额61.55亿元，同比下降9.16%；橡胶加工业完成工业销售产值203.99亿元，同比增长12.21%，实现利税总额19.51亿元，同比增长1.12倍。

2009年，国际市场不景气，杭州化工产品出口受阻，规模以上企业完成出口交货值123.61亿元，同比下降14.13%，出口交货值占工业销售产值的比例为13.03%，比上年下降4.99个百分点。但杭州化学农药制造业、颜料制造业、染料制造业、轮胎制造等仍为出口重点行业，有机胺、纯碱产品显现较好的出口增长趋势，相关企业出口交货值同比增长100%

以上。

（五）医药行业

2009年，杭州市围绕加快"新药港"建设，贯彻落实市委、市政府《关于进一步加快"一号工程"建设的若干意见》精神，用足用好医药行业发展扶持政策，加快推进产业转型升级，加强行业经济运行分析和预测，全行业主要经济指标继续保持平稳较快增长，"新药港"建设取得明显成效。截至2009年12月，杭州市有生产许可证的医药企业114家，其中原料药、制剂企业76个，中药饮片生产企业20个，医用氧生产企业9个，药用辅料生产企业9个。医疗器械生产企业有322个，其中第三类产品生产企业73个，第二类产品生产企业180个，第一类产品生产企业69个。全年列入医药工业行业统计口径的73家医药工业企业资产总计150.98亿元，资产负债率39.13%，全部从业人员平均人数2.45万人。2009年全行业生产、销售继续保持平稳较快增长，增幅超全市平均水平，经济效益良好。全年医药工业总产值150.76亿元，比上年同期增长14.60%；完成销售产值140.80亿元，同比增长13.99%；全年全行业累计完成主营业务收入140.04亿元，比上年同期增长13.88%；完成工业增加值65.22亿元，同比增长16.34%；利税合计38.42亿元，同比增长21.48%；实现利润26.13亿元，同比增长26.12%；利润增长高于销售增长。产销率为93.40%，同比基本持平。

化学制药是杭州医药工业的基础，杭州赛诺菲安万特民生制药有限公司、杭州默沙东制药有限公司、杭州中美华东制药有限公司等重点企业发展较快。2009年全市化学制药企业完成主营业务收入78.24亿元，占全市医药工业总量的55.87%。

中药是杭州医药工业的传统优势行业，青春宝集团有限公司、杭州胡庆余堂药业有限公司、杭州天目山药业股份有限公司、浙江康莱特药业有限公司等已成为全国中医药行业的知名企业。2009年全市中药制药企业完成主营业务收入27.48亿元，占全市医药工业总量的19.62%。

生物医药行业为杭州市医药工业的重点发展领域，艾康生物技术（杭州）有限公司、杭州九源基因工程有限公司、浙江普康生物技术股份有限公司、艾博生物医药（杭州）有限公司、浙江天元生物药业股份有限公司等一批生物医药企业茁壮成长。2009年全市生物医药企业完成主营业务收入14.71亿元，占全市医药工业总量的10.50%。

医疗器械行业成为近年来杭州市医药工业发展的新兴力量。泰尔茂医疗产品（杭州）有限公司、眼力健（杭州）制药有限公司是该行业的骨干企业，以杭州市桐庐医疗光学仪器总厂、杭州桐庐尖端内窥镜有限公司为龙头的内窥镜产品达到全国同行业领先水平。2009年全市医疗器械企业完成主营业务收入16.67亿元，占全市医药工业总量的11.90%。

2009年，杭州市"新药港"建设扶持力度加强。根据《杭州市医药产业发展资金管理办法》（杭政办〔2007〕35号），先后下发《关于申报2009年杭州市医药产业发展资金资助项目的通知》和《关于做好2009年杭州市医药产业发展资助资金和新药港建设奖励资金申请及审核工作的通知》，2009年杭州市医药产业发展资金财政资助项目共计223项，其中：产业项目41个，奖励项目178个，重大专题项目4个，项目资助、奖励力度为近年来最大。

杭州中成药、化学药物制剂、生物医药等重点医药产品保持国家省内领先地位，并形成了一批优势产品。2009年医用SF导管、21金维他、百令胶囊、赛斯平、卡博平、保列治、舒降之、泰能、科素亚、安博维、乐沙定、波立维、青春宝抗衰老片、丹参注射液、参麦注射液、护理液、单抗诊断试剂、铁皮石斛、康莱特注射液、民生输液、血液透析器、SP输液器等28个产品销售额超亿元，其中波立维单个产品年销售额近15亿元。

（六）丝绸与女装产业

2009年，杭州市规模以上丝绸企业169个，职工人数1.84万人；全年完成工业总产值59.89亿元，同比下降34.75%；工业销售产值58.79亿元，同比下降35.04%；出口交货值17.97亿元，同比下降57.87%；主营业务收入58.25亿元，同比下降34.48%；实现利税总额2.91亿元，同比下降31.21%；其中利润1.15亿元，同比下降25.32%。2009年，由杭州市政府与国家商务部主办，中国商业联合会、中国丝绸协会、中国丝绸进出口总公司支持，中国纺织品进出口商会、杭州市经委、杭州市贸易局共同承办了的"2009中国国际丝绸博览会暨中国国际女装展览会"。此届博览会展示面积达6万平方米，展位数2500个，其中境外参展企业28家、106个展位；现场销售1.5亿元，协议成交超过10亿元。展会期间，举办了8个系列活动。分别是中国国际丝绸论坛，五四届"COCOON杯"中国国际女装设计师大奖赛总决赛暨颁奖晚会，2009中国丝绸秋季交易会，2009中国丝绸日"天堂丝绸武林衣秀"（达利之夜）流行趋势发布会，"丝国霓裳杭州行"全国十大卫视大型异地采访活动，2009杭州丝绸女装跨国采购对接会，丝绸女装企业与百货商对接会，2009"达利杯"第五届服装高技能暨试衣模特大赛颁奖晚会。

2009年，杭州市规模以上女装企业563个，职工人数10.16万人；全年完成工业总产值240.94亿元，比上年下降6.12%；工业销售产值238.05亿元，比上年下降5.63%；出口交货值145.43亿元，比上年下降11.18%；主营业务收入232.08亿元，比上年下降4.96%；实现利税总额18.68亿元，比上年增加

25.54%；其中利润 10.93 亿元，比上年增加 35.95%。2009 年，杭州市为积极因对国际金融危机对纺织服装产业的冲击，加快推进纺织服装产业振兴和转型升级，保持纺织服装产业持续健康发展，根据国家、省、市相关产业政策的规定，制定《杭州市纺织服装产业调整振兴三年行动计划》，举办 2009 杭州丝绸·女装万里行活动，在中国香港、北京、深圳、中国台湾 4 个城市对杭州丝绸与女装产业进行宣传推广。

新兴产业

（一）物联网产业

物联网产业是杭州市重点培育的战略性新兴产业，是国内物联网技术研发和产业化应用研究的先行地区之一，处于全国物联网产业发展的“第一方阵”，在产业基础、技术研发与应用以及网络资源等方面已形成一定领先优势。据统计，截至 2009 年底，全市已有物联网及相关企业近 80 家，年产值超 210 亿元，涌现出银江电子、大华技术、大立科技、新世纪信息技术、中瑞思创等多家在智能安防、交通、医疗、电网领域具有影响力的上市企业。至年底，全市物联网企业已拥有相关专利及软件著作权 160 余项，其中发明专利 56 项；拥有国家电子信息产业基地、国家软件产业基地、国家集成电路设计产业化基地、杭州信息产业国家高技术产业基地等物联网基础产业基地，集聚了华三通信、三维通信等一大批全国领先的网络传输、存储、控制设备研发和生产制造企业和浙大网新、恒生电子、信雅达等一批富有竞争力的软件服务企业，具备较强的信息产业配套协作能力，物联网产业发展具有坚实的产业基础。

（二）太阳能光伏产业

太阳能光伏等新能源产业是国家大力推进的战略性新兴产业。近来来，杭州市高度重视太阳能光伏等新能源产业的发展，制定产业发展规划，落实相关政策举措，产业发展取得明显成效。据统计，全市涉及太阳能光伏产业的企业有 50 家，主要集中在萧山、高新（滨江）、经济开发区、钱江开发区、临安等地，拱墅、西湖、余杭、富阳、建德也有部分分布。截至 2009 年底，全市形成太阳能电池及组件生产能力约 450 兆瓦。全市太阳能光伏产业完成销售产值 30.5 亿元，同比增长 11.2%；实现利税 2.89 亿元，同比增长 74%，其中实现利润 2.29 亿元，同比增长 96%；完成出口交货值 2.38 亿美元，同比增长 7.3%；完成技改投入 14.2 亿元，研发投入 1.97 亿元。已形成单晶硅、多晶硅原料，硅棒、硅片，晶体硅电池及组件，薄膜电池，生产设备制造，配套材料和光伏发电集成系统等完整的太阳能光伏产业链，在国内具有较强的整体竞争优势。正泰太阳能公司是杭州市光伏行业龙头企业，在 100MW 晶体硅太阳能电池生产规模的基础上，2009 年投资 10 余亿元，完成了非晶微晶太阳能薄膜电池中试生产线，并从瑞士引进设备建设 30MW 薄膜电池产业化生产线，是国内产业化生产最成熟的薄膜电池生产线之一；2009 年，该公司完成晶体硅太阳能电池及组件 50MW，销售产值 7.7 亿元，同比增长 29.28%。

（三）新能源汽车产业

2009 年 2 月，杭州市被列为全国 13 个节能与新能源汽车示范推广试点城市之一。据统计，全市节能与新能源汽车运行总量达到 369 辆，其中混合动力 302 辆、纯电动 67 辆，纳入国家科技部、财政部节能与新能源汽车示范运行车辆为 337 辆。截至 2009 年 5 月，全市已投产和正在建设的新能源汽车企业有 10 家，锂离子电池的年生产能力为 7000 万安时，总投资 50 多亿元，其中已投资到位 15 亿元。项目全部建成投产后，每年将生产新能源汽车 2.5 万辆，动力电池 3.9 亿安时。

商品流通

2009 年，杭州市全年实现社会消费品零售总额 1804.93 亿元，比上年增长 15.8%。其中城市消费品零售额 1716.49 亿元，增长 15.8%；县以下农村消费品零售额 88.44 亿元，增长 15.0%。分行业看，批发零售贸易业零售额 1597.26 亿元，增长 15.9%；餐饮业零售额 203.28 亿元，增长 15.2%；其他行业零售额 4.39 亿元，增长 4.8%。

市区居民消费价格总水平比上年下降 1.4%。八大类商品和服务项目价格呈“五升三降”格局（娱乐教育文化用品及服务、交通和通信、疗保健和个人用品、家庭设备用品及维修服务、居住等五升，食品、烟酒及用品、衣着等三降）。全市工业品出厂价格下降 4.9%；原材料、燃料、动力购进价格下降 7.8%。市区房屋销售价格平均上涨 2.8%，其中新建房销售价格上涨 2.0%，二手房销售价格上涨 4.6%。12 月，市区房屋销售价格比上年同期上涨 11.5%。据抽样调查，市区城镇居民人均可支配收入 26864 元，比上年增长 11.5%。人均生活消费性支出 18595 元，比上年增长 11.2%，恩格尔系数（食品占消费支出比重）由上年的 38.3% 下降至 37.5%。年末人均住房建筑面积 30.85 平方米，比上年末增加 1.02 平方米。每百户居民家庭拥有汽车 21.65 辆、空调器 203.87 台、移动电话 178.5 部、家用计算机 86.87 台、微波炉 74.62 台、热水器 94.95 台。至年末城乡居民储蓄存款余额达 4286.92 亿元，比上年末增长 23.3%。全市农村居民人均纯收入 11822 元，比上年增长 10.6%；人均生活消费性支出 9065 元，增长 7.3%。恩格尔系数由上年的 35.9% 下降至 33.8%。年末人均居住面积达 70.74 平方米，比上年末增加1.04平方米。每百户农村居民家庭拥有洗衣机82台、电冰箱95台、空调器100台、热水器81台、微波炉23台、移动电话194部、家用计算机36台，生活用汽车12辆。

外经外贸

对外贸易。受国际金融危机影响，2009年，杭州市全年完成外贸进出口总额404.17亿美元，比上年下降15.9%。其中进口总额132.37亿美元，下降8.4%；出口总额271.8亿美元，下降19.1%。按出口贸易方式分，一般贸易211.55亿美元，下降17.7%；加工贸易59.03亿美元，下降23.8%。出口国别和地区中，对欧盟出口76.71亿美元，下降17.3%；对美国出口57.74亿美元，下降23.1%；对日本出口24.82亿美元，下降11.0%。

对外合作。至2009年末，全市累计设立各类境外投资企业（机构）69个，比上年增长43.8%，其中非贸易企业27个。全年境外协议出资1.53亿美元，其中非贸易性投资1.06亿美元，比上年分别增长15.4%和14.0%。完成对外承包工程和劳务合作营业额3.70亿美元。

利用外资。2009年，杭州市全年批准外商直接投资554项，合同利用外资69.65亿美元，比上年增长11.8%；实际到位外资40.14亿美元，增长21.2%。全年总投资在1000万美元以上大项目288个，投资总额和合同外资分别占全市的96.7%和92.7%。至2009年末，共有70家世界500强企业来杭投资117个项目

引进内资。2009年，杭州市全年共引进内资项目5451个，协议资金1287.02亿元，比上年增长18.0%；到位资金560.55亿元，比上年增长18.5%。杭州经济技术开发区、杭州高新技术产业开发区、萧山经济技术开发区和杭州之江国家旅游度假区等4个国家级开发区全年合同引进外资24.93亿美元，实际利用外资15.45亿美元，分别占全市的35.8%和38.5%。全年实现技工贸总收入3282.83亿元，比上年下降8.3%；实现利税347.68亿元，比上年增长15.1%。

安全生产

2009年，杭州市认真贯彻落实党中央、国务院和省委、省政府对安全生产作出的一系列工作部署和要求，牢固树立以人为本、安全发展理念，坚持安全第一、预防为主、综合治理的方针，按照创建“平安杭州”、打造“生活品质之城”的战略，以科学发展观为统领，以全国统一部署的“安全生产年”活动为载体，以安全生产执法、治理、宣传教育“三项行动”为重点，通过抓源头、强基础、重服务，不断加大安全生产监管整治力度，全市安全生产总体形势稳定。

2009年，杭州市实现了各类事故次数、死亡人数和直接经济损失三项指标“负增长”，实现了连续六年“负增长”目标。据统计，事故次数与上年相比减少915起，下降16.66%；死亡人数减少87人，下降8.66%；受伤人数减少761人，下降17.43%；直接经济损失减少852万元，下降16.1%。其中：工矿商贸企业事故次数减少4起，下降4.04%；死亡人数减少29人，下降22.14%；受伤人数减少14人，下降34.1%；直接经济损失减少307.6万元，下降9.41%。道路交通事故次数减少693起，下降17.78%；死亡人数减少56人，下降6.5%；受伤人数减少752人，下降17.39%；直接经济损失减少33.13万元，下降3.4%。全市消防、水上交通、渔船交通及捕捞作业事故控制良好。2009年，全市GDP预测值为5000亿，亿元GDP生产安全事故死亡率为0.18，同比降低0.03。工矿商贸企业从业人员10万人生产安全事故死亡率为2.09，同比降低0.83。道路交通万车死亡率为5.11，同比降低1.07。全市较大事故起数同比减少4起，下降40%；死亡人数同比减少31人，下降60.8%。尤其是工矿商贸企业较大事故得到有效控制，全市工矿商贸企业发生较大事故1起，死亡3人，同比事故起数减少4起、下降80%，死亡人数减少33人、下降91.7%。重点行业（领域）及重大工程建设项目安全生产形势稳定。矿山安全生产事故多发的势头得到有效遏制，事故起数和死亡人数明显下降，至年末，矿山事故起数同比减少4起，死亡人数同比减少13人，分别下降44.4%和72.2%。工程运输车交通事故死亡人数与上年同期相比减少9人，下降12.7%。地铁、隧道、桥梁等重大工程建议项目安全形势稳定，未发生人员伤亡事故。全年通过加大执法力度，强化监管整治，严厉打击了一大批安全生产违法行为，有效整治了一批重大事故隐患，安全生产秩序进一步改善。在基础工作方面，安全生产标准、安全生产行政许可、市场准入、队伍建设、培训教育、社会化宣传、应急救援等基础性工作进一步推进。

节能减排

2009年，杭州市认真贯彻落实科学发展观，按照市政府年初下发的《二〇〇九年节能工作实施方案》的要求，紧紧围绕节能降耗目标，扎实推进全市节能降耗、清洁生产等工作，全面完成了年度目标和任务。据统计，2009年全市万元GDP能耗同比预计下降5.6%，单位工业增加值能耗同比预计下降6.4%。

1. 加强节能目标管理工作。年初，制定并下发了《杭州市2009年节能工作实施方案》，按照2009

年全市万元GDP能耗比2008年下降4.6%以上的目标任务，对年度用能1000吨标准煤以上的重点用能企业实行节能目标管理；加强非工业领域的节能工作，对年耗油1000吨或年用电200万千瓦时以上的重点用油用电单位实行节能目标管理，实现了全市重点用油用电单耗节油2%、节电3%的目标。

2. 开展节能目标责任评价考核和奖励。2009年，杭州市确定由市工业主管部门会同市统计局、质监局等部门开展了对全市561家重点用能企业和13个区、县（市）以及经济技术开发区2008年节能目标责任评价和用节能目标完成情况进行了考核，有力推动了企业节能基础管理和节能技术改造工作。开展了节能先进表彰奖励。全市评选了2008年度节能先进企业60家、绿色企业50家，节能先进集体12个，节能先进个人100位，由市政府给予表彰和奖励，进一步调动广大企业加强节能工作的积极性。

3. 实施重点节能项目。2009年，杭州市重点推动126个循环经济节能技改项目，总投资5.45亿元，年可节煤8.68万吨、节蒸汽15.41万吨、节电1.91亿千瓦时，综合节能15.91万吨标准煤，年产生经济效益3.21亿元。完成237家企业清洁生产审核验收工作，共实施改造方案5461个，总投入5.72亿元，年综合节能7.6万吨标煤，年产生经济效益5.04亿元。全年完成测试并通过验收的企业有122家，整改后年可节电2.23亿千瓦时；对182家重点用能企业和61家大型公共建筑实施能源监察，挖掘节能潜力9.49万吨标准煤，直接能源经济效益1.24亿元。2009年杭州市还重点推动了桐庐红狮、富阳钱潮、三狮和临安大马四个水泥熟料企业的纯低温余热发电项目建设，全市14条水泥熟料生产线已全部实施纯低温余热发电改造，总装机容量8.95万千瓦，年可发电6.27亿千瓦时，折标煤22万吨。推动实施了40台水煤浆锅炉节能环保改造，其中已建成投产的有34台、297吨/时，年可节能5万吨标煤。实施锅炉余热利用、分层燃烧等节能技术改造。据不完全统计，已实施锅炉改造102台，年可节煤17万吨，关停小锅炉190蒸吨/时，年可节煤4万吨。

4. 实施高效照明产品推广应用。2009年，杭州市实施LED、太阳能路灯示范推广工程。全年推广200万只财政补贴高效照明产品。据测算，全年可节电4亿千瓦时，减少标准煤13万吨。

5. 加强节能宣传和技术推广。一是开展节能宣传周活动。年初印发了《杭州市2009年节能宣传周行动计划》，全年开展了“节能宣传、产品推广进社区”、“行业节能技术推广会”、“能源紧缺体验活动”等32项全市大型节能活动。组织了44家节能环保产品生产企业、节能公司参加了2009中国（宁波）节能环保技术与产品博览会，35家企业参加2009中国（杭州）国际循环经济产业博览会。二是举办节能技术推广会。召开了水煤浆、工业窑炉、工业锅炉等重点节能技术推广会和印染、热电、铸造等重点用能行业节能技术推广会，聘请国内外专家、教授和节能中介服务机构为企业提供现场授课、咨询，重点推广燃煤、燃油锅炉水煤浆节能技术改造应用，印染行业废水余热、热定型机废气余热、导热油锅炉烟气余热回用技术，热电行业抽凝式发电机组改背压机组、风机高、低压变频调速和电动给水泵改汽轮机拖动技术（蒸汽梯级利用）等，全市累计有1400多家重点用能企业参加了推广会。

6. 加大产业结构调整和新能源应用。加大产业结构调整，重点加强固定资产投资项目节能评估审查制度，组织节能专家对全市17个年用能5000吨标准煤以上的用能项目进行了节能审查。建立了节能评估报告中介机构库。将浙江节能实业发展公司、浙江正泰有限公司等8家太阳能光伏发电企业13个总装机容量9.6MW的太阳能光伏发电示范项目进行推广应用，用LED照明改造了主城区主要道路照明设施。

2009年，全市废弃资源利用总量达2436万吨。资源综合利用生产企业125家，综合利用工业废渣和各类废弃物2016万吨。其中34家水泥企业利用废渣490万吨，41家商品混凝土企业利用废渣1202万吨，33家墙材砖瓦企业利用废渣124万吨，垃圾焚烧发电企业利用废弃物110万吨，其他企业利用废弃物90万吨；全市资源综合利用流通企业约500家，回收利用废旧金属、废纸、废塑料等各种废弃物约420万吨。2009年全市化学需氧量和二氧化硫排放量较上年分别减少3.0%；工业废气二氧化硫排放达标率、工业废水排放达标率分别达到94%和90%。全市城市污水集中处理率由上年的83.2%提高到89.6%；主要水系监测断面水质三类以上比例由上年的57.1%提高为60.7%。市区空气质量达到二级和好于二级的天数达到327天，比上年增加26天。市区扩绿面积799公顷。至年末，市区人均公园绿地面积17.2平方米，比上年增长9.1%，市区建成区绿化覆盖率为39.14%。

交通运输、邮电通信和旅游业

交通运输。2009年，杭州市全市货物运输总量2.19亿吨，比上年下降0.5%；旅客运输量3.01亿人次，比上年增长1.6%。至年末，萧山国际机场已开通航线160条，其中国际航线25条，港、澳、台航线8条；全年民航旅客进出港达到1494.47万人次，比上年增长17.9%。道路建设快速发展。全年新增公路里程412.91千米，至年末，全市境内公路总里程达到15112.44千米，其中高速公路503.28千米。全市公路通村率为99.2%，行政村客运班车通达率由上年的97.5%提高到98.5%。机动车辆持续增长，年末全市社会机动车拥有量达157.89万辆，其中私人汽车71.87万辆，比上年末分别增长13.2%和27.2%。

邮电通讯。2009年，杭州市全市完成邮政业务总量12.80亿元，比上年增长17.1%。邮政特快专递辐射221个国家和地区，全年完成国内特快业务1167.81万件，比上年增长35.3%；国际特快业务46.28万件，比上年增长71.0%。完成电信业务收入123.45亿元，比上年增长6.8%。年末固定电话用户为390.64万户，移动电话用户为1028.93万户；计算机宽带用户达到158.17万户，比上年增长13.3%。

旅游业。2009年，杭州市全年接待入境旅游者230.40万人次，比上年增长4.1%；接待国内游客5093.72万人次，增长11.9%。旅游总收入达到803.12亿元，增长13.6%，其中旅游外汇收入13.8亿美元，增长6.5%。市民出境旅游人数为41.7万人次，比上年增长47.6%。旅游基础设施日趋完善。至年末，全市各类旅行社达427家；星级宾馆达到250家，其中五星级酒店16家；A级景区29个，其中5A景区1个，4A景区20个。

（撰稿：胡传明）

宁波市

综 述

2009年，面对国际金融危机和严重冲击，宁波市委、市政府坚持以邓小平理论和“三个代表”重要思想为指导，深入学习实践科学发展观，积极实施浙江省委“创业富民、创新强省”和宁波市委“六大联动、六大提升”战略，围绕“标本兼治、保增促调”总要求，统筹推进保增长、抓转型、重民生、促稳定的各项工作，带领全市人民齐心协力，共克时艰，应对危机取得明显成效，经济运行呈现回升向好态势，转变发展方式迈出坚实步伐，民生得到持续改善，社会保持和谐稳定。

2009年宁波市实现地区生产总值4214.6亿元，按可比价计算，比上年增长8.6%，按年均汇率折算的人均GDP达10833美元；完成财政一般预算收入966.2亿元，其中地方财政收入432.8亿元，比上年分别增长19.2%和10.9%；市区居民人均可支配收入27368元，比上年增长9.2%；农村居民人均纯收入12641元，比上年增长10.4%；集装箱吞吐量连续两年突破1000万标箱，2009年达1042.3万标箱。2009年宁波第三次入选“最具幸福感城市”，并获得了2009年度唯一的“中国最具幸福感城市金奖”。同时，宁波市所辖余姚市首次被评为首届十大（县级）最具幸福感城市。

宁波市工业系统认真贯彻落实中央、省、市政府宏观调控政策，深入实施工业“两创倍增”计划，加快结构调整步伐，创新服务方式，做到“见事早、行动快、创新强”，全力应对金融危机，主动破解难题，审时度势、砥砺奋进，工业经济在经历年初急速下行到谷底后，呈现出持续企稳向好的可喜发展态势。

2009年宁波市新增就业人员14.2万人，年末社区公益性岗位保持在7657个。年末城镇登记失业率3.16%，继续处于较低水平。全市财政社保补贴、用工补助资金支出4368万元，惠及失业人员1.4万人。组织2.7万名失业人员、8.7万名农村转移劳动力和外来劳动力开展技能培训，培训后就业率在60%以上。共有6.1万名城镇失业人员实现再就业，其中就业困难人员1.9万人。

2009年宁波市第一产业实现增加值183.8亿元，比上年增长4.1%；第二产业2247.8亿元，增长5.4%；第三产业1783.0亿元，增长13.3%。三次产业的比重为4.4:53.3:42.3。

2009年宁波市全社会固定资产投资完成2004.2亿元，比上年增长16.0%。其中全社会基础设施投资完成633.2亿元，增长15.2%。第二产业完成投资776.7亿元，增长2.8%，其中工业投资769.3亿元，增长2.1%；第三产业完成投资1213.1亿元，增长25.6%。房地产开发投资完成374.5亿元，增长21.7%。

2009年宁波市实有私营企业114426家，注册资本1310.8亿元；实有有限责任公司831家，注册资本136.7亿元；新登记个体工商户54436户，资金额28.8亿元。

工业经济

2009年宁波市工业经济运行质量显著提高，具体体现在以下六个方面。

（一）工业生产加速回升

2009年宁波市规模以上工业企业累计完成工业产值8153亿元，全部工业总产值10310亿元（在未扣除价格指数的情况下同比分别下降3.6%和1.6%），超额完成了宁波市政府年初提出的保万亿产值的目标。从工业产值的月度走势看，经历1－2月工业产值指标深度下行达到－24%以后，生产增速逐月回升，9月当月工业总产值实现正增长1.4%；进入四季度后，工业产值增长趋势更加明显。10月、11月和12月当月同比分别实现正增长8.4%、28%

和31%。工业出口也呈现产值相拟的回升曲线，但回升较产值慢，全年规上企业完成出口额2201亿元，在未剔除价格指数的前提下同比下降11.4%（降幅好于同期宁波市外贸出口7.7个百分点），其中11月份起当月实现正增长。

按现有统计方法，全部工业增加值2007亿元，同比增长4.1%，其中规上工业增加值1616亿元，同比增长3.0%.

（二）企业效益大幅提高

全市规上工业企业累计实现利税总额847亿元，同比大增75.2%；利润总额453亿元，同比大增98.9%；利税、利润总额和增幅均超历史最好年份。在15个副省级城市中名列前茅。11项经济效益考核指标综合得分225.3分，比上年同期提高26.7分。企业亏损面为17.2%，好于上年同期水平，比一季度下降21.2个百分点；亏损企业累计亏损额48.3亿元，同比大幅下降63.8%。规上企业中停产关闭企业不到总数的2.5%，比上年还低1个百分点。

（三）创新能力明显增强

全市规上工业企业科技活动经费支出82.6亿元，同比增长9.6%；全市累计专利授权量超过1.58万件，同比增长60.1%，授权量居副省级城市第3位。累计完成新产品产值1257亿元，同比增长1.8%，高于同期生产增速5.4个百分点，新产品产值率达15.4%，创历史新高。新增省级企业技术中心12家，新增国家级企业技术中心1家。

（四）工业投资企稳回升

全市累计完成工业投资769亿元，同比增长2.1%，增速比上半年提高6.1个百分点；限额以上制造业投资622亿元，同比增长6.2%，增速比上半年提高6.5个百分点，均扭转了负增长的势头。属于宁波市优先发展的行业投资实现较快增长，其中包括医药（157%）、化学原料及化学制品（98.5%）、纺织服装（37.3%）和电气机械及器材制造业（12.3%）。

（五）节能任务超额完成

前三季度，全市单位GDP电耗同比下降7.0%，规上工业万元增加值能耗同比下降3.1%，比一季度下降5.6个百分点。四季度随着工业经济的持续回升，工业企业产能继续提升或达产，经济效益继续高位增长。2009年万元工业增加值能耗和万元GDP能耗同比下降率继续向好，万元GDP能耗和万元工业增加值能耗分别下降6%和5%左右，全年将超额完成年度计划。

（六）内销比例不断扩大

企业在外需严重不足的情况下，抓住国家拓市场的政策举措，积极开拓内销市场，全年内外销比例由上一年的70:30变化为73:27，内销比例提高了3个百分点，相当于规上企业新增国内市场销售245亿元。

技术改造

2009年，宁波市以增强企业自主创新能力和提高市场竞争力为核心，加大技术改造投资力度，优化投资结构，加快实施“两创”倍增计划，促进产业结构转型升级。

2009年，全市完成工业技术改造投资769.4亿元，同比增长2.1%；完成限额以上工业投资709.4亿元，同比增长-0.4%；限上技术改造投资418.6亿元，同比增长-8.3%，占限上工业投资的59.0%。

（一）工业投资有回升趋势，但整体增长乏力

2009年全市工业投资增速为2.1%，比全社会投资增速低13.9个百分点，远远落后于基础设施投资（增速为15.2%）和房地产投资（增速为21.7%）。工业投资增速自4月以来呈回升趋势，9月份实现由负转正，到12月达到2.1%（由于基数原因，12月份增速略有下降）。

限上技改投资增速为-8.3%，比工业投资增速低10.4个百分点，比全社会投资增速低24.3个百分点，仍是历史同期的最低点，技改投资增速下滑比工业投资显著。

（二）产业之间冷热不均，多数行业投资低迷

2009年制造业完成限上投资622.2亿元，增长6.2%，比限上工业投资增速高6.6个百分点；电力、燃气及水的生产和供应业完成限上投资86.7亿元，增长-31.5%，回落速度远高于制造业投资。30个制造业二级行业中，工业投资实现正增长的有16个，占53.3%，比三季度时提高13.3个百分点。2009年全市工业投资成绩最亮丽的行业是以镇海炼化大乙烯项目为代表的化学原料及化学制品制造业，完成投资162.3亿元，增长98.5%；受“家电下乡”等政策激励，电气机械及器材制造业完成限上投资78.8亿元，居制造业第二位，增速为12.3%，增长态势良好；出口退税率上调等政策使纺织服装、鞋、帽制造业投资增速达37.3%。受外需下滑影响，通信设备、计算机及其他电子设备完成投资33.4亿元，增长-39.0%；装备制造业也受到较大冲击，金属制品业、通用设备制造业分别完成限上投资20.4亿元、41.5亿元，增长-22.2%、-23.4%。

（三）国有资本投资稳步增加，民间资本投资热情回升

国有控股完成限上投资237.8亿元，增长7.0%，占限上工业投资比重的33.5%；民间资本完成限上投资313.5亿元，同比增长7.3%，比全市限上工业投资增速高7.7个百分点，占限上工业投资比重的44.2%。从企业登记注册类型看，内资企业完成限上投资533.9亿元，增长12.7%；港、澳、台商投资企业完成75.8亿元，增长-18.6%；外商投资企业完成99.4亿元，增长－31.1%，外资的显著下降是宁波市工业投资不足的主要原因。

（四）新开工项目数明显增加，平均投资规模持续缩减

2009年全年限额以上工业在建项目2972个，同比增长5.8%；计划总投资2660.1亿元，增长－2.4%，平均投资规模为8950.5万元/项目。其中新开工项目1869个，同比增长24.6%；计划总投资575.1亿元，新开工项目平均投资规模仅为3077.0万元/项目，大约是在建项目投资规模的1/3。新开工项目数量增加，说明面上企业的投资意愿有所增强，但项目平均投资规模持续缩减，说明企业对投资还是较为谨慎。

（五）资金来源以自筹为主，国家预算内资金、银行贷款、利用外资等大幅回落

2009年完成的限上投资中，企事业单位自筹资金575.5亿元，增长11.2%，比限上工业投资增速高11.6个百分点，占限上工业投资的81.1%。国家预算内资金3.2亿元，增长－12%；国内贷款75.6亿元，增长－25.2%，说明国家大力度的投资刺激计划和宽松的货币政策对宁波市以民营经济为主的实体经济的支持极为有限。受外围经济严重影响，利用外资52.0亿元，增长－36.7%。

（六）县市区间差距拉大，区域不均现象明显

2009年各县（市、区）限上工业投资完成情况如表1所示。镇海、慈溪两地完成限上工业投资超百亿，分别为148.8亿元和114.4亿元，居前两位，且增速均高于全市平均水平；鄞州完成的限上投资居第三位，但增速仅为－13.9%。

2009年宁波市各县（市、区）技术改造与进步指标完成情况

表1

地区	限上投资（亿元）	限上投资增长（%）	新产品产值（亿元）	新产品产值率（%）
宁波市	709.4	－0.4	1256.9	15.4
镇海区	148.8	82.7	827.6	6.6
慈溪市	114.4	4.4	2175.7	21.1
鄞州区	87.5	－13.9	2633.6	19.0
余姚市	67.9	6.6	1880.5	22.7
宁海县	41.5	－16.9	871.0	24.0
北仑区	39.3	－33.7	1408.5	11.7
象山县	34.3	18.3	321.0	9.4
大　榭	31.4	43.5	400.2	15.8
奉化市	25.1	－6.4	735.8	24.4
保税区	14.1	－58.4	233.1	6.0
江北区	12.7	－22.2	576.2	21.6
高新区	7.9	17.9	376.7	35.7
江东区	0.5	－71.1	87.5	3.1
海曙区	0.4	－68.5	41.0	1.4

（七）新产品产值逐年增长，新产品产值率创历史新高

2007—2009年，全市规上企业新产品产值逐年增长。2007年一举突破1000亿元大关，2009年达1256.9亿元，增长1.8%，高于同期工业总产值增速5.4个百分点，产值为历年最高。新产品产值率逐年提高，2009年达15.4%，也创历史新高。但是受产业结构影响，石油提炼、电力生产等临港工业比重较高，宁波市新产品产值率一直低于全省水平，而且进一步提高的压力非常巨大。

（八）抓引导，制定政策体系

一是明确“5＋5”重点产业的发展方向。根据市政府《关于实施工业创业创新倍增计划的若干意见》，以及《转发市经委关于优势产业和新兴产业投资导向目录的通知》《关于加快推进新兴产业和特色优势产业基地建设的实施意见（试行）》《转发市经委关于宁波市工业创业创新示范企业认定和扶持暂行办法的通知》等“倍增”计划系列配套文件，明确发展方向、发展目标和重点任务，提出今后宁波市促进工业发展的主要工作措施。二是以国家出台的装备、轻工、纺织等重大产业调整振兴规划为指导，结合宁波市实际，牵头起草了装备、轻工、纺织、汽车、有色等五大产业的调整振兴三年（2009—2011）行动计划，已由市政府审核发布。三是建立工业设计产业培育和管理体系，起草并由市政府发布了《关于加快工业设计产业发展的若干意见》，编制《宁波市工业设计产业发展规划（2009—2012）》已通过专家论证，正在报送市政府审核发布，为工业设计产业的快速发展建立起完善的产业培育和管理体系。

（九）抓项目，优化投资结构

以工业投资加大增量投入为抓手，以技术改造提高存量效益为重点，实施“千亿投资促倍增、百亿技改促转型”工程。一是编制《宁波市 2009 年“千百亿工程”重点技改项目目录》，其中千万以上新开工项目 262 项、重点在建项目 74 项，固定资产总投资 684.5 亿元。二是积极争取国家新增投资资金支持，宁波市共 24 个项目列入国家重点产业振兴和技术改造项目，获得国家资金支持 1.86 亿元；另有中小企业技术改造项目 29 个，全部通过国家审核，获得国家扶持资金 4000 万元。三是加强技改专项项目建设，先后发布新兴产业升级促调、装备和纺织产业改造提升等专项，共 73 个项目列入，竣工验收 60 个，竣工率达 82.2%；完成固定资产投资 19.5 亿元；项目达产后预计可新增销售收入 130.7 亿元，利润 19.2 亿元，税金 8.5 亿元；项目的产出/投入比为 6.7:1，比上年提高了 1.2 个单位（2008 年为 5.5:1）；合计给予财政补助 9592 万元，其中市级财政补助 5043.3 万元，市级财政财政资金的投资带动率（项目完成固定资产投资/市级财政补助资金）为 39:1，比上年提高 2.6 个单位（2008 年为 36.4:1）；市级财政财政资金的税收带动率（项目竣工后新增税收/市级财政补助资金）为 17:1，比上年提高 5 个单位（2008 年为 12:1）。四是强化项目管理，印发《关于建立重点技改项目联系制的通知》，建立领导联系制，共列入 101 个项目，总投资 214.4 亿元；深入推进“创建服务型机关，促进企业发展”活动，完善项目库建设。

（十）抓基地，提高集群水平

宁波市政府于 2009 年 4 月公布了宁波市第一批新兴产业和特色优势产业基地，共十类 24 个基地入选。围绕基地建设，开展各项工作。一是积极推荐宁波化工区参加国家新型工业化产业示范基地创建活动，最终成功列入首批 62 个国家产业示范基地名单。二是发布《关于宁波市新兴产业和特色优势产业基地报送产业规划和发展信息的通知》，建立信息联系报送制度，确定责任领导和联络员，定期报送基地发展数据和动态信息。三是开展土地调查，明确发展方向和重点，经汇总，近期可用于招商引资的工业用地有 14.5 平方公里、规划可用于工业的土地 67.0 平方公里。四是积极参与对接央企活动，开展产业基地“五个一”调查，选择推介了大型成套设备、船舶、新材料、新能源产业的 8 个基地，活动已于 7 月 8 日在北京成功举行。五是编制产业基地转型升级实施方案，明确编制规划的重要意义，确定编制的基本原则，提出编制程序和要点，目前编制工作基本完成。六是组织召开全市新兴产业和特色优势产业基地建设推进会，毛光烈市长及各地各部门、行业、企业等约 230 人参加，取得良好效果。七是发布《关于印发宁波市级重点工业低产田改造项目扶持管理办法的通知》《关于建立宁波市产业基地建设责任体系开展评价考核工作的通知》等文件，进一步完善产业基地的考核、激励等管理体系。

（十一）抓示范，培育重点企业

根据“突出重点、引导方向；分类指导、整体推进；动态调整、优化完善”的原则，开展综合性示范企业和技术创新、模式创新、创业发展、节能减排、公共技术服务五类专项性示范企业的评定和表彰奖励，着力培育一批在自主创新、节能减排、公共服务等领域绩效显著、引领带动作用明显的示范企业。根据《关于宁波市创业创新示范企业认定和扶持暂行办法的通知》《关于组织申报 2008 年度宁波市创业创新示范企业的通知》等文件，经企业申报、各地推荐，市经委牵头组织相关部门和专家审核、综合评价、公示，市政府于 2009 年 4 月公布表彰了 161 家“两创”示范企业，其中综合示范企业 22 家、技术创新示范企业 76 家、模式创新示范企业 5 家、创业创新示范企业 58 家，合计给予 3880 万财政奖励、其中市级财政 2080 万元。2009 年，161 家“两创”示范企业实现销售收入 915.7 亿元，占全市规上工业的 11.6%；增长 4.3%，比全市高 7.9 个百分点；实现利税 147.8 亿元，增长 2.9%；完成技改投资 38 亿元，增长 25.3%，比全市增速高 33.6 个百分点。

（十二）抓氛围，营造创新环境

一是公布工业新产品试产计划，分三批共列入 1696 个新产品，全部投产后，当年将新增产值 143.1 亿元，利税 19.1 亿元。二是开展重点工业新产品评选，共有 25 个产品获得重点工业新产品称号，其中“最具市场竞争力新产品”11 个，“最佳自主创新新产品”14 个，同时编制了《新产品、新市场——宁波市重点工业新产品汇编》，宣传推介重点新产品。三是发布《关于组织申报 2009 年度宁波市先进装备制造业重点领域首台（套）产品的通知》，开展首台套产品的申报认定，申报评审工作基本结束。四是开展 2008 年度装备重点企业考核评价，共 18 家重点企业获得表彰奖励。五是成功举办“浙江省工业转型升级系列报告会——新材料产业专题”，中国科学院及业内专家、省市政府和有关部门领导、省重点培育发展新材料行业龙头企业、省市相关行业协会等单位共350余人参加，取得良好效果。六是开展送政策下乡活动，分鄞州、北仑、宁海、余姚四个片区，对倍增计划和产业基地、示范企业等政策进行解读，共有相关部门和重点企业负责人约1000余人次参加，场场爆满，反响热烈。

固定资产投资

2009年宁波市完成全社会固定资产投资2004.2亿元，比上年增长16.0%。其中全社会基础设施投资完成633.2亿元，增长15.2%。第二产业完成投资776.7亿元，增长2.8%，其中工业投资769.3亿元，增长2.1%；第三产业完成投资1213.1亿元，增长25.6%。房地产开发投资完成374.5亿元，增长21.7%。商品房销售面积815.2万平方米增长81.8%，其中住宅销售面积652.0万平方米，增长82.6%；空置面积144.4万平方米，下降6.3%，

2009年宁波市改建人行道路面2.0万平方米，整修路面6.9万平方米%以上。增补兴宁路等21条路段照明灯具和彩虹南路等13个路口路灯，整修灵桥小区等23个小区照明设施，亮灯率98%以上。新建垃圾中转站10座，改建14座；新建公厕35座，改建51座。完成24条内河整治任务，中心城区内河保洁完好率、绿化达标率、设施完好率均达到96%以上。全年市区新建公交首末站11个，基本完成宁波市首个室内停车候车始发站—段塘公交停车场（始发站）建设，新增场站面积4万多平方米，新建公交候车亭100余个，完成宁波市首个天然气公交（永安）加气站主体工程。新辟公交线路16条，优化调整线路54条，新购公交车辆411辆。顺利完成“春运”、“清运”保障工作，其中“春运”运送乘客3649万余人次，出车8.3万余辆次，比上年分别增长4.2%和9.8%；“清运”投放公交车1867辆次，开通公交扫墓专线13条，运送乘客19.1万人次，比上年增长7.3%。东钱湖水厂二期、毛家坪水厂一期相继建成投产，新增供水能力50万吨/日，中心城区制水能力达到162万吨/日，道路完好率达90%。

中小企业

（一）克服中小企业融资难问题，推进信用担保机构发展

2009年国家实施适度宽松的货币政策，但融资难仍然是制约中小企业发展的重大瓶颈。为此，围绕不断增强担保机构资本实力和服务能力，实行管理规范和扶持引导两手抓，推进信用担保机构加快提高整体实力，强化服务意识，优化服务方式，扩大社会效益，努力促进危机之年的全市中小企业平稳发展。

一是以实施备案登记制度为抓手，加强管理，壮大担保机构整体实力。至2009年底，备案登记的担保机构达到40家，注册资本为19.32亿元，比上年末增长19.4%。其中：注册资本在1亿元以上的4家，比上年增加3家；注册资本超过5000万元的25家，新增8家。备案登记管理制度的实施，促进了全市担保机构实力快速增强，并在规范担保机构运行方面发挥了重要作用。

二是进一步营造政府资本和民营资本共同参与信用担保事业的良好格局。2009年，县（市）区发展信用担保事业的积极性进一步提高，政府资本投入到担保机构的股本增加1.36亿元，增长73.9%。由国有资本控股的担保机构进一步强化创新，在应对危机之年发挥了突出作用。象山县中小企业信用担保中心年末在保责任余额为9.2亿元，注册资本担保放大倍数达到7.8倍。宁海县担保中心年末在保责任余额为6.2亿元，放大倍数为5.9倍。与此同时，民营担保机构继续得到较快发展。

三是积极举办担保机构特别服务日活动。6月16日、8月5日，分别在宁海、鄞州举行了南三县和市区中小企业信用担保机构特别服务日活动。南三县和市区的23家担保机构、56家银行支行单位、360多家企业共600多人参加了活动。活动日现场签订贷款担保合同1.49亿元，签订意向性贷款担保合同9715万元。各担保机构对签订合同的担保贷款项目减半收取担保费，对签订意向性合同的项目，按现行标准80%收取担保费，同时还对参加活动并在一年内签订贷款担保合同的企业，同意给予其中一笔500万元以内的担保贷款，也按现行标准的80%收取担保费。据统计，仅现场签订合同的担保贷款，担保公司就让利160多万元。

四是加强资金扶持，增强担保机构风险控制能力。2009年，宁波市政府加大了对担保机构的扶持，安排担保机构风险补偿资金2500万元。经过严格审计，全市一批符合条件的担保机构及时得到了风险补偿资金。

（二）加强企业人才培训，提升中小企业管理素质

2009年，通过创业辅导培训和EMBA研修班两种形式，推进中小企业人才培训工作。

一是举办小企业创业辅导短期培训班。注重实用性，围绕“更加专业化、技术化”，着眼于“提高创业成功率”，坚持“无共性需求不设班、无稳定生源不设班”原则，科学把握企业培训需求，紧密结合市和县（市）区经济工作重点，合理设置培训课程，优化培训方案，通过公开招标，继续为企业开展每期2~4天的小企业创业辅导免费培训。全年共开设25个课程28期培训班，培训人员3000多人次，课程涉

及危机管理、财务管理、精益生产、知识产权保护、电机设计等多个领域。自2005年以来，已累计举办包括模具设计制造、生产现场管理、危机管理、财务总监、产品创新与研发等80多个专业的创业辅导短期免费培训班130余期，为8000多家中小企业培训人才1.8万多人次。

二是开展全市成长型中小企业领导高级工商管理EMBA班研修学习。与浙江大学合作开办第八期成长型中小企业EMBA班，培训企业老总56人；完全面向成长型中小企业总经理（董事长）的浙大第九期EMBA班。宁波市已与浙江大学、复旦大学、宁波大学、浙江万里学院开办成长型中小企业EMBA班12期，参加学员600余人，其中前8期学员440多人已顺利结业。

三是完成工信部下达的银河工程培训任务。根据国家工信部中小企业司确定的培训项目，圆满完成了2期国家银河工程培训任务，培训企业人才300人次。

（三）推进公共服务平台和创业基地建设，营造中小企业创业创新发展的良好环境

强化政策引导，着力发挥财政扶持资金的牵引作用，推动各地和相关部门、企业，加强公共技术服务平台和小企业创业基地建设。

一是做好2008年度项目的申报、审核工作。下发《关于申报2008年度宁波市中小企业公共服务平台和小企业创业基地补助项目的通知》，审核通过了24个公共技术服务平台、小企业创业基地，下发扶持资金569.5万元。

二是依托产业集群，积极培育一批新的公共技术服务平台和小企业创业基地。制定文件，推动各地挖掘一批运作比较规范、收费比较合理、服务效率较高的公共技术服务平台和小企业创业基地。在企业申报、县（市）区经发（发改、科工）局核实基础上，经实地考察和专家评审，2009年新认定市级中小企业公共技术服务平台3家、小企业创业基地6家。

三是加强学习培训，努力提升建设水平。全市已认定中小企业公共技术服务平台23家，其中检测类13家、加工类4家、研发类4家、市场拓展和信息服务类各1家；注册资金达到10643万元，工作场地5.72万平方米，从业人员669人。到2009年末，已认定的小企业创业基地33家，建造标准厂房532.9万平方米，利用闲置厂房43.9万平方米，共入驻小企业4257家，从业人员达到21.1万人，创业成功率在90%以上。

（四）全力争取国家扶持资金，积极帮助中小企业开拓市场

为应对国际金融危机的挑战，国家进一步加大对企业的扶持力度，中小企业发展扶持资金大幅增加。全年有44个项目获得国家资金补助4768万元，增长220%，是历年来获得国家中小企业发展专项资金资助金额最多的一年。其中：23个信用担保机构获得风险补偿资金2930万元，12家中小企业争取到技术改造扶持资金1230万元，5个公共技术服务平台获得扶持资金570万元，4个培训项目和服务体系建设项目共获得补助资金38万元。

为帮助中小企业积极拓展市场，在鄞州、江北、北仑等县（市）区经发（发改）局的积极配合下，精心组织凹凸重工、耀发数控机床等17家企业，以“宁波制造”为牌子，参加于9月22—25日在广州举行的第六届中国国际中小企业博览会，落实展位30个。参展期间，宁波市企业共接待国内外客商500多人次，达成合作意向7000余万元。9月22日晚，中央电视台在新闻频道专题节目中展现了宁波市参展企业的良好形象。由于组织工作出色，宁波市经信委获得了中博会组委会颁发的“优秀组织奖”。

民营经济

2009年，面对经济环境中不确定因素影响，宁波市的民营经济（个体私营企业）为顺应复杂多变的经济环境，增强忧患意识，坚定信心，以“变”应变，走出了一条逆势发展之路。全市个私企业发展保持总量平稳增加，新开业增势明显见好，行业结构转型趋好，规模型企业增多，资本投入增大，企业发展呈现良好的态势。

2009年，宁波市有私营企业（含分支机构）11.44万户，投资者22.27万人，雇工142.25万人，注册资本2021.86亿元，分别同比增长了8.49%、9.77%（2.68%）、9.33%（-4.24%）、23.27%（15.27%）。个体工商户27.46万户、从业人员56.13万人、资金数额115.64亿元，同比分别增长3.97%、4.83%、11.76%。

（一）个体总量突破新高，新开业明显增加

个体工商业受新开业增势强有力的影响，总量从2008年创下26万户以来，2009年又突破27.46万户，再创历史新高。总户数的增幅也由上年的2.64%上升到3.97%，同比上升1.33个百分点。个体从业人员56.13万人，同比增长4.83%。

从总量上看，镇海区成为增长最快的地区，增幅为23.45%。高新园区、奉化市、江北区增幅也较喜人，同比分别增长为22.65%、15.40%、14.43%，2009年度有5个地区保持1%～9%的低增幅。同时也有6个地区呈现不同下降走势，其中大榭和保税区成为下降较大的区域，同比分别负增长高达55%和32.65%。

2009年有5.44万户个体工商户新开业，户数比2008年同期增长10.18%，上升了2.22个百分点。新增个体工商业户数主要是受奉化市和江北区高增幅的拉动，二地分别同比增长了 96.51% 和 66.91%；高新园区、鄞州区也是2009年户增的主导力量，分比同期增幅为24.5%和18.50%；2009年度还有6个地区增幅在1%～8%之间。但是，新开业中也有7个地区表现出不同程度的下降，降幅最大为保税区、直属所和大榭开发区，同比下降为 80.81%、71.74%和24.80%。

（二）私营企业户数再创新高，新开业增幅明显上升

全市的私营企业总户数突破11万户，又创历史新高，但全增幅仅有8.49%，同比下降了1.84个百分点。从各地总量增幅走势看，私营企业现有户数（含分支机构）显示，全市各地区均呈上升趋势，总量增势最好的地区是大榭开发区同比增长57%，江东、海曙、江北、高新园四个地区增幅保持了30%～39%，还有6个地区增幅在5%～9%之间，进而改变了上年的下降格局，形成了本年增长的新格局。

2009年，宁波市新开业明显见好，新开了1.93万户，投资者3.68万人，同比分别增长25.47%和23.29%，比同期上升了29.6个百分点和37.9个百分点。全年除市本局登记的以及保税区呈负增长外，高新园区、慈溪出口加工区增幅分别达117.75%和91.83%，增幅在40%～50%之间的有慈溪、北仑、大榭三个地区，增幅在20%～37%之间有7个地区。企业发展逆势运行，逐渐走出世界金融危机的包围。

以公司制企业为主导地位依然明晰，私营公司总量较上年有较大的递增。截至2009年底，全市累计私营有限公司突破7万户大关，上升到7.69万户，注册资本增加到1819.75亿元，分别比上年同期增长12.85%和25.35%，同比分别上升了5.47个百分点和9.08个百分点。

（三）产业结构逐渐得到优化，第三产业成为发展主流

1. 以第三产业发展为主导的产业结构占比稳步增大。2009年，宁波市的个体工商业三产分布比重排列为：0.87%、20.60%、78.53%。私营企业三大产业布局的比重分别为0.96%、53.41%、45.63%。

从产业结构调整来看，个体工商业一产较上年回落0.03个百分点，二产下降0.4个百分点，三产仅降0.37个百分点。私营企业的一产同比继续走低0.04个百分点，二产下降3.36个百分点，三产扩增了3.4个百分点

形成全年个体工商业、私营企业三大产业比重调整格局，表现为第一、二产业缩减。主要原因有：国际势力对中国出口商品所采取的贸易壁垒加重，使宁波市的企业在国际市场上占有率有较大的减少；生产企业所需支付的生产要素类支出的增加，很大程度上影响着大量的制造企业的生存。当前大多数企业生产盈利仍未出现根本好转、关闭时有发生。

第三产业增长加快的原因：一是主要表现在宁波市为顺应国家产业结构调整和升级的要求，在加强了区域功能转型中对服务业发展高度重视，不但积极制定服务业发展的宏伟规划，各地主动招商选资，着力培育符合各区域发展特点的服务行业，尤其是对现代服务业的引进步伐加大。二是以依托宁波市的港口优势，集装箱吞吐量的增加，运输、仓储及相关货运代理、物流业继续发展，江北、镇海、北仑、保税等地现代物流园区的形成，为全年私营及个体交通运输仓储业创造了发展的空间。

2. 竞争领域扩大，新型行业成为投资热点。

按行业分，主导行业稳步增长。个体工商业总量较多，排前三位仍是批发零售业、制造业、居民服务和其他服务业。这3个行业的个体户数上升到23.32万户，占总户数的84.92%，比上年上升1.17个百分点。其中，批发和零售业以56.62%，增长0.85个百分点主导半壁江山。个体新型行业总量增幅较好有：房地产业同比增长61.21%，增长30.32个百分点，建筑业虽则回落了5.27个百分点，但增幅仍在前列16.01%

私营企业前三名排列的行业分别是制造业、批发零售业、租赁和商务服务业合计9.53万户，同比上升0.65个百分点，其中，私营企业制造业仍以5.67万户的数量位于前列。私营企业新型行业总量增幅较好的是科学研究技术服务和地质勘查业，房地产业、文化体育和娱乐业、租赁和商务服务业、信息传输计算机服务和软件业，同比分别增长为63.26%、20.64%、16.07%、15.29%、14.65%、

新设个体工商业以制造业、批发零售业、居民服务业和其他服务业三大行业为代表，2009年仍以其绝对数量占据重要位置，分别同比增幅为21.20%、4.59%、17.61%。2009年新开批发零售业因基数较大的原因，同比下降了14.18个百分点，达到3.17万户。

新设私营企业排除基数较低的行业，以及金融业和其他行业负增长外，2009年各个行业均呈现上升走向。新型行业表现为以科学研究技术服务和地质勘查业，房地产、住宿餐饮业、信息传输计算机服务和软件业同比分别增长108.71%、89.72%、66%、56.60%。建筑、交通、电力、租赁商务增幅均在20%～35%之间。如慈溪出口加工区新设19户科技类企业中，有9户从事光电技术研发，5户从事电子或电器技术研发，3户从事新材料或新能源技术研发，2户从事网络技术或工程技术研发。

分析新型行业发展中，以房地产业、建筑业、科学研究技术服务和地质勘查业、文化体育和娱乐业等为代表的增势较好，主要源于国家在金融危机下所采取的一系宏观经济措施的出台，如对基础建设的投入增大，拉动本国内需的需要，低碳经济发展的需要下

发展高科技企业等一系列举措，带动和运生一批与其相关产业链的企业发展，促使这些行业户数增长。

（四）规模型企业不断壮大，整体竞争力明显提升

1. 注册资本总额增幅十分明显。2009年，宁波市私营企业注册资本（金）总量达2021.86亿，净增381.67亿，净增额接近上年的2倍，同比增长23.27%，上升8个百分点。其中新设企业注入资金264.97亿元，同比增长39.48%。私营企业总量户均注册资本（金）为176.74，万元/户，个体工商业户均资金4.21万元/户，户均较上年同期分别长7.88万元和0.29万元。

2. 实力型企业数增多，同比呈上升趋势。注册资本500万～1000万元的私营企业4022户，同比增长12.47%，1000万～1亿元的企业4063户，同比增长16.09%，亿元以上的企业148户，同比增长45.10%，期末实有私营企业集团191户，同比增加11户，股份有限公司518户，同比增长120.43%。在评定2008年度省百强企业中宁波市有14家企业入选。

3. 科技创新，绿色产业发展趋于向好。随着创新型城市建设步伐的加快，“品牌、标准、知识产权”三大战略方针大力实施，科技进步对宁波市的经济发展支撑引领作用日益明显。2009年，个私企业累计行政认定的驰名商标12件，省著名商标264件。2009年科技创新主要表现在：研发节能产品，抢抓绿色产业商机上的企业在增长。如北仑区在生产太阳能发电、风能发电、太阳能空调、太阳能路灯、等新型节能型产品以及配套产品的企业，瞄准了节能环保为主的“绿色产业”中蕴藏的巨大商机。

4. 奋力拼搏，积极开拓国内外市场。面对席卷全球的金融危机，宁波市的私营企业力求突破，改变经营思路，奋力拼搏不断开拓国际国内市场。如浙江万联药业有限公司，除保健品出口，西药出口也在紧锣密鼓进行中。该公司已在尼日利亚注册了两个药品的进口许可证，主要是解热镇痛类的西药，这类药品在当地市场需求量很大。宁波开发区的爱乐宝婴儿用品有限公司主要生产系列高档婴儿用品，2009年上半年先后在22个省、市设立了近2000个销售网点。同时，根据国内市场的不同特点，仅上半年就先后研发出140多种产品投放市场。

（五）注（吊）销势头得到缓解，商贸和制造业占比较高

受国际金融、企业综合运营成本上升等国际经济综合因素等的影响，不少企业纷纷注销，由此出现了注（吊）销户数高幅增长的现象，2009年得到有效缓解。

2009年，全市个体工商户的注（吊）销户分别为2.85万户和1.55万户，注（吊）销户数同比增幅分别为13.2%和－10.15%。私营企业注销为5293户，增幅从上年的53.98%降至3.26%。吊销达到6252户，增幅从上年的113.88%降至－5.93%。2009年个体工商业的注销行业来看，仍然普集在制造、批发零售、居民服务、住宿餐饮业，同比分别占总注销数的14.7%4、57.94%、9.5%、5.7%。

私企注销行业依次排列为批零业、制造业、租赁商服业、分别占注销注销数的37.04%，33.93%，9.94%，私企注销中有40.41亿元的注册资本（金）退出市场，私企注销户数和资本退出均呈下降走势。

（六）为社会排难减压，贡献和效益增大

个体私营企业继续提供大量的就业岗位。全年个体工商业安置下岗职工再就业2620人，其中持《再就业优惠证》申办个体工商户1219人，落实国家和地方再就业政策免收工商管理行政性收费22.39万元。私营企业安置下岗失业职工4576，其中有1086人登记为私营企业。2009年有2970名高校毕业生从事个私营经济，免收工商管理行政收费11.48万元。

（七）持续开展无照经营取缔活动，整治工作成果明显

2009年，宁波市认真贯彻省局对查处取缔无照工作部署，紧密结当地的实际，充分运用“黑网吧”专项整治、借助开展对电子游戏机、网吧的专项整治、亮照经营示范街（区）的创建、无照茶水锅炉、无证照采矿沙、十小行业、无证无照机动车修理业的专项治理，积极查处。同时借助多种力量、疏堵结合，力求维护经济发展的新环境和新秩序。

1. 无照经营查处取缔立案数较上年下降。全年共查处8246件，同比下降23.78%。案件总值9823.59万元，同期减少68.85%。，没收金额260.91万元，罚款金额万756.97万元。取缔清理无照经营20206户，其中补办14755户，取缔5451户。

2. 立案查处违法主体中，主要以个体工商户和其他类名义从事经营经营活动，违法类型多属应当取得而未依法取得行政许可和营业执照占56.33%，同比增加2.36个百分点。如制造业、住宿餐饮业占了绝对数量无。需取得营业行政许可而未办理营业执照同比下降了27.66%个百分点。

3. 一般违法案件数比重略有上升。全年按违法程度分，一般违法经营行为占99.33%，案值达9759万元，占总案值的99.35%。

拓展市场

（一）打造四大平台，成功举办第13届宁波国际服装服饰博览会

2009年10月20日—23日，第13届宁波国际服装服饰博览会以“创新、提升、融合、发展”为主题，围绕保增长拓市场的要求，着力打造市场拓展、产业振兴、区域合作和品牌展示四大平台，取得了显著成效。四天的展会共吸引了全球56个国家和地区，全国28个省（市）、自治区9660余名境内外采购商和专业客商到会采购、洽谈。本届宁波服博会共达成成交意向116个，意向金额达5.2亿元，有意加盟、代理宁波市服装品牌的客户有125个。11月底在克罗地亚，宁波服博会获得有展览业WTO之称的国际展览业协会（UFI）认证，成为浙江省第一个获UFI认证的本土会展项目、华东地区第一个获UFI认证的服装类会展项目，也成为世界会展业的“国际驰名商标”。

（二）维护产业安全，构建产业损害预警机制

一是进一步提高产业安全数据库报送率。加大做好产业安全数据库监测样本企业的数据直报工作力度，指导镇海、北仑等地开展数据库企业直报人员培训工作，进一步提高数据报送率。每月有320余家企业能够按时准确报送数据，数据报送率达95%，在全国30余个省、市中名列前茅，为国家有关部门进行行业分析、产业预警、制定产业政策提供原始数据资料。

二是积极参与配合贸易救济工作。积极配合商务部参与各类企业、协会发起的贸易救济工作。作为调查组成员之一参与对欧碳钢紧固件反倾销案的立案、调查和取证等工作，配合商务部对苯二甲酸反倾销案调查组、锦纶6切片反倾销案调查组对宁波市企业的核查工作。2009年10月19日，商务部第80号公告初步裁定调查期内原产于美国、欧盟、俄罗斯和台湾地区的进口锦纶6切片存在倾销，决定对该产品采取保证金形式的临时反倾销措施，比率从4%到36.2%不等。2009年12月23日，商务部第115号公告初裁认定原产于欧盟的进口碳钢紧固件存在倾销，决定对该产品采取保证金形式的临时反倾销措施，比率从16.8%到24.6%不等。通过贸易救济手段的实施，维护了国内产业的合法权益，稳定了企业的国内市场份额。

三是进一步完善工作机制。各县（市）、区有关单位指定专人负责此项工作，形成较为完善的工作体系。与产业安全数据库扩容工程监测企业建立起常态联系机制，慈溪、余姚、奉化、镇海、鄞州等地定期召开数据报送员工作会议，并根据《宁波市产业损害预警机制建设实施意见》制定考核标准，使产业安全数据库监测企业能够及时、准确地上报数据。建立起较为畅通的信息报送渠道，以《宁波产业安全信息简报》、市经委网站等为载体，及时发布宁波市维护产业安全工作动态、预警信息、预警报告等，并编发有针对性的信息上报商务部产业损害调查局、省经信委和宁波市政府，为政府有关部门提供有效讯息和决策依据。

（三）积极宣传推介，帮助工业企业拓展市场

及时向各县（市）、区经发局（发改局、科工局）传达市政府托市场保增长等有关文件及市领导讲话精神，并赴沁园、大丰等企业开展相关调研活动，征集企业拓市场亮点和主要做法形成调研报告，并向市政府推荐拓市场典型企业。组织企业参加宁波周等系列活动，帮助其走出去开展产品展销、产业对接、招商引资等多层次合作。同时，精心编印了获浙江省著名商标以上（含中国名牌、中国驰名商标）的320个宁波产品目录，在相关活动中进行广泛宣传和推介。

为企业参加其他各类相关经贸活动提供组织保障和便利，帮助企业寻觅商机，开拓国内外市场。组织宁波市雅戈尔、维科、一休、爱伊美、开兹以及中国羊绒衫网等企业组成宁波展团参加在银川举行的首届中国西部（银川）服装服饰艺术节的重要经贸活动——服装服饰大型展销会，在银川当地引起了巨大反响和轰动。

（四）组织产业对接，广泛参与“宁波周”工作

2009年4月中旬赴韩国、日本参加2009年（东北亚）·宁波周活动，针对宁波市服博会、能源展、汽车零部件展进行招展招商工作。期间拜访了韩国首尔服装协会和日本静冈县政府产业部商工业局，介绍宁波市产业发展和有关展会情况，并提出合作设想。5月下旬在“南昌·宁波周”活动期间，举办“南昌·宁波产业对接洽谈会”，组织汽车零部件和纺织服装两个产业近50家企业进行对接洽谈。宁波市四家汽配企业已从江铃汽车获得约1000万元的订单。9月初在“重庆.宁波周”活动期间，举办“重庆·宁波产业对接洽谈会”，组织汽车零部件和模具行业的近60家企业进行对接洽谈。通过组织企业洽谈、市场考察等活动，进一步引导企业“走出去”扩大发展空间，拓展国内市场，推动两地产业合作和交流，达到优势互补、合作共赢的目的。

2009年7月，在香港成功举办2009甬港经济合作论坛的首场活动——宁波服装产业暨宁波服博会推介会，借助香港的国际影响力和区位优势，推动宁波服装产业走向世界，并加速甬港两地在服装产业方面的合作和交流，进一步发展和壮大宁波服装产业。

商品流通

2009年宁波市实现社会消费品零售总额1434.4亿元，比上年增长15.9%，扣除价格因素实际增长17.3%，实际增速比上年提高5.6个百分点。其中农村消费市场完成414.3亿元，增长11.8%。批发业零售额71.1亿元，增长7.6%；零售业零售额1206.6亿元，增长16.8%；住宿和餐饮业零售额156.4亿元，增长12.8%。在限额以上批发和零售业零售额中，汽车类增长31.2%，金银珠宝类增长6.4%，粮油类增长5.2%，肉禽蛋类增长6.9%，服装类增长

9.0%，中西药品类增长 12.7%，化妆品类增长 10.6%。

2009 年宁波市实现旅游总收入 530.5 亿元，比上年增长 17.8%。接待入境旅游者 80.1 万人次，增长 5.7%；入境旅游外汇收入 4.9 亿美元，增长 3.8%。接待国内游客 3962 万人次，增长 14.3%；国内旅游收入 497.3 亿元，增长 19.6%。

2009 年宁波市举办各类会展活动 367 个，比上年增长 33.0%。其中，举办展览 178 个，增长 30.9%，展览总面积达 180 万平方米，增长 29.0%；举办会议（论坛）105 个，增长 36.0%；举办节庆活动 84 个，增长 33.0%。

2009 年宁波市实际引进内资 208.5 亿元，引进重点机构 186 个，引进优质项目 103 个；新增山海协作项目 99 个，实际到位资金 12 亿元；完成与衢州资源与产业合作项目实际到位投资额 46.2 亿元；完成接轨上海参与长三角合作项目 65 个，总投资 43 亿元；完成与中西部、东北等地区合作项目 100 多个，总投资 400 多亿元。成功举办“2009 南昌·宁波周”活动，签订合作项目 40 个，投资总额 48.8 亿元；成功举办“2009 重庆·宁波周”活动，签订合作项目 49 个，协议总金额 140.0 亿元，为历届“宁波周”活动之最。组织企业参加了第 13 届“西洽会”、第 19 届“哈洽会”、第 10 届“西博会”和第 15 届“郑交会”等国内重要展会，大力帮助企业拓展国内市场。

外经外贸

2009 年宁波市实现外贸自营进出口总额 608.1 亿美元，比上年下降 10.4%，比一季度、上半年和前三季度分别回升 13.4、11.9、7.4 个百分点。其中出口 386.5 亿美元，比上年下降 16.6%，比一季度、上半年和前三季度分别回升 4.5、6.4、4.7 个百分点；进口 221.6 亿美元，比上年增长 3.1%，比一季度、上半年和前三季度分别回升 32.0、24.3、14.0 个百分点。实现口岸进出口总额 1169.2 亿美元，比上年下降 16.7%。新增外贸经营备案登记企业 2216 家，累计达 12927 家。机电产品和高新技术产品出口分别下降 21.7% 和 30.1%；进口产品中机电产品和高新技术产品分别下降 18.2% 和 15.0%。加工贸易进出口额为 139.7 亿美元，下降 23.5%；一般贸易进出口额 442.1 亿美元，下降 4.7%。

2009 年宁波市合同利用外资 34.2 亿美元，比上年下降 17.0%，实际利用外资 22.1 亿美元，下降 13.1%。其中第三产业新批项目 193 个，实到外资 6.1 亿美元，增长 13.0%；房地产业实际利用外资 2.7 亿美元，增长 13.0%。

2009 年宁波市完成对外承包劳务合作营业额 8.8 亿美元，增长 17.5%，其中境外工程承包营业额 8.4 亿美元，增长 17.8%。新批境外投资企业和机构 177 家，项目总投资额 4.5 亿美元，其中中方投资 4.1 亿美元，增长 31.1%。

2009 年宁波市完成服务外包总额 42.0 亿元，比上年增长 34.7%；其中离岸业务 1.3 亿美元，增长 31.4%。服务外包企业达 394 家，从业人员 1.7 万人。

节能减排

2009 年，面对国际金融危机对实体经济的冲击，宁波市的节能降耗工作，围绕“保增长、抓转型、促稳定”这一主线，积极贯彻落实国家、省、市有关节能降耗工作意见和部署，取得了显著的成效。

一是全市万元 GDP 能耗稳定向好。全市万元 GDP 能耗一季度同比下降 5%、二季度同比下降 5.2%、三季度同比下降 5.8%，全年可下降 5.5% 以上。

二是规上工业增加值能耗快速好转。全市规上工业增加值能耗一季度同比上升 2.5%、二季度同比下降 0.5%、三季度同比下降 3.1%，全年可下降 4.5% 左右。

三是重点用能企业能耗有所下降。1—9 月，列入责任书计划的 155 家重点工业用能企业，完成工业总产值（现价）2070.4 亿元，同比下降 18.2%，能源消耗总量（等价）832 万吨，同比下降 4.8%。如扣除 PPI 因素，万元产值能耗同比实现下降。

四是全社会用电逐步回升。从下半年起，单月用电实现了正增长，2009 年全市全社会用电量 411.6 亿千瓦时，同比增长 4.45%，其中第二产业用电同比增长 3.03%，第三产业用电同比增长 11.32%。

（撰稿：董其岳）

安徽省

综　述

2009 年，是新世纪以来安徽省经济社会发展面临挑战最为严峻的一年，也是全省发展成就振奋人心的一年。面对国际金融危机冲击和国内复杂经济形势，安徽省认真贯彻“扩内需保增长”各项政策措施，积极应对国际金融危机，全力以赴保增长、保民生、保稳定，总体经济企稳早、回升快，继续保持两位数以上的增长，GDP 历史性突破万亿元大关，实现了经济持续平稳较快发展。

1. GDP 总量突破万亿元。初步核算，2009 年，安徽省共实现 GDP 10052.9 亿元，成为第 14 个“万亿大省”。按可比价格计算，比上年增长 12.9%，增幅比上年提高 0.2 个百分点，比全国高 4.2 个百分点。按常住人口计算，全省人均 GDP 为 16391 元，比上年增加 1944 元；按人民币年平均汇率计算，折合 2400 美元，比上年增加 320 美元。

分三次产业看，第一产业增加值 1495.6 亿元，增长 5%，比上年回落 1.2 个百分点；第二产业增加值 4902.8 亿元，增长 16.8%，比上年提高 0.4 个百分点。其中，工业增加值 4064.2 亿元，增长 17.4%，比上年回落 0.9 个百分点。第三产业增加值 3654.5 亿元，增长 11.1%，比上年提高 0.1 个百分点。

2. 企稳回升态势进一步巩固。受国际金融危机影响，安徽省 GDP 增幅自 2008 年下半年开始逐季回落，由上半年的 14.2%，回落到前三季度的 13.4%，再进一步回落到全年的 12.7%；2009 年一季度到达本轮经济周期谷底，GDP 增长 11.6%，上半年和前三季度增幅逐步回升到 11.8% 和 12.9%。这一运行轨迹表明安徽省经济已度过受国际金融危机影响最困难的时期，企稳回升的势头进一步巩固。

3. 第二产业比重上升。由于第二产业尤其是工业增加值增长速度大大快于第一产业和第三产业，三次产业结构发生了较大变化，与依据第二次普查资料修订后的 2008 年相比，第一产业和第三产业比重下降，第二产业比重上升。2009 年，第一产业增加值占 GDP 比重为 14.9%，比上年回落 1.1 个百分点；第二产业比重为 48.8%，上升 1.3 个百分点。其中，工业比重为 40.4%，上升 0.8 个百分点。第三产业比重 36.3%，回落 0.2 个百分点。

4. 服务业平稳发展。2009 年，全省服务业增加值 3654.5 亿元，增长 11.1%，增幅比上年提高 0.1 个百分点。与上年相比，六大服务业行业增幅“三升三降”。三个增幅上升的行业分别是：批发和零售业增加值 710.8 亿元，增长 15.3%，比上年提高 1.8 个百分点；金融业增加值 378.8 亿元，增长 12.7%，比上年提高 2.2 个百分点；房地产业增加值 494.3 亿元，增长 10.4%，比上年提高 6 个百分点。三个增幅回落的行业分别是：交通运输仓储邮政业增加值 466.2 亿元，同比增长 5.1%，增幅比上年回落 5.4 个百分点；住宿和餐饮业增加值 169.6 亿元，增长 14.9%，比上年回落 0.2 个百分点；其他服务业增加值 1434.8 亿元，增长 10.7%，比上年回落 0.5 个百分点（见表 1）。

2009 年安徽省服务业增长情况

表 1

行业	增加值（亿元）		增幅（%）		
	2009 年	2008 年	2009 年	2008 年	变化百分点
服务业	3654.5	3234.6	11.1	11	0.1
交通运输、仓储和邮政业	466.2	443.8	5.1	10.5	-5.4
批发和零售业	710.8	611.2	15.3	13.5	1.8
住宿和餐饮业	169.6	144.4	14.9	15.1	-0.2
金融业	378.8	313.8	12.7	10.5	2.2
房地产业	494.3	431.3	10.4	4.4	6
其他服务业	1434.8	1290.3	10.7	11.2	-0.5

注：2008 年数据根据第二次经济普查结果进行了修订。

5. 经济运行质量明显改善。全年规模以上工业企业共实现利润 514.9 亿元，增幅达 50.1%。年末，全省规模以上工业企业亏损面为 15.7%，同比下降 5.8 个百分点；亏损企业亏损额 57.1 亿元，下降 35.2%。企业效益的改善带来了财政收入的大幅增加，全年财政收入相当于 GDP 的比例保持升势，达 15.4%，比上年提高 0.4 个百分点。其中，地方财政收入相当于 GDP 的比例由上年的 8.2% 提升到 8.6%。

工业经济

（一）工业快速发展

2009 年，城市带九市（注：以下数据均不包括六安两个县区）规模以上工业实现增加值 2602.6 亿元，比上年增长 23.5%，增速高于全省 0.9 个百分点。与全省相比，九市中七个市增速高于全省平均水平，其中池州、合肥和宣城高出全省 4 个百分点以上，芜湖和安庆高出 3.8 个和 2.7 个百分点，仅马鞍山和铜陵两个受金融危机影响较为严重的市低于全省。从增长贡献上看，2009 年皖江城市带对全省规模以上工业的增长贡献率达到 70.9%，拉动全省规模以上工业增幅 16 个百分点。

（二）经济效益显著提高

2009 年，九市实现工业主营业务收入 8409.6 亿元，比上年增长 14.1%。实现利税 695.1 亿元，增长 36.7%，增幅高于全省 5.6 个百分点，其中利润 347.8 亿元，增长 64.8%，增幅高于全省 14.7 个百分点。工业亏损企业亏损额 40.4 亿元，下降 42.5%，降幅高于全省 7.3 个百分点。工业经济效益综合指数 237.1，比全省高 15 个点。

2009 年安徽省及皖江城市带规模以上工业主要经济指标

表 2

地区	工业增加值		主营业务收入		利润总额		利税总额	
	全年累计（亿元）	比上年增长（%）	全年累计（亿元）	比上年增长（%）	全年累计（亿元）	比上年增长（%）	全年累计（亿元）	比上年增长（%）
全　省	3987.9	22.6	12203.6	16.8	514.9	50.1	1094.4	31.1
其中：皖江城市带	2602.6	23.5	8409.6	14.1	347.8	64.8	695.1	36.7
合肥市	767.5	27.2	2279.6	25.5	115.1	80.6	205.6	52.6
滁州市	198.8	24.1	624.5	20.2	25.5	32.9	54.1	20.9
马鞍山市	357.6	15.2	1058.0	-16.4	21.1	1.6	56.5	-28.5
巢湖市	168.6	23.6	513.1	19.4	25.4	8.9	43.5	5.0
芜湖市	464.6	26.4	1446.7	27.3	82.2	63.0	149.3	40.8
宣城市	153.1	27.2	636.6	19.6	23.0	81.8	40.9	39.4
铜陵市	181.3	18.5	765.1	-2.7	18.6	12.1	37.9	-8.6
池州市	61.0	28.5	179.2	37.4	5.3	1.7 倍	11.5	51.7
安庆市	250.1	25.3	906.9	19.8	31.5	12.4 倍	95.8	3 倍

（三）结构调整成效明显

近年来，皖江城市带坚持走新型工业化道路，加快经济结构调整步伐，产业结构逐步优化。2009 年，九市装备制造业增加值占规模以上工业的比重达 39.3 %，高于全省 9 个百分点，利税占规模以上工业的比重达 38.9%，高于全省 11.4 个百分点；高新技术工业增加值占工业的比重 34.5%，高于全省 8 个百分点，九市高新技术工业增加值占全省高新技术产业增加值的 85%。高新技术工业实现利税占工业的比重 35.1%，高于全省 9.4 个百分点，实现利税占全省高新技术工业实现利税的 86.8%。汽车、钢铁、有色、家电等优势产业在全省的主导地位突出。全省 80 %的汽车企业、83.1%的钢铁企业、71%的有色金属冶炼及加工企业、92.3%的家电生产企业均集中在皖江城市带。从实物量来看，2009 年全省的汽车、洗衣机、空调和彩电等均产自皖江城市带企业，其产品产能在全省处于绝对垄断地位。同时，钢材产量占全省 96.6%、冰箱占 96.8%，十种有色金属占 55%。从价值量看，2009 年，九市的汽车行业增加值占全省汽车行业的 89.9%，利税占 93.4 %；钢铁行业增加值占 94.5%，利税占 96.9%；有色行业增加值占 80.8%，利税占 65.2%；电气、电子行业增加值占 92.8%，利税占 93.4%。

（四）工业基础比较扎实

近年来，皖江城市带大力实施工业强市战略，工业基础进一步夯实，工业经济实力显著提高。2009 年，九市的规模以上工业企业资产占全省工业的 64.7%，增加值占全省工业的 65.3%，主营业务收入占全省工业的 68.9%，利税占全省工业的 63.4%，利润占全省工业的 67.5%，从业人员占全省工业的 59.5%。2008 年，九市工业化率为 43%，高于全省 3.4 个百分点，是安徽工业化的核心区域。

2009 年末，九市的规模以上工业企业达到 8605 户，比上年末净增 1540 户。其中，主营业务收入超 100 亿的企业 9 户，比上年增加 1 户，占全省的份额为 75%；超 10 亿的企业 99 户，增加 6 户，占全省的 70.2 %；超亿元的企业 1093 户，增加 221 户，占全省的 67.3%。规模企业的不断壮大，表明皖江城市带工业经济实力在不断增强，其中奇瑞、江汽、海螺、新兴铸管、格力、美菱、荣事达、美的、佳通轮胎等一批重点骨干企业迅速发展壮大，提升了皖江城市带工业整体竞争力。

（五）涉外企业蓬勃发展

近年来，皖江城市带积极适应经济全球化和加入世贸组织的新形势，不断扩大对外开放，外向型经济快速发展。一是涉外企业数量多。2009 年，九市的规模以上外商及港澳台工业企业 413 户，占全省 80.7%；实现工业增加值 422 亿元，占全省同类企业的 81.6%；主营业务收入 1216.5 亿元，占全省的 89.8%；利税 118.9 亿元，占全省的 88.9 %；利润 84.3 亿元，占全省的 92.8%。二是工业出口交货值占全省比重大，科技含量高。2009 年，九市的规模以上工业出口交货值 459.5 亿元，占全省工业出口交货值的 78%；占其销售产值的 5.1%，高于全省 0.4

个百分点。2009 年，九市的机电产品、高技术产品出口占全省同类出口产品的比重达 95.5% 和 83.7%。三是经济外向度高于全省。2008 年，九市外贸进出口总额 189.8 亿美元，相当于 GDP 比例为 22.7%，高于全省 6.7 个百分点。

固定资产投资

2009 年安徽省全社会固定资产投资 9263.2 亿元，比上年增长 36.2%。其中，城镇投资 8154.6 亿元，增长 35.9%；农村投资 1108.6 亿元，增长 38.9%。工业及信息化产业技术改造投资 1802.8 亿元，增长 35.7%。

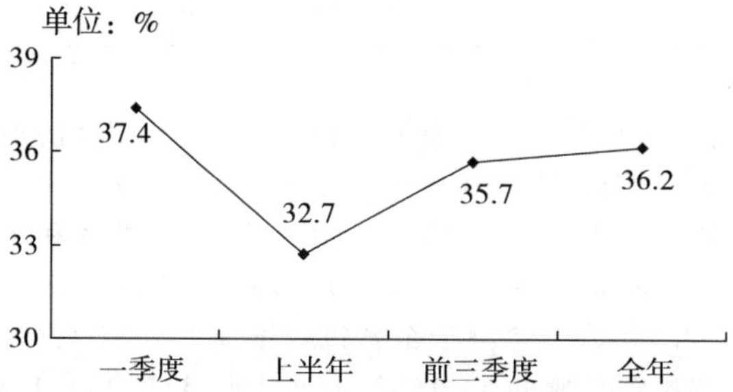

图 1　2009 年安徽省分季度全社会固定资产投资情况

从产业看，第一产业投资 236.7 亿元，增长 29.6%；第二产业投资 3999.9 亿元，增长 35.1%；第三产业投资 5026.6 亿元，增长 37.4%。从行业看，工业投资增长 33.1%，其中制造业投资增长 44.2%。六大高耗能行业投资增长 15.2%。三产中的信息传输、计算机服务和软件业投资增长 62.9%，金融业增长 65.8%，居民服务业增长 90.4%，卫生、社会保障和社会福利业增长 1 倍，文化、体育和娱乐业增长 82%。

全年房地产开发投资 1669.8 亿元，比上年增长 22.5%，其中经济适用房投资 24.1 亿元，下降 15.4%。商品房销售面积 4053.9 万平方米，增长 45.5%；商品房销售额 1378.4 亿元，增长 67.8%；商品房空置面积 491.9 万平方米，增长 34.9%。

全年共安排"861"行动计划项目 2563 项，当年完成投资 3675.7 亿元。江汽年产 20 万辆乘用车、铜陵锐展发动机、格力工业园、华茂紧密纺扩建项目、刘店矿井、国电蚌埠电厂 2 号机组等一批项目建成投产；合武铁路开行动车组，京九铁路电气化改造安徽段建成投入使用；六潜高速、六武高速安徽段、阜阳至周集高速北段建成通车。全年新增煤炭产能 585 万吨，电力装机容量 1045.4 万千瓦。

非公有制经济

近年来，在各项加快非公有制经济发展政策措施的推动下，安徽省非公有制经济发展明显加快，呈现出规模不断扩大、比重逐步提升、活力不断增强的良好局面。

（一）从经济规模看，企业数量明显增加，经济总量占全省近六成

2009 年，安徽省陆续出台了降低创业门槛、加大创业扶持等具体措施以推进全民创业，非公有制经济企业单位数量明显增加。截至 2009 年末，全省共注册个体工商户 125.1 万户，比上年增加 10.8 万户，增长 9.4%；实有资金 419.2 亿元，增长 48.8%。私营企业 19 万户，增加 1.6 万户；注册资金 3655.9 亿元，增长 35.2%。港澳台和外商投资企业 5579 户，增加 56 户；注册资金 159.9 亿美元，增长 8.4%。

2009 年，全省非公有制经济完成增加值 5661.9 亿元，占全省经济总量的 56.3%，比上年提升 1 个百分点，对全省经济增长的贡献为 65.1%，拉动经济增长 8.4 个百分点。其中个体私营经济、港澳台经济和外商经济实现增加值分别为 4768.2 亿元、331.3 亿元和 562.4 亿元，占全省经济总量的 47.4%、3.3% 和 5.6%。

（二）从发展速度看，工业增速持续领先，第二产业比重提升明显

2009 年，按可比价计算，全省非公有制经济增加值比上年增长 15.3%，增幅高于全省 GDP2.4 个百分点。分三次产业看，第一产业、第二产业和第三产业增加值分别增长 0.3%、19.2% 和 12.8%，其中工业增加值增长 20.3%，增幅高于非公有制经济增加值 5 个百分点，高于全部工业增加值 2.9 个百分点。

在工业快速增长的带动下，全省非公有制经济增加值中三次产业结构比由上年的 10.5:56.4:33.1 调整为 9.2:58.1:32.7，其中第二产业增加值比重上升 1.7 个百分点，第一产业和第三产业分别下降 1.3 个和 0.4 个百分点，与全省经济产业结构变化趋势基本一致。非公有制经济三次产业结构与全省经济结构相比，第二产业增加值比重高 9.3 个百分点，第一产业和第三产业增加值比重分别低 5.7 个和 3.6 个百分点。

2009 年安徽省非公有制经济增加值及相关指标

表 3

项　目	增加值（亿元）	占 GDP 比重（%）	比上年增长（%）	对全省经济的贡献（%）
非公有制经济	5661.9	56.3	15.3	65.1
一、按经济成分划分				
个体和私营经济	4768.2	47.4	18.4	63.9
港澳台经济	331.3	3.3	-1.3	-0.4
外商经济	562.4	5.6	3.4	1.6
二、按产业划分				
一产	519.7	5.2	0.3	0.1
二产	3289.8	32.7	19.2	46.6
#工业	2695.8	26.8	20.3	41.2
三产	1852.4	18.4	12.8	18.4

（三）从社会贡献看，社会效益和经济效益实现双提升

非公有制经济的稳步发展，为社会增加了就业机会，促进了社会稳定。截至 2009 年末，全省非公有制经济从业人员（包括单位非公从业人员，私营、个体从业人员和自营劳动者）已达 899.3 万人，比上年增长 4.4%，增幅高于全部从业人员增速 2.6 个百分点；占全部从业人员的比重为 22.5%，比上年提升 0.5 个百分点。与此同时，非公有制经济的快速发展，也促进了农民工资性收入的增加。2009 年，全省农民工资性收入人均 1882.4 元，增长 8.3%，占农民人均纯收入的 41.8%，比上年提升 0.5 个百分点。

非公有制经济还是国家税收的重要来源。2009 年，全省非公有制企业（含私营、港澳台、外商企业和个体户）创造税收 342.9 亿元，比上年增长 12.9%，占全部税收的比重为 27.6%。纳税超过 1000 万元的各类非公企业有 200 多家，其中纳税超过 1 亿元的近 20 家，安徽大昌矿业集团、安徽天大企业集团公司纳税超过 2 亿元以上。同时非公有制企业授权专利数增加明显，2009 年非公有制企业拥有授权专利数 8594 件，比上年增加 4248 件；省级以上（含省级）名牌产品 116 件，增加 9 件。

（四）从发展环境看，融资环境不断改善，投资保持大幅增长

2009 年，安徽省政府明确提出把解决中小企业融资难问题作为工作重点之一，强调积极运用财政支持、税收优惠等政策措施，发挥中小企业担保基金和风险补偿资金的“杠杆”作用，引导各类资金增加对中小企业投入，提升中小企业应对危机的能力。2009 年末，全省乡镇企业、私营企业及个体短期贷款余额分别为 233.7 亿元和 126 亿元，分别比年初增加 52.7 亿元和 71.9 亿元，增量分别为上年增量的 1.3 倍和 4.1 倍。

在扩内需、保增长的过程中，非公有制经济投资发挥了重要作用。2009 年，全省非公有制企业完成固定资产投资（包括 50 万元以上的项目投资和房地产投资，不含农村个人投资）2934.3 亿元，比上年增长 52.3%，增幅高于全省投资增速 15.4 个百分点；占全省投资总额的 33.1%，高于上年 3.3 个百分点。

（五）从特色产业看，产业集群不断扩大，龙头作用日益巩固

2009 年，安徽省产业集群规模不断扩大，实力逐渐增强，产业特色日益突出，在非公有制经济的发展中发挥着越来越重要的作用。全年经省政府认定的 57 个产业集群专业镇已登记企业 7000 多家，其中规模以上企业近 1500 家。产业集群中年产值超亿元企业 9 家，超 1000 万元企业 50 多家；营业收入超亿元的约 400 户，其中超过 20 亿元近 20 户。铜陵精达铜材（集团）、安徽楚江投资集团有限公司、安徽长江钢铁有限责任公司等年营业收入超过 50 亿元。此外以专业镇主导产品命名的产业基地不断涌现，如博望镇被认定为“刃模具机床高新技术产业基地”，桐城市被命名为“中国包装印刷产业基地”和“中国塑料包装产业基地”等。

商品流通

2009 年安徽省消费品市场稳定增长，政策效应明显。社会消费品零售总额 3527.8 亿元，比上年增长 19%。分城乡看，城市消费品零售额 1938.2 亿元，增长 18.4%；县及县以下消费品零售额 1589.6 亿元，增长 19.6%。分行业看，批发和零售业零售额 2958.2 亿元，增长 18.5%；住宿和餐饮业零售额 529.1 亿元，增长 22%；其他行业零售额 40.5 亿元，增长 15.9%。

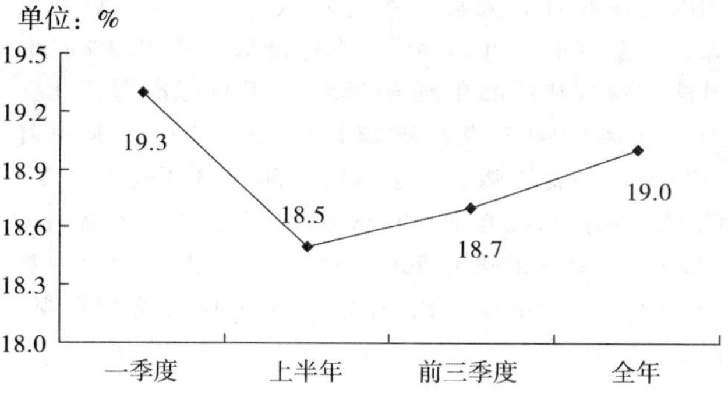

图2 2009年安徽省分季度社会消费品零售总额情况

在限额以上批发零售业零售额中，建筑及装潢材料类比上年增长89.1%，五金、电料类增长31.4%，机电产品及设备类增长45.1%，汽车类增长40.3%，家具类增长2.7倍，文化办公用品类增长21.7%，体育、娱乐用品类增长26.4%，粮油、食品、饮料、烟酒类增长24.7%，服装鞋帽、针纺织品类增长17.5%，化妆品类增长20.1%。

2009年，安徽省抢抓国家扩大内需政策机遇，努力促进消费增长，全面实施家电下乡工程，带动家电企业产销两旺，20家家电企业314种家电产品在全国中标，全省累计销售家电下乡产品186.4万台，销售额37.6亿元，居全国第6位。

下乡的不仅是家电产品，还包括汽车和摩托车。2009年，安徽省组织销售下乡汽车摩托车34.1万辆，48.1亿元，回收旧汽车673辆，换购新车消费约5300万元。从消费环节入手，以消费刺激生产，安徽省生产汽车超过90万辆，汽车产业成为全省支柱产业。

以内需增长弥补外需下降，为经济平稳较快发展增添新动力，2009年安徽省内贸交出了一份来之不易的亮丽答卷：实现社会消费品零售总额3527.8亿元，增长19%，高于全国3.5个百分点左右，扣除价格因素，实际增幅高于上年同期约3个百分点。其中农村消费增长19.6%，城市消费增长18.4%，拓展农村市场取得明显成效。

多措并举调结构，是安徽省内贸较快发展的关键所在。2009年，安徽省着力激发农村消费潜能，加大农村流通基础设施投入，深入实施万村千乡市场工程，新增8000个连锁农家店、60个农村商品配送中心，连锁农家店累计达2.5万个，覆盖所有乡镇和50%以上行政村，年销售额超100亿元；有效畅通购销渠道，依托“新农村商网”举办3届农产品对接会，实际成交5.7亿元、总销售12.5亿元，位列全国第3位。在应对金融危机的挑战中，安徽省着力培育新的消费热点，汽车、建筑装潢材料、化妆品、体育和娱乐用品类商品销售大幅增长。

扩大内需是一项持久性的战略，2009年安徽省各级商务部门蓄势聚力增后劲，把市场网络建设作为增强流通业发展后劲的基础工程，以“双百市场工程”和“农超对接”为主要切入点推动农产品流通网络建设，引导15家农产品批发市场、45家农贸市场进行升级改造，实施农产品流通设施建设改造项目84个，支持26个大型连锁超市、农产品流通企业与农产品专业合作社进行对接，实施鲜活农产品冷链系统、快速检测系统等建设项目71个；着力推广连锁经营、物流配送、电子商务等现代流通方式和新型流通业态。

外经外贸

2009年进出口总额156.4亿美元，比上年下降22.5%。其中，出口88.9亿美元，下降21.8%；进口67.5亿美元，下降23.5%。从出口经营主体看，生产型企业、贸易型企业出口分别下降23%和18.6%。从出口商品看，机电产品、高新技术产品出口分别下降25.5%和21.6%。

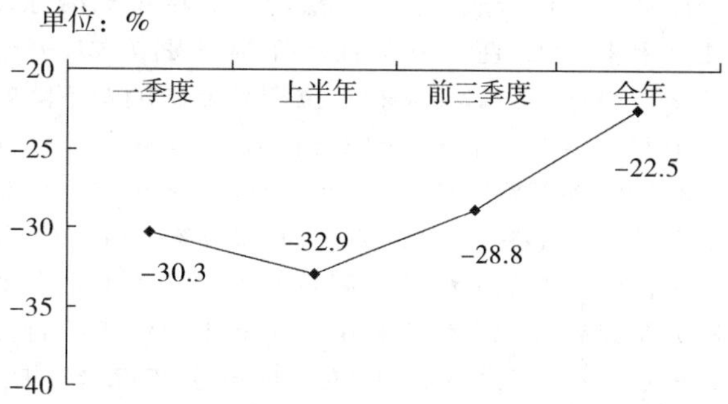

图3 2009年安徽省分季度进出口总额情况

全年新批外商投资企业303家，比上年增长18.4%；合同利用外资20.9亿美元，增长1.6%；实际利用外商直接投资38.8亿美元，增长11.3%。到2009年底，来皖投资的境外世界500强企业增加到48家。

全年对外经济技术合作新签合同金额10.3亿美元，比上年下降32%；完成营业额16.2亿美元，增长33.4%；当年外派劳务人员14620人，增长14.7%。全年新批境外企业（机构）37个，实际对外投资5415万美元。

全年入境旅游人数156.2万人次，比上年增长18.2%；国内游客12268.1万人次，增长23.4%。旅游总收入908.9亿元，增长23.3%。其中，旅游外汇收入6.6亿美元，增长22.3%；国内旅游收入863.8亿元，增长23.4%。年末全省共有A级旅游景点（区）337处。

节能降耗

按照现行的国家统计制度，主要在规模以上且综合能源消费量万吨标准煤以上工业企业中实施单位产品能耗统计监测（以下简称重点能耗企业）。2009年，全省272家重点耗能监测企业，能源消费量占规模以上工业的88.5%。这些重点耗能企业单位产品能耗的降低，对全省节能降耗工作起着非常关键的作用。

2009年，全省重点耗能工业企业通过加强监管，大力改进和提高生产工艺技术，淘汰落后产能设备，积极推进各项节能降耗措施，主要耗能产品单位能耗有了较大幅度下降，重点企业的节能工作取得显著成效。

八成以上产品单耗下降。2009年，安徽省重点能耗企业统计监测的59个主要产品能耗指标中，有50个同比下降，下降面达85%。其中，单位产品能源消费下降幅度超过20%的指标有：万米布混合数综合能耗、单位合成氨耗标准燃料煤、单位铅冶炼综合能耗和析出铅直流电单耗，降幅分别为21.9%、26.5%、23.3%和22.9%；单位产品能源消费下降幅度在10%～20%之间的指标有：万米印染布综合能耗、联碱法纯碱双吨产品生产综合能耗和转炉炼钢综合工序单位能耗，降幅分别为13.7%、18.4%和14.9%；单位产品能源消费降幅在5%～10%之间的指标分别是：吨原煤生产耗电、机制纸及纸板综合能耗、炼焦工序单位能耗、单位合成氨生产综合能耗、吨水泥综合能耗、每重量箱平板玻璃综合能耗、铁矿烧结工序单位能耗和单位粗铜综合能耗。

六大高耗能行业单耗水平同比下降。2009年，安徽省重点企业中六大高耗能行业单位产品能耗均有不同程度下降。其中，石油加工业中的原油加工单耗下降0.9%；化学原料及化学制品中的纯碱单耗下降18.4%，烧碱（离子膜法30%）单耗下降2.8%，烧碱（隔膜法30%）单耗下降3.6%，合成氨单耗下降6.6%；非金属矿物制品业中的水泥单耗下降7.8%；有色金属冶炼及压延业中的铜冶炼单耗下降2.7%；电力和热力生产和供应业中的电厂火力发电单耗下降2.8%；黑色金属冶炼及压延业中的钢单耗下降0.2%。

据测算，2009年六大高耗能行业因单位产品能源消费降低直接节能150.23万吨标准煤。其中，节能量较大的是单位合成氨、水泥和火电，分别节能16.39万吨标准煤、31.18万吨标准煤和98.84万吨标准煤。

六成以上产品单耗指标好于全国。2009年，安徽省列入单位产品能耗统计监测的59种产品中，有38个产品单耗指标低于全国水平，占64.4%。与全国同行业相比，安徽省维纶单耗1896.13千克标准煤，比全国的（2081.46千克标准煤）低8.9%；联碱法纯碱双吨产品单耗耗185.15千克标准煤，比全国的（249.94千克标准煤）低25.9%；粗铜单耗243.36千克标准煤，比全国的（364.33千克标准煤）低33.2%；水泥单耗85.28千克标准煤，比全国的（95.08千克标准煤）低10.3%；电厂火力发电单耗309.68千克标准煤，比全国的（319.18千克标准煤）低3%。

交通运输业

2009年4月，安徽省出台了《关于加快发展交通运输业的若干意见》，实施了一系列重要举措，大力推动现代运输业发展。一年来，全省交通建设克服诸多困难，紧紧抓住国家投入力度加大的机遇，加快交通基础设施建设，交通运输生产指标保持平稳较快增长的态势，取得较好成绩，为安徽经济总量过万亿提供强有力支撑。

（一）基础设施建设力度加大，区位优势日益显现

1. 公路水路投资继续平稳增长。2009年全省公路水路交通建设投资完成208.5亿元，超出年度计划12.8%。其中公路建设完成投资183.6亿元，比上年增长3.4%；内河航运建设完成投资24.9亿元，增长5.5%。全省高速公路建设发展迅速，一般公路水路建设稳步推进。截至2009年底，高速公路通车里程达2810公里，国省干线公路改造竣工1265公里，新改建农村公路1.7万公里。全省内河航道总里程6507公里，通航里程为5282公里，航道维护通航里程2888公里。2009年下半年，新开工高速公路266公里，在建里程达822公里。按照《安徽省高速公路网规划》，到2020年，全省高速公路网总里程将达到5500公里，形成“四纵八横”的高速公路网。全省公路密度达到107公里/百平方公里，全省不通公路的行政村仅15个。

2. 铁路、机场建设进一步提速。2009年是安徽铁路建设取得历史性突破的一年。全年新开工各类铁路项目10个，续建4个，完成投资180亿元，是上年的2.4倍。全省在建铁路项目中，快速客运铁路997公里，占新建铁路里程78%。2009年7月，安徽铁路建设正式纳入长三角城际铁路网规划范围。

机场建设项目稳步推进。合肥骆岗机场改扩建工程全面完工并投入使用。投资近4000万元的黄山机场国际航站楼工程通过竣工验收，标志着黄山市的航空口岸将完全具备对外开放的硬件条件。国内4E级枢纽干线机场合肥新桥国际机场建设工程顺利推进，该项目总投资约43亿元，其中航站楼概算约11.5亿元，主航站楼已正式开工建设。

3. 城市交通运输步入快速发展期。2009 年末，全省公共交通运营车辆11687 辆，增长14.1%；运营线路网长度7565 公里，增长87.7%；公共交通客运总量198112 万人次，增长20.6%；出租汽车50483辆，增长42.6%。稳步推进运力结构调整，全省省市际客运班车中高级车所占比例提高到2009 年的83%；加快推动公司化经营改造步伐，“合肥－阜阳”、“淮南－蚌埠”客运班线实现公车公营，全省道路运输企业公司化经营比例达46.3%；进一步支持交通企业做大做强，全省国家一级客运企业增至4 家。

4. 民用汽车保有量再创新高。2009 年末，全省民用汽车保有量达到202.3 万辆，比上年末增长18.9%。按汽车的使用性质分，营运汽车84.1 万辆，增长8.7%；非营运汽车118.2 万辆，增长27.4%。按汽车的结构分，载客汽车108.4 万辆，增长30.2%；载货汽车56.6 万辆，增长27.6%。在民用汽车中，个人汽车保有量131.5 万辆，占汽车总量的65.0%，较上年提高4.6 个百分点，增长25.9%。其中，个人轿车49.4 万辆，占轿车总量的比重75.6%，较上年提高5.2 个百分点，增长44.5%。这表明安徽私车市场继续保持旺盛的发展态势。

（二）交通运输生产平稳增长

2009 年，全省各类运输工具全年累计完成客运量14.1 亿人次、旅客周转量1332.2 亿人公里，分别比上年增长9.3% 和9.8%。全年累计完成货运量19.7 亿吨、货物周转量6322 亿吨公里，分别增长9.2% 和8.2%。

2009 年安徽省客运量及旅客周转量情况

表 4

运输方式	客运量（万人次）			旅客周转量（万人公里）		
	2009 年	2008 年	增长（%）	2009 年	2008 年	增长（%）
合　计	141494	129488	9.3	13321648	12135219	9.8
铁路运输	5131	4662	10.1	4112300	3951292	4.1
公路运输	135984	124426	9.3	8911759	7917468	12.6
水路运输	114	153	-25.5	2204	3213	-31.4
民航运输	265	247	7.3	295385	263246	12.2

1. 公路运输增长较快，主体地位进一步增强。全年公路运输完成客运量13.6 亿人次、旅客周转量891.2 亿人公里，分别增长9.3% 和12.6%，公路运输客运量、旅客周转量占全省总量的比重分别为96.1% 和66.9%。公路运输完成货运量15.8 亿吨、货物周转量4237.2 亿吨公里，分别增长12.6% 和12.3%，公路运输货运量、货物周转量占全省总量的比重达到80.3% 和67.0%。

2. 水路货运略有下降，客运降幅明显。全年水路运输完成货运量2.7 亿吨，下降1.5%；货运周转量1094.8 亿吨公里，增长3.5%。水路货运量仅为公路货运量的17.3%，水路货运周转量为公路货运周转量的25.8%。水路运输货运量、货物周转量占全省总量的比重分别为13.9% 和17.3%。全年水路运输完成客运量114 万人次，下降25.5%；完成旅客周转量为2204 万人公里，下降31.4%。全省港口完成货物吞吐量2.6 亿吨，集装箱吞吐量19.9 万 TEU，分别下降2.9% 和16.7%。

3. 民航客运大幅增长，机场业务快速发展。全年东航安徽公司完成客运量265 万人，旅客周转量29.5 亿人公里，分别增长7.3% 和12.2%。全省四个民航机场累计完成飞机起降架次37656 次，增长22.5%。旅客吞吐量353.8 万人，增长27.6%；货邮运量2.9 万吨，增长18.8%。其中，合肥机场旅客吞吐量突破300 万人，达到320.6 万人；阜阳机场旅客吞吐量在2008 年基数较小的情况下增长3 倍。

4. 铁路客运平稳增长，货运出现下降。全年铁路运输完成客运量5131 万人次、旅客周转量411.2 亿人公里，分别增长10.1% 和4.1%。受国际金融危机影响，全年铁路货运量11328 万吨，下降5.7%；铁路货物周转量989.8 亿吨公里，下降2.2%。

（三）交通运输生产指标在全国及中部的位次靠前

2009 年，安徽客、货运输量居于全国前列，增长幅度高于全国平均水平。全年全国客运量为297.7 亿人，比上年增长3.8%；货运量为278.1 亿吨，增长7.5%。安徽全年客运量、货运量增幅比全国分别高5.5 个和1.7 个百分点。全年全国客运周转量为24835 亿人公里，货物周转量122133 亿吨公里，分别增长7.1% 和10.7%。安徽全年客运周转量、货物周转量增幅比全国分别高2.7 个和2.5 个百分点。

在31 个省（市、区）中，安徽全年客运量居全国第七位，旅客周转量居第五位；货运量仅低于山东，居全国第二位，货物周转量居第六位。在货运量中，安徽公路货运量占全国公路货运量的7.4%，居全国第二位；铁路货运量占全国的3.4%，居第九位。

在中部地区，安徽客运量和旅客周转量仅低于河南，位居第二位；货运量与货物周转量在中部地区位居第一位，其中铁路货运量低于山西、河南，居第三位。

2009年全省交通运输业在受国际金融危机影响、经济下行压力较大的宏观环境下，保持着稳定健康的发展态势，有力地支持了全省扩内需、保增长宏观政策的实施。

2008—2009年安徽省经济社会发展主要指标

序号	指标	单位	2008年	2009年	增长率（%）
1	一、人口和就业				
2	年底人口数	万人	6135.0	6131.0	-0.1
3	人口自然增长率	‰	6.45	6.47	
4	就业人员数	万人	3595	3690	2.6
5	按产业分：				
6	第一产业	万人	1605	1580	-1.6
7	第二产业	万人	972	1042	7.2
8	第三产业	万人	1018	1068	5.0
9	城镇就业人员（按登记注册类型分）				
10	国有单位	万人	199.82	202.15	1.2
11	集体单位	万人	24.40	18.80	-22.9
12	股份合作单位	万人	4.80	4.50	-6.3
13	联营单位	万人	1.00	0.80	-20.0
14	有限责任公司	万人	67.50	75.90	12.4
15	股份有限公司	万人	26.50	35.70	34.7
16	私营企业	万人	92.17	92.50	0.4
17	港澳台商投资单位	万人	6.60	5.40	-18.2
18	外商投资单位	万人	8.90	12.60	41.6
19	个体	万人	144.50	184.84	27.9
20	城镇登记失业人数	万人	29.31	30.08	2.6
21	二、国民经济核算				
22	地区生产总值	亿元	8874.2	10062.8	12.9
23	按产业分：				
24	第一产业	亿元	1418.1	1495.5	5.0
25	第二产业	亿元	4137.4	4905.2	16.8
26	工业	亿元	3487.5	4064.7	
27	建筑业	亿元	649.8	840.5	
28	第三产业	亿元	3318.7	3662.2	11.0
29	#交通运输、仓储和邮政业	亿元	547.4	467.9	
30	批发和零售贸易业	亿元	634.1	733.2	
31	三、固定资产投资				
32	投资总额	亿元	6747.0	8990.7	33.3
33	按投资种类分：				
34	城镇	亿元	5948.6	7945.5	33.6
35	#房地产开发	亿元	1362.7	1669.8	22.5
36	农村	亿元	798.3	1045.2	30.9

续表

序号	指标	单位	2008年	2009年	增长率（%）
37	#农户	亿元	318.3	390.8	22.8
38	非农户	亿元	480.1	654.5	36.3
39	**按建设规模分：**				
40	建设总规模	亿元	17026.5	23247.8	36.5
41	在建总规模	亿元	13253.9	17205.9	29.8
42	在建净规模	亿元	5240.4	8108.4	54.7
43	**按资金来源分：**				
44	国家预算内资金	亿元	327.3	552.6	68.8
45	国内贷款	亿元	766.3	1065.1	39.0
46	利用外资	亿元	97.3	96.2	-1.1
47	自筹资金	亿元	4932.1	6692.6	35.7
48	其他投资	亿元	742.9	1302.9	75.4
49	**四、房地产开发**				
50	本年完成土地开发面积	万平方米	1519	857	-43.6
51	本年土地购置费用	亿元	269.9	292.0	8.2
52	本年土地购置面积	万平方米	2249	1919	-14.7
53	本年完成投资额	万元	13626657	16698263	22.5
54	#住宅	万元	10115919	11755778	16.2
55	#经济适用房屋	万元	235303	241184	2.5
56	房屋施工面积	万平方米	11729	14166	20.8
57	房屋竣工面积	万平方米	2541	2861	12.6
58	本年新开工房屋面积	万平方米	4585	5316	15.9
59	#住宅	万平方米	3733	4214	12.9
60	#经济适用房屋	万平方米	159	171	7.4
61	商品房屋销售面积	万平方米	2786	4031	44.7
62	#住宅	万平方米	2543	3646	43.4
63	#经济适用房屋	万平方米	55	73	32.6
64	商品房屋销售额	万元	8214869	13783861	67.8
65	#住宅	万元	7140273	11796852	65.2
66	商品房屋平均销售价格	元/平方米	2949	3420	16.0
67	#住宅	元/平方米	2808	3235	15.2
68	#经济适用房屋	元/平方米	1731	1657	-4.3
69	**五、规模以上工业企业**				
70	企业单位数	个	11392	14122	24.0
71	工业总产值	亿元	11162.2	13312.6	19.3
72	资产总计	亿元	10122.2	12171.7	20.2
73	利润总额	亿元	606.7	819.0	35.0
74	总资产贡献率	%	13.7	14.1	3.0
75	资产负债率	%	62.6	61.2	-2.2
76	**六、交通运输业**				
77	运输线路长度				
78	铁路营业里程	公里	2871	2850	-0.7
79	内河航道里程	公里	5576	5596	0.3
80	公路里程	公里	148827	149184	0.2
81	#高速公路	公里	2506	2810	12.1

续表

序号	指标	单位	2008年	2009年	增长率（%）
82	货运量	万吨	180169	196654	9.1
83	#铁路	万吨	12014	11308	-5.9
84	公路	万吨	140381	157991	12.5
85	水运	万吨	27774	27355	-1.5
86	客运量	万人	129242	141229	9.3
87	#铁路	万人	4662	5131	10.1
88	公路	万人	124427	135984	9.3
89	水运	万人	153	114	-25.5
90	**七、国内商业**				
91	社会消费品零售总额	亿元	3045.2	3527.8	15.8
92	**八、对外贸易和旅游**				
93	货物进出口总额（按经营单位所在地分）	万美元	2018385	1567773	-22.3
94	出口	万美元	1136411	888649	-21.8
95	进口	万美元	881974	679124	-23.0
96	外商投资企业货物进出口总额	万美元	701238	523140	-25.4
97	出口	万美元	319369	223759	-29.9
98	进口	万美元	381869	299381	-21.6
99	外商投资企业基本情况				
100	年底登记数	户	5523	5579	1.0
101	投资总额	亿美元	254.6	279.1	9.6
102	注册资本	亿美元	147.5	159.9	8.4
103	#外方	亿美元	107.5	116.1	7.9
104	对外承包工程				
105	完成营业额	万美元	107879	149363	38.5
106	对外劳务合作				
107	完成营业额	万美元	13001	12243	-5.8
108	接待国际旅游人数	万人次	132.09	156.16	18.2
109	#外国人	万人次	90.82	97.75	7.6
110	国际旅游外汇收入	百万美元	454.45	565.84	24.5
111	**九、财政**				
112	地方财政一般预算收入	亿元	724.6	863.9	19.2
113	#国内增值税	亿元	96.8	106.2	9.7
114	营业税	亿元	177.7	219.8	23.7
115	个人所得税	亿元	21.4	23.0	7.5
116	地方财政一般预算支出	亿元	1647.1	2141.9	30.0
117	**十、物价指数**				
118	商品零售价格指数	上年=100	106.3	99.0	
119	居民消费价格指数	上年=100	106.2	99.1	
120	#城市	上年=100	106.0	98.9	
121	农村	上年=100	106.4	99.4	
122	**十一、人民生活**				
123	收入				
124	农村居民家庭人均纯收入	元	4202	4504	7.2
125	城镇居民家庭人均可支配收入	元	12990	14086	9.7
126	居民消费水平	元	6377	6829	10.3

续表

序　号	指　标	单　位	2008 年	2009 年	增长率（%）
127	农村居民	元	3454	3683	8.8
128	城镇居民	元	10835	11301	7.9
129	住房				
130	农村居民人均住房面积	平方米	29.9	31.0	3.8
131	十二、教育				
132	高等学校数	所	104	106	1.9
133	高等学校招生数	人	253183	267936	5.8
134	高等学校在校学生数	人	808276	877782	8.6
135	高等学校毕业生数	人	191120	205749	7.7
136	十三、卫生				
137	卫生机构数	个	7837	24799	
138	#医院、卫生院	个	2565	2424	-5.5
139	医疗机构床位数	张	159724	174483	9.2
140	#医院、卫生院	张	150593	163171	8.4
141	卫生技术人员数	人	187770	208584	11.1
142	#执业（助理）医师	人	73826	84778	14.8

注：1. 地区生产总值及其三次产业、城镇居民人均可支配收入和居民消费水平的增长速度按可比价格计算。

2. 卫生机构数 2009 年起含村卫生室，与历史数据不可比。

福建省

综　述

2009 年，福建省国民经济保持平稳健康发展，全年实现地区生产总值 12236.53 亿元，增长 12.3%，其中第一产业增加值 1182.74 亿元，增长 4.7%，第二产业增加值 6005.3 亿元，增长 13.7%，第三产业增加值 5048.49 亿元，增长 12.3%，三次产业比例由上年的 10.7:50:39.3 调整为 9.7:49.1:41.2。人均生产总值 33840 元，增长 11.6%。工业节能降耗成效明显，万元 GDP 综合能耗持续下降，降幅达 3.81%。全社会固定资产投资 6362.03 亿元，增长 20%。实现社会消费品零售总额 4480.99 亿元，增长 15.9%。居民消费价格总水平下降 1.8%。进出口总额 796.49 亿美元，下降 6.1%，其中出口 533.19 亿元，下降 6.4%；进口 263.3 亿元，下降 5.4%。财政总收入 1694.63 亿元，增长 11.7%，其中地方级财政收入 932.43 亿元，增长 11.9%。

工业经济

2009 年，福建省工业系统认真贯彻中央和省应对国际金融危机的一系列政策举措，紧紧围绕保增长、扩内需、调结构、惠民生，着力抓运行、优服务、扶企业、促产业，工业发展经受住了国际金融危机冲击的重大考验，呈现生产企稳回升、效益持续提高、结构不断优化的良好态势，全面完成了全年主要目标任务，有力地推动了海峡西岸经济区建设。2009 年，全省全部工业总产值 18681.48 亿元，增长 14.8%；实现工业增加值 5106.38 亿元，增长 13 %，工业增加值占全省 GDP 比重 41.7%，对国民经济增长的贡献率 47.6%，拉动全省 GDP 增长 5.9 个百分点。

（一）工业运行企稳向好，对全省经济增长发挥支撑和带动作用

2009 年，全省规模以上工业运行逐月回升，一季度受国际金融危机影响，工业增加值增长 4.1%，随着应对危机系列政策措施的贯彻落实，二季度企稳回升，6 月份增长 11.8%（为 2008 年 11 月以来当月增速首次恢复两位数增长）、上半年增长 5.8%，前三季度增长 9.1%，从 10 月份开始保持两位数增长，全年实现 4675.31 亿元，增长 13%，其中 12 月份当月达到 480.21 亿元，创月增加值历史新高，增长 29.7%，增速为全年最高水平。全年工业增速高于全国平均 2 个百分点，在全国各省市中居第 18 位。各设区市实现全面增长，有八个设区市增速超 14%，工业总量居全省前两位的泉州市、福州市分别增长 14.1%、14%，为全省工业增长提供有力支撑；厦门市工业逐步恢复，全年增长 2.8%；漳州、莆田保持稳步发展，分别增长 15.8%、18.7%；三明、南平、龙岩、宁德市继续实现较快增长，分别增长 19.6%、18.6%、14.6%、19.8%。

（二）工业行业全面增长，主导行业发展平稳

工业结构调整优化，协调发展能力进一步提高。2009 年全省规模以上轻重工业增加值分别完成 2336.76 亿元、2338.55 亿元，分别增长 15.7%、10.6%，轻工业较重工业快 5.1 个百分点，轻重工业比例为 50:50。全省 37 个工业大类行业增加值全面增长，实现两位数增长的行业有 25 个，其中石油加工（增长 75.3%，下同）、木材加工（28.8%）、农副食品（21.9%）、黑色金属冶炼加工（19.5%）、食品（17.5%）、皮革毛皮羽毛（15%）、纺织（13%）。全省三大主导产业完成工业增加值 1617.62 亿元，占全省的 34.6%，增长 11.4%，其中电子增长 12%，机械增长 6.9%，石化增长 18.7%。2009 年，列入统计的 360 种工业产品有 237 种产量保持增长。

（三）各工业类型企业稳定增长，股份制企业增势强劲，外商及港澳台企业触底回升

各种经济类型企业均保持增长态势，全省股份制企业完成工业增加值 1926.96 亿元，占全省工业的比重 42%，较上年提高 2.7 个百分点，增长 18.9%，增速高于全省平均 6.9 个百分点；随着国际经济逐步恢复，本轮经济危机受冲击最大的外商及港澳台投资企业生产转好，工业增速从一季度 -5%、上半年 -0.5 %恢复至 1—9 月 3.7%、全年实现工业增加值 2145.1 亿元，增长 8.2%。国有控股工业平稳增长，增速由上半年 -1% 提升至全年增长 7.9%；股份合作、集体、其他经济类型企业均保持较快增长，分别增长 23.2%、18.6%、15.2%。

（四）工业产销衔接保持正常，工业出口逐月恢复、形势趋好

2009 年，全省工业实现销售产值 16316.29 亿元，增长 10.2%，增速分别高于上半年、前三季度 10.2 个、6.2 个百分点；全年实现工业品产销率 97.34%，较上年增长 0.09 个百分点，超过年初预期目标 1.42 个百分点。由于国际金融危机引发世界经济放缓、外需减弱，福建省出口难度加大，但随着国际经济的缓慢复苏，福建省工业出口逐月回升、降幅收窄，一季度出口交货值下降 17.2%、上半年下降 15.8%、前三季度下降 10.1%，全年累计实现出口交货值 3743.6 亿元，下降 4.1%，其中 12 月份工业出口交货值达 385.28 亿元，增长 30.1%，月出口交货值、增速均为全年最高水平。

（五）工业投资平稳增长，工业新增长点项目完成良好，重点工业企业稳步发展

2009 年，全省城镇工业固定资产投资完成 2049.24 亿元，增长 16.3%，占全省城镇固定资产投资 36.1%；其中制造业完成 1515.39 亿元，增长 14%。全省 496 项省级工业新增长点项目合计完成工业总产值 3650 亿元，占全省规模以上工业比重 21.9%，新增工业产值 723.7 亿元，完成全年计划的 131.4%，对全省工业增长贡献率 32.1%，拉动全省工业产值增长 4.8 个百分点。省百家重点工业企业完成工业总产值 4395 亿元，占规模以上产值的 26.3%，较上年增长 7.4%。现价产值保持增长的重点企业数占 52%，其中两位数增长的企业数占 32%，联合石化、友达光电、东南汽车、正兴车轮、厦华电子、宸鸿科技、可门电厂、金纶石化、亿鑫钢铁、华映光电、银鹭食品等企业产值均超 35 亿元、增速均超 20%。

（六）企业效益指数创历史新高，工业利润增速由负转正

全省规模以上工业企业经济效益综合指数 197.49，较上年提高 7.15 个百分点，综合指数创历史新高。其中总资产贡献率、成本费用利润率、产销率分别增加 0.67 个、0.99 个、0.09 个百分点；全员劳动生产率 123205 元/人，增加 10755.86 元/人；资产负债率 53.44%，同比改善 0.72 个百分点。全省工业主营业务收入 16338.61 亿元，增长 11%；实现利润 1104.1 亿元，由上半年下降 9.1% 转为 1—8 月首度实现正增长 4.3%、三季度增长 9.4%、全年达到最高值增长 35.6%；全年税金完成 649.12 亿元，增长 12.2%；从业人员 379.47 万人，增长 2.4%。全省 37 个工业大类行业实现全面盈利，有 30 个行业利润保持增长、2 个行业（石油加工业和燃气供应业）由上年亏损转为盈利，利润增速在 20% 以上的行业有电力（增长 339.5%，下同）、橡胶（205%）、皮革毛皮（50.8%）、电子（43.5%）、纺织服装鞋帽（24%）、电气机械（29.9%）、有色金属冶炼及压延加工（20.9%）等 23 个行业。工业企业亏损面由 6 月末的 19.7% 缩小至 12 月末的 13.25%，亏损企业亏损额由 6 月末增长 39.7% 转为 12 月末下降 32.3%；两金占比继续下降，12 月末全省工业企业产成品和应收账款合计 2320.8 亿元，增长 15.8%。

（七）煤电油运供应保障有力，工业用电持续回升

2009 年，全年电力生产供应安全有序，未出现拉闸限电，成品油市场稳定，交通运输稳步增长，有效保证了社会和企业生产生活需要。全年发、用电分别为 1170.7 亿千瓦时、1134 亿千瓦时，分别增长 7.8%、5.72%，工业用电持续回升，当月用电从 6 月份开始实现正增长，全年工业用电 765.5 亿千瓦时，增长 3.28%。全年煤炭调运 5866 万吨，其中省外调入 4078 万吨，增长 5%；中石化、中石油两大集团配置福建省成品油 538.28 万吨，下降 3%。截至 12 月 31 日，全省主力燃煤电厂电煤库存 228 万吨，可供满负荷发电 17 天；成品油库存 22.12 万吨，其中汽油、柴油可分别销售 18.1 天、11.5 天。全年全省公路货物运输完成40317万吨，增长4.4%；沿海港口货物吞吐量完成30537万吨，增长12.7%；水路、铁路货运量分别为14271万吨、3631万吨，分别下降6.1%、2%，但降幅分别较前三季度减少0.9个、5.4个百分点；航空货物运输量和机场货物吞吐量分别完成12.66万吨、27.79万吨，分别增长2%、2.7%。

企业管理

促进企业提升管理水平。开展“送政策进企业”活动，整理汇编各类政策102项，分发政策汇编5万多本，举办政策培训86场，培训3万多人；在龙岩、晋江开展政策对接示范工作，在厦门开展“中小企业服务活动日”等活动。实施企业管理咨询诊断，举办企业管理咨询诊断对接会25场，组织40多家咨询机构与3000多个中小企业进行需求对接。开展企业成长培训工作，举办企业精细管理创业辅导、高级管理培训班63期，培训各类企业管理人员1.73万名；举办“银河培训工程”培训班4场，培训中小企业中层以上经营管理人员、企业项目负责人、各级政府部门管理人员和中小企业服务机构从业人员700名。推动“全省工业企业服务网”建设，形成省市县三级政府和部门共同帮助企业解决困难的联动机制，有效帮助企业化解市场、资金、政策信息、技术、管理等困难，工业运行效益持续好转。2009年，全省工业经济效益综合指数197.49%，较上年同期提高7.15个百分点；工业实现利润增长35.6%。

积极引导创业投资发展。完善省级创业投资工作机制，设立福建省省级创业投资资金，首期资金6亿元，由省投资开发集团有限责任公司负责运营和管理，并注资成立了福建省大同创业投资有限公司，已正式开展业务，对符合产业政策的种子型、创新型、成长型中小企业进行创业投资。编制《福建省省级创业投资资金投资目录》，修改完善《福建省省级创业投资引导资金管理办法》。2009年通过举办各类投资企业政策宣传会等形式，深入市县和企业宣传发动，引导更多的民间资本进入创业投资领域，成立创业投资企业。2009年共举办6场创业投资机构投资发布会、创业企业融资推介会、创业投资企业政策宣传会。截至2009年年底，全省备案登记的创业投资企业已达29家，实收注册资本35亿元。

加大对中小企业融资服务。制定落实《关于进一步促进中小企业信用担保行业发展的意见》《龙头企业资金链应急保障工作指导意见》《福建省小企业贷款风险补偿实施细则》《关于进一步改进企业抵押物评估登记工作完善中小企业融资服务意见》等。2009年全省中小企业担保总额达404.7亿元，比上年增长23%，逐月在保责任余额增速在20%以上；挂牌成立省再担保公司，获银行意向授信40亿元；列入省级龙头企业资金链应急保障的企业达130多家；新增小额贷款公司3家、典当行27家。

技术创新

技术创新能力不断提高。全省规模以上的工业企业多数设立了技术研发部门，技术创新能力不断提高，新产品研发能力明显增强。2009年启动实施了福州内燃机及发电设备等5个重点产业集群技术提升专项工作，大力推动V4自主品牌汽车等11个行业技术创新重大项目建设；产学研用合作有效开展，“6·18”推介可产业化项目成果1290项、企业技术需求710项，对接项目531项。确认81项福建省新产品，评定省优秀新产品52项，其中技术水平达国际水平12项、国内领先53项、国内先进16项。企业创新平台进一步完善，新认定行业性技术创新公共服务平台7家，全省行业技术开发基地达到29家；新认定国家级企业技术中心3家、省级企业技术中心31家，省级企业技术中心达到235家，其中国家级企业技术中心23家。2009年，全省工业企业拥有自主知识产权数3954个，比上年增长16.7%，拥有专利申请数3925个，增长20.4%；开发新产品项目数为39542个，增长18.6%。

技术创新经费投入持续增长。2009年全省工业企业技术开发经费支出总额达195.83亿元，比上年增长9.7%，其中，用于新产品开发经费支出129.16亿元，增长9.3%。

技术创新成效稳步提升。2009年全省工业实现新产品产值2300.21亿元，比上年增长9.1%；实现新产品销售收入2253.65亿元，增长8.8%，其中掌握核心技术的新产品销售收入568.76亿元，增长9.3%，占新产品销售收入的25.2%；全年实现新产品销售利润176.15亿元，增长8.9%；实现新产品利税总额267.43亿元，增长9.1%。

技术创新人员稳定增长。2009年全省工业企业从事技术开发活动人员为9.27万人，增长9.0%，其中高中级技术职称人员2.73万人，增长11.7%。

商品流通

2009年，福建省内贸流通部门积极应对金融危机，创新流通工作思路，采取有效措施，狠抓各项工作落实，取得了明显成效，全省消费市场规模继续扩大，实现社会消费品零售总额4480亿元，同比增长16.5%，扣除价格因素实际增长19%，比上年加快6.4个百分点。其中：第四季度随经济企稳向好表现突出，同比增速达18.4%，高于全年平均增速1.9个百分点，对全年社会消费品零售总额增长贡献率达

31.5%，拉动5.2个百分点；各大类商品中，家具类和汽车类消费增速最高，分别为56.5%、35.8%，食品类增长28.9%，服装类增长28.2%，内需拉动作用突显。2009年，全省批发零售业、住宿餐饮业和运输仓储邮政业实现增加值1020.87亿元、223.22亿元、758.35亿元，分别增长了15.2%、6.9%和1.2%。

（一）扩大消费重点突出

福建省家电下乡工作自2009年2月份启动以来，保持良好的发展势头，至年底，家电下乡备案销售网点总数5500个，累计销售家电下乡产品80.84万台（件），销售额共计16.66亿元，发放补贴资金1.99亿元，兑付率97.2%，有力地促进了农村消费。汽车摩托车下乡累计销售15.8万辆。汽车以旧换新2009年8月启动，至12月31日已补贴144辆138.4万元。福州市家电以旧换新试点，至年底已收旧88232台，购新70069台，销售2.7亿元，补贴2029万元。

（二）闽货拓展形式多样

举办各类地方工业品产销对接会和地方农产品产销对接会，组织企业参加国内重要展会51场，成交金额超过130亿元。组织参加商务部举办的冬季、夏季网上购销对接会，全省在新农村商网共发布购销信息3706条、求购信息138条，涉农企业2714家，农业协会、经纪人、种养大户2394家，促成省内农产品成交15398万元。在阿里巴巴网络平台建立具有独立域名的福建专区，集中向全球展示和推介福建省企业和产品。目前已有4500家使用阿里巴巴诚信通业务，1100家企业使用阿里巴巴出口通业务。

（三）农村流通措施有力

2009年福建省“万村千乡市场工程”扩大到所有较大村，当年建设完成3000个农家店和30个配送中心，至2009年底已累计建成并通过验收的农家店达14187个，覆盖97.7%乡镇和72.5%建制村。8个大型农产品批发市场的9个项目列入商务部“双百市场工程”建设年度计划，进一步提高了这些市场信息化水平、检验检测水平和安全监控水平，增强了物流配送能力，提高了农产品流通效率，带动了农业发展和农民增收。支持欠发达地区县乡建设和改造101个集贸市场，其中农改超16个，进一步改善了农村消费环境，搞活了农村商品流通，强化了食品安全。在全省范围内开展农村商务信息服务体系建设，培训5097个农村商务信息员。

（四）流通现代化持续推进

支持流通企业配送中心建设，除了以“万村千乡市场工程”为载体发展承办企业配送中心以外，又重点扶持14个流通企业配送中心新建或改造项目。推动电子商务发展，确定13个电子商务重点项目，成立移动电子商务专门小组，出台《关于加快福建省移动电子商务发展的实施意见》。“网洽会”平台的服务功能日益完善、参展的质量和规模大幅提升，至第七届“海西网洽会”开幕，参展企业达7622家、产品53028种，发布招商引资和科技合作项目14128项。

（五）节能降耗更有作为

继续推动再生资源回收体系建设，继福州市后，三明市被商务部列为第二批全国再生资源回收体系建设试点城市；新认定宁德、南平等6个县市作为第二批省级再生资源回收体系建设试点城市，全省试点城市达10个。试点城市已开工建设了16个再生资源集散市场，建成各类再生资源回收中转站50个，建成社区回收站点473个，新增再生资源营业面积30.11万平方米。深入开展商贸行业节能降耗，确定8家商贸企业作为节能降耗示范。进一步发挥示范企业典型引导作用，推广适用的节能节水技术和设备，推动合同能源管理，降低商贸业能耗水平。扩大节能节水商品销售，做好限塑工作，减少商贸服务行业一次性用品和塑料包装使用量。

（六）项目带动步伐加快

第六届福建省商贸行业投资合作洽谈会于2009年5月18—22日在福州（金山）展览城成功举行，共有物流配送、商业网点、餐饮住宿、市场建设等23个项目签约，总投资66.7亿元，有力地推动商贸行业招商引资。2009年全省城镇以上固定资产投资中，批发零售业92.54亿元，增长72.9%，住宿餐饮业86.36亿元，增长33.1%；批发零售业和住宿餐饮业合同利用外资3.84亿美元。

（七）市场监测调控强化

继续做好重要生活必需品、重要生产资料、重点流通企业、百县农村市场监测工作，全省新增监测样本企业43家，累计监测商贸样本企业404家。开展福建省应急物资保障体系建设实施计划，已有38家企业列入应急物资重点生产企业和重点商贸企业数据库。加强成品油市场调控，重点监测中石化森美（福建）石油有限公司、中石油华南销售分公司（以下简称两大集团福建企业）汽、柴油月度配置和自采情况，根据监测情况及时启动应急预案，2009年中石化、中石油两大集团福建企业购进成品油557.69万吨，销售成品油569.37万吨，保持汽油、柴油库存10天销量以上。加强省控城市无公害副食品生产基地管理，全省省控城市生猪基地达102家，年上市商品猪达201万头；省控蛋禽基地28家，年上市蛋品1942万公斤；省控蔬菜基地68家，年上市蔬菜达57.5万吨。

（八）食品安全路子拓宽

继续治理“餐桌污染”，建设“食品放心工程”。围绕“五类产品、一个行业”的污染开展全面治理，加强种养、加工、流通、消费等环节的监管，组织开展打击违法添加非食用物质和滥用食品添加剂专项整治行动，贯彻实施食品安全法。全省30项主要食品治理指标基本达到省年度计划指标要求；组织开展食品安全执法检查25.93万次，查处违法行为7331起，查获各类不合格食品1597吨，依法有效地打击了食品安全违法犯罪行为；对牲畜定点屠宰场点进行清理换证，至2009年年底全省共有屠宰场点270家，其中屠宰场87家，屠宰点183家；全年完成定点屠宰生猪739.56万头，牛14.34万头，羊16.24万头，定点屠宰率分别为：猪98.84%，牛98.13%，羊94.37%。开展打击私屠滥宰和病死猪病害猪肉非法交易专项整治，全年全省共出动执法人员14.37万人次，开展执法检查34735次，查处私宰窝点179个，查获非法屠宰贩卖畜肉88.21吨，查处案件1724起，案值120万元。开展"放心肉"服务体系建设试点，福建省和厦门市列为全国开展"放心肉"服务体系建设试点工作的省份和计划单列市，福州、南平、龙岩3个设区市开展肉品质量安全信息可追溯系统试点，福州和盛食品有限公司、福州榕福食品有限公司、南平市天晟肉食品有限公司、福建省森华实业有限公司4家屠宰企业开展肉品冷链建设试点。全面推进屠宰场升级改造，至2009年年底全省有37家屠宰场通过建设项目验收并通过资质等级认定。

（九）市场监管力度加大

加强酒类流通管理，至2009年底全省已办理酒类经营者备案登记19471家，有83个市、县（区）使用了酒类流通随附单，占市、县（区）总数88%，共发放随附单42026本。深入开展拍卖中介机构专项治理工作，拍卖企业与政府部门在工作、组织、经济、场所"四分开"工作已全部完成。加强成品油流通监管，严格实施行政许可，加快推进农村加油站建设。加强成品油市场运行的监测、分析和调控，全力保证重点工业用户、重点建设项目和农村重点加油站的用油需求。加强汽车流通行业管理，规范二手车交易和二手车鉴定评估机构，按时全面开展汽车以旧换新工作，推动报废汽车回收行业加快升级改造步伐。开展商务行政综合执法试点，全省共有3个设区市和3个县（市）列入全国商务综合行政执法试点，8个市县作为省级综合执法试点单位。加强商贸信用体系建设，形成福建省经贸委商务领域信用信息有效数据5487家、89662条。

（十）商贸对台交流合作加强

"5·18"期间举办"海峡两岸经贸行业协会对接洽谈会"，共达成22项两岸行业合作协议，签订一批设备采购及投资合作项目，取得较好成效。7月，10家福建省商贸企业参加商务部"两岸经贸促进考察团"，达成采购金额近亿美元。9月，举办海峡两岸（泉州）农产品采购订货会，共有台商参展单位110个、展位300个，成交金额达19.65亿元。12月在福州举办海峡两岸电子商务展示对接会，台湾中华电子产业协会和岛内多家企业，以及福建省电子商务企业代表近200人参加展示和对接，签订5份（战略）合作框架协议书。

整顿和规范市场经济秩序

2009年专项整治工作持续深入开展。围绕产品质量、食品安全、药品安全、保护知识产权、农资市场、安全生产、房地产市场、价格秩序、打击发票违法犯罪活动等重点专项以及其他专项，深入开展整治工作。全省共出动行政执法人员140.95万多人次，检查各类市场4.46万多个次，检查各类企业30.3万个次，查处各类经济案件13.2万起，总案值21.34亿元；全省公安经侦部门共立各类经济犯罪案件5379起，涉案总值30.47亿元，破获各类经济犯罪案件3650起，挽回经济损失1.36亿元，抓获犯罪嫌疑人3070名；全省检察机关共批捕破坏社会主义市场经济秩序类犯罪856件1237人；全省法院共审结破坏社会主义市场经济秩序类案件1097件1668人，严厉地打击了破坏市场经济秩序的违法犯罪活动。围绕着年度整规工作重点，加强宣传力度，为整顿和规范市场经济秩序营造良好的社会舆论环境。

节能减排与循环经济

2009年福建省能源消费总量为8916.46万吨标准煤，比上年增长8%，比GDP增速少4个百分点；能源消费弹性系数为0.65；单位GDP电耗1032.05千瓦时/万元，下降5.87%；规模以上工业万元增加值能耗为1.15吨标准煤，下降2.7%；全省单位GDP能耗为0.811吨标准煤/万元，下降3.81%，全面完成2009年度节能目标任务和"十一五"节能进度目标。

（一）产业结构不断优化

大力发展低能耗高附加值第三产业和高技术产业，加快推进现代服务和现代流通业发展，加大行业引导、整顿和规范，限制高耗能行业过快发展，持续推进工业内涵深化技改提升工程，加快传统产业改造提升，促进了福建省GDP综合能耗的降低。2009年全省第三产业实现增加值5048.49亿元，同比增长12.3%，第三产业占GDP比重比2008年提高1个百分点，高技术产业增加值增长7.8%；六大高耗能行业增加值占工业增加值比重为23.2%，比2008年下降0.3个百分点。加大淘汰落后产能力度，2009年淘汰水泥产能499万吨，提前一年超额完成"十一五"规划淘汰1668万吨的任务；关停小火电机组111.95万千瓦，累计关停小火电机组194.55万千瓦，提前并超额完成"十一五"国家下达福建省淘汰

113.4 万千瓦任务；淘汰造纸落后产能 5.236 万吨、铁合金落后产能 6000 吨，全面完成淘汰落后产能目标任务。

（二）重点节能工程成效显著

组织实施 223 项节能重点工程项目，项目建成后年可实现节能量 30 万吨标准煤，重点工程项目的实施对节能工作起到了积极的带动作用，极大地促进企业节能减排，同时降低了经营成本，提高了企业竞争力。推行合同能源管理，出台《福建省合同能源管理专项资金使用管理暂行办法》，对列入节能十大重点工程范围、节能效果显著的合同能源管理项目，按照项目设备投资额的 10% ~15% 的比例对投资单位进行补助。2009 年省级财政共安排合同能源管理项目 12 个。

（三）重点企业节能管理加强

组织开展 200 家重点用能企业节能行动，完善各项节能管理制度，加强节能技术改造，完善企业能耗统计体系，促进企业节能工作上台阶。2009 年，年耗能万吨标准煤以上的重点用能企业万元产值能耗下降到 1.12 吨标准煤，比 2008 年下降 3.49%。14 家"千家企业"全部完成年度节能目标，完成节能量 26.68 万吨标准煤。加强重点用能企业能源审计，截至 2009 年底，全省已有 184 家重点用能企业完成能源审计。

（四）技术研发创新步伐加快

研究推广节能降耗、新能源开发利用等关键技术，组织实施光电照明产业关键元器件的研发与产业化等 24 个节能技术研发项目，组织开展太阳能级多晶硅材料提纯关键技术及检测服务平台的标准化建设重大专项研发。加快企业节能技术自主研发和创新步伐，引导并支持企业建立企业技术中心，努力突破一批产业节能关键和核心技术，提升企业节能自主创新能力。通过举办中国·海峡项目成果交易会、海峡绿色建筑与建筑节能博览会等，大力宣传和推广节能新技术、新产品，积极推广节能新技术、新产品，实现项目对接 74 项。发布福建省节能产品政府采购清单，推广节能、节水产品共 53 项；推进财政补贴绿色照明产品的推广工作，2009 年全省共推广 429 万只节能灯，超额完成国家下达的 350 万只推广任务。

（五）节能监管与服务水平进一步提高

加强节能监察工作，支持省、市、县 27 个节能中心的能力建设，进一步提高节能监测和技术服务能力。进一步加强能源监测统计工作，改进和规范能源统计方法。开展节能宣传周活动，围绕"推广使用节能产品，促进扩大消费需求"主题，推广宣传节能灯产品，召开节能环保新品推介会等活动。开展重点用能企业能源利用状况报告填报培训、能源计量数据采集及应用培训、锅炉节能降耗技术及案例培训等锅炉节能培训、建筑节能相关标准和规范培训等。

（六）循环经济发展加快

积极推进 91 个循环经济重点项目建设，以及 5 家国家级循环经济试点单位、94 家省级企业、13 个园区的循环经济试点示范工作。积极引导企业开展清洁生产，对 100 家企业开展清洁生产审核，企业获得显著的节能、降耗、减污、增效等经济、社会和环境效益。认真落实国家资源综合利用优惠政策，新认定 20 家资源综合利用企业。

（撰稿：林明光 吴晓敏）

2008—2009 年福建省经济社会发展主要指标

序 号	指 标	单 位	2008 年	2009 年	增长率（%）
1	一、人口和就业				
2	年底人口数	万人	3604.0	3627.0	0.6
3	人口自然增长率	‰	6.30	6.20	
4	就业人员数	万人	2080	2169	4.3
5	按产业分：				
6	第一产业	万人	648	639	-1.4
7	第二产业	万人	740	776	4.9
8	第三产业	万人	692	755	9.0
9	城镇就业人员（按登记注册类型分）				
10	国有单位	万人	152.23	151.52	-0.5
11	集体单位	万人	17.65	16.40	-7.1
12	股份合作单位	万人	7.20	7.50	4.2
13	联营单位	万人	3.30	2.10	-36.4
14	有限责任公司	万人	60.90	75.00	23.2
15	股份有限公司	万人	23.70	28.10	18.6
16	私营企业	万人	182.66	208.27	14.0

续表

序号	指标	单位	2008年	2009年	增长率（%）
17	港澳台商投资单位	万人	105.30	104.90	-0.4
18	外商投资单位	万人	76.50	75.80	-0.9
19	个体	万人	80.67	111.30	38.0
20	城镇登记失业人数	万人	14.96	15.19	1.6
21	**二、国民经济核算**				
22	地区生产总值	亿元	10823.1	12236.5	12.3
23	**按产业分：**				
24	第一产业	亿元	1157.8	1182.7	4.7
25	第二产业	亿元	5415.8	6005.3	13.7
26	工业	亿元	4755.5	5106.4	
27	建筑业	亿元	660.3	898.9	
28	第三产业	亿元	4249.6	5048.5	12.3
29	#交通运输、仓储和邮政业	亿元	735.4	751.4	
30	批发和零售贸易业	亿元	950.7	1043.4	
31	**三、固定资产投资**				
32	投资总额	亿元	5207.7	6231.2	19.7
33	**按投资种类分：**				
34	城镇	亿元	4601.5	5548.6	20.6
35	#房地产开发	亿元	1129.1	1136.3	0.6
36	农村	亿元	606.2	682.6	12.6
37	#农户	亿元	153.4	181.1	18.1
38	非农户	亿元	452.8	501.5	10.8
39	**按建设规模分：**				
40	建设总规模	亿元	18481.1	22994.7	24.4
41	在建总规模	亿元	15678.8	19821.2	26.4
42	在建净规模	亿元	7671.0	9903.1	29.1
43	**按资金来源分：**				
44	国家预算内资金	亿元	361.3	509.0	40.9
45	国内贷款	亿元	1046.9	1355.9	29.5
46	利用外资	亿元	206.2	194.1	-5.9
47	自筹资金	亿元	3123.6	3469.1	11.1
48	其他投资	亿元	946.5	1441.3	52.3
49	**四、房地产开发**				
50	本年完成土地开发面积	万平方米	475	465	-2.1
51	本年土地购置费用	亿元	299.4	332.7	11.1
52	本年土地购置面积	万平方米	1076	1121	4.1
53	本年完成投资额	万元	11290921	11363495	0.6
54	#住宅	万元	7359284	7432742	1.0
55	#经济适用房屋	万元	298515	185799	-37.8
56	房屋施工面积	万平方米	11460	11668	1.8
57	房屋竣工面积	万平方米	1906	2240	17.5
58	本年新开工房屋面积	万平方米	2798	2423	-13.4
59	#住宅	万平方米	2221	1861	-16.2

续表

序号	指标	单位	2008 年	2009 年	增长率（%）
60	#经济适用房屋	万平方米	111	106	-4.5
61	商品房屋销售面积	万平方米	1626	2723	67.5
62	#住宅	万平方米	1250	2421	93.7
63	#经济适用房屋	万平方米	84	55	-34.4
64	商品房屋销售额	万元	7126128	14778299	107.4
65	#住宅	万元	5622613	12990871	131.0
66	商品房屋平均销售价格	元/平方米	4384	5427	23.8
67	#住宅	元/平方米	4498	5366	19.3
68	#经济适用房屋	元/平方米	2313	2703	16.9
69	**五、规模以上工业企业**				
70	企业单位数	个	17212	18154	5.5
71	工业总产值	亿元	15212.8	16762.8	10.2
72	资产总计	亿元	11694.9	13344.5	14.1
73	利润总额	亿元	896.1	1104.1	23.2
74	总资产贡献率	%	13.9	14.3	3.2
75	资产负债率	%	53.7	53.4	-0.5
76	**六、交通运输业**				
77	运输线路长度				
78	铁路营业里程	公里	1618	2110	30.4
79	内河航道里程	公里	3245	3245	0.0
80	公路里程	公里	88607	89504	1.0
81	#高速公路	公里	1767	1961	11.0
82	货运量	万吨	57202	58163	1.7
83	#铁路	万吨	3642	3574	-1.9
84	公路	万吨	38367	40317	5.1
85	水运	万吨	15193	14272	-6.1
86	客运量	万人	71780	75009	4.5
87	#铁路	万人	2066	2083	0.8
88	公路	万人	68409	71586	4.6
89	水运	万人	1305	1340	2.7
90	**七、国内商业**				
91	社会消费品零售总额	亿元	3866.7	4481.0	15.9
92	**八、对外贸易和旅游**				
93	货物进出口总额（按经营单位所在地分）	万美元	8482107	7964959	-6.1
94	出口	万美元	5699184	5331911	-6.4
95	进口	万美元	2782923	2633048	-5.4
96	外商投资企业货物进出口总额	万美元	5212205	4377455	-16.0
97	出口	万美元	3250376	2739325	-15.7
98	进口	万美元	1961829	1638130	-16.5
99	外商投资企业基本情况				
100	年底登记数	户	23809	23609	-0.8
101	投资总额	亿美元	1121.3	1174.5	4.7
102	注册资本	亿美元	626.4	653.6	4.3

续表

序　号	指　标	单　位	2008 年	2009 年	增长率（%）
103	#外方	亿美元	540.2	562.0	4.0
104	对外承包工程				
105	完成营业额	万美元	13295	17478	31.5
106	对外劳务合作				
107	完成营业额	万美元	26723	24773	-7.3
108	接待国际旅游人数	万人次	293.19	312.03	6.4
109	#外国人	万人次	98.64	97.84	-0.8
110	国际旅游外汇收入	百万美元	2393.53	2599.23	8.6
111	**九、财政**				
112	地方财政一般预算收入	亿元	833.4	932.4	11.9
113	#国内增值税	亿元	124.1	129.5	4.4
114	营业税	亿元	226.9	265.2	16.9
115	个人所得税	亿元	45.0	47.5	5.7
116	地方财政一般预算支出	亿元	1137.7	1411.8	24.1
117	**十、物价指数**				
118	商品零售价格指数	上年＝100	105.7	97.9	
119	居民消费价格指数	上年＝100	104.6	98.2	
120	#城市	上年＝100	104.5	98.3	
121	农村	上年＝100	104.6	97.9	
122	**十一、人民生活**				
123	收入				
124	农村居民家庭人均纯收入	元	6196	6680	7.8
125	城镇居民家庭人均可支配收入	元	17961	19577	10.9
126	居民消费水平	元	10361	10950	10.1
127	农村居民	元	5633	6037	11.4
128	城镇居民	元	15223	15739	7.7
129	住房				
130	农村居民人均住房面积	平方米	46.1	46.8	1.4
131	**十二、教育**				
132	高等学校数	所	81	84	3.7
133	高等学校招生数	人	179137	187311	4.6
134	高等学校在校学生数	人	562595	606284	7.8
135	高等学校毕业生数	人	130379	142814	9.5
136	**十三、卫生**				
137	卫生机构数	个	4478	26613	
138	#医院、卫生院	个	1203	1285	6.8
139	医疗机构床位数	张	88579	104290	17.7
140	#医院、卫生院	张	82302	95980	16.6
141	卫生技术人员数	人	103341	130809	26.6
142	#执业（助理）医师	人	43013	55066	28.0

注：1. 地区生产总值及其三次产业、城镇居民人均可支配收入和居民消费水平的增长速度按可比价格计算。

2. 卫生机构数 2009 年起含村卫生室，与历史数据不可比。

厦门市

综 述

2009年是进入新世纪以来厦门市经济发展最为困难的一年，也是厦门市商贸工作经受严峻考验的一年。面对历史罕见的金融危机冲击，市贸发局在市委、市政府的正确领导下，以邓小平理论和“三个代表”重要思想为指导，深入学习实践科学发展观，认真落实党中央、国务院关于“保增长、保民生、保稳定”的决策部署，坚定信心，迎难而上，积极应对，使厦门市商贸业在逆势中取得了新的发展。

工业经济

2009年，厦门市完成工业总产值2886.21亿元，比上年增长2.0%，实现工业增加值670亿元，增长3.2%，占全市GDP的41.3%。其中，规模以上工业企业完成工业总产值2784.02亿元，增长1.6%，实现工业增加值654.62亿元，增长2.8%。

至2009年底，厦门市有规模以上工业企业2203家，比上年增加212家。其中产值增量超亿元的企业有49家，合计实现产值增量193.75亿元，占全市产值增量的63.5%。

2009年着力重点培育的13条产业链共完成产值1786.14亿元，其中有6条实现增长，计算机与通讯设备、平板显示、汽车、农副产品与食品加工这4条产业链已超百亿元，工程机械、现代照明和太阳能、输配电及控制设备这3条产业链接近百亿规模；电子、机械、化工三大支柱行业全年共完成产值2049.59亿元，比上年下降7.2%，占全市规模以上工业的73.6%。

规模以上工业实现销售产值2764.51亿元，下降6.2%。其中，实现出口交货值1178.93亿元，下降13.0%；出口交货值率为42.65%，比上年下降3.32个百分点；规模以上工业产品产销率99.30%。

规模以上工业中，重工业共完成产值1867.42亿元，比上年增长2.2%；轻工业完成产值916.60亿元，比上年增长0.4%，重工业与轻工业之比为2.0:1。

规模以上工业经济效益综合指数为179.49，比上年上升13.75个百分点。其中，总资产贡献率12.17%，上升2.63个百分点；资本保值增值率115.88%，上升0.8个百分点；资产负债率54.14%，下降2.59个百分点；流动资产周转率1.91次，减缓0.16次；成本费用利润率7.24%，上升3.25个百分点；全员劳动生产率11.50万元/人，净减0.31万元/人。全市规模以上工业实现利润185.08亿元，比上年增长67.7%。

主要工业产品生产情况：全市规模以上工业企业生产彩色电视机291.97万台，增长69.1%；软饮料177.17万吨，增长33.4%；低压开关板3.21万面，增长51.4%；罐头36.69万吨，增长31.7%。

固定资产投资

2009年，厦门市共完成全社会固定资产投资882.12亿元，下降5.3%，其中城镇投资863.03亿元，下降5.5%。

全市共安排147个重点建设项目，年度计划总投资446.56亿元，全年重点项目完成投资324.1亿元，完成全年计划的72.6%，占全社会固定资产投资的36.7%。其中：工业项目完成投资89.23亿元，服务业项目完成投资47.55亿元，基础设施项目完成投资165.23亿元，农业项目完成投资1亿元，社会事业项目完成投资20.99亿元。

全年基础设施共完成投资323.44亿元，增长12.6%。其中，交通运输、仓储和邮政业完成投资170.01亿元，增长17.4%，其中成功大道、翔安大道二期、丙洲大桥等建成通车，东渡现代码头、海澳石化等5个泊位投入使用，福厦铁路开通试运行，翔安隧道全线贯通；水利、环境和公共设施管理业完成投资109.09亿元，增长18.6%，主要龙头项目有五缘湾片区开发、湖里高新园、海沧保税港区基础设施建设等。

全年完成工业投资165.48亿元，下降18.2%，其中：电力、燃气及水的生产和供应业完成投资32.53亿元，下降17.6%；制造业完成投资132.94亿元，下降18.4%。

商品流通

2009年，厦门市实现社会消费品零售总额488.6亿元，同比增长15.3%，比上年略低0.4个百分点。其中，批发零售业实现403.5亿元，同比增长15.9%；住宿餐饮业实现零售额68.4亿元，同比增长13.1%。与全国、全省相比，厦门市社会消费品零售总额增幅分别略低于全国0.2个百分点，低于全省1.2个百分点。全年商贸业实现GDP增加值207.4亿元，同比增长12.3%，高出同期全市GDP增幅4.3个百分点，占全市GDP比重达12.8%，比上年提高1个百分点，为厦门市成功抵御全球金融危机冲击起到重要的支撑作用。

2009年，厦门市商品流通主要特点：

1. 各项促消费活动成效显著。2009年初，受国际金融危机和经济形势向下的影响，消费者的消费信心不足，消费增长有限，增幅均低于上年同期，且差距较大。但从3月份开始，市贸发局积极筹划、组织了“购物嘉年华”、购物节等促销活动，并大力推进家电下乡、汽车以旧换新、家政培训等“促消费”政策的贯彻落实，有效拉动了内需，扩大了消费。从5月开始，厦门市社会消费品零售总额增幅不断回升，并一路走高，全年累计增幅达到15.3%，比第一季度提高了近10个百分点，第四季度的10月、11月、12月当月分别实现了23.9%、26.4%、26.4%的增幅，均超过上年同期10个百分点以上。其中，3—5月举办的“2009年购物嘉年华”活动有效扭转了1、2月份社会消费品零售总额增长乏力的局面，使其累计增幅从2月份的4%提高到5月份的8.5%，实现了销售“淡季不淡”目标；7—9月举办的“2009厦门购物节”首次扩展到厦门岛外，深入到各区、街道和主要商业中心，并举办一系列团购、促销互动，激发了广大消费者的消费热情，极大地提升流通企业的销售额，7、8月社会消费品零售总额增幅分别为16.1%、16.8%，连创当年来最高增幅，9月份当月实现零售额43.34亿元，为前三季度单月最高值，购物节活动也获得了商务部的认可，被纳入全国“扩大消费、创新生活”50项重点活动之一，并荣获“2008—2009年度中国十大创新节庆活动奖”；“家电下乡”活动自2月22日启动至12月31日止，总销售量为22497台，销售金额为4856万元，对促进农村消费起到积极作用，但总体而言，累计家电下乡产品销售占全市社会消费品零售总额比重仅0.1%，对全市的消费品市场拉动不明显。

2. 汽车成为拉动消费增长的主力。受2009年初国家实行“1.6升排量及以下的乘用车车辆购置税减半”的政策的拉动，厦门市汽车消费节节攀升，尤其是第四季度汽车销售更是呈现井喷现象，10、11、12月份单月零售额增幅分别达到43.5%、121.9%、76.7%，全年限额以上汽车类商品累计零售额达到89.3亿元，同比增长39.1%（其中小轿车零售3.77万辆，增长45.5%），占全市社会消费品零售总额比重达18.3%，较上年提高3.2个百分点，拉动全市社会消费品零售总额增长5.9个百分点，成为拉动厦门市消费增长的主力。虽然汽车销售市场热情高涨，但石油总体销售额并没有“水涨船高”，累计全年限额以上石油类商品零售额为41.0亿元，同比下降7.5%（降幅相对年初略微缩减），占全市社会消费品零售总额比重为8.4%，较上年减少2个百分点，这主要是因为上年同期油价高企，基数高。

3. 消费品市场日趋集中。随着大型零售企业的不断进驻和开设分店，厦门市消费品市场日趋集中。2009年全年实现零售额超亿元的贸易企业有62家，比上年增加12家；全年实现零售额超5千万元的住宿餐饮企业11家，比上年增加2家。全年限额以上批发零售企业实现零售额276.36亿美元，同比增长15.9%，拉动全市社会消费品零售总额增长9个百分点，比上年提高0.2个百分点；占全市社会消费品零售总额比重达到56.6%，比上年提高0.5个百分点。

4. 日常消费需求相对旺盛。从全年限额以上批发和零售业商品销售分类情况来看，2009年厦门市穿、用、住等日常消费需求相对旺盛，而一些享受型、娱乐型消费产品相对缩减，但缩减幅度逐步减小，并在迅速恢复中，说明消费者的消费信心在逐步恢复。其中：服装、日用品等商品消费大幅增长，服装鞋帽、针纺织品类累计增长28.6%，日用品类累计增长50%；通讯器材类商品继续缩减，全年消费下降幅度达到27.9%；与房地产联系紧密商品呈现恢复性增长，家电商品类上半年大幅缩减，但下半年则大幅增长，累计增幅在9月份一举转正，全年累计增幅达到11.8%，此外家具类全年累计增长2.3%，建筑及装潢材料类累计增幅达到33.4%，这说明随着房地产交易的复苏，关联商品的消费逐步得到释放。

5. 百货业保持快速增长。分业态看，2009年厦门市百货业保持快速增长，大卖场、超市基本持平，电器专卖店则由降转升。从市贸发局市场运行监测情况来看：天虹商场、SM来雅百货、松柏巴黎春天百货、新世界百货、华联百货、信达免税商场等6家主要百货企业全年累计实现销售额18.6亿元，同比增长23.7%；好又多、麦德龙、家乐福、沃尔玛、新华都、永辉、明兴、悦士、“88”、倍顺等10家大卖场、超市累计实现销售额23.4亿元，同比增长1.0%；苏宁、国美、永乐三家电器专卖店扭转了上半年大幅下降的低迷态势，全年累计实现销售额18.2亿元，同比增长5.6%。

6. 岛外消费比重进一步提升。随着岛内市场布局的饱和，各大零售巨头纷纷把目光转向广阔的岛外市场，并纷纷到岛外开设分店，大大推进了岛外商业设施的完善，也扩大了岛外消费的市场份额。2009年厦门市岛内、外消费占比分别为84.2%和15.8%，分别比上年缩小和提高1.1个百分点。

2009年厦门市社会消费品零售总额分区统计情况

表1

行政区划	零售额（万元）	增幅（%）	占比（%）
全　市	4887843	15.3	100.0
思明区	2774818	14.1	56.8
湖里区	1338147	17.1	27.4
集美区	272662	17.1	5.6
海沧区	142471	19.7	2.9
同安区	251622	13.9	5.1
翔安区	107468	16.7	2.2

6. 居民消费分流增大。近几年来，厦门市居民人均可支配收入增长水平呈下滑态势，且消费分流也逐渐加大，消费性支出比重明显下降。2009 年，厦门市居民实现可支配收入 26131 元，比增 9.1%，增幅较上年下滑 2.3 个百分点；消费支出占家庭总支出比重为 57.2%，较上年下滑 11.3 个百分点。这说明，居民的收入增长有限，且非消费支出增长迅速，分流了居民的商品性消费支出，制约了社会消费品零售总额的增长空间。

2007—2009 年厦门市居民收入及消费性支出情况

表 2

年份	居民人均可支配收入		居民人均消费性支出		消费支出占家庭总支出比重（%）
	总额（元）	增幅（%）	总额（元）	增幅（%）	
2007	21501.58	16.15	16380.23	15.66	74.80
2008	23947.57	11.37	17116.56	4.50	68.54
2009	26130.58	9.12	17989.97	5.10	57.23

7. 旅游消费增长不足。2009 年，厦门市外来游客达 2524.9 万人次，同比增长 15.1%；但全年旅游总收入为 325.4 亿元，同比仅增长 7.2%，增幅明显低于外来游客的增长水平，旅游消费增长明显不足。

2007—2009 年厦门市旅游消费情况

表 3

年份	外来游客（万人次）	增幅（%）	旅游总收入（亿元）	增幅（%）
2007	2058.75	10.9	293.8	16.2
2008	2194.11	6.6	303.6	3.35
2009	2524.85	15.1	325.4	7.2

8. 全年 CPI 下降 2.7 个百分点。其中，食品类比上年同期降低 2.1%，衣着类降低 5.7%，交通和通信类降低 5%，娱乐教育文化用品及服务降低 1.4%，居住类降低 5.4%，烟酒及用品上涨 3.1%，家庭设备用品及维修服务上涨 0.1%，医疗保健和个人用品上涨 2.1%。

外经外贸

（一）对外贸易

2009 年厦门市实现进出口总额 433.1 亿美元，同比下降 4.6%，其中出口 276.7 亿美元，同比下降 5.9%，进口 156.5 亿美元，同比下降 2.1%。与全国、全省相比，厦门市出口、进口降幅分别好于全国 10.1 和 9 个百分点，好于全省 0.5 和 3.3 个百分点；出口增长水平在全国各省、自治区、直辖市和计划单列市中位居第三，仅次于四川和广西；外贸对全省贡献加大，总量占全省比重提高到 54.4%，比上年提高 0.9 个百分点。

2009 年厦门市外贸增幅与全国、全省对比情况

表 4

外贸指标	厦门市（%）	全国（%）	全省（%）	占全省比重（%）
进出口	-4.6	-13.9	-6.1	54.4
出口	-5.9	-16.0	-6.4	51.9
进口	-2.1	-11.2	-5.4	59.4

1. 主要特点。

一是上半年持续低迷，下半年积极回暖。从序时进度看，厦门市外贸受金融危机影响，一季度十分低迷，二季度继续下滑，三季度有所好转，四季度积极回暖。出口方面，一季度同比下降9.6%，二季度下降12.5%，三季度仅下降4.6%，四季度同比增长3.3%；进口方面，一季度同比下降22.6%，二季度下降4.9%，三季度仅下降0.9%，四季度同比增长23.7%。可以看出，与出口相比，进口受金融危机影响更明显，但回暖也更快。

二是内资保持逆势增长，外资降幅明显收窄。内资方面：全年出口139.3亿美元，同比增长6.4%；进口61.3亿美元，同比增长17.4%。其中民营企业更是逆势快速增长，全年出口110亿美元，增长24.4%，进口21.5亿美元，增长20.7%，成为稳定厦门市外贸的主要力量，部分民营企业如嘉晟、协力、华融、嘉联恒、佳事通、宇信兴业、合力成等取得快速增长；国有企业出口则大幅下降，全年出口23.7亿美元，下降33.4%，主要国有外贸企业如建发、国贸、信达、象屿、夏商均出现较大降幅，国有企业进口保持增长，全年进口37.6亿美元，同比增长15.8%。外资方面：全年出口137.4亿美元，同比下降15.8%，企业降多升少；进口95.1亿美元，同比下降11.7%。外资进出口降幅均呈收窄趋势，全年出口、进口降幅分别比上半年收窄4.2和12.8个百分点。厦门市内资出口也自1997年以来再次超越外资，内外资占全市出口比重分别为50.3%和49.7%，与上年相比分别提高（下降）了5.8个百分点。

三是传统商品出口保持增长，机电高新产品降幅收窄。厦门市重点扶持的十二类劳动密集型商品全年出口138.9亿美元，同比增长10.2%，对稳定全市出口起到了关键作用。传统商品中的刚性必须品保持增长，如服装纺织37%、鞋类7.1%、石材8.5%、家具48%、伞38%、鲜干果30.6%等，而传统商品中的非刚性必须品则出现下降，如体育用品-24.1%、箱包-4.9%、树脂工艺品-15.9%等。机电和高新产品出口大幅下降，但呈收窄趋势，其中机电产品出口119.6亿美元，同比下降16.8%，较上半年收窄6个百分点；高新产品出口43.4亿美元，同比下降27.8%，较上半年收窄4.4个百分点。

四是新兴市场保持增长，发达市场降幅收窄。全年对新兴市场出口55.7亿美元，同比增长4.2%；对发达市场出口119.9亿美元，同比下降7.6%；对传统市场出口由于受对日本出口的大幅下降影响，降幅较大，全年出口100.9亿美元，同比下降8.7%。主要传统和新兴市场中，对东盟十国出口29.8亿美元，同比增长16.1%；对中国台湾地区出口7.9亿美元，增长12%；对香港特区出口23亿美元，下降6.4%；对海湾六国出口10亿美元，同比增长29%。主要发达市场中，对美国出口50.4亿美元，同比下降7%，较上半年收窄3.4个百分点；对欧盟出口57.9亿美元，下降5.3%，较上半年收窄6.5个百分点，特别是11、12月份对欧美出口增长已实现“转正”，回暖迹象比较明显；对日本出口31.3亿美元，下降28.8%，降幅较上半年加大，主要是戴尔的出口大幅下降所致。

五是一般贸易逆势增长，加工贸易降幅收窄。全年一般贸易方式出口155.2亿美元，同比增长5.5%；一般贸易进口75.8亿美元，同比增长8.5%。全年加工贸易方式出口98.8亿美元，同比下降17.5%，较上半年收窄6.6个百分点；加工贸易进口57.9亿美元，同比下降1.3%，较上半年大幅收窄20.5个百分点。全年其他贸易方式出口22.7亿美元，同比下降16.2%；其他贸易方式进口22.8亿美元，同比下降27.4%。2009年厦门市一般贸易出口占全市出口比重上升至56.1%，而同期加工贸易出口占全市出口比重下滑至35.7%。厦门市一般贸易出口较快增长一方面得益于内资企业的快速增长；另一方面是随着厦门市加工贸易的转型升级，外资企业一般贸易出口迅速崛起，成为一股不可忽视的力量，自2006年起外资企业一般贸易出口额占全市一般贸易出口比重超过20%，且逐年增加，同时外资企业加工贸易出口也逐渐减少。

六是对台贸易逆势增长，对台优势更加凸显。全年对台进出口额达到42亿美元，同比增长9.7%，其中出口额8.0亿美元，同比增长12.0%；进口额34.0亿美元，同比增长9.1%。对台贸易增幅高出全省13.4个百分点，高出全国27.5个百分点；对台贸易总额占全省比重达到60.1%，占全国比重为4.0%，明显高于厦门市外贸占全省全国的比重，凸显了厦门市作为对台工作桥头堡的地位。

2. 进出口市场结构。

2009年，欧盟继续保持厦门市第一大出口市场，中国台湾地区则继续保持厦门市第一大进口来源地。

2009年厦门市具体进出口市场结构

表5

出口市场结构		进口市场结构	
市场	比重（%）	市场	比重（%）
美国	18.2	中国台湾	21.8
欧盟	20.9	东盟	13.3
日本	11.3	美国	11.3
香港特区	8.3	日本	8.7
东盟	10.8	韩国	6.1
南美	6.0	欧盟	9.3
韩国	3.2	南美	7.5
其他	21.3	其他	22.1

3. 进出口商品结构。

2009 年，机电产品仍是最主要的进出口商品，但比重均比上年明显下降，其中出口比重下降了 5.7 个百分点，进口比重下降了 3.9 个百分点。

2009 年厦门市具体进出口商品结构

表 6

出口商品结构		进口商品结构	
商品	占比（%）	商品	占比（%）
机电产品	43.2	机电产品	49.4
纺织原料及纺织制品	17.4	化工产品	7.59
鞋、帽、伞类	9.3	矿产品	11.3
石料及类似材料制品	7.1	塑料、橡胶及制品	11.5
塑料、橡胶及制品	3.53	农产品	5.57
农产品	3.8	木浆、纸及纸板	2.8
化工产品	3.13	其他	11.84
其他	12.5		

4. 主要进出口商品。

2009 年，液晶显示板继续保持厦门市第一大进口商品，且进口额逆势增长 21.7%；服装及衣着附件取代自动数据处理设备及零件成为第一大出口商品。

2009 年厦门市主要进出口商品情况

表 7

序号	出口商品	出口额（万美元）	序号	进口商品	进口额（万美元）
1	服装及衣着附件	373816	1	液晶显示板	176736
2	自动数据处理设备及零部件	264340	2	集成电路及微电子组件	129052
3	鞋类	201450	3	初级形状的塑料	105755
4	石材及其制品	163094	4	自动数据处理设备及其零部件	90070
5	液晶显示板	128882	5	铁矿砂及其精矿	66424
6	纺织纱线，织物及制品	121656	6	石材荒料	57364
7	家具及其零件	82930	7	对二甲苯	43673
8	手机零件	76004	8	飞机	40659
9	体育用品及设备	72127	9	感光材料	27308
10	旅行用品及箱包	65482	10	纸浆	26857
11	节能灯及其零件	61550	11	通断及保护电路装置	26788
12	龙头、阀门及其零件	59856	12	食用植物油（包括棕榈油）	23382
13	船舶	50179	13	电视、收音机及无线电讯设备的零附件	21876
14	电视机	49388	14	计量检测分析自控仪器及器具	21574
15	塑料制品（树脂工艺品除外）	43382	15	煤	20038
16	伞	43011	16	未锻造的铝及铝材	18621
17	数字式相机	42987	17	手持或车载无线电话机及零件	18289

续表

序号	出口商品	出口额（万美元）	序号	进口商品	进口额（万美元）
18	通断及保护电路装置	29575	18	纺织纱线、织物及制品	16963
19	医疗仪器及器械	21769	19	航空器零件	16313
20	鲜、干水果及坚果	21128	20	饲料用鱼粉	16296
21	蔬菜	19571	21	建筑及采矿用机械	14819
22	未锻造的铝及铝材	17972	22	钢材	13069
23	汽车零件	17962	23	大豆	12558
24	飞机零件	17629	24	合成橡胶（包括胶乳）	12508
25	树脂工艺品	15793	25	电容器及其零件	12129
26	电话机	15081	26	牛皮革及马皮革	11694
27	水海产品	14937	27	天然橡胶（包括胶乳）	10093
28	眼镜及其零件	14709	28	金属轧机及零件	9244
29	汽车和汽车底盘	13978	29	印刷电路	8783
30	感光材料（未曝光）	13901	30	锆矿砂及其精矿	8661
31	二极管及类似半导体器件	13689	31	对苯二甲酸	8171
32	工程机械及零件	13418	32	废纸	7928
33	电线和电缆	12923	33	变压、整流、电感器及零件	7778
34	金属硅	12491	34	乙二醇	7497
35	钨制品	11628	35	石油沥青	7344
36	电视、收音机及无线电讯设备的零附件	10791	36	机械提升搬运装卸设备及零件	7291
37	灯具、照明装置及类似品	10613	37	纸及纸板（未切成形的）	7014
38	蘑菇罐头	10461	38	橡胶或塑料加工机械及零件	6764
39	钢材	9755	39	电线和电缆	6705
40	新的充气橡胶轮胎	9129	40	钨矿砂及其精矿	6320
41	变压器	8421	41	原木	6257
42	床垫、寝具及类似品	8140	42	未锻造的铜及铜材	6226
43	电容器	8015	43	非泡沫塑料的板、片、膜、箔	6151
44	装饰用陶瓷制品	7697	44	钢坯及粗锻件	6059
45	电动机及发电机	7474	45	金属加工机床	5020
46	摩托车及自行车的零件	7409	46	二极管及类似半导体器件	4897
47	静止式变流器	7406	47	汽车零件	4356
48	手用或机用工具	7371	48	鲜、干水果及坚果	3778
49	神纸神香	6982	49	电动机及发电机	3608
50	扬声器	6456	50	谷物及谷物粉	3439
	以上合计	2324411		以上合计	1200196

（二）对台贸易

2009 年厦门市对台进出口额达到 42 亿美元，同比增长 9.7%，其中出口额 8.0 亿美元，同比增长 12.0%；进口额 34.0 亿美元，同比增长 9.1%。对台贸易增幅高出全省 13.4 个百分点，高出全国 27.5 个百分点；对台贸易总额占全省比重达到 60.1%，占全国比重为4.0%。台湾地区继续保持厦门市第一大进口来源地，并跃居为第六大出口市场（上年为第七位）。

2009年厦门市对台贸易主要特点为：

一是台资企业是对台贸易的主力。2009年内资企业对台进出口额5.9亿美元，增长26.4%；外资企业对台进出口额36.1亿美元，增长7.3%。其中，友达光电（厦门）有限公司、宸鸿科技（厦门）有限公司、达运精密（厦门）工业有限公司等三家台资企业对台贸易总额就达21.4亿美元，占全市对台贸易总额的53.5%。

二是对台贸易仍以加工贸易为主。2009年，厦门市对台加工贸易进出口30.8亿美元，增长15.7%，占全市对台贸易总额的73.3%；一般贸易进出口9.8亿美元，增长6.7%；其他贸易方式进出口1.4亿美元，下降44.1%。

三是自台进口仍以上游原料为主。进口的主要大类商品有：液晶显示板进口16.8亿美元，同比增长31.3%；处理器及控制器进口2.2亿美元，同比增长35.6%；此外对二甲苯等化工原料进口量也较大。

（三）国际经济技术合作

2009年全市对外投资项目66个，投资额29169.4万美元，同比增长1.6倍；新签对外劳务合同额2.4亿美元，增长22倍；实现对外劳务营业额1.1亿美元，增长3.7%；新派对外劳务5196人，增长11.3%；期末在外劳务9744人，同比增长7.7%。

2009年，厦门市国际经济技术合作主要特点为：

1. 对外投资再创历史新水平。全年对外投资额达29169.4万美元，大大超过2006年对外投资额20170.9万美元的年度历史最高值，再创历史新水平，同时，对外投资还呈现诸多亮点：一是大项目多，投资额1000万美元以上的大项目就有8个；二是中方投资比例高，中方投资额达21514.0万美元，占总投资额的94.1%；三是矿产投资仍是热点，矿产投资项目有5个，投资额达4570万美元；四是房地产投资成为新亮点，新出现了2个对外房地产投资项目，投资额达3000万美元。

2. 境外设点取得新突破。全年共有43家企业在11个国家和地区设立境外贸易网点48个，协议投资金额7113.7万美元，项目数占全年对外投资项目数84%，投资额占全年对外投资额31%。主要有四个特点：一是重点工业出口企业加快在境外布点，厦门工程机械股份有限公司分别在埃塞俄比亚、俄罗斯、阿联酋、香港设立4个贸易网点，厦门装载机械有限公司也在印度、乌克兰设立2个贸易网点；二是厦门企业首次在台湾设点，厦门国贸集团、厦门航空有限公司分别在台湾设立代表处；三是香港仍是厦门企业在境外设点的主要地区，全年80%的境外贸易网点设在香港；四是外资企业在境外设点逐步增多，外资企业全年在境外设立5个贸易网点，比上年增加4个，投资金额超过2000万美元。

3. 对外劳务合同额呈井喷式增长。全年新签对外劳务合同额2.4亿美元，增长22倍。2009年厦门市对外劳务合作在金融危机背景下呈现井喷式增长，主要有以下三方面原因：一是面对全球金融危机，国际航运公司为降低企业成本，纷纷把订单转移到我国等成本更低的国家；二是厦门市对劳务输出人才的培养和储备发挥了作用，面对订单转移，企业能从容签约对接，如海隆对外劳务合作有限公司高度重视船员储备和培训，船员数量多、素质高，赢得了广大国际船运公司的认同，全年共获劳务输出合同22182万美元；三是面对金融危机，厦门市劳务公司加大了开拓市场力度，如中国厦门国际经济技术合作公司为应对金融危机，大力开拓对外劳务市场，全年共新获了对外劳务合同1095.3万美元。

放心食品工程

2009年，厦门市肉、禽、蛋、菜、果、水产品等主要副食品供应正常，价格总体稳定，其中生猪定点屠宰124.4万头（相当于人均消费半头），同比增长10%，年均价格较上年下降超过20%。全市17项主要食品安全检测指标均达到标准要求，其中4项指标与往年相比进步明显，肉品“瘦肉精”抽检超标率为0.03%，较上年下降57%；蔬菜农药残留抽样超标率为1.93%，较上年下降30%；生产加工领域食品抽样合格率为99.7%，较上年提高0.21个百分点；流通领域食品抽样合格率为93.75%，较上年提高0.34个百分点。

主要特点：

1. 猪价呈大幅回落态势。年初，猪肉价格呈现持续下滑态势，至5月份最低谷时的月均收购价10.17元/千克和月均统肉批发价12.26元/千克；从6月份开始，生猪价格开始反弹并逐月走高，至12月份最高时的月均收购价12.65元/千克和统肉批发价15.00元/千克。全年生猪年均收购价11.87元/千克，同比下降24.9%；统肉年均批发价14.26元/千克，同比下降23.9%。生猪价格大幅回落的主要原因是在国家鼓励政策的作用下，养猪户积极性明显提高，生猪存栏量不断增加，供求关系得到了明显缓和并出现了一定程度的供大于求情况。

2. 蛋品价格保持平稳。2009年全市蛋品批发上市量为6659吨，鸡蛋、鸭蛋年均批发价分别为7.25元/千克和8.92元/千克，同比分别上涨0.3%和1.8%，保持基本平稳。

3. 蔬菜价格保持平稳。2009年全市蔬菜批发上市量143.5万吨，年均批发综合价为2.50元/千克，与上年同比下降1.2%，除个别台风和雨天价格有所波动外，全年价格总体保持平稳。

4. 水产品价格大幅上涨。2009 年全市水产品（冻品、鲜品、活品）批发上市量为 9.6 万吨，批发均价为 38.90 元/千克，同比上涨 39.9%。

5. 家禽价格稳中见涨。2009 年全市家禽批发上市量为 6399.3 吨，鸡年均批发均价 11.62 元/千克，同比上涨 1.5%；鸭年均批发均价 20.51 元/千克，同比上涨 0.9%。

会展业和拍卖业

会展业逐渐成为新兴产业。2009 年全市共举办各类展览活动 116 场，同比增长 36.5%，展览总面积 85.8 万平方米，同比增长 36.8%；举办各类外来会议 1323 场，同比下降 19.5%，参加会议总人数达 32.5 万人次，同比增长 12.4%。中国国际投资贸易洽谈会、海峡两岸机械电子商品交易会、中国（厦门）国际石材展等品牌展会和海峡两岸（厦门）文化产业博览交易会、中国（厦门）国际游艇帆船展览等新办展会保持强劲增长势头，新增工程机械展等一批自办展项目；参会人数超万人的全国骨科会议、8000 人的康宝莱会议等特大型会议成功在厦门市举办。全年会展业直接收入 10.5 亿元，同比增长 16.3%，并有力带动了住宿、餐饮、交通、通信、旅游等相关行业的发展，已逐渐成为厦门市经济社会发展的新兴产业，也成为厦门市建设海峡西岸中心城市的重要特征。

至 2009 年底，厦门市共有 26 家拍卖企业和 7 家拍卖分支机构，全年（不包括拍卖分支机构）共完成拍卖成交额 406659 万元，增长 30.4%，其中房地产 161330 万元，文化艺术品 5217 万元，农副产品 4552 万元，机动车 2035 万元，公物 3568 万元，财产权利 145278 万元，其他 84679 万元。

开发区经济

（一）厦门现代物流园区

厦门现代物流园区包括象屿保税区、保税物流园区、东渡港区、保税区二期、航空港工业与物流园区等五大片区，面积 9 平方公里，由厦门象屿保税区管委会管理。2009 年，全区实现 GDP32.8 亿元，增长 12.9%；完成进出口总额 30.9 亿美元，增长 1%（其中出口 19.1 亿美元，增长 -1%）。区内工业产值 11.0 亿元，下降 7%。港口集装箱吞吐量 247.5 万标箱。实现税收收入 3.27 亿元，增长 7.3%。固定资产投资 7.8 亿元，同比增长 11.4%。合同利用外资 1742 万美元，同比增长 180.1%；实际利用外资 2393 万美元，同比增长 5.3 倍。物流营运收入 43.85 亿元，增长 10.3%。

（二）厦门海沧保税港区

2008 年 6 月 5 日，厦门海沧保税港区获批设立，规划控制面积 9.5092 平方公里。保税港区一期面积 4.35 平方公里，于 2009 年 9 月 8 日基本完工，2010 年 1 月 12 日，顺利通过国务院联合验收组的验收，成为海西第一个可以正式封关运作的保税港区。从 1 月 12 日通过国家验收至 3 月 30 日，海沧保税港区出口货物 79786 批，进口货物 6185 批，报检金额 8.97 亿美元；出境报检货物 24768 批，货值 7.64 亿美元。

（三）厦门火炬（翔安）保税物流中心（B 型）

2008 年 12 月 26 日，海关总署、财政部、国家税务总局、国家外汇管理局联合批准设立厦门火炬（翔安）保税物流中心（B 型），并于 2009 年 6 月 5 日顺利通过国务院四部委的联合验收，9 月 6 日正式封关运作至年底，进出口货物金额 4.12 亿美元，向海关缴纳的关税及增值税合计人民币 6087 万人民币。该中心远期规划面积 2.5 平方公里，计划分期实施。一期占地面积 33.45 万平方米。

（四）大嶝对台小额商品交易市场

1998 年 5 月，大嶝对台小额商品交易市场获国务院、中央军委办公厅批准设立，是全国唯一的对台小额商品交易市场。2009 年，该市场共接待游客 140 万人次，比增 16%；进口台湾商品 2800 万美元，比增 45.8%；实现交易额 4.44 亿元，比增 15%。

交通运输和涉外旅游

全年交通运输邮电仓储业实现增加值 123.60 亿元，比上年增长 11.4%。全年旅客运输量 11597.46 万人次，增长 12.8%；旅客运输周转量 187.61 亿人公里，增长 14.7%；货物运输量 8371.05 万吨，增长 10.1%；货物周转量 663.67 亿吨公里，增长 10.6%。至年底，厦门港现有生产性泊位 97 个，其中万吨级以上泊位 48 个；全年港口货物吞吐量 11096.28 万吨，增长 14.4%；港口集装箱吞吐量 468.04 万标箱，下降 7.0%，继续保持全国第七位；厦金航线增加到每天 32 个航班，全年运载旅客 119.54 万人次，比上年增长 32.5%。

厦门空港已开通城市航线 172 条，其中运营的 140 条，在厦门机场通航的外国（地区）航空公司 43 家，其中运营的 43 家，已开通 41 个国际城市以及香港、澳门、台北、高雄四个地区城市的航线。空港旅客吞吐量 1132.95 万人次，比上年增长 20.7%，其中，国际及地区航线旅客吞吐量 145.45 万人次，增长 0.6%；空港货邮吞吐量 19.60 万吨，增长 0.3%。

2009 年厦门共接待过夜境外游客 94.5 万人次，增长 1.9%。

（撰稿：陈慧坚）

江西省

综 述

2009 年，是新世纪以来我国经济社会发展最为困难的一年，也是江西省应对国际金融危机取得显著成效的一年。在省委、省政府的坚强领导下，全省人民坚持以科学发展观为指导，全面贯彻落实胡锦涛总书记视察江西省时提出的“三保一弘扬”总体要求，全力以赴保增长，千方百计保民生，加大力度保稳定，全省经济社会保持平稳较快发展，主要经济指标好于年初预期，多项指标在全国位次前移，经济发展呈现回升向好、逆势上扬的良好态势，各项社会事业取得了新的成就。

（一）国民经济持续高速发展

2009 年，全省全年生产总值 7589.2 亿元，比上年增长 13.1%，连续三年实现 13% 以上增长。分产业看，第一产业增加值 1098.3 亿元，增长 4.5%；第二产业增加值 3890.3 亿元，增长 17.1%；第三产业增加值 2600.6 亿元，增长 10.7%。三次产业结构调整为 14.5:51.2:34.3，二三一结构进一步强化和巩固。三次产业对经济增长的贡献率分别为 5.0%、68.1% 和 26.9%。非公有制经济快速发展，实现增加值 4090.6 亿元，增长 16.0%，占 GDP 的比重达 53.9%。

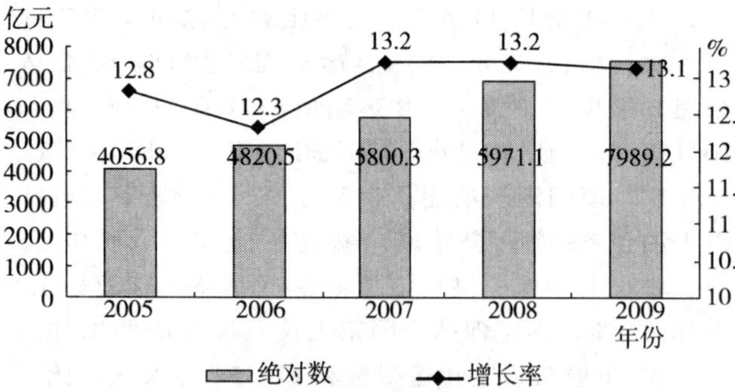

图 1 2005—2009 年江西省生产总值绝对数及增长率走势

（二）财政收入快速增长

全年财政总收入突破 900 亿元，达 928.7 亿元，比上年增长 13.7%。其中，地方财政收入 581.2 亿元，增长 18.9%。税收收入实现较快增长。税收总收入 777.5 亿元，增长 13.3%。财政收入较快增长为加强和改善宏观调控、大力实施“民生工程”等提供了强有力的财力支持。全年地方财政支出 1548.6 亿元，增长 28.0%。其中，医疗卫生支出增长 44.3%，农林水事务支出增长 35.7%。

（三）市场物价总体下降

全年居民消费价格下降 0.7%。其中，城市下降 0.6%，农村下降 0.8%。从八大类别看，食品类价格上涨 0.1%，烟酒及用品类上涨 0.4%，家庭设备用品及服务类、医疗保健及个人用品类均上涨 1.1%，娱乐教育文化用品及服务业上涨 0.3%，其他类价格均呈不同幅度下降。商品零售价格下降 0.9%，工业品出厂价格下降 7.0%，原材料、燃料、动力购进价格下降 9.3%，固定资产投资价格下降 3.9%，农产品生产价格下降 3.2%。

2009 年江西省居民消费价格比上年涨跌幅度

表 1 单位：%

项 目	涨跌幅度
居民消费价格	-0.7
食品	0.1
其中：粮食	3.6
油脂	-21.2
肉禽及其制品	-9.3
蛋	2.6
烟酒及用品	0.4
衣着	-1.5
家庭设备用品及维修服务	1.1
医疗保健和个人用品	1.1
交通和通信	-2.7
娱乐教育文化用品及服务	0.3
居住	-3.5

（四）就业情况维持稳定

年末从业人员 2445.2 万人，比上年增加 40.7 万人。全年城镇新增就业人员 47.5 万人。年末城镇登记失业率为 3.4%。

工业经济

2009 年，江西省积极应对国际金融危机严重冲击，深入实施新型工业化核心战略，全面贯彻落实“保增长、保民生、保稳定”各项政策措施，大力推进产业经济“十百千亿工程”，有效遏制了经济增长下滑趋势，全省工业经济呈现出企稳回升、加速向好的良好态势，各项工业指标实现全面增长。

（一）工业总量进一步提升

全年完成工业增加值 3170.1 亿元，比上年增长 18.4%，占生产总值的比重达 41.8%。其中，规模以上工业增加值 2610.8 亿元，增长 20.1%。支柱产业保持较快发展。六大支柱产业完成工业增加值

1484.5 亿元，增长 18.6%，对规模以上工业增长的贡献率为 53.9%。

2009 年江西省规模以上工业增加值及其增长速度

表 2　单位：亿元

指　标	增加值	比上年增长（%）
规模以上工业	2610.8	20.1
其中：轻工业	877.1	20.9
重工业	1733.6	19.7
其中：国有及国有控股企业	629.5	4.6
其中：集体企业	26.1	1.0
股份制企业	851.6	18.2
外商及港澳台投资企业	427.9	23.2
私营企业	998.3	26.9

（二）工业主要产品较快增长

全年规模以上工业原煤产量 2982.5 万吨，增长 15.3%；钢材 1647.4 万吨，增长 29.1%；水泥 6153.2 万吨，增长 17.7%；机制纸及纸板 139.6 万吨，增长 18.8%；汽车 28.5 万辆，增长 35.0%；十种有色金属 94.2 万吨，增长 9.1%。

2009 年江西省规模以上工业主要产品产量及其增长速度

表 3

产品名称	单　位	产　量	比上年增长（%）
纱	万吨	62.0	39.5
布	亿米	6.8	11.7
机制纸及纸板	万吨	139.6	18.8
卷烟	亿支	529.0	5.0
彩色电视机	万台	91.0	103.9
家用电冰箱	万台	91.3	20.1
房间空气调节器	万台	132.7	1.6
原煤	万吨	2982.5	15.3
原油加工量	万吨	450.1	10.0
发电量	亿千瓦小时	496.4	12.7
火电	亿千瓦小时	447.4	16.1
水电	亿千瓦小时	48.6	-11.9
粗钢	万吨	1620.9	30.8
钢材	万吨	1647.4	29.1
十种有色金属	万吨	94.2	9.1
水泥	万吨	6153.2	17.7
硫酸	万吨	213.6	12.9
烧碱	万吨	24.5	-28.0
汽车	万辆	28.5	35.0
其中：轿车	万辆	8.1	21.5
大中型拖拉机	台	3904.0	13.2
工业锅炉	蒸发量吨	1144.3	44.3
金属切削机床	台	959.0	-29.7

（三）工业经济效益再创新高

全年规模以上工业产品销售率 98.8%，比上年提高 0.3 个百分点；实现主营业务收入 9814.2 亿元，比上年增长 16.3%；实现利润 496.8 亿元，增长 49.5%；实现利税 942.7 亿元，增长 34.0%。在 37 个行业中，有 34 个行业实现了盈利，其中利润增长 20% 以上的有 32 个。工业经济效益综合指数 233.8，提高 14.9 个点。

（四）产业结构明显优化

全年非公有制企业完成规模以上工业增加值 1897.4 亿元，增长 27.3%，占全省规模以上工业比重超过 70%，对全省工业增长的贡献率达 93.2%，拉动全省工业增长 18.7 个百分点。小型企业完成规模以上工业增加值 1575 亿元，增长 31.1%，对全省工业增长的贡献率达 85.6%，拉动全省工业增长 17.2 个百分点。轻重工业分别完成规模以上工业增加值 877.1 亿元、1733.6 亿元，分别增长 20.9%、19.7%。

（五）工业园区继续发展壮大

年末入园投产工业企业达 7936 家，比上年增长 4.9%；全年安置从业人数 139.1 万人，增长 3.2%。全年园区完成工业增加值 2102.7 亿元，增长 21.6%；主营业务收入、利润、利税分别完成 6687.3 亿元、348.0 亿元和 627.6 亿元，分别增长 19.4%、34.9% 和 25.4%。年主营业务收入超 100 亿元的园区达 20 家，比上年增加 7 家，其中南昌高新技术产业开发区达 537.8 亿元，南昌经济技术产业开发区 325.7 亿元。

企业改革

2009 年，江西省围绕两年内基本完成国有工业企业改革目标，以高度负责的精神、科学务实的态度、细致扎实的作风，深入推进国企工业企业改革，取得决定性胜利。通过深化改革，工业发展内生动力和活力不断增强，实现国企改革改制改造与工业发展良性互动。

（一）省属企业集团改制基本完成

32 户省属改制企业已全部制定改制方案，改制企业已安置职工 77388 人，占职工总数的 98.37%，其中：30 户企业已基本完成改制任务，1 户企业已启动职工安置工作，1 户在浙江嘉兴的企业已开展改制准备工作。

（二）省属下放企业的改革有序开展

42 户省属下放企业已经全部制定改制方案，其中：37 户企业已基本完成改制任务，1 户企业改制方案和职工安置方案已获职代会通过，4 户企业已制定改制方案和职工安置方案，完成前期各项准备工作。

（三）市属国有工业企业改革全面展开

338 户设区市属国有工业企业中，已基本完成改制任务的有 309 户，占 91.42%；安置职工 306971 人，占职工总数的 91.15%。宜春、新余、鹰潭、萍乡、吉安五个设区市共 54 户改制企业，已基本完成改制工作，完成率为 100%；共安置职工 58458 人。

（四）政策性关闭破产企业大力实施

全省 95 户政策性关闭破产企业中，进入破产程序企业 82 户，破产终结 33 户，未进入破产程序 13 户；已基本完成职工安置任务的 85 户，占总数的 89.47%。其中，77 户设区市政策性关闭破产企业将基本完成改制任务，宜春、新余、鹰潭、萍乡、九江、南昌、吉安、上饶等 8 个设区市共 54 户企业的职工安置工作已基本完成。

（五）国有资产管理体制进一步完善

加强和完善了公司法人治理结构、完善保值增值责任体系、强化风险控制，建立防范企业风险机制，实行外派财务总监、法务总监制度，加强企业经营风险控制，完善全面风险监管体系。建立了出资监管机构与法院就国有企业债务纠纷进行沟通、协调的机制，指导、帮助国有企业解决债务纠纷，防范和化解法律风险，共避免和挽回经济损失近百亿元。

（六）大中型国有企业战略合作重组加快推进

江钨集团与上海望潮合作基本完成，并按计划启动了集团公司整体上市工作；煤炭集团与北京中弘合作进展顺利，江西煤业已正式运作；新钢整合洪钢工作已经全部完成，洪钢已注册为新钢全资子公司；江中集团公司选定中国军事医学科学院作为战略投资人，已经出台改革方案。

固定资产投资

2009 年，江西省全社会固定资产投资 6642.4 亿元，比上年增长 40.0%。其中，城镇固定资产投资 6006.7 亿元，增长 38.9%。分产业看，第一产业投资 225.8 亿元，增长 67.5%；第二产业投资 3630.9 亿元，增长 40.7%，其中工业投资 3607.5 亿元，增长 40.7%；第三产业投资 2785.7 亿元，增长 37.3%。非国有投资增势强劲，完成投资 4860.0 亿元，增长 43.3%，占全社会固定资产投资的比重由上年的 71.5% 提高到 73.2%。

2009年江西省分行业全社会固定资产投资及其增长速度

表4 单位：亿元

行　业	投资额	比上年增长（%）
总　计	6642.4	40.0
农、林、牧、渔业	225.8	67.5
工业	3607.5	40.7
采矿业	171.0	59.1
制造业	3121.5	36.4
其中：化学原料及化学制品制造业	297.0	59.3
非金属矿物制品业	463.5	34.8
黑色金属冶炼及压延加工业	95.9	-34.0
有色金属冶炼及压延加工业	239.7	12.3
电气机械及器材制造业	339.0	45.4
通信设备、计算机及其他电子设备制造业	178.2	65.8
电力、燃气及水的生产和供应业	315.0	85.9
建筑业	23.4	42.2
交通运输、仓储和邮政业	357.1	40.0
信息传输、计算机服务和软件业	48.3	48.2
批发和零售业	170.3	89.8
住宿和餐饮业	160.7	38.6
金融业	21.6	182.9
房地产业	921.6	21.2
租赁和商务服务业	57.7	49.7
科学研究、技术服务和地质勘查业	27.1	85.6
水利、环境和公共设施管理业	576.6	45.0
居民服务和其他服务业	34.3	125.7
教育	110.9	1.3
卫生、社会保障和社会福利业	52.3	105.2
文化、体育和娱乐业	74.4	56.4
公共管理和社会组织	172.8	44.8

（一）重点工程投资超额完成

全年重点工程建设共完成投资810.5亿元，占年计划的103.7%（不含未开工项目及预备项目），比上年同期增长55.1%。其中计划建成投产项目完成投资83.17亿元，占该计划的100.7%；续建项目完成投资490.85亿元，占该计划的111.8%；计划新开工项目完成投资231.48亿元，占该计划的90.6%。重点工程建设规划再创历史新高，全省重点工程项目数量比上年增加36个，增长30.8%；总投资比上年增加2900亿元，增长130%；年度完成投资比上年增加287.8亿元，增长55.1%。

（二）新开工项目拉力增强

全年新开工项目个数达到13630个，比上年同期增加5495个，增长67.5%；新开工项目计划总投资达5843.4亿元，比上年同期增长62.5%。新开工项目全年完成投资3410.8亿元，同比增长82.7%，对全省投资增长的贡献达84%，拉动全省投资增长33.9个百分点，新开工项目个数的增加和规模的扩大是投资持续稳定增长的主要因素之一，为投资后续增长提供了有力的保障。

（三）资金来源渠道多元化

全年固定资产投资到位资金7684.8亿元，同比增长54.4%。其中本年到位资金7398.1亿元，同比增长54.7%，增幅高出同期全社会投资14.7个百分点。资金来源多元化，主要有国内贷款、利用外资、自筹资金等六大渠道。其中，国家预算内资金520.5亿元，增长52.9%；国内贷款647.5亿元，增长56.3%；利用外资180.8亿元，增长15%；自筹资金5127.7亿元，增长56.3%，占本年到位资金的69.3%，占主体地位；其他资金920.6亿元，增长56.5%。

（四）基础设施建设大力推进

德兴至南昌、上饶至武夷山等7条高速公路相继开工；鹰潭至瑞金、石城至吉安等高速公里进展顺利；瑞金至赣州高速公路建成通车。全年新增高速公路通车里程117公里；硬化改造农村公路11500公里。衡茶吉铁路全面开工，昌九城际、向莆等铁路建设进展顺利，京九（北段）、峰福等铁路电气化改造全面完成。全年改造铁路281.8公里。昌北机场扩建加快推进。贵溪电厂、景德镇电厂“上大压小”项目开工建设，华能井冈山电厂二期、新昌电厂1号机组建设投运，统调电力装机新增162.5万千瓦。500千伏鄂赣Ⅲ回建成投运。江西艺术中心、江报传媒大厦等重大社会公益性项目进展顺利。

（五）房地产投资继续增长

全年房地产开发投资634.5亿元，比上年增长15.9%。商品房竣工面积1646.8万平方米，增长3.8%；商品房销售额602.8亿元，增长63.4%。

技术进步

2009年，江西省继续以科技创新促进技术进步，全年全社会R&D经费支出达73亿元，增长15%，占GDP的比重突破1%。共争取国家科技计划项目558项，经费35789.88万元，增长12%；国家自然科学基金资助项目220项，经费5341万元，比上年增长27%。全省年科技新产品开发能力达到1千个以上，增长速度在30%以上。全省完成科技成果登记372项，比上年增长55.6%。技术合同交易额9.9亿元，增长27.6%。全年专利申请突破5千件，比上年增长30%以上。

（一）科技创新“六个一”工程快速推进

积极加快推进新兴产业发展，其中光伏产业13个项目进入“国家金太阳示范工程”，共获补助资金1.98亿元。制定下发《江西省创新型企业建设实施方案》，共遴选出2009—2010年度江西省创新型试点企业121家。大力落实有关政策，全年研发加计抵扣减免金额达到6.64亿元，并认定自主创新产品613项。整合2亿元资金，扶持32个高新产业重大项目，其中投入2200万元启动了光伏、半导体照明和油茶三个重大科技专项。省级科技经费安排“六个一”工程项目329项，经费11260.3万元，取得良好成果。

（二）创新平台和人才建设加强

新组建了1个国家工程技术中心，1个国家级创新服务平台，2个省部共建重点实验室，7个国家级高新技术产业特色基地。新批准了2个省级重点实验室、11个省级工程技术研究中心。认定了19家省级企业技术中心，对联创光电公司、樟树四特酒厂等一批企业申报省级企业技术中心进行了重点培育和帮扶；使江西省国家级企业技术中心现达到7家，省级企业技术中心达到69家。组织开展了江西省“十大科技创新人物”评选表彰活动，新确定了13位学科带头人培养对象和23名青年科学家培养对象，组建了41个省优势科技创新团队，引进了360余位海内外高层次人才。

（四）科技创新体系建设扎实推进

企业创新主体地位开始确立，全省大中型企业50%以上建立了技术中心或研发机构，企业技术投入占全社会研发投入比例达70%左右，新产品开发和专利创造占70%以上。成果登记和获奖约占50%。组建了光伏、陶瓷、锂电、电瓷、实验动物等5家产学研联盟，组建了优势科技创新队伍41个。民营科技企业达1543家，职工总数29.94万人，比年初增长5.55%，从事科技活动的人员达3.34万人，实现工业增加值329.96亿元，其中技术性收入29.52亿元，增长67%。

（五）技术进步产出能力增强

积极推进产学研合作项目，从来自全省6个产学研合作示范（培育）基地10多所高校的20多个产学研合作项目中择优选取出10个项目，并进行重点扶持。下达了100项“2009年江西省重点自主创新产品”，通过加强月调度、季分析，对重点自主创新产品进行动态监测和跟踪分析，全省100项重点自主创新产品累计实现销售收入79.8亿元，实现利润7.2亿元，实现税收6.5亿元。抓好了一批有市场、有效益、技术水平先进的新产品的鉴定和验收工作，全省列入“江西省级新产品试制计划”项目374项，完成新产品鉴定173项。

商品流通

2009年，江西省积极通过扩大内需，全社会消费品零售总额快速增长，对提高人民生活质量，拉动经济增长起到明显推动作用，成为全省保增长、保稳定、保民生的中坚力量。

（一）消费总量快速增长

2009年是江西省促消费力度最大的一年。省政府先后出台了《关于搞活流通扩大消费的实施意见》和《转发省商务厅关于扩大消费需求刺激最终消费的意见》，进一步明确了全省搞活流通扩大消费的具体政策措施。各地组织开展了各类大型促销活动4000余次，优惠让利2.5亿元，取得了企业得市场、消费者得实惠的双赢效果。举办省内展会110多次，成交金额达60多亿元；主办2009中国绿色食品博览会，达成签约项目24个，总投资额25.23亿元。

2009年，全省社会消费品零售总额实现2484.43亿元，同比增长19.3%，增幅列全国第五位，同比前移2位，在中部地区继续保持第一位。对全省GDP增长的贡献度达到49.8%。

城乡市场协调发展。城市市场实现社会消费品零售额1330.58亿元，同比增长19.3%；县及县以下市场实现社会消费品零售额1153.84亿元，增长19.3%。

批发零售业同步增长，住宿餐饮业最为火爆。批发业实现营业额386.85亿元，同比增长17.2%；零售业实现营业额1798.71亿元，增长19.4%。在限额以上批发零售业零售额中，汽车类实现零售额114.3亿元，增长70.3%；家具类3.6亿元，增长1.5倍；金银珠宝类7亿元，增长20.1%；化妆品类5.7亿元，增长35.3%；电子出版物及音像制品类2.5亿元，增长26.4%。住宿餐饮业实现营业额278.59亿元，增长22.3%。

多类大宗商品旺销。家具类实现营业额3.6亿元，同比增长151.6%；书报杂志类实现营业额17.94亿元，增长31.4%；中西药品类实现营业额30.62亿元，增长43.1%；建筑及装潢类实现营业额2.76亿元，增长1193.3%；汽车类实现营业额114.30亿元，增长70.3%。

家电下乡和汽车以旧换新成果显著。全省共设立家电下乡产品指定销售网点9995个，网点覆盖全省所有县（市、区）和95%的乡镇，全省家电下乡产品销售量125.4万台（件），销售额26.53亿元，发放补贴资金3.1亿元，指定销售网点数量在全国第三批启动的19个省份中排名第二，产品销售金额和补贴兑付金额均排名第三。会同省农村信用社联合推出家电下乡农户消费贷款业务，共发放家电下乡消费贷款749.96万元，此项工作被商务部称为全国家电信贷消费的创举。全省汽车以旧换新补贴累计发放1298辆，发放补贴资金1029.7万元，购置新车金额合计8012.06万元。发放补贴车辆和补贴金额均列全国第三。

商品交易市场发挥巨大作用。年成交额在亿元以上的商品交易市场88家，实现成交额1047.6亿元。其中，年成交额在10亿元以上的有23家，成交额825.2亿元。

（二）市场流通网络建设扎实推进

农村流通网络建设初具规模。“万村千乡市场工程”从以数量速度为主的推动型向以提高配送率和完善服务功能为主的质量型转变，2009年共建设与改造农家店6840个、农村配送中心45个，带动社会投资5.3亿元，新增就业人员1.5万人，新增销售额21.1亿元。截至2009年底，全省5年累计建设与改造农家店17205个和46个农村配送中心，农家店覆盖全省所有的县，乡镇覆盖率94%，行政村覆盖率70%，初步形成遍布全省的农村现代流通网络。

“双百市场工程”取得新进展。2009年全省有6个农产品批发市场、15个农贸市场列入国家“双百市场工程”，获得中央支持资金1950万元。江西省作为全国十五个农产品“农超对接”项目试点省份之一，全年共有15个大型连锁超市或农产品流通企业的建设项目被列入2009年度农产品“农超对接”项目；农贸市场建设与改造取得实效，全年共安排省级财政资金1000万元支持50个农贸市场建设与改造。

县级城市商业网点规划编制工作加快推进。全省县级城市商业网点规划工作全面启动，其中瑞金市等8个县（市、区）的城市商业网点规划已经政府批准实施；南昌市东湖区等8个县（市、区）已报政府审批；南康市等10个县（市、区）已完成规划编制初稿。

标准化菜市场示范工程如期完成。2009年全省建设改造标准化菜市场80个，项目投资1.4亿元，改造面积18万平方米，新增摊位8400个，新增年交易量42.3万公斤。经过改造的标准化菜市场，基本达到商品品牌化、量器具统一化、设施人性化、消费安全化，满足消费者放心购菜和便利购菜的需求。

（三）市场运行平稳健康

市场运行监测工作积极推进。全省新增样本监测企业75家，监测样本企业总数已经超过400家，涉及22个行业，涵盖了全省主要批发市场、批发企业、零售企业和应急商品生产企业，形成较为完善的生活必需品、重要生产资料、重点流通企业和应急商品等市场监测系统。建立了全省市场运行监测月度考核通报和市场运行每周分析、每月报告等制度，市场监测、分析和预测预警水平有了明显提高。

储备应急体系建设列上日程。争取到中央生猪储备3400吨，冻猪肉储备4000吨，乳粉储备1500吨，并建立了全省地方猪肉储备制度，计划储备规模6000吨，已落实储备任务2700吨，占计划任务的45%。及时开展市、县生活必需品市场供应应急工作的检查、调度和落实工作，并坚持在节假日、甲型H1N1流感和低温雨雪期间及时启动生活必需品和应急商品日报送制度，确保市场平稳运行。

（四）消费环境得到进一步改善

着力完善流通领域市场监管公共服务体系，开展商务综合行政执法试点工作，抓好商务领域信用建设，组织“诚信兴商宣传月”和“诚信经营”示范创建活动；强化整顿和规范市场经济秩序工作，积极开展各项专项整治活动。对全省定点屠宰厂（场）进行了全面检查和整治，对符合规定的定点屠宰厂（场）换发生猪定点屠宰标志牌和证书。严厉查处和打击私屠滥宰不法行为，开展专项整治行动263次，出动生猪屠宰执法检查人员32390人次，取缔私屠滥宰窝点70个，没收私宰肉28983公斤，没收病死猪、注水肉、病害肉8346公斤。全年共组织酒类专项检查893人次，检查大型酒类批发企业65户，零售企业649家，查扣有问题酒类商品378瓶。确保群众吃上“放心肉”、喝上“放心酒”。

外经外贸

2009年，江西省扩大对外开放、抓产业梯度转移对接，外经外贸逆势进位，“走出去”步伐不断加快，主要指标快速回升。

（一）实际利用外资水平提升

全年实际使用外商直接投资40.24亿美元，增长11.7%。新批外商投资企业821个，增长19.2%，其中新批合同外资1000万美元以上大项目94个。全年新增具有世界500强投资背景的企业1家，总数达37家。全年引进港台投资项目677家，占全省新批项目的82.3%，实际利用港台资26.62亿美元，增长10%。全省实际引进省外5000万元以上工业项目资金1367.13亿元，同比增长24.18%。

外商投资规模实现历史性新突破。全省实际利用外资规模首次突破40亿美元大关，达到40.24亿美元，同比增长11.65%。利用外资5年再翻一番，外资总量继续保持中部领先。全省新批外商投资项目821家，同比增长19.16%，新批项目数在中部地区处于遥遥领先的地位，增幅也远高于全国平均水平。全省新批合同外资1000万美元以上项目94个，同比增长6%；3000万美元以上外资项目10个，同比增长42%。

外资领域拓宽，产业结构更趋合理。制造业仍为全省吸收外资的主要领域，但服务贸易领域也实现较大幅度增长。全省新批制造业项目所占比重比上年下降3.98个百分点，第一产业提高1.4个百分点，第三产业提高2.6百分点，产业结构全面发展，更趋合理。

港台地区投资连续稳定增长，承接长珠闽地区产业转移成效显著。2009年港台来赣投资项目达到677家，占全省新批项目总数的82.46%，同比增长24.91%；实际利用外资26.63亿美元，占全省利用外资总额的66.18%，同比增长9.54%。与此同时，长珠闽地区向江西省产业转移的趋势进一步增强，全年实际引进省外5000万元以上工业项目资金中长珠闽地区投资占75.28%。

重点产业集聚进一步增强。光伏、锂电、半导体照明（LED）、电子信息、精深铜加工等项目的引进大幅增加，成为利用外资的一大亮点。

“百人招商团”成为招商引资一大亮点。2009年3月，江西省从招商引资一线抽调106名精干力量组建20支百人招商团小分队大力开展产业招商，成效明显。“百人招商团”注重与行业龙头企业及央企对接，大力引进资本密集型产业项目，突出引进具有世界500强、国内500强背景企业，全年跟踪洽谈项目368个，成功签约166个项目，合同资金531.49亿元，协议资金219.42亿元。共引进重大项目68个，签约金额373.22亿元。

（二）外贸发展快速恢复

全年进出口总额126.65亿美元，比上年下降7%，比上半年收窄9.4个百分点。其中，出口73.64亿美元，下降4.7%；进口53.01亿美元，下降10%。在出口中，外商投资企业出口额32.26亿美元，下降14.6%；私营及其他企业30.97亿美元，增长32.8%；国有企业出口额10.4亿美元，下降35.8%。

外贸出口位次前移，单月出口连创新高。全省外贸出口发展速度居全国第三，中部第一，出口总额全国位次前移两位（列第17位），中部地区前移三位（列第3位）。11月、12月当月出口分别为9.53和10.87亿美元，同比分别增长40.8%和53.7%，连创单月出口历史新高。

传统大宗商品出口继续增长。机电产品出口比重进一步提升，出口结构进一步优化。全省机电产品出口实现稳定增长，累计出口19.33亿美元，同比增长24.5%，占全省外贸出口比重26.25%，同比上升6.16个百分点。其中电子消费品、船舶分别出口3.63亿美元、1.27亿美元，同比分别增长99.5%、107.1%。劳动密集型产品、医药品、农产品等江西省具有比较优势的产品出口平稳增长。其中纺织服装、鞋类、家具及其零件、箱包及类似容器等劳动密集型产品累计分别出口15.58亿美元、3.3亿美元、2.26亿美元、1.6亿美元，同比分别增长12.7%、18.5%、122.9%、157.6%。医药品、农产品分别出口1.34亿美元、2.6亿美元，同比分别增长52.2%、4%。

2009年江西省进出口总额及其增长速度

表5　　单位：亿美元

指　标	绝对数	比上年增长（%）
进出口总额	126.65	-7.0
出口额	73.64	-4.7
其中：一般贸易	49.49	-6.6
加工贸易	20.89	-7.9
其中：机电产品	19.33	24.5
其中：高新技术产品	13.92	-7.8
进口额	53.01	-10.0
其中：一般贸易	32.17	-4.3
加工贸易	11.67	-7.3
其中：机电产品	17.32	30.0
其中：高新技术产品	8.47	63.7

新增出口企业贡献突出，民营企业出口高速增长。2009年新增出口实绩企业433家，新增出口12.48亿美元。民营企业累计出口30.97亿美元，同比增长32.8%，成为拉动外贸出口的主要动力。

对主要市场出口稳定增长。全省出口市场已经扩大到全世界191个国家（地区）。前十大出口市场分别为：欧盟、美国、东盟、中国香港、中国台湾、日本、韩国、印度、阿拉伯联合酋长国、澳大利亚。其中，对美国出口持续较快增长，出口11.75亿美元，同比增长29.9%；对东盟、中国香港出口分别为8.07亿美元、7.13亿美元，同比分别增长15.1%、9.6%

（三）对外投资取得新突破

全省对外承包工程和劳务合作新签合同额10.67亿美元，增长39.52%；完成营业额7.56亿美元，增长34.4%；新批境外投资企业32家，中方协议投资额4.1亿美元，增长近4倍。江西铜业股份有限工资投资3.29亿美元在阿富汗设立的“中冶江铜艾娜克矿业有限公司”，首期投资超江西省历年对外投资总和。民营企业“走出去”意识增强，全省全年新批32家境外投资企业中有17家民营企业。

（四）“走出去”步伐加快

2009年，全省全年对外承包工程、劳务合作和设计咨询合同项目233个，对外承包工程和劳务合作新签合同额10.67亿美元，增长39.52%；完成营业额7.56亿美元，增长34.4%；新批境外投资企业32家，中方协议投资额4.1亿美元，增长近4倍。江西铜业股份有限公司投资3.29亿美元在阿富汗设立的“中冶江铜艾娜克矿业有限公司”，首期投资额就超过江西省历年对外投资总和，并进入全国前列。对外援建工作不断发展，全年新获外援项目12个，总金额1.24亿元。

（五）口岸通道等对外开放平台快速提升

2009年，全省口岸累计完成进出口货运154.19万吨，国际集装箱11.18万重标箱，分别增长45.46%和26.76%。九江城西港、上饶“无水港”建成运营；南昌航空口岸出入境人员5.25万人次，增长2.0%，出入境飞机534架次，下降13.6%。新增吉安至深圳、吉安至厦门、南昌至宁波3条铁海联运线路，全省铁海联运通道增至9条，江西主要出海货运通道全面打通。在中部地区率先建成江西电子口岸实体平台和门户网站，并在空港系统投入使用，通关效率在全国位居前列。新增南昌—仁川定期包机和南昌—台北空中直航两条国际（地区）航线。国际友好城市增加8对。

资源节约和综合利用

2009年，江西省认真贯彻落实国家资源节约基本国策，以节能降耗为中心，积极鼓励企业开展资源综合利用，强力推进重大节能项目建设，加快推行清洁生产，大力推广新型墙体材料和散装水泥、预拌混凝土和预拌砂浆，各项工作扎实推进，成效显著。

（一）节能降耗工作取得明显成果

全省万元GDP能耗为0.88吨标准煤，比上年下降4.54%，降幅比全国平均水平高出2.34个百分点。“十一五”前4年，全省单位GDP能耗已累计下降16.7%，降幅超出全国平均水平2.32个百分点，完成“十一五”期间总能耗下降目标的81.9%。全省规模以上工业单位增加值能耗为1.67吨标准煤/万元，同比下降10.13%，超额完成年度目标。景德镇市、萍乡市、吉安市单位增加值能耗下降率分列前三位。

（二）重点行业企业节能降耗力度加大

全省六大高耗能行业单位增加值能耗同比下降5.78%。其中化学原料及化学制品制造业、石油加工炼焦及核燃料加工业、有色金属冶炼及压延加工业分别下降26.88%、16.94%和16.65%。全省重点监测的55项产品单耗中，有44项产品单耗较2008年下降，占80%；其中印染布、原煤、炼油、水泥、烧碱（隔膜法）等单位产品综合能耗分别下降19.8%、18.9%、10.9%、9.0%、7.7%。全省百家重点耗能企业万元产值能耗（可比价）下降5.53%，列入国家千家节能行动企业万元产值能耗（可比价）下降4.39%。

（三）资源综合利用稳步推进

全省重点调度的资源综合利用企业共利用工业固体废弃物1325万吨，利用高炉煤气、余热余压发电约12亿度，综合利用产品产值达62.9亿元，应退税2.6亿元，落实减免税1.32亿元。全省重点再生资源利用企业利用量废旧资源93.5万吨，产品产量98.2万吨，销售收入290.3亿元，落实减免税5.3亿元。景德镇市、赣粤闽湘区域性再生资源集散市场、江西丰城市赣中再生金属集散市场等三家单位被列为第二批国家再生资源回收体系建设试点单位。

（四）清洁生产审核顺利开展

省星火有机硅厂、江西瑞金万年青水泥公司等20家企业先后开展了清洁生产审核并通过了评估，这20家企业共投入清洁生产资金3.2亿元，通过实施836项清洁生产方案，产生直接经济效益1.94亿元，年可节电6938万度，节原煤2.4万吨，节水1723万吨，减排COD65吨，减排二氧化硫208吨。

（五）新型墙材产量再创新高

全年生产新型墙体材料114亿标块，同比增长3.27%，新型墙体材料生产比例达到60.55%，同比提高4个百分点；新增符合国家产业政策的新型墙体材料生产线106条，新增新型墙体材料生产能力49亿标块，同比增长147%；各地依法关闭实心粘土砖生产企业113家，淘汰实心粘土砖生产能力11.5亿块，全省实心粘土砖生产量和生产能力连续五年下降。全省新型墙体材料生产企业综合利用工业固体废渣775万吨，节约生产能耗70.8万吨标准煤，节约耕地18856亩，减排二氧化硫1.77万吨。

（六）散装水泥供应量继续提升

全省散装水泥保持快速增长，供应量达2129万吨，首次突破两千万吨，同比增长54.24%；散装率达34.60%，同比增长8.42个百分点。节约能源折合标准煤16.60万吨，节电1.53亿度，减排水泥粉尘8.36万吨，减排二氧化碳121.2万吨，减排二氧化硫3.82万吨，减少水泥损失106.45万吨。预拌混凝土供应量929.43万立方米，同比增长24.12%。预拌砂浆供应量为2.58万吨。预拌混凝土和预拌砂浆共利用粉煤灰92.05万吨，废石尾矿16.27万吨。

（七）淘汰改造燃煤锅炉（窑炉）任务提前完成

全年共淘汰改造燃煤锅炉（窑炉）404台（座），累计淘汰改造）1314台（座），提前一年完成“十一五”淘汰改造燃煤锅炉（窑炉）1000台的目标。2009年淘汰改造数量居前三位的是：赣州市78台（座），九江市61台（座），宜春市57台（座）。

交通运输、邮电通信和旅游业

2009年，全省交通运输、邮电通信和旅游业继续快速增长，投资规模进一步扩大，基础设施建设步伐加快，为全省经济平稳加快发展做出重要贡献。

（一）交通运输平稳发展

全年铁路、公路、水运完成旅客运输量70491.7万人，增长7.0%；完成货物运输量85630万吨，比上年增长6.7%。机场旅客吞吐量453.8万人，增长21.0%。其中，昌北机场旅客吞吐量393.8万人，增长18.3%。

2009年江西省铁路、公路、水运完成客货运输量及其增长速度

表6

指　标	单　位	绝对数	比上年增长（%）
旅客运输量	万人	70491.7	7.0
铁路	万人	5469.6	4.9
公路	万人	64769.0	6.9
水运	万人	253.1	133.7
旅客周转量	亿人公里	790.1	-0.1
铁路	亿人公里	510.5	-3.7
公路	亿人公里	279.2	7.1
水运	亿人公里	0.4	31.8
货物运输量	万吨	85630.3	6.7
铁路	万吨	5228.9	-3.0
公路	万吨	75102.0	6.9
水运	万吨	5299.4	14.8
货物周转量	亿吨公里	2350.6	2.3
铁路	亿吨公里	675.7	-1.2
公路	亿吨公里	1536.5	2.8
水运	亿吨公里	138.4	16.3

（二）邮电业快速发展

全年完成邮电业务总量624.2亿元，比上年增长26.3%。其中，邮政业务量31.1亿元，增长15.9%；电信业务量593.1亿元，增长26.8%。年末局用电话交换机总容量619.5万门。固定电话用户748.5万户，其中城市电话用户448.0万户，乡村电话用户300.5万户。新增移动电话用户270万户，年末达到1547.3万户。宽带网用户达245.9万户，增长36.2%。

（三）旅游业持续增长

全年共接待国内旅游人数9303.3万人次，比上年增长16.0%；国内旅游收入655.5亿元，增长21.0%。共接待入境旅游人数96.4万人次，增长20.2%；旅游外汇收入2.9亿美元，增长15.1%。

（撰稿：陈标　严长生）

2008—2009 年江西省经济社会发展主要指标

序号	指标	单位	2008 年	2009 年	增长率（%）
1	**一、人口和就业**				
2	年底人口数	万人	4400.0	4432.2	0.7
3	人口自然增长率	‰	7.91	7.89	
4	就业人员数	万人	2223	2244	0.9
5	**按产业分：**				
6	第一产业	万人	904	882	-2.4
7	第二产业	万人	610	636	4.3
8	第三产业	万人	710	726	2.3
9	**城镇就业人员（按登记注册类型分）**				
10	国有单位	万人	196.67	199.13	1.2
11	集体单位	万人	15.30	14.10	-7.8
12	股份合作单位	万人	3.20	2.80	-12.5
13	联营单位	万人	0.50	0.60	20.0
14	有限责任公司	万人	36.40	31.30	-14.0
15	股份有限公司	万人	12.00	15.20	26.7
16	私营企业	万人	116.00	100.65	-13.2
17	港澳台商投资单位	万人	8.70	9.00	3.4
18	外商投资单位	万人	8.80	11.60	31.8
19	个体	万人	113.08	129.67	14.7
20	城镇登记失业人数	万人	26.00	27.30	5.0
21	**二、国民经济核算**				
22	地区生产总值	亿元	6480.3	7655.2	13.1
23	**按产业分：**				
24	第一产业	亿元	1060.4	1098.7	4.5
25	第二产业	亿元	3414.9	3919.5	17.1
26	工业	亿元	2766.9	3196.6	
27	建筑业	亿元	648.0	722.9	
28	第三产业	亿元	2005.1	2637.1	10.7
29	#交通运输、仓储和邮政业	亿元	384.4	394.9	
30	批发和零售贸易业	亿元	438.6	553.9	
31	**三、固定资产投资**				
32	投资总额	亿元	4745.4	6643.1	40.0
33	**按投资种类分：**				
34	城镇	亿元	4325.4	6008.1	38.9
35	#房地产开发	亿元	547.7	634.5	15.9
36	农村	亿元	420.1	635.0	51.2
37	#农户	亿元	192.2	251.0	30.6
38	非农户	亿元	227.9	384.0	68.5
39	**按建设规模分：**				
40	建设总规模	亿元	11303.3	14861.1	31.5
41	在建总规模	亿元	7546.8	9499.8	25.9
42	在建净规模	亿元	3815.7	4833.0	26.7
43	**按资金来源分：**				

续表

序 号	指 标	单 位	2008 年	2009 年	增长率（%）
44	国家预算内资金	亿元	340.3	454.3	33.5
45	国内贷款	亿元	425.5	697.0	63.8
46	利用外资	亿元	157.1	184.8	17.6
47	自筹资金	亿元	3457.4	5359.1	55.0
48	其他投资	亿元	595.6	932.3	56.5
49	**四、房地产开发**				
50	本年完成土地开发面积	万平方米	823	650	-21.0
51	本年土地购置费用	亿元	73.0	66.4	-9.0
52	本年土地购置面积	万平方米	992	695	-30.0
53	本年完成投资额	万元	5476570	6345238	15.9
54	#住宅	万元	4464119	5091670	14.1
55	#经济适用房屋	万元	199697	154825	-22.5
56	房屋施工面积	万平方米	6345	6756	6.5
57	房屋竣工面积	万平方米	1587	1647	3.8
58	本年新开工房屋面积	万平方米	2530	2301	-9.0
59	#住宅	万平方米	2208	1956	-11.4
60	#经济适用房屋	万平方米	154	73	-52.7
61	商品房屋销售面积	万平方米	1728	2281	32.0
62	#住宅	万平方米	1605	2108	31.4
63	#经济适用房屋	万平方米	157	90	-43.0
64	商品房屋销售额	万元	3689630	6028009	63.4
65	#住宅	万元	3244430	5305604	63.5
66	商品房屋平均销售价格	元/平方米	2136	2643	23.7
67	#住宅	元/平方米	2022	2517	24.5
68	#经济适用房屋	元/平方米	1098	1286	17.1
69	**五、规模以上工业企业**				
70	企业单位数	个	7367	7539	2.3
71	工业总产值	亿元	8499.6	9784.0	15.1
72	资产总计	亿元	6421.0	7018.9	9.3
73	利润总额	亿元	508.0	537.1	5.7
74	总资产贡献率	%	16.8	15.9	-4.8
75	资产负债率	%	54.6	56.8	4.1
76	**六、交通运输业**				
77	运输线路长度				
78	铁路营业里程	公里	2650	2712	2.3
79	内河航道里程	公里	5638	5638	0.0
80	公路里程	公里	133815	137011	2.4
81	#高速公路	公里	2284	2401	5.1
82	货运量	万吨	80932	86057	6.3
83	#铁路	万吨	6046	5570	-7.9
84	公路	万吨	70270	75200	7.0
85	水运	万吨	4616	5287	14.5
86	客运量	万人	65895	70496	7.0
87	#铁路	万人	5214	5470	4.9
88	公路	万人	60573	64770	6.9

续表

序号	指标	单位	2008 年	2009 年	增长率（%）
89	水运	万人	108	256	137.0
90	**七、国内商业**				
91	社会消费品零售总额	亿元	2142.0	2484.4	16.0
92	**八、对外贸易和旅游**				
93	货物进出口总额（按经营单位所在地分）	万美元	1361793	1277878	-6.2
94	出口	万美元	772666	736849	-4.6
95	进口	万美元	589128	541030	-8.2
96	外商投资企业货物进出口总额	万美元	886991	770607	-13.1
97	出口	万美元	377632	322582	-14.6
98	进口	万美元	509359	448024	-12.0
99	外商投资企业基本情况				
100	年底登记数	户	6640	6822	2.7
101	投资总额	亿美元	334.8	369.1	10.2
102	注册资本	亿美元	208.6	230.7	10.6
103	#外方	亿美元	172.7	194.7	12.8
104	对外承包工程				
105	完成营业额	万美元	52213	71143	36.3
106	对外劳务合作				
107	完成营业额	万美元	9433	8867	-6.0
108	接待国际旅游人数	万人次	80.21	96.43	20.2
109	#外国人	万人次	30.83	38.76	25.7
110	国际旅游外汇收入	百万美元	251.70	289.75	15.1
111	**九、财政**				
112	地方财政一般预算收入	亿元	488.6	581.3	19.0
113	#国内增值税	亿元	64.3	66.7	3.8
114	营业税	亿元	118.2	153.5	29.9
115	个人所得税	亿元	16.0	16.4	2.6
116	地方财政一般预算支出	亿元	1210.1	1562.4	29.1
117	**十、物价指数**				
118	商品零售价格指数	上年=100	106.1	99.1	
119	居民消费价格指数	上年=100	106.0	99.3	
120	#城市	上年=100	105.9	99.4	
121	农村	上年=100	106.3	99.2	
122	**十一、人民生活**				
123	收入				
124	农村居民家庭人均纯收入	元	4697	5075	8.0
125	城镇居民家庭人均可支配收入	元	12866	14022	9.6
126	居民消费水平	元	5753	6229	28.0
127	农村居民	元	4533	3443	18.9
128	城镇居民	元	6586	10033	0.9
129	住房				
130	农村居民人均住房面积	平方米	37.6	39.5	5.2
131	**十二、教育**				
132	高等学校数	所	82	85	3.7
133	高等学校招生数	人	232140	238921	2.9

续表

序　号	指　标	单　位	2008 年	2009 年	增长率（%）
134	高等学校在校学生数	人	764182	793488	3.8
135	高等学校毕业生数	人	264549	213303	-19.4
136	十三、卫生				
137	卫生机构数	个	8229	34005	
138	#医院、卫生院	个	2036	2075	1.9
139	医疗机构床位数	张	105106	115445	9.8
140	#医院、卫生院	张	93890	102728	9.4
141	卫生技术人员数	人	139764	150741	7.9
142	#执业（助理）医师	人	55187	59325	7.5

注：1. 地区生产总值及其三次产业、城镇居民人均可支配收入和居民消费水平的增长速度按可比价格计算。

2. 卫生机构数 2009 年起含村卫生室，与历史数据不可比。

山东省

综　述

2009 年，是进入新世纪以来山东省经济社会发展最为困难的一年。在山东省委、省政府的正确领导下，山东省人民以科学发展观为指导，认真落实胡锦涛总书记等中央领导同志对山东工作的指示精神，坚决贯彻国家应对国际金融危机的一揽子计划和各项决策部署，牢牢把握积极作为、科学务实的工作基调，采取切实有效措施，全力应对各种困难和挑战，着力保增长、保民生、保稳定，国民经济实现企稳回升，民生状况不断改善，社会保持和谐稳定。

经济发展逐步企稳向好。2009 年，山东省实现生产总值（GDP）33805.3 亿元，按可比价格计算，比上年增长 11.9%。季度 GDP 累计增速稳步提高，经济呈现“下行—见底—企稳—回升”的运行轨迹。其中，第一产业增加值 3226.6 亿元，增长 4.2%；第二产业增加值 19035.0 亿元，增长 13.7%；第三产业增加值 11543.7 亿元，增长 10.7%。三次产业比例为 9.6∶56.3∶34.1。人均生产总值 35796 元，增长 11.3%，按年均汇率折算为 5240 美元。

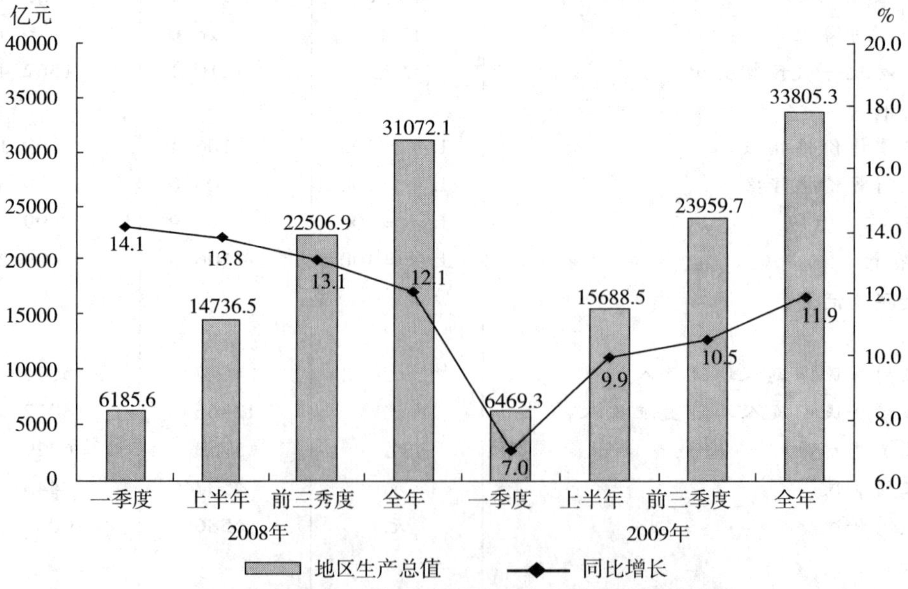

图 1　2008—2009 年季度累计生产总值及增长速度

财政收支状况趋好。地方财政一般预算收入 2198.5 亿元，比上年增长 12.3%，其中，税收收入 1720.2 亿元，增长 12.2%，占地方财政收入的 78.2%。地方财政支出 3266.8 亿元，增长 20.8%，扣除成品油税费改革支出和地方政府债券支出因素，可比口径增长 12.9%。重点支出得到较好保障，医疗卫生、环境保护、文化体育与传媒、农林水事务支出分别增长 29.7%、28.8%、27.0%和 24.6%。

就业形势总体稳定。认真落实各项就业扶持政策，全年城镇新增就业 105.7 万人，农村劳动力转移就业 122.4 万人，连续 6 年实现城镇新增就业和农村劳动力转移就业双过百万。失业人员再就业 62.5 万人，比上年增长 20.0%，其中，困难群体再就业 11.8 万人，增长 0.9%。城镇零就业和农村零转移就业贫困家庭保持“动态消零”。城镇登记失业率为 3.4%，比上年降低 0.1 个百分点。

价格运行先抑后扬。居民消费价格与上年持平，比上年涨幅回落 5.3 个百分点。其中，城市下降 0.1%，农村上涨 0.1%；服务项目价格上涨 1.2%，消费品价格下降 0.3%。食品价格上涨 1.3%，回落 11.7 个百分点，是居民消费价格涨幅回落的主要因素。工业品出厂价格下降 5.9%，原材料燃料动力购进价格下降 4.5%，农业生产资料价格下降 3.7%，房屋销售价格上涨 1.7%。

2009 年山东省居民消费价格指数（以上年为 100）

表 1

指　标	山东省	城市	农村
居民消费价格指数（CPI）	100	99.9	100.1
食品	101.3	101.7	100.5
#粮食	104.4	103.5	105.8
油脂	86.2	87.7	85
肉禽及其制品	91.2	91	91.5
蛋	100.8	100.4	101.1
鲜菜	119.2	118.8	120
烟酒及用品	102.4	102.5	102.3
衣着	97.2	97.6	96.1
家庭设备用品及维修服务	100.1	100.3	99.6
医疗保健和个人用品	101.3	101.1	101.8
交通和通信	98.1	97.7	98.9
娱乐教育文化用品及服务	100.8	99.7	102.3
居住	98.8	98.8	99

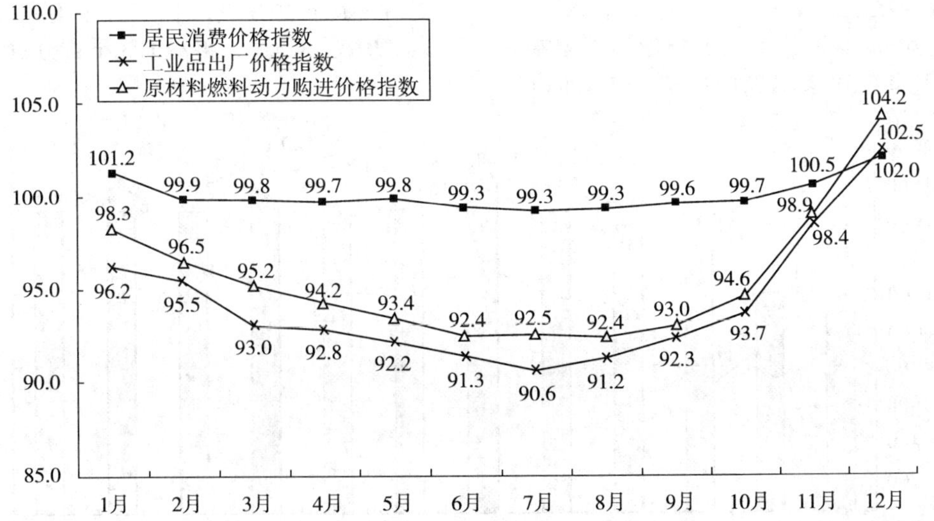

图 2　2009 年山东省各月价格指数（以上年同期为 100）

区域经济实现重点突破。国务院正式批复黄河三角洲高效生态经济区发展规划，将其上升为国家战略。山东省委、省政府出台了打造山东半岛蓝色经济区的指导意见。黄河三角洲高效生态经济区实现生产总值5014.8亿元，比上年增长12.9%。胶东半岛高端产业聚集区和鲁南临港产业带建设起步良好，生产总值分别增长12.8%和14.1%。省会城市群经济圈实现生产总值12273.6亿元，增长12.9%。县域经济实力不断增强。地方财政收入过10亿元的县（市、区）54个，比上年增加7个。20个县（市）启动“省直管县”财政改革试点。

海洋经济持续健康发展。主要海洋产业实现总产出5408.4亿元，比上年增长22.5%。海洋渔业实现产出1827.5亿元，增长12.1%；滨海旅游业、海洋船舶工业快速发展，分别实现产出1311.9亿元、427.1亿元，分别增长20.0%、25.0%。海洋资源开发利用步伐加快。海洋石油、原盐产量分别增长7.5%、13.7%，分别提高4.8个和8.5个百分点。海洋保护继续加强。新建11处县级海洋环境监测站（点），初步形成覆盖沿海所有县（市、区）的海洋环境监测网络；新建5处国家级海洋特别保护区。

金融支持力度明显加大。本外币各项存款余额35170.7亿元，比年初增加7884.6亿元，比上年多增3012.5亿元。其中，居民储蓄存款余额17223.7亿元，增加2715.9亿元；企业存款余额10313.2亿元，增加3253.1亿元。信贷结构优化。本外币各项贷款余额27385.9亿元，增加6463.5亿元，是上年新增额的2.1倍。其中，中长期贷款增加4167.1亿元，多增2734.4亿元；服务业贷款增加2746.7亿元，增长45.4%。中小企业贷款增加2264.6亿元，增长33.2%，高于大型企业新增贷款增速4.2个百分点。个人消费贷款增加963.8亿元，多增657.6亿元，其中，住房贷款增加795.2亿元，多增573.8亿元。金融机构实现盈利548.9亿元，增长13.6%。

资本市场较快发展。年末拥有境内上市公司99家，境外上市公司68家，分别比上年增加3家和6家。16家境内上市公司实现境内融资187.2亿元。境内上市公司年末总市值8406.5亿元，比上年增长1.3倍。证券市场交易活跃。证券公司全年总交易额4.1万亿元，增长1.2倍，其中股票基金交易额3.6万亿元，增长1.5倍。期货市场发展良好。期货公司全年代理期货交易量7964.1万手，交易金额4.8万亿元，分别增长56.5%和73.5%。

保险业平稳发展。实现保费收入792.9亿元，比上年增长17.6%。其中，财产险保费收入215.2亿元，增长26.3%；人身险保费收入577.7亿元，增长14.7%。保险市场体系逐步完善，新增保险公司5家，总量达到56家；新增专业中介法人机构8家，总量增至200家。保险业服务能力进一步提高，承担各类风险责任12.7万亿元，支付各项赔款与给付228.4亿元，分别增长8.5%和15.1%。农业保险加快发展，承保农作物3989.3万亩，牲畜1021.5万头，为农户提供了1070.8万户次的182.4亿元风险保障。

工业经济

2009年，山东省工业生产企稳上行。全年规模以上工业企业43557家，比上年增加5369家，增长14.1%。按生产法与收入法加权计算，实现增加值18847.8亿元，增长14.9%，提高1.1个百分点。分季度看，一季度末增长6.5%，二季度末增长12%，三季度末增长12.9%，四季度末增长14.9%，工业增速逐季加快。单月平均完成增加值首次突破1500亿元，达到1570亿元，其中6月份完成增加值1848亿元，创单月生产历史最高水平。其中，轻工业完成增加值6271.6亿元，增长12.1%，回落1.1个百分点；重工业完成增加值12576.2亿元，增长16.2%，提高2.1个百分点；非公有工业增加值13608.4亿元，增长18.4%，提高1.3个百分点。

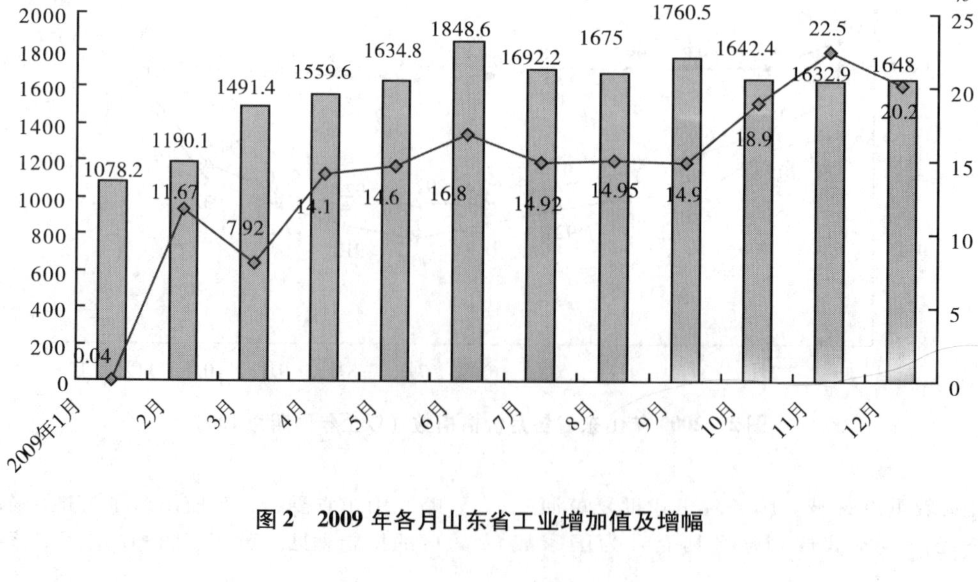

图2 2009年各月山东省工业增加值及增幅

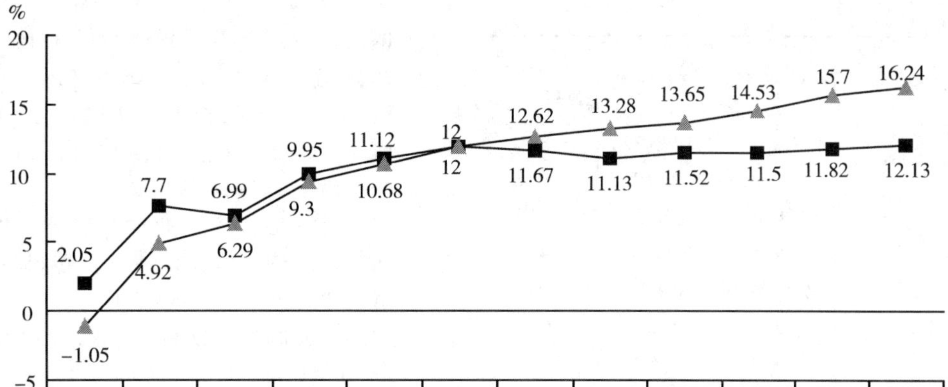

	2009年1月	2月	3月	4月	5月	6月	7月	8月	9月	10月	11月	12月
■ 轻工业	2.05	7.7	6.99	9.95	11.12	12	11.67	11.13	11.52	11.5	11.82	12.13
▲ 重工业	-1.05	4.92	6.29	9.3	10.68	12	12.62	13.28	13.65	14.53	15.7	16.24

图3　2009年山东省轻、重工业增加值累计增幅

2009年山东省规模以上工业增加值及增长速度

表1

类别	增加值（亿元）	比上年增长（%）
规模以上工业	18847.8	14.9
#轻工业	6271.6	12.1
重工业	12576.2	16.2
#国有企业	877.7	4.6
集体企业	826.7	17.8
股份合作企业	144.9	23.0
股份制企业	11214.3	16.0
外商及港澳台商投资企业	3548.6	11.0
其他经济类型企业	2235.6	19.2

（一）工业经济效益明显改善

2009年，规模以上工业实现主营业务收入70676.8亿元，比上年增长14.3%；实现利润、利税分别为4390.4亿元、7253.4亿元，分别增长14.4%和12.9%。工业经济效益综合指数达到286.6，提高26.4点。反映运行质量的七项指标中表现为“五升一平一降”，其中资本保值增值率、资产负债率、成本费用利润率、全员劳动生产率和产销率五项指标好于上年，流动资产周转率与上年基本持平，总资产贡献率有所下降。产销衔接良好，产销率98.5%，提高0.2个百分点。扭亏成效显著，企业亏损面为6.2%，比上年收窄0.9个百分点，亏损企业亏损额减少57.5%。多数行业经济效益保持较好增长水平。重点统计的39个行业大类中，有19个行业利润增长在20%以上。其中，石油加工、电力及热力生产、交通运输设备、通用设备、非金属矿物制品、化学原料及化学制品、电气机械及器材、农副食品、专用设备、橡胶制品等10个行业同比净增利润均超过30亿元，合计达到696.6亿元，拉动全省利润增幅提高18.2个百分点。

（二）工业结构逐步优化

制造业发展较快，实现增加值16836.8亿元，比上年增长15.9%，占规模以上工业比重由上年的86.3%提高到89.3%；实现利润3787.0亿元，增长26.3%，占规模以上工业利润比重由77.9%提高到86.3%。装备制造业增加值5402.8亿元，增长18.2%，占规模以上工业比重由26.1%提高到28.7%。高新技术产业完成产值23558.7亿元，增长18.2%，占规模以上工业总产值的比重为32.94%，同比提高2.21个百分点。十大高耗能行业增加值占规模以上工业的43.5%，比重下降3.7个百分点。高新技术产业比重持续上升，实现产值23558.7亿元，增长18.2%，占规模以上工业总产值的32.9%，比重提高2.2个百分点。

（三）工业产品产量增长面扩大

在国家重点调度的120种工业产品中，产量增长的有100种，占83.3%，比上年提高12.5个百分点。实施“家电下乡”和汽车购置税减免等政策，拉动部分相关产品产量大幅提高。其中，汽车产量达到100.0万辆，比上年增长42.5%；彩色电视机增长26.9%；家用电冰箱增长15.1%；家用洗衣机增长23.3%。

2009 年山东省主要工业产品产量及增长速度
表 2

产品名称	单 位	产 量	比上年增长（%）
原煤	万吨	14377.7	3.9
天然原油	万吨	2828.2	0.6
发电量	亿千瓦时	2859.9	4
水泥	万吨	14036.7	4
平板玻璃	万重量箱	6082.1	10.8
粗钢	万吨	4857.3	9
钢材	万吨	5854.3	15.5
纱	万吨	668.8	11.7
布	亿米	129.3	2.9
机制纸及纸板	万吨	1604.3	8.3
塑料制品	万吨	438.5	12.2
合成氨	万吨	691.5	6.8
啤酒	万千升	507.8	21.3
金属成形机床	万吨	2.5	15
汽车	万辆	100	42.5
摩托车	万辆	143.3	-6.1
手机	万台	5454.6	11.2
彩色电视机	万台	1090	26.9
家用电冰箱	万台	827.5	15.1
家用洗衣机	万台	532	23.3
微型电子计算机	万台	393.4	25.6
#笔记本计算机	万台	237.9	41.5
集成电路	亿块	1.7	-7.6
太阳能热水器	万台	285.1	34.9

（四）主要行业运行态势趋好

2009 年，全省 39 个工业行业大类中，有 37 个行业工业增加值实现了不同程度的增长，其中有 8 个行业增幅超过 20%；120 种重点产品中有 100 种产量同比增长，其中增幅超过 20% 的达到 43 种。一是机械电子行业增长强劲。2009 年，交通运输设备制造业增加值同比增长 22.6%，增幅比上半年提高 9.72 个百分点。全省汽车产量达到 136.3 万辆，增长 61.5%；民用钢质船舶产量达到 233.4 万载重吨，增长 37.4%。通用设备制造业增加值增长 19.8%，增幅比上半年提高 5.67 个百分点。数控成形机床、交流电动机、工业锅炉产量分别增长 38.5%、28% 和 17.5%。通信设备计算机及其他电子设备制造业增加值增长 15.2%，电子计算机、手机产量分别增长 25.6% 和 11.2%。专用设备制造业增加值增长 14%，大、中、小型拖拉机产量分别增长 33.2%、56% 和 23.8%，环保专用设备、水泥专用设备分别增长 52.9% 和 20.2%。二是能源原材料行业增长较快。2009 年，化学原料及化学制品、有色金属冶炼、非金属矿物制品、石油和天然气开采业增加值同比分别增长 26%、22.5%、15.7% 和 10%，煤炭、电力、钢铁行业由上半年分别下降 0.2%、0.63% 和 2.48% 转为增长 5.32%、4.29% 和 7.1%。原油加工、钢材、十种有色金属、烧碱、化肥产量分别增长 14.8%、15.5%、7%、15.7% 和 9.2%，水泥、纯碱产量由上半年分别下降 5% 和 21.4% 转为增长 4% 和 21%。三是轻纺行业增长稳定。2009 年，农副食品加工、纺织、服装、造纸、塑料行业增加值同比分别增长 14.1%、10.2%、14.2%、7.6% 和 20.2%，食用油、乳制品、饮料酒、机制纸及纸板、纱、服装产量分别增长 22.7%、38.1%、20.7%、8.3%、11.95% 和 8.6%。

（五）重要生产要素供求形势总体稳定

2009 年，全省完成发电量 2859.9 亿千瓦时，同比增长 3.95%，其中 12 月份增长 23.1%。工业用电量达到 2300.8 亿千瓦时，同比增长 6.93%，其中 12 月份增长 28.5%。轻、重工业用电量分别增长 4.6% 和 7.53%，20 个制造行业中有 16 个行业用电量保持增长。电煤供应经受住了迎峰度夏、保全运会和极端恶劣天气的严峻考验，大多数时间电煤库存保持在 15 天以上，有力保证了全社会用电用热需求。成品油供应保障工作措施有力，全省成品油市场稳定有序。

固定资产投资

固定资产投资增长较快。全社会固定资产投资完成 19031.0 亿元，比上年增长 23.3%。其中，城镇投资 15439.1 亿元，增长 23.2%；农村投资 3591.9 亿元，增长 23.6%。投资到位资金 20423.6 亿元，增长 27.9%，其中，自筹资金增长 25.1%，占到位资金的 71.9%。项目储备能力明显增强，新开工项目增长 17.2%，提高 9.4 个百分点。

投资结构继续优化。一、二、三产业投资结构由上年的 3.7:53.0:43.3 调整为 3.2:51.1:45.7。服务业投资增势较快，完成投资 8699.5 亿元，比上年增长 29.1%，分别比第一、二产业投资增速快 19.8 和 9.6 个百分点。卫生、文化、体育、社会保障和居民服务等社会民生领域投入保持 40% 以上的快速增长。技改投资力度加大，完成改建和技术改造投资 4012.7 亿元，增长 57.6%，占全社会投资的 21.1%，比重提高 5.8 个百分点。十大调整振兴产业投资增势较好，其中，装备制造业投资 2695.1 亿元，增长 27.8%；信息产业投资 398.9 亿元，增长 34.5%。

房地产市场建销转旺。房地产开发投资完成 2428.7 亿元，比上年增长 19.1%。从商品房建设用途看，住宅投资增长 16.3%，占全部房地产开发投资的 76.6%；商业营业用房投资增长 40.3%，占 13.5%。商品房竣工面积 4950.5 万平方米，增长

9.2%，提高14.9个百分点，其中，住宅竣工面积4262.1万平方米，增长9.1%，提高14.1个百分点。商品房销售面积6931.7万平方米，由上年的下降1.0%转为增长25.9%。

技术改造

2009年，全省完成工业技改投资6508.3亿元，同比增长28.9%，占全社会固定资产投资的比重为34.2%，占工业固定资产投资69.8%，同比提高5个百分点。

（一）技改投资平稳快速增长

上半年，全省工业技改投资呈快速恢复性增长，增幅从2月份的10.6%逐步提高到6月份的25.5%；下半年增幅一直保持23%以上的较快增长速度。2009年，工业技改投资增幅比上年提高2.9个百分点，增幅高于同期全社会固定资产投资5.6百分点，高于工业固定资产投资8.6个百分点。

（二）新开工项目明显增多，投资积聚度提高

全年新开工工业技改项目11594项，同比增长20.8%，增幅高于上年同期15.9个百分点，占全省工业固定资产投资新开工项目总数的63.9%，比上年同期提高8.3个百分点。新开工项目投资积聚度进一步提高，平均投资额由上年的2831万元提高到3524万元。同时，全年竣工工业技改项目数量大幅增加，达到10089项，同比增长68.6%，这些项目达产达效后，将成为拉动工业增长的重要力量。

（三）高新技术产业和装备制造业投资增势突出，结构进一步优化

高新技术产业完成技改投资1757.2亿元，同比增长46.8%，高于全省平均增幅17.9个百分点，占全省工业技改投资的比重达到27%，比上年提高5.1个百分点。其中，信息化学品、防水建材、气体压缩机械、粉末冶金等高新技术产业技改投资增长1倍以上。全省装备制造业完成技改投资2172.9亿元，同比增长30.8%，增幅高于全省平均水平1.9个百分点，占全省技改投资的比重达到33.4%，比上年提高6.2个百分点。

（四）民间技改投资逐步回升，成为拉动全省工业技改投资增长的主要力量

全省民间技改投资增幅前十个月略低于全省平均增幅，11、12月份逐步回升，全年超出全省平均增幅1个百分点，累计完成技改投资5425.8亿元；民间技改投资占全省工业技改投资的比重达到83.4%，比上年提高0.7个百分点。

（五）九大调整振兴产业技改投资发展趋势良好，支撑带动作用增强

九大调整振兴产业中，钢铁、有色、船舶、汽车、电子信息、装备制造等六个产业技改投资增幅全年保持领先，超过全省平均水平。轻工、石化产业扭转年初小幅下降趋势，逐月攀升，两个行业投资增幅年底均达到24.5%。纺织服装业下降势头得到遏制，实现同比增长0.8%。

（六）组织编制重点产业调整振兴规划，明确工业结构调整方向

组织编制了2009年至2011年10大重点行业调整振兴规划、40个特色产业调整振兴指导意见和13个新兴产业发展指导意见。电子信息、船舶、汽车、钢铁、轻工、有色金属、纺织、装备制造、化工、物流等10大产业调整振兴规划由山东省政府分别以鲁政发〔2009〕42－50号、61号文印发，氯碱、农药、化肥等40个特色产业调整振兴指导意见由山东省政府办公厅分别以鲁政办发〔2009〕32、33、38、39号文印发，射频识别（RFID）、半导体照明、软件等13个新兴产业发展指导意见由山东省政府办公厅分别以鲁政办发〔2009〕28、34、35号文印发。

技术创新

2009年，山东省企业技术创新工作全面贯彻落实山东省委、山东省政府《关于加快工业调整振兴的意见》（鲁发〔2009〕7号）和全省工业调整振兴大会的工作部署，积极发挥技术创新在应对金融危机、优化结构和工业调整振兴中的支撑和引领作用，着力推进企业技术创新的各项工作，取得了显著成效。

（一）认真实施调整振兴规划

遴选并组织实施省重点技术创新项目计划和第一、二批省技术创新项目计划项目2182项。出台《山东省重点领域首台（套）技术装备财政扶持办法》（试行），制定首台（套）技术装备申报指南，确定百项重点领域首台（套）技术装备，并给予财政扶持。

（二）推进创新体系建设

2009年组织申报的国家认定企业技术中心有13家通过专家初审和答辩，全省国家级企业技术中心总数达到85家，提前完成“十一五”规划目标；新培育认定省级企业技术中心105家，省级企业技术中心达523家；全省15家行业技术中心正在成为区域和行业的重要创新平台，机械行业技术中心围绕机床产业发展，已在滕州设立技术支撑平台。继续抓好“双百工程”百项重点企业技术中心建设，重点培育的117个重点企业技术中心，已完成创新能力建设投资22.02亿元，86个重点项目已按期完成，并通过验收。重点企业技术中心共开发新产品、新技术7400多项，申报专利6998项；科技活动经费支出占其销售收入比重达5.29%，是全省大中型以上企业的4倍。

（三）强化产学研合作创新

一是全面落实全省产学研工作会议精神、《山东省加强产学研合作促进工业调整振兴的意见》，重点推进钢铁、汽车、船舶、化工、轻工、纺织、有色金属、装备制造、信息产业、新能源等产业领域的重点产品、关键技术和创新平台建设。二是举办了2009年山东省产学研暨新特优工程产品展洽会。展洽会突出了工业调整振兴的10大行业、40个特色产业和13个新兴产业，共达成合同、协议和意向310项，成交金额93.8亿元，是通过产学研合作加快推进工业调整振兴的一次成功尝试。三是开展多种形式的产学研专题活动，围绕重大创新成果的推介、推广、应用，举办RFID等专题推介会，组织开展与天津大学、省科学院、五三所、山东大学、山东理工大学以及青岛科技大学等高校科研院所专题工作对接，有118个项目和技术得到转移和转化。

（四）加强政策引导、宣贯和落实

一是认真落实省政府领导的指示，编制完成《关于加快新材料产业发展的指导意见》和《关于促进新材料产业发展的若干政策》。二是加强对现有技术创新优惠政策的宣传落实力度，进一步落实好技术开发费加计扣除、技术开发仪器设备折旧、海关减免税、新产品开发财政扶持等政策。由省经贸、财政厅、国税、地税局举办了二期培训班，积极推进技术创新政策的落实。2009年冰轮集团、齐峰特种纸业、万华集团等10多家企业实际抵扣税金均超过1000万元。三是加强企业质量管理和科学素质纲要的实施，下发了《山东省关于推广先进质量管理方法的指导意见》，《太阳能产业发展工程》和《尾矿综合利用展暨技术研讨和设备推介》两个项目被评为山东省实施《科学素质纲要》优秀工作项目。

商品流通

2009年，全省实现社会消费品零售总额12363.0亿元，比上年增长19.1%，扣除价格因素，实际增长19.8%，增幅提高2.5个百分点。其中，批发和零售业实现零售额10348.4亿元，增长19.6%，拉动零售总额增长16.4个百分点；住宿和餐饮业实现零售额1673.6亿元，增长19.5%，拉动零售总额增长2.6个百分点。市场规模化程度大幅提高，限额以上批发零售和住宿餐饮企业单位数达到14934家，比上年增加5219家，增长53.7%；实现零售额5003.4亿元，增长31.2%。

城乡市场共同发展。城市市场实现社会消费品零售额8038.5亿元，比上年增长19.5%；县及县以下农村市场实现零售额4324.5亿元，增长18.4%。一系列惠农政策的有效实施，进一步激活农村消费市场，城乡零售额增幅差距由上年的3.3个百分点缩减至1.1个百分点。

生活消费保持较强增势。限额以上批发和零售业的基本生活类商品零售额保持较快增长，粮油、食品、饮料、烟酒类比上年增长27.2%，服装、鞋帽、针纺织品类增长26.5%，日用品类增长30.6%；消费升级类商品零售额增势强劲，金银珠宝类增长38.1%，家具类增长33.7%，建筑及装潢材料类增长47.1%，汽车类增长45.4%。

（一）全面贯彻落实《国务院办公厅关于搞活流通扩大消费的意见》（国办发〔2008〕134号）

出台《关于搞活流通扩大消费促进经济发展的意见》（鲁政发〔2009〕13号）。《意见》围绕构筑农村现代商品流通网络、完善城市商业服务功能、推进城市消费升级、促进流通企业发展等七个方面，明确流通工作思路、工作重点和目标任务，成为流通业发展的重要指导性文件。召开全省流通工作会议，就贯彻《国务院办公厅关于搞活流通扩大消费的意见》（国办发〔2008〕134号）和省政府13号文件，进一步搞活流通扩大消费，作了全面部署。

（二）推动“万村千乡市场工程”，努力构筑农村现代商品流通网络

截至2009年底，全省已累计新建改造标准化农家店5.2万家，新建改造配送中心186处，建设改造数量位居全国第一。目前，农家店已覆盖全省所有乡镇和60%的行政村。争取中央财政支持资金1.89亿元，地方各级财政配套资金1亿多元，带动社会投资超过70亿元。“农家店”的改造建设，在有效整合现有流通资源，网络优势得到充分发挥的同时，为农村提供了大量的就业岗位。

（三）着力实施农产品“农超对接”，推进农产品流通方式创新

为充分发挥大型连锁超市、农产品流通企业及农民专业合作社的积极作用，积极引导和推动大型连锁经营企业发挥网络、配送、信息技术等优势，加强与农民专业合作社的对接，延伸产业链条，建立直采基地，创新农产品流通方式，探索出一条促进农产品流通的新路子。目前全省已有50多户企业参与到农超对接试点中去，建立农产品直采基地4000多个，果蔬基地面积达到30多万亩，带动农户20多万户。

（四）大力推进大型农产品批发市场升级改造，强化批发市场的辐射带动功能

全省已建成较大规模的农产品批发市场505个，其中年交易额过亿元的农产品批发市场163个，与三年前相比增加近一倍，年交易额过10亿元的农产品批发市场43个，增加2.7倍。实行统一结算的农产品批发市场150多个，其中实现电子结算的有70个，绝大部分批发市场都建立了质量检测中心，市场功能得到进一步提升。

（五）扎实推进家电汽车摩托车下乡，积极促进农村消费升级

截至2009年底，全省家电下乡备案销售网点达7000多家，汽车、摩托车备案销售网点1万多家。2009年，全省销售家电下乡产品370.9万台，比上年增长237%，占政策实施以来累计销售量的77%；实现销售收入69亿元，比上年增长328%，占政策实施以来累计销售金额的81%。自2008年家电下乡试点启动以来，全省已累计销售家电下乡产品480.8万台，实现销售收入85.16亿元。全省累计销售下乡汽车摩托车56.28万辆，销售额107.04亿元。

2009年，全省共补贴下乡家电328.2万件，比上年增长279%，占政策实施以来累计补贴数量的79%；共兑付补贴资金7.77亿元，比上年增长365%，占政策实施以来累计补贴金额的82%。汽车摩托车下乡产品补贴量近50万辆，兑付补贴资金9.56亿元。

（六）家电以旧换新工作全面展开，有力拉动消费升级

制定了《家电以旧换新实施办法（暂行）》，分批次培训家电以旧换新工作人员500多人，印制家电以旧换新凭证140万份。组织两次家电回收和销售企业招标工作，确认中标企业29家，审核通过备案网点数4909个。

2009年，全省共销售家电以旧换新产品38.46万台，销售金额14.77亿元。其中，电视机销售量16.2万台，占家电以旧换新产品总销量的43%。全省共回收废旧家电45.03万台，回收总额1251万元。分品种看，回收废旧电视机数量33.67万台，占回收总量的74%。全省共补贴以旧换新家电14.31万台，兑付补贴资金4321.62万元。

（七）市场监测调控工作进一步加强

一是对全省生活必需品、生产资料和重点流通企业监测系统样本企业进行调整，优化样本结构，扩大监测范围，提高监测质量。共调整样本企业91家，其中生活必需品企业9家，生产资料13家，重点流通企业69家。二是加强对重点零售企业的监测。选择35家大型零售企业开展旬报工作，重点监测食品、服装、家电等15大类生活必需品市场变化情况。三是积极应对甲型H1N1流感对市场影响。启动生活必需品日报和规模以上屠宰企业日报制度，建立方便面、饮用水、消毒液等11种应急商品调度制度。对全省重要食品、副食品和清洁卫生用品市场供应工作进行安排，重点做好货源组织，加强市场巡查，保证市场供应不脱销、不断档。四是落实生猪市场调控措施。认真落实山东省《防止生猪价格过度下跌调控预案》要求，建立屠宰企业白条肉出厂价格、规模以上定点屠宰企业屠宰量和病害猪无害化处理信息发布制度，定期向社会发布，形成全省生猪市场调控统一信息平台。五是应急商品数据库商品结构进一步优化。对应急商品数据库系统重点联系企业进行大幅调整，删除一批规模小、产品不符合要求和无法正常报送信息的企业，新增一批应急商品生产龙头企业和大型商贸流通企业作为数据库重点联系企业。全省应急商品数据库重点联系企业共有114家，其中生产型企业80家，应急商品品种达到40种。

（八）提高生猪定点屠宰监管能力

将猪肉质量安全列入全省食品安全责任目标考核内容，制定生猪定点屠宰环节监管考核评价指标，对各市进行考核。完成生猪定点屠宰证书和标志牌统一编码、制作和换发工作，严格设立标准，加强整改，促进了屠宰企业发展。组织各市重新制订完善辖区内生猪屠宰厂（场）设置规划，全省17市设置规划全部完成。开展了鲁沪生猪产品产销对接，向上海推荐34家大型屠宰企业，年销量29万吨。积极推进全省放心肉服务体系建设。选择烟台、威海等六市为全省放心肉服务体系建设试点市，组织各市制定了试点方案，突出省市县三级监管平台、猪肉制品可追溯系统和大型企业冷链配送建设三个环节，大力提升全省猪肉质量保障能力。

外经外贸

对外贸易下滑局势初步遏制。随着世界经济的缓慢复苏和促进外经贸发展政策措施的落实，进出口、出口、进口降幅逐步缩减。全年实现进出口总额1386.0亿美元，比上年下降12.4%。其中，出口795.6亿美元，下降14.6%；进口590.4亿美元，下降9.1%。美国超过欧盟成为山东第一大出口市场，占出口总额的18.6%，欧盟占17.8%。

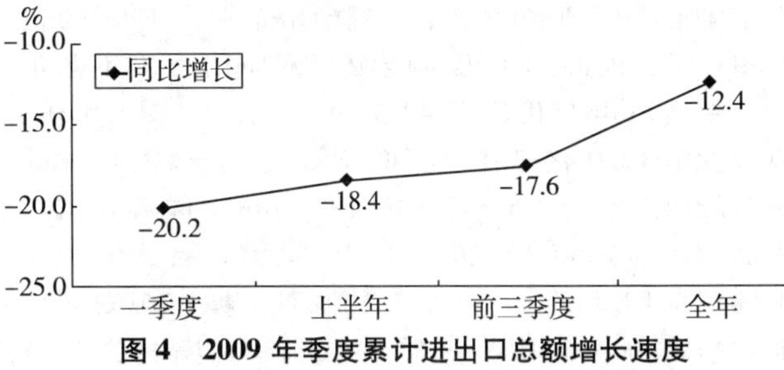

图4 2009年季度累计进出口总额增长速度

出口商品结构优化。机电产品、高新技术产品、农产品和纺织服装产品出口额占出口总额的比重分别为43.0%、17.2%、12.3%和17.9%，分别提高1.8、2.5、1.6和1.2个百分点。部分资源类产品和高新技术产品进口增长较快，煤、铜矿砂及其精矿分别增长9.4倍和29.9%，高新技术产品增长1.2%。

利用外资降势明显减弱。外商直接投资实际到账额80.1亿美元，比上年下降2.3%。利用外资结构不断优化。新批世界500强企业投资项目33个，增长

1.8倍；新批总投资3000万美元以上大项目146个，增长10.6%。信息传输计算机服务和软件业、水利环境和公共设施管理业利用外资实现大幅增长，分别增长2.4倍、12.6倍。

对外经济合作稳定增长。境外投资取得积极进展。新核准设立境外企业（机构）299家，比上年增加52家；协议投资总额13.6亿美元，增长62.9%，其中，中方协议投资11.3亿美元，增长67.6%；核准设立境外资源开发项目33个，中方投资4.3亿美元，增长1.6倍。对外承包工程和劳务合作保持良好局面。对外承包工程新签合同额85.1亿美元，完成营业额42.5亿美元，分别增长28.4%和55.9%；对外承包劳务合作新签合同额93.2亿美元，完成营业额50.9亿美元，分别增长23.6%和41.9%。

节能减排

2009年，山东省万元GDP能耗降低5.46%，“十一五”前四年累计降低18.5%，连续三年被国家考核为超额完成节能任务。新建水污染物减排项目334个、大气污染物减排项目253个。全省削减化学需氧量3.16万吨，削减二氧化硫10.17万吨，化学需氧量和二氧化硫排放总量分别比上年下降4.67%和6.01%。截至2009年底，山东省化学需氧量（COD）累计削减15.99%，二氧化硫（SO_2）累计削减20.6%，分别累计完成国家“十一五”减排任务的107.3%和103%。全省共淘汰钢铁产能212万吨，水泥熟料1510万吨，焦炭47万吨，关停小火电装机容量193.3万千瓦。重点考核的千户重点用能工业企业主要产品生产实现节能470.8万吨标准煤；千户重点企业的49项单位产品能耗指标中，下降的占93.9%。新能源和可再生能源开发应用力度不断加大。新增风电装机容量49.7万千瓦，增长1.4倍；风力发电12.0亿千瓦时，增长1.2倍。既有居住建筑节能改造完成1062万平方米，可再生能源建筑应用面积达到1800万平方米。列入国家首批太阳能光电建筑应用示范项目4个。县城以上城市规划区节能建筑占新建民用建筑的94%。新型墙材生产量330亿块标砖，占墙材生产总量的80%；县城以上城市规划区新型墙材应用量占墙材应用总量的96%。

（一）结构节能减排扎实推进

认真落实节能评审和等量淘汰政策，严控新建高耗能项目。组织对全省固定资产投资项目节能评估审查情况进行现场检查。2009年，全省通过环评手段拒批、暂缓低水平重复建设、“两高一资”等项目31个，涉及投资104亿元，对2个县和2个开发区实行了区域限批。先后出台《关于加快新能源和节能环保产业发展的指导意见》《关于加快太阳能光热系统推广应用的实施意见》《山东省太阳能产业发展规划（2009—2011年）》等政策措施。组建山东省太阳能行业协会，推广应用太阳能集热系统。加快节能环保产业示范基地建设。培育高效照明产业，出台《关于加快高效照明产业发展的指导意见》，推动节能灯产业集聚发展。积极淘汰落后产能，截至2009年，全省“十一五”累计关停小火电512万千瓦，淘汰水泥熟料产能5645.4万吨、淘汰落后炼铁产能509.8万吨、炼钢产能396万吨，超额完成了各年度淘汰任务。

（三）节能减排技术改造步伐加快

积极推进节能技术产业化。2009年共实施498个项目，落实财政奖励资金9.68亿元，拉动投资163.8亿元，全部竣工后年可实现节能量551万吨标准煤。加快推广节能技术产品。加强节能产品认证，推动节能产品政府采购，扩大节能产品销售。落实国家节能灯推广财政补贴政策，组织创建“高效照明产品推广示范村”653个，全省推广节能灯748万支，超额66%完成国家下达的任务。落实国家税收优惠政策，对175家企业购置使用的345种节能节水和环保专用设备进行确认，落实减免税5000余万元。加大减排工程建设力度。2009年，山东省成为实现一县至少一个污水处理厂目标的五个省份之一，全省建成污水处理厂183座，比“十五”末增长77%；国家和省重点现役火电机组已建成脱硫装机容量2061万千瓦，超出国家下达山东省“十一五”脱硫装机容量36个百分点。

（四）循环经济发展水平不断提高

扎实推进循环经济试点省建设。组织实施循环经济示范工程10项、再生资源重点项目10个，培育再制造示范企业4家、再生资源示范企业10家。积极实施清洁生产。全省198家企业的清洁生产审核通过验收，实施清洁生产方案6932个，年节能75.54万吨标准煤。加强清洁生产咨询服务体系建设，全省咨询服务机构达到29家。大力发展资源综合利用产业。尾矿、城市建筑垃圾、废旧电池等重点领域资源综合利用步伐加快。2009年综合利用产业实现产值337.3亿元，增长4.1%。

（五）节能减排法制化进程加快推进

完善节能法规体系，修订实施《山东省节约能源条例》。山东省政府出台《山东省再生资源回收利用管理办法》《山东省公共机构节能管理办法》等政府规章，为再生资源回收利用和公共机构节能工作深入开展提供制度保障。组织制订节能环保地方标准。2009年制订节能地方标准35项，“十一五”以来累计颁布节能地方标准177项，其中，能耗限额标准54项，初步建立节能标准体系，为强化节能监管提供依据。发布实施15项分阶段逐步加严的污染物排放标准，形成比较完善的地方性排污标准体系。加大节能执法力度。积极推进全省节能监察机构体系建设，组织编制《山东省节能监察手册》，完善节能监察工作机制，组织开展节能执法监察，共检查用能单位近2000家，实施处罚57家，没收淘汰落后设备300台，拆除落后生产线5条。

（六）重点行业节能不断加强

强化建筑节能工作。山东省政府下发了《关于加快推进全省城市供热节能工作的通知》，出台《山东省建筑节能专项规划（2009—2011）》《关于推进既有居住建筑供热计量及节能改造工作的意见》，从标准支撑、供热补贴改革、投融资等方面，进一步加大既有建筑供热计量及节能改造的政策引导力度，同时，将建筑节能改造情况纳入对各市政府节能目标责任考核范围。2009年，全省建成节能建筑4900万平方米，施工阶段节能标准执行率94%。积极推进交通节能工作。深入开展交通运输节油活动，在全国率先建立交通节能减排考核体系，制定下发《山东省交通运输行业节能减排工作考核办法（试行）》及《实施细则》，提出量化指标和考核措施。积极参加国家"十城千辆"节能与新能源汽车推广应用大规模示范运营活动，投入100多辆节能型电动公交车服务第十一届全运会。加强公共机构节能。健全公共机构统计分析制度，组织开展2005—2008年公共机构能耗统计工作，完善公共机构能耗监测体系，强化政府机关节能考核。

（七）努力提高环境监管水平

健全自动监控体系。经过两年多努力，基本建成省、市、县三级环境监控中心和重点企业、城镇污水处理厂、主要河流水质、城市空气质量、饮用水源地等五个方面自动监控体系，为环境统计、环保执法、排污收费、总量减排等提供重要依据。制定实施重点企业监管等"四个办法"，严格日常环境监管。制定实施《全省环境监察机构联动查处制度》，明确规定省、市、县（市、区）三级环境监察队伍的监察责任，进一步提高环保执法的时效性。深入开展整治违法排污企业保障群众健康专项行动，对突出环境问题、重要环境信访案件和典型挂牌督办案件进行现场检查，及时发现并查处一批环境违法行为。

（八）推进重点企业和流域节能减排工作

加强企业能源管理体系建设。在全国率先开展企业能源管理体系建设活动，颁布能源管理体系地方标准，下发《山东省企业能源管理体系建设指导意见》，通过试点，在重点用能企业全面推开。组织开展能源管理师试点工作，编制培训教材，制定管理办法，全面提升企业节能管理水平。组织开展能效对标活动。下发《关于开展重点耗能企业能效对标活动的意见》，组织召开重点耗能企业能效对标工作会议，以水泥行业为重点，研究对标工具，编写对标手册，指导重点耗能企业深入开展对标工作。强化企业能耗监测分析。加强企业节能管理人员能耗计量、统计专题培训，组织省千户重点用能企业填报2006—2009年能源利用状况报告，利用信息化手段，加强企业能耗监测分析。2009年，千户重点用能企业49项单位产品能耗指标中，有46项同比下降，降低率93.9%，实现节能量471万吨标准煤。

交通运输、邮电通信和旅游业

交通运输业稳定发展。全年铁路、公路、水运共完成旅客运量23.4亿人次，比上年增长9.8%；完成货运量28.1亿吨，增长16.4%。年末高速公路通车里程4285公里。沿海港口货物吞吐量7.3亿吨，增长11.1%。航空客运量1888.9万人次，增长20.2%；货邮量24.2万吨，增长8.5%。年末民用汽车拥有量达到709.7万辆，增长18.8%，提高8.3个百分点，其中，私人轿车239.8万辆，增长41.0%，占轿车拥有量的85.2%。

邮电通信业平稳增长。完成邮电业务总量1652.0亿元，比上年增长11.2%。其中，电信业务总量1586.8亿元，增长11.3%；邮政业务总量65.2亿元，增长9.8%。光缆线路总长度39.3万公里，增长12.6%。年末固定电话用户2256.3万户，减少8.0%；移动电话用户5341.8万户，增长15.8%。电话普及率达到每百人80.7部，增加4.3部。

旅游业保持良好增势。实现旅游总收入2452.2亿元，比上年增长22.3%。其中，入境旅游收入17.7亿美元，增长26.7%；国内旅游收入2331.7亿元，增长22.2%。接待入境游客310.0万人次，增长22.1%，人均消费569.4美元，增加21.0美元。A级旅游景区达到348家，新增48家；星级饭店912家，新增96家。

制定《山东省现代物流业振兴发展规划》。《规划》明确今后三年全省现代物流业重点发展的5大区域、重点建设的2个国家物流节点城市、6个省级物流节点城市、9个地区性物流节点城市，突出10大工作任务、8项重点工程、7项政策措施。《规划》筛选确定了一批配套的在建和拟新建重点项目633项，投资2026亿元。

圆满完成2009年春运任务。组织召开全省春运工作电视电话会议，成立省春运工作领导小组，建立日旅客运输统计制度，组织春运安全检查活动，保障春运安全有序进行。春运40天，全省共运送旅客6300.36万人次，与上年相比基本持平。其中公路5414.62万人次；铁路588.52万人次，增长8.1%；民航169.8万人次，增长12.49%；水路127.42万人次。全省公安交警部门共出动警力44.37万人次，查处各类交通违法行为64.34万起，保障了全省道路交通安全畅通。

进一步加强铁路道口管理工作。制定铁路道口综合治理三年规划，实施“新上监护一批，平改立一批，安装预报警一批，安装信号一批”工程，涉及项目580个，投资1.11亿元。

加强全省治理公路“三乱”工作。出台《山东省治理公路“三乱”重点监控办法》，组织开展治理公路“三乱”检查活动。严把公路站点设置审核关。2009年，全省撤销二级公路收费站54处，减少收费公路里程1000公里，减轻企业负担800万元/年。加强执法队伍建设，规范执法行为。全省共处理公路“三乱”问题266起，受党纪政纪和其他处理的263人，维护了群众的利益。

（撰稿：高晓光）

2008—2009年山东省经济社会发展主要指标

序号	指标	单位	2008年	2009年	增长率（%）
1	一、人口和就业				
2	年底人口数	万人	9417.2	9470.3	0.6
3	人口自然增长率	‰	5.09	5.62	
4	就业人员数	万人	5352	5450	1.8
5	按产业分：				
6	第一产业	万人	2001	1994	-0.3
7	第二产业	万人	1691	1741	2.9
8	第三产业	万人	1660	1714	3.3
9	城镇就业人员（按登记注册类型分）				
10	国有单位	万人	427.87	428.07	0.0
11	集体单位	万人	56.03	56.78	1.3
12	股份合作单位	万人	15.20	15.50	2.0
13	联营单位	万人	3.50	3.40	-2.9
14	有限责任公司	万人	183.10	190.10	3.8
15	股份有限公司	万人	71.10	78.00	9.7
16	私营企业	万人	304.71	311.07	2.1
17	港澳台商投资单位	万人	26.50	28.00	5.7
18	外商投资单位	万人	108.80	109.50	0.6
19	个体	万人	197.05	225.80	14.6
20	城镇登记失业人数	万人	60.74	45.12	-25.7
21	二、国民经济核算				
22	地区生产总值	亿元	31072.1	33896.7	12.2
23	按产业分：				
24	第一产业	亿元	3002.7	3226.6	4.2
25	第二产业	亿元	17702.2	18901.8	13.9
26	工业	亿元	16102.2	16896.1	
27	建筑业	亿元	1600.0	2005.7	
28	第三产业	亿元	10367.2	11768.2	11.2
29	#交通运输、仓储和邮政业	亿元	1873.6	1742.3	
30	批发和零售贸易业	亿元	2363.9	3106.2	
31	三、固定资产投资				
32	投资总额	亿元	15435.9	19034.5	23.3
33	按投资种类分：				
34	城镇	亿元	12529.0	15439.1	23.2

续表

序 号	指 标	单 位	2008 年	2009 年	增长率（%）
35	#房地产开发	亿元	2038.5	2428.7	19.1
36	农村	亿元	2907.0	3595.4	23.7
37	#农户	亿元	523.7	642.5	22.7
38	非农户	亿元	2383.3	2952.9	23.9
39	**按建设规模分：**				
40	建设总规模	亿元	31249.2	39222.0	25.5
41	在建总规模	亿元	23275.1	28466.2	22.3
42	在建净规模	亿元	9714.4	12807.1	31.8
43	**按资金来源分：**				
44	国家预算内资金	亿元	313.9	431.5	37.5
45	国内贷款	亿元	1653.9	2344.2	41.7
46	利用外资	亿元	516.1	513.9	-0.4
47	自筹资金	亿元	11788.1	14743.5	25.1
48	其他投资	亿元	1696.8	2462.5	45.1
49	**四、房地产开发**				
50	本年完成土地开发面积	万平方米	2835	1828	-35.5
51	本年土地购置费用	亿元	351.8	385.5	9.6
52	本年土地购置面积	万平方米	2762	2179	-21.1
53	本年完成投资额	万元	20385338	24287324	19.1
54	#住宅	万元	16002624	18605150	16.3
55	#经济适用房屋	万元	594970	574851	-3.4
56	房屋施工面积	万平方米	20099	22125	10.1
57	房屋竣工面积	万平方米	4535	5016	10.6
58	本年新开工房屋面积	万平方米	7662	8492	10.8
59	#住宅	万平方米	6502	7042	8.3
60	#经济适用房屋	万平方米	303	280	-7.6
61	商品房屋销售面积	万平方米	5508	7016	27.4
62	#住宅	万平方米	5039	6478	28.6
63	#经济适用房屋	万平方米	202	245	21.7
64	商品房屋销售额	万元	16357067	24591016	50.3
65	#住宅	万元	14369329	21958458	52.8
66	商品房屋平均销售价格	元/平方米	2970	3505	18.0
67	#住宅	元/平方米	2851	3390	18.9
68	#经济适用房屋	元/平方米	1826	2155	18.0
69	**五、规模以上工业企业**				
70	企业单位数	个	42629	45518	6.8
71	工业总产值	亿元	62958.5	71209.4	13.1
72	资产总计	亿元	39224.5	46052.7	17.4
73	利润总额	亿元	3923.6	4512.7	15.0
74	总资产贡献率	%	18.5	17.6	-5.0
75	资产负债率	%	55.0	53.6	-2.6
76	**六、交通运输业**				
77	运输线路长度				

续表

序号	指标	单位	2008年	2009年	增长率（%）
78	铁路营业里程	公里	3633	3686	1.4
79	内河航道里程	公里	1012	1012	0.0
80	公路里程	公里	220688	226693	2.7
81	#高速公路	公里	4285	4285	0.0
82	货运量	万吨	244587	284086	16.1
83	#铁路	万吨	17970	19219	6.9
84	公路	万吨	216604	251587	16.2
85	水运	万吨	10013	13280	32.6
86	客运量	万人	213586	234564	9.8
87	#铁路	万人	5669	6136	8.2
88	公路	万人	205917	226134	9.8
89	水运	万人	2000	2294	14.7
90	**七、国内商业**				
91	社会消费品零售总额	亿元	10658.8	12363.0	16.0
92	**八、对外贸易和旅游**				
93	货物进出口总额（按经营单位所在地分）	万美元	15840751	13905337	-12.2
94	出口	万美元	9319479	7949071	-14.7
95	进口	万美元	6521273	5956266	-8.7
96	外商投资企业货物进出口总额	万美元	8438159	7559835	-10.4
97	出口	万美元	5059486	4478307	-11.5
98	进口	万美元	3378673	3081528	-8.8
99	外商投资企业基本情况				
100	年底登记数	户	32052	30579	-4.6
101	投资总额	亿美元	1011.6	1119.9	10.7
102	注册资本	亿美元	570.7	646.7	13.3
103	#外方	亿美元	425.0	478.9	12.7
104	对外承包工程				
105	完成营业额	万美元	262351	425362	62.1
106	对外劳务合作				
107	完成营业额	万美元	86126	83511	-3.0
108	接待国际旅游人数	万人次	253.67	310.04	22.2
109	#外国人	万人次	206.43	241.19	16.8
110	国际旅游外汇收入	百万美元	1391.10	1765.30	26.9
111	**九、财政**				
112	地方财政一般预算收入	亿元	1957.1	2198.6	12.3
113	#国内增值税	亿元	333.8	324.5	-2.8
114	营业税	亿元	396.1	470.6	18.8
115	个人所得税	亿元	61.1	64.7	5.8
116	地方财政一般预算支出	亿元	2704.7	3267.7	20.8
117	**十、物价指数**				
118	商品零售价格指数	上年=100	104.9	99.4	
119	居民消费价格指数	上年=100	105.3	100.0	
120	#城市	上年=100	104.7	99.9	

续表

序号	指标	单位	2008年	2009年	增长率(%)
121	农村	上年=100	106.2	100.1	
122	十一、人民生活				
123	收入				
124	农村居民家庭人均纯收入	元	5641	6119	8.5
125	城镇居民家庭人均可支配收入	元	16305	17811	9.3
126	居民消费水平	元	9573	10494	10.8
127	农村居民	元	4859	5395	11.1
128	城镇居民	元	14851	16027	9.5
129	住房				
130	农村居民人均住房面积	平方米	33.0	34.2	3.8
131	十二、教育				
132	高等学校数	所	125	126	0.8
133	高等学校招生数	人	465593	469097	0.8
134	高等学校在校学生数	人	1534009	1592974	3.8
135	高等学校毕业生数	人	411143	431598	5.0
136	十三、卫生				
137	卫生机构数	个	14973	63885	
138	#医院、卫生院	个	3008	3024	0.5
139	医疗机构床位数	张	319905	347052	8.5
140	#医院、卫生院	张	297345	320786	7.9
141	卫生技术人员数	人	375817	414971	10.4
142	#执业(助理)医师	人	159809	176193	10.3

注:1. 地区生产总值及其三次产业、城镇居民人均可支配收入和居民消费水平的增长速度按可比价格计算。
2. 卫生机构数2009年起含村卫生室,与历史数据不可比。

济南市

综 述

2009年,济南市积极应对国际金融危机冲击和考验,科学务实,积极作为,全力做好"保增长、保民生、保稳定、保全运"各项工作,经济社会实现平稳较快发展。保增长取得积极成效。全市生产总值3351.4亿元,同比增长12.2%,其中:第一产业增加值187.1亿元,增长5.2%;第二产业增加值1453.6亿元,增长12.1%;第三产业增加值1710.7亿元,增长13.0%。人均生产总值50376元(7373美元)),增长11.3%。全市地域财政收入和地方财政一般预算收入分别达到967.7亿元和210.2亿元,分别增长4.9%、13.0%。全部税收435.5亿元,增长13.6%。全部税收占生产总值比重13.0%,提高0.3个百分点。结构转型升级加快步伐。三次产业比例由5.8:44.1:50.1调整为5.6:43.4:51.0。非公有制经济增加值占生产总值比重42.3%,提高1.3个百分点。工业结构调整步伐加快。高新技术企业557家,其中:年工业总产值过亿元企业217家,增加10家;高新技术产业产值1586.95亿元,增长12.8%,占规模以上工业总产值的比重39.51%,提高2.18个百分点。生物医药、电子信息、交通装备、新能源与节能等行业发展较快。自主创新取得新进展。取得重大科技成果330余项,获省级以上科技奖励249项;专利申请量达1.2万件,成功开发出国内首个具有自主知识产权高端三维CAD/CAM软件系统和国内速度最快的桌面万亿次超级计算机。"双高"行业得到有效控制。高耗能工业企业完成工业总产值648.3亿元,下降25.1%;占全部工业总产值的比重16.1%,降低6个百分点;实现主营业务收入、利润分别下降24.6%、42.3%。节能减排成效显著,成为全国首批城市节能与新能源汽车试点示范城市。全社会用电量217.79亿千瓦时,增长7.55%,低于GDP增幅4.65

个百分点。重点节能减排项目进展顺利，淘汰落后立窑水泥生产线9条，除小火电外，提前一年完成“十一五”淘汰落后产能任务。

工业经济

2009年，济南南市工业经济实现平稳较快发展。

工业生产稳步回升。全年完成生产总值3351.4亿元，比上年增长12%；全部工业增加值1211.4亿元，增长10.3%。其中规模以上工业增加值1154.0亿元，增长11.2%。

企业效益趋势向好。规模以上工业主营业务收入3926.4亿元，比上年增长5.9%；实现利税457.0亿元，增长28.7%；实现利润231.7亿元，增长31.1%。企业亏损面12.08%，提高0.42个百分点；亏损企业亏损额7.6亿元，下降74.3%。

工业投资增长较快。全社会固定资产投资1655.4亿元，比上年增长20.3%；工业投资541.8亿元，增长24.8%，占全社会固定资产投资32.7%，提高2个百分点，其中高新技术产业和先进制造业占81.5%。

技术进步成效显著。全市工业开发新产品、新技术超过1400项，新产品销售比率33%，同比增长1个百分点。300余个项目列入山东省技术创新项目计划，同比提高30%。规模以上工业高新技术产业实现产值1586.95亿元，同比增长12.76%，占规模以上工业总产值39.51%，比年初增长2.18个百分点。软件、太阳能等高新技术产业在金融危机中逆势而上，分别增长24%、35%。

支柱行业发展平稳。全市六大产业集群实现工业增加值877.8亿元，增长10.3%，占规模以上工业的比重达76.1%，下降3.0个百分点。其中电子信息增长25.9%，食品药品增长20.8%，机械装备制造增长20.3%，石油化工增长14.4%，交通装备增长9.0%，冶金钢铁下降15.8%。全年主营业务收入过亿元企业678家，比上年增加165家，其中过10亿元企业38家，减少4家。

结构调整有新进展。济南市大力推进结构调整和发展方式转变，三次产业比例由5.8:44.1:50.1调整为5.5:43.5:51。非公有制经济比重达到42.5%，提高1.5个百分点。产品结构趋向优化，在全部工业产品中，产量增长的产品占57.3%，提高1.4个百分点。高新技术产品增长较快，传统产品增势趋缓，高新技术产业产值占全市规模以上工业产值39.5%，比年初提高2个百分点。

园区承载能力增强。济南出口加工区及8家省级经济开发区规模以上工业企业521家，占全市规模以上工业24.2%；工业增加值223.2亿元，比上年增长13.8%，占全市规模以上工业19.3%；实现利税95.1亿元，增长31.1%，占全市规模以上工业20.8%；固定资产投资181.2亿元，增长28.5%，占全市10.9%。高新区实现国民生产总值突破200亿元，完成固定资产投入增长41.3%；实现财政收入增长36.6%，成为推动全市经济增长重要力量。

节能减排成效明显。经过全市各级各部门的努力，济南市万元GDP能耗累计下降18.6%，完成“十一五”总体目标82.9%；万元工业增加值能耗累计下降27.19%，提前1年完成任务；COD、二氧化硫减排累计分别完成“十一五”任务93%和137%。

科技创新

（一）创新环境不断优化

全市创新型城市建设深入发展，企业自主创新活动日趋活跃，济南连续4次获得“全国科技进步考核先进城市”称号，并成为全国首批“中国软件名城”创建试点城市和节能与新能源汽车示范推广试点城市之一。济南市出台《济南市提高自主创新能力加快创新型城市建设若干政策》，对市科学技术最高奖、科学技术奖、专利奖、国家特色产业基地等进行表彰奖励，涉及奖励资金5332万元，济南市建设创新型城市4年间，科技奖励资金总数已超过2亿元。为充分利用政策引导创新型城市建设，取得重大自主创新成果并实现产业化的成长型科技企业，最高可获一次性补助200万元。

（二）软件名城建设步伐加快

济南市被国家工信部定为首批“中国软件名城”创建试点城市。全市软件服务业企业超过1000家，实现销售收入435亿元，同比增长24.3%；软件出口1.1亿美元，同比增长25%。26家软件企业通过CMM/CMMI认证，8家软件服务企业上市（积成电子、浪潮信息、浪潮软件、山大华特、法因数控、普联软件、浪潮国际、银泉科技）。软件产品涉及中间件软件、行业应用软件、信息安全软件、嵌入式软件、软件外包5大类1800多种，自主知识产权产品占90%以上。济南形成以齐鲁软件园为核心，以山大路科技商务区和历下软件园为依托，以齐鲁软件学院和东、西部大学城为基础，以长清软件园为数字创意重点，以工业园区为软件技术成果转化重点“一城五区”产业布局。国家发改委与工信部、商务部、国税总局联合发布2009年度国家规划布局内重点软件企业名单，济南浪潮集团山东通用软件公司、积成电子公司、山东中创软件公司3家软件企业名列其中。

（三）积极融入国家、省创新体系

全市共有国家、省、市三级创新基金立项项目54个，支持资金2292万元。高新区申报科技计划项目653项，实施承担科技计划项目112项，争取资助资金6015万元，连续三年实现持续增长。市经委等部门大力加强企业技术创新工作，300余个项目列入2009年山东省技术创新项目计划，同比增长30%，全市企业开发新产品、新技术超过1400项，新产品销售比率达33%。全市31个火炬计划项目获国家、省立项，其中国家级18项，省级13项，全部项目需新增投资1.79亿元，项目达产后，年实现工业总产值26.88亿元，利税2.7亿元，利润4.6亿元。“十一五”以来，全市共承担国家、省各类科技计划项目915项，获国家、山东省的经费支持6.87亿元，取得重大科技成果1650项。

（四）强化自主创新，一批关键共性技术取得重大突破

浪潮集团、浪潮电子、齐鲁制药、山东力诺、济南柴油机、山东方亚等企业5项成果获国家科技进步二等奖，是济南获国家科学技术奖数量最多的一年。全市实施技术创新项目1336项，取得重要科技成果420项，49个项目获国家、省科技奖励，并首次获省科技最高奖和技术发明一等奖。全市确定12个市级重大专项，2500万元专项资金用于支持半导体照明、汽车电子、数控装备、环保激光硒鼓、风力发电、太阳能光伏发电等一批重大自主创新项目。全市安排市级各类科技计划348项，投入市级应用技术研发经费9400万元，安排中小企业创新基金45项、1000万元。争取国家、省科技计划项目350项，经费2.79亿元。全市取得重要科技成果420余项，其中应用成果达92%。获国家科技奖励5项，获省级科技奖励223项，占全省45.23%。3个项目列入国家核高基重大专项计划。浪潮万亿次超级计算机、济柴自主品牌大功率发动机、华天、中创高端三维CAD/CAM软件系统等一批重大科技项目取得重要突破。

（五）企业专利增幅明显

全市年专利申请量13701件，同比增长18.28%，占全省20.49%。其中发明专利申请量2999件，占全市21.89%。专利授权量为6392件，占全省18.52%。其中发明专利授权量832件，占全省13.02%。专利申请量、发明专利申请量、专利授权量、发明专利授权量连续3年位居全省首位。全市企业专利申请量3194件，占全市23.31%；企业专利授权量1938件，占全市30.32%。中青年科技人员成为创新成果骨干力量，在市科技奖励大会上，735名受奖人员中55岁以下的科技人员占94.3%。其中45岁以下中青年科技人员占71.4%。

（六）研发体系建设升级

全市建成企业技术中心163家，其中国家级11家、省级43家、市级109家；工程技术研究中心101家；国家级企业孵化器5家，孵化器面积近100万平方米。全市国家级、省级、市级创新型企业分别为2家、8家和50家。技术创新支撑体系建设相对完备，全市建成重点实验室54个（其中国家级重点实验室3个、省部级重点实验室51个），新增各类企业技术中心33家，新增各类工程技术研究中心41家，省级软件工程技术中心19家。科技成果转化平台转化成果108项，合同额6749万元，建立产学研基地9个，累计58个。大型仪器设备共享平台1200多台（套），申请使用突破5万次，完成各类实验检测项目6万余次。济南地区技术合同交易额18亿元，同比增长21%，占全省20%。在年度济南市科技奖项目中，企业作为第一完成单位的项目为58项，占全部获奖总数49.5%。在8个一等奖项目中，7个是以企业为主完成。企业与高校科研院所合作完成的项目12个，占总数10.2%。全市自主创新产品认定会上，专家对116家驻济企业332个自主创新产品评审，148个产品被认定济南市首批自主创新产品。

（七）名牌战略取得实效

全市新创山东名牌28个、中国驰名商标4个、山东省著名商标48个、制（修）订国家标准18个、国家行业标准1个。全市共有中国名牌17个，山东名牌119个，中国驰名商标22个，山东省著名商标184个，制（修）订国家标准45个。4件新中国驰名商标是：中国重型汽车集团有限公司拼音及图形商标、济南柴油机股份有限公司“驰动”商标、九阳股份有限公司“九阳”商标和章丘大葱产业协会“章丘大葱”商标。济南庚辰钢铁有限公司被中国铸造协会授予“全国优质铸造生铁基地试点企业”证书牌匾。国家工业和信息化部、国家统计局联合发布2009年“自主品牌软件收入前十家企业”和“中国软件业务收入前百家企业”，浪潮集团有限公司和山东中创软件工程股份有限公司入围，浪潮集团有限公司全年实现20.5亿元软件产品收入，由上届的第三位跃居榜首。济南二机床连续20年保持国内冲压市场80%占有率，为国内汽车工业快速发展提供大量装备，进入世界冲压领域先进行列。在省质监局公布全省服务名牌和山东名牌产品名单中，济南52个产品评为2009年山东名牌产品，其中新增28个，复评24个；13个企业13个服务品牌评为2009年山东省服务名牌。经山东省质量兴省工作领导小组审定，九阳股份有限公司等5家企业获2009年度山东省省长质量奖提名奖。浪潮集团高效能服务器和存储技术国家重点实验室主持起草山东省地方标准《服务器能效要求及测试方法》通过山东能源标准化技术委员会审查，成为国内首个服务器节能标准；法因数控公司负责起草制定《数控角钢加工生产线》国家标准获批准发布，作为钢结构数控加工设备领域4项国家标准起草者；董老大食品有限公司拥有GB/T21270－2007、GB/T22474－2008两项国家标准、成为济南市首家食品国家标准起草企业；济柴负责起草制定《GB/T 23506－2009 石油采油井场燃气动力机组》《GB/T

23507.3－2009 石油钻机用电气设备规范第3部分》2项国家标准；高新区7家企业参与15项国家标准、行业标准、地方标准制修订项目；平阴县4家企业主导制订国家标准6项，其中已发布实施4项。

（八）产学研合作结硕果

济南市启动“5150引才计划”，每年专列1亿元财政资金，面向全球引进高层次创新型人才，利用5年时间，重点引进和支持150名能够提高城市竞争力、推动高新技术产业发展的高层次创新创业人才，其中进入各类园区创业发展的高层次人才达到100人。国家综合性新药研究开发技术大平台项目落户济南，该项目一期1.2亿元，已获中央财政扶持资金3890.95万元，实施周期2年。新药大平台以济南高新区为重点，建成技术链与产业化链相衔接，“一区六基地二十个示范企业”为主要内容，具有国内先进水平现代新药研究与成果转化体系。济南市高新区有研发、制药企业120余家，新药研发企业机构占全省70%，企业完成技术服务项目开发230余项，其中，44项获国家科技进步奖、省科技发明奖等各类奖励，申报国家一类新药9项、二类以下新药和生物制剂60余项。中国重汽集团、济钢集团、二机床集团、力诺集团、试金集团分别被省政府授予“山东省产学研合作创新突出贡献奖”和“山东省产学研合作创新优秀奖”。济南市举行首批引进海内外高层次人才签约仪式，9名海内外高层次人才与市政府签约，被授予“泉城特聘专家”。获济南市科技奖项目中，企业为第一完成单位58项，占49.5%。企业与高校科研院所合作项目12个，占10.2%。

高新区吸引来自美、英、法、德等20多个国家260余名留学归国人员，创办留学人员企业400余家，在孵留学人员企业165家，在孵高科技项目370余项，涉及电子信息技术、生物医药、交通装备制造、新材料、新能源等领域，其中近百个项目达到国内外领先水平，申报专利500余项。开发高新技术产品560多项，具有自主知识产权产品占85%以上。累计实施市级以上科技项目1420多项，其中国家火炬计划项目130多项。齐鲁软件园企业在齐鲁软件学院、山东交通学院、济南大学、经济学院、山东建筑大学等18所高校设立特色班、定制班，产业方向涉及软件外包、IT基础服务、动漫、数据处理、通信运维，在培和毕业人数2000人。“2009年山东省产学研暨新特优产品展洽会”在济南舜耕国际会展中心开幕。济南市围绕“新、特、优”产业发展重点领域，筛选26家产学研合作开展较好、技术创新能力较强的技术中心企业参展。期间，力诺集团与清华大学签订共建“清华—力诺光电子能源研究所”合作协议。浪潮集团与中科院超算中心签署战略合作备忘录，双方将整合中科院超算中心应用开发技术、浪潮天梭高性能系统技术一体化方案以及相应运维服务。

结构调整

（一）调结构保增长成效显著

济南市全面落实“保增长、扩内需、调结构”等一系列政策措施，深入开展“工业项目推进年”活动。全市规模以上企业完成工业固定资产投资541.8亿元，同比增长24.8%，占全社会32.7%。工业企业累计完成技术改造投资363.4亿元，同比增长23.9%，占全部工业固定资产投资67.1%，占全社会固定资产投资22%；全市竣工项目1097项，比上年增加638项，其中亿元以上项目竣工52项；制造业完成投资481.6亿元，占全社会工业固定资产投资的88.9%；高新技术产业完成投资146.1亿元，同比增长41.1%，占全市工业投资的26.97%。三次产业比例由5.8:44.1:50.1调整为5.6:43.4:51。非公有制经济增加值占生产总值比重42.3%，提高1.3个百分点。高新技术产业企业557家，其中：年工业总产值过亿元企业217家，增加10家；高新技术产业产值1586.95亿元，增长12.8%，占规模以上工业总产值39.51%，提高2.18个百分点。生物医药、电子信息、交通装备、新能源与节能等行业发展较快。中小企业和非公有制经济保持健康平稳发展态势。全市非公有制规模以上企业1665户，其增加值、主营业务收入、利税、利润4项指标增幅高于全市10个百分点。“双高”行业得到有效控制。高耗能工业企业完成工业总产值648.3亿元，下降25.1%；占全部工业16.1%，降低6个百分点；实现主营业务收入、利润分别下降24.6%、42.3%。

（二）开展“工业项目推进年”活动

济南市积极应对金融危机，及时出台实施3600亿元投资计划、八大产业调整振兴规划以及促进中小企业、成长型企业发展政策措施。争取中央新增投资项目200个、资金4.7亿元，省调控资金24.1亿元，其中前三批178个项目实现开工率、资金配套率和问题整改率“三个百分之百”。233个重大项目完成投资579亿元，吉利轿车、青年商务车等一批项目投产见效。根据国家、山东省行业振兴规划的精神，济南市制定、实施电子信息、汽车、装备制造、冶金、化学、轻工、纺织、新能源等八大行业振兴规划，重点培植汽车、装备制造、电子信息等3个过1000亿元重点产业。建立全市重点工业投资项目绿色通道，12位市级领导分工负责推进26个重点项目。把培植机器制造业作为重中之重，企业享受增值税抵扣12亿元，其中45%为机器制造业。中央扩大内需资金项目17项，中央预算内资金到位16家，第三批省调控资金计划项目13项，2.13亿元资金到位，工业经济发展引导资金支持重点工业结构调整项目资金1820万元，其中机器制造业占41.2%。

（三）重点项目建设速度加快

济南市政府出台《济南市建立重点工业投资项目绿色通道暂行办法》，对重点项目审批“限时办理”，办理时限为对外公开承诺时限的二分之一；建立健全重点建设项目市、县、乡三级协调服务机制，明确责任单位和责任人，负责督促、指导和协调服务。重点工业投资项目绿色通道服务工作由市监察局监督实施。大力实施“项目推进年”活动，将工业投入指标及433个重点项目的目标责任层层分解，全面落实市级领导包项目责任制和重点产业项目建设绿色通道制度，把协调服务贯穿项目建设全过程。市经委组成13个工作组，选择济南轨道交通公司风电设备制造项目、华光电子公司光电子产业园等62个投资强度高、产业方向好、对全市工业经济拉动作用大的工业项目实行全过程指导协调和跟踪服务。推出《关于促进中小企业又好又快发展的意见》等13项惠企措施。国家发改委、国家工信部下达重点产业调整振兴和技术改造2009年第二批新增中央预算内投资计划，济南市4个工业项目入选，项目总投资11.8亿元，争取中央预算内投资3760万元，年内4个项目均开工建设。第一批新增1000亿元中央投资计划中，济南市62个项目，安排新增中央投资1.5074亿元，全部开工建设。济南市建设千万吨新型钢铁工业基地，建成投产后将新增200万吨优质钢产能，100亿元销售收入，年创利税25亿元。有关区镇积极与济钢集团合作，整合零散钢铁物流企业，拉长钢铁产业链条。

（四）加大政策扶持力度，多方融资支持技术改造

济南市先后出台支持自主创新工业产品销售、重点工业项目“绿色通道”、企业减负、解决中小企业融资、鼓励企业上市融资等一系列政策意见，设立中小企业发展专项资金、中小企业过桥资金、鼓励企业上市专项资金等政策措施。落实国家税收优惠政策，利用税收优惠为企业注入资金81亿元，同比增长2.4倍；引导企业利用国家增值税转型政策，全年抵扣进项税额11亿元；对上百项涉企收费“减、免、缓、停”，为企业减负2亿元。市劳动保障局、市发改委、市工商局、市经委4部门制定政策措施，为企业发展开通“绿色通道”，向121家困难企业发放2.2亿元补贴，72户中小企业获担保贷款9.24亿元；市经委与山东省工行营业部签署协议，为工业企业新增贷款150亿元、票据融资及其他融资120亿元。搭建企业、银行、担保三方合作平台，促成万佳、鑫海和银联3家担保机构为72户中小企业贷款9.24亿元；市政府加大科技投入900万元，总数达9400万元，创历年之最；全市安排300项科技项目，安排自主创新计划180项。围绕先进制造、新能源、节能降耗等领域，选择10个关键共性技术重大专项，每个支持100至1000万元项目经费。

市财政设立中小企业发展专项资金5000万元，用于中小企业技改项目与成长型企业培育，并根据财力情况定期适当增长；设立过桥资金1亿元，用于中小企业临时性资金周转困难暂时垫付。市政府出台《关于加快推进企业上市工作的意见》，设立3000万元鼓励企业上市专项资金。济南市积极争取国家、省项目资金支持，山东邦尼科技文化发展有限公司移动应用中间件平台、山东神思电子技术有限公司银行客户身份认证系统产业化、济南齐鲁软件园发展中心国家软件产业基地公共技术平台、山东新潮信息技术有限公司网禛反垃圾邮件系统项目被国家发改委和国家工信部列入2009年电子信息产业振兴和技术改造第三批补助项目，将获贴息补助1100万元。

银企合作不断加强。驻济23家金融机构对济南地区新增人民币贷款计划880亿元，高出上年贷款增量395亿元。市经委与建设银行签订战略合作备忘录，山东牧翔生物科技有限公司、山东巨匠电子科技有限公司、济南大陆机电股份有限公司等10家企业与建设银行签约，合同金额8700万元。建设银行建立“中小企业绿色信贷通道”等措施扶持济南中小企业发展，该行中小企业贷款客户113户，占济南地区57.8%。企业上市融资。全市区域内上市公司26家、股票28只，融资总额428.15亿元。济南企业曾因ST现象上市一度停滞，随着改革发展步伐加快，东港股份、九阳股份、法因数控境内上市和山水水泥、福瑞达化工、普联软件等6家企业境外上市，浪潮、华电、银座、重汽、ST中润等实施再融资计划，总融资额超过120亿元。浪潮国际定向配售3.1亿股募集资金3.83亿元；中国重汽向德国卡车制造商曼公司出售25%股份融资近60亿港币；华电国际定向发行7.5亿股募集资金35.25亿元，发行中期票据融资30亿元；东港股份提出公开增发融资3.45亿元计划。积成电子股份有限公司是济南IPO首发市盈率最高的上市公司，企业将获济南市及高新区两级政府累计400万元的资金补贴。“积成电子”股票发行量2200万股，募集资金5.5亿元。

（五）出台结构调整振兴规划

济南市依据国家和省推进产业调整振兴部署，结合全市产业发展实际，编发电子信息、汽车、装备制造、冶金钢铁、纺织、化工、轻工、新能源八个行业调整振兴规划和重点项目目录。八大行业规划目标到2011年，形成主营业务收入总量规模6200亿元，年均递增20%。其中制造业总量规模为5300亿元，占全部工业总量的85%，形成济南工业发展支撑。

（六）趵突泉啤酒汇入青啤

青岛啤酒集团与山东省商业集团总公司签署“趵突泉啤酒”项目战略合作协议，青啤收购趵突泉啤酒100%股权和“趵突泉”系列商标权等无形资产，山东啤酒业整合迈出关键一步。2006 年，山东省商业集团总公司入主济南啤酒集团，通过结构及市场定位调整等手段，趵啤市场有所好转，产销量及盈利水平均有提升。根据协议，青啤收购济南鲁商趵突泉啤酒销售有限公司100%股权和“趵突泉”系列商标权等，鲁商集团承诺停止啤酒生产，全面退出啤酒业。青岛啤酒通过并购无形资产方式开创国内啤酒行业整合扩张新模式。

（七）扩大招商引资

全市新批外商投资项目 73 个，合同外资额 90266.8 万美元，比上年增长 26.2%；实际使用外资 98062 万美元，同比增长 13.4%。全市上半年引进省外投资 209 亿元，占全市引进投资的 51.9%，首次超过省内资金。“中国500强企业”山东钢铁集团、中国重汽集团等 8 家企业总部基地位于济南，济南位居国内“总部基地榜”第 10 位，省内首位。上半年北京在济南投资项目 28 个，引进投资 30.1 亿元，其中投资 67 亿元中车工业园项目、18 亿元搬迁改造 10 万吨金红石型钛白粉项目等均列为全市重点项目；浙江在济南在建招商项目 12 个，引进投资21.3 亿元，包括总投资 5.3 亿元吉利汽车整车生产项目，13.2 亿元的青年轿车生产项目等；全市在建广东招商项目 10 个，引进投资 12.5 亿元；福建省在济南市有在建招商项目 9 个，引进投资 9.6 亿元，包括总投资 1.5 亿元达利食品纯净水项目、投资 1.5 亿元山东亿同新纸业有限公司项目等。山东省台州商会通过组织济南和台州两地企业家实地考察、项目推荐、创业经验交流等形式，介绍推广济南优秀文化、区位优势和良好投资环境，增强台州企业家来济投资热情和信心。台州现有 3000 多家民营企业落户济南，商会积极协调各级政府部门做好服务工作，为台州企业投资创业搭建平台。

自 1988 年 9 月首家台资项目落户济南以来，全市累计批准台资项目共 699 个，项目总投资 19.03 亿美元，合同利用台资 13.82 亿美元，实际利用台资 7.41 亿美元。台商在济南投资涉及纺织、电子信息、汽车零部件、房地产、仓储物流、机械化工、食品加工等 20 多个行业和领域，优秀品牌和企业众多。旺旺食品、大润发超市、统一超市、国泰人寿等 23 家台湾“百大企业”和上市、上柜公司，千万美元投资项目 21 个。济南市设立山东省（济北）台湾工业园、山东省（济南）台湾工业园、山东省（章丘）台湾工业园和山东省（平阴）台湾农业园。济南市注重投资软硬环境建设，为承接台资项目提供优越条件，台商投资在济南聚集效应明显。济台直航后，将有力促进济南和台湾经贸交流。

工业外经外贸

全市进出口总值 56.57 亿美元，同比下降 29.5%。其中进口 26.1 亿美元，同比下降 23.9%；出口 30.47 亿美元，同比下降 33.7%。外贸出口降幅逐步收窄，呈现止跌企稳态势。全市内资企业出口 18.71 亿美元，同比下降 41%；外资企业出口 8.91 亿美元，同比下降 14.4%。机电产品出口稳中有降。全市机电产品出口完成 19.4 亿美元，同比下降 17%，占全市出口比重 63.3%，高于全省 20 个百分点，机电产品出口额列全省第 4 位；机电产品进口 11.23 亿美元，同比增长 23.3%，机电产品进出口贸易顺差 8.17 亿美元。加工贸易逆势增长。全市加工贸易出口 5.91 亿美元，同比增长 7.2%，主要集中于船舶、纺织服装、化学化工、家居、电子行业。高新技术产品出口向好，出口 2.97 亿美元，同比增长 19.7%；出口医药品 1.13 亿美元，同比增长 36.8%。船舶出口 2.74 亿美元，同比增长 70.4%，机械设备出口 6.22 亿美元，与上年基本持平。部分传统出口产品下降：钢铁及制品出口同比下降 64.5%；汽车及底盘同比下降 54%，摩托车同比下降 41.7%，电器及电子产品出口同比下降 19.3%；纺织服装出口同比下降 6.7%。

（一）对外合作不断加强

全年新设境外企业 26 家，在海外建立研发中心和营销网络企业 6 家。对外直接投资 1.14 亿美元，同比增长 249.6%。全市共签订对外承包和劳务合作合同金额 33.6 亿美元，同比下降 14.2%；完成营业额 15.5 亿美元，同比增长 80.7%，对外承包工程创新高，营业额 15 亿美元。

（二）外资利用水平提高

全市新签外商投资项目 73 个，合同外资额 9.03 亿美元，同比增长 26.2%；实际到账外资 9.81 亿美元，同比增长 13.4%。其中，第二产业项目 33 个，合同金额 37286.8 万美元，占总额的 41.3%。济南市围绕重汽产业链等策划包装 8 个重点项目，赴香港招商推介。开展外商服务月活动，开办“国际门诊”，举办外商恳谈会、银企座谈会等活动，先后促成 19 家外资企业增资扩股。

济南市大力发展以软件外包为主的国际服务贸易，成功入选国务院批准的 20 个服务外包示范城市。东方道迩、NEC、美国优创、戈尔特西斯、旅科呼叫中心等骨干企业继续保持快速稳定发展。以泰华电讯、冶金设计院为代表的工程设计研发外包（KPO），以水晶石、呀卡卡、日本 UNISYS 等为代表的动漫创意和计算机设计外包，以华芯国际、力创赢芯等为代表的集成电路设计外包等多个产业集群发展态势良好。

（三）外贸展销成交活跃

济南市 98 家企业数千种产品参展 2009 年秋季广交会，展位 155 个，其中品牌展位 24 个，深蓝机器、金銮进出口、天齐特种平带、协信锻造、康巴丝钟表、中天建材、中鲁玻璃制品、欧润家居用品、万祥等10多家企业首次亮相广交会。济南16家企业名优特新产品参展第六届中国国际中小企业博览会暨中西中小企业博览会，主要集中食品、纺织和机械行业。参展4天签约14项，意向30项；合同金额2417.2万元，意向协议金额4132.1万元。济南市加大政策扶持力度，为93家企业申请国家中小企业国际市场开拓资金230万元，为服务外包企业申请国家和省扶持资金4000万元，并对企业参加出口信用保险支付保费和反倾销应诉支付律师费实行补贴。组织120多家企业参加大阪山东出口商品展览会、广交会等国内外展会。

（四）服务外包快速发展

济南市作为20个“中国服务外包示范城市”之一，着力培育壮大服务外包企业，注重培养专业人才队伍和营造良好发展环境，有序推进全市国际服务外包产业发展。全市服务外包企业147家，同比增长58%；全年离岸服务外包合同协议金额2.4亿美元，同比增长180 %，离岸外包执行金额1.2亿美元，同比增长46 %；全年培训各类外包人才1.2万人次，签约就业人员8000余人，服务外包累计从业人员4.2万人。在全市各级政府政策扶持引导下，NEC、浪潮世科、中讯、凌佳、亿帆科技、戈尔特西斯等服务外包企业发展迅猛，年出口额100万美元以上，其中NEC公司2009年出口接近千万美元，并成立了NEC中国发包中心，吸引数十家企业协作服务。济南服务外包稳定亚洲市场，积极开拓南美、中东、东盟、东欧等新兴市场。先后引进北京、上海、深圳等地15家大中型外包公司来济南设立分公司，开展离岸外包业务。

（五）境外投资九成出自民营企业

全市新设境外投资项目18个，同比增长100%，协议投资总额1.06亿美元，同比增长432%，中方协议投资总额8143万美元，同比增长586%，民营企业占境外投资总量95%。新设境外矿产资源开发项目8个，协议投资总额近7188万美元，分布澳大利亚、蒙古、吉尔吉斯斯坦、赞比亚、刚果（布）和埃塞俄比亚等6个国家，涉及金、铁、铂、钛、铅、锌等多个矿种。境外设立公司带动国内出口。济南企业在境外设立公司或办事机构，建立仓储、营销网络，带动国内出口1600万美元。济南企业在欧美、中国香港、澳大利亚等国家和地区新设投资项目8个，投资3663万美元。山水集团出资并购香港诚利贸易公司，为企业国际化经营开辟窗口。

节能降耗

济南市节能减排工作取得明显成效，万元GDP能耗、规模以上工业万元增加值能耗和COD、二氧化硫等减排指标按期或提前超额完成任务。全市万元GDP能耗1.04吨标准煤，同比降低5.4%，完成省政府下达万元GDP能耗下降5.39%责任目标；万元GDP电耗683.5千瓦时，同比降低4.13%，超额完成省政府下达责任目标。前4年全市万元GDP能耗降幅分别为3.53%、4.635%、6.485%、5.4%，累计降低18.6%，已完成“十一五”节能目标82.9%。

（一）节能减排成绩斐然

全市规模以上工业万元增加值能耗1.5吨标准煤，同比降低7.45%，4年累计降低27.19%，提前1年完成“十一五”任务；COD、二氧化硫减排分别完成“十一五”任务93%和137%。国家财政部、国家科技部、国家发改委、国家工信部等4部委将济南等13城市列为新能源汽车大规模示范运营试点城市。举办国家“十城千辆”节能与新能源汽车推广应用济南市大规模示范运营启动仪式。济南订购新能源汽车200辆，为全运会、园博会做出积极贡献。新投入使用300多部公交车全部达到国III排放标准，淘汰200余部能耗高、污染较重公交车，大修改造100多部，其中大部改装为CNG单燃料车，提高车辆的节能环保性能。市委、市政府五大班子带头参与能源短缺体验日活动，各级机关实行公务用车每周停用一天等节约措施，并在全市机关开展以节电、节油、节水、节材为主要内容的公共机构“四节”活动。

（二）节能技术创新步伐加快

济南市争取中央拉动内需节能项目6个，获投资2860万元；推荐上报国家发改委国债项目3个，国家工信部节能投资储备项目27个，国家财政节能奖励目3个；省级重大节能技术产业化奖励项目8个，省级太阳能财政补贴项目24个，总投资30亿元。列入省科技发展计划重点节能项目9项：激光剥离制作功率型LED技术、利用生物质原料生产高清洁车用柴油新技术、草浆造纸废水综合治理中控制成套技术等获1400万经费。列入市级自主创新科技计划节能项目44项：环保激光硒鼓研发、地源热泵与太阳能供热空调复合系统、钢铁企业废气利用高效节能燃烧器等项目获1200万经费。在全市大力推广干熄焦、燃气蒸汽联合发电，水泥窑尾余热发电、窑体余热回收利用，冷却水余热利用、热电冷三联产技术、循环流化床锅炉、绿色照明、电机变频调速技术、燃煤锅炉节能改造、电机系统节能、能量优化等重大节能工程等。推广高效绿色节能灯55万只，超额完成省下达50万只任务。申报太阳能集热项目25个，组织验收项目17个，完成集热面积11560平方米。济南市4家企业获国家节能技术改造财政奖励，获资金2140万元，4项目已实施建设。济南三融环保工程和山大华特登上福布斯中国潜力企业榜。三融环保工程主营脱硫及水处理工程，排名第117位；山大华特主营环保、医药，排名第200位。福布斯调研团队对候选1万家中小企业进行调查，从中优选200家上榜。

（三）太阳能产业蓬勃发展

国家火炬计划太阳能特色产业基地落户济南，基地以经十东路为轴线，以力诺太阳城为中心，以力诺、华艺等国内外知名企业为骨干，以山东省科学院、山东中德太阳能研究院等为依托，重点发展太阳能光热、光伏两大领域。太阳能产业占济南工业8%，年均增速30%。年产太阳能热水器300余万台，产销量占国内市场15%，是亚洲最大太阳能热水器生产基地；济南太阳能毛坯管产量占国内市场51%，是全球最大太阳能毛坯管生产基地；太阳能镀膜管产量占国内市场25%，产销量居国内首位；济南拥有国内太阳能行业唯一的国家住宅产业化基地，分体式太阳能集热器产量位居全国首位。济南市财政投入750万元资金，补贴10县（市）区太阳能推广。2年来，全市推广太阳能5万台，年节电7210万度，节约标准煤2万吨，减少二氧化碳排放4万吨。力诺瑞特与政府合作共建新农村已延伸至北京、湖北、青海等15省20个地区，推广太阳能20余万台。山东省积极推动实施“金太阳”示范工程，东营光伏太阳能有限公司、济宁矿业集团有限公司两个大型并网光伏发电项目和山东力诺太阳能电力股份有限公司、山东华艺集团有限公司等4个用户侧并网发电项目列入国家首批“金太阳”示范工程。工程总投资5.01亿元，获国家财政补助17535万元。示范项目光伏发电装机总规模为21兆瓦。

（四）依法淘汰落后产能

济南市成为全国首批城市节能与新能源汽车试点示范城市。全社会用电量217.79亿千瓦时，增长7.55%，低于GDP增幅4.65个百分点。重点节能减排项目进展顺利，全市淘汰150万吨炼钢、83万吨炼铁；关停小火电机组14.5万千瓦；拆除16条立窑水泥生产线，淘汰熟料年产能162万吨，分别占“十一五”期间淘汰落后产能任务100%和101.25%。济南市根据国家、省关停淘汰落后产能政策，制定《济南市关停和淘汰落后水泥产能工作实施方案》等规定，市政府与县（市）区政府签订淘汰落后产能目标责任书。济南市利用价格杠杆限制和淘汰高能耗产业，对部分耗能高、污染严重的“双高”企业实施差别电价，加速关停淘汰步伐。全市严格执行环保、安全、技术、土地和资源综合利用等市场准入标准，确保淘汰落后产能从源头得到控制。对列入淘汰名单的企业，公布淘汰规模和时间，在规定时间未完成的，有关部门吊销证照，供电部门停止供电。上半年，全市已拆除16条立窑水泥生产线，淘汰熟料年产能162万吨，分别完成“十一五”淘汰落后产能目标的100%和101.25%。章丘市土小企业综合整治工作取得显著成效。章丘市府集中力量实施以小石灰窑、焦宝石窑等“土小企业”治理为重点的城乡环境综合整治。年内，市内479支小石灰窑、852支小焦宝石窑全部拆除。

济南市开通节能监察网。济南市节能监察支队通过此服务平台，通报全市节能工作有关情况，传递节能信息，介绍相关节能政策法规、标准规范、能源知识和节能技术，下载节能资料以及举报违规用能和浪费能源行为。市节能监察支队对部分企业正在使用的14台（套）落后用能设备实施行政处罚，并对淘汰落后设备拆解全过程实施监控。

（五）提高资源利用效率

济南市按照“多元化回收、集约化利用”原则，推进再生资源集约化利用。济南市把发展壮大新能源产业纳入全市调整振兴八大规划之一，突出发展电子信息、新能源、新材料等高新技术产业。全市经过省市认定资源综合利用企业35家，年利用工业固体废弃物93万吨，实现资源综合利用产品销售收入8.14亿元。济钢、山水等余热余压、煤矸石、煤泥发电装机容量80万千瓦，回收利用可燃气体20亿立方米，垃圾填埋气发电装机容量3500千瓦。济南复强动力公司已形成再制造发动机2万台生产能力；富美科技有限公司年产环保激光硒鼓500万；济南新天地再生资源有限公司专门从事废旧家电及电子产品的回收处理，市有关部门印发《关于在机关事业单位国有企业等开展废旧家电及电子产品集中回收处理工作的通知》，规定机关、企事业单位换代淘汰家电、微机、复印机、传真机、打印机以及罚没、需销毁、涉及保密电子产品统一交由济南新天地再生资源公司统一处理。全市利用粉煤灰、脱硫石膏、锅炉炉渣等工业废弃物生产新型建材等项目走在全省前列。济南采明实业公司利用树枝、秸秆等生产中高密度板材。济南新天地电子产品回收处理公司新建建筑节能达65%，建筑节能标准执行率达100%。市热电联产项目列入利用欧洲投资银行贷款第二批备选项目计划。济南市申报济南热电联产综合节能改造项目获贷款3100万欧元。

（六）强化节能监督管理

济南市召开“全市节能考核表彰奖励大会”，对全市节能先进单位进行表彰奖励。济南市开展能源管理体系试点，按照节能法对100户重点用能单位全面开展能源审计，完成77户重点用能企业能源审计。市委督查室、市政府督查室、市经委（市节能办）、市环保局4部门组成节能减排专项督查组，对各县（市）区政府和百户重点耗能企业年节能减排目标责任专项督查。济南市节能监察支队按照节能法规定，开展节电、能效标识、能耗限额检查等多项节能检查。对23家省重点用能企业开展能耗限额标准专项监察；对32家大专院校、医院、酒店和企业日常用能监察；对40家重点企业开展节电专项监察；对生产经销用能产品开展能效标识使用情况专项监察；配合省节能办等4部门对40个公共机构用电专项检查；对15家年用电200万千瓦时以上公共建筑配电系统、大型用电设备及推广绿色照明进行节用电检查，共查出问题63项，提出整改意见67条；配合完成20户用能单位能源审计，对50户非生产用能单位试行用电限额管理。市节能监察支队在严格执行国家、省、市相关节能法律法规及技术标准的基础上，加强监察工作标准体系化建设，制定4项节能监察评价标准（试行）："重点用能单位日常节能检查评价标准"、"非生产单位用能管理评价标准"、"重点用能企业能耗限额考核评价标准"、"固定资产投资节能评估审查评价标准"。在全市开展以送法规、送技术、送管理节能工作"三送"服务基层活动，编印《节能法律法规政策及标准汇编》《节能技术实用汇编》等资料发送各县市区和重点用能单位。为企业提供技术服务，免费为企业化验煤样、渣样，进行锅炉效率测试。节能监察支队建立20人节能专家队伍服务社会，全市节能培训600余人。

市环保部门按照严格环评审批、注重过程监管、强化验收环节、做好评价分析、严把项目准入关口。对不符合国家产业政策、不符合城市发展总体规划和环境保护规划建设项目坚决拒批；把清洁生产标准纳入环境影响评价，促进企业通过技术改造，增加环保投入，对污染源进行治理，削减污染物排放量；对不能达标排放或超过污染物排放总量规定的企业，其新上项目坚决不批。

（七）环保产业不断发展

济南市将节能环保作为朝阳产业和经济增长点重点扶持，已形成循环硫化床锅炉、智能节电器、水处理设备等产业。根据山东省《关于2008年度环境保护专用设备确认的通知》及《财政部、国家税务总局、国家发改委环境保护设备企业所得税优惠目录》，济南10家企业21种环境保护专用产品被确认，企业获所得税优惠300万元。在全省太阳能与建筑一体化现场交流会上，济南港沟节能环保产业基地等12个山东省节能环保产业基地被授牌。济南启动首批风电项目测风工作，分别与大唐山东发电有限公司、国华能源投资有限公司、歌美飒（Gamesa）集团签署风力发电开发合作协议书。3家企业将投资25亿元，安装容量25万千瓦风电机组，已分别在济南3县区设立测风塔，收集测试数据表明，济南开发风电项目具有较大潜力。

（八）大力实施清洁生产

济南市确定35家企业实施清洁生产审核，共提出无低费方案1113个，已实施794个；提出中、高费方案146个；完成清洁生产投资2.93亿元，产生直接经济效益1.65亿元。企业通过实施清洁生产方案，削减COD排放40.56吨，削减氨氮排放1.77吨，削减SO_2排放1781.5吨，削减废水排放288.8万吨，削减固体废弃物4.5吨；年节水5333万吨，节电2.9亿千瓦时，节约原煤6万吨，节约蒸汽3.1万吨，节约燃料油33.2吨。近年来，济南市在节能和提高能效、甲烷回收利用、温室气体分解等领域实施一批CDM项目：济钢燃气－蒸汽联合循环发电、济南垃圾填埋气发电、山东中氟化工科技有限公司HFC－23分解等9个项目获国家发改委批准。济南市以钢铁、化工、水泥为重点行业，积极开展CDM项目筛选培育工作，已筛选出山东明水化工有限公司造气装置优化调整节能降耗技术改造等2项CDM备选项目。济南市强化清洁生产审核培训工作。对各县区职能部门负责人和相关企业分管领导培训。组织济南鲍德炉料公司、蓝星石化等10户企业分管负责人参加全国清洁生产审核师资质培训，参训人员全部取得清洁生产审核师资质。通过对列入实施清洁生产计划2户强制企业和33户自愿实施审核企业审核，有效促进工作进展。

（九）推进循环经济发展

济南市积极宣传《循环经济促进法》，使循环经济发展理念深入人心。着力推进循环经济"678"工程，重点培育6个循环经济型县（市）区、7个循环经济型园区、80家循环经济型企业。推出济南钢铁总公司、复强动力、山水集团、佳宝乳业、济南圣泉、琦泉热电、富美科技等一批循环经济典型。初步形成煤矿—煤矸石、煤泥—电力—水泥建材产业链；电厂—粉煤灰、脱硫石膏—建材、水泥产业链；冶炼废渣—钢渣微粉—建材产品产业链；农业秸秆—糠醛—深加工产品产业链；糠醛废渣—锅炉燃料—电力；余热、余压—电力；化工废气—化工产品；汽车发动机再制造等产业链，这些环经济产业链在经济发展中发挥积极作用。山东富美科技公司500万只环保激光硒鼓再制造工程被评为年度山东省循环经济十大示范工程，济南圣泉集团股份有限公司玉米芯、秸秆综合利用生产木糖、木糖醇联产阿拉伯糖工程被评为年度山东省循环经济优秀工程。

（撰稿：邹保平）

青岛市

综　述

2009年，青岛市实现生产总值（GDP）4890.33亿元，按可比价格计算，比上年增长12.2%。其中，第一产业增加值230.25亿元，增长3.0%；第二产业增加值2449.80亿元，增长12.7%；第三产业增加值2210.28亿元，增长12.5%。三次产业结构由上年同期的5.1:50.8:44.1调整为4.7:50.1:45.2。

（一）工业生产持续回升，企业效益提升明显

全市规模以上工业完成增加值2338.13亿元，比上年增长14.9%。全年增速表现出明显的回升上行态势，其中，一季度增长7.88%，上半年增长12%，前三季度增长12.9%。分轻重工业看，重工业增长16.6%，轻工业增长12.7%。分行业看，37个工业行业大类中34个行业产值实现增长，13个行业产值增速超过20%。装备制造业增势强劲，全年完成产值2966.44亿元，增长21.86%，高于全市6.6个百分点。高新技术产业产值达4427.53亿元，增长15.42%，占规模以上工业比重达46.51%，比上年提高0.2个百分点。工业产销衔接状况良好，全年规模以上工业企业产销率97.7%，提高0.4个百分点。在石油化工、汽车等行业带动下，工业企业效益改变上年持续下滑的局面，迅速回升。全市规模以上工业实现主营业务收入9217.6亿元，增长15.7%；实现利税859.78亿元，增长57.6%；实现利润459.3亿元，增长77.4%，较上半年和前三季度分别提高39.5个和13.9个百分点。

（二）固定资产投资保持增长，第三产业及民生领域投资增长较快

全年规模以上固定资产投资完成2458.9亿元，增长25.3%。其中，第一产业投资46亿元，增长3%；第二产业投资1107.3亿元，增长17.2%；第三产业投资1305.6亿元，增长34.2%，第三产业投资占比提高3.5个百分点。基础设施等民生领域的投入力度加大，在规模以上投资中，基础设施投资完成525.6亿元，增长63.4%，增速提高39.4个百分点。其中：交通运输、仓储和邮政业投资203亿元，增长74.9%；水利、环境和公共设施管理业完成投资233亿元，增长75.4%；电力、燃气及水的生产和供应业投资29.1亿元，增长54.6%。全年房地产开发投资完成459.5亿元，增长23.1%，增速比上年提升7.3个百分点。全年全市各类房屋累计竣工814.2万平方米，增长23.9%；全市销售房屋面积1261.9万平方米，增长64.1%。

（三）市场销售持续向好，限额以上企业增长较快

全年社会消费品零售总额1743.99亿元，比上年增长19.1%。其中，城市1391.8亿元，增长19.8%；县及县以下352.19亿元，增长16.3%。分行业看，批发零售贸易业1407.82亿元，增长17.9%；住宿和餐饮业282.65亿元，增长23.4%。分企业类型看，限额以上企业563.74亿元，增长20.5%，限额以下小企业和个体经营户1126.73亿元，增长18.0%。在限额以上批发和零售贸易业商品零售中21类商品零售均实现增长。其中，汽车类增长34.9%，石油制品类增长21%，家具类增长27.7%，文化办公用品类增长21.5%，金银珠宝类增长25.3%。

（四）物价走势基本平稳，生产价格降幅收窄

全市居民消费价格上涨0.5%，除1月份上涨2.8%外，其余月度涨跌幅度在-0.6%与1.3%之间；八大类商品价格呈现“六升一降一持平”态势，食品、烟酒及用品、衣着、家庭设备用品及维修服务、医疗保健和个人用品、娱乐教育文化用品及服务类六类商品价格分别上涨1.6%、1.3%、1.4%、0.1%、0.2%、0.8%；交通和通讯类价格下降2.5%；居住类价格较上年持平。

（五）对外贸易降幅趋缓，高新技术产品出口实现增长

全年进出口总额（不含中央、省公司）439.9亿美元，下降13.3%，降幅比上半年收窄3.5个百分点，其中出口269.2亿美元，下降10.3%；进口170.6亿美元，下降17.6%。12月份当月对外贸易同比增幅均实现由负转正，其中，进出口总额、出口、进口分别增长14.6%、4.7%和31.7%。从出口产品看，全年机电产品出口103.2亿美元，下降17.7%；高新技术产品出口29亿美元，增长0.5%。

（六）城乡居民收入稳定增长，社会保障继续完善

全年城市居民人均可支配收入22368元，比上年增长9.3%，其中工资性收入增长7.9%，经营净收入增长16.8%，财产性收入增长1.1倍，转移性收入增长9.2%。农民人均纯收入9249元，增长8.7%。其中工资性收入增长8.6%；家庭经营收入增长8.1%；财产性收入增长14.1%；转移性收入增长14.0%。社会保障继续完善，年末全市参加基本养老保险人数为179万人，参加失业保险人数为142.9万人。城镇登记失业率2.81%，比上年末下降0.2个百分点。

（七）财政收入增势回升，金融存贷款余额大幅增长

全年全市实现地方财政一般预算收入377亿元，增长10.1%；比一季度提高5个百分点。地方财政一般预算支出433.6亿元，增长17.4%，其中用于民生的社会保障和就业支出增长8.3%，城乡社区事务支出增长18%，农林水事务支出增长20.8%。年末全市金融机构本外币各项贷款余额5268.58亿元，比年初增加1205.53亿元，同比多增521.85亿元；各项存款余额6504.54亿元，比年初增加1619.46亿元，同比多增770.34亿元；城乡居民人民币储蓄存款2527.87亿元，比年初增加405.37亿元。

工业经济

2009年，青岛市工业经济运行呈现出“回升比预期早，增长比预期快、效益比预期好”的态势，为十一五末全市工业产销突破万亿元目标奠定坚实的基础。全年规模以上工业实现工业增加值2338.1亿元，同比增长14.9%，高于预期目标2.9个百分点；完成工业总产值9375.3亿元，增长15.2%；实现主营业务收入9217.6亿元，增长15.7%，实现利税859.8亿元，增长57.6%，利润459.3亿元，增长77.4%。

（一）工业经济运行的主要特点

1. 工业运行经历触底、回升、企稳、加快四个阶段。随着全年工作重心由全力保增长向保增长、调结构的转变，规模以上工业增速经历了一季度触底、二季度回升、三季度企稳、四季度加快四个阶段。规模以上工业增加值增速由一季度的7.9%，上半年的12%，前三季度的12.9%，到全年的14.9%，呈现出增速逐月提高的走势。在全面完成年初保增长目标的同时，工业经济总体规模继续扩大，全年规模以上工业企业达到5744户，较同期净增594户。在副省级城市中，工业增加值总量稳居第三位，与排名第二的广州差距进一步缩小；工业总产值总量则由2008年的第五位，超过杭州、宁波后首次位居第三。

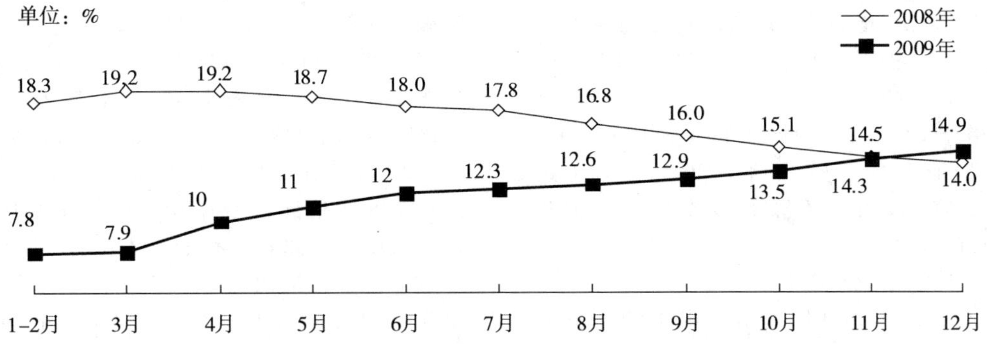

图1　2009年青岛市规模以上工业增加值累计增速

2. 重点工业区市成为保增长的重要支撑。2009年，五市及黄岛、城阳、崂山8个重点工业区市（不含9户直报企业数）累计完成产值7403.6亿元，增长19.2%，拉动全市产值增幅14.7个百分点。累计有6个区市增幅高于全市平均水平，分别是胶南、黄岛、莱西、胶州、即墨、平度。

3. 重点大企业呈现较好回升态势。2009年，80户重点工业企业累计完成产值3528.3亿元，同比增长9.2%，增速分别较一季度、上半年、前三季度提高7.3、5.5和4.7个百分点。累计增长企业47户，完成产值2738.7亿元，增长26.2%。同比净增产值较大的企业有青岛炼化（135.1亿元）、上汽通用五菱（81亿元）、青岛汽车厂（56.9亿元）、海信（40.1亿元）、庞巴迪（37.1亿元）、海尔（36.1亿元）、青岛南车四方股份（31.3亿元）；生产下降企业33户，累计完成产值789.5亿元，下降25.7%。

4. 出口降幅缓慢收窄。2009年，工业企业完成出口交货值1537.6亿元，同比下降8%，下降幅度较上半年收窄4.1个百分点，与增加值较快回升相比，出口回升较为乏力。工业外向度为16.8%，较同期减少4.3个百分点。80户重点企业中有产品出口的63户企业累计完成出口交货值595.4亿元，下降10.7%，其中，增长企业23户，下降企业40户。

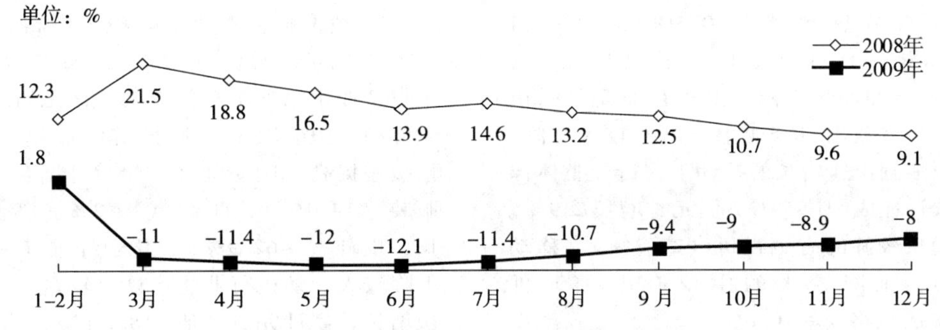

图2　2009年青岛市出口交货值累计增速

5. 工业用电量实现增长。2009年，全市工业用电量168.1亿千瓦时，同比增长1.8%，累计增幅在经历了11个月的下降后实现增长。当月用电量则从8月开始实现增长，并由当月增长2.3%提高到12月的20.2%。

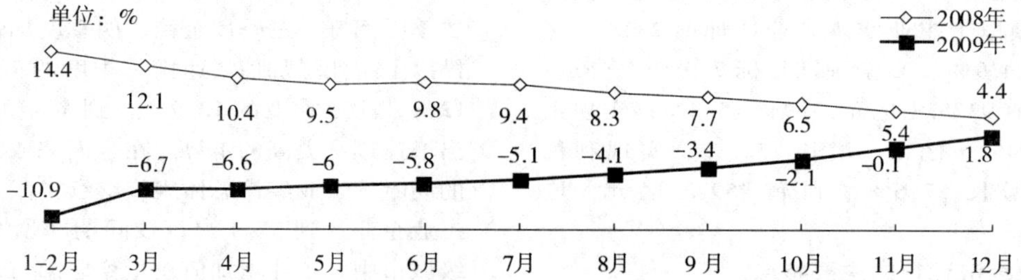

图3 2009 年青岛市工业用电量累计增速

6. 经济运行综合质量明显提高。2009 年，规模以上工业经济效益综合指数为 244.2，同比提高 30.9 个百分点；两项资金占用 1017.8 亿元，增长 12.6%，低于主营业务收入增幅 3.1 个百分点，其中，产成品 336.2 亿元，增长 3%，应收账款净额 681.6 亿元，增长 18%；亏损企业 816 户，下降 1.8%，亏损面为 14.2%，同比下降 0.3 个百分点，亏损企业亏损额 36.2 亿元，下降 70.9%。

（二）七大产业运行情况

2009 年，七大产业累计增速由上半年的“五升二降”转为下半年的“六升一降”，累计完成产值 7920.2 亿元，增长 15.3%，占规模以上工业比重为 84.5%。七大产业中，已有机械钢铁、石化化工、家电电子、纺织服装、食品饮料等 5 个产业完成产值突破千亿元，较 2008 年增加一个，其中，机械钢铁产业首次突破 2000 亿元，纺织服装产业成为新增加的过千亿元产业。七大产业涵盖的 20 个行业中，18 个实现增长，占比为 90%，铁路客车、汽车、船舶、钢结构、专用设备等行业得到较快发展，增长明显快于其他行业，对整个产业的支撑作用不断增强，集装箱、钢铁两个行业同比下降。

1. 家电电子产业实现由降转升。全年累计完成产值 1297.3 亿元，同比增长 6.4%，累计增幅自 8 月份开始实现由降转升。其中，家电行业自 6 月份开始当月产值实现增长，之后增速不断加快。重点产品产量增长较大的有电热水器（30.5%）、洗衣机（19.9%）、电冰柜（18.4%）、电冰箱（15.1%），空调器（-5%）产量小幅下降。电子行业受外需市场大幅下降影响，多数出口企业生产出现较大下降，但在海信、乐金浪潮快速增长的拉动下，行业整体保持小幅增长。累计完成产值 581.7 亿元，增长 2.9%。重点产品中，增长较好的有电视机（27.3%）、移动电话（13.3%），下降较大的主要有电子元件（-43.9%）、集成电路（-10.8%）。

2. 石化化工产业呈前高后稳走势。全年累计完成产值 1437.1 亿元，增长 19.1%。其中，石油加工行业由于大炼油项目投产，整个行业呈较快增长态势，累计完成原油加工量 1083.7 万吨，增长 45.3%，生产汽油 282.6 万吨，增长 50.4%，柴油 425.5 万吨，增长 40.5%。化学制品和橡胶制品行业总体走势较为平稳，保持了 15% ~20% 的增速。重点产品中子午线轮胎完成 855.9 万套，同比增长 116.3%；纯苯 20 万吨，增长 7.6%；化肥 21.2 万吨，下降 0.1%；纯碱完成 68.2 万吨，下降 5.3%。

3. 汽车机车产业生产高速增长。全年累计完成产值 725.2 亿元，增长 65.9%，增幅居七大产业首位，其中，铁路客车行业基本没有受到国际金融危机影响，是增长最快的一个行业，累计完成产值 239.4 亿元，增长 81.7%。汽车行业是生产回升最早的行业，从 3 月份开始就恢复了较快增长的态势，全年累计完成产值 485.8 亿元，增长 59.1%。重点产品中微型客车累计完成 35.6 万辆，增长 164.2%；载货汽车累计完成 10.3 万辆，增长 45.9%；微型客车、载货汽车年产量均创历史最高水平。

4. 船舶海洋工程产业呈一冷一热。构成整个产业的两大行业中，船舶海洋工程制造行业订单较为饱满，保持较快增长，全年完成产值 117.6 亿元，同比增长 32.5%；而集装箱行业则受国际海运市场不景气影响，生产大幅下降，全年完成产值 88.9 亿元，下降 30.4%；整个产业累计完成产值 206.5 亿元，下降 4.6%，是七大产业中唯一产值下降的产业。重点产品中，造船完成 21.6 万吨，增长 402.9%；修船完成 1595.2 万吨，增长 60.1%；集装箱完成 5.7 万 TEU，下降 80%。

5. 纺织服装产业增幅稳步提高。全年累计完成 1139.3 亿元，增长 16.9%，纺织服装产业成为七大重点产业中第五个产值突破千亿元的产业。其中，纺织针织、服装（鞋、帽）等行业生产平稳增长，增幅缓慢提高。运动鞋（产量累计增长 22.6%）、针织服装（14.4%）、西装（10.2%）等产品呈较快增长，皮鞋（-62.9%）、化学纤维（-16.8%）产量下降较大。纺机行业生产恢复较好，完成产值保持较快增长，累计完成产值 118.5 亿元，增长 36.2%。

6. 食品饮料产业保持平稳增长。整个产业生产形势总体较为平稳，波动较小，累计完成产值 1102.6 亿元，增长 8.6%。重点产品中，产量增长较好的有葡萄酒（68.1%）、食用植物油（49.1%）、饮料（7.4%）、冷藏肉（6.2%）、啤酒（4.6%），下降的主要是乳制品（-6.6%），卷烟和水产品加工与同期持平或小幅增长。

7. 机械钢铁产业回升较好。全年累计完成产值2012.2亿元，增长11.9%，成为七大产业中第一个产值突破2000亿元的产业。机械行业受益于国家基础建设投资，生产形势不断趋好，钢结构（完成产值增长26.4%）、专用设备（25.1%）、电站锅炉及通用设备（20%）等行业呈现较快增长态势。模具（106.7%）、电力电缆（45%）、电力变压器（16.3%）、汽轮机（4.9%）等产品产量呈较好增长。钢铁行业受钢材价格涨跌影响，2009年走势起伏较大，生产总体呈现"W"型回升趋势，全年钢材产量高于同期，但受价格下降影响，完成产值仍为下降。全年累计完成产值283.9亿元，下降16.5%，累计完成钢材产量349.6万吨，增长2.6%。

民营经济

2009年，青岛市民营经济和中小企业系统认真贯彻中央扩内需、保增长的政策方针，突出抓好国务院促进中小企业发展若干意见的落实，落实青岛市委、市政府关于推动民营经济和中小企业发展的工作部署，努力克服金融危机不利影响，切实转变发展方式，加快产业结构调整，民营经济和中小企业呈现出平稳较快的发展态势。

（一）企业规模、吸纳就业不断扩大

2009年，全市以中小企业为主的民营经济注册户数35.9万户，注册资本金2881亿元，同比增长24%；民营经济实现增加值2525亿元，同比增长13.9%，占全市GDP的51.6%；全市新增个体户6.9万人，私营企业1.9万户，个私企业达到34.74万户。

（二）税收增幅逐渐回升

2009年，以中小企业为主体的民营经济完成税收296亿元，同比增长2%，占全市税收总额的29.1%，扣除海关代征，占全市地方税收的49.6%。

（三）重点监测企业生产经营形势进一步好转

据对百户重点监测的工业中小企业统计，51%的企业产值增长，增长的企业比一季度增加4.9%。百户企业产值增幅由一季度累计下降6%转为增长5.4%。重点监测十大民营企业完成主营收入565亿元，同比增长3.3%；完成出口交货值39.4亿元，增长14.1%。

（四）项目建设稳步推进

全市民营经济固定资产投资全年完成1718.6亿元，同比增长17%。重点跟踪推进的50个民营项目已全部开工建设，全年完成投资59亿元，41个项目建成投产。

技术进步和创新

（一）科技研发成果

初步统计，青岛市2009年全市共取得重要科技成果572项。获得国家级科技奖励7项，其中，技术发明奖1项，科技进步奖6项；获得省级科技奖励88项，其中，科学技术最高奖1项，自然科学奖10项，技术发明奖5项，科技进步奖72项。全年共成交技术合同项目2262项，成交额14.21亿元。全年专利申请量8754件，授权专利4432件。

（二）建立技术改造管理体系

出台了《关于加强企业技术改造的意见》，重建技术改造管理体系，指导全市企业技术改造工作。制定《青岛市企业技术改造专项资金扶持项目申报指南》。建立青岛市企业技术改造重点项目季度调度工作制度，引导企业用好各类政策，及时发现并协调解决企业项目实施中遇到的问题。2009年，全市累计完成工业投资1047.9亿元，同比增长14.5%，占本市全社会固定资产投资的42.6%。其中技术改造投资完成611.7亿元，同比增长29.8%，占全市工业投资的58.4%，占全社会固定资产投资比重24.9%。

（三）推进技术改造项目建设

以家电电子、石化化工、汽车机车、船舶海洋工程、纺织服装、食品饮料、机械钢铁等七大产业和新能源、新材料、生物医药、节能环保和信息技术等五个新兴产业为主要领域，组织企业开展技术创新和技术改造工作，推进创新能力提升和产业结构调整。建立全市投资额1000万元以上技术改造重点项目库，2009年在库项目223个；企业设备进项增值税申报12.18亿元、实际抵扣税款7.34亿元，对工业投资产生激励作用；2009年安排2330万元专项资金，支持68个技术改造重点项目。全年国家和青岛市财政支持企业技术改造和技术创新的资金共3.84亿元。

（四）加强企业技术中心培育和创新能力建设

指导企业申报国家认定企业技术中心和山东省认定企业技术中心。青特集团公司等4家企业获得国家认定企业技术中心，征和工业、康大食品等6家企业新获得山东省认定企业技术中心。2009年，拥有市级以上企业技术中心192家，其中国家认定17家、省认定44家。支持企业加强创新能力建设，向国家发改委推荐海信集团、青岛软控2家企业申请创新能力扶持。从2009年开始，青岛市将支持企业技术中心建设的财政资金全部转为支持企业技术中心创新能力建设。

（五）组织实施重点技术创新项目

指导企业研发符合产业政策和发展方向的新产品和新技术，促进产品结构和产业结构优化升级。全年共下达2009年度技术创新重点项目1089项。促进企

业研发费加计扣除政策落实。出台《关于进一步规范企业研究开发项目管理的意见》，解读国家关于企业研究开发费加计扣除政策，指导企业规范研发项目内部管理，促进政策落实。2009年，指导140家企业落实2008年度研发费加计扣除政策，免除企业所得税1亿元。

（六）促进高新技术产品出口

2009年，青岛市高新技术产品进出口总额59.1亿美元，同比增长5.9%，增幅高于全市外贸19.2个百分点。其中，出口29亿美元，同比增长0.5%，增幅高于全市出口10.8个百分点；进口30.1亿美元，同比增长11.7%，增幅高于全市进口29.2个百分点。

企业管理

（一）创新调控和服务机制，引导企业应对危机保增长

强化“工业运行指挥部+扩内需保增长办公室”职能。加大对重点区市、重点企业、重点项目调度，8个工业重点区市产值增长19.2%，80户年产值过10亿元重点企业完成产值3528.2亿元，30个新增产值过亿元项目全部投达产，重点区市和大项目成为拉动工业增长的主导因素。发挥“大企业直通车+中小企业服务热线”作用。大企业直通车变“等客上门”为“开车上门”，协调解决生产经营瓶颈问题181个；开通中小企业服务热线，及时提供政策咨询、电子商务、技术交易等，成为与“中小企业信息网”并行的信息化中小企业公共服务平台。拓宽“三个平台+六条路径”融资渠道。建立中小企业融资统贷统还、融资对接、信用信息“三个平台”和银行、担保、过桥资金扶持、产业链融资、集合发债、政府直接扶持“六条路径”，直接为中小企业融资190亿元。推进“优化环境+扶持培育”中小企业成长模式。贯彻市委、市政府进一步改善中小企业发展环境20条意见，协调部门和区市出台31个配套细则；实施“中小企业成长工程”，重点培育以200户成长型企业为主、发展潜力较大的中小企业，新增规模以上企业594户，累计达到5744户。

（二）工商联手拓展市场促消费，引领企业抢抓市场保订单

连续搭建“五个对接平台”。发挥工贸一体的职能优势，围绕抓订单这个保企业、促增长的核心问题，从内需内供开始，组织工业企业对接商业流通网络，对接国家扩内需政策，对接重点建设工程，对接重点主机企业，对接政府采购系统，直接增加企业订单100多亿元，建立长期合作关系和供需平台。启动“五大板块”暖春行动。整合国家政策、网络信息、政企工商组团等优势，掀起“政企同心拓市场、工商联手促消费”热潮，组织名优产品下乡，开辟经贸营销专栏网，建成外贸街、外贸城，开展专题培训和产学研活动等，帮助企业拓展销售渠道、提高营销水平。创新组织“三会合一”展销。利用时装周的品牌效应，创造性地设计合并举办名优产品交易会、国际时装周、“青岛之夏”购物月；“名优产品展销”、“时装品牌发布”、“吃住行游联动”、“科技引领生活”等主题活动，吸引263户国内外采购商参会，实现交易额8.7亿元；“欢乐购物、消费中大奖”主题活动，以80万元的政府奖励，撬动58家定点商场一个月实现销售近16亿元，同比增长20%；“一会一周一月”组合被商务部立为全国标杆。

（三）构建“7+5”产业发展格局，引导企业转型升级调结构

确立重点发展家电电子、石化化工、汽车机车、船舶海洋工程、纺织服装、食品饮料、机械钢铁等七大产业，优先发展新能源、新材料、生物医药、节能环保、信息技术等五个新兴产业，制定和实施七大产业发展推进方案和四个新兴产业发展指导意见，形成“7+5”产业格局。选择七大产业总投资1100亿元的317个重点项目，五个新兴产业的170个研发和产业化项目，按照“专人跟踪服务、每月定期调度、统筹协调解困”的机制推进，海西湾北船重工30万吨和50万吨造船坞、齐耀瓦锡兰菱重麟山低速柴油机等100个项目建成投产。

（四）优化产业升级新路径

把定向招商引进高新技术和高端项目作为产业升级的第一路径，制定实施定向招商促进产业调整振兴的意见，召开全市动员大会，协调各部门、各区市、各单位，按照发展产业高端和发展高端产业同步实施的原则，突出“7+5”产业针对性招商；台湾六合汽车零部件、纳赛洛合金等首批36个定向招商项目，12个开工。随着2艘18万吨散货船的同时下水、3.0兆瓦风电机组等一批高端项目的投产，青岛市产业层次正逐步向高端演变，产业能级不断提升；七大产业完成产值7920.2亿元，同比增长15.3%。

（五）搬迁改造优化产业布局

针对危机带来的地价低迷、合作方稀缺等制约要素，建立“一企一策”、“周调月结”制度，全力协调推进。累计37户企业启动搬迁计划，其中10户搬迁企业新厂投产，11户企业新址开工建设，完成投资16.5亿元；8户企业腾出地处置，实现土地处置资金22.28亿元；成功举办老城区企业搬迁招商推介会，签订合作项目22个、标的额116亿元。随着更多企业向六个新增工业功能区的转移，青岛市正逐步实现搬迁企业的升级蝶变和腾出土地利用的产业转型。

国有企业改革

2009 年，全市 28 家监管企业资产总额 2208.9 亿元，同比增长 26.61%，国有资产总额 597.7 亿元，同比增长 31.8 亿元，利润 64.6 亿元，同比增长 32.14%。国有资本布局结构不断优化。行业大类由 54 个减少到 48 个，监管企业户数由 30 户调整到 28 户。国有大企业积极引进战略合作者，推进大企业集团产权多元化，青钢集团与上海复星高科技集团签署战略合作协议，机械工业总公司整体划入中国节能投资公司，青岛造船厂与北京建龙重工集团实现战略合作，双星集团完成双星名人股份国有股权退出。国有资本收益管理不断完善，完成 2009 年国有资本收益收缴入库金额 15695 万元，比上年同期增长 61.65%。积极推进国有资本经营预算编制工作，2009 年度预算安排资金 5 亿元，重点支持保障国有骨干企业注资及资本性投入、改革成本和国资监管费用支出。不断增强三大政府投资公司投融资功能。2009 年，三大投资公司启动投资项目 40 余个，投资总额 500 亿元，累计完成投资 100 亿元。

商贸流通

（一）消费市场稳定增长，拉动全市经济的作用进一步增强

2009 年，在国家、省、市一系列搞活流通、扩大消费政策的推动下，全市商贸流通运行良好，消费市场保持旺盛。一季度以 17.6% 的较高增幅开局，二、三、四季度累计消费增幅逐步上升到 18%、18.2% 和 19.1%，自 6 月以来连续 7 个月单月增幅在 18% 以上，消费能级得到快速提升，全年新增消费 280 亿元，有力拉动全市经济增长。社会消费品零售额增幅高于全市生产总值增幅 6.9 个百分点；全年商贸流通业实现增加值 572.4 亿元，同比增长 17.6%，占全市生产总值和第三产业的比重分别达到 11.7%、25.9%。

（二）推动惠民强农系列工程，城乡消费差距逐步缩小

2009 年，青岛市积极开展万村千乡、家电下乡、汽车摩托车下乡、家电以旧换新等十多项国家试点和实施工程。全年新建改造新型农家店 900 处，累计达到 4666 处，创造市场消费 26.9 亿元，同比增长 35%；"家电下乡" 实现产品销售额 6 亿元，同比增长 30%；汽车、摩托车下乡和家电以旧换新分别实现销售额 7.3 亿元、3.7 亿元，创造新增零售额 18 亿元，拉动城市和农村消费市场共同增长 1.2 个百分点。全年城、乡消费市场实现零售额 1391.8 亿元、352.2 亿元，同比增长 19.8%、16.3%，城乡消费市场增幅差距由上年同期的 4.4 个百分点缩小为 3.5 个百分点。

（三）汽车类、耐用家电类商品消费快速增长，餐饮消费继续保持旺盛

2009 年，在国家降低小排量汽车购置税和费改税等政策推动下，占限额以上消费比例（占 29%）最大的商品消费汽车消费保持旺盛，全年限额以上汽车类商品实现零售额 152.6 亿元，同比增长 34.9%，同时带动石油制品类商品销售同比增长 21%。升级类商品中，受国际贵金属期货增长影响，金银珠宝类销售增幅达到 25.3%。监测显示，耐用消费品中的液晶电视、电冰箱、洗衣机、笔记本电脑、数码相机销售增幅均在 25% 以上，其中液晶电视、电冰箱、笔记本电脑增幅超过 35%。餐饮业消费热度持续不减，面向大众的中小酒店成为拉动消费的主力，同比增长 30% 以上。餐饮企业连锁扩张步伐明显加快，良友、海梦圆等重点餐饮企业开设 9 个直营连锁店，新增 37 个辐射北京、上海快餐连锁店；啤酒坊等一批餐饮街区相继开业，成为集聚餐饮消费的新热点。全年餐饮业零售额达到 255.5 亿元，同比增长 24.3%，增幅高于全市零售额增幅 5.2 个百分点。

（四）生活必需品市场保障加强，上市量保持总体稳定

2009 年，青岛市生活必需品整体稳定，上市量充足，市场价格基本稳定，其中，市区面粉、大米、花生油上市量每天保持在 500 吨、300 吨和 100 吨以上。全年安排猪肉储备 2665 吨、蔬菜 6900 吨、豆制品 1000 吨，并适时组织投放。市区三大蔬菜批发市场蔬菜日均上市 200 万千克，同比下降 10.3%，批发均价 1.77 元/千克，同比上涨 14.9%；生猪定点屠宰企业日均屠宰生猪 2100 头；食用油价格受原材料价格变化影响，年底出现恢复性上涨态势，花生油（5L/桶）零售均价为 85.6 元，同比下降 8.1%。鸡蛋、水产品和食盐市场供应充足，价格保持稳定。

（五）重点流通企业和大型商品市场运行平稳

2009 年，全市重点流通企业进一步加快层次提升和扩张发展，胶南利群、佳世客延吉路店、家乐福 3 号店、大润发即墨店等 6 个项目建成开业，利群崂山购物中心、大润发平度店等 5 个项目开工建设。全市 20 户重点监测的流通企业实现销售额 331.3 亿元，同比增长 7.5%。利群、维客、永旺东泰、北方国贸、利客来、青岛国货、国美电器 7 户企业的销售额超过 10 亿元。大型消费品市场交易平稳，全市 28 处重点监测市场实现交易额 1084.96 亿元。

对外经济

2009 年，青岛地区（含中央、省公司）实现外贸进出口总额 448.51 亿美元，下降 16.4%。其中，出口额272.99亿美元，下降16.3%，进口额175.52亿美元，下降16.5%。青岛市（不含中央、省公司）实现外贸进出口总额439.86亿美元，下降13.3%。其中，出口额269.22亿美元，进口额170.64亿美元，分别下降10.3%和17.6%。外商投资企业仍是全市外贸出口的主体，出口额144.91亿美元，占全市出口额的比重为53.8%。据青岛海关统计，青岛口岸对外贸易进出口总额905.4亿美元，下降21.7%，其中出口额469.7亿美元，进口额435.7亿美元，分别下降21.1%和22.3%。外商直接投资到账18.64亿美元，下降29.4%。全年完成对外承包工程、劳务合作和设计咨询合同金额14.27亿美元，增长70.8%；营业额9.98亿美元，增长37.8%；共外派人员7730人次，下降17.5%。全市引进内资465.05亿元，增长14.0%。

交通运输、邮电通信和旅游业

2009年，青岛市港口吞吐量31668.4万吨，增长3.3%；外贸吞吐量22209.4万吨，增长4.7%；集装箱吞吐量1027.6万标准箱，下降1%，其中青岛港集装箱吞吐量1026万标准箱，增长2.4%。末拥有国内航线96条，国际航线9条，港澳地区航线3条，全年航空旅客吞吐量达到966万人次，增长17.8%；航空行货邮吞吐量19.6万吨，增长5.9%。

全年完成邮电业务总量202.2亿元，增长21.6%。其中，邮政业务总量8.6亿元，增长13.6%；电信业务总量193.5亿元，增长22%。信函8100万件，增长21.1%。网络信息技术不断普及和提高，2009年互联网用户累计达161.4万户，增长9.2%，使用时长达1024.7亿分钟，增长23.3%。年末市话交换机总容量达324万门；年末固话用户达到294.2万户；全市移动电话发展到842.7万户，其中，年内新增194.2万户。

全年全市旅游总收入达489.10亿元，增长16.4%。其中国内旅游总收入451.40亿元，增长17.1%；国际旅游收入5.52亿美元，增长10.3%。全年共接待国内外游客4003.47万人次，增长15.4%；其中国内游客3903.40万人次，增长15.2%；海外游客100.07万人次，增长24.9%。

资源节约和综合利用

推进节能重点项目建设。实施30个工业锅炉改造、余热余压利用等“十大节能工程”财政奖励项目，安排市财力奖励资金3200万元，拉动投资3.5亿元，年可实现节能量16万吨标准煤。实施“绿色照明工程”、“节能惠民工程”，圆满完成192万只高效照明产品推广工作和海尔、海信等企业高效节能空调器推广申报工作，共有100种能耗等级2级以上的高效节能空调器列入中央财政补贴推广目录。建设完成重点用能单位能耗动态监控系统。以清洁生产推进减排。完善专项扶持制度，重点支持35个节约型社会建设示范项目、42户清洁生产优秀企业，2009年通过清洁生产审核企业总数累计达到369户。按照“政策、服务、督查”三到位的工作机制，加快淘汰落后水泥立窑、小旋窑12条，完成“十一五”计划的85.7%。推进资源综合利用。确定建筑垃圾综合利用试点，提出秸秆综合利用专项规划，启动汽车以旧换新。

（撰稿：马忠华）

河南省

工业经济

2009年，河南省工业经济运行在金融危机的负面影响和宏观调控的双重作用下，经历持续回落、止跌企稳、企稳回升的复杂过程，全年呈现出前低后高的走势和企稳回升的态势。全省全部工业实现增加值9858.40亿元，比上年增长11.4%，其中规模以上工业增长14.6%，增幅居全国第14位，其中：轻工业增长13.7%，重工业增长15.0%，轻、重工业比例为31.7:68.3。产品销售率98.2%。2009年全部工业增加值占全省GDP的比重为50.9%，比2008年下降1.0个百分点；全部工业增长对全省经济增长的贡献率为55.0%，比2008年下降10.3个百分点。

规模以上工业38个大类中，前10大行业的增速为：非金属矿物制品业比上年增长20.7%，煤炭开采和洗选业增长11.9%，农副食品加工业增长9.6%，电力热力的生产和供应业增长3.9%，黑色金属冶炼及压延加工业增长13.7%，有色金属冶炼及压延加工业增长9.9%，通用设备制造业增长19.8%，化学原料及化学制品制造业增长14.9%，专用设备制造业增长15.9%，纺织业增长10.4%。

主要工业产品产量中，畜肉制品产量比上年增长7.5%，速冻米面食品增长21.9%，原煤增长10.2%，发电量增长4.9%，钢材增长12.1%，铝材增长24.0%，汽车增长52.4%。

全年规模以上工业企业主营业务收入28219.43亿元，比上年增长12.1%，增速比上年回落21.4个百分点；利润总额2376.99亿元，增长10.7%，回落2.2个百分点。分所有制看，国有控股工业利润181.67亿元，下降31.1%；集体控股工业利润

170.56 亿元，增长 13.7%；非公有制工业利润 2024.76 亿元，增长 16.9%。分行业看，38 个行业大类中利润总额居前 10 位的行业为：非金属矿物制品业 359.98 亿元，增长 25.2%；煤炭开采和洗选业 275.98 亿元，增长 3.9%；农副食品加工业 209.07 亿元，增长 16.4%；专用设备制造业 111.54 亿元，增长 20.5%；化学原料及化学制品制造业 111.35 亿元，下降 0.1%；通用设备制造业 105.70 亿元，增长 10.2%；食品制造业 103.79 亿元，增长 18.1%；交通运输设备制造业 97.67 亿元，增长 29.3%；纺织业 94.90 亿元，增长 22.4%；有色金属矿采选业 94.01 亿元，下降 10.7%。

固定资产投资

2009 年河南省全社会固定资产投资 13704.65 亿元，比上年增长 30.6%，增速比上年回落 0.4 个百分点，其中：城镇投资 11455.01 亿元，增长 31.3%，回落 0.7 个百分点；农村投资 2249.64 亿元，增长 27.1%，提高 0.8 个百分点。

在城镇投资中，国有及国有控股投资 2663.62 亿元，比上年增长 14.5%；民间投资 8579.83 亿元，增长 40.3%；港澳台商控股投资 121.80 亿元，下降 20.6%；外商控股投资 89.76 亿元，下降 29.5%。第一产业投资 352.87 亿元，增长 37.5%；第二产业投资 6432.84 亿元，增长 31.2%，其中，工业投资 6415.54 亿元，增长 31.3%；第三产业投资 4669.29 亿元，增长 31.0%。

商品流通

（一）商品流通的特点

据河南省统计局统计，2009 年全省社会消费品零售总额预计完成 6740 亿元，增长 19.1%，高于全国平均水平 3.8 个百分点，市场规模稳居全国第五位。

1. “家电下乡”效果明显。全年销售家电下乡产品 501.7 万台（件），占全国总销量的 1/7，销售额 86.7 亿元，发放补贴 10.9 亿元，销售量、销售额、补贴额均居全国首位，使 400 多万农户受益。

2. 贸易业增速加快，住宿餐饮业增速平稳。批发零售贸易业商品销售总额 5525.51 亿元，比上年增长 20.1 %。住宿餐饮业零售额增速平稳。

（二）农村市场体系建设取得新成效

2009 年，新建和改造农家店 1.1 万个，配送中心 49 个。全省农家店数量达 4.3 万个，居全国第一，覆盖 85% 以上的行政村。农家店销售额 270 亿元，占农村市场消费的 17 %，安排农村劳动力就业 17.6 万人，使 5600 多万农民直接受益。推进“双百市场工程”和农超对接，建设和改造 7 家农产品批发市场、21 家县乡农贸市场；被列入全国首批农超对接试点省份，13 个项目获得国家支持；省财政支持 30 个农产品现代流通网络建设项目。汽车摩托车下乡和汽车以旧换新顺利推进。加快汽车摩托车下乡，补贴下乡汽车摩托车 36.2 万辆，新车销售额 84.5 亿元，兑付补贴金额 7.5 亿元，占全国的 1/10。积极开展汽车以旧换新，在全省设置 127 个报废汽车回收网点，换购新车 445 辆，拉动新车消费 9200 万元。

（三）商贸服务管理成效显著

全省 16 家社区被确定为国家级商业示范社区，50 家被评为省级商业示范社区。开展零售企业分等定级工作，实施放心早餐工程，扩大餐饮消费。顺利完成了安阳市鼎食尚餐饮有限公司国家级主食加工配送中心试点建设工作。在全省 4 个城市的 7 家企业进行了“早餐示范工程”项目。规范建设“家政服务网络中心”，推进家政服务业发展。全省培训了近 8000 名家政服务人员，较好地解决了广大市民家政服务需求和城镇下岗失业人员、农民工的就业问题。市场监测工作再上台阶，全省监测样本企业 1735 家，全省生活必需品系统上报率 100%、及时率 99.9%；生产资料系统上报率、及时率均为 100%。综合绩效考评连续五年名列全国第一。保证节日市场供应和灾区生活必需品供应，做到了不脱销、不断档。加强生猪屠宰和肉品质量安全管理，搞好“放心肉”服务体系建设，完成生猪屠宰设置规划，开展肉品市场专项整治，县以上城市定点屠宰率达 100%，乡镇达 95% 以上。对中小商贸企业融资担保进行补贴，带动企业增加贷款 21.5 亿元，解决就业 4.2 万人。河南省被商务部确定为“诚信经营”示范创建活动先行试点省份。推进商务领域节能降耗。大力发展散装水泥，全年供应散装水泥 4600 万吨，较上年同期净增 798 万吨，增长 20.98%，散装率为 39% 。散装水泥供应量位居全国第五位，中部第一位。

2009 年，河南省典当业继续保持平稳快速发展。已开业的 128 家，典当行注册资本 10.69 亿元，同比增长 10.46%；资产总额 11.63 亿元，同比增长 11.82%；全年累计实现典当总额 29.69 亿元，同比增长 30.50 %；息费收入 8500.62 万元，同比增长 7.44%；税后利润 2453.75 万元，同比下降 4.72%。

外经外贸

（一）对外贸易

据海关统计，2009 年河南省进出口总额 134.77 亿美元，比上年下降 23.89%。其中，出口总额 73.46 亿美元，比上年下降 31.50%，占全国出口额

的0.61%。进口总额60.92亿美元，比上年下降10.35%．占全国进口额的0.60%

出口商品中，初级产品出口额6.02亿美元，占出口总额的8.1 %；工业制成品出口额67.44亿美元，占出口总额的91.73%。

出口商品销往188个国家和地区。

进口商品中，初级产品进口额33.51亿美元，占进口总额的59.4 %；工业制成品进口额22.94亿美元，占进口总额的37.65%。

进口商品来自100个国家和地区。

技术进出口 2009年，签订引进技术合同项目45个；比上年增加1个；合同金额3.03亿美元，比上年增长60.39%。

（二）利用境内、外资金

1. 引进境外资金。2009年全省新批外商投资企业274家，合同利用外资49.21亿美元，下降18.55%；实际利用外资47.98亿美元，增长18.99%。2009年，新增法国电力、美国达信等10家世界500强企业落户中原，在豫投资世界500强企业达到67家。

外商直接投资项目涉及16个行业。按行业分：制造业148个，合同外资金额30.10亿美元；农林牧渔业17个，合同外资金额1.52亿美元；电力、煤气及水的生产和供应业8个，合同外资金额1.95亿美元；建筑业3个，合同外资金额0.44亿美元；交通运输、仓储和邮政业7个，合同外资金额1.13亿美元；批发和零售业20个，合同外资金额1.03亿美元；住宿和餐饮业6个，合同外资金额0.54亿美元；房地产业10个，合同外资金额3.99亿美元；科学研究和综合技术服务业13个，合同外资金额1.06亿美元。

外商直接投资来源。外商直接投资来源46个国家和地区。主要国家和地区是：中国香港特区152个，实际利用外资金额25.31亿美元；美国16个，实际利用外资金额0.82万美元；英属维尔京群岛6个，实际利用外资金额5.45亿美元；中国台湾地区31个，实际利用外资金额2.55亿美元；新加坡8个，实际利用外资金额3.43亿美元。

2. 引进省外资金。2009年，全省引进省外资金，实际到位金额2201.9亿元，增长19.1%。实际利用省外、境外资金约占全省城镇固定资产投资的四分之一，有力拉动了投资增长。

（三）对外经济合作

1. 承包工程和劳务合作。签订对外承包工程和劳务合同额17.00亿美元，比上年增长24.09%；完成营业额17.89亿美元，增长39.76%；外派劳务人数49247人次，增长13.6%。项目主要分布在亚洲和非洲。新签合同额前五位的国家和地区为：坦桑尼亚、波兰、沙特阿拉伯、苏丹、阿尔及利亚。

对外投资。全年新核准设立对外直接投资企业72个，中方协议出资3.68亿美元，比上年增长95.74%。境外企业主要分布在亚、非、欧、北美洲的36个国家和地区。涉及地质勘察和资源开发、批发零售业、制造业、房地产业、农村牧渔业、交通运输和住宿餐饮业等19个行业。

2. 开发区。郑州高新技术产业开发区完成基础设施等固定资产投资74.20亿元，累计协议投资额235亿元。新批准成立企业880家，建成投产企业50家。财税收入17.34亿元。新批准外商投资企业27家，实际利用外资0.73亿美元，比上年增长5.43%。出口创汇1.76亿美元，比上年下降37.48%。

3. 洛阳高新技术产业开发区完成基础设施等固定资产投资27.9亿元，累计协议投资额79.05亿元。新批准成立企业232家，建成投产企业29家，实现技工贸总收入750亿元，比上年增长15.38%。实现财税收入70亿元，增长379.45 %。新批准外商投资企业7家，实际利用外资0.82亿美元，增长20.47%。出口创汇5亿美元，下降31.5 %。

4. 出口加工区。2009年，郑州出口加工区新登记注册项目12个，完成固定资产投资3.8亿元，同比下降64.44 %。实际利用外资0.47亿美元，同比下降33.91 %，完成进出口2.9亿美元，同比增长37.44 %。其中出口1.3亿美元，增长109.04%。实现工业增加值1.76亿元，同比增长17.33 %；工业品销售完成6.5亿元，同比增长27.45 %。

5. 涉外旅游。接待入境旅游人数120万人次，比上年增长15.10%，旅游外汇收入4.3亿美元，比上年增长14.90%。

（撰稿：卢风英　李昆）

2008—2009年河南省经济社会发展主要指标

序号	指标	单位	2008年	2009年	增长率（%）
1	**一、人口和就业**				
2	年底人口数	万人	9429.0	9487.0	0.6
3	人口自然增长率	‰	4.97	4.99	
4	就业人员数	万人	5835	5949	1.9
5	**按产业分：**				
6	第一产业	万人	2847	2765	-2.9
7	第二产业	万人	1564	1675	7.1
8	第三产业	万人	1424	1509	6.0
9	**城镇就业人员（按登记注册类型分）**				
10	国有单位	万人	390.95	380.60	-2.6
11	集体单位	万人	68.30	48.98	-28.3
12	股份合作单位	万人	9.50	9.20	-3.2
13	联营单位	万人	2.60	1.40	-46.2
14	有限责任公司	万人	160.00	191.60	19.8
15	股份有限公司	万人	48.90	62.60	28.0
16	私营企业	万人	106.31	160.70	51.2
17	港澳台商投资单位	万人	10.10	10.20	1.0
18	外商投资单位	万人	10.40	11.50	10.6
19	个体	万人	155.60	171.69	10.3
20	城镇登记失业人数	万人	36.51	38.46	5.3
21	**二、国民经济核算**				
22	地区生产总值	亿元	18407.8	19480.5	10.9
23	**按产业分：**				
24	第一产业	亿元	2658.8	2769.1	4.2
25	第二产业	亿元	10477.9	11010.5	12.4
26	工业	亿元	9546.1	9900.3	
27	建筑业	亿元	931.8	1110.2	
28	第三产业	亿元	5271.1	5700.9	11.1
29	#交通运输、仓储和邮政业	亿元	1043.9	823.6	
30	批发和零售贸易业	亿元	902.3	1057.8	
31	**三、固定资产投资**				
32	投资总额	亿元	10490.6	13704.5	30.6
33	**按投资种类分：**				
34	城镇	亿元	8721.2	11454.9	31.3
35	#房地产开发	亿元	1206.7	1553.8	28.8
36	农村	亿元	1769.5	2249.6	27.1
37	#农户	亿元	669.6	780.1	16.5
38	非农户	亿元	1099.8	1469.5	33.6
39	**按建设规模分：**				
40	建设总规模	亿元	20065.4	26427.9	31.7
41	在建总规模	亿元	11979.6	15275.6	27.5
42	在建净规模	亿元	5716.1	8240.1	44.2
43	**按资金来源分：**				
44	国家预算内资金	亿元	223.3	392.6	75.8
45	国内贷款	亿元	850.7	1120.9	31.8

续表

序　号	指　标	单　位	2008 年	2009 年	增长率（%）
46	利用外资	亿元	95.3	53.7	-43.7
47	自筹资金	亿元	8567.3	10974.2	28.1
48	其他投资	亿元	1163.6	1470.1	26.3
49	四、房地产开发				
50	本年完成土地开发面积	万平方米	1395	1351	-3.1
51	本年土地购置费用	亿元	195.3	198.0	1.4
52	本年土地购置面积	万平方米	2095	2702	29.0
53	本年完成投资额	万元	12067124	15537595	28.8
54	#住宅	万元	9708573	12352117	27.2
55	#经济适用房屋	万元	373499	598515	60.2
56	房屋施工面积	万平方米	13906	16072	15.6
57	房屋竣工面积	万平方米	3026	3401	12.4
58	本年新开工房屋面积	万平方米	5551	7116	28.2
59	#住宅	万平方米	4827	6180	28.0
60	#经济适用房屋	万平方米	328	341	4.2
61	商品房屋销售面积	万平方米	3192	4335	35.8
62	#住宅	万平方米	2943	4017	36.5
63	#经济适用房屋	万平方米	205	157	-23.2
64	商品房屋销售额	万元	7464593	11558968	54.9
65	#住宅	万元	6294019	10048884	59.7
66	商品房屋平均销售价格	元/平方米	2339	2666	14.0
67	#住宅	元/平方米	2138	2501	17.0
68	#经济适用房屋	元/平方米	1372	1677	22.2
69	五、规模以上工业企业				
70	企业单位数	个	18700	18105	-3.2
71	工业总产值	亿元	26028.4	27708.2	6.5
72	资产总计	亿元	17316.9	19668.6	13.6
73	利润总额	亿元	2287.8	2444.2	6.8
74	总资产贡献率	%	22.3	21.0	-6.0
75	资产负债率	%	56.5	56.5	0.0
76	六、交通运输业				
77	运输线路长度				
78	铁路营业里程	公里	4042	3949	-2.3
79	内河航道里程	公里	1267	1267	0.0
80	公路里程	公里	240645	242314	0.7
81	#高速公路	公里	4841	4861	0.4
82	货运量	万吨	138441	169942	22.8
83	#铁路	万吨	16279	14160	-13.0
84	公路	万吨	118198	151343	28.0
85	水运	万吨	3964	4439	12.0
86	客运量	万人	130080	144203	10.9

续表

序 号	指 标	单 位	2008 年	2009 年	增长率（%）
87	#铁路	万人	7476	7718	3.2
88	公路	万人	122414	136279	11.3
89	水运	万人	190	206	8.4
90	**七、国内商业**				
91	社会消费品零售总额	亿元	5815.4	6746.4	16.0
92	**八、对外贸易和旅游**				
93	货物进出口总额（按经营单位所在地分）	万美元	1747934	1347642	-22.9
94	出口	万美元	1071890	734538	-31.5
95	进口	万美元	676044	613104	-9.3
96	外商投资企业货物进出口总额	万美元	320204	376612	17.6
97	出口	万美元	171126	182754	6.8
98	进口	万美元	149078	193857	30.0
99	外商投资企业基本情况				
100	年底登记数	户	11166	10676	-4.4
101	投资总额	亿美元	293.0	346.6	18.3
102	注册资本	亿美元	161.1	190.9	18.5
103	#外方	亿美元	116.8	139.4	19.3
104	对外承包工程				
105	完成营业额	万美元	119376	159823	33.9
106	对外劳务合作				
107	完成营业额	万美元	12593	19175	52.3
108	接待国际旅游人数	万人次	104.36	125.85	20.6
109	#外国人	万人次	67.91	82.76	21.9
110	国际旅游外汇收入	百万美元	374.44	433.03	15.6
111	**九、财政**				
112	地方财政一般预算收入	亿元	1008.9	1126.1	11.6
113	#国内增值税	亿元	153.9	140.8	-8.5
114	营业税	亿元	209.5	252.8	20.6
115	个人所得税	亿元	32.3	33.3	3.2
116	地方财政一般预算支出	亿元	2281.6	2905.8	27.4
117	**十、物价指数**				
118	商品零售价格指数	上年＝100	107.5	99.4	
119	居民消费价格指数	上年＝100	107.0	99.4	
120	#城市	上年＝100	106.5	98.8	
121	农村	上年＝100	107.9	100.4	
122	**十一、人民生活**				
123	收入				
124	农村居民家庭人均纯收入	元	4454	4807	7.9
125	城镇居民家庭人均可支配收入	元	13231	14372	9.9
126	居民消费水平	元	5877	6607	13.1
127	农村居民	元	3208	3528	9.8

续表

序号	指标	单位	2008年	2009年	增长率（%）
128	城镇居民	元	10797	11884	11.0
129	住房				
130	农村居民人均住房面积	平方米	31.7	33.5	5.8
131	十二、教育				
132	高等学校数	所	94	99	5.3
133	高等学校招生数	人	396818	429910	8.3
134	高等学校在校学生数	人	1250204	1368813	9.5
135	高等学校毕业生数	人	302492	334115	10.5
136	十三、卫生				
137	卫生机构数	个	11683	75722	
138	#医院、卫生院	个	3263	3282	0.6
139	医疗机构床位数	张	268004	302378	12.8
140	#医院、卫生院	张	252197	283030	12.2
141	卫生技术人员数	人	309923	359891	16.1
142	#执业（助理）医师	人	119316	150990	26.5

注：1. 地区生产总值及其三次产业、城镇居民人均可支配收入和居民消费水平的增长速度按可比价格计算。

2. 卫生机构数2009年起含村卫生室，与历史数据不可比。

湖北省

综　述

2009年是湖北省国民经济与社会发展的危机之年、困难之年，但全省经济社会发展呈现逆势上扬、弯道超越的良好势头。生产总值、人均生产总值、全社会固定资产投资、化学需氧量排放和二氧化硫排放量等经济社会发展主要指标提前一年完成了“十一五”规划目标。

经济社会发展再上新台阶。初步核算，2009年全省生产总值12831.5亿元，增长13.2%，人均GDP突破3000美元大关，全省经济社会发展进入新的发展阶段。全社会固定资产投资完成8211.8亿元，超出计划目标1200多亿元，为2010年投资过万亿打下了坚实基础；“十一五”前四年投资总额达到22000多亿元，超过“十一五”规划目标1000多亿元。

重大战略实施取得新进展。武汉城市圈“两型社会”建设快速推进，鄂西生态文化旅游圈建设进程加快，湖北长江经济带新一轮开放开发全面启动，“两圈一带、双轮驱动”的区域发展新格局逐步形成。仙洪新农村试验区建设、脱贫奔小康试点县（市）工作、“616”对口支援工程等取得了重要进展。

结构调整迈出新步伐。投资和消费双双高攀，增幅创历史高位；投资结构在总量快速增长中不断优化，第三产业投资增长领跑全省，民间投资占到全部投资一半以上；消费结构在市场共同繁荣中不断升级，汽车零售额占比达到18%，家电下乡产品销售居全国第5位。产业结构优化升级力度加大，十大重点产业调整和振兴方案加快实施，六大支柱产业继续发展壮大；汽车产业异军突起，省内汽车产量首次突破100万辆；战略性新兴产业加快培育，高新技术产业增加值占全省生产总值的比重超过10%。自主创新活力进一步增强，武汉综合性国家高技术产业基地和东湖国家自主创新示范区建设先后获得国家批准。

改革开放实现新突破。武汉城市圈六大领域20项41个子项改革有序开展，部省合作签约单位达到65家。增值税转型、成品油价格和税费改革顺利实施，医药卫生体制改革稳步推进。企业上市工作取得突破，全年共有10家企业在境内外上市或通过证监会发行审核，境内上市企业达到69家、居中部之首。中部地区首个自由贸易港——武汉东西湖保税物流中心封关运行。

和谐社会建设取得新成效。纺织、钢铁等困难行业发展经受住金融危机考验，没有出现企业倒闭潮；返乡农民工得到妥善安置，再就业工作措施得力；没有发生因职工下岗和农民工返乡引起的群体性事件。全省农民人均纯收入突破5000元，企业退休人员月人均养老金突破1000元，五项社会保险参保人数突破3000万人次，社会保障水平进一步提高。省政府年初确定的“十件实事”全部完成或超额完成。

经济运行频现新亮点。全年金融机构新增各项贷款超过3000亿元，居中部第一位。争取中央新增投资155.6亿元，中央代发地方政府债券81亿元，争取额度创历史新高，占比位居全国前列。省级新增建设用地近1.5万公顷，用地保障能力大大提高。全省高速公路总里程和铁路通车里程双双突破3000公里，武合铁路、武广客运专线建成通车，天河机场旅客吞吐量突破1000万人次，交通运输能力进一步提高。

经济和社会发展中存在的主要困难和问题有：经济回升基础不稳固，回升态势还不稳定，回升格局还不平衡，节能减排、资源环境与就业的压力仍然较大。

2009年，受金融危机影响，全省消费品市场和外贸出口前抑后扬。年初增速同比回落，随着国家和省委省政府扩大内需、引导消费政策的实施推进，稳定外需政策效应进一步显现和国际市场需求趋稳，市场需求逐步回暖，消费增长速度企稳回升，外贸在艰难中逐渐回暖。

全年实现社会消费品零售总额5928.41亿元，同比增长19.0%。分城乡看，城市实现零售额4128.16亿元，增长17.9%；县及县以下实现零售额1800.25亿元，增长21.6%。分行业看，批发业实现零售额728.95亿元，增长15.9%；零售业4150.26亿元，增长19.9%；住宿和餐饮业795.18亿元，增长19.7%；其他行业254.03亿元，下降2.8%。

全年实现外贸进出口总额172.29亿美元，比上年下降16.8%，其中：出口99.78亿美元，下降14.8%；进口72.50亿美元，下降19.4%。新批外商直接投资项目268个。全年外商直接投资及其他投资46.88亿美元，比上年增长13.9%，其中外商直接投资36.58亿美元，增长12.7%；外商其他投资9.7亿美元，增长11.6%。对外经济合作业务完成营业额26.3亿美元，新签合同额53.3亿美元，分别增长73.1%和60.8%。

工业经济

湖北省面对国际金融危机的影响冲击和国内国际复杂严峻的经济形势，全省工业努力“弯道赶超”，奋力保增长、保民生、保稳定，有效遏止了工业经济增长下滑势头，步入企稳回升的通道，运行质量和效益不断提高。2009年，全省规模以上工业完成增加值4742.2亿元，比上年多900亿元；增长20.1%，高出全国9.1个百分点，居全国第6位，超出全年增长目标6.1个百分点。经济效益不断提高，营业收入、利润、税金增幅均回升20%以上。千亿元产业规模扩大。中小企业成长加快，全年新增规模以上企业超过2700家。

工业增速稳步提升，呈现“前低后高”态势。从当月增速运行轨迹看，元月份跌至国际金融危机以来最低点（6.4%），2月触底回升，3至5月在15.5%左右企稳，6、7月在17%上下盘整，8、9月爬升至20%左右，10、11月提速到26%以上，12月份达到26.7%，同比加快16.7个百分点，月工业增速呈现较为明显的“V”型反转态势。从累计增速看，2月超过10%，3至7月缓步回升至12%以上，8月后加速上行，后4个月相继跨越14%、16%、17%、20%的台阶，全年增速达到20.1%，比上年仅回落1.5个百分点。

单月增加值持续扩大，连续数月超过400亿元。在国际金融危机背景下，2008年6月增加值触及380亿元之后，连续7个月下滑，2009年元月份仅272亿元，2月重回上升通道，3月超过300亿元，7月创历史新高（390.8亿元），9月突破400亿元，11月达到464.8亿元，为全年最高，12月完成451.3亿元，同比增加145.7亿元。

多数市州恢复较快增长，增加值不断跨上新台阶。全省13个市州增速超过20%，黄冈（27.6%）、襄樊（27.6%）、荆门（27.5%）、咸宁（27.3%）、荆州（27.1%）、孝感（26.9%）、恩施（26.9%）、天门（26.3%）、仙桃（26.2%）等9个市州增速在26%以上，十堰（24.2%）、鄂州（23.9%）、随州（22.2%）实现较快增长。17个市州中，14个增加值超过100亿元，其中5个超过200亿，2个超过400亿，1个超过千亿。武汉增加值1656.1亿元，占全省的34.9%，增速回升至18.5%。宜昌、襄樊增加值570.4亿元、461.5亿元，增长24.9%、27.6%。荆门（259.3）、孝感（221.4）、荆州（216.7）增加值跨越200亿元台阶，随州（107.3）、仙桃（102.3）增加值超过100亿元。

经济效益不断提高，营业收入、利润、税金增幅均回升20%以上。一是千亿元产业规模扩大。全省规模以上工业营业收入14953亿元，增长21.5%，较上半年回升15.2个百分点。汽车、钢铁、石化、食品、电子信息（宽口径）、纺织行业营业收入分别达到2135、1828、1750、1602、1267、930亿元，增长27.9%、5.7%、8.5%、39.5%、20.1%、29.7%。二是工业利税实现较快增长。全省规模以上工业利税总额1525.2亿元，增长24.5%。其中，利润总额754.2亿元，增长25.2%，税金总额771亿元，增长23.9%。前三季度由于产品价格下降，市场销售萎缩，全省工业利润一直呈负增长，随着工业持续回暖向好，10月利润增幅由负转正，并不断改善。在2009年特殊形势下，全省减税增支因素增多，工业税金持续保持20%以上的较快增长，对全省财税增长作出重要贡献。三是"两项资金"增幅回落。12月末，全省工业企业"两项资金"2057.7亿元，上升13.8%，升幅同比回落10个百分点以上。其中，产成品资金788.3亿元，下降4.2%；应收账款1269.4亿元，增长28.8%。四是亏损企业亏损额下降。全省亏损企业亏损额100.1亿元，下降28.8%，其中石油加工业减亏38.8亿元，拉动全省下降30个百分点。

从轻重工业结构看，轻工业受消费需求拉动，持续保持较快增长，全年实现增加值1464.4亿元，增长25.3%，同比加快2.3个百分点，快于全国15.6个百分点。重工业受金融危机影响，前几个月呈低速增长，自5月份起增速回升并逐月加快，实现增加值3277.8亿元，增长18%，比一季度、上半年、三季度加快11.6、9.5、6.7个百分点。轻工业增速连续5年超过重工业，并连续48个月超过20%，轻重工业比重由2005年的27:73调整为2009年的30.9:69.1，轻、重工业对增长的贡献率分别为37.3%、62.7%。

从重点行业结构看，汽车、食品行业增加值占全省的14.3%、11.6%，比上年提高3.9、0.9个百分点，对全省工业增长贡献率为21.4%、21%，居于行业前列；电子设备制造、建材、纺织行业增加值分别占全省的5%、5.4%、6%，比重较上年提高0.6、0.9、0.2个百分点，对增长贡献率为9.9%、9.7%、8.6%；石化、钢铁行业占全省比重为8.8%、5.6%，较上年下降1个、2.5个百分点。烟草、医药行业比重为3.9%、2.5%，贡献率为4.1%、3%。

体制改革

2009年，按照中共湖北省委、省政府关于深化改革的部署，全省在国际金融危机尚未见底、经济增速明显放缓、长期积累的体制机制矛盾更加突出的情况下，抢抓武汉城市圈综合配套改革试验区建设的重大历史机遇，以深化重点领域和关键环节改革为保增长提供强大动力，着力构建充满活力、富有效率、更加开放、有利于科学发展的体制机制，克难攻坚，稳步推进，取得积极进展。

（一）大力推进政府职能转变

根据建立完善的社会主义市场经济体制的要求，推进"政企分开、政资分开、政事分开、政府与市场中介组织分开"等四个分开，从制度上更好地发挥市场在资源配置中的基础性作用，通过改革明确省政府工作部门取消、转移、下放的职能24项。明确政府责任，强化政府为市场经济主体服务的职责，通过改革，明确省政府工作部门加强和强化的职责386项。政府管理经济的方式和手段不断完善，更加注重规划和政策指导、信息引导，体制和法制环境明显改善。把政府机构改革和诸项重大体制改革，特别是与改善民生的有关体制改革统筹推进，力求把改善民生、发展社会事业作为政府部门履行公共服务和社会管理职能的重点。

（二）武汉城市圈改革取得重大进展

按照国务院批复的改革试验总体方案和三年行动计划，加强统筹协调，指导城市圈九市立足本地实际，突出地方特色，着力推进重点领域和关键环节的改革试验工作。发展循环经济，促进资源节约。武汉、鄂州两市以发展循环经济为突破口，积极推进东西湖区、青山区、阳逻开发区、鄂州循环经济示范区建设，在钢铁、建材、化工、电力等重点行业探索循环经济发展方式。推动节能减排，保护生态环境。推进排污费征收使用管理改革。主要污染物排污权交易试点于3月正式启动，已开展了三次排污权交易，成交主要污染物排污权2352吨，总成交金额803万元。发展"两型"产业，促进产业结构优化。省财政厅设立"两型"社会建设激励性转移支付、节能以及淘汰落后产能专项资金、产业集群建设激励性转移支付，支持产业资源向"两型"产业、优势产业和优势地区聚集，健全落后产能的退出机制。加强土地管理改革，推进节约集约用地。省国土部门完成武汉城市圈土地管理改革专项方案，已上报国土资源部。在城市圈各市联合启动城乡建设用地增减挂钩试点，缓解用地计划不足的压力。实施统筹城乡试点，推进城乡一体化发展。配套推进财税金融、对内对外开放和行政管理等三个方面的体制机制创新。在财税金融方面，相继出台支持武汉城市圈"两型"社会建设财税和金融支持政策。城市圈金融一体化加快推进，武汉区域性金融中心初见雏型。已有20多家金融机构、4家外资银行在汉设立区域性总部或分行。人行、工行、农行、建行、交通银行、国家开发银行、招商银行、民生银行等银行在汉设立或筹建全国性金融后台服务中心。

（三）国有企业改革与重组继续深化

2009年湖北省大力推进省出资企业"九大板块"建设，引领国有资本向能源、汽车及汽车零部件、有色金属、林板加工、煤炭物流、国有经济营运平台、房地产、酒店旅游、盐业等重点行业集聚，取得明显成效，一批企业成长为规模上够块头、行业上当龙头、产品上有拳头的优势企业。湖北能源集团与"三环股份"实施重大资产重组，借壳上市工作顺利推进。在火电缺煤、计划不足、水电缺水的情况下，发电量达到103亿千瓦时，利税总额18.16亿元，双双创历史新高。三环集团公司成功重组襄轴集团，提前一年实现"十一五"末销售收入过百亿元的目标。大冶有色金属公司成为首个销售收入过200亿元的省出资企业。同时，抢抓机遇，扩大对矿山资源的控制，已控制的储量达到200万吨，为企业将来的发展奠定扎实基础。公司引进长江电力战略投资后，顺利改制为股份有限公司，收购控股香港上市公司—中国资源，将其更名为中国大冶有色金属矿业有限公司，在香港联交所通过配股新增融资2.8亿港元。湖北宜化集团有限责任公司、大冶有色金属公司、武汉中百集团股份有限公司、武汉武商集团股份公司进入2009年度中国企业500强，分别位列第219名、290名、376名、466名。按照因企制宜、分类推进的原则，积极推进中南勘察设计院、湖北省建材院、省工程咨询公司、省海外旅游集团、省盐业集团728厂、省医药公司等一批省出资企业的改制。中南建筑设计院改制成为国有控股的股份有限公司。湖北省建材院与中技公司签署合作改制股权转让协议。中南勘察设计院通过增资扩股方式引进战略投资者，组建股份制公司。湖北荆襄化工（集团）有限责任公司、武钢集团武汉冶金设备制造公司、中国工艺品武汉进出口公司3户企业政策性破产项目如期完成。省属企业改革专项资金安排2.8亿元用于支持市州解决国企改制遗留问题。武汉市筹措8500万元平稳推进8户困难企业的改革改制，已经完成52户集体企业的改制任务。

（四）大力培育上市后备企业

省上市办批准湖北能源集团股份有限公司、大冶有色金属有限公司等2家企业为重点培育类企业，将湖北省粮油食品进出口（集团）公司、湖北省路桥集团有限公司、湖北省煤炭投资有限公司、湖北福汉木业集团发展有限责任公司、湖北省鄂康房地产开发总公司等5家企业列为扶持类企业，并予以重点指导培育。

（五）中小企业成长工程工作取得新成绩

中小企业呈现出快速发展的态势，主要表现在：生产经营保持平稳快速发展。全省中小企业完成增加值6510亿元，同比增长15.0%，规模以上中小企业实现销售收入8730.7亿元，同比增长30.4%，实现利润418.5亿元，同比增长45.2%，上缴税金287.6亿元，同比增长22.9%。规模以上工业企业数大幅增加。2009年全省规模以上工业企业数达到13739家，比上年净增2741家，在2008年提前两年完成省政府确定的“十一五”末规模以上工业企业达到1万家目标的基础上再上新台阶，是实施中小企业成长工程以来增长最多、增速最快的一年。其中，规模以上工业企业过千户的在原有武汉、襄樊、黄冈三市基础上，又新增荆州、宜昌、荆门、孝感四市，反映出全省各地积极培育市场主体，强力推进中小企业成长工程所取得的新成效。县域经济成为增长的亮点。全省县域规模以上工业实现增加值2363.8亿元，增长22.3%，增速比全省快2.2个百分点，占全省规模以上工业增加值由2008年的45.1%提高到49.8%，个体私营企业快速发展。据工商部门统计，全省新登记私营企业4.4万户，新增从业人员31万人，新登记注册资本606亿元；截止2009年底，全省私营企业23万户、注册资本4285亿元，从业人员223万。

（六）县域经济呈现新亮点

各地抢抓沿海产业升级、腾笼换鸟的大好机遇，充分利用中博会、鄂港粤和鄂沪经贸合作洽谈会等重要节会平台，认真策划项目，高起点承接沿海产业转移。世界跨国公司和国内知名企业纷纷到湖北省县域发展，投资160亿元的全通极薄涂镀板项目落户宜昌，投资过30亿元的铝涂板在谷城启动，投资62亿元的惠州工业园在仙桃开工，投资32亿元的华中家具城在潜江落户；福建晋江、广东佛山的知名陶瓷企业向当阳聚集，方圆8平方公里、77条生产线、生产潜力可达80亿元的“三峡瓷都”初具规模。在积极引进新企业、新项目的同时，各地积极支持本地企业扩规扩能，“二期”、“三期”工程比比皆是。一大批投资过10亿元、100亿元的项目相继上马，打造一批行业领军型企业，为湖北经济发展增添新活力，增添新后劲。

固定资产投资

全社会完成固定资产投资8211.85亿元，比上年增长41.6%，其中城镇以上项目投资7569.15亿元，增长41.9%；房地产开发投资1200.44亿元，增长34.5%。按经济类型划分，国有经济投资3124.16亿元，增长37.4%；集体经济投资408.91亿元，增长61.4%；城乡私营个体投资1745.62亿元，增长45.3%；其他经济投资2933.16亿元，增长41.7%。按产业划分，全省三次产业投资分别为321.59亿元、3095.14亿元和4795.12亿元，分别增长39.1%、32.0%和48.8%。

全省159个重点建设项目完成投资1145.68亿元，占城镇以上项目投资的15.1%。新增的主要生产能力有：发电机组容量220.9万千瓦，新建高速公路548.45公里，电气化铁路主线正线交付运营里程1039.45公里。

2009年湖北省固定资产投资呈现出五大特点：

一是基础设施和公共事业支撑全省投资快速增长。2009年，全省交通运输、仓储和邮政业完成投资957.23亿元，增长49.7%，高于上年48个百分点；水利、环境和公共设施管理业完成投资829.56亿元，增长67.1%，高于上年45.5个百分点；教育和卫生事业投资分别增长48.4%和79.8%，高于上年66.6和64个百分点。

二是工业投资增幅逐步回升。2009年，全省工业（城镇口径，下同）完成投资2936.13亿元，增长32.1%，比当年年初提高15.7个百分点。其中：制造业完成投资2321.13亿元，增长31.1%；电力、燃气及水的生产和供应业完成投资492.35亿元，增长

32.3%；采矿业完成投资122.65亿元，增长53.1%。从制造业分行业情况看，投资增长较快的几大行业，主要是农副食品加工业（51.5%）、饮料制造业（61.1%）、医药制造业（55%）、金属制品业（75.7%）、有色金属冶炼（69.1%）、专用设备制造业（63.6%）等。

三是房地产投资回暖。2009年，全省房地产开发完成投资1200.44亿元，增长34.5%，比上年提高11.2个百分点。商品房销售面积增长40%，比上年提高64.1个百分点。商品房平均销售价格3531元/平方米，增长17.3%。

四是投资资金到位情况较好。2009年资金来源合计8309.07亿元，增长48%。2009年到位资金中，国家预算内资金到位692.08亿元，占8.3%；国内贷款到位1510.71亿元，占18.2%；自筹资金到位4961.81亿元，占59.7%，其他资金（利用外资、债券、个人资金等）到位1144.47亿元，占12.5%。

五是投资项目充足。2009年，全省新开工项目大幅增加，全年全省施工项目21020个，增加35.9%；施工项目计划总投资18022亿元，增长37.3%。其中：新开工项目17413个，增加45.5%；新开工项目计划总投资6321亿元，增长71.3%。

技术进步

2009年全省完成技术改造投资1331.89亿元，同比增长46.1%，首次突破千亿元大关，实现技术改造投资高于全社会固定资产投资增幅和工业固定资产投资增幅。

2009年湖北省技术改造主要呈现以下特点：一是新开工和建成投产项目大幅增加。2009年，全省新开工技改项目6194个，同比增长48.4%，计划总投资1191.3亿元，同比增长52.1%，平均投资规模1923.4万元。建成投产项目5717个，同比增长65.3%；在建项目总数为7082个，同比增长42.8%，计划总投资2420.3亿元，同比增长26%，平均投资规模3417.6万元。在建技改项目累计完成投资1905.6亿元，同比增长50.3%，完成建设工作量的78.7%。新开工项目、建成投产项目和在建项目均创历史新高。二是技术改造投入快速增长，占工业投资大幅提高。全年完成技术改造投资1331.89亿元，同比增长46.10%，高出全省固定资产投资4.2个百分点，高出工业固定资产投资14个百分点，占工业固定资产投资的比重由上年40.8%提高到45.36%，占据工业投资的半壁江山；5月份完成技术改造投资105亿元，实现技术改造月投资投入过百亿元的历史性跨越。三是企业技改自主性增强，企业自主投资占主导的局面初步形成。全年技术改造投资到位资金1332.5亿元，其中：国家预算内资金176.29亿元，占到位资金的13.23%；国内贷款129.32亿元，占到位资金的9.71%；利用外资6.21亿元，占到位资金的0.47%；企业自筹资金959.76亿元，占到位资金的72.033%；其他资金50.27亿元，占到位资金的3.78%。技改投资初步实现由依靠国家投入和银行贷款推动转变为企业自主投资推动，企业自筹资金投入已成为保持投资平稳增长的主导力量。四是重点行业技术改造投资力度加大，重点骨干企业技术改造项目投资步伐明显加快。全省钢铁、石化、装备制造、轻工、纺织、电子信息等重点行业技改投资增速超过50%以上，对全省工业技术改造投资起到重要支撑作用。武钢在湖北境内全年投资86.8亿元的冷轧硅钢等技改项目已基本完成；神龙汽车有限公司二期15万辆扩能改造项目顺利建成投产；东风本田汽车有限公司24万辆产能扩建技术改造项目基本建成；武汉重型机床集团有限公司投资30亿元的搬迁改造项目顺利竣工。五是中小企业和县域企业成为技术改造投资的生力军。2009年，全省中小企业和县域工业企业技改投资分别完成1229亿元和1079亿元，同比分别增长59.1%和55.2%，分别高出同期技术改造投资增速13和9.1个百分点，占全省技术改造投资总额的比重分别由上年同期的83.8%和78.8%上升到91.8%和80.5%，成为全省技术改造投资的生力军。

商品流通

2009年，全省实现社会消费品零售总额5928.41亿元，同比增长19.0%，扣除价格因素，实际增长20.7%，增幅比上年提高4.7个百分点。在国际金融危机和经济放缓的不利环境下，消费品市场的快速发展，为湖北经济企稳回升，保障经济增长目标实现做出积极的贡献，彰显出消费对湖北经济的拉动作用日益增强。

农村消费市场实现突破性增长。随着家电下乡等一系列扩大内需政策的实施，湖北农村消费出现“爆发式”增长，连续12个月增速均高于城市市场。2009年，全省农村市场实现零售额1800.26亿元，同比增长21.7%，分别比全省和城市消费增速高出2.7和3.8个百分点。同时，农村市场对全省消费的贡献进一步增大。2009年，农村市场拉动全省消费品零售额增长6.3个百分点，占全省消费品零售额的比重由2008年29.7%提高到30.4%，以往城市消费“一头热”的状况发生了明显改变。

住宿餐饮业继续保持强势增长。2009年，假日经济进一步升温、居民生活水平的提高带来消费观念的转变、餐饮环境和服务水平的不断提升等众多因素共同推动全省住宿餐饮行业的高速增长。2009 年，全省住宿和餐饮业实现零售额 795.18 亿元，同比增长 19.7%，比社会消费品零售总额增幅高 0.7 个百分点。住宿和餐饮业零售额占全省社会消费品零售总额的比重达到 13.4%，同比上升 0.1 个百分点，有力拉动全省消费需求的较快增长。

汽车市场成为消费热点。国家出台的关于小排量乘用车车辆购置税减半、汽车摩托车下乡、汽车以旧换新等一系列政策措施的实施，极大地提振居民消费信心，激发国内汽车市场需求，全省汽车消费迅速止跌回稳，并出现新一轮高速增长。2009 年，全省汽车类商品实现零售额 248.85 亿元，同比增长 34.6%，增幅比上年提高 19.7 个百分点。汽车零售额占全省限额以上批发零售业零售额比重达 18.0%，同比上升 2.0 个百分点。汽车成为 2009 年居民的消费热点，为拉动内需、推动汽车产业和国民经济稳定快速发展发挥了重要的支撑作用。

住房相关类商品消费加快。2009 年受楼市重新大幅度升温拉动，家具类、建筑及装潢类等与住房相关的消费品零售额也呈现大幅增长态势。据对全省限额以上批发零售业企业统计，2009 年，家具类实现零售额同比增长 47.5%，建筑及装潢材料类增长 47.9%，五金电料类增长 9.6%，这三类商品均扭转了 2008 年的负增长局面。家具和建筑及装潢材料类商品消费的突出发展，表明中高收入阶层对房地产市场的预期明显增强，对全省消费的较快增长起到积极的推动作用。

居民消费层次稳步提升。2009 年，全省居民吃、穿、用类商品普遍保持较快增长，市场消费亮点精彩纷呈。据对限额以上批零企业商品零售统计，市场热点出现新变化，主要表现在以下几个方面：一是居民吃、穿、用等与人们日常生活密切相关的刚性需求继续保持平稳增长。全年限额以上企业粮油、食品、饮料、烟酒类零售额比上年增长 13.4%，服装、鞋帽、针纺织品类增长 17.5%，其中服装类增长 20.0%，日用品类增长 22.5%。二是药品、保健品销售量明显增加。随着城乡医疗改革及居民对自身健康状况愈加重视，加上 H1N1 流感的影响，药品、保健品销量大幅攀升。2009 年，全省限额以上批发零售贸易业企业中西药品类实现零售额 33.98 亿元，比上年增长 11.7%，增幅同比加快 2.9 个百分点。三是提高生活质量的商品增长明显。随着城乡居民生活观念的提升，发展型、娱乐型商品逐步成为市场亮点。2009 年，全省化妆品及金银珠宝类商品分别实现零售额 40.59 亿元和 28.58 亿元，比上年分别增长 19.6% 和 29.1%；家用电器及音像器材类实现零售额 119.79 亿元，同比增长 14.8%；文化办公用品类实现零售额 12.25 亿元，同比增长 24.0%。

外经外贸

（一）对外贸易

2009 年，全省进出口总额 172.3 亿美元，同比下降 16.8%。其中，出口 99.8 亿美元，同比下降 14.8%，进口 72.5 亿美元，同比下降 19.4%。尽管出口仍为下降状态，但已出现一些回暖趋势，12 月份单月出口总额 10.7 亿美元，同比增长 22.5%，高于全国同期增幅，经济刺激政策效果进一步显现。

2009 年湖北省对外贸易的主要特点是：部分主要商品出口降幅放缓。全省机电、高新技术产品降幅逐步收窄；船舶、农产品、纺织及纱线制品均呈增长态势，增幅在 10% 以上。重点企业出口下降，中小企业出口相对稳定。全省出口过亿美元排前四位的冠捷和武钢同比分别下降 44% 和 80%，而一批中小型企业在逆境中有所突破，成为弥补全省出口下降有利的支撑。如波导、安琪酵母、葛洲坝集团、中石化长江燃料公司出口同比增长均超过 35%，其中波导增长达 185.3%。对主要传统出口市场进一步萎缩，对新兴市场出口实现增长。受欧美经济复苏乏力影响，湖北省对美国、欧洲出口仍然继续下滑。但对中国香港特区、日本、新加坡、非洲、大洋洲出口呈稳步上升趋势。生活必须品出口相对稳定。从全省主要出口商品来看，由于低技术产品需求呈刚性，服装、鞋类、蜂蜜、家具等劳动密集型产品下降幅度较小，有回暖迹象。

（二）利用外资

2009 年，全省实际使用外资 46.9 亿美元，同比增长 13.9%，略超过全年目标的 46 亿美元。其中，外商直接投资 36.6 亿美元，同比增长 12.7%。

2009 年全省吸收外商投资的主要特点是：大项目进展顺利，新签合同外资额增幅大。新签合同外资同比增长 35% 以上，显示招商引资的质量和效率有进一步提高，以及后期的跟踪和推进工作力度较大。如东风轻型发动机公司、新冶钢、富士康、烽火集团等企业的项目由于前期工作较为扎实，各部门密切配合，强力推进，进资均在 5000 万美元以上。外资来源结构出现新变化。与全国情况一样，自由港如英属维尔京群岛等投资比重下降，亚洲地区投资持续增长，亚洲投资的增加填补了欧、美对湖北省投资的放缓。制造业利用外资的比重仍然最大，第一产业利用外资成倍增长。制造业利用外商直接投资除新批项目数下降外，合同外资和实际到资双双增长，增幅均超过 30%。外商投资多集中于大中型城市。由于大中型城市基础设施较完善，服务环境较优，吸引外资优势明显。武汉、黄石、宜昌、襄樊、孝感 5 个市实际到资占到全省总额的 82%。独资继续成为外商投资的主要方式。

2009年共新争取国外贷款项目7个，资金达2.8亿美元。其主要特点是：一批重大国外贷款项目建设进展顺利。世行贷款汉江崔家营航电枢纽、宜巴高速公路、武汉城市交通一期、亚行贷款武汉城市环境改善二期等在建项目，均按工期顺利建设。已列入贷款规划的项目国内外两套程序的前期工作均扎实向前推进。亚行贷款武汉城市环境改善三期、世行贷款武汉城市交通二期、欧洲投资银行贷款宜昌小水电开发、法国开发署贷款宜昌小水电开发等项目。有2亿多美元的新项目已经或即将争取到国外贷款。世行贷款1亿美元襄樊城市交通项目、利用德国促进银行鄂州市城区洋澜湖综合治理项目和利用北欧投资银行潜江市红薯精淀粉加工等项目已列入国家备选规划，亚行贷款1亿美元黄石市城区磁湖等“三湖”环境综合治理项目，国家将正式下达计划。

（三）国际经济技术合作

境外投资有了新进展。湖北知音集团3350万元收购台湾知名时尚传媒依依集团的相关工作正在稳步推进，国家发改委已批准湖北知音集团项目的收购信息报告确认函，外资司正在征求中宣部、新闻出版总署和国台办的意见。武汉尚德矿业投资公司在菲律宾投资开发铬铁和镍矿项目勘察和试采工作已完成，即将进入实质性投资生产阶段。湖北楚源高新科技股份有限公司5092万欧元收购德国德司达公司股份项目，国家发改委已下发该项目收购信息报告确认函，项目申请报告正在编制中，待项目前期工作完成后，上报国家发改委核准；安琪酵母股份有限公司在埃及投资建设年产1.5万吨高活性干酵母项目，正编制项目申请报告，拟报请国家发改委请求核准。

交通运输、邮电通信和旅游业

2009年湖北省全社会完成旅客周转量1034亿人公里、货物周转量3630亿吨公里。其中：公路客运量、旅客周转量、货运量、货物周转量分别完成9亿人、564.8亿人公里、7.3亿吨和1764.1亿吨公里，同比分别增长7.4%、7.6%、11.3%和10.3%；武汉铁路局完成客运量、货运量、换算周转量（客货周转量相加）分别为6439.8万人、9839.1万吨和1499.1万吨公里，同比分别增长6.9%、-3.6%和-4.6%；全省港口完成货物吞吐量1.66亿吨，同比增长6.29%，其中集装箱吞吐量达到67.5万标箱，同比增长14.99%；武汉天河机场共完成旅客吞吐量1130.5万人次，增长22.8%，11月20日武汉天河机场旅客吞吐量突破1000万人次，成为全国第11个“千万级”机场。

邮电通信业完成邮电业务总量839.18亿元，增长17.8%。长途光缆线路总长度29242公里；局用交换机达到1732.8万门；固定电话用户1078.3万户，减少10万户；移动电话用户达到3136.9万户，新增608.2万户。全省电话普及率为74部/百人。计算机宽带互联网用户361.3万户。

全年国内旅游人数15198.64万人次，比上年增长29.0%；国内旅游收入969.63亿元，增长35.9%。入境旅游人数133.46万人次，比上年增长12.4%。国际旅游外汇收入5.1亿美元，增长15.3%。

资源节约和环境保护

2009年，湖北省大力开展节能、节水、资源综合利用、发展循环经济、环境保护和应对气候变化等工作，全省资源节约和环境保护工作取得明显成效。2009年全省单位生产总值能耗比2008年降低5.84%，化学需氧量和二氧化硫排放量比2008年分别降低1.7%和3.89%。

组织实施重点节能减排项目。2009年，湖北省共争取到中央预算内投资项目62项，总投资22.9亿元，国家补助资金6.516亿元。其中十大重点节能工程、循环经济和重点流域工业污染治理工程项目36项，国家补助2.116亿元，这批项目建成后，年可实现节能11万吨标煤，节水1500万吨，减排COD3.1万吨、BOD1490吨、氨氮2415吨等。城镇污水垃圾处理设施项目26项，国家补助4.4亿元，这批项目建成后，可新增污水处理能力98.1万吨/日，新增污水管网632.9千米，新增垃圾处理能力3533吨/日，年可减排COD76816吨。争取到国家以奖代补节能技术改造项目70项，总投资26.46亿元，这些项目建成后，可形成年节能能力133.12万吨标煤。全年安排省预算内资金1000万元、省节能专项资金5000万元组织实施165个节能、循环经济和旅游名镇污水处理项目，这批项目建成后，可形成年节能能力93.6万吨标煤，年可综合利用硫石膏、磷渣等废弃物150万吨，节水1000万吨，新增污水处理能力10000吨/日，新增污水收集管网15公里。引导社会资金参与锅炉改造、电机系统节能、绿色照明、建筑节能等领域节能技术改造。在大冶钢厂、武汉石油化工厂、武汉中心医院等成功实施200多个合同能源管理项目，年节能量达80多万吨标准煤。

推动重点行业和重点领域节能。通过加快工业企业结构调整、加大节能技术改造力度和加强节能管理，全省主要耗能行业单位增加值能耗较大幅度降低。加强建筑节能，进行建筑能源审计和能效公示，加大对既有居住建筑节能改造和新建建筑施工阶段节能强制性标准执行力度。积极组织推广可再生能源在建筑上的应用，并建立全国目前最大的太阳能光伏与建筑一体化示范项目——武汉日新科技光伏工业园。

大力开展环境保护。截至2009年底，全省已建成投运污水处理厂72座，设计处理能力407.54万吨/日；已基本建成正在进水试车的26座，设计处理能力123.3万吨/日；在建29座，设计处理能力91.35万吨/日。全省已建成无害化垃圾处理场38座（其中通过评估的25座），垃圾处理总能力14026吨/日；在建垃圾处理场31座，垃圾处理总能力13000吨/日。

积极应对气候变化。湖北省是被国家发改委确定为全国5个编制发展低碳经济实施方案试点省份之一。截至2009底，全省共有89个项目获得国家发改委批复可开发成为CDM项目（清洁发展机制项目），可获得相关国际机构提供的转让资金约3.6亿欧元，其中已有23个项目在联合国CDM执行理事会成功注册，宣恩县洞坪水电站、长沙头水电站和东流溪二级水电站等3个项目已获得CERs（核定的温室气体减排量）签发，转让温室气体减排量13.82万吨二氧化碳当量，获得转让资金120万欧元。

（撰稿：梅训安）

2008—2009年湖北省经济社会发展主要指标

序号	指标	单位	2008年	2009年	增长率（%）
1	一、人口和就业				
2	年底人口数	万人	5711.0	5720.0	0.2
3	人口自然增长率	‰	2.71	3.48	
4	就业人员数	万人	2876	3024	5.2
5	按产业分：				
6	第一产业	万人	1017	990	-2.6
7	第二产业	万人	707	815	15.3
8	第三产业	万人	1152	1220	5.9
9	城镇就业人员（按登记注册类型分）				
10	国有单位	万人	287.20	283.76	-1.2
11	集体单位	万人	25.06	21.79	-13.1
12	股份合作单位	万人	4.60	4.60	0.0
13	联营单位	万人	2.10	2.10	0.0
14	有限责任公司	万人	81.80	97.30	18.9
15	股份有限公司	万人	37.20	43.40	16.7
16	私营企业	万人	142.01	186.13	31.1
17	港澳台商投资单位	万人	7.40	8.90	20.3
18	外商投资单位	万人	18.20	17.60	-3.3
19	个体	万人	184.56	227.97	23.5
20	城镇登记失业人数	万人	55.07	55.25	0.3
21	二、国民经济核算				
22	地区生产总值	亿元	11330.4	12961.1	13.5
23	按产业分：				
24	第一产业	亿元	1780.0	1795.9	5.2
25	第二产业	亿元	4963.6	6038.1	16.8
26	工业	亿元	4330.2	5183.7	
27	建筑业	亿元	633.4	854.4	
28	第三产业	亿元	4586.8	5127.1	12.3
29	#交通运输、仓储和邮政业	亿元	584.2	642.7	
30	批发和零售贸易业	亿元	899.6	979.1	
31	三、固定资产投资				
32	投资总额	亿元	5647.0	7866.9	39.3

续表

序 号	指 标	单 位	2008 年	2009 年	增长率（%）
33	**按投资种类分：**				
34	城镇	亿元	5148.8	7183.7	39.5
35	#房地产开发	亿元	892.7	1200.4	34.5
36	农村	亿元	498.3	683.2	37.1
37	#农户	亿元	222.5	281.0	26.3
38	非农户	亿元	275.7	402.2	45.9
39	**按建设规模分：**				
40	建设总规模	亿元	16528.6	22886.9	38.5
41	在建总规模	亿元	13276.1	17874.2	34.6
42	在建净规模	亿元	5595.8	8412.6	50.3
43	**按资金来源分：**				
44	国家预算内资金	亿元	481.3	689.3	43.2
45	国内贷款	亿元	826.9	1399.6	69.3
46	利用外资	亿元	50.8	71.0	39.7
47	自筹资金	亿元	3920.7	5395.9	37.6
48	其他投资	亿元	571.1	1040.6	82.2
49	**四、房地产开发**				
50	本年完成土地开发面积	万平方米	955	1362	42.7
51	本年土地购置费用	亿元	109.0	161.5	48.2
52	本年土地购置面积	万平方米	1006	1000	-0.6
53	本年完成投资额	万元	8926684	12004443	34.5
54	#住宅	万元	6604803	8041595	21.8
55	#经济适用房屋	万元	688735	743710	8.0
56	房屋施工面积	万平方米	7801	9547	22.4
57	房屋竣工面积	万平方米	2058	2312	12.4
58	本年新开工房屋面积	万平方米	3113	3976	27.7
59	#住宅	万平方米	2693	3214	19.4
60	#经济适用房屋	万平方米	459	174	-62.1
61	商品房屋销售面积	万平方米	1942	2718	40.0
62	#住宅	万平方米	1821	2576	41.5
63	#经济适用房屋	万平方米	225	177	-21.5
64	商品房屋销售额	万元	5826143	9600307	64.8
65	#住宅	万元	5278409	8792284	66.6
66	商品房屋平均销售价格	元/平方米	3001	3532	17.7
67	#住宅	元/平方米	2898	3413	17.8
68	#经济适用房屋	元/平方米	1900	2226	17.2
69	**五、规模以上工业企业**				
70	企业单位数	个	12067	14027	16.2
71	工业总产值	亿元	13454.9	15567.0	15.7
72	资产总计	亿元	15431.4	19221.0	24.6
73	利润总额	亿元	909.0	1092.5	20.2

续表

序号	指标	单位	2008年	2009年	增长率（%）
74	总资产贡献率	%	12.6	11.4	-10.2
75	资产负债率	%	52.2	54.0	3.4
76	**六、交通运输业**				
77	运输线路长度				
78	铁路营业里程	公里	2711	2980	9.9
79	内河航道里程	公里	8181	8247	0.8
80	公路里程	公里	188366	197196	4.7
81	#高速公路	公里	2719	3283	20.7
82	货运量	万吨	71900	78984	9.9
83	#铁路	万吨	6460	6116	-5.3
84	公路	万吨	52759	59563	12.9
85	水运	万吨	12681	13305	4.9
86	客运量	万人	87838	94334	7.4
87	#铁路	万人	4918	5260	7.0
88	公路	万人	82532	88703	7.5
89	水运	万人	388	371	-4.4
90	**七、国内商业**				
91	社会消费品零售总额	亿元	5109.7	5928.4	16.0
92	**八、对外贸易和旅游**				
93	货物进出口总额（按经营单位所在地分）	万美元	2070567	1725102	-16.7
94	出口	万美元	1170891	997880	-14.8
95	进口	万美元	899676	727222	-19.2
96	外商投资企业货物进出口总额	万美元	735954	703772	-4.4
97	出口	万美元	378604	338756	-10.5
98	进口	万美元	357351	365016	2.1
99	外商投资企业基本情况				
100	年底登记数	户	7560	7237	-4.3
101	投资总额	亿美元	340.3	377.2	10.8
102	注册资本	亿美元	200.8	219.8	9.4
103	#外方	亿美元	144.7	162.3	12.2
104	对外承包工程				
105	完成营业额	万美元	153456	275913	79.8
106	对外劳务合作				
107	完成营业额	万美元	6856	5368	-21.7
108	接待国际旅游人数	万人次	118.75	133.46	12.4
109	#外国人	万人次	92.66	101.76	9.8
110	国际旅游外汇收入	百万美元	442.55	510.20	15.3
111	**九、财政**				
112	地方财政一般预算收入	亿元	710.8	814.9	14.6
113	#国内增值税	亿元	106.7	114.0	6.8
114	营业税	亿元	169.9	206.8	21.7

续表

序 号	指 标	单 位	2008 年	2009 年	增长率（%）
115	个人所得税	亿元	28.1	29.4	4.8
116	地方财政一般预算支出	亿元	1650.3	2090.9	26.7
117	**十、物价指数**				
118	商品零售价格指数	上年＝100	106.3	98.6	
119	居民消费价格指数	上年＝100	106.3	99.6	
120	#城市	上年＝100	105.5	99.3	
121	农村	上年＝100	107.4	100.0	
122	**十一、人民生活**				
123	收入				
124	农村居民家庭人均纯收入	元	4656	5035	8.1
125	城镇居民家庭人均可支配收入	元	13153	14367	10.0
126	居民消费水平	元	7406	7791	5.5
127	农村居民	元	3864	4137	6.7
128	城镇居民	元	11780	12080	3.9
129	住房				
130	农村居民人均住房面积	平方米	39.0	40.1	2.7
131	**十二、教育**				
132	高等学校数	所	118	120	1.7
133	高等学校招生数	人	354335	373333	5.4
134	高等学校在校学生数	人	1184915	1249061	5.4
135	高等学校毕业生数	人	351854	328202	-6.7
136	**十三、卫生**				
137	卫生机构数	个	10305	32790	
138	#医院、卫生院	个	1796	1796	0.0
139	医疗机构床位数	张	167673	187156	11.6
140	#医院、卫生院	张	153920	171813	11.6
141	卫生技术人员数	人	233823	246985	5.6
142	#执业（助理）医师	人	92037	97869	6.3

注：1. 地区生产总值及其三次产业、城镇居民人均可支配收入和居民消费水平的增长速度按可比价格计算。
2. 卫生机构数2009年起含村卫生室，与历史数据不可比。

武汉市

综　述

2009年，面对国际金融危机的严重冲击和影响，全市人民在市委、市政府领导下，深入落实科学发展观，认真贯彻中央一系列宏观调控政策，多措并举，共克时艰，迎难而上，国民经济快速回升，社会事业全面进步，民生状况继续改善。

2009年，全年地区生产总值4560.62亿元，比上年增长13.7%。其中，第一产业增加值149.06亿元，增长1.6%；第二产业增加值2142.14亿元，增长16.0%；第三产业增加值2269.42亿元，增长12.5%。一、二、三产业比重3.2:47.0:49.8，与上年相比，一产业下降0.5个百分点，二产业上升0.9个百分点，三产业下降0.4个百分点。

2009 年武汉市地区生产总值及增长情况

表 1　　单位：亿元

指标	绝对数	比上年增长（%）
生产总值	4560.62	13.7
第一产业	149.06	1.6
第二产业	2142.14	16.0
工　业	1772.14	16.7
建筑业	370.00	12.3
第三产业	2269.42	12.5
#交通运输、仓储和邮政业	230.66	0.1
信息传输、计算机服务和软件业	152.56	12.5
批发和零售业	405.67	13.4
住宿和餐饮业	174.57	7.9
金融业	311.30	18.3
房地产业	155.93	25.5

全年全口径财政收入 1005.03 亿元，比上年增长 27.0%。地方财政收入 535.54 亿元，增长 42.1%。地方一般预算收入 316.07 亿元，增长 14.0%，其中，税收收入 247.95 亿元，增长 12.5%；非税收入 68.12 亿元，增长 19.7%。

全年居民消费价格比上年下降 0.6%，其中，食品类上涨 0.5%，非食品类下降 1.1%；消费品类下降 0.3%，服务项目类下降 1.5%。商品零售价格下降 1.6%。工业品出厂价格下降 6.0%，其中，轻工业品下降 2.9%，重工业品下降 7.6%；生产资料下降 8.0%，生活资料下降 1.7%。原材料、燃料、动力购进价格下降 7.8%。

2009 年武汉市居民消费价格指数

表 2　　（上年 =100）

指　标	2009 年	2008 年
居民消费价格指数	99.4	105.7
1. 食　品	100.5	114.1
2. 烟酒及用品	102.3	105.6
3. 衣　着	100.0	100.4
4. 家庭设备用品及维修服务	99.9	98.1
5. 医疗保健和个人用品	102.3	104.9
6. 交通和通信	98.2	98.5
7. 娱乐教育文化用品及服务	97.4	98.6
8. 居　住	96.3	105.1

年末全市新增全民创业基地面积 104 万平方米。创业培训人数 11500 人。新增全民创业小额担保贷款 5.59 亿元。扶持劳动者自主创业人数 3.24 万人，直接带动 8.81 万人就业。新增企业 2.67 万户、个体工商户 6.93 万户。

全市城镇单位在岗职工人数 159.05 万人。城镇新增就业人数 14.52 万人，下岗职工实现再就业 5.01 万人，帮扶困难群体再就业 1.65 万人，转移农村富余劳动力 6.52 万人。城镇登记失业人员 11.12 万人，登记失业率 4.2%。

工业经济

全年规模以上工业增加值 1656.15 亿元，比上年增长 18.5%。规模以上工业总产值 5032.18 亿元，增长 10.2%。其中，轻工业总产值 1152.79 亿元，增长 17.5%；重工业总产值 3879.39 亿元，增长 8.2%。

2009 年武汉市规模以上工业企业总产值及增长情况

表 3　　单位：亿元

指标	绝对数	比上年增长（%）
工业总产值	5032.18	10.2
#国有经济	1333.86	-8.1
集体经济	28.31	4.3
股份制企业	2020.79	15.7
外商港澳台经济	1567.96	23.1
#轻工业	1152.79	17.5
重工业	3879.39	8.2

全年钢材产量 1265.19 万吨，比上年下降 3.1%；生铁产量 1342.88 万吨，下降 1.2%；汽车产量 49.21 万辆，增长 45.6%；原油加工量 451.16 万吨，增长 13.8%；显示器 1152.94 万台，增长 10.5%；房间空调器 514.28 万台，增长 4.2%；卷烟 255.72 万箱，增长 2.6%；软饮料 215.90 万吨，增长 27.7%；啤酒 8.98 亿升，增长 1.2%；发电量 167.74 亿千瓦小时，下降 0.5%。

在规模以上工业企业中，钢铁及深加工、汽车及零部件、石油化工、电子信息、装备制造、能源及环保、食品烟草、生物医药、纺织服装、日用轻工、建材等 11 个主要行业工业总产值 4901.71 亿元，占规模以上工业的 97.4%。其中，6 个行业产值过 500 亿元，比上年增加 3 个；8 个企业产值过 100 亿元，增加 2 个。规模以上工业企业 2538 个，增加 385 个。

2009 年武汉市规模以上工业企业分行业总产值及增长情况

表 4　　单位：亿元

指标	绝对数	比上年增长（%）
汽车及零部件	857.24	33.0
装备制造	738.10	12.5
电子信息	717.89	24.1
钢铁及深加工	663.76	-21.2
食品烟草	564.58	15.9
能源及环保	514.35	6.8
石油化工	295.56	0.3
日用轻工	223.85	6.7
建材	144.19	28.7
生物医药	92.83	12.8
纺织服装	89.36	13.0

全年 7 个中心城区规模以上工业总产值 2237.3 亿元，比上年增长 1.0%；6 个远城区 1040.06 亿元，增长 22.5%；两大开发区 1939.45 亿元，增长 18.7%。其中，东湖新技术开发区 837.52 亿元，增长 21.7%；武汉经济技术开发区 1101.93 亿元，增长 16.5%。

全年规模以上工业产品销售率 98.10%，比上年提高 0.2 个百分点；工业产品销售收入 5752.16 亿元，增长 14.3%；实现利税总额 637.06 亿元，增长 20.5%．其中，利润总额 236.22 亿元，增长 9.4%。

全年全社会建筑业增加值 370.00 亿元，比上年增长 12.3%。具有资质等级的建筑企业 1382 家，比上年增加 13 家；实现建筑业产值 1967.19 亿元，增长 22.2%；实现利润 63.62 亿元，增长 20.2%。

固定资产投资

全年全社会固定资产投资 3001.10 亿元，比上年增长 33.3%，其中，城镇固定资产投资 2921.76 亿元，增长 32.7%。

在城镇固定资产投资中，第一产业投资 18.28 亿元，比上年下降 16.3%；第二产业投资 734.79 亿元，增长 10.3%，其中，制造业投资 638.78 亿元，增长 8.3%；第三产业投资 2168.69 亿元，增长 43.2%。

2009 年武汉市固定资产投资及增长情况

表 5　　单位：亿元

指标	绝对数	比上年增长（%）
全社会固定资产投资	3001.10	33.3
城镇固定资产投资	2921.76	32.7
按行业分：		
第一产业	18.28	-16.3
第二产业	734.79	10.3
#制造业	638.78	8.3
第三产业	2168.69	43.2
按构成分：		
建筑工程	1537.73	31.0
安装工程	180.87	25.3
设备购置	570.04	26.6
其他费用	633.12	45.8

全年城镇固定资产投资新开工项目 2117 个，比上年增加 510 个，其中，投资在亿元以上项目 206 个，增加 135 个。新开工项目投资总规模 1312.27 亿元，增长 46.3%。全年市级重点项目 404 个，完成投资 1137.50 亿元，增长 45.0%。武钢三硅钢、东风本田、神龙二厂、东风自主品牌乘用车、南车集团武汉生产基地等 59 个重大项目相继竣工投产。

技术创新

东湖新技术开发区被国务院批准为全国第二个“国家自主创新示范区”，武汉市被授予“国家创新型试点城市”，武汉市的改革发展再次上升为国家战略。年末全市科技研究机构 108 所，比上年增加 4 所。科技活动人员 7.5 万人，增加 0.4 万人。承担国家级科技计划项目 1198 项，增加 5 项。市科技计划项目 680 项，增加 83 项。全年研究与实验发展（R&D）经费支出占地区生产总值的比重为 2.35%，提高 0.2 个百分点。全年市科技局登记科技成果 331 项。全市科技成果获奖数 353 项，其中，国家奖 14 项。专利申请 12100 件，增加 830 件，其中，发明专利 3100 件，增加 195 件；专利授权 5500 件，增加 171 件，其中，发明授权 1000 件，增加 14 件。技术市场合同成交额 74.04 亿元，增长 24.3%。

年末全市高新技术企业 430 个，比上年增加 103 个；民营科技企业 6355 个，增加 58 个。全年实现高新技术产业产值 2055.00 亿元，增长

18.5%；高新技术产业增加值711.03亿元，增长18.2%。民营科技企业技工贸总收入860.00亿元，增长10.3%。

商品流通

全年社会消费品零售总额2164.09亿元，比上年增长17.0%。按行业分，批发业零售额1824.63亿元，增长17.9%；住宿餐饮业零售额277.60亿元，增长12.4%；其他行业零售额61.86亿元，增长10.5%。按用途分，吃的商品零售额500.33亿元，增长8.7%；穿的商品零售额382.29亿元，增长11.6%；用的商品零售额1280.89亿元，增长22.4%。

全年限额以上批发零售和住宿餐饮企业零售额920.23亿元，比上年增长20.2%；占社会消费品零售总额的42.5%，提高1.1个百分点。武商摩尔商场、宜家销品茂、汉阳摩尔城、汉口北国际商品交易中心、四季美农贸城、中国家具CBD、汉口沿江商务区等大型商贸项目进度加快。武昌区户部巷等6条特色商业街建成。加快推进"万村千乡市场工程"，销售家电下乡产品14.3万台。

2009年武汉市社会消费品零售总额及增长情况

表6　　单位：亿元

指标	绝对数	比上年增长（%）
社会消费品零售总额	2164.09	17.0
按行业分：		
批发零售业	1824.63	17.9
#限额以上	857.29	21.1
住宿餐饮业	277.60	12.4
#限额以上	62.94	8.4
其他	61.86	10.5
按业态分（限额以上）：		
百货商店	168.72	17.2
超级市场	221.08	15.0
专业店	292.65	26.6
专卖店	150.91	28.7
便利店	20.96	2.5
其他	2.96	9.7

年末全市大中型综合超市130个，比上年增加22个；便民超市、百货店、专业店、专卖店2472个，增加726个。登记注册的商品交易市场637个，其中，消费品市场570个。

外经外贸

全年外贸进出口总额114.73亿美元，比上年下降18.2%。其中，进口56.47亿美元，下降20.4%；出口58.25亿美元，下降16.0%。在出口总额中，一般贸易出口26.73亿美元，下降37.5%；加工贸易出口27.84亿美元，增长19.0%。在出口产品中，机电产品出口39.55亿美元，增长2.8%；高新技术产品出口17.38亿美元，下降1.5%。出口国别和地区数184个，减少2个。

全年实际利用外资29.35亿美元，比上年增长14.1%。引进外资在1000万美元以上的项目58项，增加3项；引进外资在3000万美元以上项目31项，与上年持平。累计批准三资企业5434户，增加127家。世界500强企业在汉投资77家，增加3家；投资项目96项，增加4项。

2009年武汉市对外贸易和实际利用外资情况

表7　　单位：亿美元

指标	绝对数	比上年增长（%）
进出口总额	114.73	-18.2
进口	56.47	-20.4
出口	58.25	-16.0
#一般贸易	26.73	-37.5
加工贸易	27.84	19.0
实际利用外资额	29.35	14.1

全年对外签定承包工程劳务合同总金额7.10亿美元，比上年增长84.3%。对外工程承包和劳务合作营业额5.73亿美元，增长135.7%。在境外兴办企业9家，增加5家。

全年引进内资388亿元，比上年增长15.0%。引进投资规模在5000万元以上的内资企业36个，增加8个。引进投资规模在亿元以上的项目161个，增加19个，其中，10亿元以上项目42个，5亿～10亿元项目24个，1亿～5亿元95个。累计登记驻汉办事机构314家，增加9家，其中，注册资金在1000万元以上的大企业、大公司、大集团驻汉办65家。引进国内民营500强企业总部6家、地区总部4家、研发中心2家。

交通运输、邮电通信和旅游业

武汉市获批全国首个综合交通枢纽研究试点城市。规模亚洲第一的武汉北编组站建成投入使用，天兴洲公铁两用长江大桥建成通车，7 条城市高速出口公路全部建成。武汉市火车站投入使用，武汉至上海、广州客运专线开通，武汉市进入“高铁时代”。全年交通客货运输换算周转量2384.8 亿吨公里，比上年增长 6.5%。年末民用航线 146 条，增加 5 条。其中，国际航线 17 条，增加 5 条；国内航线 129 条，与上年持平。航空旅客吞吐量突破 1 千万人，达到 1130.5 万人，增长 22.9%。公路通车里程 11571.91 公里，增长 16.2%，其中，等级公路 11204.65 公里，高速公路 614.90 公里。公路路网密度 151.60 公里/百平方公里，增长 16.2%。民用车辆拥有量 90.76 万辆，增长 10.9%，其中，小型汽车 47.45 万辆，增长 24.0%。在小型汽车中，私人小汽车 38 万辆，增长 32.4%。

2009 年武汉市各种运输方式完成客货周转量及增长情况

表 8

指　标	计量单位	绝对数	比上年增长（%）
货物周转量	亿吨公里	1900.05	8.6
铁路	亿吨公里	1032.40	-5.9
水运	亿吨公里	584.63	2.0
公路	亿吨公里	282.19	257.7
航空	亿吨公里	0.83	-9.5
旅客周转量	亿人公里	654.94	3.7
铁路	亿人公里	466.70	-1.5
公路	亿人公里	109.53	34.1
航空	亿人公里	78.72	3.9

全年电信业务总量 284.83 亿元，比上年增长 40.2%。年末移动电话用户 1037 万户，增长 27.2%，移动电话普及率 123.7 部/百人。固定电话用户 339 万户，下降 10.8%，其中，住宅电话用户 142 万户，下降 4.7%，固定电话普及率 40.4 部/百人。互联网宽带用户 166 万户，增长 25.8%。

全年接待国内旅游人数 6359.99 万人次，比上年增长 37.9%；接待海外旅游人数 66.9 万人次，增长 25.3%。实现旅游总收入 508.65 亿元，增长 36.1%，其中，国内旅游收入 486.18 亿元，增长 36.6%；国际旅游外汇收入 3.29 亿美元，增长 29.4%。年末旅游景区 32 个，比上年增加 1 个，其中，5A 级 1 个，4A 级 9 个，3A 级 9 个，3A 级以下 13 个。旅游星级以上宾馆 111 个。其中，五星级 10 个，增加 3 个；四星级 25 个，增加 1 个；三星级 48 个，减少 1 个；三星级以下 28 个。

资源节约和环境保护

大东湖生态水网构建工程总体方案获国家发改委批准。水生态系统保护与修复试点工作通过国家验收。全年限期治理老污染源 27 项，整治排污口 30 项。城市污水集中处理率 89.8%，比上年提高 9.1 个百分点；工业废水排放达标率 99.0%；饮用水源水质达标率 100%。城市生活垃圾无害化处理率 77%，提高 3 个百分点。化学需氧量排放量 14.89 万吨，下降 1.8%；二氧化硫排放量 12.01 万吨，下降 2.9%；空气污染指数年平均值 77，下降 4 个百分点；环境空气质量优良率 82.5%，提高 2.5 个百分点，全年空气污染好于二级天数 301 天。区域环境噪声平均值 54.7 分贝，增加 0.3 分贝，其中，交通干线噪声平均值 69.1 分贝，增加 0.1 分贝。工业固体废弃物综合利用率 90%，提高 0.4 个百分点。

（撰稿：吴建利）

湖南省

综　述

2009 年，面对国际金融危机严重冲击，湖南省委、省政府全面分析、准确判断、果断决策、从容应对，领导全省人民深入学习实践科学发展观，全面贯彻国家扩内需保增长一揽子计划，结合湖南实际，创造性地统筹做好“保增长、扩内需、调结构、促就业、强基础”的各项工作，全省经济继续保持平稳较快发展，各项社会事业取得新的进步。

2009 年，湖南省经济继续保持平稳较快增长。初步核算，全省地区生产总值 12930.69 亿元，比上年增长 13.6%。其中，第一产业增加值 1969.67 亿元，增长 5.0%；第二产业增加值 5682.19 亿元，增长 18.9%；第三产业增加值 5278.83 亿元，增长 11.0%。按常住人口计算，人均地区生产总值 20226 元，增长 13.1%。

一是经济结构得到优化。全省三次产业的比重为 15.2:43.9:40.9，其中二、三产业比重比上年分别提高 0.4 个和 0.8 个百分点。非公有制经济增加值

7099.20亿元，占全省地区生产总值的比重为54.9%；增长15.1%，比上年提高0.7个百分点。非公有制规模工业实现增加值2451.77亿元，占规模工业的比重为57.7%，比上年提高2.7个百分点；增长27.1%，比上年提高1.2个百分点。

二是区域经济协调发展。长株潭三市通信实现并网升位、同城收费，长株潭城市群“两型社会”试验区建设取得实质性进展，核心增长极日益突出。初步核算，长株潭三市生产总值5506.71亿元，增长14.5%；“3+5”地区生产总值10347.52亿元，增长14.0%。大湘西地区开发加快，实现生产总值1696.4亿元，增长13.0%。湘南地区实现生产总值2629.59亿元，增长14.9%，成为区域发展的新亮点。

三是自主创新能力不断提高。区域创新基础能力建设及重大科技专项大力推进，新增2个国家级、22个省级工程技术研究中心，新增4个国家级、6个省级企业重点实验室。中科院湖南技术转移中心启动运转。全省承担国家“863”计划项目191项，高新技术产业发展项目48项。全省高新技术产业增加值1427.09亿元，增长24.7%。签订技术合同5257项，技术合同成交金额44.04亿元。全年共取得省部级以上科技成果982项；完成省级及以上新产品开发项目2841项，增长1.2倍；获得国家科学技术奖励成果30项。其中，获国家科技进步奖一等奖2项，国家技术发明奖二等奖3项，国家科技进步奖二等奖25项。成功研制“天河一号”千万亿次超级计算机系统；大功率机车、高压电抗器、220吨自动轮卸车等具有行业领先水平的新产品成功投产。长沙高新区进入国家级创新型科技园区行列。年末拥有中国驰名商标62件。其中，新增15件。

四是节能减排有新进展。全省单位规模工业增加值能耗比上年下降13.7%，单位GDP电耗比上年下降3.01%。列入国家“千家节能企业”的28家企业综合能源消费量增长2.3%，比规模工业综合能源消费量增速低1.7个百分点；占规模工业综合能源消费量的比重为37.6%。全省“百家节能企业”（不含国家“千家节能企业”）的综合能源消费量下降1.8%，比规模工业综合能源消费量增速低5.8个百分点；占规模工业综合能源消费量的比重为17.4%。全省年综合能耗在万吨标准煤及以上的重点耗能工业企业上报的68种单位产品能耗指标中，有45种下降，占66.2%。全省化学需氧量减排超额完成年度目标，提前完成“十一五”二氧化硫减排任务。

工业经济

（一）规模工业产销衔接良好

2009年，在湖南省委省政府保增长、扩内需、调结构的一系列政策措施的积极推动下，全省规模工业生产和销售总体上保持稳定较快增长的势头，产销衔接情况良好，部分产品库存回补现象逐渐明显。

1. 工业产品销售快速增长。2009年，全省累计完成销售产值13092.75亿元，同比增长17.2%，完成工业总产值同比增长17.5%，生产与销售总体上保持同步增长的格局。轻重工业产品销售均呈现较快增长的势头。2009年，轻工业销售产值比上年同期增长21.9%；重工业销售产值增长15.3%，轻工业快于重工业6.6个百分点。

分经济类型看，股份合作企业销售产值同比增长23.3%；股份制企业增长18.5%；集体企业增长15.2%；外商及港澳台投资企业增长11.5%；国有企业增长2.2%。

在全省重要工业产品实物量库存统计的121种主要产品中，83种产品累计销售量增长，其中有22种产品增长超过50%，民用钢质船舶累计销售增长最快，达到9.0倍。

2. 工业产销衔接水平良好。2009年，全省规模工业产销衔接良好，全年产销率为98.44%，比上年同期低0.2个百分点。其中，重工业产销率98.51%，比全省水平高0.07个百分点；轻工业98.29%。分时段看，全年产销衔接水平呈上升趋势，上半年产销率为98.22%，全年累计水平提高0.22个百分点。

全省统计的主要产品中，有56种产品产销率均比上年有不同程度提高，有43种产品产销率超过100.0%，其中大型型钢、家用电冰箱、数控金属切削机床和客车等4种产品的产销率在105.0%以上。

3. 工业产品库存回补明显。2009年，全省统计的主要产品中，企业产品实物库存比年初增加的有63种，占52.1%。其中，比年初库存增长50%以上的有25种，增长1倍以上的有17种。企业库存回补的力度比较大，显示企业对后期发展的信心增强。

（二）湖南新型工业化发展情况

1. 增长速度快，主导作用增强。2009年，全省紧紧围绕推进新型工业化这一主线，着力在深化、加速、带动上下功夫。全省全部工业实现增加值4814.40亿元，增长18.5%，增速比上年提高2.5个百分点，工业对经济增长的贡献率达50.3%，比上年高3.0个百分点，为改革开放以来的新高。其中，规模以上工业增加值4250.06亿元，增长20.5%，比上年加快2.1个百分点，增幅居全国第5位、中部第2位。全省规模以上工业38个大类行业中，除石油加工、炼焦及核燃料加工业外，其余37个行业生产实现增长，专用设备制造业、交通运输设备制造业、非金属矿物制品业和农副食品加工业，生产分别增长37.1%、33.4%、29.8%和28.7%。

2. 企业规模不断扩大，经济效益明显好转。2009年，全省规模工业企业累计实现主营业务收入

12769.40亿元，同比增长18.7%；主营业务收入过亿元的企业2370户，比上年增加632户。其中，过10亿元的企业100户，比上年增加4户；过100亿元的企业9户，比上年增加1户。盈亏相抵后，规模工业企业实现利润571.90亿元，增长46.1%，扭转上年下降的局面。全省工业企业实缴税金657.57亿元，增长8.3%，占财政总收入的43.7%，其中工业企业实缴国税574.21亿元，同比增长7.2%；实缴地税83.36亿元，增长16.2%。全省规模工业吸纳就业人员225.92万人，比上年增加14万人，对就业的拉动作用更加突出。

3. 研发力度加大，科技创新亮点多。2009年，全省研发经费支出达110.63亿元，占GDP的比重为0.9%；工矿企业获得专利授权3693项，同比增长66.1%，比上年快39.2个百分点；全省高新技术产业增加值1427.10亿元，占地区生产总值的11%，比上年提高1.2个百分点。全省规模工业专业技术人员21.84万人，占规模工业企业从业人员的9.7%；规模工业企业信息化建设投入24.41亿元，占规模工业增加值的0.6%；限额以上电子信息产业实现增加值302.29亿元，占生产总值的比重为2.3%，比上年同期提高0.1个百分点。

4. 改造和提升并举，节能减排成效显著。2009年，全省规模工业黑色金属冶炼及压延加工业等六大高耗能行业实现增加值1510.18亿元，增长13.9%，增加值总量占全省规模工业的35.5%，比上年降低4.4个百分点。全省规模工业单位增加值能耗下降13.69%，比上年多下降1.85个百分点。工业企业主要污染物排放总量减少，实现万元工业增加值所产生的二氧化硫、化学需氧量、砷、镉分别为14.36千克、4.39千克、1.01克和0.22克；二氧化硫、化学需氧量、砷、镉排放总量分别削减7.5%、10.9%、26.7%和29.1%。

5. 集聚程度有所提高，资源利用效率提升。2009年，全省省级及以上园区规模工业实现增加值1443.19亿元，占规模工业的比重为34.0%，比上年提高1.0个百分点。工业集聚发展程度不断提高，促进土地集约利用水平提升。全省新投产工业项目建设用地定额指标达标率为100%；每公顷工业用地实现工业增加值445.60万元，同比增长17.0%，比上年提高3.6个百分点。

6. 投入力度加大，发展后劲增强。2009年，全省全社会固定资产投资7695.35亿元，同比增长36.2%，比上年加快4.6个百分点；其中完成工业固定资产投资3082.50亿元，增长39.8%；工业技术改造投资2036.43亿元，增长36.7%。2009年，全省工业招商引资实际到位资金1136.05亿元，增长20.3%；其中，实际利用外商直接投资35.18亿美元，增长22.9%；引进内资895.72亿元，增长20.7%。

（三）湖南新型工业化发展面临的主要困难

一是产业结构调整有待进一步优化。湖南省产业结构虽得到一定程度的调整和改善，但产业结构不尽合理的状况仍较为突出，高耗能行业比重相对偏高。2009年，黑色金属冶炼及压延加工业等六大高耗能行业增加值占规模工业的三分之一强，为35.5%，分别比湖北、安徽高2.7个和8.5个百分点。

二是环境保护有待进一步加强。从环境保护数据来看，2009年湖南部分市州工业企业主要污染物排放总量削减率与2008年相比有所回落，郴州、湘潭、怀化、株洲和益阳工业企业二氧化硫削减率分别比2008年回落15.9个、10.7个、5.5个、3.2个和2.9个百分点；娄底、湘西自治州工业企业砷削减率分别比2008年回落20.5个和15.6个百分点。全省发生浏阳市镉污染、武冈1354名儿童疑似血铅超标等多起重大环境污染事故，表明在部分地区“两高一资”行业出现反弹苗头、企业违法偷排现象有所增多，环境保护工作有待进一步加强。

三是信息化程度有待进一步提高。信息化是新型工业化的“引擎”。从当前湖南的实际来看，信息化程度不高、科技创新能力不强。2009年，全省规模工业企业信息化建设投入占规模工业增加值比重不到1%，仅为0.6%；限额以上电子信息产业实现增加值302.29亿元，占生产总值的比重为2.3%，比三季度下降0.2个百分点。电子信息设备制造业占增加值比重为2.6%。全省规模工业企业研发经费140.93亿元，每1000元主营业务成本中只有30元用于企业研究开发。新产品产值率为10.4%，比2008年下降0.4个百分点。

固定资产投资

一是投资对经济增长的贡献率提高。全省全社会固定资产投资7695.35亿元，比上年增长36.2%，对经济增长的贡献率为64.7%，比上年提高7.1个百分点。其中，城镇固定资产投资6880.09亿元，增长37.7%。分产业看，第一产业投资130.95亿元，增长105%；第二产业投资2845.07亿元，增长39.5%；第三产业投资3904.06亿元，增长35%。

二是投资结构不断优化。全省城镇投资中，工业投资2758.62亿元，增长38.4%，占城镇固定资产投资的40.1%；民生工程投资292.51亿元，增长46.3%；生态环境投资240亿元，增长140.3%；基础设施投资2154.17亿元，增长40.8%。

三是重点项目建设进展顺利。全省176个在建重点项目完成投资1230亿元，占全社会固定资产投资的16%。投资亿元以上的在建项目1458项，完成投资2335.48亿元，增长28.1%。新开工高速公路14条，邵永、衡炎等高速公路建成通车，全省高速公路通车里程达2227公里。

四是房地产市场回暖。全省商品房屋销售面积3513.72万平方米，增长32.3%，扭转了上年下降2.9%的局面；商品房销售额941.60亿元，增长54.0%，比上年提高45个百分点。房地产开发投资1084.66亿元，增长13.5%。

商品流通

2009年，湖南省消费品市场呈活跃态势，具体来说有以下几个特点：

1. 扩内需政策效应凸显。2009年，在国际金融危机冲击的背景下，扩内需政策的效应凸显，全省社会消费品零售总额实际增幅达21.1%，创23年来最高水平，比1998年亚洲金融危机时高10.7个百分点，消费品市场实现超常规增长。2008年四季度以来，面对国际金融危机，中央和湖南省果断出台“扩内需、保增长”的一揽子计划，政策的着力点是全面扩大国内需求，特别是增强消费需求对经济增长的拉动力，主要措施有：增加居民收入，提高企业退休人员养老金水平和城市低收入群体的补助标准；积极推动家电下乡、汽车摩托车下乡和以旧换新等刺激政策，不断提高对“三农”的各项补助标准；降低小排量汽车税费支出，鼓励汽车消费；围绕进一步搞活流通，加强市场引导、服务和监管，维护市场稳定，降低住宿和餐饮业企业的用水用电价格；发放商品、旅游等方面的消费券，刺激低收入群体消费等等。

2. 企业应对有方。为应对国际金融危机影响，全省各大商家积极调整经营策略，通过扩大规模、开拓市场、并购重组、加强市场营销等方式，调整结构，转变发展方式，成功应对冲击，抓住危机中的商机，繁荣活跃市场，拉动居民消费。全省零售业实现零售额3348.40亿元，增长19.8%，住宿餐饮业实现零售额706.37亿元，增长18.7%。如湘潭步步高建成湖南最大商业Mall，并率先在国内推出平价百货这种全新的零售业态；华天大酒店纷纷并购各大宾馆，组建新型商务酒店；各大汽车销售商、家用电器专业店、百货商店和超级市场等大打降价促销牌，汽车销售井喷，家用电器热销。

3. 居民消费活跃。2009年，限额以上批发和零售业中，耐用品、非耐用品零售额分别为432.83亿元、763.82亿元，增长38.0%、15.8%，耐用品零售额增速比非耐用品高22.2个百分点，在国际金融危机的影响下居民消费并未出现“口红效应”，这种趋势与美欧国家完全相反，表明湖南省居民消费在国际金融危机的影响下依然保持活跃。这是由于长期以来湖南省居民是一种典型的“高储蓄—谨慎保守型”消费模式，2009年末全省城乡居民储蓄存款7809.77亿元，比2008年末增加1260.32亿元，增长19.2%；另外，改革开放以来湖南省城乡居民收入保持年均13.4%、12.1%的增长速度，社会保障不断加强，收入积累和消费升级均处于历史最好时期；加之在扩内需政策和商家促销活动的吸引下，居民积累的消费欲望被激发，购买力得到有效释放。

4. 消费热点频现。利用2009年限额以上批发和零售业商品类值数据，运用偏离－份额分析的数学模型，可以分析2009年消费品零售市场中的消费热点。

由分析可知，限额以上批发和零售业各类商品中总偏离值较大、具有竞争力优势、贡献较大的依次是汽车类、服装鞋帽针纺织品类、家用电器和音像器材类、中西药品类、日用品类、化妆品类、金银珠宝类商品，表明这些商品是2009年消费品零售市场的消费热点。

汽车消费火爆。在国家燃油税改革、汽车产业调整和振兴规划、购置税减半等一系列鼓励政策的刺激下，居民购车需求得到充分释放。2009年，限额以上批发零售业企业中，汽车类零售额273.40亿元，增长45.3%，比2008年高22.2个百分点，对限额以上批发零售业企业零售额增长的贡献率达38.2%。

家用电器热销。随着国家“家电下乡”政策的实施及住房销售的快速增长，全省家庭设备用品市场活跃，新型、性价比好的产品如液晶电视、滚筒洗衣机、节能变频空调等家用电器持续热销。2009年，限额以上批发零售企业中，家用电器类零售额82.46亿元，增长30.3%，比2008年高15个百分点，对限额以上批发零售业企业零售额增长的贡献率达8.6%。

享受型商品消费热度不减。尽管年初居民消费信心一度受国际金融危机影响而有所下降，但随着湖南省整体经济的发展好于预期，居民消费信心迅速回升，享受型商品消费热度不减。2009年，限额以上批发和零售业企业中，服装鞋帽针纺织品类、化妆品类、金银珠宝类零售额合计152.14亿元，增长29.5%，对限额以上批发零售业企业零售额增长的贡献率达15.5%。

5. 市场结构优化。市场集中度进一步提高。2009年，在国际金融危机影响下，商业结构加快调整，市场集中度进一步提高。2009年，限额以上批发和零售业、住宿和餐饮业零售额占社会消费品零售总额的26.4%，比上年提高0.8个百分点；10亿元以上的商品交易市场36个，比上年增加4个，其中湖南钢材大市场、三湘南湖大市场年成交额突破百亿元大关，分别达到151.03亿元和104.84亿元。新型业态进一步发展。2009年，尽管零售业受国际金融危机冲击较大，但是全省百货商店、超级市场、专业店、专卖店等新型业态发展势头依然较好，规模效应凸显，成为最具活力的市场经营业态。限额以上零售业实现零售额1079.99亿元，增长23.5%，其中百货商店、超级市场、专业店、专卖店、便利店、仓储会员店、家居建材商店分别增长 21.8%、21.4%、24.4%、23.8%、22.2%、21.9%、22.8%。连锁经营方式进一步扩张。2009 年，在国际金融危机背景下商业企业经营方式发生转变，连锁经营呈现多业态发展格局，连锁企业规模扩张的速度加快，限额以上批发和零售业、住宿和餐饮业中，连锁经营企业实现零售额378.15 亿元，增长 25.5%，占限额以上批发和零售业、住宿和餐饮业零售额的 29.1%，比上年提高 0.6 个百分点。

外经外贸

据海关统计，2009 年湖南省进出口额 101.51 亿美元，比上年下降 19.1%。其中出口 54.92 亿美元，下降 34.7%；进口 46.59 亿美元，增长 12.9%。

（一）出口下滑，总量退回到两年前的水平

受外部需求疲软的影响，2009 年湖南省出口严重受阻，出口额比 2007 年下降 15.8%，仅比 2006 年高 7.8%。

一是对主要贸易伙伴出口全面下降。美国、欧盟、韩国、日本等国家和中国香港特区作为湖南省主要的贸易伙伴，受金融危机冲击较为严重，需求下滑。2009 年，湖南省对美国出口 6.26 亿美元，下降 41.6%；对欧盟出口 8.51 亿美元，下降 39.7%；对韩国出口 4.34 亿美元，下降 49.4%；对日本出口 3.41 亿美元，下降 21.9%；对香港出口 6.06 亿美元，下降 19.8%。

二是主要商品出口大幅下降。2009 年，湖南省机电产品出口 16.64 亿美元，比上年下降 33.9%，其中金属制品、机械设备、电器及电子产品和运输工具出口额分别为 2.68 亿美元、4.68 亿美元、4.70 亿美元和 3.36 亿美元，分别下降 36.0%、47.0%、9.8% 和 41.3%。钢材出口 8.36 亿美元，下降 56.1%；未锻造银出口 2.16 亿美元，下降 43.1%；未锻造的锰出口 1.36 亿美元，下降 65.8%；汽车（包括整套散件）出口 1.90 亿美元，下降 48.1%，其中：工程机械类汽车出口 1.1 亿美元，下降 67.2%。

三是高新技术产品和传统特色产品出口实现增长。2009 年，湖南省高新技术产品出口 2.97 亿美元，比上年增长 6.5%，其中计算机与通信技术出口 1.16 亿美元，增长 34.4%。烟花、爆竹出口 3.19 亿美元，增长 9.1%；肉及杂碎出口 1.42 亿美元，增长 28.5%；鞋出口 0.66 亿美元，增长 7.6%；肠衣出口 0.55 亿美元，增长 71.7%。

（二）进口增加，总量创历年新高

2009 年上半年，湖南进口一度下滑，8 月开始止跌回升，之后继续上扬。全年进口 46.59 亿美元，比上年增长 12.9%，比全国平均速度高 24.1 个百分点，增速排全国第 4 位。

1. 自非洲、欧盟和美洲进口增长。2009 年，湖南自非洲进口 4.05 亿美元，增长 113.2%；自欧盟进口 13.75 亿美元，增长 27.8%；自拉丁美洲进口 4.07 亿美元，增长 13.9%；自北美洲进口 3.62 亿美元，增长 6.5%。

2. 原材料、关键设备及部件进口普遍快速增长。2009 年，变压整流、电感器及零件进口 2.27 亿美元，增长 139.0%；铅矿砂及其精矿进口 1.49 亿美元，增长 9.5%；锌矿砂及其精矿进口 1.46 亿美元，增长 36.4%；计量检测分析自控仪器及器具进口 1.28 亿美元，增长 60.8%；汽车零件进口 1.00 亿美元，增长 31.5%；电动机及发电机进口 0.87 亿美元，增长 159.8%；纸浆进口 0.72 亿美元，增长 60.1%；机械提升搬运装卸设备及零件进口 0.53 亿美元，增长 578.3%。

3. 高新技术产品进口增长。2009 年，高新技术产品进口 4.07 亿美元，增长 55.7%。其中：计算机集成制造技术进口 1.90 亿美元，增长 71.5%；电子技术进口 0.98 亿美元，增长 99.6%；光电技术进口 0.49 亿美元，增长 77.4%。

（三）招商引资取得新成绩

全省实际利用外商直接投资 45.98 亿美元，增长 14.8%。其中，工业实际利用外商直接投资 35.18 亿美元，增长 22.9%。年末世界 500 强企业已有 47 家在湘落户。全省实际引进境内省外资金 1442.98 亿元，增长 17.3%。其中，工业引进资金 895.72 亿元，增长 20.7%。全省实际引进到位资金亿元以上项目 194 个，实际到位资金 363.94 亿元。

实施“走出去”战略取得丰硕成果。全省新签对外承包工程、劳务合作和设计咨询合同金额 15.62 亿美元，下降 36.9%；实现营业额 10.79 亿美元，增长 2.2%；外派劳务 3.42 万人，增长 35.3%。新批境外投资企业 94 家，合同投资额 53.43 亿美元，增长 10.2 倍；实际对外投资 10.16 亿美元，增长 1.2 倍。

旅游业加快发展。全省接待国内旅游者 15934.16 万人次，增长 25.3%；接待入境旅游者 130.87 万人次，增长 17.9%。实现旅游总收入 1099.47 亿元，增长 29.1%。其中，国内旅游收入 1053.52 亿元，增长 30.3%；旅游外汇收入 6.73 亿美元，增长 9.0%。年末全省共有等级旅游区（点）233 家。其中，4A 级及以上旅游区（点）43 家，比上年新增 5 家。

交通运输和邮电通信业

（一）交通运输业

2009 年，湖南省交通运输业认真贯彻中央和省委经济工作会议精神，坚持落实科学发展观，积极应对金融危机，实现稳步发展。全年完成客货换算周转量3267.96亿吨公里，同比增长4.1%，其中，客运量141172.11万人，增长7.3%；旅客周转量1329.18亿吨公里，增长3.1%；货运量达128894.12万吨，增长11.0%；货物周转量达2538.34亿吨公里，增长5.6%。

1. 整体发展自三季度开始回升向好，全年累计增速呈V型走势。一季度，湖南交通运输生产保持了较快增长，但呈逐月回落趋势，各月累计增长速度分别为：26.5%、20.0%、10.9%；二季度，交通运输生产继续下行至6月份触底，各月累计增幅分别为：8.7%、1.5%、-0.6%；三季度，运输生产呈现出积极向好的态势，增长速度逐月回升，分别为：-0.3%、-0.3%、0.2%；进入四季度，运输生产呈持续快速增长态势，增幅逐月加快，分别为：1.4%、3.0%、4.1%。从各月累计增幅看看，无论是客货换算周转量还是客货运量都成V型走势。

2. 铁路货运量减少，客运量小幅增长。2009年，湖南省铁路完成货物发送量5405.70万吨，同比下降2.8%；完成货物周转量1030.77亿吨公里，同比下降0.5%。从主要大宗物质的运量来看，煤炭、石油、焦炭等资源性物资的装车数分别下降6.8%、5.3%和21.6%，钢铁、矿建、水泥等基础设施建设物资的装车数分别增长6.9%、0.4%和34.4%，化肥农药等农资产品的装车数增长15.3%。铁路旅客发送量继续保持小幅增长，日均客运量达到17.8万人。全年湖南省铁路完成客运量6519.8万人，比上年增长3.2%；完成旅客周转量664.68亿人公里，下降1.5%。

3. 公路运输稳定发展，客货运输量保持快速增长。2009年，随着燃油税改革方案、养路费和运管费停征、二级公路收费逐步取消等一系列政策的实施，以及公路和高速公路里程进一步延伸，湖南公路运输稳定发展，全年完成客运量133357.00万人，增长7.3%，旅客周转量601.11亿人公里，增长6.3%；完成货运量111358.00万吨，增长12.8%，货物周转量1259.91亿吨公里，增长16.1%。

4. 水路客运保持较快增长，货运低迷。2009年，湖南省水路完成客运量747万人，增长30.7%，旅客周转量1.01亿人公里，增长23.2%。完成货运量11834.00万吨，增长2.9%，货物周转量246.44亿吨公里，下降12.9%。

5. 民航客货运输高位运行，旅客吞吐量首次突破1000万人次。2009年，湖南省民航运输全年保持高位运行，旅客吞吐量首次突破1000万人次，达到1280万人次，增长32.1%，其中长沙黄花机场旅客吞吐量1128万人次。全年湖南省民航完成客运量548.31万人，比上年增长30.7%，旅客周转量62.37亿人公里，增长30.7%。完成货运量4.62万吨，增长21.6%，货物周转量0.59亿吨公里，增长22.9%。

（二）邮电通信业

全省邮电业务总量894.56亿元，增长18.9%。其中，邮政业务总量38.95亿元，增长14.2%；电信业务总量855.61亿元，增长19.2%。年末局用交换机总容量1207.5万门，下降1.2%。年末固定电话用户1166.95万户，固定电话普及率为16.91户/百人，每百人减少1.46户；移动电话用户2872.69万户，增长27.0%。移动电话普及率为41.63户/百人，每百人增加8.6户。年末互联网宽带用户303.16万户，增长36.4%。

2008—2009年湖南省经济社会发展主要指标

序号	指标	单位	2008年	2009年	增长率（%）
1	**一、人口和就业**				
2	年底人口数	万人	6380.0	6406.0	0.4
3	人口自然增长率	‰	5.40	6.11	
4	就业人员数	万人	3811	3908	2.5
5	**按产业分：**				
6	第一产业	万人	1890	1876	-0.7
7	第二产业	万人	762	815	6.9
8	第三产业	万人	1159	1216	5.0
9	**城镇就业人员（按登记注册类型分）**				
10	国有单位	万人	265.95	264.50	-0.5
11	集体单位	万人	31.62	29.26	-7.5
12	股份合作单位	万人	6.10	7.80	27.9
13	联营单位	万人	1.30	1.60	23.1
14	有限责任公司	万人	87.60	103.00	17.6

续表

序 号	指 标	单 位	2008 年	2009 年	增长率（%）
15	股份有限公司	万人	39.00	41.10	5.4
16	私营企业	万人	171.38	190.25	11.0
17	港澳台商投资单位	万人	9.70	10.90	12.4
18	外商投资单位	万人	9.70	12.50	28.9
19	个体	万人	135.73	144.40	6.4
20	城镇登记失业人数	万人	47.01	47.81	1.7
21	**二、国民经济核算**				
22	地区生产总值	亿元	11156.6	13059.7	13.7
23	**按产业分：**				
24	第一产业	亿元	2007.4	1969.7	5.0
25	第二产业	亿元	4933.1	5687.2	18.9
26	工业	亿元	4280.2	4819.4	
27	建筑业	亿元	652.9	867.8	
28	第三产业	亿元	4216.2	5402.8	11.3
29	#交通运输、仓储和邮政业	亿元	523.1	704.8	
30	批发和零售贸易业	亿元	766.4	1221.2	
31	**三、固定资产投资**				
32	投资总额	亿元	5534.0	7703.4	39.2
33	**按投资种类分：**				
34	城镇	亿元	4880.0	6880.0	41.0
35	#房地产开发	亿元	955.9	1084.6	13.5
36	农村	亿元	654.1	823.4	25.9
37	#农户	亿元	232.0	298.1	28.5
38	非农户	亿元	422.1	525.2	24.4
39	**按建设规模分：**				
40	建设总规模	亿元	15714.1	20414.1	29.9
41	在建总规模	亿元	12563.6	16616.3	32.3
42	在建净规模	亿元	6131.2	8109.6	32.3
43	**按资金来源分：**				
44	国家预算内资金	亿元	381.4	658.7	72.7
45	国内贷款	亿元	651.6	1198.1	83.9
46	利用外资	亿元	91.2	80.6	-11.6
47	自筹资金	亿元	3961.1	5210.9	31.5
48	其他投资	亿元	752.4	1028.4	36.7
49	**四、房地产开发**				
50	本年完成土地开发面积	万平方米	1259	1120	-11.1
51	本年土地购置费用	亿元	155.4	119.2	-23.3

续表

序号	指标	单位	2008年	2009年	增长率（%）
52	本年土地购置面积	万平方米	2040	1002	-50.9
53	本年完成投资额	万元	9559153	10845775	13.5
54	#住宅	万元	7030758	8378977	19.2
55	#经济适用房屋	万元	226069	378300	67.3
56	房屋施工面积	万平方米	10716	13728	28.1
57	房屋竣工面积	万平方米	2394	2965	23.9
58	本年新开工房屋面积	万平方米	4231	5320	25.7
59	#住宅	万平方米	3580	4418	23.4
60	#经济适用房屋	万平方米	117	210	80.2
61	商品房屋销售面积	万平方米	2656	3514	32.3
62	#住宅	万平方米	2414	3262	35.2
63	#经济适用房屋	万平方米	97	136	39.8
64	商品房屋销售额	万元	6113306	9415971	54.0
65	#住宅	万元	5101149	8260738	61.9
66	商品房屋平均销售价格	元/平方米	2302	2680	16.4
67	#住宅	元/平方米	2113	2532	19.8
68	#经济适用房屋	元/平方米	1388	1641	18.2
69	**五、规模以上工业企业**				
70	企业单位数	个	12391	13311	7.4
71	工业总产值	亿元	11553.3	13507.6	16.9
72	资产总计	亿元	8856.2	10175.1	14.9
73	利润总额	亿元	663.6	758.5	14.3
74	总资产贡献率	%	20.2	19.4	-4.0
75	资产负债率	%	58.1	60.8	4.6
76	**六、交通运输业**				
77	运输线路长度				
78	铁路营业里程	公里	2895	3693	27.6
79	内河航道里程	公里	11495	11495	0.0
80	公路里程	公里	184568	191405	3.7
81	#高速公路	公里	2001	2226	11.2
82	货运量	万吨	116145	128921	11.0
83	#铁路	万吨	5892	5736	-2.6
84	公路	万吨	98759	111351	12.8
85	水运	万吨	11494	11834	3.0
86	客运量	万人	131067	140572	7.3
87	#铁路	万人	6284	6466	2.9
88	公路	万人	124274	133359	7.3

续表

序号	指标	单位	2008 年	2009 年	增长率（%）
89	水运	万人	509	747	46.8
90	七、国内商业				
91	社会消费品零售总额	亿元	4222.6	4913.7	16.4
92	八、对外贸易和旅游				
93	货物进出口总额（按经营单位所在地分）	万美元	1254719	1014947	-19.1
94	出口	万美元	841288	549203	-34.7
95	进口	万美元	413431	465743	12.7
96	外商投资企业货物进出口总额	万美元	193352	182177	-5.8
97	出口	万美元	105041	86058	-18.1
98	进口	万美元	88310	96118	8.8
99	外商投资企业基本情况				
100	年底登记数	户	5085	5220	2.7
101	投资总额	亿美元	266.2	279.6	5.0
102	注册资本	亿美元	153.8	158.2	2.8
103	#外方	亿美元	117.4	124.2	5.8
104	对外承包工程				
105	完成营业额	万美元	57230	54785	-4.3
106	对外劳务合作				
107	完成营业额	万美元	6157	6498	5.5
108	接待国际旅游人数	万人次	111.02	130.87	17.9
109	#外国人	万人次	71.10	64.08	-9.9
110	国际旅游外汇收入	百万美元	617.42	672.70	9.0
111	九、财政				
112	地方财政一般预算收入	亿元	722.7	847.6	17.3
113	#国内增值税	亿元	95.4	96.6	1.3
114	营业税	亿元	174.3	217.2	24.6
115	个人所得税	亿元	28.4	30.4	6.8
116	地方财政一般预算支出	亿元	1765.2	2210.4	25.2
117	十、物价指数				
118	商品零售价格指数	上年=100	105.6	98.5	
119	居民消费价格指数	上年=100	106.0	99.6	
120	#城市	上年=100	105.8	99.7	
121	农村	上年=100	107.4	99.6	
122	十一、人民生活				
123	收入				
124	农村居民家庭人均纯收入	元	4512	4909	8.8
125	城镇居民家庭人均可支配收入	元	13821	15084	9.5

续表

序 号	指 标	单 位	2008 年	2009 年	增长率（%）
126	居民消费水平	元	7145	7929	8.9
127	农村居民	元	3926	4154	6.1
128	城镇居民	元	11716	13000	7.8
129	住房				
130	农村居民人均住房面积	平方米	40.7	41.7	2.4
131	十二、教育				
132	高等学校数	所	115	115	0.0
133	高等学校招生数	人	292060	314422	7.7
134	高等学校在校学生数	人	952330	1016833	6.8
135	高等学校毕业生数	人	244706	254253	3.9
136	十三、卫生				
137	卫生机构数	个	14455	55200	
138	#医院、卫生院	个	3111	3103	-0.3
139	医疗机构床位数	张	187732	212043	12.9
140	#医院、卫生院	张	174749	197288	12.9
141	卫生技术人员数	人	232084	253547	9.2
142	#执业（助理）医师	人	96305	105790	9.8

注：1. 地区生产总值及其三次产业、城镇居民人均可支配收入和居民消费水平的增长速度按可比价格计算。

2. 卫生机构数2009年起含村卫生室，与历史数据不可比。

广东省

综 述

2009年，面对国际金融危机的严重冲击，广东省坚决贯彻落实中央关于保增长、扩内需、调结构的各项决策部署，大力实施《珠江三角洲地区改革发展规划纲要（2008—2020年）》，着力推进“三促进一保持”，全力以赴保增长，创新举措扩内需，抓住机遇调结构，全省经济保持平稳较快发展。

经济综合实力再上新台阶。2009年，全省完成地区生产总值39482.56亿元，比上年增长9.7%，占全国的比重为11.6%，已连续21年稳居全国首位。其中，第一产业增加值2010.27亿元，增长4.9%；第二产业增加值19419.70亿元，增长9.2%；第三产业增加值18052.59亿元，增长10.8%。人均地区生产总值41166元，增长8.6%，按年平均汇价折算突破6000美元，达6026美元，比全国人均水平高2282美元，与中等偏上收入国家人均水平的差距由上年的2809美元下降至1241美元。

财政收入稳定增长，金融运行总体平稳。2009年，来源于广东省的财政总收入9052.26亿元，比上年增长6.9%；地方财政一般预算收入3649.81亿元，增长10.3%；其中税收收入3130.61亿元，增长9.3%。年末中外资金融机构本外币各项存款余额69691.46亿元，比上年末增长24.2%；其中城乡居民储蓄存款余额32136.32亿元，增长14.0%；各项贷款余额44510.22亿元，增长31.5%。

固定资产投资快速增长，消费市场保持旺势。2009年，全省完成全社会固定资产投资13353.15亿元，比上年增长19.6%。其中，第一产业投资130.25亿元，增长18.9%；第二产业投资4458.17亿元，增长13.2%；第三产业投资8764.73亿元，增长23.1%。实现社会消费品零售总额14891.78亿元，比上年增长14.7%，扣除物价因素，实际增长18.5%，创下1992年以来的最高增速。

物价水平全面回落。2009年，居民消费价格总水平下降2.3%，其中食品类下降1.5%。工业品出厂价格下降4.2%，其中生产资料下降5.4%，生活资料下降1.8%。原材料、燃料、动力购进价格下降

6.2%，其中燃料、动力类下降6.9%，黑色金属材料类下降9.0%，有色金属材料和电线类下降14.6%，化工原料类下降10.0%。固定资产投资价格下降3.3%。农产品生产价格下降5.0%。农业生产资料价格下降1.8%。商品零售价格下降3.2%，其中城市下降3.3%，农村下降3.0%。

煤电油运有效供应。电力方面，2009年全省发电机装机容量6490.89万千瓦，增长8.3%；发购电量3747.43亿千瓦时，增长2.8%，其中外购电量1081.48亿千瓦时，增长12.3%；全社会用电量3609.64亿千瓦时，增长2.9%，其中工业用电量2391.89亿千瓦时，下降0.3%。油品市场方面，2009年成品油销售量2327.37万吨，增长4.0%。煤炭调运方面，2009年总调入量12950万吨，增长3.6%，其中进口煤3100万吨，增长59.0%。

工业经济

（一）工业总量规模继续领先

2009年，广东省全部工业增加值18091.56亿元，增长8.8%，占全国比重达13.4%，已连续14年稳居全国首位；其中规模以上工业增加值18235.21亿元，增长8.9%。相当部分产品在国内占有重要地位。2009年在国家重点监测的336种产品中，广东省有19种产品产量占全国的一半以上；产量居全国第一位的有70种，居前三位的有158种，居前五位的有198种，分别占全国的20.8%、47.0%和58.9%。其中，电饭锅产量1.37亿个，组合音响8951万台，电话单机1.30亿部，电风扇1.34亿台，分别占全国的91.5%、90.6%、89.3%、84.0%；房间空气调节器4119万台，占全国的51.0%；程控交换机1808万线，占全国的43.5%；彩色电视机4093万台，占全国的41.3%；手机1.81亿台，占全国的29.2%；集成电路96.45亿块，占全国的23.3%；乙烯220.14万吨，占全国的20.5%；家用电冰箱1058万台，占全国的17.8%；微型电子计算机1962万台，占全国的10.8%；汽车113.08万辆，占全国的8.2%；发电量2666亿千瓦小时，占全国的7.2%；原油1345万吨，占全国的7.1%；天然气58.43亿立方米，占全国的6.9%；水泥10029万吨，占全国的6.1%。

（二）产业结构调整优化步伐加快

一是产业高级化步伐加快。2009年，先进制造业增加值7425.91亿元，占规模以上工业的40.7%，同比提高0.9个百分点；高技术制造业增加值3852.74亿元，占规模以上工业的21.1%，同比提高0.3个百分点。

二是内生发展动力增强。2009年，国有和民营企业增加值合计占规模以上工业的48.3%，同比提高2.0个百分点；外商及港澳台商投资企业增加值占规模以上工业的51.3%，同比下降6.6个百分点。内外源经济各占全省工业的半壁江山，初步形成协调拉动格局。

三是内销拉动作用增强。2009年，工业品内销44748.74亿元，占工业销售产值的67.6%，同比提高5.2个百分点；拉动工业增长13.0个百分点，同比提高3.6个百分点。

四是区域发展协调性增强。2009年，东翼、山区规模以上工业增加值分别增长17.8%、17.5%，分别比全省平均水平高出8.9个、8.6个百分点；东西两翼及山区占全省规模以上工业的16.2%，同比提高1.2个百分点。

（三）产业转移工业园建设取得新进展

2009年，广东省大力开展省级产业转移工业园整合认定和示范园评选工作，新认定省产业转移工业园4个，提前完成五批共13个省级产业转移示范园评选，标志着产业转移铺摊子、搭平台工作基本结束。截至2009年12月31日，共有33个省产业转移工业园。按承接方分，山区拥有13个产业转移工业园，西翼有10个，东翼有3个，肇庆有3个，惠州有2个。按转移方分，产业转移工业园最多的是东莞，有8个；其次是佛山，有7个；再次是深圳，有6个；其余依次是广州4个、中山4个、珠海2个。另外，汕头和江门各有1个产业转移工业园，均为地市自行建设，没有共建方。33个省产业转移工业园已开发土地10760公顷，已投入开发资金357.32亿元，已签订入园投资正式协议项目1579个，投资额3649.4亿元。2009年，已建成的887个项目累计实现产值924.4亿元，创税48.2万元，提供就业岗位39.2万个，安排当地26.7万人就业。

（四）产业集群升级示范区建设不断深化

2009年，广东省大力实施千百亿名牌培育和产业集群升级工程，着力培育主营业务收入过百上千亿元企业和超千亿元产业群，新增产业集群升级示范区14个，总数达到61个。61个省级产业集群升级示范区共有各类企业12.45万家，实现工业总产值9193.7亿元，占全省规模以上工业的13.5%；实现工业增加值2106.5亿元，占全省规模以上工业的11.6%。已建成产品研发、质量检测、信息服务、人才培训、知识产权保护、教育培训等各类公共服务机构近350个，已拥有省级以上企业技术中心和工程中心248个，建立技术创新中心等创新服务机构75个，获得省级以上名牌产品539个，驰（著）名商标580件，分别占全省的38.2%和23.9%，已申请或注册集体商标28个，有35个产品获得原产国标记，41个产品获得地理标志保护。

（五）工业出口大幅下滑

2009年，广东省完成规模以上工业销售产值

66288.95 亿元，产品销售率为 97.09%，工业品产销衔接维持在较高水平。由于国际金融危机影响，外部市场的萎缩，广东省工业出口大幅下滑，全年完成出口交货值 21488.54 亿元，同比下降 10.3%，增幅比上年下降 18.8 个百分点。全省 21 个地级市中，出口交货值增长最快的是东翼的揭阳市，增速高达 27.4%；增长最慢的是珠三角的珠海市，比上年下降了 23.6%；出口交货值在千亿元以上的有 6 个，分别是深圳市、东莞市、广州市、佛山市、惠州市、中山市，除中山市增长 1.2% 外，其余 5 个均呈现负增长。

（六）工业企业经济效益大幅回升

2009 年，广东省规模以上工业共实现利润总额 4204.40 亿元，增长 28.5%，增幅比上年回升 22.4 个百分点；亏损企业亏损额 310.68 亿元，下降 37.4%，降幅比上年扩大 143.3 个百分点。工业经济运行质量也相应回升，2009 年 1—11 月工业经济综合效益指数 179.9，同比提高 9.7 点。2009 年，规模以上工业成本费用利润率为 6.88%，同比提高 1.34 个百分点；销售利税率为 10.27%，同比提高 0.59 个百分点；全员劳动生产率为 126984 元/人，同比提高 9044 元/人。此外，也有四项指标出现恶化，其中，总资产贡献率、资本保值增值率、产品销售率三项指标，分别下降 0.14 个、5.14 个、0.04 个百分点；资产负债率上升 0.59 个百分点。

固定资产投资

2009 年，广东省完成全社会固定资产投资 13353.15 亿元，增长 19.6%。其中，城镇投资 10395.03 亿元，增长 18.3%；农村投资 2958.12 亿元，增长 24.5%。呈现如下特点：

1. 第一、三产业投资增长较快，第二产业投资增长较缓。2009 年，第一、二、三产业分别完成投资 130.25 亿元、4458.17 亿元、8764.73 亿元，分别增长 18.9%、13.2%、23.1%。第三产业投资占全社会固定资产投资的 65.6%，同比提高 1.9 个百分点；其中交通运输、仓储和邮政业投资 1766.55 亿元，增长 47.1%。第二产业投资中，工业投资 4445.82 亿元，增长 13.7%；工业九大产业投资 2139.57 亿元，增长 1.7%；装备工业投资 984.88 亿元，下降 8.1%；高耗能工业投资 263.05 亿元，增长 37.4%。

2. 国有经济投资增长较快，港澳台和外商投资出现下滑。2009 年，内源性经济投资 11163.98 亿元，增长 27.4%，增幅比上年提高 7.9 个百分点。其中，国有经济投资 4199.04 亿元，增长 69.4%，增幅比上年大幅提高 53.1 个百分点；民营经济投资 4688.82 亿元，增长 10.1%，增幅比上年下降 1.6 个百分点。外源性经济投资 2189.17 亿元，下降 8.8%，增幅比上年下降 15.1 个百分点；其中，港澳台投资 1355.20 亿元，下降 11.1%，增幅比上年下降 18.3 个百分点；外商投资 833.97 亿元，下降 4.9%，增幅比上年下降 9.5 个百分点。

3. 国家预算内资金增长较快，利用外资出现下滑。2009 年，财务拨贷款合计 15889.16 亿元，增长 30.2%，增幅比上年大幅提高 23.3 个百分点。其中，国家预算内资金 379.74 亿元，增长 50.0%；国内贷款 2695.36 亿元，增长 43.5%；自筹资金 8636.85 亿元，增长 22.5%；利用外资 682.36 亿元，下降 12.5%，降幅比上年收窄 8.3 个百分点。

4. 珠三角投资稳固提升，东西两翼及山区投资大幅增长。2009 年，珠三角完成投资 9603.55 亿元，增长 22.7%，增幅比上年提高 9.4 个百分点；东翼完成投资 1137.81 亿元，增长 32.0%，增幅比上年提高 9.9 个百分点；西翼完成投资 812.73 亿元，增长 32.6%，增幅比上年提高 12.2 个百分点；山区完成投资 1799.06 亿元，增长 24.5%，增幅比上年提高 2.7 个百分点。东西两翼及山区投资占全省投资的比重达到 28.1%，同比提高 0.9 个百分点。全省 21 个地级市固定资产投资均实现两位数增长，其中增速最快的是云浮市，增长 68.2%；增速最慢的是汕头市，增长 11.7%。

5. 商品房投资增速回落，经济适用房投资大幅增长。2009 年，房地产开发投资 2961.32 亿元，增长 1.0%，增幅比上年回落 15.4 个百分点。其中，商品住宅投资 2090.09 亿元，下降 2.0%；经济适用房投资 15.82 亿元，增长 83.7%。全年商品房施工面积 24814.69 万平方米，增长 7.9%；竣工面积 5062.25 万平方米，增长 16.1%；销售面积 7060.03 万平方米，增长 46.3%。经济适用房施工面积 141.61 万平方米，增长 79.5%；竣工面积 15.86 万平方米，增长 144.0%；销售面积 40.21 万平方米，增长 488.7%。

技术进步

（一）技术投入创历史新高，投资结构不断优化

2009 年，广东省研发（R&D）经费支出 625.00 亿元，同比增长 23.9%；研发投入总量居全国第 3 位，研发投入强度（R&D/GDP）达到 1.60%，同比提高 0.19 个百分点；研发人员达到 28 万人，近三年翻了一番，规模跃居全国第一。2009 年 1—11 月，完成技术改造投资 1589.11 亿元，同比增长 46.5%，增速比上年同期提高 30.1 个百分点；其中工业技术改造投资 871.64 亿元，同比增长 31.7%，增速比上年同期提高 5.8 个百分点，占工业固定资产投资的比重达到 23.2%，同比提高 3.3 个百分点。分行业来看，工业九大产业技术改造投资 535.29 亿元，占全部工业技术改造投资的 61.4%%，其中三大新兴、三大传统、三大潜力产业分别占31.0%、22.9%、7.5%。分地区来看，珠三角完成技术改造投资1137.40亿元，同比增长39.6%，增速比上年同期提高22.8个百分点；东西两翼及山区技术改造投资增速显著加快，同比增长47.9%，增速比上年同期提高27.1个百分点，占全省技术改造投资的24.8%，同比提高1.1个百分点，有效促进了区域产业经济协调发展。

（二）自主创新成效显著，技术产出效益提升

2009年，广东省区域创新能力综合指标排名跃居全国第二，其中企业创新能力和创新经济绩效位居全国第一；综合科技进步水平指数达到66.03%，同比提高3.08个百分点，增幅排在全国第三位，比全国平均增幅高0.49个百分点，科技综合实力位居全国前列。

1. 技术创新平台更加完备。截至2009年12月31日，广东省共有国家级企业技术中心39家，省级企业技术中心432家；国家级工程技术研究中心19家，省级工程技术研究中心461家；国家级重点实验室13个，省级重点实验室123个。技术创新平台的建设和完善，对全省工业技术水平的提升乃至经济社会发展起到有力的支撑、引领和带动作用。

2. 技术产出效益大幅提升。2009年，广东省技术市场成交额达247.93亿元，同比增长34.2%，占全国的比重为8.2%，同比提高1.3个百分点。专利申请量125673件，比上年增长21.0%；授权量83621件，比上年增长34.8%。其中，发明专利申请量和授权量分别达到32247件和11355件，首次双双跃居全国首位，分别比上年增长14.8%和49.3%。

3. 大中型工业企业研发水平不断提高。2009年，广东省大中型工业企业R&D项目数达19080项，超过江苏省跃居全国首位，R&D人员22.46万人，R&D经费支出500.07亿元，继续位居全国首位；大中型工业企业新产品开发经费支出553.71亿元，超过江苏省跃居全国首位，新产品项目数23167项，新产品产值8029.02亿元，新产品销售收入7856.16亿元，继续位居全国首位。

（三）提前使用财政专项资金，省市共建先进制造业基地扎实推进

2009年，广东省开创性地实施建技术改造技术创新滚动计划，将2009—2012年省财政专项资金提前使用，集中投向支柱产业和重点企业。通过组织技术改造、技术创新、节能和循环经济、中小企业、现代服务等专项，安排省市共建项目599个，省级财政资金4.1亿元，带动市县配套1.36亿元。新增广州装备制造、珠海航空、顺德工业设计、揭阳纺织服装4个省市共建先进制造业基地。截至2009年12月31日，省市共建先进制造业基地总数达到17个，省财政共安排省市共建项目1170个，资金8.86亿元。

（四）企业技术中心建设取得重大突破，关键共性技术研发积极推进

2009年，广东省大力组织实施企业技术中心专项，支持300个重点企业研发及产业化项目，新增国家级企业技术中心3家、省级企业技术中心128家。安排7500万元支持先进机械精密制造等七大领域25项关键技术突破。加大企业研发投入力度，落实企业研发费用税前抵扣政策，帮助企业少缴所得税约9.4亿元，带动企业R&D投入近40亿元。大力推进液晶电视集成制造创新，“南海机型”被国内50多家彩电企业采用。

民营经济

（一）民营经济和中小企业发展环境不断完善

为帮助中小企业应对危机，广东省认真贯彻落实扶持民营经济和中小企业发展的各项政策，制定出台促进中小企业平稳健康发展的具体实施意见、促进民营经济发展政策落实等七个行动方案，省财政一次性新增10亿元大力扶持中小企业发展，落实1000家重点企业直通车制度和《广东省促进中小企业发展条例》，成立中小企业法律服务团，促进中小企业维稳和治乱减负，为中小企业创造了良好的法制环境。

为缓解中小企业融资难题，广东省进一步完善中小企业融资担保体系建设，推动村镇银行试点，设立中小企业信用再担保公司，全省19家担保机构获国家财政补贴1亿元，256家担保机构为15537家中小企业提供了813.5亿元贷款担保。组织下达四批中小企业“政银企”合作和两批贷款贴息项目2293项，安排贴息资金9.61亿元，拉动银行向中小企业贷款近400亿元，放大倍率约40倍。积极推动中小企业上市融资，建立改制待上市企业资源库，培育上市资源。

为提升中小企业经营管理水平和强化对中小企业的服务，广东省大力推进中小企业服务体系建设，下达服务体系建设、人才培训等项目资金共1.04亿元，评审出107家中小企业服务示范单位。组织开展“强企工程”、“服务推广日”活动和“企业家培育工程”，全省共有7.8万人次参加各类培训活动。与中国移动、中国联通公司联手推进中小企业信息化，建设大型电子商务平台——广东易发网，有效帮助中小企业开拓市场。

（二）民营经济继续保持平稳较快发展态势

2009年，广东省民营经济单位416.36万户，同比增长8.6%，2003—2009年年均增长10.2%；其中，私营企业和个体工商户分别达到81.34万个和325.91万个，同比分别增长11.1%和7.7%，2003—2009年年均分别增长17.8%和9.3%。

1. 民营经济增加值较快增长。2009年，民营经济实现增加值 16707.89 亿元，同比增长 12.3%；2003—2009 年年均增长 13.6%，比 GDP 年均增速快 0.3 个百分点；占 GDP 的42.3%，比上年提高 1.2 个百分点，比 2003 年提高 3.7 个百分点。

2. 民营经济投资大幅增长。2009 年，民营经济完成投资额 6958.25 亿元，同比增长 15.8%；2003—2009 年年均增长 24.5%，比全省固定资产投资年均增速快 5.6 个百分点；占全省固定资产投资的 52.1%，比上年略降 1.7 个百分点，但比 2003 年大幅提高 19.6 个百分点。

3. 民营经济出口所占比重显著提高。2009 年，民营经济出口总额 723.98 亿美元，同比下降 1.4%，降幅比全省出口总额平均降幅小 10.1 个百分点；2003—2009 年年均增长 50.5%，比全省出口总额年均增速快 33.3 百分点；占全省出口总额的 20.2%，比上年提高 2.3 个百分点，比 2003 年提高 12.8 个百分点。

4. 民营经济税金成为财政收入的重要增长源。2009 年，民营经济上缴税金 2305.59 亿元，同比增长 3.6%；2003—2009 年年均增长 23.2%，比全省财政一般预算收入年均增速快 6.0 个百分点；占全省财政一般预算收入的 63.2%，比上年下降 4.1 个百分点，但比 2003 年提高 9.6 个百分点。2003—2009 年，全省新增财政收入有 70% 以上由民营企业缴纳，民营经济税金成为财政收入的重要增长源。

5. 民营经济成为扩大城乡居民就业的重要渠道。2009 年，民营经济吸纳就业人员 2149.14 万人，同比增长 6.7%；2003—2009 年年均增长 11.5%，比全省就业人数年均增速快 6.9 百分点；占全省就业人数的 38.0%，比上年提高 1.7 个百分点，比 2003 年提高 13.3 个百分点。2003—2009 年，全省新增就业岗位中有 75% 以上由民营企业提供，民营经济成为新增就业的主要渠道。

商品流通

（一）加快推进流通服务业发展

2009 年，广东省深入推进“万村千乡”和“万巷千街”市场工程，加快完善农村和城市流通网络建设。新增国家级农家店 2551 家，配送中心 35 个；新增省级农家店 3551 家，配送中心 27 个。截至 2009 年 12 月 31 日，已建立国家级农家店 6564 家，配送中心 35 个，省级农家店 15478 家，配送中心 114 个，实现乡镇覆盖率达 100%，行政村覆盖率超过 65%。积极开展“家电下乡”、“汽车下乡”和“以旧换新”活动。2009 年，广东省家电下乡中标企业 138 家，中标产品 2880 个，分别占全国的 40.3% 和 41.0%，中标企业在全国范围内销售家电下乡产品 4200 万台，销售额 335 亿元，销售以旧换新产品 146 万台，销售额 60 亿元，均居全国首位。提出物流业发展目录，重点建设白云国际物流、南沙保税物流等 6 个物流基地。支持物流企业创新能力和创新体系建设，首次开展物流业省级企业技术中心认定。广州市、深圳市、佛山市、中山市被商务部认定为全国流通领域现代物流示范市。

（二）社会消费品零售总额增速创新高

2009 年，广东省消费品市场需求较旺，消费层次进一步提升，消费结构逐步优化，实现社会消费品零售总额 14891.78 亿元，增长 14.7%，扣除物价因素，实际增长 18.5%，增速创下 17 年来新高。呈现如下特点：

1. 城乡市场共同发展，大型交易市场和连锁经营销售额不断攀升。2009 年，城市消费品市场实现零售总额 11181.24 亿元，增长 14.6%，对全省社会消费品零售总额增长的贡献率达 74.9%；农村消费品市场日趋活跃，实现零售总额 3710.54 亿元，增长 14.8%，增速高于城市 0.2 个百分点。亿元以上商品交易市场成交额达 3768.74 亿元，增长 7.6%；限额以上连锁店销售总额 3085.91 亿元，增长 2.0%。

2. 家电、汽车市场销售畅旺，消费结构升级换代步伐加快。“家电下乡”、“汽车下乡”、“以旧换新”的实施带动了相关商品零售额增长，促进了消费结构升级换代，广东省的消费结构已由传统的以吃、穿为主转变为以住、行、用为主。2009 年限额以上批发零售企业零售额中，吃、穿类商品零售额 821.83 亿元，占 19.3%，其中食品、饮料、烟酒类商品零售额 455.52 亿元，增长 9.5%，服装鞋帽、针纺织品类商品零售额 366.31 亿元，增长 30.6%；住、行、用类商品零售额 3422.48 亿元，占 80.7%。在“住”的商品中，住房需求强劲带动相关商品零售额大幅增长，其中五金、电料类增长 80.9%，建筑及装潢材料类增长 40.0%，家具类增长 28.4%；在“行”的商品中，汽车销售红火，成为消费品市场的一大亮点，汽车类商品零售额 1275.52 亿元，增长 44.0%，占限额以上零售额的 30.1%，同比提高 6.0 个百分点；在“用”的商品中，化妆品类增长 33.9%，中西药品类增长 24.7%，体育、娱乐用品类增长 23.3%，金银珠宝类增长 19.7%，增幅均高于限额以上零售额 15.2% 的平均增速。

3. 东西两翼及山区消费增长较快，与珠三角的差距不断缩小。2009 年，全省 21 个地级市消费品市场均呈现较快增长的良好势头，零售总额位列前三的依次是广州市、深圳市和佛山市，分别为 3615.77 亿元、2567.94 亿元和 1408.78 亿元，三市合计占全省社会消费品零售总额的比重达 51.0%。分区域看，东翼实现社会消费品零售总额 1493.37 亿元，增长 19.1%；西翼实现社会消费品零售总额 1456.37 亿元，增长 17.1%；山区实现社会消费品零售总额

1107.31亿元，增长16.7%；东翼、西翼和山区增速分别比全省平均水平高4.4个、2.4个和2.0个百分点；珠三角实现社会消费品零售总额10834.73亿元，增长13.6%，增速比全省平均水平低1.1个百分点。东西两翼及山区社会消费品零售总额占全省的比重为27.2%，同比提高0.7个百分点，其中东翼、西翼、山区分别提高0.4个、0.2个、0.1个百分点。

外经外贸

（一）进出口严重下滑

2009年，受国际金融危机影响，广东省进出口增速严重下滑。全年进出口总额6111.18亿美元，同比下降10.8%。其中，出口总额3589.56亿美元，下降11.5%；进口总额2521.62亿美元，下降9.7%；实现顺差1067.94亿美元，下降14.5%。分月来看，进出口降幅呈逐月收窄态势，单月增速从11月份开始恢复增长，同比增长12.4%，12月份出现强劲增长，同比增长32.3%，月度进出口额创历史最高纪录；全年各月累计增速分别比三季度累计、二季度累计和一季度累计增速收窄6.9个、9.8个和12.2个百分点。

（二）贸易结构不断改善

1. 一般贸易进出口比重上升。2009年，一般贸易出口1098.16亿美元，下降5.7%，占全省出口总额的30.6%，同比提高1.8个百分点；一般贸易进口890.03亿美元，增长8.0%，占全省进口总额的35.3%，同比提高5.8个百分点。而加工贸易出口2231.27亿美元，下降14.6%，占出口总额的62.2%，同比下降2.5个百分点；加工贸易进口1328.14亿美元，下降14.7%，占进口总额的52.7%，同比下降3.1个百分点。

2. 对新兴市场出口比重上升。新兴市场开拓取得一定成效，对东盟出口逆势上扬，增长8.8%，增幅高于全省平均出口增速20.3个百分点，占全省出口总额的7.5%，同比提高1.4个百分点，东盟已成为广东省第一大进口来源地和第四大出口目的地；对非洲和大洋洲出口分别下降6.3%和0.2%，降幅分别低于全省平均出口增速5.2个和11.3个百分点，分别占全省出口总额的2.8%和1.6%，同比分别提高0.1个和0.2个百分点。

3. 加工贸易转型升级加快。一是出口商品结构进一步优化，高新技术产品出口额占全省出口总额的比重达到38.8%，同比提高2.0个百分点；二是进口商品结构进一步优化，机电产品和高新技术产品进口额占全省进口总额的比重分别达到62.5%和45.6%，同比分别提高0.2个和1.1个百分点；三是加工贸易增值率进一步提高，全年加工贸易增值率达到68.0%，同比提高0.2个百分点。

（三）实际利用外商直接投资略有增长

2009年，广东省新签订外商直接投资项目4346个，同比下降37.9%；合同利用外商直接投资175.58亿美元，下降38.7%；但实际利用外商直接投资195.35亿美元，增长1.9%。呈现如下特点：

1. 服务业利用外资比重上升，制造业利用外资比重下降。服务业实际利用外商直接投资75.79亿美元，增长6.3%，占全省利用外商直接投资总数的38.8%，同比提高1.6个百分点。制造业实际利用外商直接投资110.97亿美元，下降2.5%，占全省利用外商直接投资总数的56.8%，同比下降2.6个百分点。

2. 合作企业利用外资比重上升，合资独资企业利用外资比重下降。中外合作企业实际利用外商直接投资8.45亿美元，增长7.3%；占全省利用外商直接投资总数的4.3%，同比提高0.2个百分点。中外合资、外商独资企业分别实际利用外商直接投资27.53亿美元、154.57亿美元，分别下降6.3%、增长1.8%；分别占全省利用外商直接投资总数的14.1%、79.1%，同比分别下降1.2个、0.1个百分点。

3. 珠三角和东翼利用外资比重上升，西翼和山区利用外资比重下降。珠三角、东翼地区实际利用外商直接投资175.08亿元、6.75亿元，分别增长3.5%、6.6%，增速分别比全省平均水平高1.6个、4.7个百分点；分别占全省利用外商直接投资总数的89.6%、3.5%，同比分别提高1.2个、0.1个百分点。西翼、山区实际利用外商直接投资2.34亿美元、11.17亿美元，分别下降37.5%、8.2%；分别占全省利用外商直接投资总数的1.2%、5.7%，同比分别下降0.8个、0.6个百分点。

（四）区域经贸技术合作稳步推进

1. 成功筹办第六届中博会。第六届中博会共设标准展位6187个，参展企业达3935家，参会客商达25.46万人。其中，境外参展企业823家，境外企业展位达1512个，占总数的24.4%，超过国际展会境外企业展位占总数20%的标准，成为名副其实的国际展会。

2. 继续推进粤港澳服务业合作。加大CEPA补充协议六在广东省先行先试政策的落实，大力推进粤港澳服务业合作。与香港商务及经济发展局、香港贸发局联合主办“粤港会展业合作交流会”，与香港财经事务及库务局、香港交易及结算所有限公司共同主办“粤港金融合作—在香港上市及融资研讨会2009”，与香港贸发局联合举办第六届“粤港物流合作洽谈会”、“2009CEO论坛——应对危机：推进流通服务业模式创新”等。

3. 大力推进对外经济技术合作。2009年，广东省对外承包工程完成营业额75.88亿美元，同比增长

10.6%；对外劳务合作完成营业额5.95亿美元，增长1.8%；对外承包工程和劳务合作年末在外人员共3.52万人，增长1.8%。

交通运输、邮电通信和旅游业

（一）交通运输总体平稳较快增长

2009年，广东省完成货运量179722万吨，同比增长17.3%；货运周转量4942.83亿吨公里，增长7.7%。完成客运量428705万人，同比下降11.5%；旅客周转量2853.30亿人公里，增长11.8%。

1. 公路货运强劲增长，客运明显下降。2009年，公路货运量125433万吨，同比增长23.7%，占全部货运量的69.8%；货运周转量1518.43亿吨公里，增长23.9%。公路客运量406704万人，同比下降12.2%，占全部客运量的94.9%；旅客周转量为1470.06亿人公里，增长15.2%。

2. 铁路货运有所下降，客运略有下降。2009年，铁路货运量11254万吨，同比下降2.5%；货物周转量309.55亿吨公里，下降10.3%。铁路客运量13394万人，同比下降2.5%；旅客周转量407.72亿人公里，下降3.0%。

3. 水路货运平稳增长，客运大幅增长。2009年，水路货运量36623万吨，同比增长7.9%；货物周转量2937.94亿吨公里，增长2.9%。水路客运量1873万人，同比增长17.6%；旅客周转量7.06亿人公里，下降6.4%。

4. 航空货运平稳增长，客运大幅增长。2009年，航空货运量90万吨，同比增长5.9%；货物周转量18.83亿吨公里，增长2.4%。航空客运量6734万人，同比增长15.5%；旅客周转量968.46亿人公里，增长14.2%。

5. 港口货物吞吐量略有增长，旅客吞吐量明显下降。2009年，港口货物吞吐量102761万吨，同比增长4.0%；集装箱吞吐量3661.31万标准箱，下降4.8%；旅客吞吐量2137万人，下降15.3%。其中，沿海主要港口（包括广州港、湛江港、汕头港、深圳全港）货物吞吐量70700万吨，增长2.4%；集装箱吞吐量3050.22万标准箱，增长6.3%；旅客吞吐量1188.63万人，下降2.6%。

（二）邮电通讯业务平稳增长

2009年，广东省完成邮电业务总量4149.11亿元，同比增长16.1%，占全国的15.3%。其中，电信业务总量3847.33亿元，增长10.4%，占全国的15.1%；邮政业务总量301.78亿元，增长15.0%，占全国的18.4%。年末固定电话用户达到3366.63万户，同比下降5.8%，占全国的10.7%；移动电话用户达到8938.85万户，同比增长6.5%，占全国的11.9%。全年互联网上网人数达到4860万人，增长6.7%，占全国的12.7%。

（三）旅游业稳步发展

2009年，广东省口岸入境旅游人数10232.09万人次，同比下降0.9%；其中，外国人608.18万人次，下降1.3%；港澳台同胞9623.91万人次，下降0.9%。全省城市接待住宿旅游人数18193.55万人次，增长12.4%；其中入境旅游者2738.01万人次，国内旅游者15455.54万人次，分别增长5.5%和13.8%。全省旅游收入3068.39亿元，增长15.0%；其中，国际旅游外汇收入684.92亿元，增长7.3%；国内旅游收入2383.47亿元，增长17.4%。

节能减排

2009年，为推进节能降耗目标的落实，广东省突出抓好节能考核监察，全面落实问责制和一票否决制，组织实施十大重点节能工程和节能产品惠民工程，推进清洁生产、资源综合利用和循环经济发展，推进修订节约能源条例，完善节能法规和政策体系。节能降耗工作取得重大成效。2009年，广东省单位GDP能耗为0.684吨标准煤/万元，仅次于北京，位居全国第二，下降4.27%，降幅位居全国第26位；单位工业增加值能耗为0.809吨标准煤/万元，继续保持全国最低水平，下降6.94%，降幅位居全国第21位；单位GDP电耗为1002.09千瓦时/万元，位居全国第11位，下降6.13%，降幅位居全国第9位。2009，广东省淘汰落后水泥产能1069万吨、落后钢铁产能244万吨，关停小火电553万千瓦。2006—2009年，累计淘汰落后水泥产能5184万吨、落后钢铁产能1035万吨，累计关停小火电1096万千瓦，均超额完成国家下达的“十一五”淘汰关停任务。

从21个地级市的能耗绝对值来看，单位GDP能耗最低的是汕尾市，为0.528吨标煤/万元，最高的是韶关市，为1.737吨标煤/万元，两者相差2.29倍；单位工业增加值能耗最低的是中山市，为0.348吨标煤/万元，最高的是梅州市，为3.799吨标煤/万元，两者相差9.92倍；单位GDP电耗最低的是茂名市，为525.12千瓦时/万元，最高的是清远市，为1392.7千瓦时/万元，两者相差1.65倍。

从21个地级市的能耗降幅来看，单位GDP能耗降幅最大的是佛山市，下降6.93%，降幅最小的是深圳市和湛江市，均下降2.76%；单位工业增加值能耗降幅最大的是汕尾市，下降22.70%，降幅最小的是河源市，非但没有下降，反而大幅上升61.14%；单位GDP电耗降幅最大的是韶关市，下降9.88%；降幅最小的是河源市，非但没有下降，反而上升2.45%。

（撰稿：丁亚涛）

2008—2009 年广东省经济社会发展主要指标

序号	指标	单位	2008 年	2009 年	增长率（%）
1	一、人口和就业				
2	年底人口数	万人	9544.0	9638.0	1.0
3	人口自然增长率	‰	7.25	7.26	
4	就业人员数	万人	5478	5643	3.0
5	按产业分：				
6	第一产业	万人	1553	1537	-1.0
7	第二产业	万人	1831	1923	5.0
8	第三产业	万人	2094	2184	4.3
9	城镇就业人员（按登记注册类型分）				
10	国有单位	万人	385.14	389.17	1.0
11	集体单位	万人	60.64	58.33	-3.8
12	股份合作单位	万人	10.40	11.20	7.7
13	联营单位	万人	9.00	9.00	0.0
14	有限责任公司	万人	126.60	138.80	9.6
15	股份有限公司	万人	47.90	54.10	12.9
16	私营企业	万人	679.17	723.92	6.6
17	港澳台商投资单位	万人	222.10	243.30	9.5
18	外商投资单位	万人	141.50	145.10	2.5
19	个体	万人	464.34	498.26	7.3
20	城镇登记失业人数	万人	38.07	39.51	3.8
21	二、国民经济核算				
22	地区生产总值	亿元	35696.5	39482.6	9.7
23	按产业分：				
24	第一产业	亿元	1970.2	2010.3	4.9
25	第二产业	亿元	18402.6	19419.7	9.2
26	工业	亿元	17254.0	18091.6	
27	建筑业	亿元	1148.6	1328.1	
28	第三产业	亿元	15323.6	18052.6	10.8
29	#交通运输、仓储和邮政业	亿元	1387.5	1595.3	
30	批发和零售贸易业	亿元	3307.0	3907.4	
31	三、固定资产投资				
32	投资总额	亿元	10868.7	12933.1	19.0
33	按投资种类分：				
34	城镇	亿元	8640.9	10230.1	18.4
35	#房地产开发	亿元	2949.3	2961.3	0.4
36	农村	亿元	2227.8	2703.1	21.3
37	#农户	亿元	290.9	274.3	-5.7
38	非农户	亿元	1936.9	2428.8	25.4
39	按建设规模分：				
40	建设总规模	亿元	38566.8	47107.7	22.1
41	在建总规模	亿元	30331.8	38956.0	28.4
42	在建净规模	亿元	13514.4	18278.8	35.3
43	按资金来源分：				
44	国家预算内资金	亿元	213.0	326.1	53.1
45	国内贷款	亿元	1861.3	2697.9	44.9

续表

序号	指标	单位	2008年	2009年	增长率(%)
46	利用外资	亿元	780.4	676.8	-13.3
47	自筹资金	亿元	6975.5	8466.4	21.4
48	其他投资	亿元	2166.7	3297.4	52.2
49	**四、房地产开发**				
50	本年完成土地开发面积	万平方米	2169	1497	-31.0
51	本年土地购置费用	亿元	504.9	468.2	-7.3
52	本年土地购置面积	万平方米	2639	2260	-14.4
53	本年完成投资额	万元	29492536	29613189	0.4
54	#住宅	万元	21315812	20900933	-1.9
55	#经济适用房屋	万元	80847	158206	95.7
56	房屋施工面积	万平方米	23683	24815	4.8
57	房屋竣工面积	万平方米	5064	5062	0.0
58	本年新开工房屋面积	万平方米	6557	6480	-1.2
59	#住宅	万平方米	5163	5100	-1.2
60	#经济适用房屋	万平方米	33	79	136.0
61	商品房屋销售面积	万平方米	4852	7060	45.5
62	#住宅	万平方米	4360	6567	50.6
63	#经济适用房屋	万平方米	10	40	306.6
64	商品房屋销售额	万元	28883504	45985280	59.2
65	#住宅	万元	24956432	41766505	67.4
66	商品房屋平均销售价格	元/平方米	5953	6513	9.4
67	#住宅	元/平方米	5723	6360	11.1
68	#经济适用房屋	元/平方米	2380	2990	25.6
69	**五、规模以上工业企业**				
70	企业单位数	个	52574	52188	-0.7
71	工业总产值	亿元	65424.6	68275.8	4.4
72	资产总计	亿元	45750.2	50321.9	10.0
73	利润总额	亿元	3272.6	4204.4	28.5
74	总资产贡献率	%	14.3	14.2	-1.0
75	资产负债率	%	57.4	58.0	1.0
76	**六、交通运输业**				
77	运输线路长度				
78	铁路营业里程	公里	2165	2479	14.5
79	内河航道里程	公里	11844	11844	0.0
80	公路里程	公里	183155	184960	1.0
81	#高速公路	公里	3823	4035	5.5
82	货运量	万吨	142468	169653	19.1
83	#铁路	万吨	7105	7597	6.9
84	公路	万吨	101429	125433	23.7
85	水运	万吨	33934	36623	7.9
86	客运量	万人	475200	418938	-11.8
87	#铁路	万人	10613	10361	-2.4

续表

序号	指标	单位	2008年	2009年	增长率（%）
88	公路	万人	462997	406704	-12.2
89	水运	万人	1590	1873	17.8
90	七、国内商业				
91	社会消费品零售总额	亿元	12986.6	14891.8	14.7
92	八、对外贸易和旅游				
93	货物进出口总额（按经营单位所在地分）	万美元	68496880	61109405	-10.8
94	出口	万美元	40566447	35895489	-11.5
95	进口	万美元	27930433	25213916	-9.7
96	外商投资企业货物进出口总额	万美元	43848739	38241318	-12.8
97	出口	万美元	25567121	22379781	-12.5
98	进口	万美元	18281618	15861537	-13.2
99	外商投资企业基本情况				
100	年底登记数	户	90114	90189	0.1
101	投资总额	亿美元	3726.5	3939.3	5.7
102	注册资本	亿美元	2251.4	2343.1	4.1
103	#外方	亿美元	1806.2	1987.8	10.1
104	对外承包工程				
105	完成营业额	万美元	686045	758799	10.6
106	对外劳务合作				
107	完成营业额	万美元	58420	59469	1.8
108	接待国际旅游人数	万人次	2567.97	2747.80	7.0
109	#外国人	万人次	608.82	617.94	1.5
110	国际旅游外汇收入	百万美元	9174.98	10028.13	9.3
111	九、财政				
112	地方财政一般预算收入	亿元	3310.3	3649.8	10.3
113	#国内增值税	亿元	552.9	580.3	5.0
114	营业税	亿元	955.3	1073.4	12.4
115	个人所得税	亿元	236.4	239.0	1.1
116	地方财政一般预算支出	亿元	3778.6	4334.4	14.7
117	十、物价指数				
118	商品零售价格指数	上年=100	106.0	96.8	
119	居民消费价格指数	上年=100	105.6	97.7	
120	#城市	上年=100	105.5	97.6	
121	农村	上年=100	105.8	97.8	
122	十一、人民生活				
123	收入				
124	农村居民家庭人均纯收入	元	6400	6907	7.9
125	城镇居民家庭人均可支配收入	元	19733	21575	12.0
126	居民消费水平	元	14390	15291	11.1
127	农村居民	元	5176	5239	7.2
128	城镇居民	元	19743	21098	11.6
129	住房				

续表

序号	指标	单位	2008年	2009年	增长率（%）
130	农村居民人均住房面积	平方米	27.9	28.7	2.9
131	十二、教育				
132	高等学校数	所	125	125	0.0
133	高等学校招生数	人	384481	435870	13.4
134	高等学校在校学生数	人	1216390	1334089	9.7
135	高等学校毕业生数	人	282469	309190	9.5
136	十三、卫生				
137	卫生机构数	个	15819	44314	
138	#医院、卫生院	个	2427	2442	0.6
139	医疗机构床位数	张	250497	271982	8.6
140	#医院、卫生院	张	231583	250374	8.1
141	卫生技术人员数	人	384134	421325	9.7
142	#执业（助理）医师	人	144467	161401	11.7

注：1. 地区生产总值及其三次产业、城镇居民人均可支配收入和居民消费水平的增长速度按可比价格计算。
2. 卫生机构数2009年起含村卫生室，与历史数据不可比。

广州市

综　述

2009年，广州市经贸系统深入学习实践科学发展观活动，积极抗危机、保增长、调结构，牢牢把握贯彻实施《珠江三角洲地区改革发展规划纲要》和建设国家中心城市的契机，以“三促进一保持”为主线，紧紧围绕工商增长目标、节能降耗两大目标，加快推进重点项目、重点区域、重点企业建设，着力打造政策服务、融资、扩内需、公共服务等四个平台，危机之年实现了新发展。全市工商业实现增加值4504亿元，占全市GDP总量49.3%；实现税收1081亿元，对全市税收增长贡献率52.8%，比上年提高3.4个百分点；分别完成工业总产值和增加值12355亿元和3117亿元，同比增长11.7%和9.2%；社会消费品零售总额和商品销售总额分别为3616亿元和15142亿元，比增13.4%和13.0%。

（一）高端产业和高端业态发展提速，结构调整取得积极进展

汽车等三大支柱产业、装备制造业和高新技术产品完成工业总产值5290亿元、4667亿元和4053亿元，分别增长20.1%、22.7%和16.3%。汽车产量突破百万辆，增长27.7%。20家企业进入省装备制造业50强。新增10家国家A级物流企业，总数达38家。工业设计、节能服务、检测、认证等一批科技服务企业为产业集群发展提供技术支撑。全市展会面积达500万平方米，增长35%以上。连锁经营率超50%。新增7家“金鼎百货店”，当年新增国家级酒家2家，总数达53家。

（二）扩内需成效显著，经济增长的自主性、协调性进一步增强

工商业投资604亿元，同比增长20.6%。商贸业（含批发零售业、住宿餐饮业）增加值1387亿元，同比增长16.4%，高于全市服务业增速3个百分点。工业品内销同比增长14.5%，对工业增长的贡献率达94%。农村消费增速由上年低于城市3.8个百分点转为高出0.7个百分点。

（三）重点项目、重点企业、重点区域的引擎作用有力推动工商经济增长

近80个产值超亿元重点项目拉动工业增长6个百分点左右。18个大型零售商业网点建成开业，新增经营面积近50万平方米。占工业近七成的148户10亿元以上企业拉动工业增长8.5个百分点。占工业六成的萝岗、花都、增城、南沙、番禺等重点区域拉动工业增长8个百分点以上。天河、荔湾、白云、从化等区域社会消费品零售额增速高于全市平均水平。

（四）民营企业逆势而上，经济发展的活力日益增强

民营经济实现增加值3483亿元，增速快于全市生产总值0.7个百分点。规模以上民营工业产值增速高于全市平均增速6.0个百分点。经认定的民营高新技术企业有432家。民营经济实现的社会消费品零售总额占全市约三分之二。欧派橱柜、霸王、摩登百货等一批民营企业快速增长。

（五）企业自主创新能力不断增强，产业竞争力进一步提升

新增省级以上企业技术中心 31 家，总数达 76 家。新产品对规模以上工业总产值增长的贡献率达 21%。华南综合性新药研发中心跻身国家生物医药重大创新平台行列。新增广州光电标准检测研究院等 11 个公共技术创新平台，总数近 200 个。新增中国驰名商标 9 件。宏利光电、京信通讯等一批名牌企业不断发展壮大。

（六）能耗下降、效益提升，发展方式转变初显成效

全年规模以上工业实现利润 779 亿元，同比增长 12.4%；亏损企业亏损额下降 26.1%。百家重点耗能企业“十一五”以来累计节能约 200 万吨标煤。单位工业增加值能耗在上年下降 10.7% 的基础上再降 10.5%，超额完成省政府下达的目标。

工业经济

2009 年，广州市工业经济逐步走出低谷，呈现持续回升向好的良好态势。规模以上工业生产逐步由一季度低位徘徊（增 3.1%）、二季度缓慢回升（增 4.3%）、三季度企稳提速（增 7.8%）后，全年工业总产值 11377 亿元，同比增长 12.2%。

（一）产业结构不断优化提升

高端产业支撑作用增强。2009 年，汽车和电子产业带动三大支柱产业完成工业总产值 5290 亿元，同比增长 20.1%，快于全市规模以上工业增速 7.9 个百分点，拉动全市规模以上工业增长 7.8 个百分点。其中汽车和电子产业分别完成总产值 2318 亿元和 1360 亿元，增长 30.5% 和 36.7%，同比加快 22.3 和 14.4 个百分点。装备制造业实现产值 4667 亿元，占全市规模以上工业比重 37.3%，同比提高 3.6 个百分点。汽车、船舶、手机产量分别增长 27.7%、46.5%、74.1%，其中汽车产量首超百万辆（113 万辆），国内首台百万千瓦级核反应堆压力容器和 30.8 万吨超大型油轮（VLCC）相继出厂和下水试航。传统产业在调结构中稳步提升。饮料、食品、木材加工及竹藤棕草制品、医药、烟草等消费类生产行业得益于扩内需举措实施，工业总产值累计增长 59.1%、18.8%、16.0%、15.3% 和 15.3%，均高于全市平均水平。

（二）经济效益逐步改善

在经济逐步回暖，各级政府减轻企业负担的政策措施实施后，工业企业经济效益逐步向好。当年规模以上工业经济效益综合指数 230.5，同比提高 1.4 个点。实现利润总额 779 亿元，同比增速从 8 月由负转正后持续增长至 12.4%；21 个行业利润增长，其中年利润超 10 亿元的汽车、食品、医药等行业比增 30% 以上，石油加工业由亏转盈；亏损企业亏损额下降 26.1%。

（三）先进制造业基地建设取得新成效

制定《广州市建设先进制造业基地工作方案》。1 月 18 日我国最大的船用柴油机配套生产基地——广州船用柴油机制造与船舶配套产业基地（围堤吹填）工程正式开工；《广州重大装备制造产业基地（大岗）建设规划研究报告》于 6 月通过专家论证；11 月 22 日广州市政府与日产自动车株式会社、东风汽车有限公司签署“共同推进电动汽车产业发展谅解备忘录”。广州数控设备云埔工业区数控产业基地项目列入国家重大装备本地化专项，第一期工程 7 月竣工投产。汽车产业基地加快建设。5 月广汽集团收购湖南长丰，迈出国内汽车产业跨区域兼并重组第一步；从化日野重卡项目 9 月下旬投产，改写广东省没有重卡生产能力的历史；投资 50 亿元的广汽菲亚特长沙生产基地 11 月破土动工。投资 35 亿元的广州和谐号大功率机车检修基地项目于 12 月 26 日正式动工兴建。

（四）产业和劳动力双转移加快实施

至 2009 年末，向市外转移企业 147 家，其中转移到省认定的产业转移园 92 家；全市责令停产企业（项目）1500 多家（个），淘汰落后产能 270 多家，腾出土地约 150 万平方米，减少粉尘排放量约 1000 吨。分层次打造省内三大共建产业转移工业园、省外湘西工业园和市内 9 大“退二”产业承接基地。广州（梅州）、广州（阳江）和广州（湛江）产业转移工业园均评为广东省示范性产业转移园，湘西（广州）工业园是广州市在省外的首个产业转移园，增城汽车产业基地、从化明珠工业园等市内产业承接基地已初具规模。建立政策扶持机制，支持广州（梅州）产业转移工业园资金拨付到位；组织 300 多家企业与梅州、阳江、湛江、湘西举办产业转移园招商推介会。

技术进步

2009 年，广州市先后出台《关于大力推进自主创新加快高新技术产业发展的决定》和《关于企业研究开发费税前扣除管理试行办法的实施细则》，有效推动企业自主创新，提升产业核心竞争力。全市工业实现高新技术产品产值 4053 亿元，同比增长 16.3%，占工业总产值比重 32.8%，同比提高 1.3 个百分点，规模以上工业新产品产值 1217 亿元，增长 24.7%。

（一）推进技术改造

对接国家十大产业调整振兴规划，实施“技术进步千项百亿工程”和“重点技改项目滚动计划”。在轻工、纺织、化工等九大行业备案推进350个技改项目，有力拉动企业加大技改投入。组织800多个技术进步项目（企业）与九大银行对接。市级安排1.1亿元推动装备制造、新能源、新材料等重点领域实现100项关键技术突破，积极争取中央和省重点支持项目近百个，资金3.7亿元。7家老字号企业获国家商务部“中华老字号”技改专项资金支持。食品饮料、造纸、医药、电气、电子等行业积极加强与高校和科研机构合作，成功转化一批科研成果。

（二）加快实施名牌战略

实施千百亿名牌培育工程，建立百户预备名牌产品培育联系制。至2009年底，广州拥有中国名牌35个，中国驰名商标3件，广东省著名商标34件。25家企业被推荐为国家商务部“中华老字号”。支持广州“三雕一彩一绣”等优秀传统工艺美术产品拓展市场。

（三）加快培育企业技术中心

2009年新增国家级和省级企业技术中心12家，为历年之最、全省之首。广州市共支持21家企业技术中心承担28个研发创新和产学研专项，成功研发一批领先国际水平的自主知识产权产品。汽车产业实现省级以上技术中心重大突破，广州汽车集团股份有限公司、东风日产乘用车公司成为省级企业技术中心。

（四）提升企业自主创新能力

华南综合性新药研发中心成为国家生物医药重大创新平台；国内首条运用“干喷湿纺法”的CCF－3原丝中试线成功运行；广东威创突破超高分辨率动态图像显示平台关键技术，广东亚一推出LED背光源电视机，白云电气设计制造国内首台1000kv交流输变电工程正式投运。金发科技、广州数控、京信通信、广电运通、白云电气、珠江钢琴、广州电器科学研究院、广州机械科学研究院等一大批企业在引领行业技术发展、参与行业标准制定等方面取得新突破。

民营经济

2009年，广州市认真贯彻落实《国务院关于鼓励支持和引导个体私营等非公有制经济发展的若干意见》《中共广东省委、广东省人民政府关于加快民营经济发展的决定》和《广东省促进中小企业发展条例》，成立广州市中小企业局，出台《关于促进中小企业平稳健康发展的实施意见》，编印《中小企业服务平台指南》《政策汇编》等，定期出版《广州中小企业简报》，为民营和中小企业提供政策解读，帮扶企业应对金融危机带来的冲击和影响，有效促进民营和中小企业在危机之年实现新发展，不断增强经济增长的内生动力。

当年末，全市共有民营单位73万个，比上年净增10万个，增长15.8%。全年民营经济实现增加值3483亿元，同比增长12.4%，快于全市GDP增长0.7个百分点；占全市GDP比重38.1%，同比提高0.2个百分点。民营经济增加值三次产业比重为1.9∶34.4∶63.7，其中第三产业占民营经济增加值比重比上年上升2.3个百分点。

（一）缓解中小企业融资难取得历史性突破

创新金融机构信贷。鼓励引导金融机构成立中小企业金融服务专营机构，开发融资服务项目和贷款方式。2009年，全市主要金融机构新增中小企业贷款2247亿元人民币，同比增长92%。

拓展融资渠道。5家优秀中小企业集合发行广东省首批1.5亿元3年期“中小企业集合中期票据”，新成立2家村镇银行和5家小额贷款公司。

加大财政资金扶持。广州市中小企业共获得国家、省级资金支持项目342个，资金近2亿元，比上年增加8.5倍；市级专项资金用于中小企业贷款贴息、担保费补助项目比上年增加1.1倍。

完善担保体系建设。在广州市登记备案并纳入统计的26家中小企业信用担保机构为1500多家中小企业提供了近130亿元担保扶持，同比增长20%，增幅创历年之最。

（二）完善民营中小企业服务体系

编制《广州市中小企业服务体系建设规划（2009～2015）》，加快打造多级联动、上下贯通、覆盖全市的中小企业服务体系，建成6个区级中小企业服务中心；29家企业被广东省认定为中小企业服务机构示范单位；金发科技、威创视讯等11家和鸿利光电子、海大饲料等51家民营科技型企业建成省工和市级工程技术中心。全年共组织民营中小企业重点项目培训8200人次；技术创新、管理创新、制度创新和自主创新以及通用劳动技能等培训人员达5.6万人次；中小企业培训机构和各单位自主举办培训中小企业中层管理人员、专业技术人员、普通技能培训人员4.8万人次。

（三）民营工商业较快发展

2009年，广州市民营工商业实现增加值2021亿元，占全市民营经济的58.0%。其中工业增加值1120亿元，增长8.3%，工业总产值2726亿元，同比增长16.5%；商业（含批发零售、住宿餐饮业）增加值901亿元，同比增长16.4%，社会消费品零售总额2376亿元，同比增长17.8%。主要指标增速均高于全市平均水平，显示出内源经济较强的植根性和较好的抗风险能力。2009年末，全市民营企业拥有国家、省级企业技术中心共48个，省级工程技术研究开发中心11家，分别占全市的50%和18%。金发科技、威创视讯、迪森热能3家民营科技型企业被评为国家创新型企业，白云电气被评为国家创新型试点企业；全市35个中国名牌和214个省名牌产品中分别有17个和136个属于民营企业；民营企业拥有驰名商标28件，广东省著名商标150件，分别占全市的58%和48%；经重新认定的民营高新技术企业740家，占全市84%；年交易额亿元以上的商品交易市场中八成左右市场以民营经济为投资主体，场内商户超过九成是民营资本经营；38家国家A级物流企业民营占32家。

商品流通

2009年，消费市场低位反弹，稳步提速。受国际金融危机加深，并蔓延至实体经济的影响，部分企业订单不足、开工率较低，2月社会消费品零售总额增速跌至十多年的低谷（同比增长2.3%）。在国家扩大基本建设投资、促进消费等一系列政策以及广州开展“大对接、大联销、大联购、大联网”等系列促消费、拓市场活动作用下，消费呈逐步提速的势头，全年实现社会消费品零售总额3616亿元，比增13.4%。

（一）农村市场增长快于城市

在“万村千乡”、“4411”市场工程及家电、汽车下乡等带动下，当年城市和农村分别实现社会消费品零售总额3338亿元和278亿元，同比增长13.4%和14.1%，城乡增速差距从上年同期城市快于农村3.8个百分点转为农村快于城市0.7个百分点。

（二）消费政策刺激换代消费

国家出台减半征收1.6升及以下排量乘用车购置税、家电下乡和以旧换新等一系列政策措施，有效刺激家电、汽车等消费。全市限额以上汽车类零售额同比增速自4月起由降转升，全年同比增长较比上半年提高13个百分点以上；家用电器和音像器材类零售额也从上半年降势转为全年增长6.5%；当年累计销售“家电下乡”和“家电以旧换新”商品19万台。

（三）生产服务业逐步向好

批发销售逐季增加。全年批发零售业实现批发销售额11986亿元，增长12.3%；全年累计增速比上半年提高9.3个百分点。塑料、金属材料、煤炭等大宗商品电子交易中心积极运用定单交易、网上交易、仓单质押交易等新型批发交易方式，增强“广州价格”、“广州结算”的功能。广东塑料交易所全年成交量同比增长25%；新推出烧碱交易品种推动基础化工原料行业和下游多个产业的发展。全市年成交额超亿元的157个商品交易市场总成交额1809亿元。专业物流发展水平明显提升。制定制造业物流集聚发展区建设指南，申报国家流通领域现代物流业示范城市，引导汽车、钢铁、医药等六大产业10大制造业物流集聚区合理布局和加快建设。汽车专业物流为三大汽车产业集群提供全供应链服务。药品、烟草专业物流配送率均达99%以上。

（四）会展经济发展呈现新格局

制订《关于加快会展业发展的若干意见》，出台《广州市展会知识产权保护办法》。当年全市办展总面积达627万平方米；参展参观参会人次达754万，比上年增长32%。广州博览会、汽车展、广州国际设计周以及橡塑、照明、美容美发、家具、机械等专业展会的国际影响力进一步增强。开展“广货北上郑州行”等推介展销地产品的活动，共10大领域100多户名牌企业北上宣传推介广州名优新特产品，签定41个项目协议，金额约104亿元；“广州汽车南粤行”展销推介在佛山、江门、东莞、湛江等地开展，拓展了本地产品市场空间和市场份额。

（五）现代流通业稳步发展

连锁店铺稳步扩张。年末，限额以上批发零售住宿餐饮业连锁网点19224个，比上年增加508个。其中百货店网点增长最快，比增39.8%；专卖店新张店铺最多，比上年增加275个。高端业态加快培育。东方宝泰非MALL购物广场、活力天地主题购物中心、沃尔玛山姆会员店等新型零售业态落户。联手阿里巴巴举办“首届网商交易会”，吸引近3万家淘宝网专家与400户广货供应商云集网交会，打造了一个联通上下游产业链的网购平台。

（六）餐饮业平稳发展

2009年，继续加快餐饮配套设施建设，打造特色鲜明的美食街，初具规模的23处美食街区聚集餐饮网点800多个。在“广州经贸网”开设“食在广州”专栏，大力推介餐饮名店、名师、名宴、名菜、名小吃、特产手信和“一盅两件”茶点特色等，弘扬广州饮食文化，提高“食在广州”的知名度和“美食之都”的品牌效应。当年，全市住宿餐饮业实现零售额459亿元，同比增长17.1%，快于全市社会消费品零售总额增长水平3.7个百分点。大众化餐饮持续兴旺，休闲旅游等带旺周边的农家特色餐饮，占全市住宿餐饮业零售额六成的限额以下企业和个体餐饮户实现餐饮零售额同比增长23.2%，高于全市餐饮业平均增速6.1个百分点。

节能降耗

2009年，广州市着力加快推动节能降耗工作，促进工商业经济可持续发展，单位工业增加值能耗0.9吨标煤/万元，同比下降10.5%；商业用电同比下降4.1%。

（一）抓好节能工程和节能考核

设立节能专项资金，实施电机系统节能、锅炉节能、余热余压利用等十大重点节能工程，以及重点耗能企业节能技术改造。实施百家企业节能行动，开展重点耗能企业节能考核，101家企业共节能38万吨标煤。开展能源审计、节能规划和技改诊断服务，举办10多场节能技术现场推广会，组织600多名节能管理人员参加节能和能源平衡测试知识培训。

（二）全面启动循环经济试点工作

编印《广州市循环经济实施工作方案》和《广州市加快清洁生产实施方案》等文件，成立建设节约型社会发展循环经济领导小组，有11家企业被认定为广州市第一批清洁生产优秀企业，广州经济开发区成为国家第二批循环经济试点单位。有32家企业申报广东省第二批循环经济试点，55家企业上报清洁生产审核计划。

（三）建立健全淘汰落后产能工作机制

建立广州市淘汰落后产能联席会议制度，制定淘汰落后水泥产能工作方案，分别与广东省、有关区（县级市）签订淘汰落后水泥产能责任书，采取停发生产许可证、限电、加强环保执法检查等措施，强制淘汰落后水泥产能。

（撰稿：广州市经济贸易委员会综合处）

深圳市

综 述

2009年，面对国际金融危机的严重冲击和影响，深圳市坚持以科学发展观为统领，坚决贯彻中央和省关于保增长、扩内需、调结构的决策部署，深入推进"一保四抓"，积极落实《珠江三角洲地区改革发展规划纲要》和《深圳市综合配套改革总体方案》，采取加强自主创新、推动产业升级、增进民生福利等一系列有效措施，国民经济实现平稳健康发展。

2009年，深圳市保增长目标圆满完成，产业结构进一步优化。初步核算，全年深圳市生产总值8201.23亿元，按可比价格计算，比上年增长10.7%，超过年度预期目标0.7个百分点，分别比全国、全省增速高出2个和1.2个百分点。从运行轨迹看，呈现率先触底、企稳回升、积极向好的特征，第一至第四季度本市生产总值累计增速分别为6.5%、8.5%、9.6%和10.7%。从产业发展看，第三次产业成为推动经济增长的最重要力量，实现增加值4363.12亿元，比上年增长12.5%；高端服务业加快发展，金融业增加值1148.14亿元，比上年增长20.5%，占GDP比重提高至14%；第一次产业增加值6.47亿元；第二次产业增加值3831.64亿元。从产业结构看，第二、第三次产业协调互动发展，三次产业结构发展为0.1:46.7:53.2，其中第三次产业所占比重比上年提高2.9个百分点。从发展质量看，在保增长中实现效益领先，初步估算，每平方公里GDP产出4.2亿元，比上年提高0.2亿元；GDP能耗、水耗持续下降，领先全国大中城市水平；化学含氧量排放总量完成年度减排目标，二氧化硫排放总量累计降幅提前完成"十一五"规划目标。

2009年是深圳市发展较为艰难的一年，虽然经济总体呈现企稳回升态势，但经济运行中一些问题和矛盾仍较突出，外贸进出口形势依然严峻，工业企业生产经营仍较困难，社会投资增长乏力，经济发展的内生动力不强，加快转变发展方式尤为迫切。2010年是深圳经济特区建立30周年，是"十一五"规划实施的最后一年。从国际环境看，国际金融危机的影响日渐减弱，世界经济呈现明显复苏迹象，但复苏的基础还比较脆弱。从国内环境看，国内经济总体向好，但还存在一些不确定因素。要深入贯彻中央经济工作会议与省委十届六次全会的各项工作部署，紧紧抓住转变发展方式这条主线，按照市委四届十三次全会的安排，加快发展方式真转真变，增进民生福利水平，保持社会和谐稳定，切实加强自主创新，促进产业结构升级，着力深化改革开放，优化城市发展环境，在转变中谋发展，在发展中促转变，确保实现经济社会平稳较快可持续发展，努力当好推动科学发展、促进社会和谐的排头兵。

工业经济

2009年，深圳市工业增速稳步回升，自主创新企业强势发展。国家创新型城市建设取得重大突破，出台《深圳国家创新型城市总体规划实施方案》和《深圳综合性国家高技术产业基地发展规划》，电子信息产品协同互联等3个国家工程实验室和国家超级计算深圳中心启动建设，制定并出台生物医药、新能源、互联网等战略性新兴产业振兴规划以及相关实施政策，在调结构中突出创新驱动。2009年，深圳市规模以上工业增加值3429.90亿元，比上年增长8.7%。从企业主体看，具有自主知识产权的高新技术企业强势发展。从主导产业看，占深圳市高新技术产业产值90.5%的电子信息产业逆势增长，显示了较强的抵御风险能力，其中通信设备、计算机及其他电子设备制造业实现增加值1721.23亿元，比上年增长12.6%。

固定资产投资

2009年，深圳市固定资产投资提速，基建投资支撑作用突出。深入开展"服务年"活动，实行并联审批和简政提效，强力推进固定资产投资和重大项目建设，在扩内需中强化投资支撑，投资需求成为拉动经济增长的主引擎。2009年，深圳市全社会固定资产投资1709.15亿元，比上年增长16.5%，增速同比加快7.4个百分点，创2004年以来的最高增速。从投资类型看，基本建设投资首次突破1000亿元大关，达到1043.63亿元，比上年增长26.1%，成为支撑全社会固定资产投资增长的中流砥柱；房地产开发投资437.46亿元，比上年下降0.7%；更新改造投资166.96亿元，比上年增长7.1%。从投资的产业分布看，第三产业投资1323.46亿元，比上年增长22.4%，比全社会固定资产投资增速高出5.9个百分点。

企业发展

2009年第四季度深圳市企业景气指数强势回升。企业景气指数为153.6，比上季提升9点，比上年同期提升38.7点，已恢复到金融危机影响前的景气水平。

分行业看，房地产业、信息传输计算机服务和软件业、批发和零售业三大行业的企业景气指数继续在150以上的“较强景气区间”运行，分别比上季（下同）提升2.4、13.3、14.3点；工业企业景气指数为153.3，提升11.1点。社会服务业、住宿和餐饮业则回落15.9、9.1点。

从生产经营分类指标来看，生产总量、盈利（亏损）变化、流动资金、产品订货、劳动力需求、固定资产投资和企业融资景气指数均处于120以上的“较景气区间”，其中盈利（亏损）变化、流动资金景气指数分别为139.5、129.4，比上季提升25.8和15.3点。

分企业规模看，大型企业景气提升显著。大型企业景气指数为168.5，提升16.9点；中小型企业景气指数为135.4，仅提升2.7点。

在国家刺激经济政策取得明显成效，经济形势日见明朗，企业景气稳步回升等有利因素影响下，深圳市企业家已逐步摆脱金融危机带来的负面心理影响，企业家信心指数连续四个季度回升。

商品流通

（一）消费升级热点逐步形成，企业经营规模扩大

积极拓展内地市场，组织企业参加国内各类展会或举办深圳产品展，加快推进商业区改造升级，完善特区外商业网点布局，繁荣本地消费市场。2009年，深圳市社会消费品零售总额2598.68亿元，比上年增长15.4%。从行业分类看，批发和零售业消费品零售额比上年增长14.2%；住宿餐饮业消费品零售额比上年增长24.0%。从商品销售看，金银珠宝类、汽车类销售持续畅旺，分别比上年增长228.0%和83.5%；文化办公用品类、体育娱乐用品类和服装鞋帽类销售分别比上年增长72.0%、22.6%和17.7%。

从企业经营看，2009年深圳市开展连锁经营的企业超过1200家，其中达到一定规模的连锁企业有680多家，连锁店全国总店数超过3.5万家。其中2009年度深圳连锁30强企业全国销售总额达到1804.63亿元，其中在深圳地区实现销售额达到570.82亿元，占深圳市社会消费品零售总额的22%。连锁商业销售额达到1372亿元，同比增长18.3%。占社会消费品零售总额的比重超过52%，居全国大中城市首位。其中门店总数达到13431家，其中在深圳区域有门店数1992家。

2009年度深圳市连锁经营30强企业中，华润万家、新一佳、天虹、茂业等均位列其中。30强中，超市企业11家，占比达37%，总销售额达到1314亿元，占比达到72.8%。其他业态依次为：家电、家居建材和医药等专业店企业8家，销售额143.6亿元，占比达8%；百货企业3家，销售额192亿，占比达11%；服饰鞋类企业2家，销售额108亿元，占比达6%；餐饮企业4家，销售额29.6亿元；专卖店企业2家，销售额17.2亿元。

2009年深圳零售市场受国际金融危机影响较大，企业打折促销力度和规模非常大，多数企业保持了销售额的增长，但在深圳市场利润下滑企业的企业家数有所增加，由2008年的10家增加到2009年的13家，所涉及的行业和业态包括大型综合超市、百货、家居建材、家居和餐饮等。

同时，外地市场规模超过本地市场，2009年深圳连锁30强企业在市外的销售额、门店数、营业面积和员工人数全面超过深圳市本地市场。2009年30强企业深圳与市外销售额比例约为1:2，门店数比例则达到1:8。

（二）物价水平仍有所回落，原材料购进价格指数降幅创新低

从市场物价看，居民消费价格指数（CPI）从7月份开始振荡上行，其中12月份CPI环比上涨0.3%；全年CPI累计平均比上年回落1.3%，降幅比全国平均水平高0.6个百分点，比全省平均水平低1个百分点。

2009年受国际金融危机影响，深圳市原材料、燃料、动力（简称“原材料”）购进价格指数累计同比下降3.7%，创下九年来的新低。但全市原材料购进价格指数仍然比工业品出厂价格指数高出1个百分点，这也是自2001年以来深圳市原材料购进价格连续第9年高于工业品出厂价格。原材料购进价格指数运行的主要特点：

1. 主要大类购进价格指数呈下降趋势。在构成原材料的九大类中，购进价格指数上升的仅有农副产品类、纺织原料类，分别上升4.3%和0.8%，但升幅比上年分别减少5.3、4.8个百分点；其余七大类均呈下降趋势，其中降幅最大的有色金属材料和电线类，下降10.1%；其次是建筑材料及非金属矿类，该大类原材料购进价格由上年上升11.3%转为下降9.9%，两年落差达21.2个百分点。

2. 各行业购进价格降多升少。被调查的32个行业中，仅有5个行业购进价格上升，其余27个行业下降。升幅最大的烟草制品业，上升15.8%；降幅较大的行业依此是：石油和天然气开采业下降20.3%，木材加工及木、竹、藤、棕、草制品业下降19.2%，橡胶制品业下降和19.1%。

3. 通信设备、计算机及其他电子设备制造业购进价格持续下降。2009年该行业的原材料仅下降4.9%，但由于该行业的原材料所占权重较大，影响总指数下降0.54个百分点。其中：模块下降10.83%、三极管下降10.78%、显像管下降10.67%。

外经外贸

2009年，深圳市外贸出口保持十七连冠，出口结构不断优化。

贯彻落实国家出口退税等一系列政策措施，实施出口市场多元化战略，加快推进加工贸易出口企业转型，外贸进出口形势逐步回暖。据深圳海关快报，2009年全市进出口总额2701.55亿美元，比上年下降10.4%，降幅比1—2月份收窄12.9个百分点。其中：外贸出口总额1619.79亿美元，在国内大中城市排名中实现十七连冠，比上年下降10.6%，降幅比1—2月份收窄7.8个百分点；进口总额1081.76亿美元，比上年下降10.1%，降幅比1—2月份收窄20.3个百分点。

出口结构不断优化，加工贸易出口比重持续下降，已由65%左右下降至57.6%，一般贸易出口增速比加工贸易出口高出13.8个百分点；民营企业出口显示出更强生命力，在金融危机中继续保持增长8%；新兴市场出口快速增长，对东盟、澳大利亚、印度出口分别增长2.4%、11.1%和34.8%。

随着全球市场需求的逐步回暖，2009年对欧美市场出口跌幅继续收窄，对东盟出口逆势增长。在出口方面，2009年深圳市对主要中转地香港特区出口612.6亿美元，降幅收窄4.6个百分点，占同期深圳市出口总值的37.8%。此外，对东盟出口152亿美元，增长14.2%，扩大0.2个百分点；对美国出口263亿美元，降幅收窄2.4个百分点；对欧盟出口215.1亿美元，降幅收窄3.2个百分点。统计显示，2009年深圳市出口机电产品1244亿美元，降幅收窄4.1个百分点，占同期深圳市出口总值的76.8%。从电子类具体产品出口看，出口手机121.7亿美元，增长37.4%，扩大16.2个百分点。出口液晶显示板22.9亿美元，降幅收窄9.6个百分点。

主要传统劳动密集型大宗商品出口降幅均有所加深。其中出口服装及衣着附件、鞋、塑料制品、箱包等产品的降幅有不同程度的加深。与之相反，出口家具及其零件30.2亿美元，增长11.6%，扩大3个百分点。出口纺织纱线、织物及制品24.8亿美元，增长10.3%，扩大2.3个百分点。

交通运输和旅游业

2009年，深圳市交通运输形势向好，旅游市场继续繁荣。

针对国际运输市场需求下降，组织企业加大拓展国内运输市场的力度，促进海、铁、公路和航空等立体运输组织的有效衔接，交通运输总体形势逐步转好。2009年，深圳市货运量2.24亿吨，比上年增长14.3%；货物周转量1136.64亿吨公里，比上年增长3.9%。全市客运量14.63亿人，比上年下降5.2%；旅客周转量543.39亿人公里，比上年增长12.1%。全年机场货邮吞吐量比上年增长1.3%；机场旅客吞吐量比上年增长14.4%。港口运输形势仍较严峻，全年深圳市港口货物吞吐量19364.96万吨，比上年下降8.3%，其中港口集装箱吞吐量1825.02万标箱，比上年下降14.8%，降幅比1—2月份累计收窄6.4个百分点。

从旅游市场情况看，全市旅游住宿设施共接待旅游过夜总人数2840.31万人，比上年增长6.8%。据统计，2009年市深圳市口岸出入境旅客共计1.85亿人次，较2008年增加近300万人次；而出入境交通运输工具数量则有所下滑，全年共计1483万辆次。其中，出入境车辆1474万辆次，同比减少4.8%；出入境船舶7.8万艘次，同比减少16.2%；出入境飞机数量有所上升，达1.3万架次，同比增长5.3%。

广西壮族自治区

综　述

2009年是进入新世纪以来广西壮族自治区经济发展最为困难的一年，也是经济发展经受严峻考验并取得可喜成绩的一年。一年来，自治区党委、自治区人民政府带领全自治区各族人民，全面贯彻落实科学发展观，坚定不移地贯彻落实中央各项决策部署，全力保增长、保民生、保稳定，保持广西发展良好势头，以非常办法、非常措施、非常力度、非常政策谋划各项工作，全自治区经济发展逆势而上，在应对国际金融危机中保持了平稳较快发展的良好势头。

初步核算，2009年广西生产总值（GDP）7759.16亿元，按可比价格计算，比上年增长13.9%，增速比上年提高1.1个百分点。分产业看，第一产业增加值1458.49亿元，增长5.2%，对全自治区经济增长的贡献率7.77%，比上年提高0.07个百分点；第二产业增加值3381.54亿元，增长17.7%，对全自治区经济增长的贡献率53.67%，比上年下降2.03个百分点，其中工业增加值2863.84亿元，增长15.7%，对全自治区经济增长的贡献率41%，比上年下降9.7个百分点；第三产业增加值2919.13亿元，增长13.8%，对全自治区经济增长的贡献率38.56%，比上年提高2.1个百分点。三次产业结构调整为18.80:43.58:37.62，工业的比重提高到36.91%。七大千亿元支柱产业增加值完成1776.65亿元，增长17.5%；财政收入超900亿元；全社会固定资产投资5700多亿元；社会消费品零售总额2790亿元；物价回落明显；外贸进出口总额超140亿美元，是全国少数几个对外贸易正增长的省区之一；广西北部湾经济区生产总值2450亿元，在全自治区生产总值中的比重提高到31.86%。

2009年，广西壮族自治区城乡居民收入继续增加，就业形势基本稳定。全自治区城镇居民人均可支配收入15451元，比上年增长9.2%，扣除价格因素，实际增长12%。其中人均工薪收入增长8.4%，经营性净收入增长5.4%，财产性收入增长11.8%，转移性收入增长19.4%。全年农民人均纯收入3980元，增长7.9%，扣除价格因素，实际增长10.6%。其中人均工资性收入增长14.2%，转移性收入增长40.5%，家庭经营收入增长1.7%，财产收入持平。全年居民储蓄存款余额4715.35亿元，比上年增加835.15亿元，增长21.5%。全年全区城镇新增就业42.71万人，城镇下岗失业人员再就业10.4万人，其中就业困难人员再就业3.24万人。年末城镇登记失业率3.74%。

2009年，广西壮族自治区财政收支较快增加，新增贷款明显增多。全自治区财政收入966.89亿元，比上年增长14.7%。其中一般预算收入620.83亿元，增长19.8%。从支出看，全年一般预算支出1606.25亿元，增长23.8%。其中，社会保障和就业支出增长56.6%，医疗卫生支出增长40.3%，环境保护支出增长77.3%，城乡社区事务支出增长43.6%，教育支出增长15.6%。全年全自治区金融机构本外币各项存款余额9638.89亿元，比年初增长36.2%；金融机构本外币各项贷款余额7360.43亿元，比年初增长44%；金融机构累计新增本外币贷款2249.84亿元，比上年多增1302.47亿元。

工业经济

（一）工业生产平稳较快发展

2009年，面对国际金融危机对工业经济的严重影响，全自治区工业和信息化部门在自治区党委、政府的正确领导下，在各级各部门的大力支持下，扎实开展“服务企业年”和“项目建设年”活动，及时帮助企业解决生产经营中遇到的困难和问题。联合国土、金融等部门，通过深入各市县和企业调研、召开现场办公会等方式，在企业生产经营、煤电油运保障、技术改造投资、工业发展规划、园区建设、招商引资、中小企业信用投融资担保机制建设等方面，为基层提供面对面服务，取得应对国际金融危机的明显成效。初步统计，全自治区完成工业总产值8639.80亿元，增长13.5%，其中规模以上工业（年销售收入500万元以上的工业企业）总产值6819.88亿元，增长15.7%；完成全部工业增加值2863.84亿元，比上年增长15.7%，其中规模以上工业增加值2265.06亿元，增长18.2%，增幅排全国第9位，西部第4位。工业对经济增长的贡献率42%。规模以上工业企业实现主营业务收入6330.32亿元，比上年增长17.49%。

年内，工业生产呈现如下特点：

一是生产提速，逐步摆脱金融危机的严重影响。受国际金融危机影响，从2008年三季度开始下滑的广西工业到2009年二季度实现触底回升，2009年上半年，规模以上工业增加值增长15.1%；前三季度，增长16.8%；全年增长18.2%。

二是效益好转，经济效益综合指数创历史新高。规模以上工业企业综合经济效益低开高走，效益逐步回升，经济效益综合指数一季度177.6、上半年198.2、前三季度206.1、全年221.9，比上年提高17.3点，创历史最高水平。

三是产业结构优化，轻重工业实现快速协调发展。轻工业在医药、电子、纺织等行业快速发展的带动下，全年完成总产值2000.84亿元，增长16.2%，对规模以上工业增长的贡献率为29.9%，比上年提高约1个百分点；重工业在汽车、冶金、机械、建材等行业快速发展的带动下，全年完成总产值4819.05亿元，比上年增长15.6%，对规模以上工业增长的贡献率为70.1%。“十五”以来，轻工业产值增幅首次超过重工业。

四是非公有制经济快速发展。股份制和外商及港澳台企业成为工业经济发展的主体，国有和集体企业比重下降、增速减缓。股份制企业完成产值3726.86亿元，比上年增长14.4%；外商及港澳台投资企业完成产值1539.96亿元，比上年增长22.6%；国有及国有控股企业完成产值2519.76亿元，比上年增长

13.5%，其中国有企业完成产值931.61亿元，增长5.6%；集体企业完成产值106.40亿元，比上年增长5.7%。国有及集体企业的比重为15.2%，比上年下降2个百分点。

五是国外市场需求疲软，工业品出口持续下滑。受全球性金融危机的影响，国际市场需求乏力，全自治区工业品出口交货值256.85亿元，下跌15.2%。按当年12月31日人民币兑美元汇率计算，工业品出口占全自治区外贸出口额的比重在上年下降7个百分点的基础上，再下降20个百分点，跌至45%。

六是新产品上市速度加快，对工业经济增长的拉动力增强。全年规模以上工业完成新产品产值735.56亿元，增长46.8%，增幅比上年提高43.6个百分点；新产品产值率10.8%，比上年提高2.2个百分点。

七是上缴税金增幅回升，但对财政收入的贡献率仍未回到金融危机前的水平。全年规模以上工业企业上交税金329.1亿元，增长19.9%，增幅比上年提高11.1个百分点；占全自治区一般预算收入的53%，比上年提高0.3个百分点，但仍低于2007年6.8个百分点。

（二）企业经济效益触底回升

2009年，全自治区工业企业克服国际金融危机的严重影响，逐步扭转经济效益一路下滑的被动局面，实现企业利润的触底回升，效益逐步好转。规模以上企业利润从一季度的负增长88%，降幅逐月收窄，到10月份，累计盈利扭转下滑局面，并逐步走上持续快速上扬道路，全年累计实现利润260.5亿元，增长45.7%，增幅比上年高80个百分点。

经济效益综合评价指标全面上升。全自治区规模以上工业企业经济效益综合指数为221.9，比上年提高17.3点，创历史最高水平。7项构成指标中，有6项指标实现好转。其中：总资产贡献率11.4%，比上年提高0.8个百分点；资本保值增值率115.8%，比上年提高1.0个百分点；流动资产周转率2.5次/年，比上年提高0.1次；成本费用利润率4.4%，比上年提高0.9个百分点；全员劳动生产率19.9万元/人·年，比上年增长10.9%；产品销售率94.9%，比上年提高0.4个百分点；资产负债率64.3%，比上年上升0.2个百分点；全自治区规模以上工业实现利税总额589.58亿元，比上年增长30.06%。在统计口径5917户规模以上工业企业中，亏损企业户数1572户，亏损面26.57%，比上年下降2.73个百分点。盈利企业盈利额327.65亿元，比上年增长36.11%；亏损企业亏损额67.18亿元，比上年减亏17.49%。

多数行业盈利水平恢复性增长。在全自治区纳入统计的39个行业中，有23个行业利润超过上年水平，比上年减少2个，行业增盈面58.97%，比上年降低1.07个百分点；12个行业盈利水平下降，占30.77%；4个行业盈利水平与上年持平，占10.26%。交通运输制造业、农副食品加工业、电力热力的生产和供应业、非金属矿物制品业、专用设备制造业、饮料制造业、医药制造业、黑色金属冶炼及压延加工业等8大行业盈利规模大，增长速度高，成为全自治区规模以上工业企业经济效益水平恢复性增长的主要力量。8大产业共实现利润189.37亿元，比上年增长74.4%，增加利润80.84亿元，拉动全自治区规模以上工业企业利润增幅45.2个百分点。其中，交通运输设备制造业44.61亿元，增长62.6%；农副食品加工业41.93亿元，增长88.96%；电力热力的生产和供应业29.68亿元，增长196.85%；非金属矿物制品业24.34亿元，增长53.66%；专用设备制造业16.14亿元，增长95%；饮料制造业11.86亿元，增长37.03%；医药制造业10.85亿元，增长29.11%；黑色金属冶炼及压延加工业9.96亿元，增长28.91%。有色金属行业成为国际金融危机影响的重灾区，产品价格大幅下降，盈利大幅减少。有色金属矿采选业实现利润5.18亿元，下降20.79%；有色金属冶炼及压延加工业实现利润1.67亿元，下降53.93%。

（三）工业化战略理论研究取得重大成果

2009年，为切实转变经济发展方式，做大做强做优工业，自治区党委、政府研究出台《关于做大做强做优广西工业的决定》及40个配套文件，抓住广西发展的要害，理清发展思路，找准发展目标，提出要走出一条工业实力强、科技含量高、经济效益好、资源消耗低、环境污染少、人力资源得到充分发挥的具有广西特色的新型工业化道路，为广西工业发展勾划出新的宏伟蓝图。

一是明确了工业化的三个阶段性目标。即：到2012年，工业成为经济增长的核心支撑，工业化全面进入中级阶段，建成全国制糖业循环经济发展标准示范基地、全国乃至亚洲重要的铝工业基地；到2015年，工业化进入中级阶段后期，建成区域性大型钢铁基地、全国重要的机械装备生产及出口基地、西南地区最大的石油化工基地，重点行业半数以上企业实现循环经济；到2020年，工业化达到全国平均水平，跨进工业化高级阶段，现代制造业取得重大进展，重点企业装备及信息技术应用达到国内先进水平，循环经济发展模式基本形成，区域发展更加协调。

二是确定“14+4”产业框架体系。即打造食品、汽车、石化、电力、有色金属、冶金、机械、建材、造纸与木材加工、电子信息、医药制造、纺织服装与皮革、生物、修造船及海洋工程装备等14个千亿元产业，培育和发展新材料、新能源、节能与环保、海洋等4个新兴产业。相应出台18个产业调整振兴规划。

三是明确提出加快推进工业结构优化升级。着力调整工业结构，使工业发展建立在结构优化的基础之上，把淘汰落后生产能力和抢占新兴产业制高点结合起来。为此，出台《广西高新技术产业调整和振兴规划》和“信息化与工业化融合”、“转变发展方式推动产业结构优化升级”、“扩大企业技术改造投资规模”、“循环生态型铝产业发展”、“制糖工业循环经济发展”、“支持汽车工业发展的政策”与“培育新兴战略性产业”等7个意见。

四是明确把自主创新作为做大做强做优工业的中心环节。发展新兴产业，重在坚持自主创新，重在掌握核心技术，重在拥有自主知识产权，重在形成适应市场竞争需求的先进生产力。为此出台《关于加快实施广西千亿元产业重大科技攻关工程的决定》《关于建立千亿元产业研发中心的意见》和《关于实施知识产权战略的意见》。

五是明确提出加快发展开放型工业。要全面把握当前自治区经济发展和对外开放的新形势新要求，坚持“引进来”和“走出去”相结合，拓展对外开放广度和深度，健全开放型工业经济体系。为此出台《关于进一步加强工业园区建设的意见》《关于进一步加强承接产业转移工作的意见》。

六是明确要加强原材料、物流、金融、人才、发展环境等各种要素支撑。为此，就“农产品加工业原料基地建设”、“物流业调整和振兴”、“金融支持”、“中小企业融资”、“企业家队伍建设”、“专业技术人才和经营管理人才队伍建设”、“产业工人队伍建设”、“非公有制工业经济发展”以及“企业文化建设”等方面出台9个配套意见。

（四）园区工业发展提速

2009年，全自治区工业园区规模以上工业企业全年完成工业总产值3531.93亿元，增长29.3%，占全自治区规模以上工业总产值的51.7%；工业增加值1031.12亿元，增长40.69%，占全自治区规模以上工业增加值的45.52%；实现税收186.85亿元，增长34.34%；工业项目实际投资额636.38亿元，增长43.24%；基础设施投资218.12亿元，增长150.33%；新建成标准厂房138.62万平方米。全自治区纳入综合跟踪考核的37个重点园区普遍实现快速增长。37个园区中，有33个实现快速增长，占89%。增长较快、对全自治区经济增长有较大影响的工业园区有：柳州高技术产业园区总产值（下同）730.78亿元，增长38.17%；南宁高新技术产业开发区399.32亿元，增长15.05%；柳州阳和工业园区150.42亿元，增长48.64%；广西百色工业园92.56亿元，增长32.05%；广西梧州工业园30.6亿元，增长152.75%。年内主要抓好以下工作：一是优化项目审批核准程序。工业园区需自治区核准、备案的工业项目，由园区管委会初审后直接报自治区工信委（原经委）核准、备案，减少审批核准手续、提高工作效率。二是大力推进工业园区基础设施建设。通过自治区扶持资金的引导，吸引各类资金投入工业园区基础设施建设。自治区财政安排2亿元专项资金，按照“突出重点、注重实效、资金放大”的原则，支持梧州、贺州、玉林、贵港等市加强工业园区基础设施建设。同时，开展第二批标准厂房补助的申报工作，鼓励和推进园区多层标准厂房建设，集约、节约用地。三是开展多种形式的招商。根据广西优势资源、优势产业，收集筛选一批招商项目，通过“小分队”招商、网络招商、依托商会“以商招商”等多种方式开展招商活动，重点开展对台的工业产业招商引资，加强与上海、浙江等发达地区的工业合作交流。四是加强产业园区分类管理和指导。出台《广西壮族自治区产业园区管理暂行办法》（桂政办发〔2009〕84号），规范各类产业园区的管理，提高园区的整体质量水平及竞争力。

（五）工业节能“十一五”目标提前完成

2009年，广西以增强可持续发展能力为目标，促进节能减排和循环经济发展，取得显著成绩。全自治区规模以上工业万元增加值综合能耗2.235吨标准煤，下降6.68%，实现节能296万吨标准煤，提前一年完成规模以上工业万元增加值综合能耗下降到2.41吨标准煤以下的“十一五”目标；万元工业增加值取水量212立方米，降低9.7%；工业用水重复利用率62%，提高2.5个百分点；工业固体废弃物综合利用量3857万吨，综合利用率达67.3%。重点围绕加大技术改造与新技术的推广应用，大力推动循环经济发展，促进企业节能降耗减排和资源综合利用，主要抓好以下工作：一是完善和健全节能降耗责任评价考核制度。下达年度工业节能指导性计划及实施意见，并与各市经委签订工业节能目标责任状。严格执行工业节能减排统计监测及考核制度。二是全面建立工作机制。建立和执行工业节能检查分析会制度、企业能源消费情况通报制度、超能耗企业挂牌督办工作制度、重点用能单位能源利用状况报告制度、固定资产投资项目合理用能评估审查制度、节能奖励制度等一系列工作机制，有效保证工业节能目标任务的顺利完成。三是稳步推进节能减排技改项目建设。从国家争取各类节能减排资金3.18亿元，支持总投资达39.93亿元的47个项目，实现节能量达127.20万吨标准煤。同时，安排自治区财政专项工业节能资金6500万元，支持重点节能技术改造项目106项，项目总投资38.81亿元。

（六）服务企业能力增强

2009年，针对国际金融危机的严重影响，广西调整服务企业工作思路，以企业需求为中心，采取有效措施帮助企业脱困。一是制定应对国际金融危机的相关政策。针对企业在危机中遇到的困难，出台

《关于支持工业企业应对当前国际金融危机的若干意见》（桂政发〔2009〕23号），通过实行优惠电价、食糖和有色金属储备、增加银行信贷投放、降低企业物流运输成本、推动实施汽车下乡、切实减轻企业负担等十五条政策，帮助企业渡过难关。二是有效推进企业做大做强。各市制定培育发展强优企业的具体措施，选取规模大、成长性高、效益好的企业作为强优企业培育对象，在生产要素配置上给予重点支持。全自治区营业收入超30亿元以上工业企业22家，其中100亿元以上企业8家。三是促进中小企业加快发展。自治区政府安排1亿元为中小企业流动资金提供贷款贴息，中小企业发展专项资金也由2000万元增加到1亿元。帮助建立健全中小企业信用担保机构，缓解中小企业贷款难等问题。同时，自治区工信委与国家农业部农产品加工局联合，研究中国—东盟自由贸易区零关税背景下广西农产品加工业的发展思路、政策措施，支持农产品加工企业发展。

固定资产投资

2009年，广西投资高速增长，投资规模明显扩大。全自治区全社会固定资产投资5706.7亿元，比上年新增1922.89亿元，增长50.8%，增速比上年提高23.6个百分点。其中，城镇固定资产投资5159.34亿元，增长53.9%，增速比上年提高26.5个百分点；农村固定资产投资547.36亿元，增长27.2%，提高1.7个百分点。从管理渠道看，城镇投资中基本建设投资增长44.8%；更新改造投资增长101.9%，其中工业技改投资增长73.9%；房地产投资增长29.7%。全年商品房销售面积2383.76万平方米，增长34.8%；商品房销售额777.17亿元，增长55.6%。从三次产业投资看，城镇固定资产投资中第一产业投资增长41.1%，第二产业投资增长34.5%，第三产业投资增长69.7%。第三产业投资中交通运输业投资增长100.8%，其中铁路投资增长400.7%，公路投资增长73.8%。从资金到位情况看，城镇投资资金到位5530.9亿元，增长62.2%，其中预算内资金、国内贷款和自筹资金分别增长63.7%、98.5%和55.7%。从项目看，城镇投资施工项目24963个，增长43.4%，其中新开工项目19068个，增长59.2%。

技术进步

2009年，广西以技术改造投资为抓手，不断提升自主创新能力。通过大力推进企业技术改造和自主创新，加快调整产业、产品结构，推动企业技术升级，转变经济发展方式，取得显著成绩。全自治区工业投资完成1893.74亿元，增长35.3%；完成技术改造投资1552.55亿元，净增投资额783.60亿元，增长1.02倍，占全自治区固定资产投资总额的27.2%，比上年提高4.2个百分点。技术改造投资对全社会固定资产投资增长的贡献率达到40.8%，同比提高10.9个百分点。全自治区共实施技术改造项目24693项，增长43.4%，其中新开工项目19068项。全自治区国家级、自治区级企业技术中心达128家，其中国家级企业技术中心7家、分中心1家，自治区级企业技术中心120家；全区企业申请专利1564件，增长23.3%，获得授权1067件，增长43.8%。

主要抓好以下几项工作：

一是超常规推进项目建设。为有效应对国际金融危机，保持广西经济发展良好势头，全自治区上下牢牢把握投资这个拉动广西经济发展的第一动力，按照自治区“四个非常”的要求，组织一大批项目提前开工建设，确保全自治区技术改造投资翻一番目标的实现，实现投资促增长、扩内需的目标。二是狠抓重大项目。充分发挥资源和区位优势，以有色金属、汽车、冶金、食品、石化、机械、电力等千亿元支柱产业为重点，促进土地、资金等生产要素优先向优质重大项目倾斜，保障和推动优质重大项目建设。三是加快项目审批。通过成立工业用地厅际审批工作协调小组，加速技改项目的审查。建立相应审批机制，减少项目审批环节，提高办事效率。四是建立服务企业工作组。组织工作组深入各市县，召开现场办公会，为企业提供长期的、点面结合的巡回式服务，对企业进行政策指导并及时协调解决企业的困难和问题。五是增强自主创新能力。通过组织实施国家及自治区技术创新项目，加大研发投资力度，加快技术成果产业化，促进产学研联合和对外交流合作。

信息化建设

2009年，广西信息化服务经济社会发展的能力增强，全自治区移动、联通、电信三大通信运营商全年完成投资140亿元，增长122%；软件业实现主营业务收入40亿元，增长25%。全区信息基础设施建设得到有效改善。一批电子政务、企业信息化、城市信息化、农村信息化项目的实施，提升了全自治区信息化水平，为推进“两化”融合奠定坚实基础，促进了“数字广西”的建设与发展。年内，以服务经济社会发展为方向，全面推进各领域信息化建设与应用，主要做好以下工作：一是促进信息基础设施和服务支撑体系建设。自治区人民政府与电信、移动、联通三大通信运营商签署战略合作框架协议。按照国家推进信息化建设的战略部署，加快3G通信网络的建设与应用。推动省部共建，挂牌成立国家工业和信息化部软件与集成电路促进中心（CSIP）广西分中心。加强与自治区内外知名IT企业的合作，促进软件业发展，提升广西信息产业和信息化自主创新能力，逐步建设有广西特色的公共信息服务支撑体系。二是推进各项信息化建设项目的实施。组织实施一批电子政务、企业信息化、城市与社区信息化项目和农村信息化试点项目，以及北部湾经济区信息交流中心建设项目等，有力促进经济社会发展，提高城市建设管理水平和公共服务水平。三是推进信息化与工业化“两化”融合。将柳州市确定为广西“两化”融合试点城市；组织编制《柳州市国家级“两化”融合试验区建设规划》；成功举办“中国首届汽车业‘两化’融合高峰论坛”等。四是加强信息安全管理工作。开展专题调研，起草《广西网络与信息安全事件专项应急预案》。认真组织开展全区政府信息系统安全检查工作，增强广西政府部门信息安全意识，促进安全防范能力的提高。五是加强无线电管理和安全保障。圆满完成“两会”、新中国成立60周年大庆等重大活动期间无线电安全保障工作。加强无线电频率台站管理，认真开展无线电执法工作，坚持日常监测，及时排查无线电安全隐患，保障各类无线电业务的安全通畅。加强边境无线电管理，协助部队开展边境区域电磁频谱监测工作。推进无线电管理基础设施和技术设施建设。

广西北部湾经济区

2009年，广西北部湾经济区经济增势强劲。经济区内南北钦防四市合计完成生产总值年450.23亿元，比上年增长15.9%，增速比全自治区高2个百分点，经济总量在全自治区生产总值中的比重提高到31.86%。其中，南宁市1492.38亿元，增长15%；北海市335亿元，增长16%；钦州市396.37亿元，增长15.3%；防城港市251.04亿元，增长17.68%。规模以上工业增加值合计570.9亿元，增长20.7%，比全自治区高2.5个百分点，工业经济总量在全自治区的比重提高到19.94%。其中，南宁市320.61亿元，增长14.6%；北海市73.11亿元，增长25.4%；钦州市79.58亿元，增长20.7%；防城港市97.60亿元，增长39.8%。全社会固定资产投资合计完成2002.66亿元，增长54.8%，比全自治区高4个百分点，投资额占全自治区全社会固定资产投资总额的35.10%。其中，南宁市1043.91亿元，增长50.54%；北海市330亿元，增长65%；钦州市374.65亿元，增长50.46%；防城港市254.1亿元，增长73.98%。财政收入合计332.54亿元，增长22%，比全自治区高7.3个百分点，财政收入合计占全自治区财政总收入的34.39%。其中，南宁市231.37亿元，增长21.03%；北海市35.75亿元，增长32.28%；钦州市38.03亿元，增长18.83%；防城港市27.39亿元，增长24.90%。社会消费品零售总额合计1042.63亿元，增长19.7%，比全自治区高0.4个百分点，消费总量占全自治区的37.36%。其中，南宁市757.01亿元，增长19.74%；北海市95.2亿元，增长18.9%；钦州市145.09亿元，增长19.85%；防城港市45.33亿元，增长15.98%。

2009年南北钦防4市主要经济指标情况

单位：亿元

项　目	合计	比重（%）	南宁市	北海市	钦州市	防城港市
生产总值	450.23	31.86	1492.83	335	396.37	251.04
#工业增加值	570.9	19.94	320.61	73.11	79.58	97.60
固定资产投资	2002.66	35.10	1043.91	330	374.65	254.10
财政总收入	332.54	34.39	231.37	35.75	38.03	27.39
社会消费品零售总额	1042.63	37.36	757.01	95.20	145.09	45.33

商品流通

（一）消费市场活跃，部分商品销售快速增长

2009年，全自治区社会消费品零售总额2790.7亿元，比上年增长19.3%。其中，城市消费品零售额增长19.2%，农村消费品零售额增长19.6%。分行业看，住宿和餐饮业零售额增长19.8%；批发和零售业零售额增长19.6%。在限额以上批发零售贸易业25个大类商品中有21个大类商品零售额比上年增长，其中汽车、家具、中西药品和机电产品及设备类商品零售额分别增长34%、27%、22.4%和20.8%。全年全区入境旅游者人数209.85万人次，比上年增长4.4%。据初步测算，国际旅游外汇收入6.43亿美元，增长6.5%。

（二）居民消费价格和工业生产价格全年负增长

2009年，全自治区居民消费价格比上年下降2.1%。其中，城市下降2.1%，农村下降2.5%。分类别看，八大类商品价格“二涨六落”：烟酒及用品上涨0.8%，医疗保健和个人用品上涨0.5%；家庭设备用品及维修服务下降1.4%，食品下降1.5%，衣着下降2.2%，交通和通信下降2.1%，娱乐教育文化用品及

服务下降0.2%，居住下降8%。居民消费价格12月份同比涨幅由负转正，当月上涨1.2%。全年工业品出厂价格下降6.5%，11月份由负转正，当月上涨1.5%，12月份上涨9.4%。全年原材料、燃料、动力购进价格下降4.9%，11月份由负转正，当月上涨1.3%，12月份上涨8.5%。全年商品零售价格下降2%。

外经外贸

2009年，广西外贸进出口实现增长。全自治区外贸进出口总额142.06亿美元，比上年增长7.3%。其中，出口83.71亿美元，增长13.9%；进口58.35亿美元，下降0.9%。从贸易方式看，一般贸易总额92.08亿美元，下降0.1%；边境小额贸易总额31.2亿美元，增长54.9%；进料加工贸易总额11.91亿美元，增长19.8%。全年广西对东盟出口36.17亿美元，增长33%，其中对越南出口30.98亿美元，增长36.6%。高新技术产品、机电产品、农产品出口分别增长42.9%、40.4%和9%。全年全自治区外商直接投资额10.35亿美元。

（撰稿：雷承宝）

2008—2009年广西壮族自治区经济社会发展主要指标

序号	指标	单位	2008年	2009年	增长率（%）
1	**一、人口和就业**				
2	年底人口数	万人	4816.0	4856.0	0.8
3	人口自然增长率	‰	8.70	8.53	
4	就业人员数	万人	2807	2863	2.0
5	**按产业分：**				
6	第一产业	万人	1549	1561	0.8
7	第二产业	万人	562	582	3.6
8	第三产业	万人	696	719	3.4
9	**城镇就业人员（按登记注册类型分）**				
10	国有单位	万人	198.14	196.99	-0.6
11	集体单位	万人	17.28	16.91	-2.1
12	股份合作单位	万人	1.60	2.80	75.0
13	联营单位	万人	0.70	0.60	-14.3
14	有限责任公司	万人	41.10	45.00	9.5
15	股份有限公司	万人	13.20	14.60	10.6
16	私营企业	万人	92.38	93.25	0.9
17	港澳台商投资单位	万人	6.00	7.00	16.7
18	外商投资单位	万人	7.20	7.70	6.9
19	个体	万人	115.90	126.93	9.5
20	城镇登记失业人数	万人	18.80	19.11	1.7
21	**二、国民经济核算**				
22	地区生产总值	亿元	7171.6	7759.2	13.9
23	**按产业分：**				
24	第一产业	亿元	1453.9	1458.5	5.2
25	第二产业	亿元	3037.7	3381.5	17.7
26	工业	亿元	2627.4	2863.8	
27	建筑业	亿元	410.4	517.7	
28	第三产业	亿元	2679.9	2919.1	13.8
29	#交通运输、仓储和邮政业	亿元	359.5	378.8	
30	批发和零售贸易业	亿元	614.8	551.1	
31	**三、固定资产投资**				
32	投资总额	亿元	3756.4	5237.2	39.4
33	**按投资种类分：**				
34	城镇	亿元	3325.9	4689.9	41.0

续表

序　号	指　标	单　位	2008 年	2009 年	增长率（%）
35	#房地产开发	亿元	627.3	813.7	29.7
36	农村	亿元	430.5	547.4	27.2
37	#农户	亿元	236.5	303.5	28.3
38	非农户	亿元	193.9	243.9	25.7
39	**按建设规模分：**				
40	建设总规模	亿元	13525.7	16762.5	23.9
41	在建总规模	亿元	11300.6	13517.9	19.6
42	在建净规模	亿元	6261.4	7693.4	22.9
43	**按资金来源分：**				
44	国家预算内资金	亿元	209.4	286.9	37.0
45	国内贷款	亿元	491.3	852.1	73.4
46	利用外资	亿元	80.6	75.8	-6.0
47	自筹资金	亿元	2329.4	3329.3	42.9
48	其他投资	亿元	705.4	1093.4	55.0
49	**四、房地产开发**				
50	本年完成土地开发面积	万平方米	608	383	-36.9
51	本年土地购置费用	亿元	100.7	116.5	15.7
52	本年土地购置面积	万平方米	1446	1287	-11.0
53	本年完成投资额	万元	6273423	8136811	29.7
54	#住宅	万元	4128343	5771730	39.8
55	#经济适用房屋	万元	76750	115901	51.0
56	房屋施工面积	万平方米	6877	8346	21.4
57	房屋竣工面积	万平方米	1254	1442	15.0
58	本年新开工房屋面积	万平方米	2258	3020	33.7
59	#住宅	万平方米	1909	2471	29.4
60	#经济适用房屋	万平方米	73	62	-15.9
61	商品房屋销售面积	万平方米	1768	2384	34.8
62	#住宅	万平方米	1638	2250	37.3
63	#经济适用房屋	万平方米	48	64	35.5
64	商品房屋销售额	万元	4996235	7771721	55.6
65	#住宅	万元	4315247	7047622	63.3
66	商品房屋平均销售价格	元/平方米	2826	3260	15.4
67	#住宅	元/平方米	2634	3133	18.9
68	#经济适用房屋	元/平方米	1880	1991	5.9
69	**五、规模以上工业企业**				
70	企业单位数	个	5427	5678	4.6
71	工业总产值	亿元	6072.0	6880.0	13.3
72	资产总计	亿元	5981.1	6840.6	14.4
73	利润总额	亿元	231.1	321.3	39.0
74	总资产贡献率	%	10.9	11.9	
75	资产负债率	%	64.1	64.3	

续表

序 号	指 标	单 位	2008 年	2009 年	增长率（%）
76	**六、交通运输业**				
77	运输线路长度				
78	铁路营业里程	公里	2731	3126	14.4
79	内河航道里程	公里	5413	5433	0.4
80	公路里程	公里	99273	100491	1.2
81	#高速公路	公里	2181	2395	9.8
82	货运量	万吨	83123	94466	13.6
83	#铁路	万吨	8041	8962	11.5
84	公路	万吨	64884	75766	16.8
85	水运	万吨	10198	9738	-4.5
86	客运量	万人	63608	68593	7.8
87	#铁路	万人	2623	2886	10.0
88	公路	万人	60645	65405	7.8
89	水运	万人	340	302	-11.2
90	**七、国内商业**				
91	社会消费品零售总额	亿元	2395.8	2790.7	16.5
92	**八、对外贸易和旅游**				
93	货物进出口总额（按经营单位所在地分）	万美元	1323617	1425473	7.7
94	出口	万美元	734744	837537	14.0
95	进口	万美元	588872	587936	-0.2
96	外商投资企业货物进出口总额	万美元	454363	367765	-19.1
97	出口	万美元	161968	127751	-21.1
98	进口	万美元	292395	240014	-17.9
99	外商投资企业基本情况				
100	年底登记数	户	4297	4391	2.2
101	投资总额	亿美元	258.3	272.0	5.3
102	注册资本	亿美元	139.1	149.8	7.7
103	#外方	亿美元	109.4	120.8	10.5
104	对外承包工程				
105	完成营业额	万美元	23397	43495	85.9
106	对外劳务合作				
107	完成营业额	万美元	62	138	
108	接待国际旅游人数	万人次	201.02	209.85	4.4
109	#外国人	万人次	120.01	117.38	-2.2
110	国际旅游外汇收入	百万美元	601.66	643.34	6.9
111	**九、财政**				
112	地方财政一般预算收入	亿元	518.4	621.0	19.8
113	#国内增值税	亿元	65.9	65.0	-1.3
114	营业税	亿元	122.0	154.9	27.0
115	个人所得税	亿元	19.5	20.0	2.9
116	地方财政一般预算支出	亿元	1297.1	1621.8	25.0

续表

序 号	指 标	单 位	2008 年	2009 年	增长率（%）
117	十、物价指数				
118	商品零售价格指数	上年 = 100	107.6	98.0	
119	居民消费价格指数	上年 = 100	107.8	97.9	
120	#城市	上年 = 100	107.6	97.9	
121	农村	上年 = 100	108.5	97.5	
122	十一、人民生活				
123	收入				
124	农村居民家庭人均纯收入	元	3690	3980	7.9
125	城镇居民家庭人均可支配收入	元	14146	15451	11.5
126	居民消费水平	元	6103	6893	15.5
127	农村居民	元	3070	3302	10.3
128	城镇居民	元	11221	12585	14.3
129	住房				
130	农村居民人均住房面积	平方米	31.8	33.1	4.2
131	十二、教育				
132	高等学校数	所	68	68	0.0
133	高等学校招生数	人	157920	168942	7.0
134	高等学校在校学生数	人	484189	528342	9.1
135	高等学校毕业生数	人	110662	121457	9.8
136	十三、卫生				
137	卫生机构数	个	10427	32355	
138	#医院、卫生院	个	1708	1722	0.8
139	医疗机构床位数	张	118365	131569	11.2
140	#医院、卫生院	张	109730	122315	11.5
141	卫生技术人员数	人	155620	172910	11.1
142	#执业（助理）医师	人	60825	66813	9.8

注：1. 地区生产总值及其三次产业、城镇居民人均可支配收入和居民消费水平的增长速度按可比价格计算。
2. 卫生机构数2009年起含村卫生室，与历史数据不可比。

海南省

综 述

2009年，海南省委、省政府带领全省人民认真贯彻落实中央关于应对国际金融危机、保持经济平稳较快发展的一系列决策部署，紧紧围绕“保增长、保民生、保稳定”，积极扩大内需，着力扩大投资和促进消费，努力消除国际金融危机、甲型H1N1流感等诸多不利因素的影响，全省经济运行一季度企稳回升，并连续加快增长，产业发展呈现积极变化，投资与消费需求快速增长，区域经济活力明显增强，经济效益较快提高。总的来看，2009年海南省经济加快回升向好势头明显，保增长、保民生、保稳定、调结构、促改革取得显著成效，经济社会发展情况明显好于年初的预期。

2009年，海南省经济社会发展情况明显好于预期。经济增长持续加快回升。在一揽子经济刺激政策的作用下，全省经济运行较快地扭转了上年第四季度下滑的态势，在上升通道上加快回升。初步核算，全年全省生产总值1646.60亿元，按可比价格计算，比上年增长11.7%。从动态变化看，一季度GDP增长8.7%，上半年GDP增长9.3%，前三季度GDP增长9.8%，全年增长11.7%，呈现前低后高、加快上升的运行态势。分产业看，第一产业增加值461.93亿元，增长7.2%；第二产业增加值443.43亿元，增长12.6%；第三产业增加值741.24亿元，增长14.1%。

地方财政收入增幅较快增长。随着海南省经济增长加快回升，以及依法加强税收征管力度，确保税源应收尽收，促进地方财政收入明显加快。全年全省全口径一般预算收入376.4亿元，比上年增长18.7%，其中，地方一般预算收入178.21亿元，增长23.0%，比全国财政收入预计增长11.7%高11.3个百分点。

工业经济

（一）工业经济运行基本态势

2009年，在国际金融危机冲击下，海南省工业经济运行经历了一个急落探底、逐步回升的过程。一季度海南省工业经济深度探底，主要指标全面急速下滑；二季度开始，随着海南省拓市场、调结构、保增长的一系列政策措施逐步起效，工业增长逐月回升，积极变化开始显现；三季度企稳向好的可喜势头凸显，增速进一步加快。

1. 工业生产企稳回升并持续加快增长。扩大内需的政策效应在工业领域不断显现，工业生产呈现持续加快回升态势。2009年，全省规模以上工业完成增加值277.17亿元，比上年增长7.5%，增幅比上年提高1.5个百分点，实现完美“收官”，分别比一季度和上半年加快7个和5.5个百分点。尤其是10、11、12月增速回升势头更趋明显，分别增长18.2%、31.9%和20.2%。分轻重工业看，重工业成为拉动工业经济增长的主力。轻工业增加值为64.38亿元，同比增长7.4%；重工业增加值为212.79亿元，同比增长7.6%，占规模以上工业比重76.8%，成为拉动工业加快增长的主要力量。从工业用电量看，用电量增速与工业经济增速基本一致。1—12月，全省规模以上工业累计用电量为54.55亿千瓦时，同比增长7.7%。

2. 大企业对工业经济拉动作用明显。在全部规模以上工业企业中，完成产值五亿元以上的企业有29家，占规模以上工业企业的5.3%；产值达到721.71亿元，占规模以上工业总产值的66.5%，拉动工业经济增长4.2个百分点，对工业经济增长贡献率达56%。其中，海南炼油厂产值达到371.25亿元，占规模以上工业产值的34.21%，拉动工业经济增长8.5个百分点，大企业拉动工业经济增长作用明显。

3. 部分工业行业增长势头明显。2009年，全省35个主要工业行业中，近七成生产恢复增长势头。分季度情况看，一季度仅有14个行业产值实现增长，占全部工业行业的40.0%；二季度有17个行业实现增长，占全部工业行业的48.6%；三季度有20个行业实现增长，占全部工业行业的57.1%；四季度实现增长的行业达到24个行业，占全部工业行业的68.6%。其中，幅居前10位的分别是：通用设备制造业产值增长2.41倍、黑色金属冶炼及压延加工业产值增长81.6%、专用设备制造业产值增长49.4%、非金属矿物制品业产值增长30.4%、有色金属矿采选业产值增长28.1%、医药制造业产值增长25.4%、食品制造业产值增长20.0%、石油和天然气开采业插枝增长19.7%、橡胶制品业产值增长16.1%、烟草制品业产值增长11.5%。

实现工业总产值占全省规模以上工业总产值80.6%的石油加工、炼焦及核燃料加工业等八大支柱行业中，有六个呈正增长，分别为：非金属矿物制品业产值增长30.4%、医药制造业产值增长25.4%、电力、热力的生产和供应业产值增长10.3%、石油加工、炼焦及核燃料加工业产值增长7.5%、交通运输设备制造业产值增长5.3%、农副食品加工业产值增长4.1%；有两个呈负增长，分别是：化学原料及化学制品制造业产值下降13.0%、造纸及纸制品业产值下降0.6%。尤其是医药工业在各级政府加大对医药工业政策扶持力度的推动和市场刚性需求的拉动下，加上部分医药企业通过技改、新增生产线来扩大生产规模、降低成本以及一批新增医药企业的正式投产，取得迅猛发展，在2008年增长21.5%的基础上，2009年又增长25.4%。

4. 股份制企业较快增长成为拉动工业加快回升的主要动力。分经济类型看，2009年全省股份制企业完成增加值94.89亿元，同比增长12.6%，高于规模以上工业增速5.1个百分点，是所有工业经济类型中增幅最大的，成为拉动工业加快回升的主要动力；外商及港澳台投资企业完成增加值133.37亿元，增长7.2%；国有企业完成增加值41.72亿元，同比增长5.2%；集体企业完成增加值0.44亿元，下降0.7%；股份合作企业完成增加值为94.89亿元，下降24.0%；其他经济类型工业完成增加值6.54亿元，下降6.4%。

5. 区域工业经济发展总体趋好。从市县（区）情况看，大部分市县工业生产都有不同程度增长，总体发展趋好，工业增加值增速下降的市县由一季度9个回落到四季度4个。从市县增加值增长幅度来看，呈两位数增长的有八个市县，按增速高低排序分别是：乐东县增长30.6%，三亚市增长24.1%，儋州市增长20.4%，琼中县增长20.4%，昌江县增长18.5%，保亭县增长13.7%，澄迈县增长12.4%，白沙县增长10.0%。主要工业市县（区）主导全省工业经济发展。海口、澄迈、昌江、儋州、东方、洋浦等六个市县（区）规模以上工业经济对全省规模以上工业起绝对主导作用，完成工业增加值225.01亿元，占全省工业增加值81.2%，拉动全省工业经济增长4.7个百分点。

6. 主要工业产品产量较快增长。从列入统计的25种主要工业产品产量看，有18种主要工业产品产量保持增长，占主要工业产品的72%。增长前10名的产品按高低排序分别是：水泥增长54.4%，天然原油增长52.4%，机制纸及纸板增长31.1%，罐头增长17.0%，钢材（成品钢材）增长15.7%，配混合饲料增长11.9%，合成纤维聚合物（聚脂）增长11.2%，饮料酒增长10.3%，软饮料增长10.1%，化学纤维增长10.0%。作为海南省支柱产业的交通运输设备制造业的汽车产量，2009年随着经济的回升，在政策利好和市场需求拉动下，呈现逐步增长的良好发展趋势。12月份海南省汽车产量大幅跃升，当月生产汽车11965辆，同比增长2.07倍；1—12月累计生产汽车91627辆，同比增长7.7%，均为近两年来的最高增幅。

7. 工业出口交货值逐步走高。随着国际经济形势回缓和外需的逐步扩大，促进海南省工业品出口形势的不断向好。作为直接体现工业经济复苏状况的工业出口交货值，呈现逐步走高态势。2009年，全省工业出口交货值达到89.72亿元，同比增长39.1%，占规模以上工业产值的8.5%。其中，四季度出口交货值为29.04亿元，同比增长89.01%，占全部出口交货值的32.37%。其中，石油产品和水产品加工出口交货值为71.65亿元，占全部出口交货值的79.9%。仅石油产品加工出口交货值就达到50.06亿元，占全部出口交货值的56.4%，增长1.95倍。

8. 工业经济效益总体向好。从2009年1—11月份的财务指标来看，全省工业经济效益总体向好，规模以上工业经济综合效益指数达到283.2，较上年同期提高51.7个点；实现利润总额累计达到85.34亿元，比上年同期增长1.88倍；亏损企业累计亏损11.63亿元，比上年同期减亏78.9%。“两金”（应收帐款净额及产成品库存）占用有所减少：应收帐款净额90.17亿元，同比下降10.8%；产成品库存占用资金53.69亿元，同比下降6.3%

（二）工业经济运行的主要问题

2009年全省工业经济运行呈现加快回升的态势，加快发展的态势更趋明朗。但工业运行中还面临一些有待解决的困难和问题，工业企稳回升基础不牢，部分行业、企业生产经营仍然比较困难，内在增长动力不强。主要表现在：

1. 部分工业企业生产仍比较困难。受国际金融风暴的影响，加上部分企业自身经营管理不善等原因，导致全省仍有142家规模以上工业企业亏损，比上年同期增加7家，同比增长5.2%，亏损面为31.0%，是影响海南省工业经济发展的主要因素之一。而且海南省规模以上工业企业实现利润总额的增长，主要得力于中国石化海南炼油化工有限公司（洋浦炼油厂）的利润增长的拉动，如果扣除洋浦炼油厂的利润后，全省规模以上工业企业利润总额实际下降33.6%。累计产值超5亿元的企业中，金海浆纸产值同比下降7.9%，中海石油建滔有限公司产值下降30.0%，海宇锡板下降8.6%，金盘电气下降11.1%等。

2. 企业自主创新能力不强。从全省规模以上工业的总体情况看，大部分企业目前仍缺乏自主创新能力，缺乏必要的技术力量及技改资金来支撑企业的长远发展。截至2009年12月，全省完成新产品产值9.11亿元，同比下降0.4%，这影响了企业经济效益的提高，进而影响企业的竞争力，成为滞后海南省工业经济发展的又一主要因素。

3. 部分工业产品价格降幅较大。受金融危机的影响，海南省部分主要工业品出厂价格走低，压缩了企业的盈利空间。2009年，产品价格同比下降幅度较大的有：黑色金属矿采选业下降44.9%（铁矿石），罐头制造下降8.9%，化肥下降31.1%，造纸及纸制品业下降21.25%，黑色金属冶炼及压延加工业下降21.5%，石油加工、炼焦及核燃料加工业下降11.8 %，炼钢下降16.38%，炼铁下降19.03%，汽车下降5.9%。

4. 工业投资增长出现大幅下降。受政府投入大量增加和银行信贷资金快速增长的支撑，固定资产投资较快增长，全年全省城镇固定资产投资虽然仍达到41.4%的增幅。但投资主要集中在第三产业，工业投资下降明显。全年全省制造业下降22.7%。工业投资持续下降，将有可能影响工业经济的发展后劲。

固定资产投资

全年全社会固定资产投资总额1002.5亿元，比上年增长41.4%，拉动经济增长9.3个百分点。其中，本年新开工项目投资235.79亿元，增长42.7%。新开工项目快速增长。全省施工项目1725个（未含房地产投资），比上年增长39.7%，其中，新开工项目1117个，增长38.4%。

重点项目投资规模明显扩大。全年全省105个重点项目完成投资486亿元，比上年增长33.6%。电网跨海联网一期、华能东方电厂一期、海口港二期、叉河一期100万吨水泥、国投三期200万吨水泥、海宇20万吨镀锡薄板等竣工投产或运营；东环铁路、大广坝二期、洋山地区土地整理与生态恢复、GSP网络建设、东方四更风电一期、神州半岛开发区、石梅湾旅游开发区、香水湾、清水湾、土福湾、永庆旅游区、三亚湾新城、马村港扩建一期等一批重点项目投资进展较快，完成进度达到90%以上；航天发射场、80万吨甲醇、海口至屯昌高速公路、海口国际会展中心、中海油精细化工等陆续开工建设。

科技创新

2009 年，海南省拥有科研机构 31 个，其中 31 个有科技活动，16 个有研究与试验发展活动；大中型工业企业 99 个，其中有科技活动的单位数为 18 个，有研究与试验发展活动的单位数为 9 个。科研机构申请专利 50 项，拥有发明专利 22 项；大中型工业企业申请专利 115 项，拥有发明专利 8 项。海南省本土科研机构和企业内部科研部门很少，研发能力不强，国家级的科研项目不多，缺乏在全国有影响的科研成果。海南省的科研机构数量远远不能满足经济发展的需求，企业也没能成立自己的产品研发体系。

政府为科技活动经费拨款 6.0971 亿元，企业科技资金 8.5842 亿元。企业在技术开发投入资金的数量没有达到国内均衡水平，不能够集中力量取得一些关键技术的突破，导致研发重点不明确，企业核心业务不确定，整体的技术水平落后。

2009 年海南省大中型工业企业研究与试验发展（R&D）活动项目仅有 44 项，R&D 经费为 6324 万元，为全国最低水平；大中型工业企业新产品开发项目仅有 61 项，开发新产品经费为 34568 万元，新产品产值为 554576 万元，新产品销售收入为 603299 万元，其中出口 19847 万元，新产品开发实力仅高于西藏和青海两省区。

区域经济

2009 年，海南省区域经济活力明显增强，综合经济实力进一步提升。各市县认真贯彻落实海南省委、省政府关于应对国际金融危机、保持经济平稳较快发展的一系列决策部署，紧紧围绕“保增长、保民生、保稳定”和“发展壮大市县经济”，充分发挥各自独特的资源优势和区位优势，大力发展特色经济，积极推进经济结构调整；加大投资力度，着力扩大消费需求；抓住“扩权强县”契机，充分释放扩权强县的政策效应和制度活力，市县经济在应对国际金融危机中保持较快发展，尤其是东部市县增势强劲。在 18 个市县中，有 8 个市县城镇固定资产投资增速超过 50%，其中，昌江增长 1.4 倍、保亭增长 1.2 倍、琼海增长 1.1 倍，区域投资的增长势头十分强劲；在全省 18 个市县中，地方财政一般预算收入增幅超过 20% 的有 16 个县市，超过 40% 的有 7 个，有 14 个县市收入超亿元，市县经济运行质量明显提高。

商品流通

近几年来居民收入持续较快增长和社会保障制度的不断完善为扩大消费提供了重要基础，随着经济增长回升加快，房地产市场需求继续走旺，以及实施汽车下乡、家电下乡等一系列政策措施作用下，海南省消费需求继续保持旺盛态势。全年全省社会消费品零售总额 534.51 亿元，比上年增长 19.2%。消费拉动经济增长 4.9 个百分点。分区域看，城乡市场均保持较快增长的良好势头。城镇市场零售额 425.60 亿元，增长 19.3%；农村市场零售额 108.91 亿元，增长 18.6%。住房、汽车、通讯器等销售十分活跃，销售额比上年分别增长 73.2%、60.2% 和 60.8%。

城乡居民收入增长较快。在应对金融危机的过程中，海南省委、省政府坚持把改善民生作为保增长的出发点和落脚点，努力使人民群众得到更多实惠。全年城镇居民人均可支配收入 13751 元，扣除物价因素，比上年实际增长 9.6%；全年农村居民人均纯收入 4744 元，扣除物价因素，比上年实际增长 9.2%。

居民消费价格总水平保持稳定。全年各月份居民消费价格总水平波动较小，降幅保持在 1% 以内。全省居民消费价格总水平比上年同期下降 0.7%。其中，烟酒及用品价格上涨 0.9%、家庭设备和用品与维修服务价格上涨 1.9%、医疗保健与个人用品价格上涨 4.3%，食品、居住、衣着、交通和通信、娱乐教育文化用品及服务等五类价格分别下跌 0.1%、6.0%、1.4%、1.9 和 0.4%。从环比看，居民消费价格除 1 月上涨 0.9 外，2—12 月跌幅下限和涨幅上限均在 0.6% 以内，呈现下跌和上涨交替小幅波动态势，其中，12 月环比上涨 0.6%，物价运行基本保持平稳。

外经外贸

受国际金融危机影响，境外企业投资能力下降，加上由于美元贬值、人民币升值的影响，导致融资成本上升，海南省实际吸收外资自 2009 年 7 月份开始连续 6 个月下降。全年全省实际利用外资总额 9.43 亿美元，比上年下降 26.6%。其中，外商直接投资 9.38 亿元，下降 26.9%。在外商直接投资中，外资企业 5.46 亿美元，下降 43.3%；合资企业 2.29 亿美元，下降 28.4%。这表明海南省吸收外资仍面临较大困难，应积极优化投资环境，推动出台有利于吸收外资的各项政策措施。

由于受国际金融危机的影响，世界市场需求持续疲软，加上国际贸易保护主义抬头，提高贸易壁垒等因素影响，外贸出口增长乏力。全年全省外贸进出口总额 89.58 亿美元，比上年下降 14.9%。其中，外贸出口总额 19.0 亿美元，仅增长 2.0%（含海南炼化）。海南省外贸出口增长主要是靠海南炼化出口拉动，若扣除海南炼化，海南省外贸出口是负增长的。

交通运输、邮电通信和旅游业

（一）交通运输业

2009 年，海南省交通运输保持较快增长，在经济较快发展带动下，全年交通运输业保持较快发展。主要交通运输周转量和港口吞吐量如下：

2009 年海南省货物、旅客周转量和港口吞吐量及增长情况

表 1

指标名称	单 位	2009 年实际	比上年增减（%）
货物周转量	亿吨公里	820.05	13.8
铁路	亿吨公里	10.24	3.2
公路	亿吨公里	100.73	19.7
水运	亿吨公里	704.60	13.0
民航	亿吨公里	4.48	45.6
旅客周转量	亿人公里	401.70	22.9
铁路	亿人公里	3.98	9.3
公路	亿人公里	153.03	13.8
水运	亿人公里	2.67	-2.8
民航	亿人公里	242.02	30.1
港口吞吐量			
货物吞吐量	万吨	7368.85	9.4
其中：出港货物	万吨	3325.52	4.4
旅客吞吐量	万人	2845.73	12.6
其中：离港旅客	万人	1212.48	10.6

续表

数据来源：《2009 年海南省国民经济和社会发展统计公报》，海南省统计局。

（二）邮电通信业

2009 年，海南省全年邮政业务总量 7.47 亿元，比上年增长 19%；通信业也随着地方经济的止跌回稳而步入稳定发展阶段。全年电信业务总量 184.64 亿元，比 2008 年增长 20.97%，比全国平均增长水平高 6.57 个百分点；实现电信业务收入累计完成 60.32 亿元，同比增长 10.19%，比全国平均增长水平高 6.09 个百分点；实现利润总额 11.51 亿元，同比增长 15.05%。

2009 年，电信综合价格水平比上年下降 9.3%。五年来，电信综合价格水平下降了 39%，如图 1 所示。

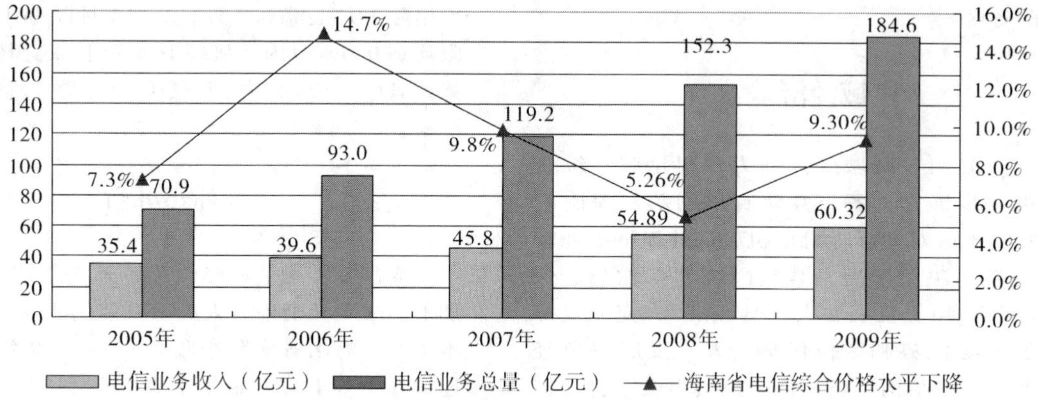

图 1 2005—2009 年海南省电信综合价格水平变化情况

数据来源：《2009 年海南省通信行业统计公报》，海南省通信管理局。

2009 年末全省电话用户累计净增 57.14 万户，达到 679.46 万户。固定电话用户 183 万户，比上年减少 41.52 万户。固定电话普及率 21.43%，比上年下降 5.15 个百分点。其中，城市电话用户 125 万户，农村电话用户 57 万户。

2009 年末移动电话用户 496 万户，增长 58.0%。普及率达 58.12%，比上年提高 11.05 个百分点。

2009 年互联网用户数比上年增加 15.79 万户，为 61.49 万户。其中：宽带接入用户净增 22.33 万户，达到 58.34 万户。互联网拨号上网用户减少 6.57 万户，为 3.06 万户。互联网拨号上网用户呈现逐年减少的态势，而宽带接入用户呈现逐年增加的态势。

（三）旅游业

2009 年，在大力推进国际旅游岛建设的进程，以及在加强旅游宣传和区域合作力度的作用下，海南省旅游业克服了国际金融危机和甲型 H1N1 流感等不利因素的影响，呈现出加快发展的趋势。

2009 年接待旅游过夜人数 2250.33 万人次，比上年增长 9.2%。其中，接待国内旅游者 2195.18 万人次，增长 11.9%；接待入境旅游者 55.15 万人次，下降 43.7%。旅游总收入达到 211.72 亿元，增长 10.1%。其中，国内旅游收入 192.82 亿元，增长

16.9%；境外旅游收入18.9亿元，下降29.1%。旅游饭店客房开房率59.18%。年末全省共有星级宾馆238家，其中，五星级宾馆20家，四星级宾馆54家，三星级宾馆112家。

海南省建省创特区以来，海南省旅游产业规模不断扩大，基础设施进一步完善，产值不断提高。但是与夏威夷、巴厘岛等世界著名旅游地相比，海南省旅游产业还存在知名度不高、精品旅游较少、产业规模不大、旅游服务不配套等问题。

2009年12月31日，国务院办公厅发布《国务院关于推进海南国际旅游岛建设发展的若干意见》，该意见的出台，标志着海南省国际旅游岛建设正式上升为国家战略，这是继1988年建省办经济特区之后，海南省发展史上又一件具有里程碑意义的大事。

但海南省的旅游开发仍然存在一些问题：一是旅游宣传促销力度不够、知名度不够高，缺乏鲜明的营销定位；二是旅游产业文化底蕴不足，海南本土文化没有充分发掘；三是对旅游产业定位和规划不够，片面开发低档旅游；四是旅游布局不够合理，交通相对落后，国际航线较少。这些问题都制约着海南国际旅游岛的建设。

（撰稿：杨谦）

2008—2009年海南省经济社会发展主要指标

序号	指标	单位	2008年	2009年	增长率（%）
1	一、人口和就业				
2	年底人口数	万人	854.0	864.1	1.2
3	人口自然增长率	‰	8.99	8.96	
4	就业人员数	万人	412	431	4.7
5	按产业分：				
6	第一产业	万人	222	226	2.0
7	第二产业	万人	47	49	5.8
8	第三产业	万人	144	156	8.4
9	城镇就业人员（按登记注册类型分）				
10	国有单位	万人	54.88	54.47	-0.7
11	集体单位	万人	3.13	3.51	12.1
12	股份合作单位	万人	0.50	0.40	-20.0
13	联营单位	万人	1.00	0.20	-80.0
14	有限责任公司	万人	7.50	10.20	36.0
15	股份有限公司	万人	4.70	3.90	-17.0
16	私营企业	万人	36.50	40.58	11.2
17	港澳台商投资单位	万人	1.90	1.80	-5.3
18	外商投资单位	万人	2.80	3.70	32.1
19	个体	万人	24.21	29.95	23.7
20	城镇登记失业人数	万人	5.64	5.30	-6.0
21	二、国民经济核算				
22	地区生产总值	亿元	1459.2	1654.2	11.7
23	按产业分：				
24	第一产业	亿元	437.6	462.2	7.2
25	第二产业	亿元	434.4	443.4	12.6
26	工业	亿元	321.2	300.6	
27	建筑业	亿元	113.2	142.8	
28	第三产业	亿元	587.2	748.6	14.1
29	#交通运输、仓储和邮政业	亿元	96.5	88.7	
30	批发和零售贸易业	亿元	147.2	168.8	
31	三、固定资产投资				
32	投资总额	亿元	705.4	988.3	40.1
33	按投资种类分：				
34	城镇	亿元	668.0	942.7	41.1

续表

序　号	指　标	单　位	2008 年	2009 年	增长率（%）
35	#房地产开发	亿元	199.4	288.0	44.4
36	农村	亿元	37.4	45.6	22.0
37	#农户	亿元	25.5	26.7	4.4
38	非农户	亿元	11.9	19.0	59.9
39	**按建设规模分：**				
40	建设总规模	亿元	2540.0	3271.4	28.8
41	在建总规模	亿元	2293.4	2818.8	22.9
42	在建净规模	亿元	1325.1	1435.7	8.3
43	**按资金来源分：**				
44	国家预算内资金	亿元	70.4	111.1	57.8
45	国内贷款	亿元	203.7	313.0	53.7
46	利用外资	亿元	24.5	36.1	47.4
47	自筹资金	亿元	355.2	471.4	32.7
48	其他投资	亿元	164.0	260.7	59.0
49	**四、房地产开发**				
50	本年完成土地开发面积	万平方米	216	306	42.0
51	本年土地购置费用	亿元	24.4	27.2	11.5
52	本年土地购置面积	万平方米	947	287	-69.7
53	本年完成投资额	万元	1994474	2879573	44.4
54	#住宅	万元	1723627	2618750	51.9
55	#经济适用房屋	万元	21657	4801	-77.8
56	房屋施工面积	万平方米	1500	1990	32.7
57	房屋竣工面积	万平方米	309	432	39.8
58	本年新开工房屋面积	万平方米	595	807	35.7
59	#住宅	万平方米	519	728	40.4
60	#经济适用房屋	万平方米	14	0	-100.0
61	商品房屋销售面积	万平方米	372	561	50.7
62	#住宅	万平方米	359	546	52.2
63	#经济适用房屋	万平方米	8	6	-24.9
64	商品房屋销售额	万元	2027094	3514587	73.4
65	#住宅	万元	1951875	3434396	76.0
66	商品房屋平均销售价格	元/平方米	5443	6261	15.0
67	#住宅	元/平方米	5441	6291	15.6
68	#经济适用房屋	元/平方米	1686	1550	-8.1
69	**五、规模以上工业企业**				
70	企业单位数	个	548	494	-9.9
71	工业总产值	亿元	1103.1	1057.5	-4.1
72	资产总计	亿元	1207.8	1291.4	6.9
73	利润总额	亿元	80.7	106.7	32.1
74	总资产贡献率	%	13.4	18.5	37.4
75	资产负债率	%	57.5	56.9	-1.0
76	**六、交通运输业**				
77	运输线路长度				

续表

序号	指标	单位	2008年	2009年	增长率（%）
78	铁路营业里程	公里	387	387	0.0
79	内河航道里程	公里	343	343	0.0
80	公路里程	公里	18563	20041	8.0
81	#高速公路	公里	660	660	0.0
82	货运量	万吨	15305	18393	20.2
83	#铁路	万吨	570	621	8.9
84	公路	万吨	9489	10839	14.2
85	水运	万吨	5246	6933	32.2
86	客运量	万人	37953	40735	7.3
87	#铁路	万人	65	68	5.3
88	公路	万人	36578	39461	7.9
89	水运	万人	1310	1206	-7.9
90	**七、国内商业**				
91	社会消费品零售总额	亿元	463.2	537.5	16.0
92	**八、对外贸易和旅游**				
93	货物进出口总额（按经营单位所在地分）	万美元	452852	488163	7.8
94	出口	万美元	158720	130863	-17.6
95	进口	万美元	294132	357300	21.5
96	外商投资企业货物进出口总额	万美元	240462	301396	25.3
97	出口	万美元	65245	58544	-10.3
98	进口	万美元	175216	242852	38.6
99	外商投资企业基本情况				
100	年底登记数	户	4921	4531	-7.9
101	投资总额	亿美元	966.6	903.4	-6.5
102	注册资本	亿美元	159.6	162.3	1.7
103	#外方	亿美元	113.0	117.6	4.0
104	对外承包工程				
105	完成营业额	万美元	3558	2173	-38.9
106	对外劳务合作				
107	完成营业额	万美元		0	
108	接待国际旅游人数	万人次	70.65	55.15	-21.9
109	#外国人	万人次	53.08	37.21	-29.9
110	国际旅游外汇收入	百万美元	313.88	276.66	-11.9
111	**九、财政**				
112	地方财政一般预算收入	亿元	144.9	178.2	23.0
113	#国内增值税	亿元	13.6	13.4	-1.1
114	营业税	亿元	52.3	67.8	29.6
115	个人所得税	亿元	5.6	6.1	10.1
116	地方财政一般预算支出	亿元	358.0	486.1	35.8
117	**十、物价指数**				
118	商品零售价格指数	上年=100	106.7	98.5	
119	居民消费价格指数	上年=100	106.9	99.3	
120	#城市	上年=100	106.1	99.5	

续表

序号	指标	单位	2008年	2009年	增长率（%）
121	农村	上年=100	108.8	99.0	
122	十一、人民生活				
123	收入				
124	农村居民家庭人均纯收入	元	4390	4744	8.1
125	城镇居民家庭人均可支配收入	元	12608	13751	9.7
126	居民消费水平	元	6550	6695	10.1
127	农村居民	元	3593	3447	11.8
128	城镇居民	元	10163	10215	4.8
129	住房				
130	农村居民人均住房面积	平方米	22.8	24.0	5.1
131	十二、教育				
132	高等学校数	所	16	17	6.3
133	高等学校招生数	人	39735	46392	16.8
134	高等学校在校学生数	人	126355	142082	12.4
135	高等学校毕业生数	人	23391	30844	31.9
136	十三、卫生				
137	卫生机构数	个	2220	4661	
138	#医院、卫生院	个	498	493	-1.0
139	医疗机构床位数	张	21889	23526	7.5
140	#医院、卫生院	张	20672	22066	6.7
141	卫生技术人员数	人	33875	37857	11.8
142	#执业（助理）医师	人	12850	14117	9.9

注：1. 地区生产总值及其三次产业、城镇居民人均可支配收入和居民消费水平的增长速度按可比价格计算。
2. 卫生机构数2009年起含村卫生室，与历史数据不可比。

重庆市

综　述

2009年，重庆市人民在市委、市政府的坚强领导下，坚持以邓小平理论和“三个代表”重要思想为指导，深入贯彻落实科学发展观，坚决执行中央扩内需、促增长的一系列政策措施，全面落实“314”总体部署和国发〔2009〕3号文件，着力推进统筹城乡改革、内陆开放高地和“五个重庆”建设，同心同德，奋起应对，国民经济加快回升、持续向好，各项社会事业全面进步。

2009年，全年实现地区生产总值6528.72亿元，比上年增长14.9%。其中，第一产业实现增加值606.80亿元，增长5.5%；第二产业实现增加值3447.48亿元，增长17.8%；第三产业实现增加值2474.44亿元，增长13.3%。第一产业增加值占全市生产总值的比重为9.3%，比上年下降0.6个百分点；第二产业增加值比重为52.8%，与上年持平；第三产业增加值比重为37.9%，上升0.6个百分点。按常住人口计算，全市人均地区生产总值22916元，比上年增长14.1%。

分区域看，一小时经济圈完成地区生产总值5076.48亿元，比上年增长14.2%，占全市生产总值的77.8%；渝东北翼完成1096.07亿元，增长18.8%，占全市的16.8%；渝东南翼完成356.17亿元，增长14.7%，占全市的5.4%；“两翼”所占比重较上年下降0.1个百分点。

城市居民消费价格总水平比上年下降1.6%，其中食品价格持平。主要食品价格中，猪肉下降23.6%、油脂下降19.1%、大米上涨8.4%、蛋类下降1.2%。工业品出厂价格下降4.5%，原材料、燃料、动力购进价格下降5.0%。

年末全市就业人员1668.83万人。其中，第一产业就业733.68万人，比上年减少1.8%；第二产业就业355.69万人，增长5.0%；第三产业就业579.46

万人，增长3.4%。城镇新增就业人员28.13万人，农村富余劳动力新增转移就业36.70万人。17.61万下岗、失业人员实现就业再就业。年末城镇登记失业率3.96%，与上年持平。

工业经济

2009年是新世纪以来重庆市工业发展最困难的一年，面对历史罕见的国际金融危机，在市委、市政府正确领导下，打赢了“止滑促增”的攻坚战，实现企稳回升，推进了重庆老工业基地改造振兴。全市完成工业增加值2917.4亿元，增长17.2%，占GDP比重44.7%，占比提高4.7个百分点；其中规模工业完成增加值2189.4亿元，增长18.5%。全市完成销售产值8247亿元，增长14.1%。其中规模工业6707亿元，增长15.2%。新产品产值达到2202.65亿元，增长35.0%。新产品产值占比达到32.8%，比上年提高3.7个百分点。全年完成工业投资1793.07亿元，增长30.2%，占全社会固定资产投资33.7%。全年规模以上工业经济效益综合指数达到206.4，比上年提高9.6个点；实现利税总额623.71亿元，增长15.9%；实现利润323.14亿元，增长16.4%；总资产贡献率10.9%，下降0.4个百分点；产品销售率97.8%，提高0.6个百分点；全员劳动生产率167693元/人年，增长12.3%。全市规模工业企业完成利润323.14亿元，增长16.4%；1—11月，规模工业企业经济效益综合指数200.4，提高5个点；全员劳动生产率16.4万元，增长25.1%。

从支柱产业看，汽车摩托车行业总产值2223.79亿元，增长21.3%，占规模以上工业总产值的33.2%，装备制造业总产值1091.14亿元，增长18.0%，占规模以上工业总产值的16.3%。全年汽车产量171万辆，增长56.9%，其中市内119万辆，增长59.8%，高全国平均11.8个百分点；生产摩托车960万辆，市内762万辆，增长3.1%；钢材477.4万吨，增长6.3%；铝材75.2万吨，下降0.2%，其中西铝32.8万吨，下降16%；水泥3611万吨，增长13.6%；啤酒73万千升，增长7.3%；轮胎外胎981万条，增长26.7%。全市发购电量累计540亿千瓦时，同比增长10.4%，其中，发电量428亿千瓦时，增长9.3%。原煤产量4279万吨，增长1.7%。天然气消费量48.6亿立方米，增长2.3%。货运总量6.85亿吨，增长7.6%，其中水路7700万吨，增长11%，铁路2181万吨，增长10.2%，集装箱56.9万标箱，下降4%。全年建筑业增加值530.08亿元，比上年增长21.2%。全市具有资质等级的总承包和专业承包建筑企业实现利润110.12亿元，增长23.5%；上缴税金85.03亿元，增长34.5%。

（一）2009年工业经济运行的主要特点

1. 工业经济快速回升。2009年，全市工业实现销售产值8247亿元，增长14.1%；增加值2915亿元，增长17.2%，占GDP的比重提高到44.7%。其中，规模工业实现销售产值6707亿元，增长15.2%；信息产业销售产值1006亿元（其中电子信息制造业603亿元，增长29%；软件和信息服务业260亿元，增长30%），增长23.4%；工业增加值2189亿元，增长18.5%，高于全国7.5个百分点，增速列全国第八位（内蒙古、天津、安徽、四川、湖南、江西、湖北、重庆），西部第三位（内蒙古、四川、重庆）。

2. 运行质量明显提高。经济效益综合指数达到200.4，提高5个点；新产品产值2203亿元，增长35%，新产品产值率达到32%；工业利润305亿元，增长16%；万元GDP能耗下降4.7%，工业固体废弃物年利用率达到80%。重庆金山科技（集团）有限公司获得2009年度全国信息产业重大技术发明奖，重庆红宇精密工业公司和西南计算机有限责任公司获得国防科学技术进步一等奖。

3. 工业投资强劲拉动。工业投资完成1796亿元，增长30.2%，占全社会投资的33%。其中，制造业投资1380亿元，增长33%，占工业投资77%；民间投资1266亿元，增长34%，占工业投资68.4%，拉动工业投资增长22个百分点；新开工建设项目3475个，计划投资1601亿元，增长82%。

4. 工业园区快速集聚。工业园区实现销售产值4096亿元，增长50.5%，达到全市工业销售产值的50%；工业增加值1299亿元，增长53.2%，占全市GDP比重为20%；实现利税总额428亿元，增长41.6%；就业人数达到60.5万人，比上年净增8.8万人。

5. 利用外资快速增长。引进工业项目63个，实际利用外资超过15亿美元（占全市近40%），增长87.5%，居西部前列，是2007年的5倍，2008年的近2倍；新增12家世界500强企业落户重庆，累计达到154家（其中境外125家、境内29家）；惠普、富士康、广达、英业达笔记本电脑等一批对产业调整升级有重大推动的项目入驻重庆。

6. 信息化建设进展迅速。通信业主营业务收入143亿元，增长5%；电话用户突破2000万户（其中移动电话用户1376万，固定电话用户639万），电话普及率达到71部/100人，位居西部前列。建成12条155兆国际专用数据通道，网站数量增速位居全国第一，行政村宽带覆盖率达到62%，完成自然村村村通电话工程。

7. 区县工业实力增强。百亿级工业区县达到19个（比上年增加3个），接近一半，其中，规模工业销售产值600亿元以上的2个（渝北、九龙坡）；300亿元~500亿元7个（南岸、沙坪坝、涪陵、巴南、江北、北碚、江津）；100亿元~300亿元10个（万州、大渡口、永川、璧山、长寿、荣昌、合川、大足、綦江、铜梁)。增速高于全市15.2%的区县有24个,其中,增长30%以上的10个(万州、江北、忠县、铜梁、奉节、永川、渝北、荣昌、江津、合川);增长20%~30%的9个(梁平、石柱、开县、北碚、綦江、南岸、涪陵、黔江、大足)。

8. 民营经济强势发展。民营规模工业完成销售产值3438亿元,增长30.9%,高于全市平均15个百分点,占全市规模工业的52.4%。民营企业不但在摩托车、农副产品加工、机械制造及配套、纺织服装、食品、建材行业中占主导地位,还涉足电子通信、仪器仪表、汽车、军品、生物技术、造船、能源等高技术领域。

(二)区县、园区、企业的排位情况

1. 区县排位情况。

(1)工业销售产值前10位。工业销售产值总量前10位的区县:渝北、九龙坡、南岸、沙坪坝、涪陵、巴南、江北、北碚、江津、万州;增速前10位:万州、江北、忠县、铜梁、奉节、永川、渝北、荣昌、江津、合川。

(2)工业投资前10位。工业投资总量前10位的区县:长寿、万州、永川、渝北、涪陵、江津、合川、北碚、巴南、南岸;增速前10位:潼南、奉节、丰都、酉阳、万盛、忠县、云阳、武隆、大足、北碚。

(3)招商引资前10位。招商引资实际利用内外资总量前10位的区县:南岸、渝北、沙坪坝、江北、永川、长寿、北碚、巴南、涪陵、开县。

2. 工业园区排位情况。工业园区综合实力前10强:九龙、茶园、空港、建桥、江津、晏家、花溪、同兴、港城、万州;销售产值总量前10位:九龙、茶园、空港、江津、建桥、西彭、同兴、花溪、晏家、港城;增速前10位:云阳、合川、万州、晏家、建桥、江津、潼南、港城、西彭、梁平。

3. 市级以上企业集团排位情况。市级以上企业集团销售产值前10位:西南兵工局、机电控股、市电力公司、重钢集团、能投集团、船舶工业公司、西铝集团、重烟工业公司、化医控股、庆铃集团;增速前10位:西南兵工局、船舶工业公司、庆铃集团、重烟工业公司、能投集团、市电力公司、农垦控股、轻纺控股、机电控股、重庆华能。

(三)2009年推进工业经济运行的八个方面措施

1. 认真实施提振经济政策措施,努力促使经济止跌回升。国际金融危机爆发后,中央制定了10条提振经济政策,重庆市也相继出台“7+5+12”适应性措施。2009年,加大投入,落实市级财政资金4.6亿元,专项用于支持产业技术研发、结构调整、特色工业园区、贷款风险补助等;积极争取中央资金支持,落实技术改造、节能环保、自主创新、电子信息发展、无线电管理等中央资金数十亿元。各区县坚决贯彻执行市委、市政府的各项决策,全力筹集资金,专项用于技术进步、产业升级与招商引资等,完成全市55%的工业投资。由于重庆市行动快,措施得力,工业经济取得了下滑比全国晚一个季度,回升比全国快一个季度的良好成绩。

2. 实施投资对经济的强力拉动,推进产业结构调整。加大工业投资力度,强力拉动工业经济快速回升,同时,不失时机地推进结构调整,增强经济发展后劲。一是贯彻落实国务院3号文件和十大产业调整振兴规划,抓好“十大工程”,推进“双百计划”,巩固支柱产业的支撑作用。二是加快项目投资建设,推动一批在建项目按期竣工和一批竣工项目按时达产,推进重钢环保搬迁第一期200万吨钢全流程建成投产、贝卡尔特一期4万吨轮胎钢帘线等项目投产,长安福特三工厂25万辆轿车、川维30万吨醋酸乙烯等项目开工建设。三是加快推进“两翼”产业发展,帮助“两翼”工业园区筹集建设资金,解决项目用地,“两翼”工业经济增速超过“一圈”,占比提高0.7个百分点。四是推进环境污染重点企业搬迁,完成25户企业环保搬迁,制定第五批环境污染安全隐患重点企业搬迁计划。五是加快循环经济发展和生产方式转变,投资10.2亿元,初步形成“长寿化工模式”、“同兴垃圾发电模式”等一批具有重庆特色的循环经济示范模式。六是狠抓节能减排,禁止严重污染和无安全生产条件项目,加快老工业基地调整和改造步伐。2009年,汽车工业销售产值2580亿元,增长25.2%,仍居产业之首;信息、轻纺、装备制造、材料工业产值突破千亿元大关,重庆“6+1”支柱产业中已有五大产业成为千亿产业;化医工业增长23.9%。同时,实施175个重点节能项目,实现节能100万吨标煤;关停和淘汰落后产能:小水泥15条生产线、145万吨,小火电2台机组、10万千瓦,小煤矿100个、300万吨。

3. 营造良好发展环境,强力推进招商引资。坚持不懈加强发展环境建设,全力开展招商引资,努力打造内陆开放型制造业高地。一是加强作风建设,提高服务质量,提升服务能力,建设服务型机关和效能型机关。二是加强组织协调,推动取消行政事业性收费64项(比直辖时减少2/3以上),完善电子政务、集中审批、限时办结等制度,进一步净化投资发展环境。三是加大项目策划力度,承办第五届信息产业技术标准论坛,组织策划“重庆·台湾周”、“重庆·宁波周”等一批重大招商活动,促进一批新招商项目落地建设。2009年,重庆市成功引进一批重点工业项目,GE、华硕、日本新明和、日本NEC、日本凸版、新加坡益海嘉里、浙江开山等公司签约落户重庆,特别是惠普、富士康、广达、英业达等企业的落户,为重庆成为最大的笔记本电脑生产基地奠定了坚实的基础，重庆正由一个传统制造业城市向一个以信息产业为龙头的科技城市转变。同时，区县工业招商引资亮点纷呈，万州引进马来西亚创亿、新加坡密胜科技，涪陵引进攀华彩钢、波士顿电池，铜梁引进吉利自动变速箱，巴南引进恒安集团，忠县引进新加坡固氮肥项目，等等。工业招商引资实际利用内外资总量达到728亿元，增长96.7%。

4. 加快提升企业技术水平，努力提高企业核心竞争力。一是积极引导企业加大研发投入，新增国家级和市级企业技术中心37家（累计186家），科技经费投入预计160亿元，占销售收入的2%。二是推动重点新产品的开发和产业化，滚动实施100项技术创新重点项目，风力发电齿轮箱、混合动力汽车、城市轨道交通等一批重点新产品形成新的经济增长点，新产品对工业经济增长的贡献率达到64%。三是积极推进产学研结合，新培育10家产学研战略联盟，推动多芯线束、盐酸大观霉素等一批科技成果实现产业化。四是推动企业加快实施技术改造，组织国家和市级技改资金近5亿元，推进重点技改项目近300个。五是加强产品质量管理，督促企业强化质量意识，切实保证产品质量，实现“质量安全年”目标。六是加强武器装备科研生产许可、质量、安全生产、安全保密等监督管理，促进军工经济与地方经济融合发展，推动风力发电设备、重型铸锻、特种船舶等一批军民结合优势产业加快发展。国防科技工业实现销售产值1175亿元，增长41.5%，占全市规模工业的18%。

5. 推进“信息重庆”建设，努力打造长江上游信息中心。以建设全覆盖的信息化网络枢纽为基础，以扩展信息资源开发利用为重点，以搭建区域性行业应用平台为依托，以打造新的“第一支柱”产业为核心，以创新体制机制、强化目标动态考核为支撑，努力打造具有国际水准的长江上游信息中心。一是加快发展信息产业。以西永微电子产业园、北部新区和茶园工业园为主要载体，建设国家军民两用集成电路产业基地、国家低成本信息终端产业基地、国家汽车电子产业基地和国家嵌入式软件基地。二是加快信息基础设施建设，完成投资87.4亿元，增长22.6%，开通12条国际专用数据通道，推动工信部电信研究院西部分院落户重庆，加快中国移动手机支付全国密钥管理中心、中国移动SIM卡多应用服务中心、基于RFID（射频）技术的城市智能交通管理与服务系统（即电子车牌）等项目建设，努力推进“三网融合”试点。三是加快电子政务外网建设。组织制定电子政务外网建设总体方案和公共安全视频信息管理系统建设技术规划，完成行政审批电子监察一期工程建设并成功联网运行，启动工程建设领域信息公开和诚信体系建设。四是推进信息化和工业化融合。成功获得“两化融合”试验区和“国家移动电子商务示范区”授牌。五是推进统筹城乡农村信息化体系建设。完成大足和忠县两个试验区试点。六是加强无线电管理，切实保障空中电波秩序。加强无线电监测和干扰查处，排查率达100%，重点开展出租车对讲机清理整顿，确保无线电通讯畅通，完成“国庆60周年”等重大活动和节假日无线电安全保障工作。

6. 推动汽车摩托车和家电下乡工作，积极引导和帮助企业开拓市场。千方百计帮助企业拓展市场，奋力完成销售目标。一是积极争取汽车、摩托车下乡政策，创新完善“摩托车带牌销售”等下乡方式，努力扩大汽车、摩托车市场需求。全市销售汽车下乡产品超过3万辆，销售收入超过9亿元；摩托车下乡产品超过13万辆，销售收入达7亿元。二是积极组织家电企业参与家电下乡产品招投标，努力扩大家电产品销量。全市家电下乡销售产值达到23.3亿元，西部第三，全国第十二；其中，重庆中标国家家电下乡产品的本地企业有重庆欧凯电器、重庆美意电器、西南计算机3户，实现销售产值7170万元，销售率90%。三是积极搭建营销平台，提高重庆产品的知名度和市场占有率。组织举办汽车工业展、摩托车博览会、名特产品展销会、机械装备专项展、啤酒饮料节等，组织企业参加经贸洽谈会、国际纺织服装采购交易会、国际机床工具焊接及切割机械展览会等，据不完全统计，现场销售金额近15.8亿元，签约金额超过63亿元。四是加强协调服务，帮助重点产品寻找市场。制定两批《重庆市鼓励采购部分产品目录指南》，协调重点项目优先采购重点产品，帮助有关企业进入学校校服和床上用品市场。五是组织落实专项资金给予相关补助或补贴，帮助企业加大出口，开拓国外市场。

7. 加强政策落实和指导服务，积极扶持中小企业发展。深化服务工作，帮助企业特别是中小企业加快发展。一是加强与税务、海关等部门的沟通衔接，切实将各种政策落实到位。扩大15%所得税优惠政策覆盖范围，推动企业养老、医保等缴费实施缓交，落实对不减员的困难企业给予稳岗补贴和富余人员待岗培训补贴政策，有效缓解企业成本压力。二是深化企业改革，积极分离企业办社会职能。基本完成2002年国务院确定的中央在渝企业改革脱困工作目标，17个关闭破产项目已实现破产终结，完成20户企业的5万住户水电气剥离，区县国有企业改革进入收尾阶段。三是完善融资体系，增强企业融资能力。加大财政资金的支持力度，鼓励金融机构扩大信贷投放，加快发展小额贷款公司，扩大三峡担保公司、工业担保公司资本金，帮助中小企业与银行建立良好的信贷合作关系。安排1.3亿元用于支持中小工业企业160多个项目建设，中小企业贷款风险补助金扩大到1亿元。全年新增银行信贷关系的中小企业近200户，全市中小企业贷款余额比年初增长52%，高于全市贷款平均增幅 10.5 个百分点；其中，中小工业企业贷款余额达 741 亿元，新增 211 亿元，增长 40%。流动资金的注入，对提振中小企业发展发挥了重要作用，全市中小企业工业增加值 1438 亿元，增长 18.6%。

8. 加强经济运行监测和调控，做好服务协调和要素保障工作。积极开展经济运行情况监测、分析与预警，坚持每周一监测、每月一分析、每季一调度会，及时解决运行中的问题。加强与陕西、贵州、甘肃、新疆等省（区）的能源合作，推进“北煤入渝”工作，协调争取天然气指标，落实铁路运输包保协议，强化需求侧管理，加强组织与调度，全力做好煤电油气运的供应保障。2009 年，全市完成发购电量 540 亿千瓦时，增长 10.4%，其中，规模工业用电 344 亿千瓦时，增长 9.5%；货物运输 6.9 亿吨，增长 7.6%，其中，铁路货运 2200 万吨，增长 10.2%，增幅创近 10 年历史新高，工业品运输得到较好保障；天然气供应 48.6 亿立方米，增长 2.3%。

固定资产投资

全年全社会固定资产投资 5317.92 亿元，比上年增长 31.5%。其中，基础设施建设投资 1542.57 亿元，增长 28.3%；城镇投资 4958.74 亿元，增长 31.1%；农村投资 359.18 亿元，增长 36.2%。分区域看，一小时经济圈完成 3974.92 亿元，比上年增长 29.4%；渝东北翼完成 938.03 亿元，增长 39.6%；渝东南翼完成 404.97 亿元，增长 33.7%。分产业看，第一产业投资 199.11 亿元，比上年增长 123.5%。第二产业投资 1891.45 亿元，增长 31.6%。其中，工业投资 1793.07 亿元，增长 30.2%，占全社会固定资产投资总量的 33.7%；第三产业投资 3227.36 亿元，增长 28.1%。其中，房地产开发投资 1238.91 亿元，增长 25.0%。全市重点项目完成投资 1620.09 亿元，占全社会固定资产投资的 30.5%。其中，政府主导类投资 1139.49 亿元，市场主导类投资 480.60 亿元，分别占重点项目投资的 70.3% 和 29.7%。

信息产业

2009 年，重庆市信息产业继续保持快速增长态势，实现增加值 402.4 亿元，比上年增长 21.9%，占全市 GDP 的比重为 6.7%，成为全市国民经济的支柱产业。全市信息产业主营业务收入 1006 亿元，增长 23.4 %，首次突破千亿大关，其中电子信息产业主营业务收入 863 亿元，增长 29.8 %，比全国平均增幅高 29 个百分点，比全市工业平均增幅高 11 个百分点，占全市工业销售额的 10.5%。惠普、富士康、广达、英业达、思科、新加坡（密胜）等一批重大项目落户，西永微电子产业园、北部新区、港城工业园、茶园新区、万州光电产业园等一批重点园区和区县的电子制造业、软件及信息服务业得到快速发展。

重庆市电子信息产业形成以北部新区和西永微电子产业园为核心，周边若干个特色园区为支撑的产业空间布局，“一圈带动两翼”，核心园区和区县特色园区共同发展，集聚效应初步显现。电子信息产业主要集中在沙坪坝区（西永微电子产业园）、北部新区、南岸区、渝北区、江北区、万州区、长寿区、永川区等区县。北部新区以智能化仪器仪表、应用电子、软件及信息服务业、通信业为主体；西永微电子产业园以笔记本电脑产业、集成电路产业、软件及信息服务外包为主体；茶园新区发展消费类电子产品，空港工业园发展汽车电子，港城工业园发展信息家电，万州光电产业园发展电子材料及电子代工。

2009 年，全市电子信息产业招商引资工作取得显著效果，引进项目和企业超过 100 个，涉及项目总投资超过 50 亿美元，实到外资 3 亿美元以上。2009 年 8 月 4 日，惠普（重庆）笔记本电脑出口制造基地和富士康（重庆）产业基地重大项目签约；9 月 11 日，思科（重庆）通信产品制造基地签约；12 月 26 日，英业达中国第二生产基地重大项目签约。惠普、富士康、思科、英业达的制造基地位于西永微电子产业园。全球五大笔记本电脑代工厂之一富士康、广达、英业达为主的台湾代工企业承接惠普订单，生产面向中国以外的全球市场的笔记本电脑。在软件和信息服务业方面，日本读片业务量最大的 DOCTOR NET 公司、世界 500 强日本凸版集团公司、新加坡海皇集团全球服务外包中心、上海微创公司、好音达 BPO 中心、上海华腾软件重庆分公司等一批重点项目也相继落户重庆。

2009 年，全市电子信息产业共获国家工信部等批准立项 11 个项目，资助项目资金 18850 万元，创历史新高，其中国家电子信息产业发展基金资助项目 5 项 500 万元，“新一代宽带无线移动通信网”类国家科技重大专项项目 3 项 10600 万元；“核心电子器件、高端通用芯片及基础软件产品”类国家科技重大专项项目 3 项 7750 万元，带动项目总投资 99246 万元；下达市级信息产业发展资金 4100 万元，增长 10%，第一批 1800 万元资助惠普电脑基地等 11 个项目，第二批 2300 万元资助思科、广达、合智思创等 19 个项目，带动企业投资近 18 亿元；做好各类项目实施的管理、验收，全年共验收到期项目 92 个，合同资金 3510 万元。

（一）行业地位和产品优势

2009 年，全市电子制造业销售收入 603 亿元，增长 29%，占电子信息产业总收入的 69.9%，比全国平均增幅高 29 个百分点，比全市工业平均增幅高 10 个百分点；软件及信息服务业销售收入 260 亿元，增长30.3%，占电子信息产业总收入的30.1%，比全国平均增幅高5个百分点，比全市工业平均增幅高11个百分点。

2009年，全市信息产业销售收入中，软件及信息服务业260亿元，同比增长30.3%，占行业比重25.8%；信息家电115.1亿元，同比增长29%，占行业比重11.4%；应用电子136.9亿元，同比增长22.2%，占行业比重13.6%；通信产品103.3亿元，同比增长18.0%，占行业比重10.3%；电子元器件186.1亿元，同比增长12.4%，占行业比重18.5%；电子材料61.6亿元，同比增长76.9%，占行业比重6.1%。

2009年，全市电子信息产业领域销售收入超过5000万元的企业137家，其中销售收入超过亿元的企业63家，销售收入超过10亿元的企业13家。

成功承办"第五届海峡两岸信息产业技术标准论坛"，众多台湾企业巨头齐聚一堂，在TD－SCDMA、绿色能源、移动存储等7大领域达成了23项共识。启动了"聚焦软件外包——转危为机反周期特别行动"，通过"谁有可能成为中西部地区软件外包'第一城'四城市辩论赛"、首届全国大学生软件创新大赛决赛、"全球金融危机下软件产业的机遇与策略"软件产业外包高峰论坛、37所国家示范性软件学院院长联席会及园区行等一系列活动，成功推出重庆软件外包"反周期"行动概念，吸引大批软件外包企业的关注。

（二）主要荣誉

2009年，电子信息产业获得专利授权4794件，新增826件；获得发明专利1888件，新增512件；著作权登记897件，新增232件；发布地方标准42项，新增11项；全年参与信息产业类国家标准制定8项。2009年，重庆金山科技（集团）有限公司、上海长海医院和重庆大学联合研究的"智能可控胶囊内镜系统研究及产业化"项目获2009年度（第9届）国家信息产业重大技术发明奖。2009年，重庆市中冶赛迪工程技术股份有限公司和中国四联仪器仪表集团有限公司两家企业入围2009年中国电子信息百强。其中，中冶赛迪工程技术股份有限公司排名第30位，中国四联仪器仪表集团有限公司排名第50位。3家企业获得2009年度国家规划布局内重点软件企业；中冶赛迪工程技术股份有限公司跻身2009中国软件业务收入前百家企业第12位，排列中西部第一位；6家企业通过国家计算机信息系统集成一级资质认证，名列西部第一。

技术创新

2009年，全市企业技术创新工作全面落实科学发展观，积极应对金融危机对企业带来的不利影响，促进企业技术创新工作的深入开展，以重点项目为抓手，大力推进新产品、新工艺、新技术的研发和推广应用，大力推进重大新产品的产业化，大力推进技术创新体系建设和产学研结合，各项工作取得较好成效，为推进产业结构优化升级，保持全市工业经济较强发展活力起到有力的支撑作用。

1. 新产品。2009年，全市规模以上企业实现新产品产值达2202亿元，同比增长35%；新产品产值率达32.8%；新产品对工业经济增长的贡献率达64%。市政府新产品开发扶持政策（渝经发〔2006〕48号）仍然取得较好效果，2009年，长安汽车股份有限公司等107户企业共获得新产品开发财政补贴资金1.03亿元，相应新产品实际上缴增值税23.3亿元，财政补贴与企业上缴增值税之比达1:23，既有力支持了重点企业的技术创新工作，又较好地促进了财政税收的增长，保持了"财企双赢"的良好效果。组织开展2007—2008年度重庆市优秀新产品奖评比，以市政府名义对长安公司CM5轿车、齿轮箱公司FL2000H风力发电齿轮箱等50项重庆市优秀新产品项目研发单位及研发人员进行表彰和奖励。

2. 专项资金。2009年，经区县经委推荐、行业处室审查、企业答辩、专家评审并征求市财政局意见，共安排市级产业技术研发资金2000万元，支持56个创新项目的实施，主要电子信息、特种船舶、混合动力汽车及关键零部件、新材料、生物医药等重点领域，计划总投资6.2亿元，财政资金拉动社会投资的比例达1:31。此外，重庆市企业争取国家专项资金4837万元，其中，长安集团、紫光公司、四联集团、齿轮箱有限责任公司、隆鑫集团的技术中心承担的国家发改委创新能力建设项目2100万元，中电投远达环保的"燃煤电厂自适应少油点火燃烧技术与装置开发"、化研院的"天然气催化部分氧化制合成气新技术万吨级侧线试验"、重钢集团的"选铁尾矿中回收钛铁矿"、中铝重庆分公司的"铝土矿浮选脱硫回收硫精矿"等四个自主创新重点项目1400万元，重庆大学的"高性能加工中心可靠性倍增技术研究"、重庆机床集团的"模块化高速、精密、大型数控滚齿机"、"模块化高速、精密数控回转工作台"等三个国家"高档数控机床与基础制造装备"科技重大专项1337万元。

3. 创新体系建设。2009年，重庆青山工业有限责任公司技术中心被新认定为国家级企业技术中心。同时，重庆鑫源摩托车股份有限公司、重庆银翔摩托车（集团）有限公司、重庆精通力阳摩托车制造有限责任公司、重庆万虎机电有限责任公司、重庆市双庆机电有限公司、重庆航天巴山摩托车制造有限公司、重庆市博恩科技（集团）有限公司、重庆华森制药有限公司、重庆杜克高压密封件有限公司、重庆国虹科技发展有限公司、重庆金算盘软件有限公司、重庆浩康医药化工有限公司、重庆红宇精密工业有限责任公司、重庆建工集团有限责任公司、中冶建工有限公司、重庆天巨承机械制造有限责任公司、重庆中交科技股份有限公司、南方英特空调有限公司、重庆神驰机电有限公司、重庆博森电气（集团）有限公司、重庆建设车用空调器有限责任公司、重庆海通投资集团有限公司、重庆川东减震制造有限公司、重庆市万利来化工股份有限公司、重庆星星套装门有限责任公司、天圣制药集团股份有限公司、重庆交通建设（集团）有限责任公司、重庆武陵锰业有限公司、重庆嘉陵化学制品有限公司、重庆中容石化机械制造有限公司、联伟汽车零部件（重庆）有限公司、重庆南华中天信息技术有限公司、重庆市蓝黛实业有限公司、重庆三峡云海药业有限责任公司、双赢集团有限公司、重庆高金实业有限公司、重庆博耐特实业（集团）有限公司等37户企业的技术中心被新认定为市级企业技术中心，全市国家和市级认定企业技术中心的整体实力进一步增强。截至2009年底，全市市级及其以上企业技术中心达到186家，其中国家级16家。

4. 重点项目。滚动实施的AMT自动变速器、高性能排污在线检测仪表、混合动力汽车、烟气脱硫脱硝成套技术与装置等100项技术创新重点项目，已累计完成投资12亿元，其中，62项已完成研发和产业化目标，实现新产品产值20亿元。其中长安悦翔轿车、重庆潍柴发动机厂的CW200系列柴油机、庆铃的700P系列载货汽车、重齿公司的风力发电齿轮箱、重庆三峡技术纺织有限公司的高档紧密纺纱线等重点新产品产值超亿元，形成新的经济增长点。此外，大唐新数码的TD－SCDMA无线上网卡、长安汽车集团的Cv11混合动力车、青山公司的Amt自动变速器等一批具有自主知识产权的重大科技成果转化项目实现产业化。

5. 产学研合作。2009年，联合市教委编制下达2009年度产学研合作技术创新项目指导性计划，共80个项目，项目计划投资7.6亿元，其中产学研合作经费支出0.95亿元，达产后可实现销售收入119亿元。市工业发展资金产业研发专项加大了对产学研结合项目的倾斜支持，共支持产学研合作项目19项，占专项资金补助项目总数的34%，安排财政补助资金740万元，占专项资金总额的37%，推动了重庆凯邦科技有限公司和重庆大学合作的多芯线束、重庆百乐唯克动物药业有限公司和西南大学药学院盐酸大观霉素盐酸林可霉复方注射液等一批科技成果的产业化转化。组织召开重庆市2009年度产学研对接交流会，编印《重庆市产学研对接交流技术创新资源汇编》（2009版），围绕汽摩、装备、医药化工、电子信息等四个重点领域介绍70余家重点企业的技术发展方向，新提出近300项技术需求和技术难题，重点推介重庆大学、西南大学等20余所高校近200项科技成果，同时印发《重庆市产学研合作集锦》（2009版），深化产学研合作模式与方法。推动大江集团与重庆交通大学、长江涂装厂与通信学院、重庆天巨承机械制造有限公司与重庆工程职业技术学院、重庆中医研究院和武隆县工业园区等十家产学研战略联盟的建立。

6. 质量管理。按照市三定方案中所确定的“市经信委负责工业行业质量管理”和《工信部关于落实工业主管部门质量管理工作职能的通知》的要求，落实工业产品质量管理的机构和人员，研究出台《重庆市加强工业产品质量工作指导意见》，明确工业产品质量工作目标、重点和措施，组织召开全市工业产品质量工作会，传达中央领导对加强工业产品质量工作的重要指示精神，部署下阶段的具体工作。配合“质量安全年”活动，在工业企业全面开展“七查一访”工作，组织企业开展先进质量管理方法培训，指导企业夯实质量管理基础。承担工业和信息化部在广东、黑龙江、重庆等六省市开展的质量提升示范项目，推动重庆市关键共性技术研发、降低摩托车产品排放质量项目实施，示范带动全市工业产品质量提升。

循环经济和节能降耗

积极推进节能降耗工作。2009年，全市万元GDP能耗下降到1.208吨标准煤，比2008年下降5.5%，超额完成下降4.7%的年度目标。其中，第一产业、第二产业万元增加值能耗同比分别下降0.08%和9.33%，第三产业增长1.04%。

2009年市政府督查室、市经济信息委等相关部门，对40个区县2008年节能目标完成情况进行评价考核，各区县均完成工作任务，其中超额完成的有12个，完成的有25个，基本完成的有3个。市统计局、市经济信息委发布《2008年重庆市各区县单位GDP能耗等指标公报》，对全市40个区县（自治县）2008年单位GDP能耗、单位GDP电耗、单位工业增加值能耗等3项6个指标完成情况进行公报。市政府印发《关于2008年度区县（自治县）和重点用能企业节能目标责任考核结果的通报》（渝府发〔2009〕63号），向全市通报考核结果。根据考核结果，市财政安排专项资金490万元对区县进行奖励，其中，12个超额完成考核任务的区县各奖励20万元，25个完成考核任务的区县各奖励10万元。市经济信息委印发《关于组织推广2009年财政补贴高效照明产品的通知》（渝经环资〔2009〕27号），安排部署全市推广中央财政补助高效照明产品，全年推广中央财政补助高效照明产品262万只。

2009年7月召开全市第四次节能减排工作领导

小组会议。会议审议并通过《重庆市深入开展全民节能行动实施意见》《重庆市2009年节能降耗目标任务分解计划》《关于表彰重庆市2008年度节能减排先进集体和先进个人的通报》《重庆市节能目标责任评价考核办法（修订）》《市交委关于高油耗营运车辆退出有关工作的建议意见》等5项议题。市政府印发《关于下达2009年节能降耗目标任务的通知》（渝办发〔2009〕275号），将年度节能目标分解下达到40个区县（自治县）政府和100户重点用能企业。

2009年8月市经济信息委印发《关于开展第二批市级重点用能企业能源审计和节能规划编制工作的通知》（渝经环资〔2009〕42号），安排部署199户用能企业能源审计和节能规划编制工作。市经济信息委印发《关于印发2009年上半年水泥单位产品超限额用电收费名单的通知》（渝经环资〔2009〕60号），对11户超限额用电企业实施加价收费。市级预算安排节能专项资金3450万元，组织实施市级重点节能工程140个，总投资10.9亿元，形成年节标煤31万吨的能力。组织实施国家“十大”重点节能工程，获得国家支持项目26个，总投资16.6亿元，其中国家安排资金1.57亿元，形成年节标煤80万吨能力。

1. 推进循环经济试点单位工作开展。为及时总结和推广全市发展循环经济的先进模式和试点经验，市经济信息委组织编制《重庆市循环经济案例汇编》。启动市级第二批循环经济试点工作，将重庆再生资源回收（集团）有限公司等26家单位筛选为第二批试点备选单位。积极开展《重庆市循环经济条例》立法调研工作。2009年6月，市人大财经委、法工委、市政府法制办和市经济信息委联合成立循环经济立法调研工作领导小组和起草工作小组，制定2009年立法调研工作计划，编制政府和企业两个类别的循环经济立法调研提纲。2009年8月，分别召开主城、涪陵和渝西三个片区的循环经济立法调研座谈会。2009年9月，到深圳市开展立法调研活动，借鉴和学习深圳市的循环经济立法和发展经验。

2. 大力开展固体废弃物的综合利用。根据国家《资源综合利用认定管理办法》，市经济信息委、市财政局、市国税局和市地税局积极开展资源综合利用企业（产品）认定，充分利用国家出台的资源综合利用税收优惠政策，鼓励调动企业开展废弃物利用的积极性，达到变废为宝、保护环境的目的。全市已有190家企业生产的产品获得税赋减（免）认定，具备享受税赋减（免）资格。

全市大力开展以煤矸石、粉煤灰利用为重点的固体废物资源化，带动烟气脱硫石膏、铸造砂、冶炼钢渣、尾矿渣等工业固体废弃物，以及瓦斯气的综合利用。全市工业固体废物综合利用率已达80%。其中：电厂粉煤灰（含炉渣）利用量为670万吨，利用率86%；煤矸石利用量270万吨，利用率77.3%；脱硫石膏利用量170万吨，利用率89%；瓦斯气利用量2.7亿立方米，利用率71.8%。

3. 积极开展清洁生产。按照国家《清洁生产审核暂行办法》和《重庆市政府关于促进清洁生产实施意见的通知》等规定要求，大力开展清洁生产的示范、试点工作，引导企业积极实施清洁生产。2009年全市开展清洁生产审核企业共60家，其中自愿开展清洁生产审核企业9家，强制开展清洁生产审核企业51家，推行各种清洁生产技改方案600余项，完成清洁生产项目投资约4亿元，有效促进已审核企业从污染物末端治理向源头削减和生产全过程控制的转变。

商品流通

全年批发和零售业增加值524.36亿元，比上年增长19.9%，占全市生产总值的8.0%；住宿和餐饮业增加值132.88亿元，增长15.6%，占全市生产总值的2.0%。全年社会消费品零售总额2479.01亿元，比上年增长18.6%，扣除价格因素，实际增长21.9%。分城乡看，市实现社会消费品零售额1521.13亿元，增长18.7%；县实现社会消费品零售额331.82亿元，增长18.4%；县以下实现社会消费品零售额626.06亿元，增长18.5%。分行业看，批发零售贸易业零售额2048.96亿元，增长18.3%；住宿和餐饮业零售额381.27亿元，增长21.9%；其他行业零售额48.78亿元，增长8.9%。在限额以上批发零售业零售额中，食品、饮料、烟酒类比上年增长28.3%，服装鞋帽、针、纺织品类增长23.5%，家用电器和音像器材类增长25.5%，通讯器材类增长22.7%，石油及制品类增长21.5%，建筑及装潢材料类增长37.0%，汽车类增长45.3%，家具类增长67.5%，中西药品类增长30.3%，文化办公用品类增长30.0%，机电产品及设备类增长36.2%。

外经外贸

全年进出口总额77.09亿美元，比上年下降19.0%。其中，出口42.80亿美元，下降25.2%；进口34.29亿美元，下降9.8%。机电产品出口29.33亿美元，下降26.7%，占出口总额的68.5%。全年实际利用外商直接投资金额40.16亿美元，增长47.2%。分行业看，工业实际利用外资14.33亿美元，增长64.9%；房地产实际利用外资14.44亿美元，下降14.3%；金融实际利用外资2.49亿元，增长12.4倍。全年实际利用内资1468.02亿元，增长74.2%。全年对外承包工程、劳务、设计咨询合同额10.45亿美元，比上年增长20.9%；完成营业额3.69

亿美元，增长20.3%。新派劳务人员9942人，年末在外劳务人员20575人。

交通运输、邮电通信和旅游业

全年交通运输、仓储和邮政业增加值347.98亿元，比上年增长3.3%，占全市生产总值的5.3%。公路通车里程累计达到11.09万公里，其中高速公路1577公里。全市行政村公路通达率为96.2%，比上年提高10.5个百分点，行政村公路通畅率为51.7%，提高12.8个百分点。全年主要运输方式完成货物运输量68491.06万吨，比上年增长7.6%；完成旅客运输量114597.91万人，增长6.9%。全年内河港口完成货物吞吐量8611.62万吨，比上年增长9.1%。空港完成旅客吞吐量1424.61万人，增长26.5%；空港完成货物吞吐量18.74万吨，增长16.5%。集装箱吞吐量57.57万标箱，下降2.8%。年末全市民用机动车保有量达到203.70万辆，比上年增长25.1%。其中，私人汽车保有量57.63万辆，增长33.2%，私人轿车保有量29.30万辆，增长37.9%。全年新注册汽车20.59万辆，增长26.6%；其中，新注册轿车10.42万辆，增长54.6%。全年完成邮电业务总量488.04亿元，比上年增长14.6%。其中，邮政业务总量24.44亿元，增长26.0%；电信业务总量463.60亿元，增长14.0%。年末固定电话用户627.70万户，比上年下降8.8%；年末移动电话用户1440.90万户，比上年增长12.4%。电话普及率72.40部/百人，提高3.0部/百人。互联网用户203.80万户，增长7.5%。

（撰稿：刘富钊）

2008—2009年重庆市经济社会发展主要指标

序号	指标	单位	2008年	2009年	增长率（%）
1	一、人口和就业				
2	年底人口数	万人	2839.0	2859.0	0.7
3	人口自然增长率	‰	3.80	3.70	
4	就业人员数	万人	1837	1878	2.3
5	按产业分：				
6	第一产业	万人	681	656	-3.8
7	第二产业	万人	489	520	6.3
8	第三产业	万人	667	703	5.4
9	城镇就业人员（按登记注册类型分）				
10	国有单位	万人	119.83	119.79	0.0
11	集体单位	万人	10.73	10.40	-3.1
12	股份合作单位	万人	3.60	3.60	0.0
13	联营单位	万人	1.90	2.60	36.8
14	有限责任公司	万人	77.20	79.60	3.1
15	股份有限公司	万人	17.50	18.90	8.0
16	私营企业	万人	130.39	149.50	14.7
17	港澳台商投资单位	万人	2.40	3.90	62.5
18	外商投资单位	万人	7.30	8.50	16.4
19	个体	万人	85.07	100.28	17.9
20	城镇登记失业人数	万人	13.02	13.44	3.2
21	二、国民经济核算				
22	地区生产总值	亿元	5096.7	6530.0	14.9
23	按产业分：				

续表

序号	指标	单位	2008年	2009年	增长率（%）
24	第一产业	亿元	575.4	606.8	5.5
25	第二产业	亿元	2433.3	3448.8	17.9
26	工业	亿元	2036.4	2917.4	
27	建筑业	亿元	396.9	531.4	
28	第三产业	亿元	2088.0	2474.4	13.5
29	#交通运输、仓储和邮政业	亿元	309.6	348.0	
30	批发和零售贸易业	亿元	449.3	524.4	
31	**三、固定资产投资**				
32	投资总额	亿元	3979.6	5214.3	31.0
33	**按投资种类分：**				
34	城镇	亿元	3715.9	4855.1	30.7
35	#房地产开发	亿元	991.0	1238.9	25.0
36	农村	亿元	263.7	359.2	36.2
37	#农户	亿元	82.4	90.2	9.5
38	非农户	亿元	181.3	268.9	48.4
39	**按建设规模分：**				
40	建设总规模	亿元	15436.8	19564.1	26.7
41	在建总规模	亿元	13790.4	16652.0	20.8
42	在建净规模	亿元	6508.9	8065.4	23.9
43	**按资金来源分：**				
44	国家预算内资金	亿元	188.0	381.3	102.8
45	国内贷款	亿元	905.9	1171.5	29.3
46	利用外资	亿元	70.9	71.4	0.7
47	自筹资金	亿元	2137.9	2942.1	37.6
48	其他投资	亿元	894.4	1347.7	50.7
49	**四、房地产开发**				
50	本年完成土地开发面积	万平方米	895	1051	17.4
51	本年土地购置费用	亿元	178.7	238.1	33.2
52	本年土地购置面积	万平方米	1164	1228	5.4
53	本年完成投资额	万元	9909970	12389125	25.0
54	#住宅	万元	6195250	7890183	27.4
55	#经济适用房屋	万元	517201	655887	26.8
56	房屋施工面积	万平方米	11639	13053	12.1
57	房屋竣工面积	万平方米	2368	2907	22.8
58	本年新开工房屋面积	万平方米	3509	3814	8.7
59	#住宅	万平方米	2858	2990	4.6
60	#经济适用房屋	万平方米	316	385	21.7
61	商品房屋销售面积	万平方米	2872	4003	39.4
62	#住宅	万平方米	2670	3771	41.2
63	#经济适用房屋	万平方米	333	187	-44.0
64	商品房屋销售额	万元	8000006	13777615	72.2
65	#住宅	万元	7048198	12317053	74.8

续表

序 号	指 标	单 位	2008 年	2009 年	增长率（%）
66	商品房屋平均销售价格	元/平方米	2785	3442	23.6
67	#住宅	元/平方米	2640	3266	23.7
68	#经济适用房屋	元/平方米	1751	2014	15.0
69	**五、规模以上工业企业**				
70	企业单位数	个	6119	6412	4.8
71	工业总产值	亿元	5755.9	6772.9	17.7
72	资产总计	亿元	5551.0	6438.3	16.0
73	利润总额	亿元	308.7	356.2	15.4
74	总资产贡献率	%	12.3	12.1	-1.1
75	资产负债率	%	60.0	60.3	0.4
76	**六、交通运输业**				
77	运输线路长度				
78	铁路营业里程	公里	1291	1318	2.1
79	内河航道里程	公里	4218	4331	2.7
80	公路里程	公里	108632	110950	2.1
81	#高速公路	公里	1165	1577	35.4
82	货运量	万吨	63763	68566	7.5
83	#铁路	万吨	2203	2263	2.7
84	公路	万吨	54589	58532	7.2
85	水运	万吨	6971	7771	11.5
86	客运量	万人	106732	113981	6.8
87	#铁路	万人	2474	2605	5.3
88	公路	万人	102680	110150	7.3
89	水运	万人	1578	1226	-22.3
90	**七、国内商业**				
91	社会消费品零售总额	亿元	2147.1	2479.0	15.5
92	**八、对外贸易和旅游**				
93	货物进出口总额（按经营单位所在地分）	万美元	952139	771252	-19.0
94	出口	万美元	572205	428007	-25.2
95	进口	万美元	379935	343245	-9.7
96	外商投资企业货物进出口总额	万美元	364846	295047	-19.1
97	出口	万美元	95901	79951	-16.6
98	进口	万美元	268945	215096	-20.0
99	外商投资企业基本情况				
100	年底登记数	户	4333	4447	2.6
101	投资总额	亿美元	238.5	278.0	16.6
102	注册资本	亿美元	133.3	162.5	21.9
103	#外方	亿美元	100.5	120.5	19.8
104	对外承包工程				
105	完成营业额	万美元	16654	17576	5.5
106	对外劳务合作				
107	完成营业额	万美元	616	751	

续表

序号	指标	单位	2008年	2009年	增长率（%）
108	接待国际旅游人数	万人次	87.19	104.81	20.2
109	#外国人	万人次	74.28	84.80	14.2
110	国际旅游外汇收入	百万美元	449.78	537.21	19.4
111	**九、财政**				
112	地方财政一般预算收入	亿元	577.6	655.2	13.4
113	#国内增值税	亿元	57.9	62.0	7.0
114	营业税	亿元	145.0	185.5	27.9
115	个人所得税	亿元	17.8	21.2	19.2
116	地方财政一般预算支出	亿元	1016.0	1292.1	27.2
117	**十、物价指数**				
118	商品零售价格指数	上年=100	105.0	97.3	
119	居民消费价格指数	上年=100	105.6	98.4	
120	#城市	上年=100	105.6	98.4	
121	农村	上年=100		0.0	
122	**十一、人民生活**				
123	收入				
124	农村居民家庭人均纯收入	元	4126	4478	8.5
125	城镇居民家庭人均可支配收入	元	14368	15749	11.4
126	居民消费水平	元	9835	8308	12.7
127	农村居民	元	4049	3143	8.3
128	城镇居民	元	15817	13314	11.0
129	住房				
130	农村居民人均住房面积	平方米	35.0	35.7	2.0
131	**十二、教育**				
132	高等学校数	所	47	50	6.4
133	高等学校招生数	人	136747	149332	9.2
134	高等学校在校学生数	人	450008	484199	7.6
135	高等学校毕业生数	人	99747	114515	14.8
136	**十三、卫生**				
137	卫生机构数	个	6265	16497	
138	#医院、卫生院	个	1396	1404	0.6
139	医疗机构床位数	张	81950	92709	13.1
140	#医院、卫生院	张	77918	86980	11.6
141	卫生技术人员数	人	88744	100008	12.7
142	#执业（助理）医师	人	39415	44627	13.2

注：1. 地区生产总值及其三次产业、城镇居民人均可支配收入和居民消费水平的增长速度按可比价格计算。

2. 卫生机构数2009年起含村卫生室，与历史数据不可比。

四川省

综 述

2009年，在党中央、国务院的正确领导下，四川省委、省政府组织和动员全省各族人民，认真贯彻党的十七大精神，高举中国特色社会主义伟大旗帜，以邓小平理论和“三个代表”重要思想为指导，深入贯彻落实科学发展观，积极推进“两个加快”，努力克服特大地震等自然灾害和国际金融危机对经济增长的影响，取得了抗震救灾的重大胜利，国民经济实现平稳较快增长，各项社会事业全面进步。全省生产总值14151.3亿元，比上年增长14.5%。其中，第一产业增加值2240.6亿元，增长4.0%；第二产业增加值6711.9亿元，增长19.5%；第三产业增加值5198.8亿元，增长12.4%。三次产业对经济增长的贡献率分别为4.2%、62.8%和33.0%。人均地区生产总值17339元，增长14%。三次产业增加值结构从上年的17.6:46.2:36.2调整为15.8:47.4:36.8。全年民营经济增加值7663.2亿元，比上年增长17.8%，占GDP的54.2%，对GDP增长的贡献率为64.1%。

工业经济

（一）工业经济持续快速增长

2009年，四川省规模以上工业企业完成增加值6183.1亿元以上，增长21.2%。其中轻工业增加值1991.8亿元，增长21.8%；重工业增加值4191.4亿元，增长20.9%；轻重工业比重为32.2:67.8。2009年，四川省规模以上工业企业实现主营业务收入17184.7亿元，增长25.1%。实现利税1742.5亿元，增长25.2%。实现净利润908.8亿元，增长33.69%。工业经济效益综合指数达236.9，比上年提高18.6个点。

（二）工业结构调整步伐加快

“7+3”产业发展加快。2009年，全省工业“7+3”产业完成增加值4537.1亿元，占全省规模以上工业的比重达到73.4%。其中，电子信息制造业完成工业增加值215亿元；装备制造业规模以上企业完成工业增加值1043亿元；能源电力业规模以上企业完成工业增加值916.2亿元；油气化工业规模以上企业完成工业增加值660.9亿元；钒钛钢铁业规模以上企业完成工业增加值468.3亿元；饮料食品业规模以上企业完成工业增加值1156亿元；现代中药业规模以上企业完成工业增加值92.8亿元；航空航天业规模以上企业完成工业增加值45亿元；汽车制造业规模以上企业完成工业增加值192.1亿元；生物工程业规模以上企业完成工业增加值1.55亿元。

组织结构不断优化。2009年，四川省规模以上工业企业户数达13111户，比上年净增1165户。全省重点培育的100户大企业大集团营业收入9061.6亿元，同比增长9.3%。营业收入超过100亿元的企业已增至26户。省烟草公司、长虹集团、四川移动等7户企业实现了营业收入（省内部分）上百亿元或跨百亿元台阶；中铁二十三局、华电四川等5户企业实现营业收入（省内部分）上50亿元台阶。

产业布局结构加快调整。2009年全省工业战线克服各种困难，大力实施工业强省主导战略，工业经济发展取得了较好成绩。特别是通过“三化”联动的积极推动，狠抓“一县一园区、一园一主业”的布局调整，切实推进园区产业定位与区域经济发展的衔接协调，努力打造主导产业合理、配套协作突出、特色鲜明、品牌知名的产业集聚区和产业基地，全省产业园区获得了更加快速的发展。截至2009年底，全省共有各类产业园区191个，其中国家级园区5个，省级园区38个，市州级园区57个，县级园区91个。全省工业园区企业累计完成工业增加值3120.8亿元，比上年增长26.3%，完成主营业务收入9441.3亿元，增长29.8%。全省工业园区产业集中度（园区工业增加值占全省工业增加值的比重）达到50.5%。

所有制结构调整加快。2009年，四川省股份制工业企业比重大、增长快，股份制工业增加值4397.9亿元，增长22.5%，增速比规模以上工业快1.3个百分点。其所占全省规模以上工业增加值的比重为71.1%，比上年提高0.6个百分点。民营工业完成增加值3674.8亿元，占全部工业增加值的64.7%。民营工业对全省GDP的贡献率为53.0%，对工业经济的贡献率为40.1%，拉动全省经济增长5.8个百分点。

工业产品结构持续调整。2009年，在纳入统计的87种重点产品中，有77种产品生产增长，其中支农产品、食品及日用轻纺类产品生产增势良好。发电量增长25.9%，铁合金产量增长31.4%，成品钢材增长14.6%，水泥增长46.3%，布增长27.9%，纱增长30.1%，化学农药增长55.1%、食用植物油增长68.8%，白酒增长40.7%，家用电冰箱增长46.9%。

（三）重点工业城市支撑作用明显

2009年，成都、自贡、攀枝花、泸州、德阳、绵阳、遂宁、内江、乐山、南充、眉山、宜宾、广安、达州、资阳、凉山等16个城市规模以上工业增加值超过100亿元，累计完成工业增加值5519.9亿元，占全省规模以上工业增加值的 89.3%。其中，成都市规模以上工业完成增加值 1477.1 亿元，增长 21.5%；自贡市规模以上工业完成增加值 249.3 亿元，增长 26.7%；攀枝花市规模以上工业完成增加值 268.1 亿元，增长 13%；泸州市规模以上工业完成增加值 265.7 亿元，增长 31.9%；德阳市规模以上工业完成增加值 418.3 亿元，增长 24.7%；绵阳市规模以上工业完成增加值 301 亿元，增长 26.5%；遂宁市规模以上工业完成增加值 149.8 亿元，增长 31.9%；内江市规模以上工业完成增加值 303.1 亿元，增长 28.3%；乐山市规模以上工业完成增加值 379.6 亿元，增长 24.7%；宜宾市规模以上工业完成增加值 350.6 亿元，增长 24.1%；广安市规模以上工业完成增加值 147.2 亿元，增长 28.6%；达州市规模以上工业完成增加值 249.2 亿元，增长 26%；资阳市规模以上工业完成增加值 265.1 亿元，增长 33.1%；凉山州规模以上工业完成增加值 226.8 亿元，增长 37.3%。

（四）经济运行综合协调保障有力

2009 年，四川省根据国家宏观调控的新形势和本省经济社会发展的新特点，特别是针对四川能源生产供应的结构性问题和供需阶段性矛盾突出的实际，进一步强化经济运行形势的研判分析，完善经济运行的调控机制，深化能源调度联系会议制度，狠抓电煤供应保障，加强电力供应和需求侧管理，积极推进煤炭行业资源整合，围绕重点企业、重点产品加强运力协调。全省全年完成发电量 1441.3 亿千瓦时，比上年同期增长 16.79%。其中水电 938.7 亿千瓦时，同比增长 12.48%，火电 502.6 亿千瓦时，同比增长 25.55 %；产煤 6758.5 万吨，下降 8.16%；12 月 31 日全省主网火电厂厂内存煤 217.1 万吨；供应天然气 106.8 亿立方米，增长 3.7%；成品油 12 月末库存达 32.6 万吨，增长 4.8%；完成货物发送量 6883.1 万吨，下降 5.7%。同时，不断创新工业企业融资方式，继续推进信贷政策与工业发展的协同配合，加强银政协调及流动资金贷款落实情况的监测，积极配合商业银行开展多种信用工具的试点和推广工作，多渠道拓宽企业流动资金贷款，工业企业融资难有所缓解。全年工、农、中、建四大商业银行落实“三有一不”工业企业流动资金贷款 895.56 亿元、同比增长 19.06%。

国企改革

2009 年，四川省的各级国有企业充分发挥国有企业中流砥柱的作用，保持国有经济的稳步发展，为全省经济发展作出积极的贡献。全年全省国有企业的资产、所有者权益、销售收入仍保持持续的增长。至 11 月底，全省 27 户重点国有及国有控股企业生产经营情况持续向好发展，主要经济指标加快回升，资产总额同比增长 25.03%，所有者权益同比增长 16.25%，销售收入同比增长 9.72%，利润同比增长 7.13%，税金同比增长 8.97%，实现国有资产保值增值。52 户中央在川企业率先止滑回升，发展势头强劲。资产规模、所有者权益、销售收入和利润等主要经济指标同比增长均在两位数以上，尤其是利润同比增长 80%。

2009 年，全省国有企业改革继续深化，取得重大进展。一是改制重组工作有新成效。打造了四川发展、铁投集团两个省级投融资平台，组建了矿业投资集团、四川物流公司，完成了由四川发展注资 30 亿元对机场集团的改制，实现了机场集团对攀枝花、广元、泸州三个支线机场的整合，川粮集团、省医药公司的改制有序进行，省旅游集团的组建也在筹备之中。二是资本市场运作有新进展。川投集团完成了通过非公开定向增发，将所持二滩公司 48% 的股权注入上市公司的任务；成渝高速成功实现 A 股上市。三是调整退出工作有新突破。完成了成都化纤纺织厂下放双流县的工作，企业分离办社会职能工作稳步推进。

固定资产投资

2009 年，四川省全社会固定资产投资持续快速增长，完成全社会固定资产投资 12020.7 亿元，增长 58.1%，增速比上年高出 28.3 个百分点。其中，第一产业投资 524.6 亿元；第二产业投资 4592.1 亿元；第三产业投资 6904 亿元。完成工业投资 4482.7 亿元，其中工业投资 500 万元以上项目中“7+3”产业完成投资 3365.5 亿元，增长 41.8%。其中，装备制造业投资 731.7 亿元，增长 47.9%；现代中药业完成投资 35.7 亿元，增长 26.8%；能源工业完成投资 1251 亿元，增长 32.6%；油气化工、钒钛钢铁、饮料食品、生物工程等增速均在 40% 以上。

港澳台外商投资趋稳。外商及港澳台商投资 422.4 亿元，增长 0.2%。

服务业投资高速增长。全年服务业投资增长 66.5%，占全社会投资的比重为 57.4%，较上年提高 2.5 个百分点。其中，铁路运输业增长 1.6 倍，金融业增长 1.3 倍，租赁和商务服务业增长 1.9 倍，教育增长 1.9 倍，卫生、社会保障和社会福利业增长 2.2 倍，文化、体育和娱乐业增长 1.2 倍。

技术进步

（一）企业技术改造

2009 年，全省技术改造投资继续保持强劲增长势头，一举突破 2500 亿元，达到 2594 亿元，完成目标任务的104%，比2008年增长54.1%，创历史新高，增速比2008年提高19个百分点，比全省工业投资高8.5个百分点，占全省工业投资比重在2008年54.6%的基础上提高3.3个百分点。初步统计，四川省技改投资列全国第七位，多年稳居西部第一。技术改造投资总量的快速扩大和技改项目的不断竣工投产，对四川省新增GDP和新增工业增加值贡献突出，有效拉动了国民经济的发展。2009年，占全社会固定资产投资21.6%的技术改造投资，对全省GDP增长的贡献率达到25.5%，对全省工业增加值增长的贡献率达到47.9%；拉动GDP增长3.7个百分点，拉动工业增加值增长9.1个百分点，分别比上年提高0.7个百分点、2.4个百分点。

2009年全省累计实施500万元以上技术改造项目9783项。其中：1000万元以上项目占累计施工项目7798项、1亿元及以上项目757项。累计竣工投产项目6373项，同比增长77.4%。全年累计新开工项目6974项，增长61.1%，新开工项目计划总投资2297亿元，增长49.8%。随着这批项目的开工建设和竣工投产，形成了一大批推动四川省工业跨越发展的新经济增长点，有效增强了四川省工业持续健康发展的后劲和活力。如：东汽投资50亿元汉旺生产基地异地重建项目，2009年完成投资17亿元，进一步巩固了四川省重装产业领先地位，为加快灾区恢复重建提供了有力的产业支撑。一汽大众投资88.7亿元年产35万辆轿车项目，推动了四川省新兴产业加快发展，促进四川省汽车产业基地初步形成，加快推进了四川省产业结构调整步伐。

（二）企业技术创新

2009年，全省完成企业技术创新投资140亿元，同比增长15%，全年新产品产值达到3506亿元，新产品产值率达到16%以上，顺利完成年度目标。其中，全省技术创新重点企业产品销售收入达到5030.8亿元，同比增长20.93%；新产品销售收入达到1971.56亿元，同比增长31.07%，占产品销售收入的39%；企业利税达到440.44亿元，同比增长25.07%；技术开发经费支出额达到214.53亿元，同比增长21.03%；完成技术开发项目7246项，同比增长17.75%；投产的新产品数达到9068项，同比增长21.15%；专利申请数达到3764项，同比增长31.15%。企业技术创新有力地推动了四川省工业经济又好又快发展。一批产业关键、核心技术研发，通信用塑料光纤连续化工业生产技术、特种电缆产业技术、激光全色显示技术、特大型空分设备产业化关键技术等77项重大产业技术研发取得突破性进展；铟锡氧化物纳米悬浮液、大尺寸非晶态软磁合金磁芯、光电集成芯片、冰箱压缩机噪音测试分析装备等新产品的产业化进程加速推进。2009年，南车资阳机车有限公司、四川科伦药业股份有限公司、利尔化学股份有限公司、成都发动机（集团）有限公司、宜宾五粮液股份有限公司5家企业技术中心被认定为国家级企业技术中心，新增数量全国第二（与上海、天津、湖南并列），国家认定企业技术中心总数达到27家，列全国第九，西部第一；新认定省级企业技术中心53家，总数达到237家。国家认定企业技术中心考核评价排名持续保持西部第一。同时，全省已有14个市州建立了市级中心认定机制，国家、省、市三级联动企业技术创新体系进一步完善。

商品流通

2009年，全省消费品市场持续增长。全年实现社会消费品零售总额5758.7亿元，增长20.0%。总消费对经济增长的贡献率48.1%。在统计的25类商品中，除电子出版物等三类商品销售比上年有所下降外，其他22类都不同程度的增长，增长面达到88.0%。

分行业看，批发零售贸易业实现零售额4463.1亿元，增长19.6%，比上年加快0.3个百分点，占零售总额的77.5%，是消费品零售总额增长的主导力量；住宿餐饮业零售额1140.9亿元，增长23.3%，增长最快。限额以上批发和零售企业实现消费品零售额4463.1亿元，增长19.6%。

城乡消费品市场稳步发展，农村市场快速发展。受新农村建设及家电下乡政策的拉动，城乡消费品市场持续稳步发展。城市消费品零售额2839.8亿元，增长18.4%；农村消费品零售额2918.9亿元，增长21.7%，拉动全省社会消费品零售总额增长10.9个百分点。

消费热点不断升级。其中，汽车零售额增长42.1%，食品类增长15.6%，儿童玩具类增长18.1%，家具类增长40.0%，服装鞋帽、纺织类增长28.3%，书报杂志类增长24.8%，建筑及装潢材料类增长30.2%，五金电料类增长40.9%，化妆品类增长28.5%。

外经外贸

全年实际利用外资41.3亿美元，增长23.5%。新批外商直接投资企业286家，累计批准8914家。外商投资实际到位资金36.1亿美元，增长15.7%。新引进世界500强企业9户，全球500强企业中已有151家来川投资或设立办事机构。驻川外国领事机构达到8家。

全年对外承包工程和劳务合作新签合同金额45.2亿美元，完成营业额33.7亿美元，增长40.2%；外派劳务35832人次，增长11.7%。新增境外投资企业40家，增长33.3%。全省招商引资总量快速增长，首次突破4000亿元，积极探索建立资源开发新机制，成功举办第十届西博会，全省全年新签国内省外合作项目6742个，全省全年实际到位国内省外资金4063.7亿元，比上年增长35.5%。

外贸进出口总额242.3亿美元，居全国第11位、西部首位，增长9.6%，是全国唯一的进出口、出口、进口均保持正增长的省份。其中，进口额首次突破百亿美元大关，达到100.8亿美元，增长12.3%；出口141.5亿美元，增长7.8%。一般贸易出口77.3亿美元，下降11.3%；加工贸易出口40.3亿美元，增长28.9%。国有企业出口39.1亿美元，下降9.9%，占外贸出口的27.6%；私营企业出口57.2亿美元，增长18.7%，占全省出口总额的40.4%；外商投资企业出口41.9亿美元，增长18.0%。农产品出口5.6亿美元，下降14.2%；机电产品出口76.0亿美元，增长16.2%；高新技术产品出口37.9亿美元，增长36.2%。

节能降耗

2009年，四川省以资源集约利用、循环利用和清洁利用为核心，按照“优化总量、管住增量、调整存量、做好减量”的基本思路，积极应对和克服特大地震和金融危机带来的冲击与影响，通过健全工业节能减排推进机制，狠抓工业节能减排重点领域、强化工业节能减排综合保障措施，推动环境和资源综合利用工作取得新成效。2009年，全省单位GDP能耗为2.174吨标准煤/万元，同比下降9.18%，“十一五”前四年累计下降26.13%；按单位增加值能耗计算，工业实现节能量3468.5万吨标准煤，工业节能对全社会节能贡献率为110%。积极推进十大重点节能工程，结合全省工业企业技术改造工作，优先推进工业锅炉（窑炉）改造、电机系统节能、节约和替代石油、余热余压利用、能量系统优化、节能监测和技术服务体系等重点工程。全年共争取国家节能技术改造财政奖励资金项目15个，获中央预算内奖励资金1.04亿元，带动企业投资10.05亿元，实现节能量41.41万吨；省工业节能专项资金安排5000万元，共支持105个重点节能示范项目，资金安排数比上年增长66%，项目安排数比上年增长9.4%，带动企业总投资23.97亿元，实现节能量76万吨。狠抓产业减量，重点抓好电力、钢铁、水泥、焦炭等行业221户落后产能企业及工艺技术装备的关闭和淘汰工作，淘汰小火电机组45.13万千瓦、水泥95.8万吨、炼铁32.1万吨，炼钢51万吨、焦炭170万吨、铁合金8.49万吨、造纸28.25万吨、酒精2万吨、味精1万吨、小煤矿20处，实现节能200多万吨标准煤，水泥、平板玻璃、钢铁、火电等行业，已完成“十一五”期间国家下达四川省的落后产能淘汰任务。

（撰稿：耿维）

2008—2009年四川省经济社会发展主要指标

序号	指标	单位	2008年	2009年	增长率（%）
1	一、人口和就业				
2	年底人口数	万人	8138.0	8185.0	0.6
3	人口自然增长率	‰	2.39	2.72	
4	就业人员数	万人	4874	4945	1.5
5	按产业分：				
6	第一产业	万人	2193	2158	-1.6
7	第二产业	万人	1068	1110	3.9
8	第三产业	万人	1613	1677	3.9
9	城镇就业人员（按登记注册类型分）				
10	国有单位	万人	324.56	328.81	1.3
11	集体单位	万人	38.24	38.26	0.1
12	股份合作单位	万人	8.40	8.00	-4.8
13	联营单位	万人	1.40	1.20	-14.3
14	有限责任公司	万人	112.70	119.30	5.9
15	股份有限公司	万人	44.70	48.80	9.2
16	私营企业	万人	224.69	230.80	2.7

续表

序　号	指　标	单　位	2008 年	2009 年	增长率（%）
17	港澳台商投资单位	万人	4.60	5.60	21.7
18	外商投资单位	万人	8.80	9.70	10.2
19	个体	万人	188.06	213.37	13.5
20	城镇登记失业人数	万人	37.86	36.28	-4.2
21	**二、国民经济核算**				
22	地区生产总值	亿元	12506.3	14151.3	14.5
23	**按产业分：**				
24	第一产业	亿元	2366.2	2240.6	4.0
25	第二产业	亿元	5790.1	6711.9	19.5
26	工业	亿元	4922.8	5678.2	
27	建筑业	亿元	867.3	1033.6	
28	第三产业	亿元	4350.0	5198.8	12.4
29	#交通运输、仓储和邮政业	亿元	567.5	520.7	
30	批发和零售贸易业	亿元	736.4	869.0	
31	**三、固定资产投资**				
32	投资总额	亿元	7127.8	11371.9	59.5
33	**按投资种类分：**				
34	城镇	亿元	6362.1	9090.1	42.9
35	#房地产开发	亿元	1451.7	1588.4	9.4
36	农村	亿元	765.7	2281.8	198.0
37	#农户	亿元	325.2	894.9	175.2
38	非农户	亿元	440.6	1386.9	214.8
39	**按建设规模分：**				
40	建设总规模	亿元	24743.2	34177.5	38.1
41	在建总规模	亿元	21067.7	25957.4	23.2
42	在建净规模	亿元	11933.7	13623.4	14.2
43	**按资金来源分：**				
44	国家预算内资金	亿元	216.7	1001.9	362.4
45	国内贷款	亿元	1203.9	1791.1	48.8
46	利用外资	亿元	100.3	50.2	-49.9
47	自筹资金	亿元	4672.7	6965.7	49.1
48	其他投资	亿元	1124.8	2488.3	121.2
49	**四、房地产开发**				
50	本年完成土地开发面积	万平方米	740	988	33.5
51	本年土地购置费用	亿元	309.8	243.8	-21.3
52	本年土地购置面积	万平方米	1000	1047	4.7
53	本年完成投资额	万元	14516992	15883709	9.4
54	#住宅	万元	10359853	11500278	11.0

续表

序　号	指　标	单　位	2008 年	2009 年	增长率（%）
55	#经济适用房屋	万元	111961	93914	-16.1
56	房屋施工面积	万平方米	15589	17731	13.7
57	房屋竣工面积	万平方米	3349	4280	27.8
58	本年新开工房屋面积	万平方米	4962	5236	5.5
59	#住宅	万平方米	4217	4411	4.6
60	#经济适用房屋	万平方米	139	44	-68.4
61	商品房屋销售面积	万平方米	3501	5968	70.4
62	#住宅	万平方米	3247	5553	71.0
63	#经济适用房屋	万平方米	40	31	-21.3
64	商品房屋销售额	万元	11054590	20940511	89.4
65	#住宅	万元	9960224	19068845	91.4
66	商品房屋平均销售价格	元/平方米	3157	3509	11.1
67	#住宅	元/平方米	3067	3434	12.0
68	#经济适用房屋	元/平方米	1266	1736	37.1
69	**五、规模以上工业企业**				
70	企业单位数	个	13725	13267	-3.3
71	工业总产值	亿元	14761.9	18071.7	22.4
72	资产总计	亿元	15589.5	18042.6	15.7
73	利润总额	亿元	844.6	1123.7	33.1
74	总资产贡献率	%	12.2	12.7	4.3
75	资产负债率	%	59.3	60.0	1.3
76	**六、交通运输业**				
77	运输线路长度				
78	铁路营业里程	公里	3006	3258	8.4
79	内河航道里程	公里	10720	10720	0.0
80	公路里程	公里	224482	249168	11.0
81	#高速公路	公里	2156	2240	3.9
82	货运量	万吨	114719	118253	3.1
83	#铁路	万吨	7915	7659	-3.2
84	公路	万吨	103068	106472	3.3
85	水运	万吨	3736	4122	10.3
86	客运量	万人	204733	220020	7.5
87	#铁路	万人	5939	5903	-0.6
88	公路	万人	196055	211288	7.8
89	水运	万人	2739	2829	3.3
90	**七、国内商业**				
91	社会消费品零售总额	亿元	4944.8	5758.7	16.5
92	**八、对外贸易和旅游**				

续表

序号	指标	单位	2008年	2009年	增长率（%）
93	货物进出口总额（按经营单位所在地分）	万美元	2211365	2416865	9.3
94	出口	万美元	1313249	1416945	7.9
95	进口	万美元	898116	999920	11.3
96	外商投资企业货物进出口总额	万美元	821698	936469	14.0
97	出口	万美元	354933	418911	18.0
98	进口	万美元	466765	517558	10.9
99	外商投资企业基本情况				
100	年底登记数	户	9398	11521	22.6
101	投资总额	亿美元	421.1	461.2	9.5
102	注册资本	亿美元	257.7	280.1	8.7
103	#外方	亿美元	196.0	213.7	9.0
104	对外承包工程				
105	完成营业额	万美元	251852	335622	33.3
106	对外劳务合作				
107	完成营业额	万美元	4678	1826	-61.0
108	接待国际旅游人数	万人次	69.95	84.99	21.5
109	#外国人	万人次	47.77	61.49	28.7
110	国际旅游外汇收入	百万美元	153.88	288.56	87.5
111	**九、财政**				
112	地方财政一般预算收入	亿元	1041.7	1174.6	12.8
113	#国内增值税	亿元	116.7	123.9	6.2
114	营业税	亿元	268.6	348.1	29.6
115	个人所得税	亿元	41.6	44.4	6.8
116	地方财政一般预算支出	亿元	2948.8	3590.7	21.8
117	**十、物价指数**				
118	商品零售价格指数	上年=100	105.3	100.1	
119	居民消费价格指数	上年=100	105.1	100.8	
120	#城市	上年=100	104.7	100.7	
121	农村	上年=100	105.5	101.0	
122	**十一、人民生活**				
123	收入				
124	农村居民家庭人均纯收入	元	4121	4462	8.3
125	城镇居民家庭人均可支配收入	元	12633	13839	8.8
126	居民消费水平	元	6072	6863	12.1
127	农村居民	元	3362	3891	14.4
128	城镇居民	元	10608	11701	9.7
129	住房				
130	农村居民人均住房面积	平方米	34.9	36.7	5.1

续表

序 号	指 标	单 位	2008 年	2009 年	增长率（%）
131	十二、教育				
132	高等学校数	所	90	92	2.2
133	高等学校招生数	人	301786	299650	-0.7
134	高等学校在校学生数	人	991072	1035934	4.5
135	高等学校毕业生数	人	247707	252214	1.8
136	十三、卫生				
137	卫生机构数	个	20738	72914	
138	#医院、卫生院	个	5962	5932	-0.5
139	医疗机构床位数	张	243746	275085	12.9
140	#医院、卫生院	张	229984	259204	12.7
141	卫生技术人员数	人	267591	303051	13.3
142	#执业（助理）医师	人	121851	138685	13.8

注：1. 地区生产总值及其三次产业、城镇居民人均可支配收入和居民消费水平的增长速度按可比价格计算。

2. 卫生机构数2009年起含村卫生室，与历史数据不可比。

贵州省

综 述

2009 年，贵州省国民经济平稳较快增长，全省实现生产总值3912.68亿元，比上年增长11.4%，人均生产总值10309元，首次超过一万元，比上年增长10.9%。其中，第一产业增加值为550.27亿元，比上年增长4.3%；第二产业增加值为1476.62亿元，比上年增长12.1%；第三产业增加值为1885.79亿元，比上年增长13.1%。第一产业、第二产业、第三产业增加值占生产总值的比重分别为14.1%、37.7%、48.2%。从三次产业对GDP的贡献来看，第一产业贡献率为6.3%，拉动GDP增长0.7个百分点；第二产业贡献率为42.4%，拉动GDP增长4.8个百分点；第三产业贡献率为51.3%，拉动GDP增长5.7个百分点。

全省全社会固定资产投资完成2450.99亿元，比上年增长31.5%。其中，第一产业完成投资73.42亿元，比上年增长44.3%；第二产业完成投资911.72亿元，比上年增长14.7%；第三产业完成投资1465.85亿元，比上年增长43.9%。一批重点项目建成投产。镇胜高速公路最后控制性工程坝凌河特大桥顺利合龙并全线正式通车，茅台高速公路、贵阳环城高速公路全线正式通车。

全省财政总收入779.59亿元，比上年增长15.9%，其中地方财政收入416.48亿元，比上年增长19.1%；财政总支出为1372.27亿元，比上年增长30%。

2009 年末，全省金融机构人民币存款余额5898.26亿元，比年初增加1161亿元，其中：储蓄存款和企业存款增加较多，分别比年初增加439亿元和343亿元。全省金融机构各项各项人民币贷款余额4656.5亿元，比年初增加1087亿元。

全年全省税收收入累计完成674亿元，比上年增收96亿元，16.7%，超年度计划32亿元。其中：国税收入385亿元，增长9.0%；地税收入288亿元，增长28.7%。

全年全省社会消费品零售总额1247.3亿元，比上年增长19.1%；城镇居民人均可支配收入12863元，城镇居民人均消费性支出9048元。

铁路、公路、水运完成货物运输量34803万吨，比上年增长3.7%，完成货物周转量926.04亿吨公里，比上年增长14.3%；民航货邮吞吐量为5.16万吨，比上年增长22.9%；铁路、公路、水运完成旅客运量84981万人，比上年增长6.2%，完成旅客周转量430.56亿人公里，比上年增长5.6%；民航旅客吞吐量578.24万人，比上年增长30.5%。

工业经济

2009 年全省工业经济运行呈现高开低走后逐步走高的发展态势。一季度，在上年同期工业发展基数受雪灾影响相对较低的情况下，全省规模以上工业呈现恢复性增长，增加值增速高达 16%；二季度，工业生产连续 3 个月负增长，上半年规模以上工业增速跌至 4.3%；三季度，在刺激经济增长措施的作用下工业生产企稳回升，增速自 7 月实现正增长，并保持逐月加快的发展态势；四季度，各月规模以上工业增加值分别实现 104.5 亿元、117.7 亿元、127.9 亿元，连续五个月突破百亿元。

1. 工业生产总体保持增长态势。全年全省工业完成增加值 1252.7 亿元，同比增长 10.2%，其中，规模以上工业增加值实现 1170.3 亿元、同比增长 10.6%；全年累计完成工业总产值（现价）3426.7 亿元。全省规模以上工业企业 2791 个，年平均从业人员 74.97 万人。全年工业对 GDP 贡献率为 31.7%，拉动 GDP 增长 3.5 个百分点。

2. 各种经济类型保持增长，轻、重工业双双实现较快增长的格局。全年国有及国有控股企业完成增加值 732.6 亿元，增长 8.2%；股份制工业完成增加值 516.7 亿元，增长 13%；大中型企业完成增加值 765.2 亿元，增长 7.5%；全年规模以上轻工业完成增加值 352.4 亿元，同比增长 11.6%；重工业累计完成增加值 817.9 亿元，同比增长 10.2%。

3. 主要行业生产继续保持增长。电力、煤炭、烟草、饮料、医药等主要行业对工业增长的贡献率达 57.5%，拉动工业增长 6.1 个百分点，其中，电力行业完成增加值 272.2 亿元，同比增长 10.5%；煤炭行业完成增加值 158.5 亿元，同比增长 10.6%；烟草、饮料、医药等轻工行业受金融危机的冲击相对较小，全年保持稳定增长，增速分别达到 11.3%、7% 和 14.6%。上半年受金融危机冲击严重的冶金、化工、有色等耗能工业，下半年以后逐步得到恢复并实现正增长，全年增速均在 7% 以上。

4. 产销率欠理想，工业品出厂价格有所下降，工业产品出口继续下降。全年全省规模以上工业企业累计完成销售产值（现价）3193.7 亿元；累计产销率 94.7%，比上年降低 0.7 个百分点，焦炭、铁合金、医药、白酒产销率都较低。全年工业品出厂价格比上年下降 4.9%，其中，原材料、燃料、动力购进价格同比下降 6.5%。全年工业品出口交货值 62.7 亿元，下降 17.4%。

5. 企业盈利水平逐步好转。受金融危机的影响上半年亏损企业较多，特别是有色、钢铁、化工等行业，但下半年逐步好转，全年全省规模以上工业企业实现利税总额 470.60 亿元，实现利润总额 191.73 亿元，其中，国有及控股工业企业实现利润总额 113.1 亿元，比上年增长 11.4%；国有及控股大中型工业企业实现利润总额 112.6 亿元，比上年增长 10.9%。利润主要集中在轻工、钢铁、煤炭、烟草、水电、化工、装备制造行业的部分大型企业，共有十二户工业企业的利润总额在亿元以上。

6. 铁路运输总体保持稳定，但阶段性局部性矛盾仍然存在。上半年，货源总体不足，铁路运力闲置现象明显。但二季度受四川灾后重建物资集中达到影响贵州省空车排入，导致部分流向物资发运困难。下半年装车水平不断增加。全年全省铁路货物运输完成发送量 6886 万吨，同比增长 3.7%；成都铁路局贵州管内累计完成货物发送量 4857 万吨，同比增长 6.8%。

产业结构调整

2009 年，贵州省产业结构进一步调整优化升级。

1. 能源、原材料工业不断优化发展。全年全省原煤产量约 1.37 亿吨，同比增长 14.8%，全年全省发电量超过 1380 亿千瓦时，同比增长 14.8%。以节能降耗、结构调整、延长产业链为重点，坚持一手抓淘汰落后，一手抓改造升级，全年完成淘汰落后产能任务 687.4 万吨，省技改资金全年投入资金 1.2 亿元支持优势原料工业等重点产业的技改项目，贵州开磷（集团）公司 120 万吨/年磷酸二铵二期工程等一批原材料工业项目建成投产。民爆行业新增炸药 1.2 万吨、雷管 3000 万发、导爆索 500 万米的产能，保证了贵州省重点工程建设所需民爆器材供应。

2. 以白酒为重点的轻工业实现较快增长。2009 年，全省规模以上白酒企业产量达到 13.8 万千升，虽然同比下降 17.7%，但实现工业增加值 107.8 亿元，同比增长 11.3%。茅台酒三期新增 2000 吨技改项目顺利完成，习酒、董酒等企业扩能升级技改，全省“老八大名酒”企业中，继董酒、金沙窖酒、鸭溪、湄窖等酒厂顺利实施改制重组后，珍酒、安酒、匀酒的破产重组工作也先后完成，同时 43 户各类白酒企业进行了资源整合，2009 年是贵州省白酒产业“存量盘活”成效最为显著的一年。在“贵州茅台”品牌的引领下，强力推进“贵州白酒”品牌营销策划和统一宣传，分别在武汉、宁波、重庆、成都、上海等地宣传“贵州白酒”。烟草行业实现增加值 117 亿元、同比增长 7%；医药制造业实现增加值 60 亿元、增长 14.6%。大力实施旅游商品“万户小老板工程”，扶持小老板项目 18 个。

3. 装备制造业、电子信息产品制造业发展步伐加快。2009 年贵州省召开了装备制造业恳谈会，围绕“军民结合、加快发展”主题进行交流和探讨。一批装备制造业和电子信息产品制造业重点项目顺利启动，启动实施了林泉电机厂新式节能型油田用抽油机生产线等三个中央扩大内需投资项目建设，安大公司大型重型燃气轮机涡轮盘和压气机盘锻件、贵阳海信“新一代数字平板电视显示技术产业化”等一批项目已经开工建设。2009 年，贵州省规模以上装备制造企业总数237家，较上年增加17家，全年全省规模以上装备制造企业实现增加值81.7亿元，同比增长约14.1%。

企业改革

国企改革取得明显成效。全省国有企业政策性关闭破产工作取得明显成效，截至12月31日，全省列入国家政策性关闭破产项目的144户企业已全部终结法律程序，其中2009年新增终结66户，至此，全省历时12年的国有企业政策性关闭破产工作基本结束。省属国有企业改革改制工作取得重大进展，截至12月底，应改制企业119户中，已经完成改制企业数占总企业数90%以上。国有企业办全日制普通中小学移交工作基本完成，移交涉及九个市（州、地），44户省属国有企业，120所学校。集体企业改革改制工作也取得积极进展。为合力推进培育企业上市工作创造条件，强化了企业上市指导和服务工作，加强了与证券交易所等中介机构的联系。同时，瓮福集团中标沙特项目，贵阳铝镁设计院也接获印度的项目，为贵州省企业“走出去”开了个好头。

中小企业、非公有制经济加快发展。全年全省规模以上中小企业工业增加值完成722.2亿元、同比增长12.2%，实现利润83.2亿元、同比增长8.2%；规模以上非公有制工业企业实现增加值451亿元、同比增长12.8%，实现利润66.4亿元、同比下降11.7%。一是着力改善贵州省中小企业、非公有制经济发展的政策环境。认真贯彻国务院《关于进一步促进中小企业发展的若干意见》和《中共贵州省委、贵州省人民政府关于大力推进个体私营等非公有制经济又好又快发展的意见》，积极推进相关立法工作。二是围绕中小企业成长工程，实施“百户优强中小企业扶持计划”，重点安排省中小企业发展专项资金8640万元支持了永吉印务等企业的255个项目。三是努力构建和完善信用担保、小额贷款、典当公司为主体的融资服务体系，积极缓解“融资难”问题。举办中小企业金融服务对接工作会，达成贷款、担保项目65个，合同金额14.75亿元。与邮政储蓄银行贵州省分行签署信用额度达200亿元的战略合作协议。小额贷款公司试点工作有序展开，全省53户小额贷款试点公司陆续开始营业，前三季度，累计贷款15.11亿元，贷款余额9.97亿元。四是社会化服务体系建设步伐加快。截至2009年底，扶持建立了80个县级中小企业服务中心，21个中小企业服务平台和15个小企业创业基地，举办了39期银河、星光培训班，培训人员达7457人。五是强化了中小企业、非公有制经济的统计监测，建立了重点中小企业非公有制企业统计直报制度。六是签署了中小企业和军工企业合作协议，主要围绕重点发展航空、汽车、通信、基础元件、环保、新能源等“七大军民结合产业板块”和贵阳、遵义、安顺等“三大军民结合产业基地”建设，整合各种有效资源，推进中小企业为军工主导产业的专业化配套与协作，提高贵州省中小企业的技术、装备水平和自主创新能力。

技术进步

技术改造投资力度加大，企业创新能力进一步提升，白酒、装备制造业、新技术和新产品实现产业化、节能降耗和资源综合利用、资源型产业延长产业链等一批重点改扩建和技术创新项目进展顺利，企业技术创新体系建设取得明显成效。2009年，完成技改投资374.4亿元、同比增长20.3%，贵州天福化工年产30万吨合成氨和15万吨二甲醚技改等重点项目陆续建成投产；全年实施了31项省级重点技术创新项目、19项产业技术开发和成果转化等国家项目。全省已建成120家国家级和省级企业技术中心。2009年，省人民政府表彰了76项优秀新产品、新技术，以及309名技术开发有功人员。同时加大产学研推进力度，与省委组织部和贵州大学共同开展了“贵州省百名教授、博士进企业”活动，首批40名教授、博士已正式进入企业工作岗位。

信息化建设

2009年，贵州省信息化和工业化加快融合。信息产业和电子信息产品制造业实现较快发展。2009年，省政府与中国电信、移动、联通集团公司举行了战略合作框架协议签字仪式，大力促进信息化全面建设。省电子政务外网骨干传输网建设任务顺利完成，已实现上联国家电子政务外网骨干传输网，横接省直36家单位，纵达9个市（州、地）、89个县（市、区、开发区、管委会）、全省11%的乡镇（1533个）的网上信息交流平台。开展了政府门户网站绩效评估。宽带网建设加快，数字电视逐步普及，电信和互联网不断发展增值服务。积极推进新型电子元器件、电子信息材料、通信终端、无线射频识别等新产品研发和产业化，启动实施省级振兴项目28个，获省新产品新技术奖14项及省科技进步奖和科技成果转化奖13项。成功举办第三届亚洲青年动漫大赛。以农村信息化、电子政务和企业信息化为重点深入推进两化融合，新建贵阳杨惠村等30个村级综合信息服务站和48块农村综合信息发布电子显示屏，启动“贵州涉农综合信息共享服务平台”建设，实施安顺、毕节农村信息服务试点工程。实施25个制造业信息化示范工程项目，对42个企业信息化项目给予支持，启动企业基础信息共享试点。无线电管理和应急保障有力有效。建立第三代移动通信沟通协调服务保障机制，确保重大节日、重要会议和敏感时期无线电通讯安全。做好500米口径射电天文望远镜电磁宁静区保护工作。

商品流通

（一）社会消费品市场运行的主要特点

2009年，贵州省实现社会消费品零售总额1247.25亿元，同比增长22.9%，较上年增幅回落0.6个百分点，扣除物价因素，实际增幅19.1%，比上年回落4.4个百分点。其中市（州、地）城市社会消费品零售额715.53亿元，同比增长22.1%，与上年持平，扣除物价因素，实际增幅18.4%，比上年回落4.8个百分点；县及县以下消费品零售额531.72亿元，同比增长23.9%，增幅与上年持平，扣除物价因素，实际增幅20%，比上年回落3.9个百分点。市场运行的主要特点：

1. 市场运行总体平稳，通过实施国家扩大消费、促进内需一系列措施，全省商品市场购销两旺，繁荣活跃，继续保持平稳增长势头。全社会消费品零售总额各月增速均高于全国平均水平，除2月、3月以外，其余月份同比增幅均在18%以上。年底受消费价格指数回升影响，12月同比增幅高达19.5%。

2. 市场物价呈前低后高走势。全年除1月受春节需求助推居民消费价格指数同比上涨0.7%外，2月至10月价格指数连续9个月同比为负增长，11月价格指数回升到上年同期水平，12月价格指数同比上涨1%。

3. 新型消费方式日渐普及。随着社会公众银行卡使用意识的不断提高，受理环境不断改善，非现金支付消费方式应用日益广泛。刷卡消费、网络购物、电子商务和送货上门等新型消费方式在刺激需求、拉动内需方面的积极作用逐渐显现，成为促进消费品市场增长的因素。

4. 文化消费成为春节期间消费热点。2009年春节期间，影剧购票出现长队，贵阳世纪星光、银座、大剧院3家影城票房收入130万元，创下历年新高。以图书当作馈赠新年礼品成为风气，书店出现儿童图书大礼包一天热卖上百套的情况。

5. 农村市场增幅明显高于城市。在继续推进“万村千乡市场工程”、“双百市场工程”等一系列惠农政策拉动农村消费市场的同时，2009年又实施家电下乡开启农村消费市场新的增长点，促进农村市场保持快速增长，全年县及县以下市场增幅高于城市1.6个百分点。

6. 节日长假仍是促进消费增长的亮点。元旦、春节、五一、中秋、国庆等节假期，各地商务主管部门结合节假和本地重要活动，积极组织流通企业开展丰富多彩的促销活动，培育消费热点，促进市场繁荣活跃。如贵阳市利用节日组织的“迎新欢乐购物周”、“寄情端午、欢享六一购物周”等活动，营造浓厚消费氛围，假日消费持续火爆。仅“迎新欢乐购物节”期间，参加活动的32家重点企业共实现销售额10.66亿元，同比增长20%。

（二）消费品市场平稳增长的主要因素

促进消费品市场平稳增长的主要因素：一是国家应对国际金融危机实施的一系列政策措施得到落实，城乡居民收入保持稳步增长成为拉动消费的主要力量；二是继续开拓农村市场，在继续实施“万村千乡市场工程”、“双百市场工程”的同时，2009年又开启“家电下乡”、“汽车摩托车下乡”等新的惠农政策，激发了农村消费，促进农村市场的增长。三是城乡消费结构升级趋势带动了消费增长。在成品油税费改革及1.6升以下小排量车购置税下调等优惠政策刺激下，汽车销售势头良好。中高档家电中的高清平板电视、高像素数码像机、3G手机等成为热销产品。农村实施危房改造和家电下乡，使不少贫困农户住上新房，用上家用电器。四是全省各级商务主管部门举办各种活动，培育市场消费热点，活跃市场。春节期间，仅贵阳市组织12家商贸流通企业的40余个卖场参加“贵阳迎新欢乐购物节”活动，即实现销售收入6.51亿元，同比增长23.92%。

存在的主要问题：受国际金融危机影响，2008年底大量农民工返乡，一定程度上影响农民增收和城镇就业压力，导致市场疲软、消费不足、价格低迷。

（三）商贸市场体系建设

2009年，贵州省争取到中央安排内贸发展专项资金1.72亿元，加快推进全省商贸市场体系项目建设。

1. 推进“双进工程”项目建设，“双进工程”指“便利消费进社区，便民服务进家庭”，是商务部2009年在全国实施的重点工程项目之一。已完成家政就业培训项目32个，全省共培训家政服务人员1667名，按1200元/人以内标准，获中央拨付支持资金200万元；应急储备体系建设28个，获中央拨付支持资金66万元；完成流通领域市场监管公共服务体系建设项目152个，获中央拨付支持资金350万元。

2. 实施农村物流服务体系项目建设。2009年，在继续实施“万村千乡市场工程”（当年争取到农家店5000个，农村市场商品配送中心20个）、“双百市场工程”（争取到农产品批发市场项目6个，农贸市场项目21个）的同时，进一步实施“农超对接”（即农产品不经中间环节直进超市，争取到项目13个）、汽车摩托车家电下乡产品流通网络建设（销售网点项目2452个、配送体系项目9个、服务体系项目540个、信息系统项目45个）、农资流通体系建设项目（争取到20个）。到年底，已完成农家店3585

个，获中央支持资金2150万元；完成农产品批发市场项目6个，获中央支持资金1200万元；完成农贸市场项目15个，获中央支持资金250万元。

3. 两家企业产品中标家电下乡产品。经商务部、财政部统一招标，贵州海尔和贵阳海信两家企业中标家电下乡产品指定生产企业。两家企业都是贵州省与东部经济合作的典范企业和纳税大户。贵阳海信从2007年12月开始生产第一批家电下乡产品，共有23个家电下乡机型。2009年，贵阳海信家电下乡产品产销量已达34万台，总体销售同比增长60%，产品覆盖黔、桂、川、陕、渝、湘等省区市。贵州海尔从2008年开展家电下乡产品生产以来共生产18个家电下乡机型，下乡产品产销量达150万台，占总量的90%左右，产品覆盖西南、华南等市场。

4. 实施村级农家综合服务站试点工程项目。2009年，由贵州省商务厅、省气象局、省供销社、省移动公司合作，在全省实施“贵州省200家村级农家综合服务站试点建设工程项目”。12月23日，在贵阳举行赠机仪式，200个村级农家综合服务试点站获赠全套信息技术设备。村级农家综合服务站建设项目通过信息化示范，整合商务部新农村网、“万村千乡市场工程”、贵州农经网、“新农村现代流通网络工程”和“移动村村通工程”等资源，集信息服务、产品经营、通信业务为一体，健全农业信息收集和发布制度，打开全省村级信息通道，为农民和企业提供及时有效的信息服务，积极推进农村信息化服务体系建设。

5. “家电下乡”开启农村市场新增长点。2009年2月1日，贵州省家电下乡启动仪式在贵阳市乌当区苏宁电器股份有限公司家电销售网点举行。主要做法是比照国家出口退税政策（出口家电产品退税率13%），由中央和地方财政以直接补贴方式对农民购买指定产品给予销售价13%的补贴。为实施好“家电下乡”，全省采取了七项措施。一是分三批推荐家电下乡销售企业参加商务部、财政部统一招标，45家（户）企业取得在贵州省销售补贴类家电下乡产品销售资格。经销产品含彩电、冰箱（含冰柜）、洗衣机、手机、电脑、空调、热水器、电磁炉、微波炉等9大类产品。二是根据《财政部、商务部〈关于印发家电下乡推广工作方案的通知〉》（财建〔2008〕680号）和《财政部、商务部、工业信息化部〈关于全国推广家电下乡工作的通知〉》（财建字〔2008〕862号）精神，由省商务厅、财政厅、经贸委、信息产业厅联合制发《贵州省家电下乡推广工作实施方案（试行）》（黔商发〔2009〕10号），明确家电下乡的主要内容、补贴对象、补贴标准、操作程序，并对补贴资金的发放、信息报送等提出具体要求。三是部署各市（州、地）、县（市、区、特区）商务主管部门联系中标销售企业做好网点备案。2009年，全省已有7933个家电下乡销售网点完成备案，网点覆盖全省100%的县（市、区、特区）和90%以上的乡（镇）。四是由省财政厅、商务厅共同举办四期培训班，对45家家电销售中标企业的业务人员进行分批集中培训。五是跟踪服务，及时解决实施中出现的问题，如为进一步简化补贴程序，根据贵州省实际，将原规定的补贴发放由“乡镇财政所审核，县财政局兑付”调整为“乡镇财政所审核并直接兑付”。六是落实好省级配套补贴资金，2009年，财政部安排贵州省家电下乡补贴资金2.73亿元，汽车摩托车下乡补贴资金8647万元，共3.59亿元，省级地方财政按20%配套7186万元，省级财政分两次预拨8000万元。七是加强监管，保护农民权益。全年共组织专项行动19次，对中标企业违规或产品质量进行检查，共查处案件183起，货值134.98万元。接到农民投诉39起，全部予以妥善处理。由于采取了上述措施，全省实施“家电下乡”开局良好，工作进展顺利，截至2009年12月31日，全省已经累计销售家电下乡产品72.4万台（件），销售金额10.56亿元，对42.7万台（件）家电下乡产品发放了补贴资金，累计兑现补贴资金9140万元，补贴率为57.5%。

家电下乡存在的问题：一是由于贵州农村居住分散，交通不便，条件较差，备案网点多集中在县城和乡镇，难实现农民就近购买。二是部分乡财政所人员计算机操作能力较差，登录网络系统不熟，只能采取传统纸质票据审核兑付，工作进度缓慢。三是家电下乡补贴资金数额较小和交通不便等，造成部分村民不能及时兑付，使整体推进工作受到一定影响。

6. 举办第二届中国（遵义）酒类博览会。2009年9月22—23日，第二届中国（遵义）酒类博览会在贵州省遵义市举办。本届博览会是继2008年首届酒博会在贵州举办的第二届全国性酒类博览会，与上届相比，展会规模、档次都有较大提高，为国际国内酒类企业提供了良好的交易和交流平台。一是会展规模明显扩大。本届博览会设展位306个，比上届增加91个。其中标准展位284个，特色展位22个，并单设国际酒类展区。国外、省内外共3806户酒类企业进场参展，其中生产企业306户，经销企业3500户。国外参展企业19户，主要来自法国、意大利、澳大利亚、智利、美国等5个国家。省外参展企业2232户，其中生产企业32户、经销商2200户，包括了四川泸州老窖、郎酒、安徽古井、江苏双沟、北京红星等国内知名白酒生产企业及经销商。省内参展企业1555户，其中生产企业255户，经销商1300户，涵盖国酒茅台、贵州习酒、董酒、金沙回沙酒、青酒等国内、省内知名生产企业及经销商。二是酒类销售和投资签约成果显著。酒博会期间，共签约酒类商品销售和酒类生产投资项目105个，签约金额达144.2亿元，比上届增31.1%。其中签约投资酒类生产项目4

个，签约金额4.5亿元；签约酒类销售项目101个，签约金额139.7亿元。三是活动内容丰富并取得积极成果。会展期间，组委会专门举办“中国酒业发展论坛”，邀请国内酒业专家、酒业研究学者以及知名酒业企业家共同探讨酒业健康发展之路。

7. 贵州省“新农村商网”移动信息平台正式启动。2009年6月16日，贵州省商务厅与中国移动贵州公司战略合作协议签订暨贵州“新农村商网”移动信息平台启动仪式在贵阳市举行。根据协议，双方将在“新农村商网”移动信息平台建设及提供服务方面展开全面合作。即利用分布在全省“万村千乡工程”农家店的4022台农村移动信息机，发布、接收农产品购销信息，打通全省农副产品的信息通道。农民群众也可通过发送或接收手机短信与“新农村商网”实现农副产品信息发布和交流。

“新农村商网”移动信息平台的正式启动将为国家农副产品政策宣传、科技推广及贵州农副产品购销信息传播等提供更加方便快捷的渠道，对农村信息服务站的延伸及全省公共信息服务体系建设水平的提高具有重要影响。

8. 继续实施“东桑西移”工程。2009年，贵州省毕节市汇江蚕桑开发有限公司承担的蚕茧生产基地巩固提高项目、都匀市万通蚕业有限公司、贵州振兴茧丝绸有限公司承担的受灾地区蚕茧生产基地恢复重建项目被列为商务部2008年“东桑西移”工程蚕茧基地资金支持建设项目。2009年6月，上列三个项目经组织验收，已获国家支持资金240万元，其中：毕节市汇江蚕桑开发有限责任公司获80万元，都匀市万通蚕业有限公司获70万元，贵州振兴茧丝绸有限公司获90万元。

由毕节市汇江蚕桑开发有限公司承担的蚕茧生产基地巩固提高项目总投入271.5057万元。都匀市万通蚕业有限公司承担的受灾地区蚕茧生产基地恢复重建项目总投入211.044万元。贵州振兴茧丝绸有限公司承担的受灾地区蚕茧生产基地恢复重建项目总投入191.63万元。用于恢复重建基础设施、培训人员和印发资料等。全省自2006年实施“东桑西移”后，获得较好经济效益，促进当地农民增收取得一定成效。

节能降耗和资源综合利用

节能降耗和资源综合利用工作成效明显，基本达到预期目标。2009年全省单位GDP能耗下降4.3%，全省规模以上单位工业增加值能耗降低4.85%，全年利用各种工业废弃物约2400万吨，比上年增长5%左右，综合利用率41%。一是加强对重点耗能企业节能监管力度。将年耗能5000吨标准煤以上的641家重点用能企业纳入重点监控范围，制定下发了《关于进一步加强贵州省年耗能5000吨标煤以上重点用能企业节能降耗工作的通知》，对重点用能企业实行省、地分级监管。二是加大节能资金投入，实施节能重点工程。全年安排省节能专项资金补助1200万元，支持高效节能产品和技术推广应用、重点行业和重点用能单位节能降耗技术示范、资源综合利用及清洁生产技术示范等项目50余个。三是开展重点耗能企业能效监测工作。下达了2009年度节能监测计划，委托省节能监测中心对34户重点用能企业进行监测，目前现场监测工作已全部完成。四是积极落实国家对资源综合利用的扶持政策。鼓励、支持、引导企业加大对大宗工业固体废弃物综合利用技术的研发和先进工艺设备的推广应用，大力发展节能环保新型建材，一大批重点利废示范项目建成投产。进一步加强对资源综合利用管理和政策措施的研究，完成了《贵州省大宗工业固体废弃物资源综合利用研究报告》。

（撰稿：鲁轶　朱立群）

2008—2009年贵州省经济社会发展主要指标

序号	指标	单位	2008年	2009年	增长率（%）
1	一、人口和就业				
2	年底人口数	万人	3792.7	3798.0	0.1
3	人口自然增长率	‰	6.72	6.96	
4	就业人员数	万人	2302	2341	1.7
5	按产业分：				
6	第一产业	万人	1206	1211	0.4
7	第二产业	万人	261	268	2.7
8	第三产业	万人	834	862	3.4
9	城镇就业人员（按登记注册类型分）				
10	国有单位	万人	149.15	150.81	1.1

续表

序号	指标	单位	2008 年	2009 年	增长率（%）
11	集体单位	万人	7.92	7.22	-8.9
12	股份合作单位	万人	1.80	2.40	33.3
13	联营单位	万人	0.60	0.50	-16.7
14	有限责任公司	万人	36.40	41.30	13.5
15	股份有限公司	万人	11.60	11.80	1.7
16	私营企业	万人	40.26	44.65	10.9
17	港澳台商投资单位	万人	1.00	1.20	20.0
18	外商投资单位	万人	1.70	1.90	11.8
19	个体	万人	43.94	46.60	6.0
20	城镇登记失业人数	万人	12.47	12.34	-1.0
21	**二、国民经济核算**				
22	地区生产总值	亿元	3333.4	3912.7	11.4
23	**按产业分：**				
24	第一产业	亿元	547.9	550.3	4.3
25	第二产业	亿元	1408.7	1476.6	12.1
26	工业	亿元	1242.6	1252.7	
27	建筑业	亿元	166.2	224.0	
28	第三产业	亿元	1376.8	1885.8	13.1
29	#交通运输、仓储和邮政业	亿元	180.5	399.8	
30	批发和零售贸易业	亿元	208.8	293.5	
31	**三、固定资产投资**				
32	投资总额	亿元	1864.5	2412.0	29.4
33	**按投资种类分：**				
34	城镇	亿元	1609.3	2049.8	27.4
35	#房地产开发	亿元	311.3	371.3	19.3
36	农村	亿元	255.1	362.2	42.0
37	#农户	亿元	100.0	129.9	29.9
38	非农户	亿元	155.1	232.3	49.7
39	**按建设规模分：**				
40	建设总规模	亿元	7683.5	10164.4	32.3
41	在建总规模	亿元	6325.1	8560.8	35.3
42	在建净规模	亿元	3574.4	5116.5	43.1
43	**按资金来源分：**				
44	国家预算内资金	亿元	138.1	265.9	92.6
45	国内贷款	亿元	479.2	701.2	46.3
46	利用外资	亿元	14.3	10.9	-24.0
47	自筹资金	亿元	1092.8	1374.2	25.8
48	其他投资	亿元	263.7	471.8	78.9

续表

序号	指标	单位	2008年	2009年	增长率（%）
49	四、房地产开发				
50	本年完成土地开发面积	万平方米	288	161	-43.9
51	本年土地购置费用	亿元	34.1	32.4	-5.0
52	本年土地购置面积	万平方米	590	373	-36.8
53	本年完成投资额	万元	3112556	3712507	19.3
54	#住宅	万元	1954897	2494624	27.6
55	#经济适用房屋	万元	224281	202165	-9.9
56	房屋施工面积	万平方米	5229	6101	16.7
57	房屋竣工面积	万平方米	721	1224	69.8
58	本年新开工房屋面积	万平方米	1594	1755	10.1
59	#住宅	万平方米	1307	1353	3.5
60	#经济适用房屋	万平方米	102	103	1.0
61	商品房屋销售面积	万平方米	908	1653	82.0
62	#住宅	万平方米	848	1542	81.8
63	#经济适用房屋	万平方米	135	71	-47.5
64	商品房屋销售额	万元	2124650	4750718	123.6
65	#住宅	万元	1799384	4073089	126.4
66	商品房屋平均销售价格	元/平方米	2339	2874	22.9
67	#住宅	元/平方米	2122	2642	24.5
68	#经济适用房屋	元/平方米	1926	2089	8.5
69	五、规模以上工业企业				
70	企业单位数	个	2676	2791	4.3
71	工业总产值	亿元	3111.1	3426.7	10.1
72	资产总计	亿元	4566.1	5066.2	11.0
73	利润总额	亿元	181.8	191.7	5.4
74	总资产贡献率	%	11.5	10.7	-7.4
75	资产负债率	%	65.7	67.0	1.9
76	六、交通运输业				
77	运输线路长度				
78	铁路营业里程	公里	1962	1983	1.0
79	内河航道里程	公里	3425	3442	0.5
80	公路里程	公里	125365	142561	13.7
81	#高速公路	公里	924	1189	28.7
82	货运量	万吨	32692	34803	6.5
83	#铁路	万吨	6683	6956	4.1
84	公路	万吨	25272	27031	7.0
85	水运	万吨	737	816	10.7
86	客运量	万人	40725	64918	59.4

续表

序 号	指 标	单 位	2008年	2009年	增长率(%)
87	#铁路	万人	3199	3204	0.2
88	公路	万人	36019	59981	66.5
89	水运	万人	1507	1733	15.0
90	七、国内商业				
91	社会消费品零售总额	亿元	1075.2	1247.3	16.0
92	八、对外贸易和旅游				
93	货物进出口总额(按经营单位所在地分)	万美元	336621	230421	-31.5
94	出口	万美元	190078	135661	-28.6
95	进口	万美元	146543	94760	-35.3
96	外商投资企业货物进出口总额	万美元	37301	18647	-50.0
97	出口	万美元	23804	9737	-59.1
98	进口	万美元	13497	8910	-34.0
99	外商投资企业基本情况				
100	年底登记数	户	2201	1966	-10.7
101	投资总额	亿美元	32.2	35.7	10.9
102	注册资本	亿美元	19.3	21.4	10.7
103	#外方	亿美元	14.2	15.8	11.7
104	对外承包工程				
105	完成营业额	万美元	31064	28287	-8.9
106	对外劳务合作				
107	完成营业额	万美元		0	
108	接待国际旅游人数	万人次	39.54	39.95	1.0
109	#外国人	万人次	18.22	16.28	-10.7
110	国际旅游外汇收入	百万美元	116.97	110.44	-5.6
111	九、财政				
112	地方财政一般预算收入	亿元	347.8	416.5	19.7
113	#国内增值税	亿元	55.1	57.5	4.2
114	营业税	亿元	80.3	104.3	29.8
115	个人所得税	亿元	18.4	21.3	15.8
116	地方财政一般预算支出	亿元	1053.8	1372.3	30.2
117	十、物价指数				
118	商品零售价格指数	上年=100	107.2	97.6	
119	居民消费价格指数	上年=100	107.6	98.7	
120	#城市	上年=100	107.0	98.6	
121	农村	上年=100	108.8	99.0	
122	十一、人民生活				
123	收入				
124	农村居民家庭人均纯收入	元	2797	3005	7.5

续表

序 号	指 标	单 位	2008 年	2009 年	增长率（%）
125	城镇居民家庭人均可支配收入	元	11759	12863	11.0
126	居民消费水平	元	4426	5044	11.5
127	农村居民	元	2142	2459	12.6
128	城镇居民	元	10106	11223	8.5
129	住房				
130	农村居民人均住房面积	平方米	25.3	26.4	4.6
131	十二、教育				
132	高等学校数	所	45	47	4.4
133	高等学校招生数	人	85712	95375	11.3
134	高等学校在校学生数	人	267526	299072	11.8
135	高等学校毕业生数	人	66050	64212	-2.8
136	十三、卫生				
137	卫生机构数	个	5848	24707	
138	#医院、卫生院	个	1934	1982	2.5
139	医疗机构床位数	张	83103	97527	17.4
140	#医院、卫生院	张	78129	91164	16.7
141	卫生技术人员数	人	89313	96753	8.3
142	#执业（助理）医师	人	38830	41465	6.8

注：1. 地区生产总值及其三次产业、城镇居民人均可支配收入和居民消费水平的增长速度按可比价格计算。
2. 卫生机构数2009年起含村卫生室，与历史数据不可比。

云南省

工业经济

2009年，云南省全年全部工业完成增加值2088.3亿元，比上年增长11.2%；规模以上工业完成增加值1904.38亿元，增长11.2%。在规模以上工业中，轻工业完成增加值884.66亿元，比上年增长13.0%；重工业完成增加值1019.72亿元，增长9.8%。

全年规模以上工业中，属于云南支柱产业的烟草制品业完成增加值689.82亿元，同比增长11.4%；电力生产和供应业完成增加值242.36亿元，同比增长16.6%；矿产业完成增加值670.57亿元，同比增长6.3%。六大高载能行业共完成增加值710.82亿元，比上年增长9.2%，其中，化学原料及化学制品制造业增长5.4%，非金属矿物制品业增长20.7%，电力热力的生产和供应业增长16.6%，黑色金属冶炼及压延加工业增长9.1%，有色金属冶炼及压延加工业增长3.6%、石油加工炼焦及核燃料加工业增长0.9%。

全年原煤产量8921.02万吨，比上年增长3.0%；发电量1173.82亿千瓦小时，增长12.9%；粗钢产量1049.05万吨，增长16.4%；钢材产量973.3万吨，增长16.3%；十种有色金属产量215.8万吨，下降0.4%；水泥产量5046.45万吨，增长25.8%；卷烟产量691.58万箱，增长1.8%；成品糖产量223.91万吨，增长6.1%。

固定资产投资

2009年全社会固定资产投资规模达到4527.02亿元，比上年增长31.7%。分三次产业看，第一产业投资197.06亿元，增长13.2%；第二产业投资1524.87亿元，增长21.1%，其中工业投资1521.55亿元，增长23.5%；第三产业投资2805.09亿元，增长34.0%。

2009 年云南省分行业全社会固定资产投资及其增长速度

表 1 单位：亿元

行业	投资额	比上年增长（%）
总计	4527.02	31.7
农、林、牧、渔业	197.06	13.2
采矿业	195.52	14.8
制造业	595.75	37.0
其中：烟草制品业	35.37	80.6
化学原料及化学制品制造业	128.26	47.9
医药制造业	18.94	66.7
非金属矿物制品业	88.83	28.2
黑色金属冶炼及压延加工业	32.79	-6.0
有色金属冶炼及压延加工业	91.58	72.2
电力工业	702.47	15.5
建筑业	3.32	-87.9
交通运输、仓储和邮政业	563.04	52.4
信息传输、计算机服务和软件业	63.37	3.2
批发和零售业	110.05	48.6
住宿和餐饮业	39.75	23.2
金融业	6.19	9.6
房地产业	1105.35	19.7
租赁和商务服务业	16.80	78.3
科学研究、技术服务和地质勘查业	11.67	23.9
水利、环境和公共设施管理业	531.71	63.7
居民服务和其他服务业	8.84	93.9
教育	125.65	75.9
卫生、社会保障和社会福利业	50.24	86.1
文化、体育和娱乐业	50.37	44.3
公共管理和社会组织	122.07	-16.4

全年房地产开发投资完成 737.46 亿元，比上年增长 32.3%，其中，商品住宅投资 552.96 亿元，增长 30.5%；办公楼投资 18.91 亿元，增长 55.9%；商业营业用房投资 80.52 亿元，增长 40.4%。全省商品房屋施工面积 6837.88 万平方米，增长 27.2%；竣工面积 1680.56 万平方米，增长 59.9%；商品房屋销售面积 2229.95 万平方米，增长 35.7%，商品房屋销售额 653.53 亿元，增长 48.4%。

商品流通

2009 年，全省社会消费品零售总额完成 2051.1 亿元，同比增长 19.3%，首次突破 2000 亿元大关，成为云南省经济工作和商务工作的亮点，为“保增长、保民生、保稳定”做出突出贡献。内贸流通工作以农村市场流通体系建设、餐饮业发展和市场监测为重点，全面推进市场流通工作，以惠农工程为抓手，努力健全农村流通网络，促进城乡居民消费，市场体系建设。一是大力推进“万村千乡市场工程”，新建及改造农家店3500个，配送中心50个。全年累计建设改造农家店15210个，配送中心265个，乡、村覆盖率分别为90%和60%，分别超过全国平均水平15、10个百分点。农家店带动投资4.6亿元，实现销售额64亿元，带动社会就业人数5万多人，受惠农民达到2000多万人。二是大力开展“家电下乡”活动，全年销售家电下乡产品63.4万台，总销售金额达10.6亿元，兑现给农民补贴1.2亿元。销售量在全国同批次的省份中名列第八位，在同批次的西部省份中名列第一位。三是建设改造乡镇农（集）贸市场，积极推进“双百市场工程”。全年建设改造乡镇农（集）贸市场100个，启动“双百市场工程”项目6个，带动投资总额13.3亿元，这些农（集）贸市场年交易额达30亿元以上，解决农村3.5万人就业。四是积极推进餐饮业发展。在《云南省人民政府关于促进餐饮业发展的意见》的指导下，筹措和安排2000万元专项资金加大扶持力度，着力打造滇菜品牌，并开展滇菜进京等工作，推进餐饮业的品牌化、特色化、规范化、规模化。全年餐饮业营业总额达283.3亿元，增长28.4%，占社会消费品零售总额的13.8%。五是进一步完善市场监测调控，市场监测样本企业增加到527家，企业的地域、行业、商品等结构明显改善，监测质量明显提高。六是认真落实猪肉等重要生活必需品储备，重点保障包括成品油在内的重要商品市场供应。

2009年云南省餐饮与美食行业协会发展的着力点是打造“名企、名店、名厨、名菜”工程。协会在全省范围内评出20家“云南省餐饮名牌企业”和50家“云南省餐饮名店”，分别获得省政府的专项扶持资金共1350万元；70家企业与协会签订《2010年目标责任书》，承诺每年提供2500个创业就业岗位等十七条责任目标。协会还组织研发新派滇菜100余道，主持设计了餐具50余个品种。协会还成功策划并申报三项上海大世界基尼斯纪录。全年全省餐饮业实现社会消费品零售总额比2008年增长28.4%（居全国前五位），实现餐饮业增加值130亿元，占全省GDP的2.5%左右，较2008年增长21%；餐饮业的增长速度在批发、零售、住宿、餐饮四个行业中排名首位，总量居第二位，拉动全省社会消费品零售总额增长3.6个百分点；全省22万余家餐饮企业直接采购农副产品125亿元，直接和间接解决就业近350万人。

外经外贸

（一）对外贸易

2009年云南省对外贸易完成进出口总额80.2亿美元，同比下降16.5%，其中出口完成45.1亿美元，同比下降9.7%，进口完成35.1亿美元，同比下降23.8%。尽管进出口总额比上年下降，但云南省出口降幅比全国少6.3个百分点，而占全国出口的份额还有所上升。云南省对东盟的出口比上年增长7.1%，边境贸易出口增长23.6%，在周边市场的份额进一步提高，外贸降幅由年初的57.4%逐月收窄到12月的16.5%，12月进出口额达12.7亿美元，创造了单月历史新记录。

为积极应对国际金融危机造成的冲击，云南省外贸坚持年初制定的“调结构、转方式、打基础、促发展”的指导思想，以“坚定信心、服务企业、扎实工作、克难时艰”的作风开展工作，为稳定外贸做出积极的努力。一是为抑制外贸下滑势头，支持企业抓订单、保客户、稳市场，出台《云南省商务厅促进外经贸发展的暂行办法》，实施包括优化出口商品结构、扩大农产品出口和进一步扩大进口等一系列鼓励措施，提高了融资担保保费支持的比例。进一步加大对农产品出口的扶持力度，重点扶持区域化基地备案、深加工技改贴息、冷链物流体系建设、建立国外营销网络。二是强化服务、营造环境，建立外贸企业全程跟踪服务机制，协调企业在进出口中出现的问题。为重点企业和有增长潜力的企业建立绿色通道。提前启动当年的国际市场开拓计划，对列入计划的39个国际市场开拓项目进行精心策划和准备，积极组织企业参展，成行了泰国食品展、英法茶叶推介会、香港展、南非展、俄罗斯展等项目。三是引导有色金属、磷化工等传统产业企业调整产品结构，开发精深加工产品，提高产品附加值。在进口方面重点积极帮助企业解决经营权问题，在出口方面重点向国家争取对资源性产品降低或取消出口关税，恢复出口退税，协调焦炭出口配额问题，进一步扩大蔬菜、花卉出口。通过引导企业调整出口商品结构、扶持农产品和机电高新技术产品进出口、着力协调蔬菜换石油、棕榈油进口等大项目的启动和实施，积极协调检验检疫、农业等部门，努力扩大农产品出口规模，在各方面的努力下，农产品成为云南省第一大类出口商品，增速达到20%以上，全年出口达9.7亿美元，增长21.6%，占全省出口总额的比重达到1/5，首次成为云南省第一大类出口产品；机电产品进出口总额16.79亿美元，同比增长1.3%，占比首次超过1/5，结构调整初见成效。

2009 年云南省进出口贸易方式

表 2 单位：万美元

项目	2009 年	2008 年	同比增长（%）	比重（%）
进出口：一般贸易	648360	787882	-17.7	80.9
加工贸易	27424	52186	-47.4	3.4
边境小额贸易	126128	119819	5.3	15.7
出口：一般贸易	366204	405815	-9.8	81.1
加工贸易	14456	37101	-61	3.2
边境小额贸易	70742	57223	23.6	15.7
进口：一般贸易	282156	382068	-26.2	80.5
加工贸易	12968	15085	-14	3.7
边境小额贸易	55386	62596	-11.5	15.8

当年西方国家为实行贸易保护主义设立了较多的壁垒限制我国产品出口，欧盟制定的施牛肝菌鲜品尼古丁含量限量标准与云南省的出口产生冲突，云南省是世界美味牛肝菌最大的产地，年销量约占世界总量的65%，产值近6亿元人民币，年出口达8000万美元。是一个外销度高，带动百万老少边穷地区农户脱贫致富的绿色产业，对此，云南省商务厅采取积极对话方式，前往谈判，陈述云南出入境检验检疫局的产季普查和化验分析，得出牛肝菌尼古丁非加工污染而是自身内源代谢产生的结论。经与欧盟最具权威性的第三方实验室“欧陆坊实验室”、德国政府基准实验室专家进行尼古丁分析方法的研讨；在汉堡邀请德国、法国、意大利有关技术专家举办食用菌尼古丁成因研讨会；在云南省牛肝菌最大的销售市场—意大利邀请主要牛肝菌加工企业和北部地区食用菌协会及部分德国野生菌企业召开云南牛肝菌推介会；向欧盟相关行业协会阐明牛肝菌尼古丁的成因，统一双边检测方法标准，请各方代表签订一份牛肝菌中尼古丁是内源性成因、与农残等人为污染无关的会议备忘录，并由欧洲调味品协会向欧盟委员会报告，打消欧盟疑虑，同时对外树立中国政府部门关注民生的良好形象，为云南省各级职能部门与企业相互携手共同应对国外技术壁垒积累宝贵经验。

2009 年云南省出口商品结构

表 3 单位：万美元

名称	金额	上年同期	增减绝对值	增减（%）	比重（%）
农产品	97192	79912	17280	21.6	21.5
磷化工	77064	157532	-80468	-51.1	17.1
机电产品	90269	97956	-7687	-7.8	20.0
有色金属	32790	43130	-10340	-24.0	7.3
纺织品及服装	30623	18604	12019	64.6	6.8
电力	20681	14958	5723	38.3	4.6
其他	102783	88047	14736	16.7	22.8
全省总值累计	451402	500139	-48737	-9.7	100.0

2009年云南省进口商品结构

表4　　　　单位：万美元

名称	金额	上年同期	增减绝对值	增减（%）	比重（%）
金属原材料	153349	203760	-50411	-24.7	43.8
机电产品	77649	67763	9886	14.6	22.2
农产品	41754	28238	13516	47.9	11.9
非金属原材料	15212	105500	-90288	-85.6	4.3
木材	16416	16195	221	1.4	4.7
其他	46130	38293	7837	20.5	13.2

（二）利用外资

2009年全省实际利用外资9.1亿美元，同比增长17.1%，占全国的1%，按商务部统计云南省实际利用外资在全国排名第21位，西部省市第五位。当年是自2006年以来云南省实际利用外资连续上台阶的再一次跨越，4年迈过了3亿、5亿、7亿、9亿美元四个台阶，再创历史新高。外资结构进一步优化，外资投向更趋合理，其中制造业实际利用外资2.49亿美元，比上年增长37.9%；电力燃气及水的供应业实际利用外资1.32亿美元，比上年增长27%；信息产业利用外资4288万美元，是上年的8.7倍。尤其是昆明举全市之力招商，2009年昆明市利用外资额达7.3亿美元，占全省利用外资比重高达80%。

（三）对外经济技术合作

2009年，全省对外承包工程、劳务合作、设计咨询完成营业额7.4亿美元，同比增长18.9%，居全国第16位。当年云南省成立了财政、施工企业和银行共同投资的第一家专业海外投资公司——云南海外投资公司。当年，外经工作充分发挥沿边优势，改变了过去完全依靠本省外经企业的思路，积极发挥通道优势，吸引了中电投、中有色、大唐、华能等一批中央企业和省外大企业落户云南，成为云南省外经新的增长点，云南省对外投资有近30%的业绩来源于中央企业和省外大企业。形成了本省外经企业、中央企业和省外企业优势互补，共同推动云南省外经工作发展的良好局面。即使在新的历史条件下，老外经企业仍是云南省外经队伍的主力军，水电十四局、云南建工集团、云南阳光道桥、云南联合外经4家企业完成营业额53091万美元，占全省的72%。

当年亚洲仍是云南省外经的主要市场，亚洲地区新增合同额86892万美元，占全省合同额94%。1—12月亚洲地区完成营业额42597万美元，占全省完成营业额57%，完成营业额前三位的国家分别为是缅甸、老挝、越南，三国完成营业额占全省完成营业额52%。房建、电力和基础设施建设仍是云南省对外承包工程的主要领域。全年云南省在电力行业新增合同额31611万美元，同比增长6.58%，占全省合同总额的34.21%，完成营业额23179万美元，同比增长9.02%，占全省营业额31%。房屋建筑行业新增合同额12142万美元，同比增长96.57%，占全省合同总额的13.14%，完成营业额18476万美元，同比增长229.58%，占全省营业额25%。交通建设领域新增合同额9962万美元，同比增长4.85%，占全省合同总额的10.78%，完成营业额16792万美元，同比增长34.34%，占全省营业额23%。2009年以前云南省企业主要是以“借船出海”的方式与央企合作共同开发非洲市场。2009年云南省企业独自与非洲企业签订合同18个，合同额5420万美元，同比增长5.4倍。主要项目是云南建工集团控股与赤道几内亚国家天然气公司以EPC方式，签订了承建赤道几内亚天然气公司办公楼项目，项目合同额5098万美元，市场开拓取得实质性突破。完成营业额30858万美元，同比增1.2倍。

当年在全国外派劳务人数有所下降的情况下，云南省外派劳务人数却保持快速增长，究其原因，主要是近两年云南省大力推进外派劳务基地有规模、规范的建立，加大对外宣传和市场拓展的力度。云南省商务厅举办了云南省外派劳务合作网站开通仪式和外派劳务对接会，扩大了与省外经营公司的合作。劳务人员、基地、经营公司均可在网站上发布个人求职、劳务培训、需求等信息。同时积极依托中电投集团、大唐水电联合开发有限公司在次区域国家承揽的大型水电项目，推进保山市腾冲县建立外派劳务基地，扩大腾冲县的外派劳务输出规模。

当年新批境外投资企业65家，在周边三国新设立企业50家，占新批企业总数的77%。协议投资额4.99亿美元，同比增长20.91%。实际投资额2.7亿美元，同比增长12.9%，居全国第12位。其中，投资老挝市场份额最大，在老挝新设立企业34家，占总数的52.3%，协议投资2.36亿美元，占投资总额的47.3%，实际投资0.97亿美元，占投资总额的36%；缅甸位于第二位，在缅新设立企业10家，占总数的15.4%，协议投资1.8亿美元，占投资总额的36%，实际投资0.86亿美元，占投资总额的32%；

在越南投资份额有所下降，占比较小。云南省境外投资仍以新设企业为主，云冶、云锡、云铜等大型国企已开始在澳大利亚上市，采取参股、利润再投资、重组联合、并购等方式开展境外投资。对外投资主体不断扩大：国有企业对外投资稳步推进，主要以大项目为主。民营企业“走出去”步伐加快，参与企业数量快速增加。全省民营企业在境外新设38家企业，占企业总数的70%；国有企业有7个上1000万美元的大项目，投资额为1.77亿美元，占投资总额的50%。

（四）昆交会

2009年昆交会及南亚展期间，外经贸业务成交总额20.71亿美元，其中：进出口成交10.8亿美元；利用外资签约9.2亿美元；对外经济技术合作合同金额0.71亿美元。业务中：出口成交6.43亿美元，主要国别（地区）有：港澳台地区、日本、印度、缅甸、越南等国家和地区。主要商品是：化肥、白银、野生菌、果仁、机械设备等。进口成交4.37亿美元。主要国别（地区）有：港澳台地区、新加坡、印度等。主要商品有：化工产品、机电产品、资源性产品等。其中：南亚国家累计成交2.63亿美元，出口南亚的主要商品是化肥，进口主要商品是铁矿石。利用外资签约项目共25个。项目涉及小水电风电能源开发、鹤庆三德水泥厂二期、临沧速生丰产林、云南亨德森外国语职业学院等项目。其中，利用外资最大的项目是昆明高新区管委会小水电风电能源开发项目，金额4.28亿美元。对外经济技术合作项目累计5个。其中：工程承包项目1个，协议金额0.5亿美元；对外投资项目4个，协议投资额0.21亿美元。

交通运输、邮电通信和旅游业

全年交通运输、仓储和邮政业增加值为175.04亿元，比上年增长2.7%。

2009年云南省各种运输方式完成货物运输量及其增长速度

表5

指标	单位	绝对数	比上年增长（%）
货物运输总量	亿吨	4.74	3.3
铁路	亿吨	0.59	-2.6
公路	亿吨	4.08	4.2
水运	亿吨	0.03	1.8
民航	万吨	7.74	2.4
管道	亿吨	0.04	10.7

续表

指标	单位	绝对数	比上年增长（%）
货物运输周转量	亿吨公里	904.27	3.9
铁路	亿吨公里	340.95	1.4
公路	亿吨公里	496.14	5.9
水运	亿吨公里	5.42	5.0
民航	亿吨公里	1.16	持平
管道	亿吨公里	60.6	1.9

2009年云南省各种运输方式完成旅客运输量及其增长速度

表6

指标	单位	绝对数	比上年增长（%）
旅客运输总量	亿人	3.66	5.1
铁路	亿人	0.24	0.2
公路	亿人	3.28	5.2
水运	亿人	0.07	3.0
民航	亿人	0.07	20.4
旅客运输周转量	亿人公里	448.45	8.9
铁路	亿人公里	63.37	-4.9
公路	亿人公里	302.22	10.7
水运	亿人公里	1.55	0.7
民航	亿人公里	81.31	14.9

年末全省民用汽车保有量达到198.6万辆（包括三轮汽车和低速货车9.02万辆），比上年末增长21.5%，其中私人汽车保有量153.29万辆，增长27.1%。民用轿车保有量73.49万辆，增长29.8%，其中私人轿车62.12万辆，增长34.6%。

全年接待海外入境旅客（包括口岸入境一日游）577.8万人次，比上年增长13.1%，实现旅游外汇收入11.72亿美元，增长16.9%。全年接待国内游客1.2亿人次，增长17.3%；实现国内旅游收入730.66亿元，增长22.9%；全省实现旅游业总收入810.73亿元，增长22.2%。

（撰稿：杨明）

2008—2009 年云南省经济社会发展主要指标

序号	指标	单位	2008 年	2009 年	增长率（%）
1	一、人口和就业				
2	年底人口数	万人	4543.0	4571.0	0.6
3	人口自然增长率	‰	6.32	6.08	
4	就业人员数	万人	2679	2730	1.9
5	按产业分：				
6	第一产业	万人	1679	1673	-0.4
7	第二产业	万人	328	353	7.7
8	第三产业	万人	673	704	4.7
9	城镇就业人员（按登记注册类型分）				
10	国有单位	万人	185.80	187.77	1.1
11	集体单位	万人	11.20	11.01	-1.7
12	股份合作单位	万人	2.30	2.10	-8.7
13	联营单位	万人	0.30	0.30	0.0
14	有限责任公司	万人	41.90	44.70	6.7
15	股份有限公司	万人	15.60	15.00	-3.8
16	私营企业	万人	142.64	158.76	11.3
17	港澳台商投资单位	万人	2.40	2.50	4.2
18	外商投资单位	万人	2.80	3.10	10.7
19	个体	万人	120.61	122.13	1.3
20	城镇登记失业人数	万人	14.77	15.40	4.3
21	二、国民经济核算				
22	地区生产总值	亿元	5700.1	6169.8	12.1
23	按产业分：				
24	第一产业	亿元	1020.9	1067.6	5.2
25	第二产业	亿元	2451.1	2582.5	13.6
26	工业	亿元	2057.0	2088.2	
27	建筑业	亿元	394.1	494.4	
28	第三产业	亿元	2228.1	2519.6	13.1
29	#交通运输、仓储和邮政业	亿元	222.1	179.5	
30	批发和零售贸易业	亿元	438.1	571.0	
31	三、固定资产投资				
32	投资总额	亿元	3435.9	4526.4	31.7
33	按投资种类分：				
34	城镇	亿元	3106.3	4117.5	32.6
35	#房地产开发	亿元	557.7	737.5	32.2
36	农村	亿元	329.6	408.9	24.1
37	#农户	亿元	171.5	190.4	11.0
38	非农户	亿元	158.1	218.5	38.2

续表

序号	指标	单位	2008年	2009年	增长率（%）
39	**按建设规模分：**				
40	建设总规模	亿元	12047.7	17143.6	42.3
41	在建总规模	亿元	10023.1	15144.0	51.1
42	在建净规模	亿元	5398.9	8233.3	52.5
43	**按资金来源分：**				
44	国家预算内资金	亿元	328.2	534.5	62.9
45	国内贷款	亿元	749.6	1140.9	52.2
46	利用外资	亿元	23.0	15.2	-34.0
47	自筹资金	亿元	1924.5	2401.9	24.8
48	其他投资	亿元	571.1	851.5	49.1
49	**四、房地产开发**				
50	本年完成土地开发面积	万平方米	867	826	-4.7
51	本年土地购置费用	亿元	102.1	132.5	29.8
52	本年土地购置面积	万平方米	1444	1270	-12.1
53	本年完成投资额	万元	5576906	7374566	32.2
54	#住宅	万元	4240234	5529587	30.4
55	#经济适用房屋	万元	210471	196293	-6.7
56	房屋施工面积	万平方米	5368	6838	27.4
57	房屋竣工面积	万平方米	1052	1681	59.8
58	本年新开工房屋面积	万平方米	2167	2821	30.2
59	#住宅	万平方米	1799	2231	24.0
60	#经济适用房屋	万平方米	122	57	-53.0
61	商品房屋销售面积	万平方米	1643	2230	35.7
62	#住宅	万平方米	1478	2040	38.0
63	#经济适用房屋	万平方米	105	99	-5.5
64	商品房屋销售额	万元	4403093	6535287	48.4
65	#住宅	万元	3607721	5555833	54.0
66	商品房屋平均销售价格	元/平方米	2680	2931	9.4
67	#住宅	元/平方米	2441	2723	11.6
68	#经济适用房屋	元/平方米	1441	1937	34.4
69	**五、规模以上工业企业**				
70	企业单位数	个	3320	3489	5.1
71	工业总产值	亿元	5144.6	5197.5	1.0
72	资产总计	亿元	7185.1	8174.1	13.8
73	利润总额	亿元	310.1	365.2	17.8
74	总资产贡献率	%	15.4	14.6	-4.9
75	资产负债率	%	58.0	58.3	0.6
76	**六、交通运输业**				

续表

序 号	指 标	单 位	2008 年	2009 年	增长率（%）
77	运输线路长度				
78	铁路营业里程	公里	2309	2475	7.2
79	内河航道里程	公里	2539	2532	-0.3
80	公路里程	公里	203753	206028	1.1
81	#高速公路	公里	2512	2512	0.0
82	货运量	万吨	44682	46039	3.0
83	#铁路	万吨	5224	4929	-5.7
84	公路	万吨	39119	40765	4.2
85	水运	万吨	339	345	1.8
86	客运量	万人	33906	35556	4.9
87	#铁路	万人	2110	2123	0.6
88	公路	万人	31157	32775	5.2
89	水运	万人	639	658	3.0
90	**七、国内商业**				
91	社会消费品零售总额	亿元	1764.7	2051.1	16.2
92	**八、对外贸易和旅游**				
93	货物进出口总额（按经营单位所在地分）	万美元	959692	804760	-16.1
94	出口	万美元	498441	451325	-9.5
95	进口	万美元	461250	353434	-23.4
96	外商投资企业货物进出口总额	万美元	63625	43593	-31.5
97	出口	万美元	42694	27236	-36.2
98	进口	万美元	20931	16356	-21.9
99	外商投资企业基本情况				
100	年底登记数	户	4084	3880	-5.0
101	投资总额	亿美元	141.1	158.9	12.7
102	注册资本	亿美元	82.6	92.8	12.5
103	#外方	亿美元	55.3	68.2	23.2
104	对外承包工程				
105	完成营业额	万美元	59870	73755	23.2
106	对外劳务合作				
107	完成营业额	万美元	355	440	23.9
108	接待国际旅游人数	万人次	250.22	284.49	13.7
109	#外国人	万人次	169.18	191.79	13.4
110	国际旅游外汇收入	百万美元	1007.55	1172.21	16.3
111	**九、财政**				
112	地方财政一般预算收入	亿元	614.1	698.3	13.7
113	#国内增值税	亿元	99.4	97.5	-1.9
114	营业税	亿元	136.6	175.8	28.7

续表

序 号	指 标	单 位	2008 年	2009 年	增长率（%）
115	个人所得税	亿元	23.2	25.7	10.6
116	地方财政一般预算支出	亿元	1470.2	1952.3	32.8
117	**十、物价指数**				
118	商品零售价格指数	上年 = 100	106.1	100.1	
119	居民消费价格指数	上年 = 100	105.7	100.4	
120	#城市	上年 = 100	105.4	100.5	
121	农村	上年 = 100	106.0	100.2	
122	**十一、人民生活**				
123	收入				
124	农村居民家庭人均纯收入	元	3103	3369	8.6
125	城镇居民家庭人均可支配收入	元	13250	14424	8.3
126	居民消费水平	元	4553	5926	11.9
127	农村居民	元	2547	3038	6.8
128	城镇居民	元	9010	11661	11.5
129	住房				
130	农村居民人均住房面积	平方米	27.4	28.7	4.5
131	**十二、教育**				
132	高等学校数	所	59	61	3.4
133	高等学校招生数	人	110319	127287	15.4
134	高等学校在校学生数	人	347732	393601	13.2
135	高等学校毕业生数	人	79311	85891	8.3
136	**十三、卫生**				
137	卫生机构数	个	9249	22365	
138	#医院、卫生院	个	2088	2106	0.9
139	医疗机构床位数	张	127560	140187	9.9
140	#医院、卫生院	张	119011	131406	10.4
141	卫生技术人员数	人	126237	135207	7.1
142	#执业（助理）医师	人	57276	60509	5.6

注：1. 地区生产总值及其三次产业、城镇居民人均可支配收入和居民消费水平的增长速度按可比价格计算。

2. 卫生机构数 2009 年起含村卫生室，与历史数据不可比。

西藏自治区

综 述

2009 年，在西藏自治区党委、政府的坚强领导下，全区各级、各部门紧紧围绕新时期西藏工作指导方针，认真落实中央和自治区经济工作会议精神，坚持以邓小平理论和“三个代表”重要思想为指导，深入贯彻落实科学发展观，把保持经济平稳较快发展作为重要任务，着力抓好项目投资、特色产业、改善民生等重点工作，确保基础设施建设、新农村建设扎实推进，社会事业全面进步。

2009 年，全区上下同心协力，围绕“保增长、保民生、保稳定”这个中心，通过进一步落实国家一系列经济刺激政策，积极采取有力宏观调控措施，努力克服自然灾害、全球金融危机、拉萨“3·14”事件的后续影响等诸多不利影响，扭转困难局面，国民经济总体上呈现出加快发展的态势。在第一季度经济增长有所下滑，实现生产总值79.54亿元，仅比上年同期增长7.3%的基础上，从第二季度开始逐步加快，上半年实现生产总值达到177.72亿元，同比增长10.3%，比第一季度回升3个百分点；一至三季度全区生产总值达到306.30亿元，增长11.4%，比上半年回升1.1个百分点；初步核算，2009年，全区实现生产总值（GDP）441.36亿元，按可比价格计算，比上年增长12.4%。其中：第一产业增加值63.99亿元，增长3.3%；第二产业增加值136.19亿元，增长21.7%；第三产业增值241.18亿元，增长10.3%。人均GDP15295元，增长11.2%。

在全区生产总值中，第一、二、三产业增加值所占比重分别为14.5%、30.9%、54.6%，与上年相比，第一产业比重下降0.8个百分点，第二产业提高1.7个百分点，第三产业下降0.9个百分点。

可见，西藏自治区经济已经基本摆脱拉萨“3·14”事件发生后的下滑局面，呈现出积极向上的良好发展态势，生产、需求、效益和环境均处于良性发展的好局面。

工业经济

随着国家宏观政策措施的继续实施，区内配套措施进一步贯彻落实，受经济大环境逐步回暖带动和市场日趋活跃的拉动，西藏自治区规模以上工业表现出持续增长、稳中有升的发展势头，特别是从5月份开始，呈现出持续回升的增长态势。全年实现规模以上工业增加值27.56亿元，按可比价计算，同比增长10.8%。增长速度排全国第24位。2009年，纵观西藏自治区规模以上工业，表现出轻工业“后起之秀”，股份制企业“一枝独秀”，非金属矿物制品业和饮料制造业增长明显，工业产销衔接良好，主要产品产量全面增长的生产特点。

（一）轻重工业“剪刀差”增长，轻工业“后起之秀”

2009年，通过中小企业技术改造项目的实施，西藏自治区轻工业实现工业增加值11.00亿元，增长16.4%，对全区规模以上工业增长的贡献率为52.4%，拉动全区规模以上工业增长5.7个百分点；重工业16.56亿元，增长7.8%，对全区规模以上工业增长的贡献率为47.6%，拉动全区规模以上工业增长5.1个百分点。

（二）国有企业“先扬后抑”，股份制企业“一枝独秀”，对工业增长贡献拉动突出

2009年，各经济类型企业中，国有企业实现工业增加值9.63亿元，同比增长2.5%，对全区规模以上工业增长的贡献率为8.7%，拉动全区规模以上工业增长0.9个百分点；股份制企业实现工业增加值11.61亿元，增长15.2%，对全区规模以上工业增长的贡献率为60.1%，拉动全区规模以上工业增长6.5个百分点；外商及港澳台商投资企业4.03亿元，增长34.0%，对规模以上工业增长的贡献率为35.1%，拉动规模以上工业增长3.8个百分点；其他经济类型企业1.59亿元，增长1.7%。集体企业0.65亿元，下降4.9%。

（三）行业“两高两低”增长为工业“保驾护航”

2009年，西藏自治区18个行业大类中，有11个行业增长，行业增长面61.1%；7个行业下降，行业下降面38.9%。

受投资和基本生活需求的不断扩大拉动，非金属矿物制品业和饮料制造业增长明显，分别实现工业增加值4.41亿元和4.74亿元，同比增长40.9%和32.5%。对全区规模以上工业增长的贡献率分别为45.8%和39.8%，拉动全区规模以上工业增长4.9个百分点和4.3个百分点。电力热力的生产和供应业3.97亿元，增长18.8%，对全区规模以上工业增长的贡献率为21.9%，拉动全区规模以上工业增长2.4个百分点。自来水的生产和供应0.67亿元，增长17.3%，对全区规模以上工业增长的贡献率为3.5%，拉动全区规模以上工业增长0.4个百分点。

（四）工业产销衔接良好，呈现“两头高，中间低”

2009年，受旅游市场的逐步恢复带动，工业产销衔接进一步提升。规模以上工业累计实现工业销售产值50.16亿元，同比增长13.2%（按现行价格计算），其中：轻工业增长28.4%，重工业增长5.2%。工业产品销售率达97.2%，其中：轻工业94.4%，重工业99.1%。由于年初正处于我国传统新年和西藏自治区藏历新年期间，加上上年度末企业有产品库存，大部分企业在放假修整。年末又处于一年当中的冬季时期，大部分企业面临交通不便、用电供应不足、市场需求不够活跃等因素影响，迫使企业进入“冬季休眠期”。年中企业相对于需求活跃方也正处于生产高峰期。致使企业在年初和年末生产较少，但销售不断的情况下，相对于年中产品销售率高，呈现“两头高，中间低”的产品销售现状，基本符合西藏自治区工业企业生产、销售实际。

分行业销售情况来看，产销率高于全区平均水平的有8个行业，占行业个数的44.4%。主要有：黑色金属矿采选业125.1%、化学原料及化学制品制造业109.4%、非金属矿物制品业103.1%、非金属矿采选业100.0%、水的生产和供应业99.6%和工艺品及其他制造业98.3%等。

各经济类型企业销售情况来看，产销率高于全区平均水平的有3个经济类型企业，占经济类型企业个数的50.0%。分别是：国有企业103.4%、集体企业103.1%、外商及港澳台商投资企业98.8%。在总计中：国有及国有控股企业产销率102.1%。

（五）主要产品产量全面增长

2009年，西藏自治区工业六种主要产品产量，均较上年同期有不同程度的增长。发电量完成179978万千瓦小时，同比增长12.5%；水泥1876536吨，增长14.9%；中成药1319吨，增长5.4%；啤酒113039千升，增长25.0%；自来水生产量10873万立方米，增长17.5%；瓶（罐）装饮用水（包装饮用水类）65829吨，增长71.0%；铬矿石112272吨，增长6.0%。

（六）企业景气状况较好

在2008年企业景气状况下滑的情况下，2009年以来，企业的景气指数保持了平稳向上运行的态势。第一季度，企业家信心指数为131.46点，企业景气指数为103.69点；第二季度企业家信心指数为147.00点，企业景气指数为137.68点，分别比上年同期回升74.50点和87.66点，比第一季度分别回升15.54点和33.99点；第三季度，企业家信心指数达到了145.65点，企业景气指数达到了147.75点，分别比上年同期回升4.72点和27.54点，分别比第一季度提高了14.19点和44.06点。企业景气状况总体呈现上升趋势，表现出企业和企业家对经济发展预期信心持积极、乐观向上的态度。

固定资产投资

固定资产投资总量平稳快速增长。2009年以来，固定资产投资保持平稳快速的增长态势，各月增长速度基本维持在22%以上。全年全社会固定资产投资完成379.42亿元，比2008年同期增长22.4%，增幅比2008年同期提高8.1个百分点；其中城镇固定资产投资328.66亿元，增长21.1%，增幅比2008年同期提高3.9个百分点；农村固定资产投资50.75亿元，增长23.2%，比2008年同期提高25.9个百分点。

国有及国有控股经济固定资产投资继续处于主导地位。从经济类型来看，国有及国有控股经济完成固定资产投资271.85亿元，比上年增长23.0%，占固定资产投资总额的71.6%；其他各种经济类型完成投资107.29亿元，增长26.7%，占28.3%；外商及港澳台投资0.28亿元，下降87.1%。

固定资产投资的行业结构有所改善。一是第一产业固定资产投资高速增长。2009年，第一产业完成固定资产投资23.60亿元，比2008年同期增长47.5%，在全社会投资中所占比重也比2008年同期提高了1.1个百分点，对投资增长的贡献率为10.9%；二是部分关系民生的行业投资增长较快。2009年，水利、环境和公共设施管理业完成固定资产投资19.86亿元，增长19.1%；住宿和餐饮业完成8.92亿元，增长20.6%；卫生、社会保障和社会福利业完成3.74亿元，增长163.4%；教育完成10.09亿元，增长30.1%。

工业经济固定资产投资继续保持高速增长。2009年，全区完成固定资产投资70.88亿元，比上年增长35.0%，占全社会投资的比重达18.7%，与上年提高1.8个百分点，对投资增长的贡献率为26.4%。在工业投资中，采矿、制造、电力等行业投资继续保持快速增长。其中，采矿业投资9.78亿元，增长26.7%；饮料制造业投资3.75亿元，增长3.2倍；医药制造业投资2.75亿元，增长77.4%。

房地产开发投资平稳增长。2009年是西藏自治区房地产开发投资平稳增长的又一个年份，完成房地产开发投资15.75亿元，比上年增长14.2%。从西藏自治区的房地产开发投资结构看，住宅完成9.19亿元，下降23.5%，占全区房地产开发投资的58.4%；而其他用房、商业其他用房分别完成2.56亿元、1.17亿元，分别增长5.6倍、1.0%；办公楼完成投资0.22亿元，比2008年同期下降4.3%。

建设项目资金到位增速低于完成投资增速，自筹资金依然是融资主要渠道。2009年，全区在建项目累计到位资金447.59亿元，比上年增长10.2%。在建项目资金到位增速低于完成投资增速12.2个百分点。其中，国家预算内资金256.02亿元，增长9.9%，占建设项目累计到位资金的57.2%，比上年下降0.2个百分点；国内贷款12.91亿元，增长117.1%；其他资金43.72亿元，下降24.3%；自筹资金到位136.08亿元，增长40.1%，占建设项目累计到位资金的30.4%，比上年提高6.5个百分点，自筹资金依然是资金来源的主要渠道。

新开项目稳定增长。2009年，全区各级各部门着力强化投资项目服务管理，出台措施、精简手续，完善重大项目的前期准备工作，有效推动项目新开工建设。全年新开工项目计划总投资333.78亿元，增长16.5%。新开工项目2792个，比2008年同期增加414个。新开工项目的全面增加不仅有助于全区教育文化、民生保障、农村和交通等领域的发展，而且起到了带动消费、拉动内需的作用。

城镇固定资产投资增速低于全国平均水平。全区城镇固定资产投资总体保持稳中有升的增长态势，但增速仍低于全国平均水平，在西部十二省、区、市中居第11位。2009年，全国城镇固定资产投资比上年增长30.5%，而西藏自治区增长21.1%，增速低于全国平均水平9.4个百分点。在西部十二省、市城镇固定资产投资增速低于四川42.4%（9061.43亿元）、广西41.0%（4689.88亿元）、陕西37.4%

(5890.47 亿元)、甘肃 37.4% (2076.38 亿元)、内蒙古 34.1% (7144.35 亿元)、青海 34.1% (689.12 亿元)、云南 32.6% (4117.53 亿元)、宁夏 31.1% (964.16 亿元)、重庆 30.7% (4855.11 亿元)、贵州 26.8% (2040.02 亿元)、新疆 19.4% (2418.51 亿元)。

。

商品流通

面对国际金融危机，西藏自治区积极贯彻落实中央关于扩大内需促进经济增长的一系列政策和措施，大力开拓城乡市场，全区消费需求不断增长，共实现社会消费品零售总额 156.58 亿元，比上年增长21.3%。

(一) 批发零售贸易业快速发展，住宿餐饮业增长稳健

2009 年，西藏自治区批零贸易业实现零售额 129.82 亿元，同比增长 24.1%，占社会消费品零售总额比重达 82.9%，所占比重比 2008 年扩大 1.8 个百分点，呈现快速发展势头；住宿和餐饮业实现零售额 22.93 亿元，同比增长 17.8%，占社会消费品零售额比重为 14.6%，呈现稳健增长的态势；其他行业市场份额占有率为 2.4%。

(二) 限额以上批发和零售业商品中，25 类商品有 13 类呈正增长

从 2009 年 1—12 月限额以上批发和零售业商品销售分类情况看，金银珠宝类零售增长 45.0%，增长速度位居第一位；日用品类同比增长 38.1%；服装鞋帽针纺织品类同比增长 37.0%。另外，汽车类同比增长 36.6%，零售总额达到 13.69 亿元，占全年限额以上批发和零售业商品零售总额的 32.9%；石油及制品类同比增长 15.3%，零售总额达到 18.71 亿元，占全年限额以上批发和零售业商品零售总额的 45.0%。

(三) 限额以下批发零售企业及个体户比重上升

全年限额以下批零贸易业实现零售总额 88.20 亿元，同比增长 25.1%，占全区消费品零售额比重达 67.9%，所占比重比 2008 年扩大 0.5 个百分点。

(四) 各地市消费品零售总额稳步增长

2009 年，各地 (市) 社会消费品零售总额均保持平稳的增长速度，增幅居全区前三位的为林芝、日喀则和山南地区，分别实现零售总额 10.21 亿元、30.40 亿元和 15.07 亿元，比上年分别增长 25.9%、25.1% 和 24.5%。其余各地市消费品总额以及增幅排序为：昌都地区零售总额 12.22 亿元，同比增长 21.9%；拉萨市零售总额 75.91 亿元，同比增长 20.5%；阿里零售总额 3.91 亿元，同比增长 19.8%；那曲零售总额 8.86 亿元，同比增长 7.0%。影响 2009 年消费品市场快速增长的因素主要有：

一是农村市场销售增幅高于城市。2009 年，西藏自治区认真贯彻落实国家家电下乡政策，采取了提高补助标准、增加补助范围、创新销售方式等措施，农牧区消费环境和农牧民生活条件得到改善，激发了农牧民的消费热情。农村消费市场不断扩大，全区县及县以下农村市场零售额累计实现 80.56 亿元，比上年增长 24.3%，高于城市市场 6.0 个百分点；城市消费品零售额累计实现 76.02 亿元，比上年增长 18.3%。

二是关注民生力度的加大提升了居民消费信心。2009 年，自治区党委、政府积极贯彻落实党的各项民生政策，把扩大内需与改善民生相结合，采取了发放购物券、购买公益性岗位提高就业、扩大城市居民最低生活保障范围和提高补助标准等措施，努力增加困难群众的收入，提高他们的生活水平。随着一系列促进就业、保障生活的各项政策措施的实施，城乡居民收入增加，提高了城乡居民购买力，促进了消费市场较快发展。

三是市场环境的改善有利于消费。为维护西藏自治区正常的市场秩序，有效保障消费者的权益，有关部门加强了市场监管和价格监测力度，依法严惩制假售假、商业欺诈、强买强卖等行为，维护了广大消费者的合法权益，营造了良好的消费环境。

四是节假日消费拉动消费品零售总额增长。每逢节假日，商家便及时抓住商机，积极增加适销对路的商品货源，采取多种促销方式，有效刺激了居民消费，进一步促进了消费品市场的发展。2009 年，西藏自治区社会消费品零售总额与 2008 年相比增加 27.50 亿元。

(五) 居民消费价格总水平保持平稳运行态势

2009 年全区居民消费价格总水平比上年同期上涨 1.4%，与 2008 年同期涨幅 5.7% 相比，回落 4.3 个百分点。其中：城市上涨 1.5%；农村上涨 1.3%；非食品价格上涨 0.2%；服务项目价格上涨 1.0%；消费品价格上涨 1.5%；工业品价格下降 0.1%。商品零售价格指数与上年同期相比下降 0.5%；农业生产资料价格指数与上年同期相比下降 0.9%。

从居民消费价格构成大类看，八大类累计比价格指数呈“四升三降一持平”态势。价格上升的有：食品类价格比上年同期上涨 3.9%；烟酒及用品类价格比上年同期上涨 1.9%；衣着类价格比上年同期上涨 1.6%；医疗保健和个人用品类价格比上年同期上涨 1.4%。价格下降的有：交通和通信类价格下降 3.0%；娱乐教育文化用品及服务类价格下降 0.9%；家庭设备用品及维修服务类价格下降 0.7%。

外经外贸

2009 年，西藏自治区进出口贸易全面下滑。全年进出口总额 40202 万美元，比上年下降 47.5%。其中：出口总额 37535 万美元，下降 46.9%；进口总额 2667 万美元，下降 54.2%。

全年对亚洲出口 32585 万美元，比上年下降 31.9%；对欧洲出口 2466 万美元，下降 76.8%；对北美洲出口 1066 万美元，下降 52.1%；对大洋洲出口 221 万美元，下降 73.7%。

在进出口贸易中，边境小额贸易实现进出口总额 24878 万美元，占进出口贸易总额的 61.9%，比上年增长 3.9%。其中：出口 24526 万美元，增长 3.6%；进口 352 万美元，增长 28.5%。

全年审批利用外商直接投资项目 1 个，合同利用外商直接投资 7641 万美元，实际利用外商直接投资 5800 万美元。

交通运输、邮电通信和旅游业

（一）交通运输业稳步发展

1. 公路运输基础地位进一步巩固。2009 年西藏自治区以各种运输方式完成客运量 7965.80 万人，比 2008 年增长 14.9%，完成货运量 959.26 万吨，比 2008 年增长 28.0%。其中：管道完成货运量 15.10 万吨，比 2008 年同期增长 25.8%。

2. 民航运输业快速发展。随着国家节假日的增加，假日游促进了西藏自治区旅游业的蓬勃发展，航空客运成为西藏自治区运输业的一个新热点。2009 年，西藏自治区飞机运输起降次数由 2008 年的 8142 架次增加到 2009 年的 11753 架次，增长 44.4%；客运量完成 131.8 万人，比 2008 年同期增长 60.9%，货运量完成 1.36 万吨，比 2008 年增长 32.0%。

3. 铁路运输量快速增长。2009 年，铁路完成客运量 74.0 万人，比 2008 年同期增长 19.0%。与此同时，由于西藏自治区没有支线铁路，部分企业大宗原材料生产供应地更多地选择了公路运输，从而造成铁路货运量 22.8 万吨，下降 10.9%。

（二）邮电通信业加快优化升级，实现新的突破

随着西藏自治区邮电通信业投资力度的进一步加大，建设规模以及信息网络技术含量的提高，西藏自治区邮电通信业务量继续保持增长态势。2009 年全区邮电通信业共完成邮电业务总 521235 万元，比 2008 年同期增长 24.9%。

1. 邮政业务快速上升。近年来，西藏自治区邮政业务历经改革向商业化经营转变的步伐加快，通过大力发展电子邮政，不断赋予邮政新的内涵。邮政信息传递、物品运送、资金流通三大功能得到进一步丰富和拓展，邮政业务的现代化进程进一步加快；广告信函、邮政礼仪、邮购、邮政储蓄等新业务层出不穷，使邮政业务量不上升。2009 年全年完成邮政业务总量 16918 万元，比上年增长 14.3 %，完成业务收入 17592 万元，增长 17.14%，代理邮政储蓄 3818 万元，增长 23.3%。

2. 电信业再上新台阶。2009 年全区完成电信业务总量 504317 万元，比 2008 年同期增长 25.3%，2009 年，局用交换机总容量达到 41.99 万门，固定电话用户达到 53.93 万户，其中：城市电话用户 51.21 万户，乡村电话用户 2.72 万户。2009 年年末全区互联网拨号用户 3901 户，数字数据网（DDN）用户 1406 户，下降 15.15%。

3. 移动通信突飞猛进。2009 年，全区移动通信长 136.7%。2009 年新增移动电话交换机 62.5 万户，总容量达到 189 万门。新增移动电话用户 41.99 万户，达到 125.51 万户。

（三）旅游业创历史最好水平，对经济带动作用增大

经过全区各级各部门的共同努力，西藏自治区旅游业快速走出上年低谷，实现了全面恢复与振兴，旅游人数和旅游收入均创历史最好水平，成为西藏自治区国民经济中增长速度最快的行业之一。2009 年，全区接待国内外游客 561.1 万人次，实现旅游总收入 55.99 亿元，比上年均增长了 1.5 倍；与 2007 年相比，分别增长了 39.2% 和 15.4%。

1. 国内游市场火爆。针对 2008 年旅游业持续低迷的态势，自治区党委、政府出台了一系列提振旅游消费信心、促进旅游业发展的政策性文件，提出“抓旅游就是抓发展，抓旅游就是抓开放，抓旅游就是抓和谐”的要求，全区各级各部门各司其职，各尽其责，努力为旅游业发展营造更加有利环境的同时，旅游部门自身通过设立恢复旅游市场奖励专项基金、提高旅游行业服务质量，采取门票降价等措施，实施积极的产业政策，特别是在促销方面加大投入，采取“请进来，走出去”的方式，充分利用节庆、贸易洽谈会等形式扩大西藏自治区影响，重塑西藏安全、文明、健康的旅游目的地形象，使西藏自治区国内游年初实现开门红后一路攀升，国内游市场呈现出高速增长的态势。2009 年，接待国内游客 543.6 万人次，国内旅游收入 50.61 亿元，比上年均增长 1.5 倍。

从国内游客旅游目的来看，西藏独特的旅游资源是吸引游客的主要因素。据抽样调查，前来西藏观光游览的游客居多，占 59.1%，其次是休闲度假的占 18.5%，探亲访友占 5.8%，宗教朝拜占 4.2%，商务占 2.1%，会议占 2.7%，文化、体育、科技的占 2.1%，其他目的占 5.5%。

从旅游组织方式来看，随着生活水平的提高，出游方式更加多样化，但是参加旅行社组团出游的仍是进藏旅游的主要方式。在全区接待的国内游客中参加旅行社组团出游的游客占30.1%，以与亲友结伴出游或个人出游的占24.5%，单位组织的占9.0%。

从游客在藏停留天数来看，国内游客人均在藏停留天数比上年有所减少，消费能力提高。据抽样调查，人均在藏停留6.12天，比2008年减少0.68天；人均在藏消费3959.18元，每天人均消费647元，人均消费比上年增加30元。

2. 入境游市场高速增长。2009年来，西藏自治区入境游市场呈现先抑后扬的走势。1—3月，随着金融危机在全球的蔓延，西藏自治区接待外国游客比2008年同期明显减少，入境游市场低迷，这与西藏自治区国内游市场火爆的场面形成鲜明的对比，接待入境游客比上年同期下降11.9%。进入4月份后，在强大的海外市场促销攻势下，入境市场逆势而上，6月份达最高峰，1—6月累计接待游客4.7万人次，比上年同期增长6倍。全年累计接待入境游客达17.5万人次，比上年增长1.6倍，增速位列全国第一，旅游外汇收入7873万美元，比上年增长1.5倍。

从入境市场看，外国人占入境市场份额扩大，由2008年的92.6%提高到92.9%，其中，美国、日本、德国、英国旅游人数增长比较明显，作为西藏自治区最大的入境客源市场的美国和德国，2009年客流总量再攀新高，分别达2.7万人次和1.3万人次。

3. 一日游成为西藏自治区旅游增长的生力军。2009年来，一方面西藏自治区立足区内市场，积极开发一日游，另一方面据城乡住户调查资料显示，西藏自治区居民私家车数量拥有量每百户达13辆，私家车拥有量的增加，为市民出游提供了方便。全年共接待一日游游客161.9万人次，比上年增长2.9倍，占全区国内游客的29.8%，所占比重比上年提高10.5个百分点。另据抽样调查，一日游游客的人均消费有所提高，人均消费174元，比上年增加14元。一日游已成为西藏自治区旅游增长的生力军。

4. 假日经济效益显著。从各月接待游客情况来看，游客主要集中在5—10月，这期间节庆、贸易洽谈会较多，特别是2009年西藏自治区以“雪顿节”为契机，积极推广“中国生态旅游年、大美西藏净土游”的旅游新概念，吸引了大量的游客，当月接待游客达137.8万人次。另据自治区旅游局统计资料显示，2009年国庆、中秋假日期间，西藏自治区共接待旅游者29.5万人次，比2008年同期增长14.9%；8天假日共实现旅游收入11105万元，比2008年同期增长36.2%，占全年旅游总收入的2%。

5. 旅游业在西藏自治区经济中的地位增强。随着西藏自治区坚持“一产上水平、二产抓重点、三产大发展”的经济发展战略的实施，以交通、电信、商贸、旅游、金融、服务业等第三产业迅速发展。2009年，第三产业增加值为241.18亿元，按可比价计算，比上年增长10.3%，第三产业占GDP比重达54.6%。而作为第三产业龙头的旅游业，积极应对全球金融危机的不利影响，保持了快速发展的良好势头，成为2009年全区经济发展中的一大亮点。依据旅游局抽样调查和行业增加值率测算，旅游业带来的增加值为10.05亿元，比2008年增加5.51亿元，增长了1.1倍，旅游业占第三产业的比重为4.2%，占全区GDP的2.3%，占GDP比重比2008年提高1.2个百分点。

6. 旅游业对经济发展的带动作用加大。旅游业对西藏自治区经济起到多方面的带动作用。首先是增加外汇收入。2009年，西藏自治区旅游外汇收入7873万美元，相当于对外贸易出口创汇的21.0%，旅游外汇收入已成为西藏自治区增加外汇收入的重要渠道。其次是增加了西藏自治区社会就业机会。旅游业是劳动密集型产业，可以为景区、旅行社、餐饮、住宿、娱乐、购物等部门提供更多的就业机会。据旅游部门统计，2009年全区旅游从业人员17.21万人，比2008年增加0.21万人，有力地促进了西藏自治区就业。三是增加了西藏自治区财政收入。2009年，全区旅游收入达55.99亿元，为西藏自治区经济发展做出重要贡献。四是吸引投资，基础设施建设步伐加快。2009年，西藏自治区加大了对旅游基础设施建设的投入力度，除对部分景区进行修缮和扩建外，重点完善旅游标识标牌、旅游公厕等众多旅游配套设施的建设。五是带动西藏自治区交通运输业发展。2009年，西藏自治区客运量达7965.8万人次，比2008年增长13.7%。六是拓宽农牧民增收的渠道。2009年，西藏自治区积极发展农家乐，有4.18万农牧民经营旅游，旅游收入2.56亿元，旅游业为增加西藏自治区农牧民收入、建设社会主义新农村发挥积极作用。七是促进西藏自治区消费品市场的繁荣。据旅游局抽样调查，国内游客在西藏自治区的花费中，交通费占21.3%，住宿占15.8%，餐饮占14.0%，购物占27.0%。依据调查资料推算，2009年，扣除一日游游客的花费，西藏自治区国内游客在藏花费47.79亿元，其中在购物和住宿餐饮方面的花费为27.15亿元，占全区社会消费品零售总额的17.3%。

以上结果表明，旅游业对全区在扩大内需、调整经济结构方面起到重要作用，尤其对社会、文化方面的影响更为深远。

2008—2009 年西藏自治区经济社会发展主要指标

序号	指标	单位	2008 年	2009 年	增长率（%）
1	**一、人口和就业**				
2	年底人口数	万人	287.0	290.0	1.1
3	人口自然增长率	‰	10.30	10.24	
4	就业人员数	万人	160	169	5.4
5	**按产业分：**				
6	第一产业	万人	89	92	3.2
7	第二产业	万人	17	18	8.5
8	第三产业	万人	54	59	8.0
9	**城镇就业人员（按登记注册类型分）**				
10	国有单位	万人	18.98	19.68	3.7
11	集体单位	万人	0.50	0.46	−9.4
12	股份合作单位	万人		0.00	
13	联营单位	万人	0.10	0.00	
14	有限责任公司	万人	0.30	0.50	66.7
15	股份有限公司	万人	0.20	0.20	0.0
16	私营企业	万人	10.35	12.14	17.2
17	港澳台商投资单位	万人		0.00	
18	外商投资单位	万人		0.00	
19	个体	万人	14.69	16.45	12.0
20	城镇登记失业人数	万人		2.02	
21	**二、国民经济核算**				
22	地区生产总值	亿元	395.9	441.4	12.4
23	**按产业分：**				
24	第一产业	亿元	60.5	63.9	3.0
25	第二产业	亿元	115.8	136.6	21.7
26	工业	亿元	29.7	33.1	
27	建筑业	亿元	86.1	103.5	
28	第三产业	亿元	219.6	240.9	10.4
29	#交通运输、仓储和邮政业	亿元	19.9	21.2	
30	批发和零售贸易业	亿元	33.6	27.1	
31	**三、固定资产投资**				
32	投资总额	亿元	309.9	378.3	22.1
33	**按投资种类分：**				
34	城镇	亿元	271.3	327.6	20.8
35	#房地产开发	亿元	13.7	15.7	14.6
36	农村	亿元	38.7	50.6	31.0
37	#农户	亿元		0.0	
38	非农户	亿元	38.7	50.6	31.0
39	**按建设规模分：**				
40	建设总规模	亿元	743.7	825.4	11.0
41	在建总规模	亿元	586.5	592.6	1.0
42	在建净规模	亿元	277.5	246.7	−11.1
43	**按资金来源分：**				
44	国家预算内资金	亿元	232.6	255.0	9.6
45	国内贷款	亿元	5.9	10.3	73.4
46	利用外资	亿元	0.0	0.0	

续表

序 号	指 标	单 位	2008 年	2009 年	增长率（%）
47	自筹资金	亿元	97.1	135.9	39.9
48	其他投资	亿元	60.5	43.2	-28.6
49	四、房地产开发				
50	本年完成土地开发面积	万平方米	72	17	-76.2
51	本年土地购置费用	亿元	1.2	0.3	-75.0
52	本年土地购置面积	万平方米	21	5	-74.6
53	本年完成投资额	万元	137388	157480	14.6
54	#住宅	万元	119545	113798	-4.8
55	#经济适用房屋	万元	30509	5240	-82.8
56	房屋施工面积	万平方米	145	141	-2.8
57	房屋竣工面积	万平方米	55	46	-15.8
58	本年新开工房屋面积	万平方米	60	37	-37.9
59	#住宅	万平方米	53	32	-39.9
60	#经济适用房屋	万平方米	19	6	-68.9
61	商品房屋销售面积	万平方米	66	63	-4.9
62	#住宅	万平方米	62	61	-1.1
63	#经济适用房屋	万平方米	8	4	-42.4
64	商品房屋销售额	万元	212894	155127	-27.1
65	#住宅	万元	192646	146887	-23.8
66	商品房屋平均销售价格	元/平方米	3202	2452	-23.4
67	#住宅	元/平方米	3103	2392	-22.9
68	#经济适用房屋	元/平方米	2133	2470	15.8
69	五、规模以上工业企业				
70	企业单位数	个	88	90	2.3
71	工业总产值	亿元	48.2	51.6	7.1
72	资产总计	亿元	223.9	251.1	12.2
73	利润总额	亿元	4.5	6.8	51.6
74	总资产贡献率	%	4.5	4.6	
75	资产负债率	%	23.6	23.6	
76	六、交通运输业				
77	运输线路长度				
78	铁路营业里程	公里	2517	526	-79.1
79	内河航道里程	公里			
80	公路里程	公里	51314	53845	4.9
81	#高速公路	公里			
82	货运量	万吨	737	943	28.0
83	#铁路	万吨	26	23	-10.9
84	公路	万吨	711	920	29.4
85	水运	万吨			
86	客运量	万人	6856	7844	14.4
87	#铁路	万人	70	85	21.6

续表

序　号	指　标	单　位	2008 年	2009 年	增长率（%）
88	公路	万人	6786	7759	14.3
89	水运	万人			
90	七、国内商业				
91	社会消费品零售总额	亿元	130.0	156.6	20.5
92	八、对外贸易和旅游				
93	货物进出口总额（按经营单位所在地分）	万美元	76583	40210	-47.5
94	出口	万美元	70757	37547	-46.9
95	进口	万美元	5826	2663	-54.3
96	外商投资企业货物进出口总额	万美元	601	99	-83.5
97	出口	万美元	64	98	52.9
98	进口	万美元	537	1	-99.9
99	外商投资企业基本情况				
100	年底登记数	户	132	243	84.1
101	投资总额	亿美元	5.5	6.4	15.7
102	注册资本	亿美元	3.3	3.6	10.2
103	#外方	亿美元	2.4	2.7	12.1
104	对外承包工程				
105	完成营业额	万美元			
106	对外劳务合作				
107	完成营业额	万美元			
108	接待国际旅游人数	万人次	6.80	17.49	157.2
109	#外国人	万人次	6.29	16.25	158.2
110	国际旅游外汇收入	百万美元	31.12	78.73	153.0
111	九、财政				
112	地方财政一般预算收入	亿元	24.9	30.1	20.9
113	#国内增值税	亿元	2.7	2.8	3.3
114	营业税	亿元	8.0	10.1	26.6
115	个人所得税	亿元	0.7	0.7	3.0
116	地方财政一般预算支出	亿元	380.7	470.1	23.5
117	十、物价指数				
118	商品零售价格指数	上年=100	103.9	99.5	
119	居民消费价格指数	上年=100	105.7	101.4	
120	#城市	上年=100	105.7	101.5	
121	农村	上年=100	105.7	101.3	
122	十一、人民生活				
123	收入				
124	农村居民家庭人均纯收入	元	3176	3532	11.2
125	城镇居民家庭人均可支配收入	元	12482	13544	6.9
126	居民消费水平	元	3504	4060	13.5
127	农村居民	元	2149	2398	9.8
128	城镇居民	元	8324	9563	12.1

续表

序 号	指 标	单 位	2008 年	2009 年	增长率（%）
129	住房				
130	农村居民人均住房面积	平方米	24.0	24.6	2.5
131	十二、教育				
132	高等学校数	所	6	6	0.0
133	高等学校招生数	人	8520	9020	5.9
134	高等学校在校学生数	人	29409	30264	2.9
135	高等学校毕业生数	人	5840	8454	44.8
136	十三、卫生				
137	卫生机构数	个	1326	4959	
138	#医院、卫生院	个	764	757	-0.9
139	医疗机构床位数	张	8720	8502	-2.5
140	#医院、卫生院	张	8344	8142	-2.4
141	卫生技术人员数	人	9435	10115	7.2
142	#执业（助理）医师	人	4376	4552	4.0

注：1. 地区生产总值及其三次产业、城镇居民人均可支配收入和居民消费水平的增长速度按可比价格计算。
2. 卫生机构数2009年起含村卫生室，与历史数据不可比。

陕西省

综 述

2009年是陕西省进入新世纪以来经济社会发展最为困难的一年，面对国际金融危机的严重冲击和挑战，陕西省全力以赴保增长，较快地扭转了经济增速下滑势头，经济持续向好趋势不断巩固，全省经济社会发展整体好于预期。

2009年，陕西省经济运行经济增速逐季加快，持续回升势头向好。从发展轨迹看，经历了第一季度最为困难的下滑探底期、二季度企稳回升期和三、四季度回升巩固期三个过程。一季度全省GDP增速10.2%，为本轮经济周期最低点，上半年增速回升到11.8%，较一季度提高了1.6个百分点，呈现出较为明显的止跌回升之势，前三季度增长12.9%，比上半年加快1.1个百分点，回升趋势已经明朗。

初步核算，全年全省生产总值8186.65亿元，比上年增长13.6%，增速比全国平均水平快4.9个百分点。其中，第一产业增加值789.63亿元，增长4.9%，占生产总值的比重为9.6%；第二产业增加值4312.11亿元，增长14.7%，占52.7%；第三产业增加值3084.91亿元，增长14.1%，占37.7%。人均生产总值21732元，比上年增长13.3%。

工业经济

2009年，陕西省工业生产逐步回升，经济效益持续好转。2009年全省规模以上工业实现工业增加值3288.24亿元，同比增长14.8%。工业经济运行的主要特点：

（一）工业经济运行的主要特点

1. 工业生产快速回升，经济效益持续好转。分季度看，1—3月规模以上工业增加值同比增长7.2%；1—6月增长9.1%，确保实现V型反转；1—9月增长11.2%，驶入快车道；全年增长14.8%，分别比1—3月、1—6月和1—9月加快7.6、5.7和3.6个百分点。工业增加值增速在全国的位次从1—2月份的第21位上升至第13位。

全省规模以上工业经济效益综合指数逐步趋好。分季度看，1—3月为230.56%，比2008年同期下降44.4个百分点；1—6月257.5%，下降38.3个百分点；1—9月274.82%，下降31.4个百分点；2009年290.94%，下降6.1个百分点，降幅逐季收窄。

全省规模以上工业企业主营业务收入扭转年初下滑趋势，从5月开始实现同比正增长，回升向好的态势逐月巩固。全年实现主营业务收入7937.67亿元，同比增长12.6%，增幅分别比1—6月和1—9月加快10.4和8.2个百分点。

2. 支柱产业带动显著，格局呈现“七增一降”。面对金融危机的冲击，陕西省工业企业积极采取应对措施，在八大支柱产业中，各产业的增速或回升速度持续加快，对经济增长的拉动作用持续增强。特别是四季度以来，能源化工工业的加速回升，结束全省持续10个月的"六增"、"两降"格局。

一是能源工业增速由负转正。2009年，能源化工工业实现总产值3750.79亿元，同比增长4.2%。从主要行业看，随着煤炭需求进入旺季，煤炭开采和洗选业快速增长，2009年完成工业总产值996.5亿元，同比增长28.7%，成为拉动全省工业增长的第一力量；石油和天然气开采业完成总产值930.92亿元，同比下降18.6%，比1—9月回升11.5个百分点；受成品油价格上涨带动，石油加工业从11月份开始实现2009年以来首次同比正增长，2009年完成工业总产值924.9亿元，同比增长5.3%；在工业生产加速回升和冬季供暖到来的共同影响下，四季度电力热力的生产和供应业回升加快，全年完成工业总产值576.07亿元，增长16.3%，比1—9月加快3.6个百分点。

二是装备制造业保持快速增长。2009年，装备制造业实现总产值1939.23亿元，同比增长21.7%。交通运输设备制造业依然是拉动该产业快速增长的主要力量，2009年实现总产值944.84亿元，同比增长29.8%，拉动工业增长2.9个百分点；通用设备制造业受企业订单制约影响，生产受阻，实现总产值237.98亿元，同比增长6.3%；专业设备制造业实现总产值283.43亿元，同比增长15.9%。

三是有色冶金工业增势平稳。随着有色冶金产品价格的缓慢回升，以及政府产品储备补贴政策的实施，有色冶金工业继续保持平稳的增长势头。2009年，有色冶金工业实现总产值935.36亿元，同比增长19.7%，分别比1—3月、1—6月和1—9月回升12.5、9.6和8.1个百分点。其中，黑色金属冶炼及压延加工业在陕西龙门钢铁（集团）有限责任公司、宝鸡石油钢管厂等企业高速发展的带动下保持较高的增长速度；有色金属冶炼及压延加工业生产则在价格因素的助推下逐月回升，在四季度实现产值正增长。

四是其他产业多数保持增长。2009年，食品工业实现总产值715.88亿元，同比增长22.4%，比1—9月加快1.6个百分点，拉动工业增长1.8个百分点。其中，农副食品加工业实现总产值306.69亿元，同比增长31.6%，保持较高增长态势。

2009年，非金属矿物制品业实现总产值301.16亿元，同比增长48.7%，拉动工业增长1.3个百分点，增幅比1—9月回落9.1个百分点，主要原因是进入冬季，施工对水泥的需求下降，部分水泥生产企业停产或减产。

2009年，医药制造业实现总产值216.95亿元，同比增长25.5%，拉动工业增长0.6个百分点，增幅比1—9月回落1.8个百分点，主要受价格下调的影响。

2009年，纺织服装工业实现总产值108.38亿元，同比增长12.4%，拉动工业增长0.2个百分点，增幅与1—9月基本持平。

2009年，通讯设备、计算机及其他电子设备制造业实现总产值174.57亿元，同比下降9.4%，降幅比1—9月减少4.3个百分点。

3. 主要产品生产稳定，产量保持平稳增长。从统计的主要产品看，2009年陕西省工业的主导产品大多数保持了增长的势头，部分产品的下降速度明显趋缓，反映出陕西省大多数行业的企业生产稳定或逐步恢复正常生产。

2009年陕西省主要产品产量及增减情况

表1

指标名称	计量单位	2009年	1—3月同比增减（%）	1—6月同比增减（%）	1—9月同比增减（%）	2009年同比增减（%）
原煤	万吨	29611.13	11.4	14.9	11.7	14.2
天然原油	万吨	2695.89	6.1	4.9	7.1	9.4
天然气	亿立方米	189.52	41.2	43.8	37.4	31.8
发电量	亿千瓦时	899.22	7	8.6	7.4	12.8
原油加工量	万吨	1801.87	-3.4	-0.5	2.4	5.6
化肥	万吨	86.82	-5.6	-9.3	-12.8	-10
水泥	万吨	4464.66	22.8	26.9	26.4	26.5
生铁	万吨	512.48	39.4	54.1	64	69.7
粗钢	万吨	522.5	33.1	63.8	71.1	72.1
钢材	万吨	887.34	60.6	71.2	73.3	80.4
十种有色金属	万吨	89.61	-0.8	9.6	5.5	19.6
汽车	万辆	50.68	69.8	64.8	78	89

4. 工业利税实现增长，亏损状况持续改善。2009 年，全省规模以上工业实现利税 1487.29 亿元，比上年同期增长 7.9%，比前三季度提高 20.5 个百分点。其中，实现利润 802.5 亿元，同比下降 11.5%，降幅较前三季度减少 20.3 个百分点，主要是交通运输设备制造业快速回升和石油、有色工业利润降幅收窄的影响；实现税金 684.79 亿元，同比增长 45.3%，加快 21.3 个百分点。

2009 年，全省规模以上工业企业亏损面 24.9%，分别比 1—6 月和 1—9 月减少 7.6 和 5.5 个百分点。在 38 个工业行业大类中，有 32 个行业实现盈利。亏损企业累计亏损额 98.82 亿元，同比下降 27.2%。其中大中型工业企业亏损额 67.34 亿元，同比下降 38.2%。

（二）带动工业回升加快的主要因素

2009 年，随着国际经济的止跌回稳，在各项利好政策推动、市场逐步回暖等因素的共同作用下，全省经济回升速度逐月加快，向好势头进一步得以巩固。

1. 煤炭需求旺盛，石油价格上涨。陕西省煤炭前三季度保持稳步增长，进入四季度以来，煤炭需求进入旺季，特别是 12 月几次大范围降温使得煤炭需求更加紧张，煤炭企业加大生产力度，以满足市场需求。10 月煤炭行业的产销率为 94.7%，11 月为 105.2%，12 月为 100.5%。

石油工业在陕西省工业构成中占比较大，对全省工业发展的影响举足轻重。2009 年，国际原油价格缓慢上行，根据国家统计局陕西调查总队统计，陕西省石油和天然气开采业工业品出厂价格指数由年初的 85.7% 震荡回升，12 月达到 103.2%，石油开采业产值降幅逐月缩小。受国内成品油价格上调的影响，石油加工业产值在 11 月实现同比正增长，有力推动了全省工业的回升。

2. 政策效应显现，助推汽车产业。2009 年以来，随着家电下乡补贴范围的扩大和汽车以旧换新、小排量汽车优惠补贴政策的实施，陕西省汽车制造业进入一个前所未有的快速发展时期。2009 年，规模以上工业企业生产汽车 50.68 万辆，同比增长 89%，增幅较 2008 年加快 29.9 个百分点。其中，生产轿车 42.77 万辆，增长 1.2 倍，加快 29.5 个百分点。轿车产量占全省汽车产量的比重由 2008 年末的 72% 提高到 84.4%。比亚迪汽车有限公司在利好政策的驱动下保持了较高的发展速度。

3. 投资拉动显效，市场需求回暖。在基础建设投资的拉动下，相关行业逐步回暖。2009 年专用设备制造业产值增速分别比 1—6 月和 1—9 月加快 2.6 和 3.6 个百分点，黑色金属冶炼及压延加工业和非金属矿物制品业也保持了较高的发展速度。与这些行业有关的产品如水泥、商品混凝土、平板玻璃等分别增长 26.5%、91.3% 和 6.5%。

固定资产投资

2009 年以来，全省认真执行中央扩大投资的政策，坚持实施项目带动战略，加快资源开发和工业化、城市化建设步伐，加大城乡基础设施建设和新农村建设力度，全省固定资产投资高速增长有力促进了国民经济的复苏和增长，房地产开始扭转持续下降的局面先抑后扬。2009 年，全省全社会固定资产投资完成 6553.39 亿元，比上年增长 35.1%；其中城镇固定资产投资完成 6194.86 亿元，增长 37%。

（一）全年投资起步较高、增幅较大

在中央扩大投资和地方实施项目带动战略的双重政策有力推动下，国家实施积极财政政策、适度宽松信贷政策促进了固定资产投资快速增长。全省城镇投资从 1—2 月增长 64.6% 起步，上半年各月累计增速在 43.8% ~64.6% 之间高位波动，全年呈现高速增长的趋势，全年城镇投资增幅比上年上升 4.1 个百分点。全年全省城镇在建施工项目 13909 个，比上年同期增加 4823 个，同比增长 53.2%。其中，本年新开工项目 11179 个，比 2008 年同期增加 4432 个，增长 66.1%。全省竣工投产项目 8232 个，比 2008 年同期增加 3160 个，增长 45.9%。

1. 三次产业投资结构变化明显。第一产业投资快速增长。全年全省第一产业投资 162.33 亿元，增长 78%，增幅同比提高 21.1 个百分点，其中农业投资 34.04 亿元，增长 77.1%；林业投资 25.51 亿元，增长 38.1%。第二产业投资增幅加快。全年全省第二产业投资 2465.18 亿元，增长 42.7%，增幅同比提高 10.7 个百分点。其中：煤炭开采和洗选业投资 242.42 亿元，增长 92.5%；黑色金属矿采选业投资 15.16 亿元，增长 1.5 倍，石油加工、炼焦及核燃料加工业投资 151.63 亿元，增长 27.1%。第三产业投资稳定增长。全年全省第三产业投资 3567.46 亿元，同比增长 32.6%。其中，科学研究、技术服务和地质勘查业投资 68.25 亿元，增长 27%；教育投资 147.01 亿元，增长 37.6%；公共管理和社会组织投资 426.23 亿元，增长 13.9%。

2. 中央扩大投资落实较好。2008 年 11 月以来，为了应对全球经济危机，中央及时出台了扩大内需和刺激经济增长的一系列政策，其中扩大固定资产投资是重点。中央计划九个季度投入资金 1.18 万亿元，带动贷款和地方配套扩大总投资 4 万亿元。到 2009 年末，中央扩大内需投资分四批下达了 3800 亿元，陕西省争取到 108.96 亿元，占全国总量的 2.87%。2009 年，全省在建施工项目中，中央扩大投资项目 564 个，完成投资 218.63 亿元。分布在保障性安居工程，农村民生工程和农村基础设施，铁路、公路和机场等重大基础设施，医疗卫生、教育文化等社会事业发展，节能减排和生态建设工程，自主创新和结构调整中。

3. 项目带动战略取得显著成效。各市县全面建立领导干部包抓项目责任制及相应的考核奖惩制度，推动了项目建设和投资增长。全年全省城镇在建施工项目中，地方项目达到13514个，同比增长55.9%，其中新开工项目11003个，增长67.3%；完成投资5462.34亿元，增长39.2%，增幅同比提高4.7个百分点。

4. 基础设施投资增长较快。全年以交通运输、仓储业、邮政业、信息传输服务业、电网、水利和城市公共设施管理业为主的基础设施投资完成1467.3亿元，增长44.5%。交通运输业投资完成677.2亿元，增长21.5%，其中，铁路建设投资完成227.44亿元，增长41.9%；电网建设投资完成37.18亿元，增长6.7倍；水利工程建设投资完成700.9亿元，增长63.2%。

5. 建设资金到位情况较好。本年到位资金7136.96亿元，比上年同期增长50.6%。其中：国家预算内资金696.93亿元，增长53.3%；国内贷款1071.53亿元，增长62.1%；利用外资32.63亿元，增长5.8%；自筹资金4183.11亿元，增长46%。

（二）下半年投资波动明显、逐渐回落

进入下半年以后，随着经济危机最严重时期的逐步度过和经济逐渐复苏，国家金融政策做出了虽然局部但比较明显的调整，加之固定资产投资随季节推移比重逐步加大的特点，投资增速呈现规律性波动回落趋势。全年全省城镇投资增幅比上半年回落6.8个百分点，比三季度回落2.7个百分点。综合分析，固定资产投资开始逐步回落是符合陕西省实际情况的，既是国家宏观调控的必然结果，也是投资运行的客观规律。

1. 新开工项目个数增幅回落。全年全省本年新开工项目11179个，增长66.1%，增幅较前三季度分别回落4.3、4.5和0.1个百分点。新开工项目相对减少是全年投资增速放缓的一个因素。

2. 新增贷款明显减少。上半年，全国新增贷款达到7.72万亿元，有力地支持了固定资产投资进度。7月以后，各大国有银行开始控制过度放贷，新增贷款较上月下降77%，此后两月也维持在与七月相当水平，导致全国固定资产投资增幅逐步回落。陕西省上半年国内贷款增幅为73.3%，全年回落到53.3%，回落了20个百分点，相应的投资增速也明显回落。

3. 房地产投资增幅同比回落较大。由于陕西省经济周期及受金融危机影响滞后沿海半年左右，陕西省房地产尚处于恢复时期。全年，房地产投资比上年同期回落了14个百分点。如果扣除房地产开发投资，陕西省城镇固定资产投资增幅高于上年同期3.7个百分点，房地产投资增幅回落较大是陕西省固定资产投资增速放缓的主要因素。

4. 投资增速处于历史最高区间。从陕西省固定资产投资发展历程看，1978年以来年平均增长速度是18.4%，增速超过40%的年份只有2年，都在经济过热及国家调控压缩投资时期出现，而且没有持续性。在国家促内需、保增长、调结构的背景下，陕西省依靠国家投入和银行贷款实现高速增长，内生性投入增长动力较为薄弱，GDP和财政收入对投资的支撑力度有限，要超过40%的投资增速还不具有持续性的资金来源支撑。

（三）优势产业投资不断增加、增长较快

2009年八大支柱产业完成投资1892.02亿元，增长36%，促进了全省经济发展实力和后劲的增强。

1. 能源工业投资增速较高。能源工业投资完成1080.44亿元，增长29.7%。其中，电力、燃气与水的生产和供应业386.56亿元，增长17.1%。

2. 装备制造业投资较快增长。装备制造业投资完成361.55亿元，增长25.8%。其中，交通运输设备制造业投资完成89.14亿元，增长36.1%。电气机械及器材制造业投资完成71.15亿元，增长45.6%。仪器仪表及文化办公用机械制造业投资完成14.88亿元，增长94.1%。

3. 其他支柱产业投资大部分增幅较高。通信设备、计算机及其他电子设备制造业投资完成19.89亿元，增长1.5倍；食品工业投资完成83.42亿元，增长86.9%；非金属矿物制品业投资完成171.16亿元，增长85.2%。

（四）灾后重建力度较大、成果显著

截至2009年12月20日，陕西省重建项目计划总投资190.5亿元，累计完成投资156.06亿元，完成率达到81.9%。其中，2008年计划总投资104.07亿元，完成投资65.75亿元，完成率为63.2%；2009年计划总投资86.43亿元，完成投资90.31亿元，完成率为104.5%，超额完成任务。全省灾后重建工作进展迅速，尤其2009年取得重大进展，省委、省政府“三年任务，两年完成”的工作目标有望实现。

1. 重建维修公共房屋1080.05万平方米，完成投资41.26亿元，完成计划的59.9%。其中，重建永久公共房屋846.81万平方米，累计完成投资33.74亿元，完成计划56.5%，其中2009年完成49.4%；加固维修公共房屋232.12万平方米，累计完成投资7.5亿元，完成计划81.8%，其中2009年完成55.9%。

2. 重建维修居民住房3096.79万平方米，完成投资91.23亿元。其中，重建居民住房1653.13万平方米，累计完成投资81.25亿元，完成计划100.5%，其中2009年完成37.6%。加固维修居民住房1441.52万平方米，累计完成投资9.89亿元，完成计划86.2%，其中2009年完成33%。

3. 重建城乡公用设施投资累计完成23.58亿元，完成计划80.9%，其中2009年完成73.7%。其中，重建维修城镇公用设施投资16.83亿元，完成计划81.9%，其中2009年完成77.1%；重建维修农村公用设施投资6.74亿元，完成计划78.6%，其中2009年完成65.4%。重建公路475.85公里，市镇道路51.16公里，桥梁54座，商业市场73个，农村道路3480.05公里，农用桥梁155座，城乡通讯设施、电力设施、供水供气设施和其他公用设施得到较大规模重建。

（五）房地产市场先抑后扬、回升明显

房地产市场是受经济危机及宏观调控影响较大的领域，自2008年下半年销售及价格大幅度下降、四季度到达谷底之后，全国房市年初开始逐步复苏，陕西省滞后半年左右，商品房销售以四月为拐点，开发投资以七月为拐点，呈先抑后扬的走势，市场销售回升明显。

1. 房地产开发投资先降后升。全年全省房地产开发投资完成943.85亿元，同比增长23.8%；房屋施工面积8264.5万平方米，增长42.7%，增幅比上半年回升13.6个百分点；新开工面积2824.24万平方米，增长38%，增幅比上半年回升41.2个百分点。

2. 商品房销售面积回升明显。全年全省房屋竣工面积916.97万平方米，增长18.6%，增幅比上半年回升16.7个百分点；商品房销售面积2086.97万平方米，增长37.7%，增幅比上半年上升15.5个百分点。但是，房屋空置面积仍达118.02万平方米，同比上升26.9%。

3. 商品房价格先抑后扬。2009年元月以来，陕西省商品房销售价格由暗降转向明降。2月至7月分别下降8.5%、1.4%，到8月底随着全国房市回暖，9月上涨3.6%，12月上涨5.2% 。

商品流通

（一）消费品市场基本情况和主要特点

2009年，全省实现社会消费品零售总额2699.67亿元，同比增长19.7%，高于全国平均水平4.2个百分点。其中，12月份实现零售额269.24亿元，增长21.9%，比上月提高1.4个百分点。在全国31个省市区中，陕西社会消费品零售额总额总量居第20位，累计增长速度居第四位。在西部12个省市区中，陕西社会消费品零售总额总量列四川（5758.7亿元）、内蒙（2855.3亿元）、广西（2790.7亿元）之后，居西部第四位；累计增长速度列西藏（21.3%）、四川（20.0%）之后，居西部第三位。全省消费品市场的主要特点：

1. 农村消费品市场进一步活跃，城乡市场差距缩小。2009年以来，国家和省上的支农惠农政策在更大范围，更深程度上得到落实，特别是一系列农村社会保障制度的建立与完善，以及新农村建设对农村用电、公路等消费环境的改善，对刺激农村消费，激活农村市场，促进农村消费市场进一步活跃。特别是“万村千乡市场工程”的实施，进一步完善了全省农村流通网络，搞活了农村市场，带动了农村消费。2009年，全省新建标准化农家店5466家，配送中心10个。全省农家店已建成2.62万家，配送中心77个，对支撑全省消费市场平稳较快增长发挥了积极作用。2009年，全省县及县以下农村市场实现零售额897.60亿元，增长19.4%。其中，一季度增长17.3%，二季度20.0%，三季度18.5%，四季度21.2%。全省城市市场实现零售额1802.07亿元，增长19.8%。农村市场与城市市场增幅差距，由上年的1个百分点缩小到0.4个百分点。

2. “家电下乡”拉动作用明显，成为农村消费增长新动力。陕西作为全国第二批家电下乡推广省份，率先在全国实施销售网点代垫补贴，从2008年12月中旬启动“家电下乡”到2009年底以来，据陕西省商务部门统计，全省备案的家电下乡销售网点5283家，已累计销售补贴类家电102.18万台（部），销售额17.16亿元。其中，销售电冰箱347934台，彩电287638台，手机24207部，洗衣机229456台，空调54710台，电脑27943台，热水器28908台，微波炉2328台，电磁炉18703台，全省农业人口每百户购买率达到14.5%。已兑付861377台（部），发放补贴资金1.9亿元，平均兑付率达到84%。全省家电销售量和兑付率均在全国排第13位。“家电下乡”在拉动和促进农村即期消费方面成效明显，成为农村消费增长的新亮点和新动力。

3. 汽车消费，成为拉动全省消费较快增长新亮点。2009年以来，在国家实施燃油税改革、小排量车车辆购置税减半、“汽车下乡”等促进汽车消费政策的拉动下，以及商家车展、商家促销的推动下，汽车消费成为金融危机下拉动全省消费较快增长的新亮点。2009年，全省限额以上批发和零售企业汽车类商品销售实现零售额300.92亿元，比上年增长1.19倍，占全省社会消费品零售总额的比重由上年的6.1%提高到11.2%，提高4.9个百分点。销售汽车31.50万辆，增长27.9%，日销售量约863辆，其中：小轿车22.06万辆，增长29.3%，日销售量604辆，小轿车销售量占汽车销售量的70.0%。一季度汽车销售量增长12.2%，二季度22.1%，三季度37.6%，四季度36.1%，汽车销售呈平稳增长势头。同时，汽车的热销还带动了相关商品销售的快速增长，石油及制品类零售额202.04亿元，增长54.6%。

4. 住房相关类商品消费加快，带动全省消费较快增长。2009年，全省商品房销售面积增长37.7%，商品房销售额增长49.1%。受住房消费升温拉动，家具类、建筑及装潢材料类等与住房相关的消费品零售额呈现大幅增长态势。据对全省限额以上批发和零售业企业统计，2009年，家具类零售额31.94亿元，增长1.19倍，建筑及装潢材料类零售额27.66亿元，增长3.12倍，对带动全省消费较快增长起到积极作用。

5. 大型商场销售形势明显好转，推动了消费品的换代升级。2009年初，受金融危机的影响，全省限额以上贸易企业销售增速与上年相比出现不同程度下滑，进入四季度后，全省限额以上批发和零售业加快发展，销售形势明显好转，更多的消费者进入消费品档次较高的大型商场进行消费，有力推动了消费品的换代升级。2009年，全省限额以上批发和零售业企业实现零售额1051.50亿元，增长32.5%。其中，一季度增长27.0%，二季度28.6%，三季度31.8%，四季度40.6%，增速呈逐季回升态势。全省限额以上批发零售业实现零售额占批发和零售业的比重由上年的40.5%增加到44.8%，提高4.3个百分点，大型商场所占市场份额明显提升。从监测的在陕全国57家重点批发和零售企业看，2009年实现零售额424.78亿元，增长30.7%，其中，华润万家超市增长31.2%。据对全省限额以上批发和零售业企业统计，2009年，金银珠宝类零售额20.93亿元，增长69.1%，化妆品类19.58亿元，增长38.8%，服装类95.62亿元，增长81.5%，体育、娱乐用品类8.72亿元，增长2.13倍。

6. 旅游业快速发展，成为拉动住宿餐饮业消费增长点。随着城乡居民收入的稳定增加，假日消费升温和人们生活水平的不断提高，居民消费观念的转变，以及旅游业、会展业的快速发展，公务、商务活动频繁，外出就餐、旅游休闲人数逐渐增多。特别是2009年省政府做出了《进一步加快旅游产业发展的决定》，制定了《陕南旅游产业突破发展规划纲要》，促进了全省旅游产业的较快发展。2009年，来陕境外旅游者145.08万人次，增长15.4%，国内旅游者1.14亿人次，增长26.0%。旅游业的快速发展，推动了住宿餐饮业的较快发展，2009年，全省住宿和餐饮业实现零售额305.69亿元，增长19.5%。

7. 金融危机对三大经济区域影响程度不同。金融危机对经济发达区域影响较大，对经济欠发达区域影响较小。对工业经济影响较大，对商业经济影响较小。陕北受金融危机冲击较大、关中次之、陕南所受影响较小。2009年，关中实现社会消费品零售总额2171.15亿元，增长19.6%。陕南296.37亿元，增长19.7%。陕北232.14亿元，增长19.7%。陕南、陕北零售额增速均比关中高0.1个百分点。

（二）消费品市场平稳较快增长的主要因素

1. 扩大消费政策措施的实施，拉动了消费品市场平稳较快发展。国际金融危机爆发后，省委、省政府在贯彻落实中央扩大消费政策措施的基础上，为扩大消费需求，出台了一系列扩大消费品市场发展的相关政策措施。这一系列措施在保民生、促就业、提升农民和城镇低收入群体消费能力、鼓励消费、改善消费环境等方面收到明显成效，政策效应促使居民消费心态平稳，对保持和促进城乡消费品市场平稳较快发展起到重要作用。

2. 宏观经济的回升向好，促进了消费品市场平稳较快发展。随着陕西宏观经济逐步回升向好，经济发展步伐逐渐加快，特别是工业生产稳定增长，固定投资强力拉动，一些主要行业正逐步走出困境。整体经济形势好于人们的预期，大大提升了城乡居民的消费信心，增强了城乡居民的消费预期。2009年，全省生产总值增长13.6%，规模以上工业增加值增长14.8%，财政总收入增长25.8%，全社会固定资产投资增长35.1%，主要经济指标增速均呈现向好态势。城乡居民对经济发展信心增强，消费欲望增加，促进了消费品市场的平稳较快发展。

3. 城乡居民收入的稳步增长，带动了消费品市场平稳较快发展。2009年以来，尽管受到国际金融危机影响，但随着国民经济的企稳回升，城乡居民收入保持了稳步增长，特别是中央对“三农”问题高度重视，采取一系列惠农政策提高农民收入，取得明显效果。2009年前三季度，全省城镇居民人均可支配收入10711元，增长11.3%；农村居民人均现金收入3193元，增长12.0%，分别比全国平均水平高2个和3.5个百分点。城乡居民收入的较快增长，为实现消费较快增长奠定了坚实基础，成为拉动消费增长的重要元素。此外，财政支出更多地投向社会保障、社会公益事业、转移支付等，给城乡居民带来更多的实惠，城乡居民的消费预期有了较大的改善，带动了消费品市场的平稳较快发展。

4. 居民消费的升级转型，推动了消费品市场平稳较快发展。随着陕西城乡居民收入的较快增长，中等收入群体在不断壮大，成为新一轮消费增长的主要推动力，名车、名表、名牌服装、名牌化妆品等正越来越多地进入大众的消费视野，各种名牌产品消费量节节攀升，加快了陕西居民消费结构升级。在消费品市场形成了以住房、汽车、高档家具和建筑及装潢材料类商品消费为标志的主要消费热点，推动了全省消费品市场平稳较快。

5. 社会保障体系的不断完善，为消费品市场平稳较快发展创造了条件。近年来，随着陕西经济的较快发展，城乡居民保障水平不断提高，各级政府加大了城镇职工（个人）养老金补缴和发放力度，调整了大额医疗互助基金支付限额标准，一些地区实施了为农村60岁以上老人发放生活补助等政策。随着医疗、养老社会保障制度、最低生活保障、定期提高工资标准和各项保障标准等走向规范化，使社会保障体系日益完善，增强了城乡居民的消费力度，为消费品市场平稳较快发展奠定了坚实基础。

外经外贸

2009 年以来，陕西对外经济受到金融风波、甲型 H1N1 疫情等因素影响，全省进出口总值在年初因出口大幅减少增速探底后，经过不懈努力，到 12 月进出口总值实现比 2008 年同期略有增长，全年进出口总值累计增长 0.9%。对外承包工程与劳务合作情况好于预期，实际利用外资增长较快，国际旅游人数、旅游外汇收入实现双增长。

（一）全年外贸进口增长但增幅有所回落，进出口下降触底在年内实现增长

2009 年，陕西实现外贸进出口总值 84.01 亿美元，比 2008 年同期增长 0.9%，其中出口 39.85 亿美元，下降 25.9%，比 1—11 月增长 3.5 个百分点，比年初最低点增长 10.2 个百分点。进口 44.16 亿美元，增长 49.8%，增幅回落，比年内最高点回落 20.6 个百分点。全年累计实现贸易逆差 4.31 亿美元。

12 月，进出口总值 10.07 亿美元，环比增长 29.3%，其中出口 5.32 亿美元，环比增长 24.7%，进口 4.75 亿美元，环比增长 34.9%。单月进出口自 2009 年 4 月以来 11 月、12 月连续出现贸易顺差。

主要有以下特点：从贸易方式上看，一般贸易下降，加工贸易上升。2009 年，一般贸易进出口总值 55.88 亿美元，占进出口总值的 66.5%，下降 9.5%，其中出口 24.92 亿美元，下降 36.6%，进口 30.96 亿美元，增长 37.9%；进料加工贸易进出口总值 22.78 亿美元，占进出口总值的 27.1%，增长 40.6%，其中出口 13.26 亿美元，增长 25.9%，进口 9.52 亿美元，增长 68%。

主要出口国家和地区是美国、德国、日本及澳大利亚，占进出口总值的比重为 40.9%，占出口总值的比重为 38.5%。主要进出口商品为机电、装备制造、医药及汽车类。

（二）对外承包工程与劳务合作情况好于预期

2009 年，陕西外经业务新签合同额 3.9 亿美元，完成营业额 6.3 亿美元；外派各类劳务人员 2335 人，期末在外 6569 人；新设境外投资企业 13 家，协议投资总额 39316.99 万美元。

其中：对外承包工程业务全年累计新签合同 100 份。新签合同额 37864 万美元，完成营业额 61944 万美元，派出劳务人员 1375 人，较上年同期减少 2646 人，期末在外 2414 人。

对外劳务合作业务全年累计新签合同 459 份，新签合同额 1634 万美元，完成营业额 1423 万美元，外派各类劳务人员 960 人，较上年同期减少 460 人，期末在外 4155 人。

境外投资业务全年新设境外投资企业 13 家，增资 4 家，新设境外机构 10 家，协议投资总额 3.93 亿美元，其中中方协议投资额 3.36 亿美元，主要分布在美国、加拿大、德国等，投资领域涉及矿产资源开发、技术研发、农业综合开发等领域。

（三）合同利用外资下降，实际利用外资增长

2009 年，陕西省新批准设立外商投资企业共计 101 家，下降 35.3%；合同外资额 14.01 亿美元，下降 22.9%；实际使用外资额 15.11 亿美元，增长 10.3%。

2008—2009 年陕西省经济社会发展主要指标

序号	指标	单位	2008 年	2009 年	增长率（%）
1	一、人口和就业				
2	年底人口数	万人	3762.0	3772.0	0.3
3	人口自然增长率	‰	4.08	4.00	
4	就业人员数	万人	1947	1919	-1.4
5	按产业分：				
6	第一产业	万人	910	878	-3.6
7	第二产业	万人	404	433	7.2
8	第三产业	万人	633	609	-3.7
9	城镇就业人员（按登记注册类型分）				
10	国有单位	万人	248.06	243.91	-1.7
11	集体单位	万人	19.78	16.63	-15.9

续表

序号	指标	单位	2008年	2009年	增长率(%)
12	股份合作单位	万人	2.00	2.50	25.0
13	联营单位	万人	0.80	0.80	0.0
14	有限责任公司	万人	52.10	56.60	8.6
15	股份有限公司	万人	14.20	19.70	38.7
16	私营企业	万人	62.38	86.87	39.3
17	港澳台商投资单位	万人	2.00	3.10	55.0
18	外商投资单位	万人	3.80	7.90	107.9
19	个体	万人	90.39	19.97	-77.9
20	城镇登记失业人数	万人	20.83	21.48	3.1
21	**二、国民经济核算**				
22	地区生产总值	亿元	6851.3	8169.8	13.6
23	**按产业分：**				
24	第一产业	亿元	753.7	789.6	4.9
25	第二产业	亿元	3842.1	4236.4	13.8
26	工业	亿元	3294.0	3501.3	
27	建筑业	亿元	548.1	735.2	
28	第三产业	亿元	2255.5	3143.7	15.3
29	#交通运输、仓储和邮政业	亿元	352.6	423.2	
30	批发和零售贸易业	亿元	483.1	707.4	
31	**三、固定资产投资**				
32	投资总额	亿元	4614.4	6246.9	35.4
33	**按投资种类分：**				
34	城镇	亿元	4286.4	5888.4	37.4
35	#房地产开发	亿元	762.2	941.6	23.5
36	农村	亿元	328.0	358.5	9.3
37	#农户	亿元	183.3	199.9	9.1
38	非农户	亿元	144.7	158.7	9.6
39	**按建设规模分：**				
40	建设总规模	亿元	11623.0	17096.7	47.1
41	在建总规模	亿元	8844.6	13708.1	55.0
42	在建净规模	亿元	4206.5	7218.3	71.6
43	**按资金来源分：**				
44	国家预算内资金	亿元	425.1	722.1	69.9
45	国内贷款	亿元	599.2	965.7	61.2
46	利用外资	亿元	29.8	31.7	6.4
47	自筹资金	亿元	3044.6	4389.7	44.2
48	其他投资	亿元	518.8	883.8	70.4
49	**四、房地产开发**				
50	本年完成土地开发面积	万平方米	418	508	21.7
51	本年土地购置费用	亿元	89.0	73.2	-17.8
52	本年土地购置面积	万平方米	540	408	-24.4
53	本年完成投资额	万元	7622281	9416321	23.5
54	#住宅	万元	6037546	7808278	29.3
55	#经济适用房屋	万元	270901	413138	52.5

续表

序 号	指 标	单 位	2008 年	2009 年	增长率（%）
56	房屋施工面积	万平方米	5780	8236	42.5
57	房屋竣工面积	万平方米	876	917	4.7
58	本年新开工房屋面积	万平方米	2051	2796	36.3
59	#住宅	万平方米	1782	2428	36.3
60	#经济适用房屋	万平方米	132	104	-21.5
61	商品房屋销售面积	万平方米	1513	2087	37.9
62	#住宅	万平方米	1426	1996	39.9
63	#经济适用房屋	万平方米	150	147	-2.0
64	商品房屋销售额	万元	4467140	6727127	50.6
65	#住宅	万元	4022400	6212775	54.5
66	商品房屋平均销售价格	元/平方米	2952	3223	9.2
67	#住宅	元/平方米	2821	3113	10.4
68	#经济适用房屋	元/平方米	1691	2085	23.3
69	**五、规模以上工业企业**				
70	企业单位数	个	4025	4480	11.3
71	工业总产值	亿元	7480.8	8470.4	13.2
72	资产总计	亿元	9905.9	12119.3	22.3
73	利润总额	亿元	1009.0	854.1	-15.4
74	总资产贡献率	%	16.9	13.6	-19.8
75	资产负债率	%	55.0	56.0	1.9
76	**六、交通运输业**				
77	运输线路长度				
78	铁路营业里程	公里	1195	3320	177.7
79	内河航道里程	公里	1066	1066	0.0
80	公路里程	公里	131038	144109	10.0
81	#高速公路	公里	2466	2779	12.7
82	货运量	万吨	83493	92557	10.9
83	#铁路	万吨	22615	24421	8.0
84	公路	万吨	60713	67963	11.9
85	水运	万吨	165	173	4.8
86	客运量	万人	76028	84303	10.9
87	#铁路	万人	5218	5008	-4.0
88	公路	万人	70566	79033	12.0
89	水运	万人	244	262	7.4
90	**七、国内商业**				
91	社会消费品零售总额	亿元	2317.1	2699.7	16.5
92	**八、对外贸易和旅游**				
93	货物进出口总额（按经营单位所在地分）	万美元	832883	840539	0.9
94	出口	万美元	538082	398815	-25.9
95	进口	万美元	294801	441724	49.8
96	外商投资企业货物进出口总额	万美元	208113	252626	21.4
97	出口	万美元	110053	110813	0.7
98	进口	万美元	98060	141813	44.6
99	外商投资企业基本情况				

续表

序 号	指 标	单 位	2008 年	2009 年	增长率（%）
100	年底登记数	户	4312	5097	18.2
101	投资总额	亿美元	136.9	162.0	18.4
102	注册资本	亿美元	80.8	96.9	20.0
103	#外方	亿美元	56.2	72.1	28.4
104	对外承包工程				
105	完成营业额	万美元	77989	62543	-19.8
106	对外劳务合作				
107	完成营业额	万美元	1920	1423	
108	接待国际旅游人数	万人次	125.73	145.08	15.4
109	#外国人	万人次	93.67	114.42	22.2
110	国际旅游外汇收入	百万美元	660.11	771.07	16.8
111	**九、财政**				
112	地方财政一般预算收入	亿元	591.5	735.3	24.3
113	#国内增值税	亿元	109.9	111.2	1.2
114	营业税	亿元	147.7	194.5	31.7
115	个人所得税	亿元	22.8	26.9	18.1
116	地方财政一般预算支出	亿元	1428.5	1841.6	28.9
117	**十、物价指数**				
118	商品零售价格指数	上年＝100	106.9	99.9	
119	居民消费价格指数	上年＝100	106.4	100.5	
120	#城市	上年＝100	106.2	100.0	
121	农村	上年＝100	106.7	101.8	
122	**十一、人民生活**				
123	收入				
124	农村居民家庭人均纯收入	元	3136	3438	9.6
125	城镇居民家庭人均可支配收入	元	12858	14129	9.9
126	居民消费水平	元	6290	7069	9.5
127	农村居民	元	2993	3210	8.3
128	城镇居民	元	10965	12223	7.2
129	住房				
130	农村居民人均住房面积	平方米	29.0	30.4	4.8
131	**十二、教育**				
132	高等学校数	所	88	89	1.1
133	高等学校招生数	人	264951	264676	-0.1
134	高等学校在校学生数	人	839658	893748	6.4
135	高等学校毕业生数	人	217294	211963	-2.5
136	**十三、卫生**				
137	卫生机构数	个	8812	33928	
138	#医院、卫生院	个	2549	2546	-0.1
139	医疗机构床位数	张	125189	134431	7.4
140	#医院、卫生院	张	118327	125239	5.8
141	卫生技术人员数	人	148328	171840	15.9
142	#执业（助理）医师	人	58264	69745	19.7

注：1. 地区生产总值及其三次产业、城镇居民人均可支配收入和居民消费水平的增长速度按可比价格计算。
2. 卫生机构数 2009 年起含村卫生室，与历史数据不可比。

甘肃省

综　述

2009 年，甘肃省全面贯彻落实中央和省委、省政府促进经济平稳较快发展的一揽子政策措施，积极应对金融危机，经济企稳回升的态势日益稳固，应对危机取得明显成效。

初步核算，全年全省实现生产总值 3382.4 亿元，比上年增长 10.1%。其中，第一产业增加值 497.5 亿元，增长 4.9%；第二产业增加值 1511 亿元，增长 10.4%；第三产业增加值 1373.9 亿元，增长 11.3%，其中金融保险业增加值 88.3 亿元，增长 20.1%，批发和零售贸易业增加值 231.2 亿元，增长 15.3%，房地产业增加值 101.4 亿元，增长 7.0%。

按常住人口计算，全省人均生产总值 12852 元，比上年增长 9.4%。三次产业结构由上年的 14.6：46.3：39.1 调整为 14.7：44.7：40.6，与上年相比，第二产业所占比重下降 1.7 个百分点，第一、三产业所占比重分别提高 0.2 和 1.5 个百分点。

工业经济

2008 年四季度开始，国际金融危机对甘肃实体经济形成巨大冲击，工业增速大幅回落，进出口总值大幅下降。受工业生产速度下滑的影响，一季度全省生产总值仅增长 4.2%。面对严峻的形势，甘肃省委、省政府审时度势，科学决策，早在金融危机对甘肃经济产生影响之初，就出台了《关于支持企业生产经营，促进全省工业稳定发展的意见》。2009 年 5 月，又出台了《关于支持重点企业发展的若干意见》，加强了对 23 户重点企业的监测力度。5 月以后，随着中央和省委省政府促进经济平稳较快发展的一揽子政策措施的逐步落实到位，扩大内需和产业振兴规划等政策效应逐步显现，甘肃省部分行业出现积极变化，工业生产止降转升，进入正增长区间，上半年全省生产总值增长 6.1%。

2009 年，全省完成工业增加值 1191.3 亿元，比上年增长 9.9%。规模以上工业企业完成工业增加值 1136.7 亿元，比上年增长 10.6%。其中国有及国有控股企业完成工业增加值 847.1 亿元，增长 9.0%。规模以上工业企业产品销售率 97.5%，比上年提高 2.1 个百分点。

规模以上工业中，中央企业完成工业增加值 377.6 亿元，比上年增长 8.6%；省属企业完成工业增加值 399.8 亿元，增长 12.9%；省以下企业完成工业增加值 359.4 亿元，增长 14.5%。集体企业完成工业增加值 38.1 亿元，增长 27%；外商及港澳台投资企业完成工业增加值 32.1 亿元，增长 4.2%；股份制企业完成工业增加值 736.6 亿元，增长 7.9%。轻工业完成增加值 169.6 亿元，增长 9.0%；重工业完成增加值 967.1 亿元，增长 10.9%。

全年发电量 696.7 亿千瓦小时，比上年增长 1.5%；原煤 3976 万吨，增长 0.6%；原油 359.9 万吨，下降 1.5%；原油加工量 1436.6 万吨，增长 3.6%；粗钢产量 626.4 万吨，增长 21.4%；钢材 644.5 万吨，增长 10.4%；水泥 1816.1 万吨，增长 15.5%；十种有色金属 172.6 万吨，增长 6%。

全年规模以上工业企业盈亏相抵后，实现利润总额 155.3 亿元，比上年增长 1.1 倍。其中国有及国有控股企业实现利润 118.9 亿元，增长 2.5 倍。规模以上工业亏损企业亏损额 47.7 亿元，比上年下降 68.7%。其中国有及国有控股亏损企业亏损额 39.1 亿元，下降 73.2%。规模以上工业经济效益综合指数为 187.4，比上年提高 7.4 个点。

石化、有色、电力、冶金、食品和机械等支柱产业完成工业增加值占规模以上工业的 84.1%。其中，石化工业完成增加值 258.9 亿元，比上年增长 13.5%；有色工业完成增加值 200.6 亿元，增长 15%；电力工业完成增加值 146 亿元，增长 8.3%；冶金工业完成增加值 143.2 亿元，增长 2.6%；食品工业完成工业增加值 120.2 亿元，增长 10.1%；机械工业完成工业增加值 87.1 亿元，增长 13.7%。

全省规模以上装备制造业完成工业增加值 92.1 亿元，比上年增长 13.9%；实现利润 9.5 亿元，比上年增长 20.6%。

企业利润和财政收入由降转升。前 5 个月，全省规模以上工业企业实现利润一直处于负增长区间，上半年开始由负转正，同比增长 31.5%。全年规模以上工业企业实现利润 155.2 亿元，比上年增长 1.1 倍。利润增长较快的主要行业有石油加工、炼焦及核燃料加工业，化学原料及化学制品业，非金属矿物制品业。

前两个月，全省一般预算收入出现负增长，一季度开始由负转正。前 5 个月全省税收收入同比呈下降态势，随着工业企业效益逐步好转，上半年税收收入由降转升，之后增幅不断提高。全年全省完成大口径财政收入 604 亿元，比上年增长 36.6%。完成一般预算收入 286.7 亿元，增长 20.9%。

固定资产投资

2009 年全年甘肃省全社会固定资产投资 2479.6 亿元，比上年增长 42.9%。其中，城镇固定资产投资2076.4亿元，比上年增长38.8%；农村固定资产投资286.6亿元，增长41.9%。

全社会投资按产业分，第一产业投资129.1亿元，比上年增长53.2%；第二产业投资1206.3亿元，增长44.6%，其中工业投资993.6亿元，增长40.8%；第三产业投资1144.2亿元，增长40%。

城镇项目固定资产投资按行业分，采矿业投资100.9亿元，比上年增长30.4%；制造业投资397.4亿元，增长32.4%；电力、燃气及水的生产和供应业投资407.8亿元元，增长10.6%。房屋施工面积2543.1万平方米，增长32.8%；房屋竣工面积545.2，增长56.7%；交通运输、仓储和邮政业投资145亿元，增长37.1%。

城镇固定资产投资中，房地产开发投资204.1亿元，比上年增长19.6%。其中住宅投资137.3亿万平方米，增长56.2%；商品房销售面积696.3万平方米，增长47.7%。商品房销售额174.6亿元，增长70.8%，其中期房销售额107.6亿元，增长97.8%。

商品流通

（一）消费品市场

2009年甘肃省社会消费品零售总额1183.01亿元，比上年的990.1亿元增长18.88%。按地域分，城市762.95亿元，县191.68亿元，县以下228.36亿元。按行业分，批发和零售贸易业964.76亿元，住宿和餐饮业194.76亿元，其他行业23.49亿元。

2009年，共有限额以上批发和零售贸易业、住宿和餐饮业法人企业815个，产业活动单位1509个，年末从业人数89111人。其中，批发业法人企业246个，产业活动单位253个，年末从业人数22203人；零售业法人企业275个，产业活动单位1174个，年末从业人数30281人；住宿业法人企业161个，产业活动单位21个，年末从业人数21982人；餐饮业法人企业133个，产业活动单位61个，年末从业人数14645人。

全年限额以上批发和零售业实现零售额292.29亿元，比上年增长20.73%。其中，石油及制品类零售额130.09亿元，增长11.45%；汽车类零售额59.02亿元，增长64.51%；食品、饮料、烟酒类零售额30.94亿元，增长44.88%；服装类零售额15.23亿元，增长20.60%；家用电器和音像器材类零售额10.79亿元，增长27.42%；金银珠宝类零售额6.03亿元，增长33.42%；日用品类零售额5.40亿元，增长20.21%；化妆品类零售额2.77亿元，增长18.93%；通讯器材类零售额2.66亿元，下降7.36%。

商品零售价格指数为1.8%（以上年价格为100）；居民消费价格指数为1.3%（以上年价格为100），其中城市0.9%，农村2.2%。

（二）市场体系建设

2009年，甘肃省市场体系建设工作以构建城乡现代市场体系和扩大内需为目的，以项目建设为载体，全力推进“万村千乡市场工程”、“双百市场工程”、县乡集贸市场改造工程、积极实施农资流通体系试点建设、努力探索“农超对接”试点工程，引导整合社会资源积极参与农村物流服务项目建设，有效改善了农村消费环境，拉动了农村消费，对促进全省农村经济发展，推动新农村建设起到了积极作用。“万村千乡市场工程”承办企业投资近2亿元，省市县配套近1000万元，改造建设农家店4000个，农村商品配送中心32个，促进农村就业5000多人，新增农村消费超过5亿元。“双百市场工程”全年完成投资约5亿元，其中省政府配套财政专项建设资金2000万元，带动地方企业和社会投资4亿多元。改造建设6个大型农产品批发市场和53个农村集贸市场，带动70多万农民增收，增加就业人数2万多人。改造提升农资配送中心20个，初步形成以全省大型农资经营企业为龙头、以其市州分公司或二级经营企业为骨干、以遍布全省的农资农家店为基础的农资经营网络，降低了农资流通成本，提高了农资流通的质量和效率。全省已有近10个市州的大型超市初步与省内特色农产品主产区农民合作组织开展合作。

（三）商贸服务管理

2009年，甘肃省商贸服务管理工作积极采取措施扩大内需，刺激城乡消费，在促进传统服务业发展、完成商务部民生项目、加强成品油市场监管、推进商务领域节能降耗和促进社区商业发展等方面取得显著成绩。餐饮、住宿、照相、美发美容、婚庆、洗染、沐浴等传统服务业投入不断加大，经济结构深入调整，品牌建设有效推进，各行业硬软件环境进一步改善，销售不断增长，服务质量和企业效益全面提升。转换评定31家国家级酒家酒店、19家省级人像摄影等级企业。全省住宿餐饮业实现营业收入194.76亿元，同比增长19.09%。商务部民生项目圆满完成。按照商务部下达民生项目要求，在兰州、天水、平凉、武威建成了4家家政服务网络中心，开通了短号服务专线，运行情况良好。依据《绿色饭店》国家标准，从25家省级绿色饭店中已转换评定21家国家级绿色饭店。2009年全省有3个省级商业示范社区被商务部批准授予“全国社区商业示范社区”。

（四）市场运行调节

2009年，全省消费品市场保持平稳运行态势，市场供应充足，商品销售活跃，销售额稳定增长。在全省建立健全了城市生活必需品监测系统、重要生产资料监测系统、重点流通企业监测系统、茧丝绸企业监测系统等173个样本监测点的市场监测服务体系，不断完善城乡市场信息服务系统。商务部已将甘肃省40家具有较大规模的生产型、流通型企业，列入了商务部应急商品数据库。针对酒类、盐业市场不断出现的新情况、新问题，强化了酒类、食盐专营的行业指导，进一步加大酒类、盐业市场管理力度，规范了市场秩序，保证了市场规范运行。

（五）举办洽谈会

2009年6月12日至15日，第十五届中国兰州投资贸易洽谈会在兰州顺利举行并取得圆满成功。本届兰洽会由国家发改委、商务部支持；国家工商总局、国家旅游局等国家部委和天津、山东等11省市区政府、新疆生产建设兵团共18家单位共同主办；商务部投资促进事务局、香港中华总商会等18家单位共同协办，甘肃省政府和兰州市政府具体承办。参加本届兰洽会的境内外代表团组有95个，加上省内各市州代表团，参会团组过百。其中，境外有马达加斯加、韩国、日本、澳大利亚等团组17个；有香港特区驻京办、香港贸发局、台湾统一集团等港台代表团7个。境内有17个国家部委和机构、20个政府代表团、34个工商企业代表团。各有关部门及专业展会还邀请了有关方面的2500多名参会参展代表。参加本届兰洽会的宾客15000多人，参观人数超过36万人次，呈现“百团到会、千位出展、万商云集”的盛况，共签约项目530个，签约额1061亿元，创下历史新高。围绕投资贸易洽谈、商品展销、论坛峰会、文化旅游博览等内容，兄弟省市搭台开展57项内容丰富、特色突出的活动，取得丰硕成果。

国内招商引资

2009年全省共执行新建、续建省外招商引资项目1392个，投资总额1874.24亿元，到位资金468.64亿元，同比增长58.28%。

（一）从资金来源分析

国内省外项目到位资金463.29亿元，境外项目到位资金5.35亿元，在国内省外资金中，北京、陕西、浙江、四川、福建和江苏六省（市）对甘肃省投资所占比重较大，分别占当年到位资金的36.08%、15.95%、8.00%、5.32%、3.99%和3.63%，以上六省（市）到位资金占全省的72.96%。国家、省上出台的全面应对国际金融危机和拉动内需政策带动了央企在甘投资，央企投资项目到位资金121.1亿元，占全部到位资金的25.85%，这使得央企主要注册地北京的到位金额较2008年翻了一番。“十一五”以来，甘肃省招商引资到位资金增长较快，但境外到位资金和所占比重小，同时受国际金融危机的影响，外商投资增速继续放缓，2009年境外到位金额虽有所增长，但幅度很小。

2009年省外在甘肃投资情况

表1

来源	到位金额（亿元）	所占比例（%）
合计	468.64	100.00
境外	5.35	1.14
北京	169.08	36.08
陕西	74.76	15.95
浙江	37.47	8.00
四川	24.93	5.32
福建	18.69	3.99
江苏	16.99	3.63
山东	12.04	2.57
湖北	9.52	2.03
广东	9.08	1.94
宁夏	8.61	1.84
安徽	8.54	1.82
河南	8.42	1.80
上海	8.02	1.71
河北	7.70	1.64
辽宁	7.23	1.54
内蒙古	6.70	1.43
新疆	6.43	1.37
湖南	5.54	1.18
天津	5.23	1.12
青海	4.86	1.04
山西	3.14	0.67
海南	2.63	0.56
江西	1.86	0.40
重庆	1.49	0.32
吉林	1.00	0.21
云南	0.76	0.16
黑龙江	0.66	0.14
西藏	0.57	0.12
贵州	0.40	0.09
广西	0.38	0.08

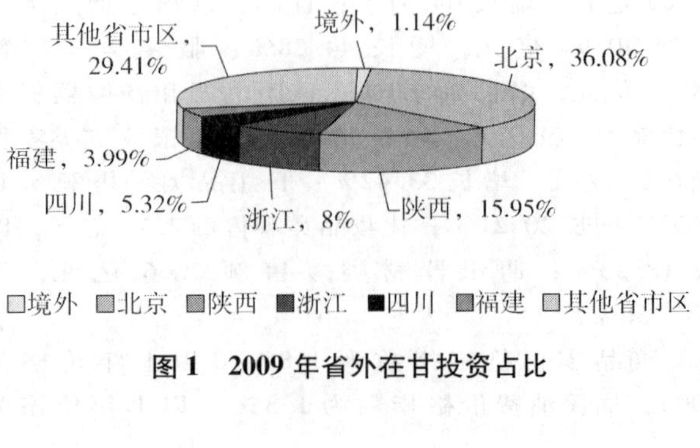

图1 2009年省外在甘投资占比

（二）从资金投向产业分析

甘肃省第二产业吸引投资能力较强，项目数量和到位资金所占比重远高于第一、三产业，占到位资金的71.66%，所占比例较上年有较大增长，甘肃省“工业强省”战略的实施取得明显成效。第一、三产业分别占2.33%和26.02%，虽然到位数额上升，但所占比例均有下降。

（三）从资金投向行业分析

1. 行业分布情况。吸引资金较多的行业中制造业，电力、热力及水的生产和供应业，采矿业，房地产业和建筑业到位资金所占比重较大，分别为28.37%、26.57%、13.65%、12.41%和3.07%。交通运输、仓储和邮政业、批发和零售业、住宿和餐饮业、农林牧渔业、租赁和商务服务业等行业也具有一定吸引外部资金能力。

2009年招商引资省外资金投向行业分布

表2

行业	到位资金	
	金额（亿元）	占比（%）
合计	468.64	100.00
农、林、牧、渔、业	10.90	2.33
采矿业	63.98	13.65
制造业	132.96	28.37
电力、燃气及水的生产和供应业	124.50	26.57
建筑业	14.41	3.07
交通运输、仓储和邮政业	13.63	2.91
信息传输、计算机服务和软件业	1.30	0.28
批发和零售业	11.32	2.42
住宿和餐饮业	10.94	2.33
金融业	3.61	0.77
房地产业	58.16	12.41
租赁和商务服务业	10.05	2.14
科学研究、技术服务和地质勘查业	2.85	0.61
水利、环境和公共设施管理业	0.47	0.10
居民服务和其他服务业	2.02	0.43
教育	1.90	0.41
卫生、社会保障和社会福利业	1.31	0.28
文化、体育和娱乐业	4.40	0.94

2. 行业同比情况。2009年甘肃省招商引资项目中居民服务和其他服务业，租赁和商务服务业，建筑业，住宿和餐饮业，采矿业，电力、燃气及水的生产和供应业这六个行业到位资金同比增长率在100%以上。

3. 省内地区投向分析。吸引省外资金前5位的是兰州、平凉、酒泉、庆阳和白银等市，到位资金分别为106.92亿元、65.99亿元、63.44亿元、54.01亿元和41.88亿元，以上5个市到位资金总和占全省的70.90%，对全省的带动作用明显。天水、定西、酒泉、平凉等市到位资金与上年同期相比增长幅度较大，均超过80%。吸引省内地区间投资前5位是白银、酒泉、庆阳、定西、甘南等市州，吸引其他市州投资到位资金分别为45.13亿元、41.25亿元、21.37亿元、20.16亿元和17.89亿元，以上5个市州到位资金总和占全省省内地区间到位资金的75.65%。

外经外贸

（一）对外贸易

全年全省外贸进出口总值为38.21亿美元，比上年下降37.30%。其中，出口总值为7.35亿美元，下降54.10%；进口总值为30.86亿美元，下降31.30%。一般贸易出口5.98亿美元，下降55.69%；加工贸易出口1.30亿美元，下降45.06%。机电产品出口1.15亿美元，下降53.77%。

2009 年甘肃省出口额 1000 万美元以上商品情况

表 3

金额分类	商品名称	出口金额（万美元）	占出口总额比重（%）
2000 万～10000 万美元	钴及其制品	8166	11
	苹果汁	3736	5
	硅铁	3733	5
	蕃茄酱	3380	5
	银	2755	4
	钢材	2416	3
	轴承	2234	3
1000 万～2000 万美元	自推进的石油及天然气钻机	1820	2
	柠檬酸	1427	2
合　计		29667	40

进口总额 30.86 亿美元，比上年的 44.82 亿美元下降 31.30%。

2009 年甘肃省进口额 1000 万美元以上商品情况

表 4

金额分类	商品名称	出口金额（万美元）	占出口总额比重（%）
10000 万美元以上	铜精矿	124893	25
	镍矿砂	41647	13
	铁矿砂	27477	9
	镍锍	25097	8
	钴湿法冶	10596	3
1000 万～10000 万美元	钴矿砂	5227	2
	镍湿法冶炼	4971	2
	镍	1178	1
合计		241086	63

出口商品销往 130 个国家（地区）。主要出口市场金额 48224 万美元，占出口总额的 66%。

2009 年甘肃省主要出口市场情况

表 5

国别（地区）	出口金额（万美元）	占出口总额比重（%）
美　国	16440	22
中国香港	6333	9
韩　国	4874	7
荷　兰	4453	6
德　国	3472	5
日　本	3234	4
泰　国	2994	4
中国台湾	2567	3
意大利	2088	3
印　度	1769	2

技术进出口总额 5477.48 万美元，比上年的 2748.26 万美元增长 99.31%。签订引进技术和进口设备合同项目 9 个，比上年增加 1 个；合同金额 5477.48 万美元，比上年的 2748.26 万美元增长 99.31%；没有签订技术出口合同项目。

进口商品来自 67 个国家（地区）。主要进口市场的国别（地区），金额 242112 万美元，占进口总额的 78%。

2009 年甘肃省主要进口市场情况

表 6

国别（地区）	进口金额（万美元）	占进口总额比重（%）
澳大利亚	69290	22
哈萨克斯坦	51261	16
智　利	34579	11
蒙　古	20906	7
民主刚果	17931	6
美　国	12284	4
西班牙	9835	3
德　国	9594	3
秘　鲁	8954	3
毛里塔尼亚	7478	2

服务贸易进出口总额 6.55 万美元，比上年的 6.557.26 万美元下降 9.78%。其中，出口额 6.55 万美元，比上年的 7.26 万美元下降 9.78%。

（二）利用外资

全年外商直接投资合同项目26个。实际使用外商直接投资1.34亿美元，比上年增长4.21%。全年对外承包工程和劳务合作合同金额2.89亿美元，增长1.86倍；对外承包工程和劳务合作完成营业额2.84亿美元，下降6.27%。

2009年甘肃省利用外资情况

表7

利用外资方式	批准签订的合同			实际利用外资	
	项目数（个）	外资金额（万美元）	金额比上年增加（%）	金额（万美元）	金额比上年增加（%）
对外借款					
外商直接投资	26	34533	19.34	13383	4.21
合资企业	10	9544	-30.77	7794	-11.84
合作企业	4	5919	128.09	367	-85.18
外资企业	12	19070	51.88	5222	242.43

外商直接投资项目26项，其中生产型企业7项，非生产型企业19项。

2009年甘肃省利用外资行业分析

表8

行业	项目数（个）	合同外资金额（万美元）	实际使用外资金额（万美元）
批发和零售业	4	2253	339
制造业	7	7118	1668
农业	2	738	7
租赁和商业服务业	3	105	247
电力、燃气及水的生产供应业	4	21566	10508
科学研究、技术服务和地质勘查业	2	1032	54
住宿和餐饮业	1	1000	163
采矿业		2	313
建筑业			
房地产业		-29	
交通运输、仓储和邮政业		45	
水利、环境和公共设施管理业	1	513	
文化、体育和娱乐业	2	190	84
合计	26	34533	13383

外商直接投资主要来自16个国家（地区）。

2009 年甘肃省利用外资主要来源情况

表 9

国别（地区）	项目（企业）数（个）	合同外资金额（万美元）	实际使用外资金额（万美元）
中国香港	15	15212	6486
美　国	1	271	153
中国台湾	2	49	19
投资性公司投资	2	14515	4644
新加坡	1	365	155
日　本	2	557	
文　莱	1	1	
毛里求斯			1466
南　非			50
法　国		18	
瑞　士		22	
塞舌尔		638	
斯洛伐克共和国			1
加拿大			4
开曼群岛		150	30
英属维尔京群岛	3	2735	375

2009 年外商投资商业领域企业 7 家，合同外资金额 2358 万美元，实际使用外资 586 万美元。2009 年外商直接投资企业实现营业收入 175.49 亿元人民币，完成利润总额 22.85 亿元人民币，纳税总额 16.44 亿元人民币，完成出口 8206 万美元，同比下降 51%。

（三）对外经济合作

2009 年甘肃省在境外设立非贸易性企业 20 家，核准中方投资额 3813 万美元，投资的国别和地区有德国、法国、英国、匈牙利、白俄罗斯、哈萨特斯塔、乌兹别克斯坦、澳大利亚、加拿大、新加坡、中国香港、蒙古、印度尼西亚、阿联酋、马拉维、加纳、津巴布韦、博茨瓦纳。

截至 2009 年底对外投资存量约 6.3 亿美元。

（四）承包工程和劳务合作

全省签订对外承包工程和劳务合作合同项目 42 份，金额 28877 万美元，比上年的 29883 万美元下降 3%；完成营业额 28383 万美元，比上年的 30397 万美元下降 7%；当年派出劳务人员 494 人（次），年末在外 879 人，派往沙特、印度、新加坡、南非、阿尔及利亚、赞比亚、科特迪瓦等主要国家和地区；承包工程主要项目：

1. 甘肃海外工程公司在加纳执行的大学学生村项目、阿克拉机场宾馆项目；在约旦执行的军人公寓楼及情报局交流中心项目；在印度执行的我大使馆和经商处改扩建项目。

2. 甘肃地质工程公司在赞比亚执行的铜带省高中建筑项目、卡塞嫩高级中学建筑项目；在喀麦隆执行的减债资金－178 项目。

3. 中石化五建集团在沙特执行的 40 万吨/年聚乙烯项目；八冶建设集团有限公司在吉尔吉斯斯坦执行的伊什坦贝尔德金矿选矿厂项目；甘肃七建集团在哈萨克斯坦执行的卡布恰盖学校新校区项目等。

（五）对外经济技术援助

2009 年，承担援外项目 5 个，当年派出援外人员 60 人（次），年末在外人数 46 人。受援国家和地区分别为科特迪瓦、几内亚、安哥拉、津巴布韦和莫桑比克。在建援助项目有科特迪瓦医院和莫桑比克援非农村学校项目；已完工援助项目有几内亚总统府及人民宫技术合作项目、安哥拉援非农村学校和津巴布韦援非农村学校项目。

2009 年，共执行多双边无偿援助项目 28 项，其中多边无偿援助项目 13 项，双边无偿援助项目 12 项，国际民间组织援助项目 3 项，完成执行额 570 万美元。主要项目有：联合国儿童基金援助的“贫困地区儿童发展行动项目”，联合国开发计划署援助的“农村综合扶贫项目”，英国援助的“甘肃省普及九年义务教育项目”、“面向贫困人口农村水利改革项目”、“水资源需求管理项目”，欧盟援助的“社会保障合作项目”，新西兰扶贫基金援助的“卓尼县综合农贸市场建设项目”，澳大利亚援助的“文县天池乡鹞坪村小学建设项目”、“康县碾坝乡卫生院建设项目”，日本援助的“文县中寨乡中心小学建设项目”、“康县大南峪乡大南沟小学建设项目”等。

交通运输、邮电通信和旅游业

2009年，甘肃省各种运输方式累计完成客货运输量49994.7万人和25489.3万吨，比上年分别增长8.7%和12.1%，增速分别较上年加快1.2和0.4个百分点；累计完成旅客周转量和货物周转量470亿人公里和1477.1亿吨公里，比上年同期分别增长6.5%和1.5%。

（一）交通运输业

1. 铁路运输继续保持增长态势。2009年，受国际金融危机影响下经济发展先抑后扬的影响，整个铁路运输特别是货物运输生产呈现出了增幅收窄趋势。面对严峻的运输形势，兰州铁路局努力克服机力短缺的结构性矛盾，全面推行机车“长交路、车循环、人继乘”战略，充分发挥略装车点优势，大力开展增收节支活动，提升运输效率和效益，组织开行直达列车、增开进疆棉农专列，加开短途临客，为电煤运输开辟“绿色通道”等措施，助推地方经济快速发展。全年甘肃省累计完成铁路客运量2038万人次，同比增长10.5%；完成客运周转量248.2亿人公里，同比增长6.9%；完成货运量4646万吨，同比增长3%；完成货运周转量987.1亿吨公里，同比增长0.8%。

2. 公路运输量较快增长，周转量增幅收窄。2009年以来，甘肃省交通运输部门积极应对金融危机，全面落实中央和省委、省政府提振经济的一揽子计划、措施及“中心带动、两翼齐飞、组团发展、整体推进”的区域发展战略，继续加大交通基础设施建设力度，加快国省干线和省际通道的高速化进程，有效促进了全省道路运输生产持续增长。一是旅客运输平稳增长，受交通基础设施的完善、多个节假日的出现、城乡之间人员流动的加快等多项有利因素影响，全省公路旅客运输平稳增长，全年全省公路运输完成客运量和旅客周转量4.8亿人次和206.6亿人公里，同比增长8.6%和5%；二是货物运输快速增长，2009年以来，随着扩大内需政策效应的进一步显现，甘肃工业生产逐步企稳回升，消费市场持续发展，全省公路货物运输呈现快速增长态势。全年全省公路运输完成货运量和货物周转量2.1亿吨和489.7亿吨公里，同比增长14.4%和3.1%。

3. 水路、民航客货运输有增有降。2009年全省水路货运开始回暖，客运继续呈现下降态势，但降幅逐步收窄。全年完成客运量92万人次，同比下降1.1%，降幅较上年同期减少3.8个百分点；完成客运周转量2050万人公里，同比下降1.4%，降幅较上年同期减少4.4个百分点；水运货运呈现出回暖趋势，全年完成货运量30万吨，同比增长7.1%，较上年同期增幅提高7.1百分点；完成货运周转量34万吨公里，增幅由上年同期下降9.4%转为增长13.3%。民航客运旺盛、货运低迷，全年全省民航完成客运量109.7万人，增幅由上年同期下降8.6%转为增长6.7%；完成客运周转量15亿人公里，增幅由上年同期下降6.1%转为增长22.6%；完成货运量1.3万吨，同比下降7.6%；完成货运周转量2075.8万吨公里，同比下降2.5%。

4. 交通基础设施不断完善。一是铁路建设发展迅猛。在国家实施积极财政政策和适度宽松货币政策、加大对基础设施建设支持力度的背景下，甘肃省铁路建设再写大手笔。2009年以来，兰渝、西平、天平等铁路相继开工建设，项目总投资超过900亿元，在甘肃境内投资超过500亿元，超过以往铁路建设投资的总和。为抢抓国家当前加大铁路等交通基础设施投资的政策机遇，构建全省综合交通运输体系，未来几年，甘肃省将新建和改建兰新二线、宝兰客运专线、兰州铁路枢纽等重大铁路项目，打造全省铁路快速客运通道、东西大通道。兰新铁路第二双线、宝鸡至兰州客运专线、兰州枢纽、包兰铁路银川至兰州扩能改造、兰州至临夏至合作、敦煌至格尔木等一批重大铁路项目均已进入国家审批程序，并取得了实质性进展。其中，兰新铁路第二双线可研获国家批复同意，初步设计通过审查；宝兰客运专线、包兰铁路银川至兰州扩能改造、兰州至临夏至合作项目建议书完成国家评估工作；敦煌至格尔木铁路项目建议书国家已批复；兰州枢纽总图规划已明确新建兰州北编组站和兰州西客运站，从而形成兰州枢纽南客北货的格局。随着这些大手笔的重大项目的相继建成和开建，不仅拉动全省经济的增长，而且也将会使甘肃铁路运输能力和通过能力迈上新台阶。

二是交通基础设施建设再上新台阶。2009年甘肃省交通部门全面贯彻落实科学发展观，积极应对金融危机，着力实施国家和省委、省政府提振经济的“一揽子”计划和措施，加大建设资金向优化交通基础设施结构、统筹城乡交通协调发展等方面倾斜，加大对高速公路网、农村公路、灾区公路恢复重建的支持力度。全年全省交通运输基础设施建设投资达到191亿元，其中，重点公路项目完成投资104亿元。宝鸡至天水、平凉至定西高速公路建成通车，全省高速公路通车总里程达到1644.2公里，建成和在建的高速公路达到27条2538公里。瓜州至星星峡高速公路以及国道215线敦煌至当金山口、省道306线岷县至合作等5条543公里二级公路同时开工建设。2009年是甘肃省二级公路建设史上建设规模最大、建设里程最长、建设速度最快的一年。天水至定西、康家崖至临夏、天水过境段、西峰至长庆桥至凤翔路口、永登至古浪、金昌至永昌、武都至罐子沟高速公路建设进展顺利。雷家角至西峰、营盘水至双塔、兰州南绕城、临洮至渭源、十堰至天水、武都至成县、天水至平凉、临夏至合作、白疙瘩至明水高速公路前期工作正在有序向前推进。

地震灾后公路恢复重建工程取得阶段性成果。2009年，甘肃省列入国家《汶川地震灾后恢复重建总体规划》的12个1128公里国省干线公路恢复重建项目全部开工建设。按照党中央、国务院的总体部署，原定三年的灾后恢复重建工期缩短为两年。面对被压缩的建设工期，甘肃公路建设部门在保证质量和安全的前提下，及时调整计划，相继开展了"大干120天"活动和"冬季施工大干50天"等活动。到2009年底，局管11个地震灾后恢复重建项目和1个冰雪灾害重建项目累计完成工作量24.2亿元（包括地震灾后重建项目23.4亿元和冰雪灾害项目0.8亿元），占项目总投资34.5亿元的70%，占年计划的100%。圆满完成了灾后恢复重建工程年度建设任务。

三是航空运输、水路建设取得新进展。2009年，新挂牌的甘肃省交通运输厅承担起了民航机场的建设管理职责。省交通运输厅以介入机场建设管理为契机，成立了省机场投资公司，这标志着甘肃省新一轮机场建设拉开了帷幕。4月16日，金昌机场开工奠基。5月10日，省机场投资管理有限公司与甘南州人民政府正式签订了甘南夏河机场项目联建协议。5月5日至6日，陇南民用机场选址报告评审会在陇南市成县召开。10月16日，省机场投资管理有限公司与张掖市人民政府在兰州签订了张掖军民合用机场项目联建框架协议，确定了张掖军民合用机场建设计划。金昌机场建设项目、嘉峪关机场改扩建工程已开工建设，陇南、平凉、天水（迁建）、敦煌机场的前期工作进展顺利。庆阳机场改扩建工程、甘南夏河民用机场、张掖军民合用机场正在进行开工前的准备工作，可望于2010年开工。

2009年8月，首届黄河航运发展论坛在兰举行。黄河流域九省区的航运管理部门和交通运输部黄河水系航运规划办公室联合签署了《黄河航运发展区域合作框架性协议》，甘肃、宁夏、内蒙古三省区的航运管理部门联合签署了《甘肃、宁夏、内蒙古三省区黄河航运开发建设备忘录》，标志着黄河航运联合开发建设工作正式启动。2009年全省水运设施建设投资实际达到了5000万元，其中：小码头建设及其他投资3575万元。黄河盐锅峡库区航运工程建设全部完成，黄河大峡库区航运工程、黄河白银段航道整治二期工程前期工作有序开展。

（二）邮电通信业

2009年甘肃省完成邮电业务总量363.6亿元，比上年增长29.9%。其中，电信业务总量355.5亿元，增长30.8%；邮政业务总量8.05亿元，增长1.14%。年末局用交换机总容量439.4万门，比上年末增长3.1%。年末固定电话用户459万户，下降11.6%，其中城市285.9万户，下降14.6%；农村168万户，下降9%。本年减少固定电话用户60.2万户。年末移动电话用户1194.4万户，本年新增297.9万户。电话普及率达62.7部/百人，每百人拥有电话比上年增加8.7部。年末互联网上网用户达到103万户，增长51.4%，互联网宽带接入用户86.6万户，增长30.3%。

（三）旅游业

全年国内旅游人数3387.7万人次，比上年增长36.5%；国内旅游收入191.9亿元，增长40.7%。全年境外入境6.1万人次，比上年下降26.9%。其中，外国人4.5万人次，下降24.6%；港澳台同胞1.6万人次，下降33.3%。全年国际旅游外汇收入1253.8万美元，比上年下降21.8%。

（撰稿：赵滨冬）

2008—2009年甘肃省经济社会发展主要指标

序号	指标	单位	2008年	2009年	增长率（%）
1	一、人口和就业				
2	年底人口数	万人	2628.1	2635.5	0.3
3	人口自然增长率	‰	6.54	6.61	
4	就业人员数	万人	1389	1407	1.3
5	按产业分：				
6	第一产业	万人	734	739	0.7

续表

序号	指标	单位	2008 年	2009 年	增长率（%）
7	第二产业	万人	199	205	3.1
8	第三产业	万人	456	463	1.5
9	**城镇就业人员（按登记注册类型分）**				
10	国有单位	万人	145.38	147.24	1.3
11	集体单位	万人	6.94	7.32	5.6
12	股份合作单位	万人	1.10	1.00	-9.1
13	联营单位	万人	0.20	0.30	50.0
14	有限责任公司	万人	25.00	23.80	-4.8
15	股份有限公司	万人	1.90	9.60	405.3
16	私营企业	万人	44.19	48.95	10.8
17	港澳台商投资单位	万人	2.40	0.50	-79.2
18	外商投资单位	万人	0.40	1.00	150.0
19	个体	万人	50.06	58.53	16.9
20	城镇登记失业人数	万人	9.43	10.28	9.0
21	**二、国民经济核算**				
22	地区生产总值	亿元	3176.1	3387.6	10.3
23	**按产业分：**				
24	第一产业	亿元	463.0	497.1	5.1
25	第二产业	亿元	1471.4	1527.2	11.0
26	工业	亿元	1221.7	1203.7	
27	建筑业	亿元	249.8	323.5	
28	第三产业	亿元	1241.7	1363.3	11.2
29	#交通运输、仓储和邮政业	亿元	211.1	213.6	
30	批发和零售贸易业	亿元	196.9	231.2	
31	**三、固定资产投资**				
32	投资总额	亿元	1712.8	2363.0	38.0
33	**按投资种类分：**				
34	城镇	亿元	1510.8	2076.4	37.4
35	#房地产开发	亿元	185.8	204.1	9.9
36	农村	亿元	202.0	286.6	41.9
37	#农户	亿元	79.4	110.7	39.4
38	非农户	亿元	122.6	175.9	43.5
39	**按建设规模分：**				
40	建设总规模	亿元	5024.1	6319.0	25.8
41	在建总规模	亿元	3870.3	4935.5	27.5
42	在建净规模	亿元	2146.3	2547.7	18.7
43	**按资金来源分：**				
44	国家预算内资金	亿元	193.5	378.7	95.7
45	国内贷款	亿元	288.6	360.5	24.9
46	利用外资	亿元	13.3	17.1	28.8
47	自筹资金	亿元	910.0	1294.9	42.3
48	其他投资	亿元	267.6	321.9	20.3
49	**四、房地产开发**				
50	本年完成土地开发面积	万平方米	355	170	-52.0

续表

序 号	指 标	单 位	2008 年	2009 年	增长率（%）
51	本年土地购置费用	亿元	24.2	24.6	1.7
52	本年土地购置面积	万平方米	412	336	-18.6
53	本年完成投资额	万元	1858089	2041378	9.9
54	#住宅	万元	1375149	1382630	0.5
55	#经济适用房屋	万元	192283	208430	8.4
56	房屋施工面积	万平方米	2310	2536	9.8
57	房屋竣工面积	万平方米	547	541	-1.1
58	本年新开工房屋面积	万平方米	986	1047	6.2
59	#住宅	万平方米	869	886	2.0
60	#经济适用房屋	万平方米	147	140	-4.6
61	商品房屋销售面积	万平方米	625	699	11.9
62	#住宅	万平方米	589	659	12.0
63	#经济适用房屋	万平方米	93	105	12.8
64	商品房屋销售额	万元	1222879	1735339	41.9
65	#住宅	万元	1089747	1579952	45.0
66	商品房屋平均销售价格	元/平方米	1958	2483	26.8
67	#住宅	元/平方米	1851	2396	29.4
68	#经济适用房屋	元/平方米	1264	1495	18.3
69	**五、规模以上工业企业**				
70	企业单位数	个	1940	1987	2.4
71	工业总产值	亿元	3667.5	3770.4	2.8
72	资产总计	亿元	4497.5	5290.5	17.6
73	利润总额	亿元	109.5	169.1	54.5
74	总资产贡献率	%	8.2	10.4	26.4
75	资产负债率	%	55.6	58.1	4.5
76	**六、交通运输业**				
77	运输线路长度				
78	铁路营业里程	公里	2435	2435	0.0
79	内河航道里程	公里	860	914	6.3
80	公路里程	公里	105638	114000	7.9
81	#高速公路	公里	1316	1644	24.9
82	货运量	万吨	23741	26605	12.1
83	#铁路	万吨	5512	5763	4.6
84	公路	万吨	18201	20812	14.3
85	水运	万吨	28	30	7.1
86	客运量	万人	45966	49968	8.7
87	#铁路	万人	1911	2121	11.0
88	公路	万人	43962	47755	8.6
89	水运	万人	93	92	-1.1
90	**七、国内商业**				
91	社会消费品零售总额	亿元	1023.6	1183.0	15.6
92	**八、对外贸易和旅游**				
93	货物进出口总额（按经营单位所在地分）	万美元	609543	386555	-36.6
94	出口	万美元	160135	73551	-54.1

续表

序号	指标	单位	2008 年	2009 年	增长率（%）
95	进口	万美元	449408	313004	-30.4
96	外商投资企业货物进出口总额	万美元	19994	10693	-46.5
97	出口	万美元	16711	8206	-50.9
98	进口	万美元	3283	2487	-24.2
99	外商投资企业基本情况				
100	年底登记数	户	2142	2045	-4.5
101	投资总额	亿美元	38.3	49.2	28.6
102	注册资本	亿美元	18.5	22.6	22.2
103	#外方	亿美元	11.6	14.7	26.8
104	对外承包工程				
105	完成营业额	万美元	30247	28332	-6.3
106	对外劳务合作				
107	完成营业额	万美元	75	51	-32.0
108	接待国际旅游人数	万人次	8.32	6.07	-27.0
109	#外国人	万人次	5.98	4.51	-24.6
110	国际旅游外汇收入	百万美元	16.03	12.54	-21.8
111	**九、财政**				
112	地方财政一般预算收入	亿元	265.0	286.6	8.2
113	#国内增值税	亿元	37.9	37.1	-2.1
114	营业税	亿元	53.2	65.2	22.8
115	个人所得税	亿元	8.1	9.0	10.5
116	地方财政一般预算支出	亿元	968.4	1246.3	28.7
117	**十、物价指数**				
118	商品零售价格指数	上年=100	107.9	101.8	
119	居民消费价格指数	上年=100	108.2	101.3	
120	#城市	上年=100	108.0	100.9	
121	农村	上年=100	108.7	102.2	
122	**十一、人民生活**				
123	收入				
124	农村居民家庭人均纯收入	元	2724	2980	9.4
125	城镇居民家庭人均可支配收入	元	10969	11930	7.8
126	居民消费水平	元	4869	5284	7.1
127	农村居民	元	2480	2657	4.8
128	城镇居民	元	9975	10765	7.0
129	住房				
130	农村居民人均住房面积	平方米	19.9	20.6	3.4
131	**十二、教育**				
132	高等学校数	所	39	39	0.0
133	高等学校招生数	人	105091	109452	4.1
134	高等学校在校学生数	人	331895	361490	8.9
135	高等学校毕业生数	人	75051	84082	12.0
136	**十三、卫生**				
137	卫生机构数	个	10534	25299	
138	#医院、卫生院	个	1710	1714	0.2

续表

序号	指标	单位	2008年	2009年	增长率（%）
139	医疗机构床位数	张	76581	81520	6.4
140	#医院、卫生院	张	72315	77025	6.5
141	卫生技术人员数	人	87633	91255	4.1
142	#执业（助理）医师	人	36176	37646	4.1

注：1. 地区生产总值及其三次产业、城镇居民人均可支配收入和居民消费水平的增长速度按可比价格计算。

2. 卫生机构数2009年起含村卫生室，与历史数据不可比。

青海省

综述

2009年，面对金融危机的冲击，青海省委、省政府以科学发展观为统领，认真贯彻执行中央扩大内需的各项方针政策和扶持藏区发展的政策，抢抓机遇，从青海实际出发，深入贯彻落实中央“保增长、调结构、扩内需”的一揽子政策措施，出台了一系列积极有效、确保经济平稳较快增长的政策措施，进一步坚持发展循环经济、走新型工业化道路，坚持在保护中发展、在发展中保护，坚持保增长促发展的根本目的是改善民生，不断增强发展的惠民性，经济运行平稳，社会全面发展加快产业结构调整，着力改善民生，全省经济呈现回升向好的良好发展态势。

2009年，全省生产总值1081.3亿元，按可比价格计算，比上年增长10.1%。分产业看，第一产业增加值107.4亿元，增长5.0%；第二产业增加值576.34亿元，增长11.3%；第三产业增加值397.5亿元，增长9.8%。第一、第二和第三产业对GDP的贡献率分别为4.6%、57.8%和37.6%，与2008年相比，第一、第三产业贡献率分别提高1.7和2.1个百分点，第二产业贡献率下降3.8个百分点。三次产业结构由2008年的10.4:54.7:34.9转变为2009年的9.9:53.3:36.8。全年人均生产总值19454元，增长9.6%。

工业经济

（一）工业经济低位运行后企稳回升并连续增长，各相关要素同步好转

1. 工业生产增速虽较上年同期大幅回落，但回暖趋势明显。西部大开发战略实施以来，青海省充分利用资源优势，通过实施资源转换战略和加快产业结构调整，逐步形成了一批特色和优势产业，使工业经济的后发优势日益显现。十年间，工业增加值年均增速达16.4%。“十一五”前三年，全省规模以上工业更是以20.1%的年均增速保持快速增长。进入2009年，受金融危机冲击，工业生产在2009年1月首次出现负增长。面对前所未有的困难，在省委、省政府的坚强领导下，全省各级、各部门坚定信心，抢抓机遇，工业生产逐步转暖回升，尤其在后三个月快速增长。截至12月底，全省规模以上工业企业累计完成增加值440.1亿元，比上年增长11.0%，增幅虽较上年的21.5%回落较大，但比前三季度提高了3.5个百分点，比上半年、一季度分别提高4.8和6.3个百分点；特别是10、11、12月当月同比增速分别为16.4%、24.0%和25.2%，12月当月增速升至2008年9月金融危机爆发以来最高。

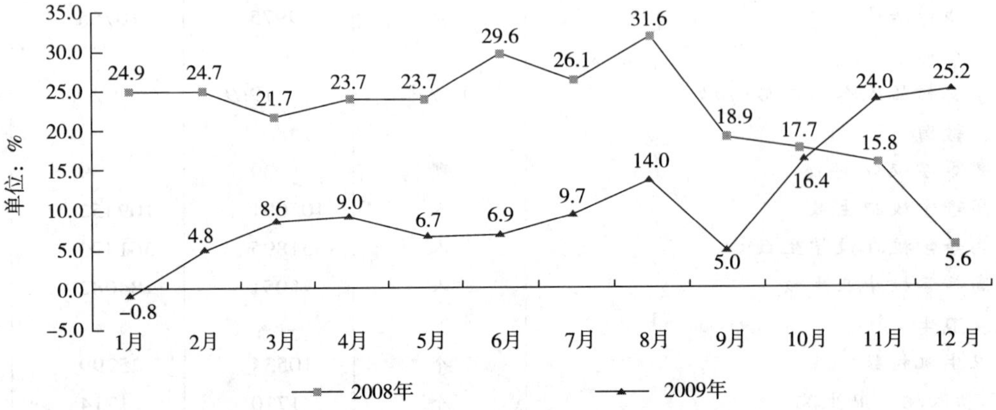

图1　2008—2009年青海省规模以上工业当月增加值增速

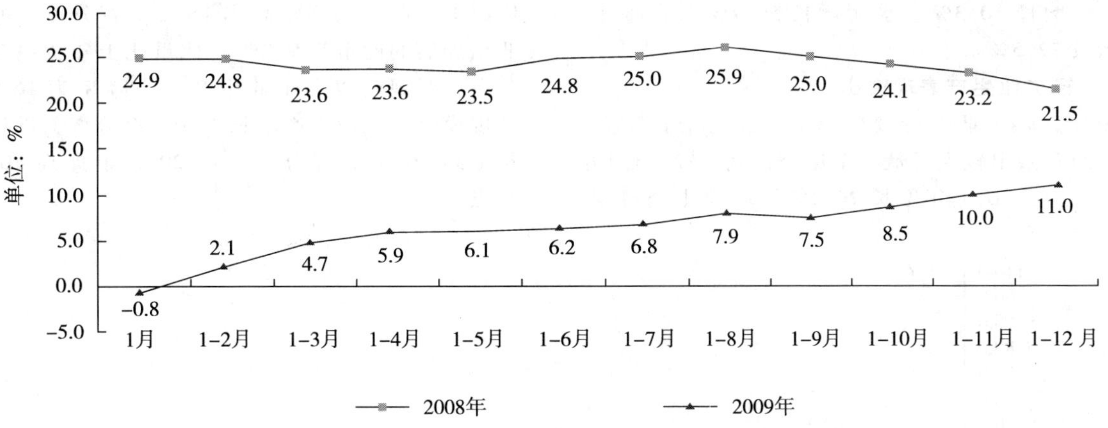

图 2　2008—2009 年青海省规模以上工业累计增加值增速

从工业生产各相关要素配置来看，均出现好转趋势。

一是工业生产价格由降转升。2009 年前 11 个月全省工业品出厂价格当月同比一直为下降，到 7 月，当月同比降幅为 16.4%，进入 8 月，降幅逐渐收窄，12 月，同比增长 14.4%，为 2009 年以来首次正增长。2008 年 12 月以来，全省原材料、燃料、动力购进价格呈逐月走低趋势，但均高于工业品出厂价格，到 2009 年 7 月，当月同比下降 1.6 个百分点，到 12 月，当月同比上涨 0.5%，首次低于工业品出厂价格。

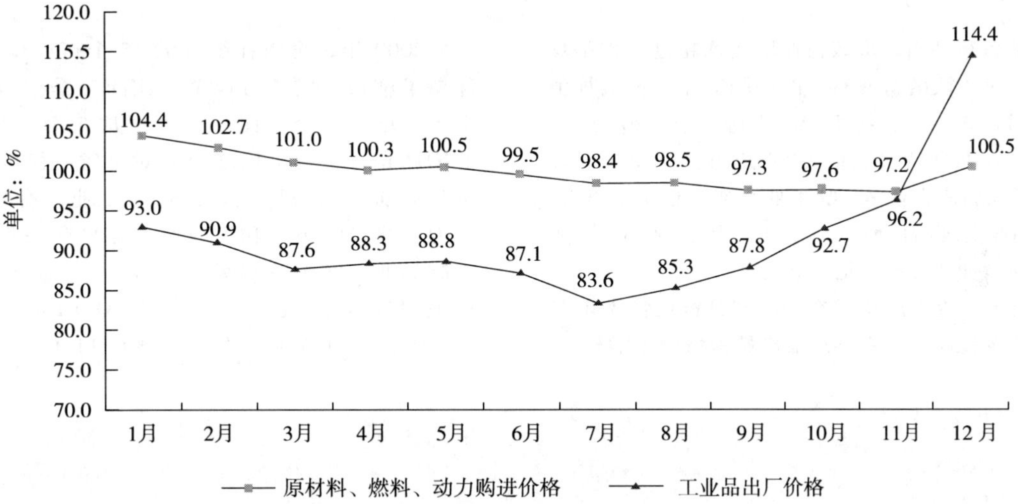

图 3　2009 年青海省工业品出厂价格指数（上年同月 =100）

二是工业用电量由降转增且增速不断加快。据省电力公司统计，12 月份全省工业用电量 34.32 亿千瓦时，比上年同月增长 63.7%，增幅比 11 月提高 7.4 个百分点，比 2009 年首次出现正增长的 8 月提高 60.2 个百分点。工业用电量累计增幅在 1—11 月转负为正，截至 12 月底，全省工业用电量为 308.49 亿千瓦时，同比增长 7.4%，增幅环比回升 4.4 个百分点，全年工业用电趋势与工业生产趋势基本相同。

三是工业投资增长，工业贷款投放力度不断加大。2009 年，全省一般性工业（采掘业和制造业）累计完成投资 232.2 亿元，同比增长 15.9%。截至 12 月末，各金融机构向工业企业投放的短期人民币贷款为 119.1 亿元，比年初增加 3.8 亿元，同比增长 42.1%，增幅比上年末提高 45.9 个百分点。

四是产销率提高。2009 年，全省规模以上工业企业实现现价总产值 1077.6 亿元，比上年下降 0.1%；实现现价销售产值 1030.8 亿元，同比增长 0.5%，销售增速快于生产增速 0.6 个百分点。产销率 95.7%，同比提高 0.6 个百分点，产销衔接良好。其中：轻工业产销率为 97.3%，同比提高 1.5 个百分点；重工业产销率为 95.5%，同比提高 0.5 个百分点。

五是货物运输量稳步增长。2009 年，全省累计完成货物运输量 10093 万吨，比上年同期增长 8.3%，增幅比前三季度提高 1.1 个百分点。其中：铁路完成货运量 2701.5 万吨，增长 16.9%，增幅比前三季度提高 0.3 个百分点；公路完成货运量 7209 万吨，增长 5.9%，增幅比前三季度提高 1.2 个百分点。在铁路运输的主要货物中，增幅较高的有：原煤增长

47.6%、盐增长 50.3%、水泥增长 50.7%、农副土特产品增长 72.5%。

（二）轻工业生产表现突出

2009 年，轻工业的持续快速增长，为全省工业生产企稳回升做出较大贡献，全年全省完成轻工业增加值 40.5 亿元，比上年增长 26.2%，增幅比全省规模以上工业平均增幅高出 15.2 个百分点，占全省工业增加值的比重为 9.2%，比重比上年提高 2.3 个百分点，对规模以上工业生产的贡献率为 16.9%，拉动规模以上工业生产增长 1.9 个百分点，贡献率比上年提高 10.6 个百分点，比 2007 年提高 10.4 个百分点。

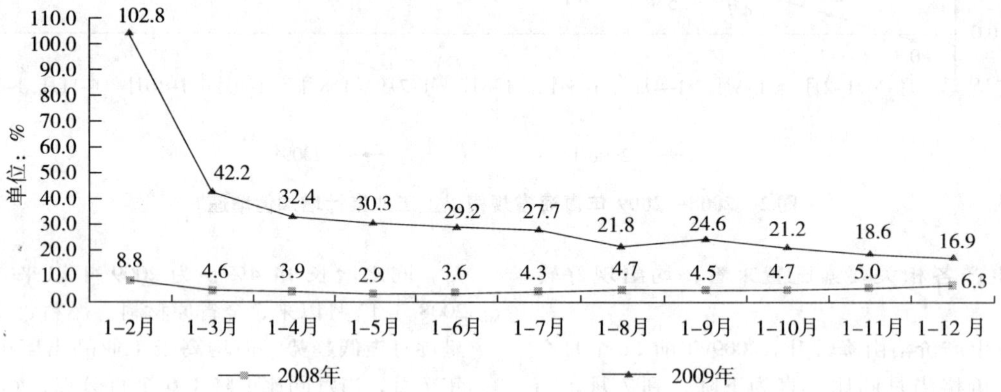

图 4　2008—2009 年规模以上轻工业累计贡献率

从轻工业各行业看，多数行业增速均超过全省平均水平，其中增速较快的行业有：医药制造业实现增加值 10.8 亿元，增长 22.4%；纺织业实现增加值 6.91 亿元，增长 52.8%；农副食品加工业实现增加值 4.4 亿元，增长 21.8%；食品制造业实现增加值 4.1 亿元，增长 41.6%；印刷业实现增加值 2.53 亿元，增长 66.8%；服装制造业实现增加值 2.6 亿元，增长 20.9%。

（三）重点行业生产有增有降，部分行业快速增长拉动全省工业企稳回升，主要产品产量保持稳定增长

2009 年，全省在统计的 35 个行业中，26 个行业保持了增长，增长行业个数比前三季度增加 2 个，比上半年增加 3 个，比一季度增加 5 个；其中 21 个行业增速超过全省平均增速。对全省规模以上工业增长贡献居前七位的行业是：化学工业，有色冶金工业，电力、热力的生产和供应业，煤炭开采业，非金属矿物制品业，纺织业和医药制造业。七大行业共完成增加值 277.8 亿元，占全省工业增加值的比重为 63.1%，拉动规模以上工业增长 11.6 个百分点。

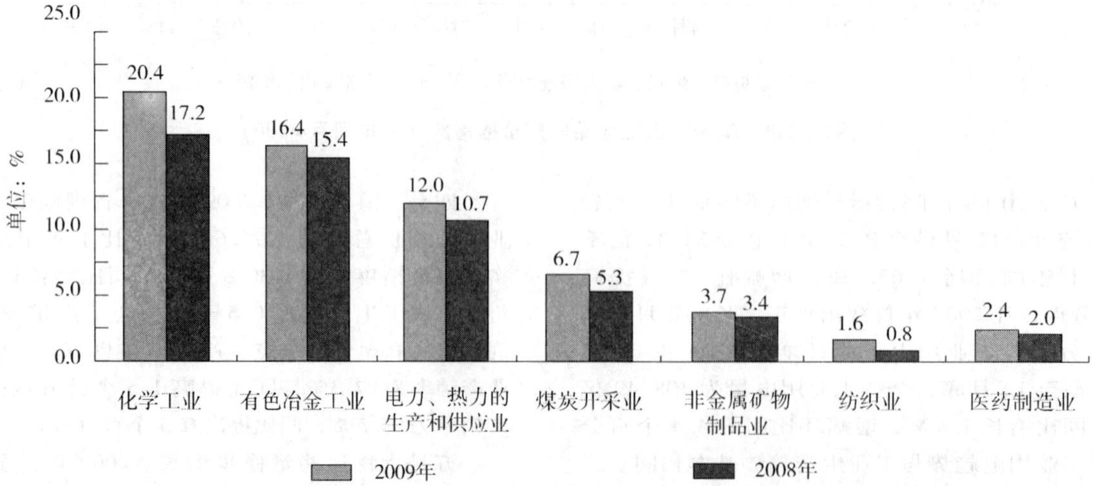

图 5　2008—2009 年青海省重点行业增加值占全省规模以上工业增加值比重

黑色冶金行业生产逐步好转。2009 年全年全省黑色金属冶炼及压延加工业完成增加值 35.5 亿元，增长 3.2%，对全省工业生产累计增速的贡献率首次为正，达到 2.7%，拉动全省工业增长 0.3 个百分点，贡献率比 1—11 月提高 5.1 个百分点，比 1—9 月提高 23.0 个百分点，比上半年提高 29.4 个百分点。

石油开采及加工等重点行业受金融危机波及较深。2009年，中国石油天然气股份公司青海分公司原计划生产原油222万吨，受金融危机影响，原油产量削减36万吨，全年原油产量为186.1万吨；格尔木炼油厂从8月开始检修，检修时间持续三个半月，从而原油加工量也大幅度减少。全年石油天然气开采业实现增加值41.6亿元，同比下降13.0%，占全省工业增加值的9.5%，比重比上年下降5.1个百分点，使全省工业生产下降1.9个百分点；石油加工及炼焦业实现增加值28.2亿元，同比下降10.0%，占全省工业增加值的6.4%，比重比上年下降1.1个百分点。

重点产品产量均有所增加。2009年，在列入国家统计目录的92种工业产品中，有46种产品产量同比增长。其中：原煤累计增长8.5%，洗煤增长2.8倍，铜选矿含铜量增长50.5%，食用植物油增长85.4%，饲料增长52.8%，饮料酒增长10.5%，服装增长36.8%，盐酸增长1.3倍，钾肥（折纯）增长15.3%，中成药增长17.1%，水泥增长33.5%，粗钢增长10.1%，钢材增长10.1%，铁合金增长30.4%，锌增长25.3%，铝合金增长39.8%，铝材增长2.7倍，水力发电量增长27.5%。产量下降的主要产品有：天然原油下降15.4%，天然气下降1.3%，原油加工量下降19.0%。

（四）园区工业逆势增长

2009年，全省工业园区内已建成投产工业企业201户，累计实现工业增加值114.8亿元，按可比价计算，比上年同期增长25.0%，高出全省规模以上工业增速14.0个百分点，在全省工业受金融危机冲击低位运行的形势下，园区工业运行良好，呈现较强增长态势。实现产品销售收入265.8亿元，增长52.0%；实现利润14.7亿元，增长25.4%；招商实际到位资金159.9亿元，增长64.6%。在五大工业园区中，甘河工业园、东川工业园、生物产业园、格尔木昆仑经济开发区和南川工业园实现工业增加值分别为36.9亿元、35亿元、23.8亿元、12.6亿元和6.5亿元，分别增长12.8%、28.8%、22.5%、28.2%和1.1倍。

（五）企业效益快速下滑的被动局面得到遏制

一是企业效益逐步好转，主营业务收入实现正增长。

2009年，全省规模以上工业经济效益继续转好，实现主营业务收入1088亿元，比上年增长6.3%，一举扭转了前11个月同比负增长的局面。

从经济类型看：全年国有企业完成主营业务收入136.5亿元，增长37.8%；集体企业完成7.5亿元，增长36.9%；私营企业完成133.4亿元，增长14.4%；有限责任公司完成329.7亿元，增长15.1%；港澳台商投资企业完成137.5亿元，增长7.9%；股份有限公司完成296.6亿元，下降15.2%。

从企业规模来看：中型企业和小型企业分别实现主营业务收入209.8亿元和319.4亿元，增长0.4%和46.4%；大型企业实现主营业务收入558.8亿元，下降6.3%。

二是重工业依然是青海省工业利润的支柱，轻工业加快发展，成绩不菲。

2009年，全省规模以上工业企业实现利润90.1亿元，同比下降51.2%，但降幅逐月减缓。其中：重工业实现利润86.3亿元，占全省规模以上工业利润的比重为95.8%，比重比上年下降2.8个百分点；轻工业实现利润3.80亿元，增长48.7%，比重为4.2%，提高2.8个百分点。在轻工业中，农副食品加工业、食品制造业、印刷业、医药制造业实现利润分别增长3.6倍、1.5倍、1.9倍和1.0倍。

从主要盈利行业看，35个大类行业中，有28个行业盈利，其中盈利超亿元的行业有：化学原料及化学制品制造业实现利润42.5亿元，石油和天然气开采业实现利润17.8亿元，煤炭开采和洗选业实现利润11.8亿元，有色金属矿采选业实现利润9.4亿元，非金属矿物制品业实现利润3.7亿元，有色金属冶炼及压延加工业实现利润3亿元，饮料制造业实现利润1.5亿元，以上七大行业累计实现利润89.7亿元，占全部利润的比重为99.5%，比重比上年提高6.1个百分点。

三是中小工业企业健康稳步发展，实现利润占全省规模以上工业的44.7%。

通过实施中小企业成长工程，把推进中小企业发展作为保增长、促发展的重要内容，落实政策，优化环境，强化服务，中小企业发展取得新成效。截至12月，规模以上中小型工业企业个数发展到549个，占全省规模以上单位个数的98.4%，实现利润40.3亿元，比上年同期下降43.0%，降幅比全省平均水平低8.2个百分点。占全省规模以上工业企业实现利润的比重为44.7%，比上年同期提高6.3个百分点。其中：中型企业实现利润21.1亿元，小型企业实现利润19.2亿元。中小企业的不断发展壮大，为全省工业经济保持平稳较快发展做出积极贡献。

（六）规模以下非公有制工业经济综合实力和市场竞争能力不断增强

“十一五”以来，青海省积极营造和完善加快非公有制经济发展的良好环境，推动全省非公有制经济组织快速发展，规模以下非公有制工业经济的综合实力和市场竞争能力不断增强，在促进经济发展、优化经济结构、扩大就业渠道、增加财税收入等方面发挥了重要作用，成为全省国民经济的重要组成部分和推动经济社会发展的新增长点。

1. 实力不断增强，成为经济稳定增长的重要力量。全省规模以下非公有制工业行业分布面广，但生产经营活动相对集中，在39个工业行业大类中，涉及到35个。70%以上企业的生产经营活动相对集中于煤炭、农副产品加工、食品、饮料、轻纺、造纸、医药、建材、冶金、有色、化工、机械、电力等行业。其中，食品、煤炭、电力、化工、建材及机械工业是非公有制工业的主要产业。截至 2009 年底，全省规模以下非公有制工业企业 1003 户，比 2006 年增加 423 户；从业人数 2.2 万人，增加 0.6 万人；注册资金 14.6 亿元，户均注册资金 145.9 万元，分别增长 1.5 倍和 51.9%；固定资产总额为 23 亿元，增长 2.1 倍。

2. 经济效益大幅提高，成为推动全省经济又好又快发展的重要力量。2009 年，完成工业总产值 19.9 亿元，比 2006 年增长 1.9 倍；完成工业增加值 6.5 亿元，增长 2.1 倍；实现销售收入 17.3 亿元，增长 1.6 倍；实现利润总额 1 亿元，增长 1.4 倍。2009 年实现总产出 19.4 亿元，营业盈余 1.1 亿元，分别增加 12.4 亿元和 0.6 亿元。核心竞争力、市场营销能力、盈利能力明显增强，有力地促进了全省国民经济和社会事业的稳步发展。

3. 社会贡献明显增加，成为构建稳定和谐社会的重要力量。一是劳动者报酬增速较快。2009 年，发放劳动者报酬 2.8 亿元，较 2006 年净增 1.8 亿元，人均达到 1.2 万元，是 2006 年的 2.2 倍。二是税收增速较快。2009 年，上缴税金 8176 万元，增长 2 倍。三是为解决就业和再就业做出较大的贡献。2009 年从业人员 2.2 万人，净增 0.6 万人。

固定资产投资

在国家扩大内需一揽子措施的推动下，全省全社会固定资产投资不仅在总量上不断跨上新台阶，而且在调整优化结构、注重改善民生、推进和谐发展方面取得新突破。2009 年全省完成固定资产投资 800.5 亿元，增长 37.5%，是 1997 年以来的最高水平，也高于全国平均增速，改变了多年来青海省投资增速远低于全国平均增速的局面。在全部投资中，完成中央扩大内需项目 479 个，投资额 69.7 亿元，占全部投资的 8.7%。在全部投资中，城镇固定资产投资完成 691.4 亿元，增长 34.7%。2009 年 52 个重点项目完成投资 232 亿元，完成年度计划总投资的 93.2%。其中，续建 33 项，完成投资 167.5 亿元；新开工项目 19 项，完成投资 64.5 亿元。

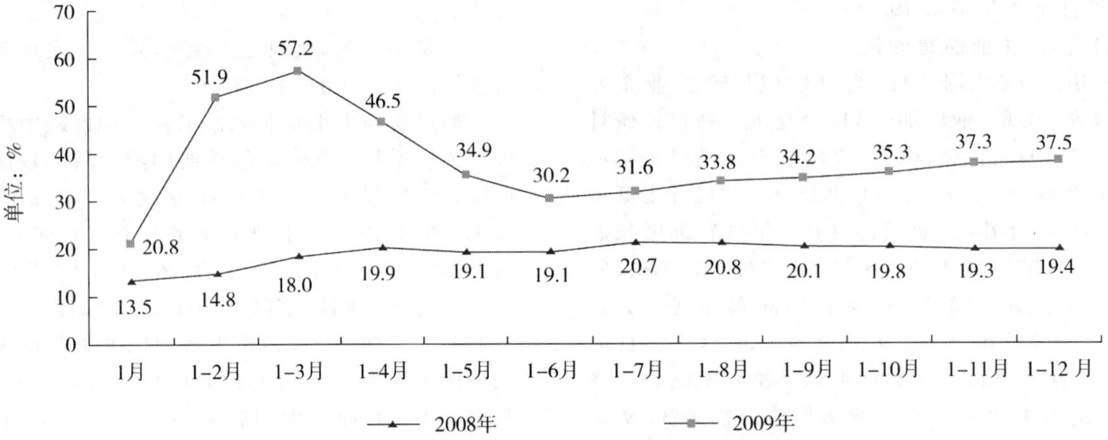

图 6 2008—2009 年全社会固定资产投资累计增速

（一）资金到位情况良好

全省建设项目本年到位资金 794.8 亿元，同比增长 42.7%。从资金来源看，国家预算内资金增长 1.1 倍，国内贷款增长 58.1%，自筹资金增长 19.8%，其他资金增长 55.1%。

（二）房地产开发投资和商品房现房销售大幅增长

全省房地产开发完成投资 72.9 亿元，比上年增长 44.6%。房屋施工面积同比增长 27.3%，商品房现房销售面积增长 64.1%。商品房销售额增长 67.6%，其中住宅销售额增长 69.4%，商品房现房销售额增长 80.4%。

（三）建筑业贡献率提高

在全省固定资产投资大幅增长，建安工程量增加的拉动下，建筑业对经济增长的贡献率提高。2009 年全省完成建筑业增加值 105 亿元，比上年增长 16.9%，增幅比上年提高 12.6 个百分点，是 2003 年以来最高增幅。2009 年对经济增长的贡献率为 14.9%，比上年提高 11.5 个百分点。

全省固定资产投资在调整优化结构、注重改善民生、推进和谐发展方面取得了新突破。主要表现在：

内涵效益型投资加速、比重上升。在城镇固定资产投资项目中，以改建和技术改造项目为主的内涵效益型投资完成105.9亿元，增长41.6%，占城镇固定资产投资项目的17.2%，同比提高1个百分点；以新建、扩建项目为主的外延型投资完成496.6亿元，增长31.3%，比重为80.6%，下降1.1个百分点。

国有投资保持较快增长，民间投资增幅回升。全省国有及国有控股企业完成投资512.6亿元，增长41.1%，占全社会固定资产投资的比重由上年的62.4%提高到64.0%，提高1.6个百分点；非国有投资完成287.9亿元，增长31.5%（其中：民间投资完成280.7亿元，增长35.1%，增幅比上年提高15个百分点）。随着国际国内经济形势的好转以及国家宏观政策的支持鼓励，企业家的投资倾向提高，民间投资信心增强，增幅回升。

三次产业投资均保持较快增长。第一产业完成投资53.7亿元，增长31.3%，增幅比上年提高26.3个百分点；第二产业完成投资380.3亿元，增长27.9%，增幅比上年提高9.7个百分点；第三产业完成投资366.5亿元，增长50.2%，增幅比上年提高26.3个百分点。

基础设施投资快速增长。全省基础设施投资完成300.1亿元，增长42.1%，高于全社会固定资产投资增幅4.6个百分点。其中：能源供应业完成投资116.7亿元，增长47.4%；供排水业完成投资11.9亿元，增长68.1%；交通运输业完成114.6亿元，增长16.0%；电信业完成3亿元，增长1.4%；环境和公共设施管理业完成54亿元，增长1.3倍。

支柱产业、优势产业投资稳步增长。全省四大支柱产业完成投资268.3亿元，增长25.7%，其中：电力工业完成投资115.4亿元，增长49.2%；有色冶金业完成投资52.4亿元，增长12.9%；盐湖化工业完成投资66.7亿元，增长29.2%。四大优势产业完成投资53.6亿元，增长38.3%，其中：冶金业完成投资16亿元，增长14.8%；医药业完成投资31亿元，增长1.0倍；建材业完成投资29.9亿元，增长48.4%；畜产品加工业完成投资4.7亿元，增长47.5%。

涉及民生的投资进一步加大。在城镇固定资产投资中，卫生、社会保障和社会福利业投资增长76.2%，教育业投资增长82.5%，文化、体育和娱乐业投资增长1.2倍。

商品流通

随着城乡居民收入稳步增加及扩大内需政策的推动，全省消费品零售市场繁荣。2009年全省实现社会消费品零售额300.5亿元，比上年增长18.8%。由于2009年的商品零售价格涨幅低于上年水平，因此，2009年消费品零售额的实际增速高于上年同期7.1个百分点，实际增长速度是近20年来最高水平。

从城乡看，城乡市场同步增长。全省实现市的消费品零售额213.8亿元，同比增长18.8%；县的零售额57.2亿元，增长18.9%；县以下零售额29.5亿元，增长18.7%。从行业看，批发业完成零售额57.2亿元，增长20.2%；零售业完成零售额192.2亿元，增长20.1%；住宿和餐饮业完成零售额47亿元，增长14.7%。

全省国内游客人数1105万人次，比上年同期增长22.5%，入境游客人数3.6万人次，增长20.9%；旅游总收入60.2亿元，增长26.6%，其中，国内旅游收入59.1亿元，增长26.5%，旅游外汇收入1542.4万美元，增长52.0%。

外经外贸

进出口额降幅减缓。2009年，受全球金融危机国际市场需求不足和限制“两高一资”产品出口的影响，全省实现进出口总值58590万美元，比上年下降14.9%。其中，出口25099万美元，下降40.1%；进口33491万美元，增长24.2%。

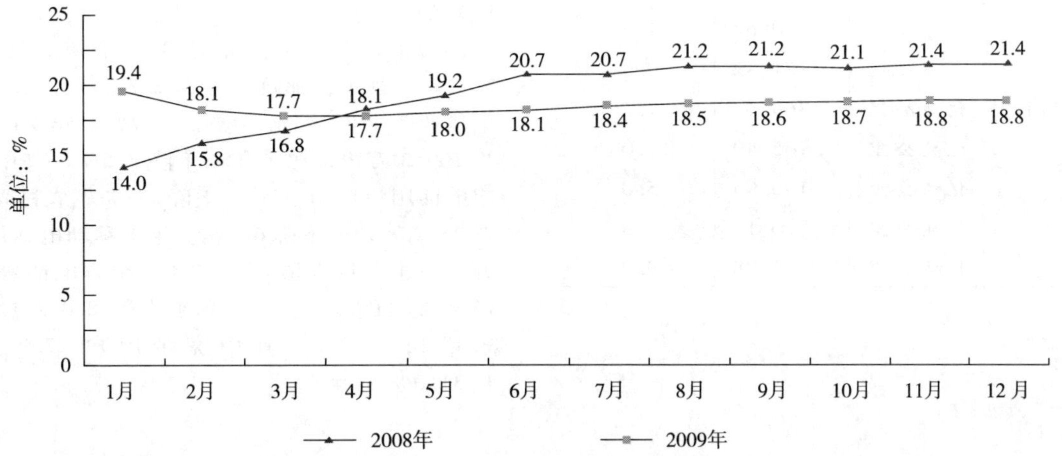

图7 青海省社会消费品零售总额累计增速

在出口的主要商品中：出口硅铁 8426 万美元，下降 54.9%；出口地毯 2525 万美元，下降 27.5%；出口山羊绒 454 万美元，下降 64.6%；出口服装类 5688 万美元，增长 46.4%。

在进口商品中：进口氧化铝 17768 万美元，增长 11.1%；进口机电产品 14965 万美元，增长 52.1%。

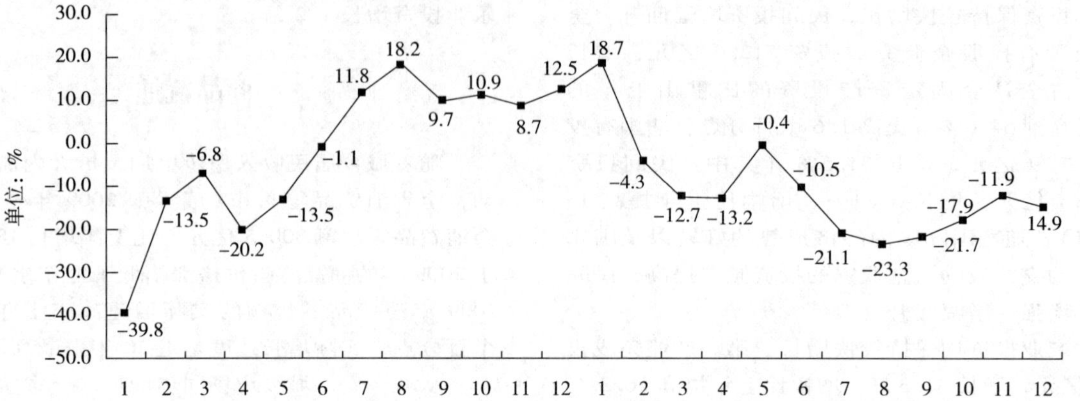

图 8　青海省进出口额累计增速（2008 年 1 月 12 日—2009 年 1 月 12 日）

交通运输和邮电通信业

2009 年交通运输、仓储和邮政业增加值 49.3 亿元，比上年增长 9.0%。年末全省铁路营运里程达 1651 公里；公路通车里程 6 万公里，比上年末增加 3494 公里，高速公路里程 217 公里；民航通航里程 3.2 公里，比上年减少 587 公里。

2009 年青海省各种运输方式货物运输量及增长速度

表 1

指标名称	单位	2009 年	比上年增长（%）
货物运输量	万吨	10092.96	8.3
铁路	万吨	2701.50	16.9
公路	万吨	7209.00	5.9
民航	万吨	0.64	1.6
管道	万吨	181.82	-9.9
货物运输周转量	亿吨公里	369.53	7.2
铁路	亿吨公里	165.49	11.0
公路	亿吨公里	195.95	5.0
民航	亿吨公里	0.11	7.3
管道	亿吨公里	7.98	-9.9

2009 年青海省各种运输方式旅客运输量及增长速度

表 2

指标名称	单位	2009 年	比上年增长（%）
旅客运输量	万人	10074.44	6.6
铁路	万人	430.40	5.8
公路	万人	9576.00	6.4
民航	万人	68.04	45.2
旅客运输周转量	亿人公里	95.39	14.9
铁路	亿人公里	39.87	18.6
公路	亿人公里	45.41	7.0
民航	亿人公里	10.10	45.9

2009 年汽车保有量 36.8 万辆，比上年末增长 63.2%，其中私人汽车保有量 26.3 万辆，增长 1.0 倍。

全年邮电业务总量达 91.7 亿元，比上年增长 31.2%。其中，邮政业务量 2.7 亿元，增长 18.4%；电信业务量 89 亿元，增长 31.7%。年末固定电话用户 109.3 万户，比上年末下降 8.5%。其中，城市固定电话用户 84.1 万户，下降 9.1%；农村固定电话用户 25.2 万户，下降 6.7%。年末移动电话用户 310.7 万户，比上年末增长 25.7%。全省电话普及率达到 75.4 部/百人。全省互联网用户 28.4 万户，比上年末增长 26.2%，其中宽带用户 27.9 万户，增长 31.0%。

2008—2009年青海省经济社会发展主要指标

序号	指标	单位	2008年	2009年	增长率（%）
1	一、人口和就业				
2	年底人口数	万人	554.3	557.3	0.5
3	人口自然增长率	‰	8.35	8.32	
4	就业人员数	万人	277	286	3.2
5	按产业分：				
6	第一产业	万人	123	123	-0.6
7	第二产业	万人	59	63	6.6
8	第三产业	万人	95	100	5.9
9	城镇就业人员（按登记注册类型分）				
10	国有单位	万人	34.29	36.77	7.2
11	集体单位	万人	2.20	1.83	-17.0
12	股份合作单位	万人	0.70	0.70	0.0
13	联营单位	万人	0.10	0.00	
14	有限责任公司	万人	6.00	7.90	31.7
15	股份有限公司	万人	3.00	1.80	-40.0
16	私营企业	万人	16.76	20.21	20.6
17	港澳台商投资单位	万人	0.10	0.10	0.0
18	外商投资单位	万人	0.50	1.20	140.0
19	个体	万人	19.28	19.20	-0.4
20	城镇登记失业人数	万人	3.87	4.06	5.1
21	二、国民经济核算				
22	地区生产总值	亿元	961.5	1081.3	10.1
23	按产业分：				
24	第一产业	亿元	105.6	107.4	5.0
25	第二产业	亿元	529.4	575.3	11.3
26	工业	亿元	442.9	470.3	
27	建筑业	亿元	86.6	105.0	
28	第三产业	亿元	326.6	398.5	9.8
29	#交通运输、仓储和邮政业	亿元	40.7	49.3	
30	批发和零售贸易业	亿元	53.3	66.1	
31	三、固定资产投资				
32	投资总额	亿元	583.2	798.2	36.9
33	按投资种类分：				
34	城镇	亿元	514.0	689.1	34.1
35	#房地产开发	亿元	51.2	72.8	42.3
36	农村	亿元	69.2	109.1	57.7
37	#农户	亿元	17.3	23.0	32.5
38	非农户	亿元	51.8	86.2	66.2

续表

序　号	指　标	单　位	2008 年	2009 年	增长率（%）
39	按建设规模分：				
40	建设总规模	亿元	2181.9	3045.1	39.6
41	在建总规模	亿元	1804.3	2654.9	47.1
42	在建净规模	亿元	964.6	1385.8	43.7
43	按资金来源分：				
44	国家预算内资金	亿元	82.0	130.2	58.8
45	国内贷款	亿元	93.3	148.9	59.6
46	利用外资	亿元	8.7	8.4	-3.0
47	自筹资金	亿元	299.2	387.1	29.4
48	其他投资	亿元	80.5	125.5	55.9
49	四、房地产开发				
50	本年完成土地开发面积	万平方米	120	143	19.5
51	本年土地购置费用	亿元	6.7	18.1	170.1
52	本年土地购置面积	万平方米	111	178	60.3
53	本年完成投资额	万元	511881	728499	42.3
54	#住宅	万元	428812	545720	27.3
55	#经济适用房屋	万元	25848	6144	-76.2
56	房屋施工面积	万平方米	698	900	29.0
57	房屋竣工面积	万平方米	225	182	-19.2
58	本年新开工房屋面积	万平方米	299	505	68.9
59	#住宅	万平方米	275	424	54.1
60	#经济适用房屋	万平方米	22	1	-95.4
61	商品房屋销售面积	万平方米	148	217	46.6
62	#住宅	万平方米	141	208	47.3
63	#经济适用房屋	万平方米	1	7	481.2
64	商品房屋销售额	万元	363745	545761	50.0
65	#住宅	万元	336669	508048	50.9
66	商品房屋平均销售价格	元/平方米	2460	2517	2.3
67	#住宅	元/平方米	2384	2442	2.4
68	#经济适用房屋	元/平方米	1214	1176	-3.1
69	五、规模以上工业企业				
70	企业单位数	个	515	523	1.6
71	工业总产值	亿元	1103.1	1080.4	-2.1
72	资产总计	亿元	2092.7	2525.6	20.7
73	利润总额	亿元	177.2	100.0	-43.5
74	总资产贡献率	%	13.4	8.5	-36.5
75	资产负债率	%	61.6	62.2	1.0
76	六、交通运输业				

续表

序号	指标	单位	2008年	2009年	增长率（%）
77	运输线路长度				
78	铁路营业里程	公里	1676	1677	0.0
79	内河航道里程	公里	329	329	0.0
80	公路里程	公里	56642	60136	6.2
81	#高速公路	公里	215	217	0.9
82	货运量	万吨	9115	9874	8.3
83	#铁路	万吨	2310	2701	16.9
84	公路	万吨	6805	7173	5.4
85	水运	万吨			
86	客运量	万人	9424	10071	6.9
87	#铁路	万人	407	430	5.8
88	公路	万人	8996	9603	6.7
89	水运	万人	21	38	
90	**七、国内商业**				
91	社会消费品零售总额	亿元	259.7	300.5	15.7
92	**八、对外贸易和旅游**				
93	货物进出口总额（按经营单位所在地分）	万美元	68882	58679	-14.8
94	出口	万美元	41910	25188	-39.9
95	进口	万美元	26972	33491	24.2
96	外商投资企业货物进出口总额	万美元	25805	19432	-24.7
97	出口	万美元	4591	364	-92.1
98	进口	万美元	21214	19068	-10.1
99	外商投资企业基本情况				
100	年底登记数	户	469	495	5.5
101	投资总额	亿美元	33.1	28.4	-14.3
102	注册资本	亿美元	20.2	16.6	-17.6
103	#外方	亿美元	10.3	8.3	-19.0
104	对外承包工程				
105	完成营业额	万美元			
106	对外劳务合作				
107	完成营业额	万美元			
108	接待国际旅游人数	万人次	2.99	3.61	20.8
109	#外国人	万人次	2.06	2.47	20.0
110	国际旅游外汇收入	百万美元	10.15	15.42	52.0
111	**九、财政**				
112	地方财政一般预算收入	亿元	71.6	87.7	22.6
113	#国内增值税	亿元	14.6	15.0	2.8
114	营业税	亿元	18.5	25.3	36.6

续表

序号	指标	单位	2008年	2009年	增长率（%）
115	个人所得税	亿元	2.6	3.1	20.6
116	地方财政一般预算支出	亿元	363.6	486.7	33.9
117	**十、物价指数**				
118	商品零售价格指数	上年＝100	110.6	101.6	
119	居民消费价格指数	上年＝100	110.1	102.6	
120	#城市	上年＝100	108.9	103.2	
121	农村	上年＝100	112.3	101.7	
122	**十一、人民生活**				
123	收入				
124	农村居民家庭人均纯收入	元	3061	3346	9.3
125	城镇居民家庭人均可支配收入	元	11640	12692	5.7
126	居民消费水平	元	5830	6495	8.5
127	农村居民	元	3121	3424	7.9
128	城镇居民	元	9816	10845	7.0
129	住房				
130	农村居民人均住房面积	平方米	19.8	20.3	2.5
131	**十二、教育**				
132	高等学校数	所	9	9	0.0
133	高等学校招生数	人	13767	12605	-8.4
134	高等学校在校学生数	人	42177	43782	3.8
135	高等学校毕业生数	人	9753	10437	7.0
136	**十三、卫生**				
137	卫生机构数	个	1582	5959	
138	#医院、卫生院	个	532	535	0.6
139	医疗机构床位数	张	17352	19223	10.8
140	#医院、卫生院	张	16408	17973	9.5
141	卫生技术人员数	人	21745	24044	10.6
142	#执业（助理）医师	人	9414	10221	8.6

注：1. 地区生产总值及其三次产业、城镇居民人均可支配收入和居民消费水平的增长速度按可比价格计算。

2. 卫生机构数2009年起含村卫生室，与历史数据不可比。

宁夏回族自治区

工业经济

2009年，宁夏回族自治区完成规模以上工业增加值523.15亿元，比上年增长14.3%。按经济类型分，国有及国有控股企业增加值275.97亿元，增长8.0%；股份制企业增加值430.09亿元，增长16.1%；外商及港澳台商投资企业增加值24.55亿元，下降6.0%。按轻重工业分，轻工业增加值85.69亿元，增长22.7%；重工业增加值437.46亿元，增长12.8%。全区大中型企业完成工业增加值367.04亿元，增长9.1%。

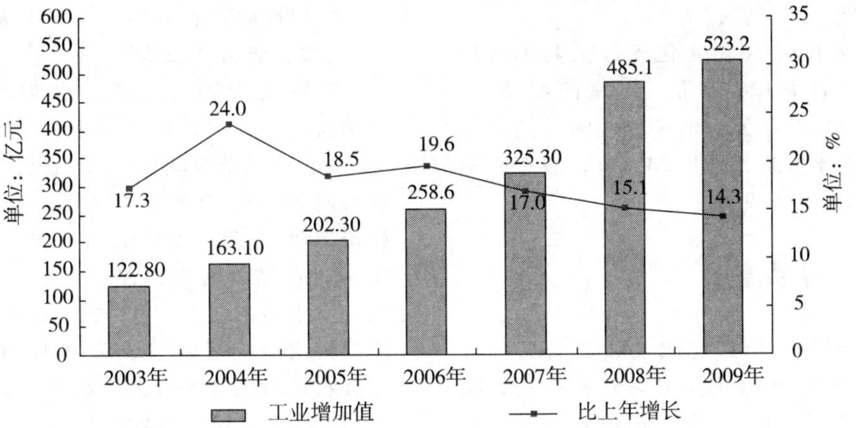

图 1　2003—2009 年宁夏回族自治区规模以上工业增加值及增长速度

全年规模以上工业企业实现销售产值 1364. 36 亿元，比上年增长 7. 2%，工业产品销售率为 93. 8%；工业品出口交货值 37. 64 亿元，下降 27. 4%。在全区重点监测考核的 48 种工业产品中，有 35 种产品产量增长，增长面达 72. 9%。

2009 年规模以上工业企业盈亏相抵后实现利润 78. 6 亿元，比上年增长 125. 6%；工业经济效益综合指数 210. 46，提高 27. 85 点；工业企业资产贡献率 8. 15%，资本保值增值率 124. 84%，资产负债率 66. 87%，流动资产周转次数 1. 67 次，成本费用利润率 6. 03%，全员劳动生产率 19. 3 万元/人，产品销售率 93. 77%。

固定资产投资

全年全社会完成固定资产投资 1119. 14 亿元，比上年增长 30. 3%。其中，基本建设投资 694. 55 亿元，增长 34. 1%；更新改造投资 131. 81 亿元，增长 17. 8%；房地产开发投资 162. 74 亿元，增长 38. 4%。分城乡看，城镇投资 1007. 39 亿元，增长 31. 6%，农村投资 111. 75 亿元，增长 20%。分投资主体看，国有经济投资 713. 53 亿元，增长 30. 8%；非国有经济投资 405. 61 亿元，增长 29. 4%。

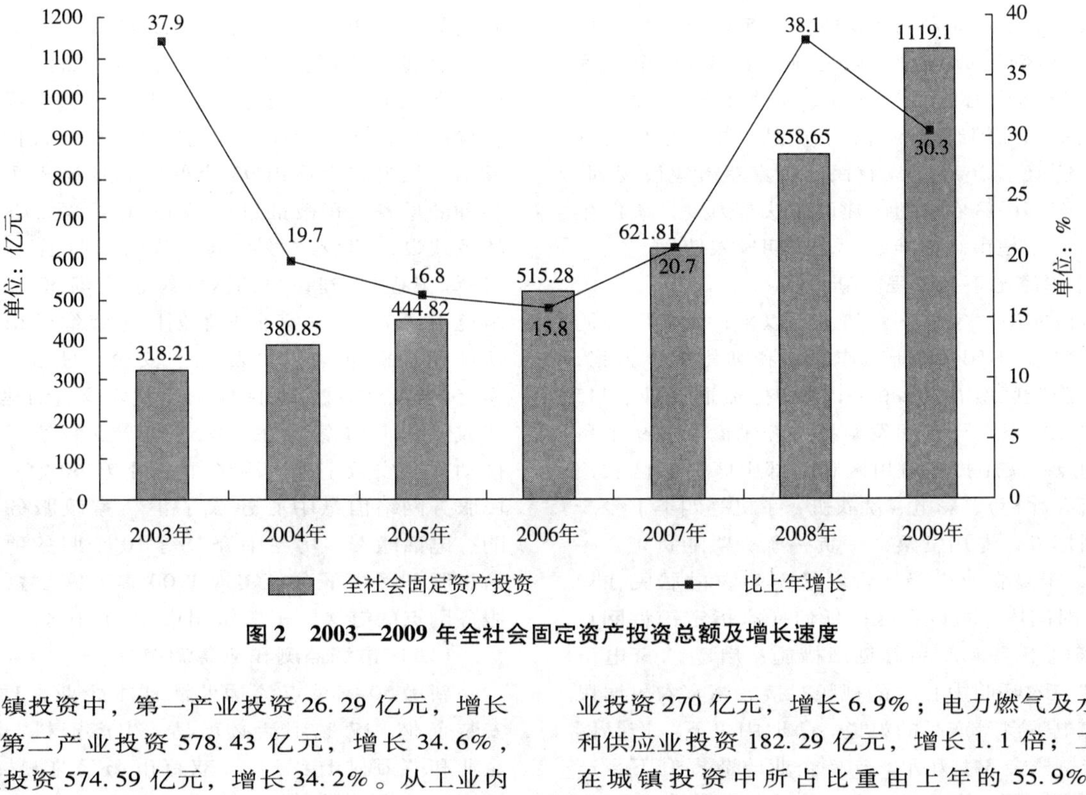

图 2　2003—2009 年全社会固定资产投资总额及增长速度

在城镇投资中，第一产业投资 26. 29 亿元，增长 33. 4%。第二产业投资 578. 43 亿元，增长 34. 6%，其中工业投资 574. 59 亿元，增长 34. 2%。从工业内部看，采矿业投资 122. 30 亿元，增长 39. 5%；制造业投资 270 亿元，增长 6. 9%；电力燃气及水的生产和供应业投资 182. 29 亿元，增长 1. 1 倍；工业投资在城镇投资中所占比重由上年的 55. 9% 上升为 57. 0%，对全区城镇投资增长的贡献达 60. 5%。第三产业投资 402.67 亿元，增长 27.3%。

全年房地产开发投资 162.74 亿元，比上年增长 38.4%。其中，住宅投资 126.08 亿元，增长 43.5%；商业营业用房投资 22.72 亿元，增长 14.6%。商品房施工面积 1952.02 万平方米，增长 23.5%，竣工面积 741.23 万平方米，增长 16.9%。

商品流通

2009 年，宁夏回族自治区完成社会消费品零售总额 339.3 亿元，增长 19%。城乡市场运行平稳，城市市场累计实现零售额 241.7 亿元，增长 14.4%；农村市场（县及县以下）累计实现销售额 97.6 亿元，增长 32.3%，高于城市增幅 17.9 个百分点，月均保持了 30% 以上的增幅；餐饮服务业继续保持较快的发展势头，同比增长 24%。消费对全区经济增长的拉动作用明显增强。"五一" 黄金周，全区实现零售额同比增长 23.8%；"国庆" 和 "中秋" 黄金周，实现零售额同比增长 24%。商务部切块下达全区的地方内外贸资金也有了成倍的增长，资金总额突破 2 亿元，比 2008 年翻两番。自治区政府先后出台《关于扩大城乡居民消费的意见》和《关于加快现代农村市场体系建设的意见》。确定 2009 年至 2012 年的建设目标，全力推进市场体系建设。2009 年启动的农村市场体系建设九大类工程项目争取到中央、自治区财政支持 1.19 亿元，带动社会总投资 12.42 亿元。全年完成新建、改造标准化农家店 1570 个，配送中心 40 家，超额完成自治区政府确定的 1000 个农家店、30 家配送中心的目标任务，基本形成覆盖全区的日用消费品连锁经营网络和农产品市场流通信息服务网络。明确了 26 个生态移民区农家超市建设规划，加大对生态移民区农家超市建设的扶持力度，确保生态移民区农家超市高标准建设，按期投入使用。

（一）"家电下乡工程" 新举措

自全区实施 "家电下乡" 工程以来，商务厅会同自治区有关部门不断创新工作思路和细化工作方案，确定了覆盖全区所有县乡的 31 家中标流通企业、115 家申购 "家电下乡" 专用发票特许经销商和 849 个备案销售网点。实施提高对川区和南部山区 9 县区农户购买冰箱（冰柜）、彩电、洗衣机、手机等四类下乡产品的补贴标准，专用发票 "一货一票、票随货走，一票到底"，宁夏农业户籍（含农垦）的农村居民在规定的 4 年时间内，可以在区内任何一家指定销售网点购买 "家电下乡" 产品等创新措施；启动 "家电下乡" 与 "三农呼叫中心" 的视频对接，拓宽农村居民购买 "家电下乡" 产品的渠道。争取中央下乡产品网络建设扶持资金 341 万元，支持企业改造提升下乡产品流通网络建设。截至 2009 年底，全区累计销售 "家电下乡" 产品 12.98 万台（部），实现销售额 2.12 亿元，支付补贴资金 2740 万元，申报补贴率 98%。

（二）服务 "三农"

积极促进农产品流通，加强产销衔接，扩大农产品销售。举办 "首届宁夏特色优势农产品展示订货会"，签订供销合同 25 个，金额 4.5 亿元，达成意向性合同 24 个，金额 2.7 亿元；意向性合作项目 1 个，投资 7000 万元。支持银川泰丰生物科技有限公司等 10 家外部销售窗口，在北京、上海、南京等国内 20 余个大中城市建立了 41 个宁夏特色农产品分销中心或销售窗口，超额完成建立 10 个分销中心的任务。开展农超对接，支持银川新华百货连锁超市有限公司等 5 家企业建设特色农产品生产基地和冷链设施，购置配送车辆；组织新华百货老大楼生鲜超市、双宝超市等流通企业与设施蔬菜基地对接洽谈活动，畅通农产品直接进入零售超市的渠道。支持有关部门和市县成功举办一系列 "农字号" 节会；帮助固原市马铃薯在北京新发地农产品批发市场和银川北环蔬菜批发市场、新华百货生鲜超市开设销售专区（专柜）；组织全区农产品企业开辟了广东、四川、湖南、阿联酋、马来西亚、泰国等国内外市场；组织各类农产品流通企业、经销大户、农民合作组织参加商务部新农村商网冬季网上农产品对接交易会，有力地促进了农产品的销售。

（三）城市社区商贸服务业

推进连锁经营和物流配送中心建设，支持新华百货连锁公司等企业在全区建成日用消费品、调味品、副食品、家电产品、农资产品连锁配送中心 12 个。精心打造 "清真餐饮主食加工配送工程"，支持宁夏阳光那波里有限公司等 4 家餐饮和清真食品加工企业建设清真餐饮主食加工配送中心 4 个，面向银川、石嘴山、吴忠和固原市 93 个便民餐饮网点配送 200 个品种的早餐。积极推进 "放心肉"、"放心菜" 服务体系建设，建成 "放心肉示范店" 41 家。继续实施 "三绿工程"，建设自治区级绿色市场 30 家，国家级绿色市场 7 家，3 家企业争创国家级绿色市场并进入认证阶段。推动以 "品质、安全、便捷、可追溯" 为突出特点的城市社区便利连锁商业店铺建设，全区建成便利店 61 家。在全区开通宁夏商务 "三便民一推动" 利安数字社区服务便民网点 560 家；银川市便民服务网络信息中心建成了集 "家政服务、报纸订购、电话缴费、房屋中介" 等 10 个服务项目的便民信息服务网络平台，实现 1700 多家家政企业和家政服务网点的链接，覆盖银川市 26 个小区。

（四）市场监测和应急调控

新增 50 家重点流通监测样本企业，3 家信息泵安装企业，17 家生活必需品、生产资料、酒类经营企业和 "万村千乡"、"双百市场" 监测样本企业，进一步扩大监测范围，优化样本结构。加强生活必需品市场、生产资料市场和重大节日市场监测分析工作；完善“宁夏商务预报”信息发布制度。建立重点进出口企业预警监测平台，将全区预警监测样本企业数量由2008年的20家扩大到42家，样本企业进出口额占全区进出口总值的84%，涵盖了区内冶金、化工、装备制造、生物医药、轻纺和农产品六大特色产业；建立产业安全数据库平台，确认84家一般监测企业，26家重点监测企业。完善中央、地方储备制度，增强市场应急调控能力，建立“宁夏救灾应急商品数据库”，应急调控体系不断完善。完善自治区成品油储备制度，积极争取国家在宁夏布点建设国家成品油储备基地。

（五）规范内贸特殊行业发展

银川市被列为全国第二批再生资源回收体系建设试点城市；向国家商务部申报两家再生资源回收试点单位。规范和促进典当、拍卖、直销、二手车市场、报废汽车拆解、再生资源回收、酒类流通等特殊行业的管理和发展。启动汽车以旧换新工作。协调自治区有关部门开展以打击私屠滥宰和病死病害肉非法交易为重点的专项整治工作；加强各类市场中介组织建设；争取商务部将石嘴山、固原、吴忠市被列为全国商务综合行政执法试点城市。

（六）结构调整

实施科技兴贸战略，继续抓好东方钽业新材料出口创新基地的建设；向商务部申报银川市为生物医药出口创新基地；开展青铜峡新材料、银川和吴忠清真产业、永宁特色医药、灵武羊绒及其制品、石嘴山高载能等5个出口园区的培育建设工作。支持农产品、高新技术产品、机电产品、轻纺产品、冶金产品出口企业实施62项技术改造、科研开发、质量可追溯体系和设立境外营销网点项目，加快促进出口商品结构调整，使出口商品结构得到优化。高新技术产品、机电产品、农产品和羊绒及其制品的出口竞争力显著增强。

外经外贸

（一）对外贸易

2009年完成进出口总额12.02亿美元，比上年下降36%，其中，出口7.43亿美元，下降41.0%；进口4.59亿美元，比上年下降26.4%。

1. 外贸发展。保持外贸进出口稳定增长的政策措施，自治区多次召开全区“稳外需、保市场、保份额”政策解读会和外贸支持政策通报会；召开“全区扩大消费稳定外贸工作会议”，商务厅会同财政厅调整对企业出口实绩贷款贴息、出口信用保险、中小企业国际市场开拓资金等支持政策，灵活制定了担保资金支持政策，努力解决中小内外贸企业融资难问题；制定了保持外贸稳定增长、外经贸区域协调发展、中小外贸企业融资担保等专项资金的操作办法，加快资金拨付进度，加大对企业的支持力度；放宽出口信用保险保费补助门槛，提高补助标准，出口信用保险工作取得显著成效，出口信用保险支持下的承保总金额为4031万美元，同比增长28.6倍。

2. 开拓国际市场。围绕宁夏特色优势产业和产品，商务厅组织实施和参与21个出国团组，分别到26个国家和地区开展市场开拓活动，企业出境参展和市场考察人数达377人次，对宣传宁夏商品、促进产品销售、加强经贸交流起到明显的促进作用。支持区内153家中小企业自行参加境外展会和开展境外考察活动共计180批次。与国外22个商协会签订合作协议，建立友好协作关系。

（二）利用外资

全年新批外商投资项目14个，合同利用外资10483万美元，实际利用外资6987万美元，同比增长12%。外商投资大项目增多，总投资额在1000万美元以上的项目4个，其中投资总额1亿美元的项目1个；外资投向和产业分布更趋合理，有9个项目投向特色农副产品加工、碳基材料加工等“五优一新”产业。一、二、三产业合同外资比例进一步改善，分别为35:40:25。

针对全球金融危机影响，及时调整投资促进策略，狠抓重大经贸活动签约项目的履约，加快推进重大项目进展，跟踪落实已批利用外资项目，全面拓展利用外资渠道，强化对现有外资企业的服务，增强外商投资信心，千方百计挖掘增资潜力，想方设法促其增资发展。从6月份开始，利用外资逐月呈现稳步回升态势，且到资质量好于上年。

（三）对外经济技术合作

“走出去”实现新突破。全年新签对外承包工程、对外劳务合作合同份数113份，合同额2451万美元，增长51.4%；完成营业额1491万美元，增长20.3%；积极争取到2009年、2010年国际无偿援助项目5个，受援金额约为161万元；完成实施项目8个，受援金额589万元人民币。宁夏中银绒业股份有限公司正式接管英国百年老店道森国际公司旗下邓肯纱厂，是金融危机后我国企业收购苏格兰企业第一例，成为宁夏企业“走出去”的典范。

（四）其他

1. 发展宁夏内陆开放型经济。自治区加强对发展宁夏内陆开放型经济问题的研究，积极向商务部、中国贸促会等国家有关部委汇报沟通，提出了立足宁夏人文优势、资源优势和产业优势，实施主要面向西亚、北非、中东地区等世界穆斯林国家的“向西开放”战略。申请创办“中阿经贸论坛”工作取得阶段性进展，中国贸促会与宁夏自治区政府签订了战略合作备忘录，合作迈上了新台阶。

2. 会展经济。高水平举办“2009中国（宁夏）国际投资贸易洽谈会”，积极争取商务部、中国贸促会的大力支持，将“中国（宁夏）国际投资贸易洽谈会”升格为国家级、国际性展会。大会期间，商务厅牵头举办了“中泰（宁夏）经贸合作洽谈会”、“泰国产品展销中心剪彩仪式”、“中国（宁夏）对外承包工程洽谈会”和“中国杂粮杂豆产业国际论坛”等10余项经贸活动，取得良好的效果；同宁夏日报报业集团、农牧厅、轻纺工业局等部门共同举办“房·车文化节”、“园艺博览会”、“服装服饰节”等展会。同时，商务厅大力支持年初确定的全区搞活流通扩大消费重点支持的30个商贸展会促销活动，会展经济的作用得到充分发挥。

3. 承接产业转移工作。立足促进全区工业化发展，围绕自治区产业结构调整，加大承接东部产业转移促进力度，组织区内各工业园区和项目单位在义乌、厦门、南宁和深圳成功举办宁夏清真食品和穆斯林用品产业、羊绒产业、旅游产业和新能源产业推介会；签约合作项目37个，合同（含协议）投资总额248亿元，项目涉及清真食品和穆斯林用品、羊绒产业、能源、化工、新材料、装备制造、农副产品加工等宁夏特色优势产业。积极推动服务外包业务发展，联合自治区有关部门报请政府批准下发《关于促进服务外包产业发展的若干意见》；联合人民银行、银监局、证监局、保监局、外管局下发《关于金融支持宁夏服务外包产业发展的指导意见》。报请自治区政府批准宁夏软件园挂牌宁夏服务外包示范园。

交通运输业

2009年末，宁夏回族自治区铁路通车里程783公里，公路通车里程21805公里，增长3.8%。高速公路里程1022公里，比上年增长2.1%。全年各种运输方式完成货物周转量749.38亿吨公里，增长4.4%；完成旅客周转量104.85亿人公里，增长9.3%。机场旅客吞吐量230.6万人，增长40.4%。

2009年宁夏回族自治区各种运输方式完成运输量及增长速度

表1

运输方式	货物周转量		货运量		旅客周转量		客运量	
	绝对数（亿吨公里）	比上年增长（%）	绝对数（万吨）	比上年增长（%）	绝对数（亿人公里）	比上年增长（%）	绝对数（万人）	比上年增长（%）
总计	749.38	4.4	28419.5	4.4	104.85	9.3	12658	6.4
铁路	234.64	5.3	4075	-7.4	30.4	5.8	513	12.3
公路	496.97	4.0	23263	6.9	61.02	6.1	12034	5.9
航空	0.08	24.7	0.5	22.7	13.43	39.3	111	41.3
管道	17.69	3.3	1081	2.4	–	–	–	–

（撰稿：唐河林）

2008—2009年宁夏回族自治区经济社会发展主要指标

序号	指标	单位	2008年	2009年	增长率（%）
1	一、人口和就业				
2	年底人口数	万人	617.7	625.2	1.2
3	人口自然增长率	‰	9.69	9.68	
4	就业人员数	万人	304	329	8.1
5	按产业分：				
6	第一产业	万人	136	131	-4.0
7	第二产业	万人	76	85	11.1
8	第三产业	万人	91	113	23.7
9	城镇就业人员（按登记注册类型分）				
10	国有单位	万人	35.99	36.03	0.1
11	集体单位	万人	0.85	0.78	-8.9
12	股份合作单位	万人	0.60	0.50	-16.7
13	联营单位	万人	0.10	0.10	0.0
14	有限责任公司	万人	14.10	15.60	10.6

续表

序号	指标	单位	2008年	2009年	增长率（%）
15	股份有限公司	万人	3.80	3.60	-5.3
16	私营企业	万人	7.49	26.28	251.0
17	港澳台商投资单位	万人	0.10	0.10	0.0
18	外商投资单位	万人	1.10	1.00	-9.1
19	个体	万人	20.57	25.70	24.9
20	城镇登记失业人数	万人	4.77	4.80	0.7
21	**二、国民经济核算**				
22	地区生产总值	亿元	1098.5	1353.3	11.9
23	**按产业分：**				
24	第一产业	亿元	120.0	127.3	7.3
25	第二产业	亿元	581.2	662.3	14.4
26	工业	亿元	490.1	520.4	
27	建筑业	亿元	91.1	141.9	
28	第三产业	亿元	397.3	563.7	10.0
29	#交通运输、仓储和邮政业	亿元	63.8	114.8	
30	批发和零售贸易业	亿元	56.3	74.5	
31	**三、固定资产投资**				
32	投资总额	亿元	828.9	1075.9	29.8
33	**按投资种类分：**				
34	城镇	亿元	735.7	964.2	31.1
35	#房地产开发	亿元	117.6	162.7	38.4
36	农村	亿元	93.1	111.7	20.0
37	#农户	亿元	38.2	37.2	-2.7
38	非农户	亿元	55.0	74.6	35.7
39	**按建设规模分：**				
40	建设总规模	亿元	2887.3	3297.9	14.2
41	在建总规模	亿元	2414.3	2754.6	14.1
42	在建净规模	亿元	1485.5	1516.3	2.1
43	**按资金来源分：**				
44	国家预算内资金	亿元	56.6	74.9	32.4
45	国内贷款	亿元	220.4	294.5	33.7
46	利用外资	亿元	3.0	4.1	38.2
47	自筹资金	亿元	416.0	486.5	17.0
48	其他投资	亿元	97.5	167.6	71.9
49	**四、房地产开发**				
50	本年完成土地开发面积	万平方米	172	180	4.6
51	本年土地购置费用	亿元	7.6	17.1	125.0
52	本年土地购置面积	万平方米	159	374	135.6

续表

序　号	指　标	单　位	2008 年	2009 年	增长率（%）
53	本年完成投资额	万元	1175853	1627417	38.4
54	#住宅	万元	878549	1260821	43.5
55	#经济适用房屋	万元	70359	98751	40.4
56	房屋施工面积	万平方米	1581	1952	23.5
57	房屋竣工面积	万平方米	634	741	16.9
58	本年新开工房屋面积	万平方米	867	1160	33.8
59	#住宅	万平方米	729	921	26.3
60	#经济适用房屋	万平方米	101	87	-14.3
61	商品房屋销售面积	万平方米	515	775	50.6
62	#住宅	万平方米	453	678	49.6
63	#经济适用房屋	万平方米	21	18	-13.1
64	商品房屋销售额	万元	1253781	2395310	91.0
65	#住宅	万元	1004196	1914733	90.7
66	商品房屋平均销售价格	元/平方米	2435	3090	26.9
67	#住宅	元/平方米	2215	2824	27.5
68	#经济适用房屋	元/平方米	1447	1924	33.0
69	**五、规模以上工业企业**				
70	企业单位数	个	901	969	7.5
71	工业总产值	亿元	1366.5	1461.6	7.0
72	资产总计	亿元	2061.9	2676.6	29.8
73	利润总额	亿元	39.1	83.8	114.1
74	总资产贡献率	%	7.1	7.5	
75	资产负债率	%	64.9	66.3	
76	**六、交通运输业**				
77	运输线路长度				
78	铁路营业里程	公里	811	890	9.7
79	内河航道里程	公里	117	117	0.0
80	公路里程	公里	21008	21805	3.8
81	#高速公路	公里	1002	1022	2.0
82	货运量	万吨	26162	29242	11.8
83	#铁路	万吨	4400	5979	35.9
84	公路	万吨	21762	23263	6.9
85	水运	万吨			
86	客运量	万人	11868	12629	6.4
87	#铁路	万人	457	513	12.3
88	公路	万人	11363	12034	5.9
89	水运	万人	48	82	
90	**七、国内商业**				

续表

序号	指标	单位	2008年	2009年	增长率（%）
91	社会消费品零售总额	亿元	295.4	339.3	14.9
92	**八、对外贸易和旅游**				
93	货物进出口总额（按经营单位所在地分）	万美元	187940	120248	-36.0
94	出口	万美元	125837	74293	-41.0
95	进口	万美元	62104	45955	-26.0
96	外商投资企业货物进出口总额	万美元	54698	22142	-59.5
97	出口	万美元	18473	12246	-33.7
98	进口	万美元	36225	9896	-72.7
99	外商投资企业基本情况				
100	年底登记数	户	637	669	5.0
101	投资总额	亿美元	24.5	25.3	3.3
102	注册资本	亿美元	13.3	13.8	3.9
103	#外方	亿美元	8.8	9.6	8.6
104	对外承包工程				
105	完成营业额	万美元	1147	1461	27.4
106	对外劳务合作				
107	完成营业额	万美元	253	366	44.7
108	接待国际旅游人数	万人次	1.16	1.45	25.2
109	#外国人	万人次	0.93	1.16	24.7
110	国际旅游外汇收入	百万美元	3.01	4.43	47.3
111	**九、财政**				
112	地方财政一般预算收入	亿元	95.0	111.6	17.4
113	#国内增值税	亿元	18.4	16.8	-8.5
114	营业税	亿元	30.1	39.0	29.6
115	个人所得税	亿元	4.0	4.5	11.9
116	地方财政一般预算支出	亿元	324.6	432.4	33.2
117	**十、物价指数**				
118	商品零售价格指数	上年=100	108.5	99.5	
119	居民消费价格指数	上年=100	108.5	100.7	
120	#城市	上年=100	107.9	100.3	
121	农村	上年=100	109.9	101.5	
122	**十一、人民生活**				
123	收入				
124	农村居民家庭人均纯收入	元	3681	4048	10.0
125	城镇居民家庭人均可支配收入	元	12932	14025	8.1
126	居民消费水平	元	7193	7858	6.4
127	农村居民	元	3142	3432	6.9
128	城镇居民	元	12245	13151	4.4

续表

序号	指标	单位	2008年	2009年	增长率（%）
129	住房				
130	农村居民人均住房面积	平方米	23.1	24.5	6.1
131	十二、教育				
132	高等学校数	所	15	15	0.0
133	高等学校招生数	人	21746	22402	3.0
134	高等学校在校学生数	人	70454	75564	7.3
135	高等学校毕业生数	人	15238	16391	7.6
136	十三、卫生				
137	卫生机构数	个	1629	4149	
138	#医院、卫生院	个	387	394	1.8
139	医疗机构床位数	张	20891	22142	6.0
140	#医院、卫生院	张	19750	21168	7.2
141	卫生技术人员数	人	26415	28428	7.6
142	#执业（助理）医师	人	11444	12088	5.6

注：1. 地区生产总值及其三次产业、城镇居民人均可支配收入和居民消费水平的增长速度按可比价格计算。
2. 卫生机构数2009年起含村卫生室，与历史数据不可比。

新疆维吾尔自治区

综　述

2009年，新疆各族人民在自治区党委、人民政府的正确领导下，努力克服国际金融危机影响，保持了国民经济持续健康发展。全年实现国民生产总值4273.57亿元，比上年增长8.1%，人均生产总值19926元，增长6.5%，以当年平均汇率折算，人均GDP达到2917美元。其中，第一产业增加值759.73亿元，同比增长4.8%；第二产业增加值1951.87亿元，同比增长9.0%；第三产业增加值1561.97亿元，同比增长8.3%。三次产业比例为17.8:45.7:36.5。

全口径财政收入883.71亿元，地方财政一般预算收入388.78亿元，分别增长7.9%和7.7%。

全社会固定资产投资完成2827.23亿元，比上年增长25.1%。开工建设了一大批重大民生工程、重大基础设施和生态环境保护项目。

全社会消费品零售总额1177.53亿元，比上年增长14.8%，扣除物价上涨因素，实际增长14.3%。

完成外贸进出口总额138.28亿美元，比上年下降37.8%。直接外商投资合同金额4.70亿美元，下降26.7%，实际利用外资2.16亿美元，增长13.6%。

各项社会事业全面进步。教育事业加快发展，科技创新能力逐步增强，公共卫生体系建设不断完善，文化体育事业更加繁荣，社会保障能力明显提高。

人民生活进一步改善。实现就业再就业867.36万人，比上年增加19.78万人，增长2.3%，城镇居民人均可支配收入12258元，比上年增长7.2%，农民人均纯收入4005元，增长14.3%。

工业经济

2009年，面对国内外复杂多变的经济金融形势，全区经贸系统干部职工认真贯彻党中央、国务院以及自治区党委、人民政府的各项战略部署，深入落实科学发展观，克服各种困难，扎实工作，工交商贸经济继续保持平稳较快增长的良好态势。

（一）工业总体实力明显增强

2009年，新疆工业增加值完成1579.88亿元，按可比价格计算，比上年增长7.0%。规模以上工业增加值增长7.2%，其中，轻工业增长10.2%，重工业增长6.9%。

规模以上工业企业产品销售率95.6%，下降1.7个百分点，其中，轻工业92.9%，下降0.8个百分点；重工业95.9%，下降1.9个百分点。出口交货值38.31亿元，下降34.3%。实现利润443.90亿元，下降43.7%。

（二）支柱产业加快发展

石油化学工业是新疆第一大支柱产业，增加值占到规模以上工业的70%左右，已建成准噶尔盆地、塔里木盆地和吐哈盆地三大石油天然气生产基地，初步形成克拉玛依—独山子、乌鲁木齐、吐—哈、南疆等不同规模、各具特色的石油炼制和加工基地。2009年，原油产量2520万吨，比上年下降8%，天然气产量245.6亿立方米，比上年增加4%，产量居全国第一，尿素产量236万吨，比上年下降5%；硫酸钾年产量72万吨，比上年增加426%，聚氯乙烯110万吨，比上年增加33.5%，水泥2140万吨，比上年增加20%，有色金属冶炼总能力10万吨年产量6.7万吨，石油化学工业发展“十一五”规划全面落实，地方企业参与下游产业开发步伐明显加快。以独山子1000万吨炼油100万吨乙烯为标志的一批重点项目顺利投产。加快“西气东输”、中哈原油管道、乌兰成品油管道、西部原油管道等二线北疆供气工程3条支线建设，确保实现西气东输二线新疆段及向北疆供气工程按期完工，新疆全区已用上中亚天然气，极大地缓解了北疆地区用气紧张的局面，新疆已成为我国石油天然气的主产区之一和国家重要的石油战略基地。

准东煤电煤化工产业带建设加快，配套基础设施工程基本建设，乌北至五彩湾段铁路建成通车，五彩湾地区实现通水，瑶池、吉木萨尔、五彩湾、奇台4个220KV变电站建成投运并实现全疆联网。截至2009年，总装机已达1277万千瓦，年产量545亿千瓦时增速12.2%，电力工业步入高速增长期，发电量居全国首位，八钢2×2500立方高炉、2×120吨转炉等项目建成投产，总体产能达800万吨；年产量达625万吨，增速16.7%，入驻企业已达47家，完成项目投资30多亿。伊犁煤电煤化工基地新汶集团年产100亿方和庆华集团年产55亿方煤制天然气项目取得积极进展，煤制天然气获准进入西气东输管线，积极推进吐哈煤炭基地建设，初步编制完成《自治区西煤东运吐哈煤炭基地建设发展规划纲要》。准南煤田阜试1井日产煤层气2000余立方米，星塔矿业公司复杂含砷精矿高效综合利用技术开发项目，列入国家2009年第二批高技术产业发展项目投资计划。

继续开展探矿增储工作，资源储量稳步增加。全区黄金企业地勘投入资金8000万以上，新增探明储量超过20吨。全年完成黄金产量9153千克，增长11.5%。实现工业增加值5.9亿元，同比增长24.3%。

加强与铁道部、乌鲁木齐铁路局的协调，推动独山子铁路专用线及自备槽车的投运，确保了独山子1000万吨炼油100万吨乙烯的后路畅通。全年向甘肃运送煤炭超过1000万吨。加强铁路运输组织协调，确保棉花、林果、油品、钢材、化工等重点物资运力需求，及时协调解决民爆产品供应问题，保证重点地区、重点部位、重点工程对民爆器材的需求。

研究起草并由自治区人民政府出台8个产业振兴规划，充分发挥产业振兴规划在应对国际金融危机中的突出作用。积极指导29家规模以上乳制品企业规范、健康发展，起草并由自治区人民政府出台《关于进一步促进我区番茄产业健康发展的意见》《关于进一步扶持我区汽车工业发展的若干意见》等相关政策。

传统产业有效应对出口下滑带来的不利影响，保持较快发展。其中：纺织行业保持一定增长，2009年棉纱产能达400万环纺锭，9.5万头气流纺，年产量40万吨，产业结构调整明显加快；特色农副产品加工产业化水平提高，特色林果加工企业发展到160多家，果品加工能力达60万吨，杏酱、机制糖、番茄制品年产能分别达到5万吨、80万吨、100万吨；番茄制品增速82%，机电工业发展加快，特变电工1500吨多晶硅、2500千伏安变压器，金风科技150套兆瓦级风电机组叶片、中集5000辆改装车等项目加快建设，增加值同比增长40%，行业利润增长70%以上；建材工业生产、效益同步增长，水泥、玻璃钢制品等重点行业增长较快，新型干法水泥占水泥产能的56%，浮法玻璃项目顺利投产，全行业利润增长达60%以上。

（三）园区建设开创新局面

组织召开自治区园区工作会议。草拟《自治区关于进一步促进园区科学发展的指导意见》《自治区园区设立审批管理办法》和《自治区园区考核评价办法》，并经自治区人民政府批准印发。通过组织论证，确定准东煤电煤化工产业带和乌鲁木齐经济技术开发区上报国家工信部，申报国家新型工业化产业示范基地。乌鲁木齐经济技术开发区被国家工信部授予“国家装备制造（能源装备）新型工业化产业示范基地”，被科技部授予“国家风电装备制造产业集群”。乌鲁木齐高新技术产业开发区被授予第三批国家科技兴贸创新基地（新材料）。报请自治区批准设立了轮台工业园区、阿克苏工业园区、拜城重化工园区、喀什中亚南亚工业园区、伽师工业园区、兵团温州工业园区、伊东工业园等7个园区。截至2009年，经“两级政府”审批的工业园区（开发区）达41个，累计入驻企业8762家，系统行业协会已达59家。

（四）区域特色工业迅速崛起

天山北坡经济带率先发展，形成了以能源、石油加工及化工、钢铁、建材、机电、轻工等为主的工业基地，拥有全疆70%的大中型工业企业和90%的上市公司，成为新疆新型工业化的先导区，已与全国同步进入工业化加速发展阶段。

乌昌地区新型工业化进程加快推进。准东煤电煤化工基地建设步伐加快，一批大企业大集团先后落户乌昌地区。乌昌地区已初步形成新疆重要的制造业基地、煤电煤化工基地和向西出口产品加工基地。

地州特色工业经济发展步伐加快。克拉玛依市加快发展石油工业，已成为新疆石油工业的战略支撑；巴州、阿克苏地区在加快发展天山南麓石油工业经济带的同时，大力发展特色林果加工业，促进了新型工业化建设的快速发展；伊犁、喀什、塔城、克州、博州积极开拓周边国家市场，以周边国家市场需求为导向，建设出口商品生产加工基地，发展活力不断增强；阿勒泰、哈密地区引进发达省市有实力的大企业，大力开发优势矿产资源，矿产业发展迅猛；吐鲁番地区强化服务，营造良好的发展环境，吸引了一批优势企业入驻，优化了产业结构；新疆生产建设兵团充分发挥自身优势，突出抓工业，新疆天业、天富热电、中基实业等企业迅速发展壮大，石河子经济开发区成为兵团工业发展的典范，盐化工、纺织、农副产品加工业走在全疆前列。

（五）扎实推进节能减排工作

2009年，自治区万元生产总值能耗、规模以上工业每万元增加值能耗继续保持下降趋势。节能监督管理和执法监督力度进一步加大，组织开展节能减排专项执法检查，完成对各地州市16户“千家企业”和60户重点用能企业节能现场监察，加大对节能技术及产品地研发和推广力度，完成250万只财政补贴高效照明产品的推广任务，制定发布5个工业产品单位产量综合能耗地方限额标准，组织开展第二批工业经济循环经济试点审核，资源综合利用产品认定及清洁生产审核验收，淘汰落后产能、清理整顿小冶金以及“两高一资”行业专项检查等工作，建立自治区重点监控企业统计监测制度，纳入企业120家。加大对煤、电、油、运、气等重要生产要素的协调。机电产品再制造试点工作正式启动，税收优惠政策得到全面落实。建筑、交通、公共机构等领域节能工作深入开展，节能减排宣传培训工作在全社会各个领域普遍展开并取得积极成效。

（六）经济运行协调

积极应对国际金融危机，组织多次专题调研，先后组织召开了第一季度、上半年、第三季度自治区经济运行分析会议，提出有效应对措施。加大对煤电油气运等重要生产要素的协调。圆满完成天然气应急保障工作。继续推进全疆煤炭供需合同化。加强铁路运输组织协调，确保高附加值产品及重点物资运力需求。协调铁道部增加煤炭东运车皮用量，全年向甘肃运送煤炭1200万吨。与乌鲁木齐铁路局共同协调铁道部，推动独山子铁路专用线及自备槽车的按时投运，确保独山子1000万吨炼油100万吨乙烯及其他驻疆企业大宗油品的后路畅通。全年完成铁路货物发送量6413万吨，增长4.8%。

固定资产投资

全社会固定资产投资2827.23亿元，比上年增长25.0%。分城乡看，城镇固定资产投资2534.85亿元，增长25.1%；农村固定资产投资292.38亿元，增长24.8%。分产业看，第一产业投资172.48亿元，增长14.2%；第二产业投资1288.54亿元，增长12.8%；第三产业投资1366.21亿元，增长41.3%。第一产业占投资总额的6.1%，比上年下降0.6个百分点；第二产业占45.6%，下降4.9个百分点；第三产业占48.3%，上升5.5个百分点。

房地产开发投资230.84亿元，增长1.0%，其中，经济适用房投资17.09亿元，增长3.8%。房屋施工面积3073.56万平方米，增长16.5%；竣工面积923.50万平方米，下降12.0%。商品房销售面积1327.64万平方米，增长39.1%；销售额351.01亿元，增长64.2%。

企业改革与发展

1. 自治区国有企业改革工作不断深化。一是企业破产重组工作顺利进行。2009年，自治区着力抓好政策性破产等热点、难点工作，围绕经贸系统改革工作重点，积极协调指导各相关行办和破产清算组，严格按照破产企业政策法律规定，妥善处理影响企业和社会稳定的热点、难点问题。17户破产企业（九个破产项目）已终结15户，新疆盐湖化工厂和新纺集团破产工作取得重大进展。

2. 继续深入贯彻自治区大企业大集团发展战略，加大为大企业大集团服务的工作力度。2009年全区共有30多家大企业大集团的40多个重大投资项目奠基开工，投资总额达900亿元，首钢、葛洲坝、国药等一批大企业大集团纷纷入驻。为积极主动做好为大企业大集团服务工作，结合自治区实际，在招商引资、产业规划、土地利用、项目审批、资源配置、产品运输等方面不断加大协调力度，想方设法为大企业大集团解决各类问题200多个，促成11家金融机构与28家企业签约，涉及金额497亿元，努力为企业发展创造宽松和便捷的发展环境。

3. 组织开展中小企业专题调研，起草《新疆维吾尔自治区贯彻国务院关于进一步促进中小企业发展的若干意见的实施办法》（讨论稿）。争取国家中小企业发展专项资金，支持项目64个。自治区中小企业发展专项资金支持中小型工业企业项目85个，引导社会投资11.3亿元。对8家中小企业担保机构给予补助。组织11家中小企业信用担保机构申请国家免征营业税政策支持。全区64户担保机构向中小企业提供贷款担保41亿元。自治区财政出资1亿元，以资本金形式分别注入自治区各级政策性担保机构。各级中小企业担保机构获得自治区财政1亿元增资。组织11家金融机构与28家企业签约，涉及金额497亿元。积极开展中小企业银河培训。组织企业参加和举办区内外展会，不断提高参展、办展水平，全年签约30亿元。初步建立中小企业信用信息评估体系和采集平台。

信息化发展

2009年，新疆维吾尔自治区信息化发展稳步推进。出台了《自治区信息化促进条例》，起草完成《关于进一步加强网络信息安全的意见》，制定《自治区软件和信息服务业战略研究和发展规划》，启动实施国家维哈柯少数民族语言文字信息技术开发与应用专项。组织开展各行办、中小企业信息化调研，召开自治区“两化”融合经验交流电视电话会议及自治区企业信息化年会。协调中国移动新疆公司开展中小企业信息化试点工作和“农政通”试点工作。加强无线电管理工作，全力以赴做好维稳等重大活动的无线电安全保障。促进电子信息产业平稳发展，重点推进电子铝箔、电极箔、多晶硅片和高附加值碳化硅晶片的技术改造，实现1500吨多晶硅原料技改配套等4个项目的试生产。

技术进步

1. 组织编制技术创新项目指导计划，列入项目378个，项目总投资50亿元。安排技术创新专项资金支持69个项目，2个项目获得国家资金支持。新认定国家级企业技术中心2家、自治区级企业技术中心8家，自治区级以上认定企业技术中心总数达到109家，其中国家认定10家。建立自治区产学研联合开发示范基地20家，总数达到80家。经自治区优秀新产品及开发有功人员奖评审委员会评审，8人荣获2009年度自治区技术创新突出贡献奖，30个新产品分获自治区优秀新产品一、二、三等奖。组织新产品鉴定60个，新产品产值率达到4.2%。组织审核198个研发项目，协助企业办理享受研发费税前加计扣除共计2.6亿元，受理部分装备制造企业进口设备免税申请并上报国家工信部。积极推进企业质量管理工作，339个优秀质量管理小组获得自治区表彰，62个优秀质量管理小组分获自治区成果发布一、二、三等奖，有18个优秀质量管理小组获得国家表彰。

2. 下达自治区技术改造项目导向计划，列入项目281项，总投资834亿元。确定自治区工业领域100个重点建设项目，总投资1200亿元。组织召开自治区工业领域重点建设项目座谈会。备案技改投资项目42项，总投资101亿元；核准7项，总投资37.8亿元。办理国家鼓励发展的技术改造项目引进设备减免税确认18项。安排技术改造专项资金支持175个项目，带动银行贷款69亿元。争取到国家技术改造专项资金，支持华泰重化工、沙雅富宏、库尔勒雅戈尔、天山纺织、新疆众和、玛纳斯澳洋科技等企业技改项目和100项中小企业技术改造项目，带动104亿元社会投资。组织编制自治区石油化工、钢铁、汽车、轻工、纺织、装备制造、有色金属业、电子信息产业8个产业振兴规划方案初稿，并已上报自治区政府研究。组织编制完成“十二五”经济和信息化18个规划初稿。

3. 形成以乌鲁木齐高新技术开发区为产业集聚区，以天山北坡经济带为原料供应基地，以乌鲁木齐为辐射国内外的营销基地，集高纯多晶硅原料、太阳能级硅片、太阳能电池组件、光伏控制及逆变器、光伏发电系统应用于一体的完整光伏产业链。近年来，先后研制实施了北京奥运会火炬登顶珠峰GSM网覆盖工程和太阳能通信电源系统建设项目、覆盖全疆的通信基站太阳能电源项目，以及区内外5座20MW大型并网（离网）发电站及40MW规模的国家光电建筑一体化和国家金太阳示范项目，太阳能电池产量和光伏系统应用产值连续5年保持20%以上增长。自治区新能源企业先后被授予“国家地方联合工程实验室”和“国家高技术产业化示范工程”基地，自主研发的太阳能超薄硅片项目获科技部“国家重点新产品计划”。由于太阳能光伏产业链的延伸与完善，带动了石河子、奎屯及伊犁州等地区的10多家硅企业的发展。

4. 2009年地州市工业投资继续保持高速增长。全年增速高于全区平均水平7个百分点。规模以上电子信息产业同比增长6%。塔城、伊犁、石河子、昌吉、阿克苏、和田、阿勒泰、博州增速在15%以上，化工、医药、机电、煤炭、建材增速在17%以上。反映经济发展的先行指标，如电力、铁路运输等保持较快增长，全区新投产发电装机209万千瓦，增长18.3%；发电量同比增长12.2%，位居全国首位。

商品流通

2009年，新疆维吾尔自治区社会消费品零售总额1177.53亿元，比上年增长14.8%，扣除物价上涨因素，实际增长14.3%。分城乡看，城市消费品零售额834.42亿元，增长14.4%；农村消费品零售额343.11亿元，增长15.9%。分行业看，批发和零售业零售额956.64亿元，增长15.4%；住宿和餐饮业零售额177.21亿元，增长15.0%；其他行业零售额43.68亿元，增长2.3%。

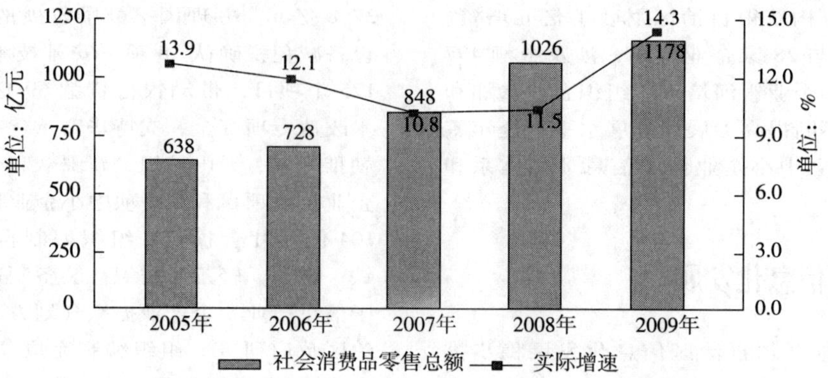

图1 2005—2009 年社会消费品零售总额及实际增速

外经外贸

2009 年，新疆维吾尔自治区货物进出口总额 138.28 亿美元，比上年下降 37.8%，其中，出口 108.24 亿美元，下降 43.9%；进口 30.04 亿美元，增长3.0%。外商直接投资合同金额4.70 亿美元，下降 26.7%。实际利用外资 2.16 亿美元，增长13.6%。

2009 年新疆维吾尔自治区货物进出口总额及增速

表1　　单位：亿美元

指标	绝对数	比上年增长（%）
货物进出口总额	138.28	-37.8
出口	108.24	-43.9
其中：一般贸易	16.81	-42.1
加工贸易	3.22	-27.2
边境小额贸易	75.42	-52.2
其中：机电产品	17.61	-17.4
高新技术产品	0.88	8.4
进口	30.04	3.0
其中：一般贸易	12.87	39.5
加工贸易	0.25	38.3
边境小额贸易	15.74	-16.0
其中：机电产品	7.25	75.5
高新技术产品	2.74	1.0 倍

交通运输、邮电通信和旅游业

2009 年，铁路全年完成货运量6413.15 万吨，比上年增长4.8%；公路（不含非营运性车辆，下同）38657 万吨，下降 3.5%；民航 3.84 万吨，增长 1.3%；管道6959.15 万吨，增长 14.5%。铁路完成客运量1371.40 万人，增长4.6%；公路28541 万人，下降9.4%；民航435.13 万人，增长6.8%。

年末铁路营业里程 3180.70 公里，增长 8.7%；民航通航里程 15.18 万公里，增长 2.8%；公路里程 15.07 万公里，增长 2.7%，其中，高速公路 838 公里，增长 30.9%。

年末民用汽车保有量 110.65 万辆（包括三轮车和低速货车），增长 18.5%，其中，私人汽车 65.19 万辆，增长 25.9%。

邮电业务总量479.75 亿元，比上年增长 26.7%，其中，邮政业务总量13.35 亿元，增长17.0%；电信业务总量466.40亿元，增长26.9%。年末本地交换机总容量930.70万门，下降0.7%。固定电话用户573.10万户，下降9.7%。移动电话用户1119.60万户，增长6.5%。互联网用户133.70万户，下降6.3%。电话普及率79.5部/百人，增长0.5%，其中，固定电话普及率26.9部/百人，下降9.7%；移动电话普及率52.6部/百人，增长6.7%。

接待国际旅游人数35.49万人次，比上年下降2.8%；国际旅游外汇收入1.37亿美元，增长0.7%。接待国内旅游人数2098万人次，下降4.4%；国内旅游收入176.75亿元，下降10.7%。

（撰稿：陈彬 陈捷）

2008—2009年新疆维吾尔自治区经济社会发展主要指标

序号	指标	单位	2008年	2009年	增长率（%）
1	**一、人口和就业**				
2	年底人口数	万人	2130.8	2158.6	1.3
3	人口自然增长率	‰	11.17	10.56	
4	就业人员数	万人	814	829	1.9
5	**按产业分：**				
6	第一产业	万人	420	426	1.4
7	第二产业	万人	111	116	4.3
8	第三产业	万人	282	287	1.7
9	**城镇就业人员（按登记注册类型分）**				
10	国有单位	万人	186.17	181.34	-2.6
11	集体单位	万人	3.80	3.68	-3.2
12	股份合作单位	万人	0.60	0.50	-16.7
13	联营单位	万人	0.40	0.30	-25.0
14	有限责任公司	万人	36.40	38.60	6.0
15	股份有限公司	万人	16.40	21.10	28.7
16	私营企业	万人	68.55	65.15	-5.0
17	港澳台商投资单位	万人	1.30	1.60	23.1
18	外商投资单位	万人	1.30	1.20	-7.7
19	个体	万人	61.53	64.83	5.4
20	城镇登记失业人数	万人	11.77	11.86	0.8
21	**二、国民经济核算**				
22	地区生产总值	亿元	4203.4	4277.1	8.1
23	**按产业分：**				
24	第一产业	亿元	691.1	759.7	4.5
25	第二产业	亿元	2086.7	1929.6	8.5
26	工业	亿元	1790.7	1555.8	
27	建筑业	亿元	296.0	373.8	
28	第三产业	亿元	1425.6	1587.7	9.2
29	#交通运输、仓储和邮政业	亿元	191.7	209.1	
30	批发和零售贸易业	亿元	224.3	253.6	
31	**三、固定资产投资**				
32	投资总额	亿元	2260.0	2725.5	20.6
33	**按投资种类分：**				

续表

序　号	指　标	单　位	2008 年	2009 年	增长率（%）
34	城镇	亿元	2025.6	2434.1	20.2
35	#房地产开发	亿元	228.6	235.9	3.2
36	农村	亿元	234.3	291.3	24.3
37	#农户	亿元	93.1	103.9	11.7
38	非农户	亿元	141.3	187.4	32.6
39	**按建设规模分：**				
40	建设总规模	亿元	5256.4	7458.3	41.9
41	在建总规模	亿元	3920.9	5506.4	40.4
42	在建净规模	亿元	1831.3	2802.6	53.0
43	**按资金来源分：**				
44	国家预算内资金	亿元	338.8	526.2	55.3
45	国内贷款	亿元	302.0	484.6	60.5
46	利用外资	亿元	9.0	9.4	4.2
47	自筹资金	亿元	1319.7	1479.0	12.1
48	其他投资	亿元	303.0	440.1	45.2
49	**四、房地产开发**				
50	本年完成土地开发面积	万平方米	765	675	-11.7
51	本年土地购置费用	亿元	28.1	20.2	-28.1
52	本年土地购置面积	万平方米	752	429	-42.9
53	本年完成投资额	万元	2286267	2358805	3.2
54	#住宅	万元	1937460	1882530	-2.8
55	#经济适用房屋	万元	164559	160840	-2.3
56	房屋施工面积	万平方米	2639	3064	16.1
57	房屋竣工面积	万平方米	1049	1033	-1.6
58	本年新开工房屋面积	万平方米	1704	1718	0.8
59	#住宅	万平方米	1501	1483	-1.2
60	#经济适用房屋	万平方米	161	142	-11.7
61	商品房屋销售面积	万平方米	954	1407	47.4
62	#住宅	万平方米	886	1327	49.7
63	#经济适用房屋	万平方米	134	135	0.6
64	商品房屋销售额	万元	2137859	3662638	71.3
65	#住宅	万元	1861169	3271682	75.8
66	商品房屋平均销售价格	元/平方米	2240	2604	16.3
67	#住宅	元/平方米	2100	2466	17.4
68	#经济适用房屋	元/平方米	1333	1448	8.6
69	**五、规模以上工业企业**				
70	企业单位数	个	1859	2018	8.6
71	工业总产值	亿元	4276.1	4001.1	-6.4

续表

序号	指标	单位	2008年	2009年	增长率(%)
72	资产总计	亿元	5652.6	6438.1	13.9
73	利润总额	亿元	779.5	484.6	-37.8
74	总资产贡献率	%	20.9	14.2	
75	资产负债率	%	51.9	54.1	
76	**六、交通运输业**				
77	运输线路长度				
78	铁路营业里程	公里	2761	3673	33.1
79	内河航道里程	公里			
80	公路里程	公里	146652	150683	2.7
81	#高速公路	公里	640	838	30.9
82	货运量	万吨	46087	45046	-2.3
83	#铁路	万吨	6048	6389	5.6
84	公路	万吨	40039	38657	-3.5
85	水运	万吨			
86	客运量	万人	32793	29886	-8.9
87	#铁路	万人	1287	1345	4.5
88	公路	万人	31506	28541	-9.4
89	水运	万人			
90	**七、国内商业**				
91	社会消费品零售总额	亿元	1041.5	1177.5	13.1
92	**八、对外贸易和旅游**				
93	货物进出口总额(按经营单位所在地分)	万美元	2221736	1394783	-37.2
94	出口	万美元	1929910	1093456	-43.3
95	进口	万美元	291826	301327	3.3
96	外商投资企业货物进出口总额	万美元	31207	27362	-12.3
97	出口	万美元	23040	15283	-33.7
98	进口	万美元	8167	12080	47.9
99	外商投资企业基本情况				
100	年底登记数	户	1402	1639	16.9
101	投资总额	亿美元	45.6	47.8	4.8
102	注册资本	亿美元	29.2	31.0	6.2
103	#外方	亿美元	20.5	22.9	11.3
104	对外承包工程				
105	完成营业额	万美元	63070	44621	-29.3
106	对外劳务合作				
107	完成营业额	万美元			
108	接待国际旅游人数	万人次	36.32	35.49	-2.3
109	#外国人	万人次	32.77	31.84	-2.8

续表

序 号	指 标	单 位	2008 年	2009 年	增长率（%）
110	国际旅游外汇收入	百万美元	135.78	136.63	0.6
111	**九、财政**				
112	地方财政一般预算收入	亿元	361.1	388.8	7.7
113	#国内增值税	亿元	81.4	57.6	-29.2
114	营业税	亿元	91.4	112.4	22.9
115	个人所得税	亿元	18.2	20.2	11.2
116	地方财政一般预算支出	亿元	1059.4	1346.9	27.1
117	**十、物价指数**				
118	商品零售价格指数	上年=100	108.5	100.4	
119	居民消费价格指数	上年=100	108.1	100.7	
120	#城市	上年=100	107.3	100.2	
121	农村	上年=100	109.5	102.0	
122	**十一、人民生活**				
123	收入				
124	农村居民家庭人均纯收入	元	3503	3883	10.9
125	城镇居民家庭人均可支配收入	元	11432	12258	7.1
126	居民消费水平	元	5542	5990	8.0
127	农村居民	元	2661	2984	10.6
128	城镇居民	元	9975	10546	6.4
129	住房				
130	农村居民人均住房面积	平方米	22.8	23.5	2.9
131	**十二、教育**				
132	高等学校数	所	37	37	0.0
133	高等学校招生数	人	65313	67648	3.6
134	高等学校在校学生数	人	230971	241637	4.6
135	高等学校毕业生数	人	54290	57071	5.1
136	**十三、卫生**				
137	卫生机构数	个	6739	14244	
138	#医院、卫生院	个	1629	1669	2.5
139	医疗机构床位数	张	96747	107243	10.8
140	#医院、卫生院	张	93253	102620	10.0
141	卫生技术人员数	人	106853	116028	8.6
142	#执业（助理）医师	人	43456	46750	7.6

注：1. 地区生产总值及其三次产业、城镇居民人均可支配收入和居民消费水平的增长速度按可比价格计算。

2. 卫生机构数2009年起含村卫生室，与历史数据不可比。

新疆生产建设兵团

综 述

2009年，新疆生产建设兵团广大干部职工在兵团党委、兵团的正确领导下，以邓小平理论和“三个代表”重要思想为指导，认真贯彻党的十七大和十七届三中、四中全会精神，深入贯彻落实科学发展观，全面落实兵团党委六届二次全委（扩大）会议各项工作部署，积极应对国际金融危机冲击，努力克服乌鲁木齐“7·5”事件不利因素影响，国民经济保持平稳较快增长，社会事业取得新的成绩。

初步核算，全年兵团生产总值610.69亿元，按可比价格计算，比上年增长13.6%。其中，第一产业增加值204.73亿元，增长7.0%；第二产业增加值206.57亿元，增长25.3%；第三产业增加值199.39亿元，增长10.4%。三次产业对经济增长的贡献率分别为18.2%、55.6%和26.2%。三次产业结构由上年的34.9:31.7:33.4调整为33.5:33.8:32.7。人均生产总值23734元，比上年增长13.9%。兵团控股的13家上市公司累计募集资金74.77亿元，其中发行上市募资34.82亿元，再融资39.95亿元。国家级和兵团级农业产业化重点龙头企业61家，其中国家级11家。龙头企业带动农户39万户，销售收入过10亿元的企业有8家。兵团国有及国有控股企业实现利润12.57亿元，比上年增加9.50亿元。

初步统计，全年上缴各类税费73亿元。全年居民消费价格比上年上涨0.7%。商品零售价格上涨0.4%，农业生产资料价格下降0.5%，农产品生产价格上涨9.0%，工业品出厂价格下降14.5%，原材料、燃料、动力购进价格下降9.4%，固定资产投资价格下降2.0%。

工业经济

2009年是兵团“十一五”国民经济和社会发展规划实施的重要一年。兵团工业系统认真学习贯彻党的十七届三中、四中全会和兵团党委六届二次、三次全委（扩大）会议精神，按照工业工作现场会“经济结构战略性大调整、发展方式战略性大转变”的总体要求，坚持以科学发展观统领兵团工业经济工作，深入贯彻落实中央保增长、保民生、保稳定的一系列政策措施，加大经济运行监测和协调力度，工业经济呈现逐月回升、企稳向好的势头，保持了国民经济平稳较快增长的发展后劲，全面完成年初确定的目标任务。呈现出以下八个特点：

一是工业生产呈现加快增长态势。全年完成工业增加值148.7亿元，比上年增长21.4%。产销衔接良好，规模以上工业企业产销率达94.1%。重点考核的32种工业产品中有26种产品产量增长，其中发电量、食用植物油、番茄酱、软饮料、布、机制纸及纸板、水泥、PVC等产品产量的增速超过20%，有力拉动了兵团工业的快速发展。

二是工业经济运行的质量和效益逐步提高。2009年规模以上工业企业实现利润23.85亿元，同比增长8.5%，工业经济效益综合指数达173.32，考核的21个工业行业中有17个行业实现盈利。其中：煤炭行业、农副食品加工业、建材业、饮料制造业、电力行业、医药制造业实现增盈，化工、食品制造业减盈，纺织行业增亏幅度较大。

三是工业固定资产投资大幅增长。2009年完成工业投资146.89亿元，比上年增长40.9%，占全社会固定资产投资的46.12%。其中制造业完成投资91.76亿元，增长50.0%；电力、燃气及税的生产和供应业完成投资43.24亿元，增长19.8%。在制造业中，化学纤维制造业和非金属矿物制品业投资分别增长43.6%和49.1%。

四是产业结构调整成效显著。优势农产品加工和优势矿产资源转换两大基地建设取得积极进展，六大支柱产业得到发展壮大，产业结构得到优化。到2009年，三次产业结构由“十五”末的39.4:25.2:35.4调整到33.5:33.8:32.7（其中工业占到24.34%，比“十五”末提高7.2个百分点），这是近30年来二产比重首次稳定超过一产。重化工产业快速发展，轻重工业比重由“十五”末的53:47调整到2009年的50.8:49.2。

五是工业工作的指导考核力度不断加大。牵头组织召开了兵团工业、信息化暨质量技术监督工作会议，提出《2008年兵团工业经济运行情况和2009年工业工作安排意见》《2009年兵团工业工作指导意见》，及时分解下达《2009年各师工业增加值目标和2009年重点工业产品预期目标》，完成2008年兵团新型工业化先进企业考核材料的汇总、考评。向兵团和国家有关部门上报《兵团进一步加快新型工业化发展的实施意见》《加快兵团结构调整，促进工业转型升级的专题报告》《促进产业集聚发展和工业合理布局工作的兵团产业集群发展情况汇报》等材料。加强《兵团工业简报》编发工作，及时通报行业工作动态和企业经营情况，准确传递行业主管部门工作要求。

六是应对金融危机冲击的对策措施持续加强。加强和改进工业经济运行监测、分析和协调工作，尤其针对一季度工业经济的严峻形势，起草下发《兵团工业局应对当前金融危机，保工业增长、促经济发展的工作要求》《关于报送工业经济运行情况的紧急通知》《关于促进兵团工业经济平稳较快增长的紧急通知》，进一步加强工业经济的监测分析和调控，起草下发《关于建立师工业经济运行和重点联系工业企业统计报表制度的通知》，建立完善百家重点联系企业报表汇总分析工作制度，尤其加强对工业发展可能造成较大影响的重点行业（产品）市场、价格、成本等指标变动趋势的预警预测分析，及时完成工业经济运行分析月报和季报。建立兵团重点工业项目建设月报统计制度，确定 42 个兵团重点工业项目，并按月完成重点工业项目进展情况汇总和分析。建立兵团工业经济运行月度分析会议制度，组织召开 2009 年月度兵团工业经济运行分析会议。

七是工业园区的设立取得积极进展。起草并上报《关于兵团加快工业园区发展指导意见》，为编制兵团工业园区发展规划早做准备。完成四个工业园区的审批工作，其中库西经济工业园区、石河子西工业园区、兵团温州工业园区已获准兵团级工业园区的审核和批复；自治区级石河子西工业园区已完成申报工作；自治区级兵团温州工业园区的批复工作、兵团级图木舒克市工业园区的批复工作正在办理之中。

八是铁路运输平稳增长。2009 年完成重点企业铁路出疆运输量 260 万吨，比上年增长 15.3%。其中矿产品、化工产品、棉花和棉纱和布运输量增长 15% 以上。

企业改革

一是围绕落实和完善基本经营制度，团场综合配套改革深入推进。土地承包、生产费用自理政策措施全面落实，全兵团承包职工生产费用自理率达 89.9%，比上年提高 6.6 个百分点；以五户联保为主要形式的团场职工小额贷款不断规范，2009 年末农户小额贷款余额 47.70 亿元，比上年增长近 1 倍；林权改革稳步推进，全兵团 30.8% 的果林实行了产权改革；农产品管理设卡已经杜绝，棉花、制酱番茄等大宗农产品的收购基本实现订单收购或随行就市；职工减负增收机制逐步建立，已有 98 个团场的承包职工提前实现定额承包面积内“零负担”；超过四分之一的团场已组建国有资产经营公司，团场国有资产出资人缺位和团场承担无限责任的问题正逐步得到解决；普遍实行“一总两分”的财务管理办法，对边境团场和南疆困难团场实行“综合财力补助 + 专项”的预算管理体制，事权与财权关系得到调整，师团公共财政保障程度得到提高，团场职工公共负担进一步减轻。

二是加快国有企业并购重组，企业竞争实力进一步增强。兵、师两级通过引进战略投资者以及增资扩股、兼并重组等多种途径，初步实现投资主体多元化，增强企业发展活力；进一步加强国有企业董事会和监事会建设，确保企业依法决策和科学决策，实现企业监督职能与经营职能分离；企业发行上市工作取得新进展，北新路桥在深圳中小板成功上市，西部牧业、康地种业创业板上市申报工作积极推进；上市公司再融资工作顺利推进，百花村、新中基、青松建化和天康生物等 4 家上市公司再融资方案已先后上报中国证监会，国有企业政策性关闭破产工作继续推进，兵团共实施政策性破产企业 64 户，其中 47 户已完成破产终结，16 户企业进入破产清算程序，1 户企业正在准备申报启动破产程序。

三是各领域改革稳步推进，兵团经济发展活力进一步增强。按照兵团《关于进一步深化兵团流通体制改革的实施意见》的精神，兵师团三级流通体制改革的目标、任务进一步确立，为实现商贸流通和服务业与一、二产业的有机融合与联动发展提供了体制保障。招商引资工作呈现良好局面。兵团各级依托兵团农副产品资源和新疆矿产资源优势，通过引进大企业、大集团，推进经济结构调整及产业结构优化升级。教育体制改革不断深化。基础教育进一步巩固发展，团场义务教育保障能力进一步增强；职业学校教育教学改革进一步深化，学生实践能力和就业创业能力不断加强；高等教育取得新突破，石河子大学“211 工程”建设正式启动。医药卫生体制改革稳步推进。认真落实《中共中央、国务院关于深化医药卫生体制改革的意见》精神，研究制定《兵团医药卫生体制改革近期实施方案（2009—2011 年）》；团场初级卫生保健目标全部实现，城市社区和团场卫生服务资源进一步优化。投资体制改革继续推进。制定下发《关于深化兵团投资体制改革的意见》，推动下放项目审批权限、简化审批手续和规范项目评审等工作，提出服务基层的“快审、快批、快下达、快落实”的工作要求，建立项目审批“绿色通道”。非公制经济扶持力度加大。积极为非公有制企业搭建服务平台，引导非公有制企业参与团场国有企业改革，充分发挥好非公有制经济对新型工业化、农业产业化的积极推动作用。

存在的主要问题：一是国有企业改革力度有待加强。国有企业吸引社会各类资本参与改革，形成产权多元化的混合所有制企业的面不宽；有的已改制企业尚未真正实现产权多元化，法人治理结构不够规范和完善；部分已改制企业走回头路，政企不分的现象有所抬头，行政包揽的问题较为突出。二是团场管理体制改革面临诸多问题。由于行政和社会职能与经营职能合为一体，加之缺乏财政职能，团场管理体制改革面临诸多复杂的困难局面，市场化改革难以推进，团场内部责权关系不明，分配关系难以理顺，影响了团场的经济发展。

固定资产投资

2009年兵团各级认真贯彻落实兵团党委六届二次全委（扩大）会议、六次党代会和兵团工业工作会议精神，紧紧抓住国家实施扩内需、保增长、调结构等一系列政策机遇，以落实中发18号、国发32号文件为切入点，加大争取国家投资力度，全社会固定资产投资呈现平稳较快增长的态势，全年完成投资318.47亿元，比上年增长35%。主要特点：

一是三次产业投资稳步增长。在重大水利工程、节水灌溉、土地开发整理和防护林建设等项目带动下，农业投资保持较快增长，生产条件进一步改善，一产全年完成投资36.34亿元，比上年增长6.5%，其中全年水利建设项目完成总投资25.55亿元，比上年增加3.08亿元，完成国家投资17.33亿元，比上年增加4.90亿元。工业投资增势趋强，全年完成投资146.89亿元，比上年增长40.9%。建筑业继续保持快速增长势头，全年完成投资1.24亿元。住房、公路、城镇及社会事业等项目的快速进展，特别是廉租住房等保障性住房建设带动下，住房建设取得显著成绩，有力地拉动三产投资的稳定增长，三产全年完成投资134亿元，比上年增长38.7%。全年保障性住房完成投资60.49亿元，建设保障性住房8.10万户，其中廉租住房6.40万户，

开工各类保障性住房8.10万套，开工面积604万平方米，完成投资60.49亿元，其中廉租住房开工6.4万户，经济适用房1.70万户。竣工保障性住房6.35万户，完成投资40.5亿元。交通运输业累计完成投资32.28亿元，比上年增长39.5%。新建货、客运站点107个。通营连公路完成投资14.04亿元，新建通营连公路1700公里，新增通油路连队65个。公路建设2807.7公里，完成投资30.39亿元，其中农村公路1850公里，完成投资14.04亿元。房地产开发投资24.32亿元，比上年增长40.9%。商品房销售面积157.05万平方米，增长44.5%，其中住宅149.21万平方米，增长50.7%。商品房空置面积35.39万平方米，下降21.9%。商品房销售额33.01亿元，增长57.4%。

二是争取国家投资、加大招商引资成效显著。为积极应对国际金融危机的影响，兵团各级认真贯彻落实中发18号文件、国发32号文件，全力以赴争取国家投资。农村水电路气、重大基础设施、社会事业及产业升级、技术改造等项目，争取中央投资工作取得了显著成效，全年落实国家投资50.4亿元，比上年增长52.5%，保证了兵团一批基础性、公益性、结构调整类项目的顺利实施。全年招商引资项目706个，投资总规模523.91亿元。引进兵团以外项目到位资金143.07亿元。其中，第一产业3.88亿元，第二产业111.75亿元，第三产业27.44亿元。外省投资项目到位资金104.34亿元，兵地融合项目到位资金38.73亿元。城市、开发区、园区招商项目178个，到位资金86.38亿元。

三是新增和扩大内需中央投资项目进展顺利。国家安排兵团四批新增和扩大内需中央投资项目共计533个，2009年计划投资112.12亿元。截至12月底，累计完成投资91.11亿元，完成投资计划的81.3%，其中：第一批新增中央投资项目126个，100%开工建设，完成投资计划的97.9%，113个项目已建成投入使用；第二批新增中央投资项目92个，100%开工建设，完成投资计划的91%，50个项目已建成投入使用；第三批扩大内需中央投资项目92个，开工91个，完成投资计划的68.5%，29个项目已建成投入使用；第四批扩大内需中央投资项目223个，开工188个，完成计划投资的60.2%，42个项目已完工。

四是投资计划下达明显好于往年。按照投资体制改革和扩内需、保增长的要求，兵团及时出台政府性投资项目评审管理办法，下放项目审批权限，进一步简化审批手续，充分调动各师参与项目审批及管理的积极性。新增中央投资在10日内全部下达各师；对历年未安排的中央投资进行清理和调整，具备条件的也及时安排计划。全年累计下达项目建设计划国家投资50.1亿元，其中：下达当年国家投资计划48.5亿元，占国家投资的96%；下达历年结转国家投资计划1.6亿元。

五是项目检查力度明显加大。分别于3月、7月和10月在全兵团范围内开展项目促进、中央投资项目督促检查和“十大工程”和“十件实事”建设进展情况的跟踪检查，对新增和扩大内需中央投资项目分5日、10日、半月和月进行实施情况统计，及时通报进展情况；同时于4月、10月下旬至11月中旬，分别配合2个中央检查组对有关师新增中央投资项目及扩大内需项目进行检查。为确保“十大工程”等项目及中央投资项目的建设成效和整改工作落到实处，召开了“十大工程”和“十件实事”建设电视电话会议和落实新增中央投资项目整改方案电视电话会议，提出加强项目管理、认真整改项目建设中存在的问题的要求。

六是各师投资持续增长。各师充分利用中央扩内需、保增长、增加投资的政策机遇，千方百计筹集项目建设资金，促进投资增长。1—12月，有6个师投资增幅超过兵团平均水平，十二师、六师、四师、七师、建工师、五师分别增长133.8%、41%、31.2%、28.2%、27.7%、27.3%。三师、九师、二师、十三师、十师、八师、一师分别增长23%、21.7%、21.4%、20.8%、19.2%、16.2%、14.8%，十四师下降24%。主要问题：一是项目管理不规范，重争取项目投资、轻项目管理问题比较突出。二是部分项目进度缓慢。

技术进步

一是高技术产业快速发展。2009 年高技术产业总体运行平稳。以电子元器件制造为代表的信息产业快速发展，成为 2009 年高技术产业发展的新亮点。天科合达蓝光半导体有限公司成功开发出碳化硅半导体晶片，并下线实现销售。西部宏远电子有限公司生产系列电极箔项目，2009 年 4 月开工建设，10 月建成投产。一师、八师、十二师等分别开发生产的超级电容器电极用多孔炭材料、节水灌溉控制设备、照明用智能控制器等产品，正在成为兵团高技术产业新的经济增长点。

二是创新能力建设取得新突破。根据国家发改委的工作部署，制定《兵团工程研究中心管理暂行办法》，围绕兵团经济发展的重点领域，在化工和食品行业，依托企业，严格按照工程研究中心的组建要求，实现强强联合。新疆天业（集团）有限公司“现代绿色氯碱化工国家地方联合工程研究中心”和石河子开发区神内食品有限公司“特色果蔬国家地方联合工程研究中心”两家工程中心全部得到国家批准，被认定为国家地方联合工程研究中心。企业技术中心认定和评价工作正常开展。冠农果茸集团股份公司技术中心被自治区和兵团共同认定为自治区级企业技术中心。国家级企业技术中心评价取得好成绩。天业（集团）公司等 3 家国家企业技术中心评价得分均在 70 分以上，是近几年来的最好成绩。

三是高技术产业化重点项目实施顺利。新建国家高技术产业化项目 3 项，总投资 11577 万元，其中：国家专项资金 1750 万元，企业自筹资金 9827 万元，目前，已完成投资 6500 万元，完成计划的 56.1%。新建和在建中央预算内资金项目 6 项，总投资 6527 万元，其中：国家资金 1580 万元，企业自筹 4947 万元，目前已完成总投资 5025 万元，完成计划的 76.9%。完成了 8 个项目的验收工作。

四是国家支持兵团信息化建设力度不断加大。随着国家信息化重点专项的相继实施，以及国家电子信息产业振兴规划的颁布，国家投资力度逐年加大。2009 年兵团有 6 个信息化项目列入国家计划，项目总投资 13091 万元，其中：国家资金 5205 万元。阿克苏农垦农工商联合总公司新农村信息化服务试点工程项目，在深圳高交会期间被授予信息化试点优秀项目牌匾。兵团应急平台建设一期项目获得国家全额资金支持，全国只有西藏和兵团享受此政策。兵团电子政务外网建设项目国家发改委已原则同意给予全额资金支持。

五是新产品开发成效突出。新疆伊珠葡萄酒有限公司杨伊勇获 2009 年度自治区企业技术创新突出贡献奖，“伊珠冰葡萄酒”获自治区优秀新产品二等奖；新疆科神农业装备科技开发有限公司 8GYCW－100 移动式滴灌过滤器获自治区优秀新产品三等奖。新疆科神农业装备科技开发有限公司和石河子天露节水设备有限责任公司联合开发的“8GYSW 移动式滴灌过滤器”通过自治区新产品鉴定，产品技术达到国内先进水平。

商品流通

2009 年，全年社会消费品零售总额 179.78 亿元，比上年增长 12.3%。分行业看，批发和零售业零售额 145.30 亿元，增长 11.9%；住宿和餐饮业零售额 24.67 亿元，增长 21.1%；其他行业零售额 9.81 亿元，下降 1.5%。

全社会商品购进总额 526.67 亿元，比上年增长 3.9%；商品销售总额 596.92 亿元，增长 15.4%；商品年末库存总额 107.70 亿元，下降 14.5%。其中，限额以上批发和零售业商品购进总额 384.50 亿元，下降 0.5%；销售总额 444.99 亿元，增长 16.4%；年末库存总额 74.32 亿元，下降 28.2%。

限额以上批发和零售业商品销售额中，棉麻类销售额比上年增长 27.5%，煤炭及制品类增长 7.1%，石油及制品类增长 12.0%，化工材料及制品类增长 4.9%，金属材料类增长 1.2%，建筑及装璜材料类增长 22.0%，机电产品及设备类增长 16.3%。经贸流通行业经济运行呈现以下特点：

一是消费稳定增长。兵团各级认真落实国家“双百市场”、“万村千乡”、“家电下乡”、“汽车摩托车下乡”等政策措施，拉动消费，惠及职工。团场消费明显加快，实现社会消费品零售总额 59.9 亿元，同比增长 14.9%。“家电下乡”、“汽车摩托车下乡”政策的实施对团场消费的刺激作用明显。累计销售家电 8342 台，国家补贴资金 489 万元，拉动团场消费 1469 万元；累计销售汽车摩托车 3637 辆，国家补贴资金 747.7 万元，拉动团场消费 8089 万元。棉麻类销售增长较快。受国家收储政策影响，2008 年度棉花大部分在 2009 年上半年实现销售或交储，棉花销售额同比增长 44.6%。社会消费品零售总额能够完成 184 亿元的预期目标，比上年的 160.1 亿元增长 14.9%。

二是外贸大幅下滑。受金融危机影响，全年实现外贸总额 46.6 亿美元，同比下降 47.2%，高于自治区 37.8% 的下降速度。实现出口 42.6 亿美元，下降 49.4%，其中自产品出口 8.6 亿美元，同比增长 15%；实现进口 4 亿美元，增长 1.1%。主要特点：（1）出口额降幅较大。化工、建材、机电、纺织类等兵团传统出口商品的出口均出现大幅下滑，纺织品出口下降 18.7%，PVC 下降 58.1%，水泥、焦炭基本无出口。（2）进口额与上年基本持平。主要是农产品进口同比下降12.7%，钢材、成品油等商品进口有所增长。（3）与周边国家的外贸额出现大幅下滑。兵团与中亚及俄罗斯等周边国家实现外贸额43.7亿元，占外贸总额的93.7%，同比下降47.8%，下降幅度较大。（4）出口总额中兵团自产品出口额8.64亿美元，增长14.9%，占兵团出口总额20.3%。传统大宗商品出口中，服装及衣着附件出口16.64亿美元，下降61.9%；鞋类出口5.76亿美元，下降51.6%；机电产品出口5.53亿美元，下降23.9%；农产品出口1.75亿美元，下降25.9%，其中番茄酱出口1.29亿美元，下降24.8%。

三是棉花销售顺利。在国家收储政策的推动下，兵团各级密切配合，抓住机遇，加快销售。2008棉花年度棉花购销呈现出收购多、销售快、库存少、发运增的态势。截至2009年8月31日，兵团棉麻系统累计收购棉花137.2万吨（含收地方），同比增加11.1万吨；累计自销棉花92.8万吨，同比减少11.7万吨；累计交储棉花44.4万吨；库存结零（上年度同期库存为21.6万吨）；兵团六个棉花铁路发运站累计发运棉花20236车合87万吨，同比多发运1353车共5.8万吨。

四是棉花质量检验体制改革稳步推进。2009年，国家发改委下达兵团68家轧花厂92台套棉花加工业生产设备更新改造计划，补助贴息资金2300万元，实际完成棉花加工业生产设备改造任务51台套。阿拉尔、图木舒克、五家渠市三个棉花仪器化公证检验实验室于2009月10月建成运行，检验能力61万吨。2009棉花年度，棉花市场价格一路走高，棉花企业加快自销，对公检交储考虑较少，致使棉花仪器化公证检验量比上年同期有所下降。全年兵团178家轧花厂送检棉花54.5吨，送检家数增加16家，送检数量减少28.6万吨，同比下降34.4%。三个实验室仪器化公证检验棉花21.7万吨，占检验能力的36%。

五是农资供应充裕。2009年，各级农资公司动手早，备货足，主要农业生产资料供应充裕，满足了春耕春播及当前农业生产需要。兵团农资经营系统累计销售化肥117.4万吨。春耕春播期间氮肥供应价格1850元/吨左右，同比下降100元/吨左右；磷肥供应价格2800元/吨左右，同比下降1500～2000元/吨左右；农膜供应价格10000～12000元/吨，同比下降2000～4000元/吨左右。成品油供应基本满足需要，全年供应成品油55.8万吨，其中柴油42万吨，汽油13.8万吨。春耕春播期间柴油供应价格为5640元/吨，同比下降150元/吨左右。农资价格的下降降低了生产成本，促进了职工增收。

六是流通基础设施建设不断加快。继续发挥流通业在推进产业结构调整、加快兵团城镇化建设、提高职工生活水平和促进兵团经济增长方面的重要作用，不断加快流通基础设施建设。2009年共争取国家资金3650万元，支持建设农产品冷链物流、物流业与制造业联动发展、农产品批发市场改扩建、棉花中转储运库改扩建、口岸仓储设施、农资连锁配送、边远贫困团场农贸市场等15个流通基础设施建设项目。“万村千乡”市场工程在已建成5583个网点的基础上新增2000家，改善了消费环境，拉动了消费需求。

2009年兵团经贸流通领域还存在如下问题：一是外贸形势严峻。受金融危机影响，周边国家收支情况严重恶化，购买力急剧下降，导致自2008年11月份以来以边贸为主的进出口大幅下降。二是外贸结构不合理。兵团自产品出口比重小，外贸对经济增长的拉动作用不明显。三是棉花加工业生产设备更新改造贷款难，技改工作进展缓慢，2009年计划中有40余台套棉花加工业生产设备推迟到2010年进行改造。

外经外贸

2009年，兵团全年货物进出口总额46.60亿美元，比上年下降47.4%。其中货物出口42.60亿美元，下降49.6%；货物进口4.00亿美元，增长0.3%。兵团全年实际利用外资4170万美元，其中外商投资1224万美元，外国政府贷款2946万美元，比上年分别下降32.1%、50.7%和19.4%。

2009年核准外商投资项目6个，项目总投资8738.7万美元，合同外资金额5705.7万美元，实际到位金额1224万美元。投资总额最大的项目2574万美元，项目涉及番茄加工、房地产等行业。外商投资国分别是香港4家、哈萨克斯坦1家、维尔京群岛1家。外国政府贷款实施了美国进出口银行贷款购置第二批采棉机项目，引进采棉机33台，实际到位资金2946万美元，在2009年采收季节运抵项目团场并发挥了作用。核准境外投资项目3个，总投资1370万美元，投资方式均为合资，中方投资总额779.3万美元。投资国均为哈萨克斯坦，项目涉及钢铁、建材及水产养殖等。

存在的主要问题：一是外商投资下降明显。受金融危机和乌鲁木齐“7·5”事件的严重影响，2009年来兵团洽谈项目的外商很少，外商投资是最困难的一年。核准外商投资项目数量较上年减少7个，合同外资金额和实际到位金额与上年相比均大幅下降，分别下降69.9%和50.7%。二是外商投资区域不平衡仍然突出。受城市地理位置和产业发展程度影响，2009年外商投资项目全部集中在石河子经济技术开发区，五家渠、阿拉尔、图木舒克几个新建城市基础设施得到很大改善，吸引了一些国内企业投资。

交通运输

一是交通基础设施投资大幅增长。全年交通基础设施建设总投资31.3亿元，较上年增长24.8%，其中公路建设投资30.39亿元，通用航空建设投资0.21亿元，铁路专用线建设投资0.7亿元。

2009年公路建设总里程2807.7公里，完成投资30.39亿元。其中新建重点公路项目12个，建设里程355.07公里，完成投资6.59亿元；续建重点公路项目10个，建设里程697.2公里，完成投资5.64亿元；主枢纽、危桥改造及安保工程、渡改桥等其他交通基础设施完成投资7.34亿元。新增中央投资项目顺利实施。共争取到第一批和第三批中央新增投资1亿元，建设通营公路里程251.8公里，其中：2008年底新增中央投资公路建设项目总投资2.01亿元，建设里程126.8公里；2009年新增中央投资公路建设项目总投资1.22亿元，建设里程125公里。

通用航空担负着为兵团和地方飞播造林、种草、防灾、人工实施降水（雪）等20多个农林航空任务。2009年通航公司投资2134万元，购置2架空中拖拉机AT－504型农用飞机，以及配套的随机航材、选装设备和维修检验设备。石河子开发区天业铁路专用线建设工程于2007年8月开工建设，2009年投资0.7亿元，6月工程竣工，7月9日正式开通运营。

二是交通运输业克服困难，继续保持平稳增长。全社会公路运输业持续平稳增长。分别完成旅客周转量、货物周转量42.05亿人公里和67.63亿吨公里，同比增长12.6%和14.2%。道路运输业完成经营收入32.99亿元，同比增长13%；实现增加值16.34亿元，增长11.4%。农三师、农四师、农八师、农十二师和农十三师超额完成全年增加值计划。

独立核算公路运输企业生产指标、效益指标基本完成。行业统计内的16家独立核算企业完成客、货运量分别为974.04万人和535.52万吨，同比下降1.1%和增长3%；完成客、货周转量分别为13.39亿人公里和7.3亿吨公里，完成计划的97.34%和99%。农三师运输公司等4家公司已超额完成全年客运周转量计划，农十三师五洲运输公司等4家公司超额完成全年货物周转量计划。16家公路运输企业共实现利润1086.5万元，完成全年计划指标的146.8%，同比增盈201.6万元，增长22.8%。除农八师和农十师2家运输企业亏损外，其余14家企业继续增盈。盈利超百万元的企业有4家。财务核算内的9家国有或国有控股企业实现利润337.6万元，完成全年计划指标的120.6%。

道路运输安全管理水平逐步提高。独立核算运输企业共发生道路运输安全责任事故1.5起、责任死亡2人、责任受伤0.25人、直接经济损失30万元。与上年同期相比责任事故率下降19%，责任死亡率下降40%，责任受伤率37%，直接经济损失率下降4%，运输安全四项指标均控制在国家规定的行业控制指标范围内。兵团航空飞行业务开展顺利。通用航空公司全年完成4600小时飞行，其中农业飞行3500小时，工业飞行1100小时；实现飞行收入2600万元。

三是实施成品油税费改革，出台公路养护管理办法。实施成品油税费改革是涉及交通领域的一项重大改革，这次改革是为建立完善的成品油价格形成机制和规范的交通税费制度，促进节能减排和结构调整，公平负担，依法筹措交通基础设施维护和建设资金。2009年国家下拨兵团2.7亿元成品油税收作为兵团当年的养护资金。为配合成品油税费改革的实施，根据国家政策要求，兵团结合公路养护的实际，对2002年制定的《兵团公路养护管理暂行办法》进行修订和完善，以适应国家成品油税费改革的需要。

资源节约和综合利用

2009年兵团全年规模以上工业企业综合能源消费量666.64万吨标准煤，比上年增长40.9%。其中，煤炭消费量1029.19万吨，增长38.4%；汽油0.34万吨，增长15.3%；柴油1.97万吨，增长23.4%；天然气2859万立方米，增长16.2%；电88.77亿千瓦小时，增长49.0%；热力898.86万百万千焦，增长17.1%。

全年工业废水排放总量4825.47万吨，工业废水中COD排放总量3.70万吨。工业废水排放达标率63.3%，工业重复用水率88.7%。工业废气中SO_2排放总量6.76万吨，工业烟尘排放总量2.01万吨，工业粉尘排放量1.60万吨，工业固体废物排放量3.12万吨，工业固体废物综合利用量421.65万吨，综合利用率72.6%。

单位GDP能耗为2.2961吨标煤/万元，比2008年下降5.1%；万元地区生产总值用水量同比下降9.4%；工业增加值用水量同比上升18%；化学需氧量（COD）排放量和二氧化硫（SO_2）排放量分别为1.53万吨和2.21万吨；城市污水集中处理率为49%，提高3个百分点。主要特点：

一是加强对节能减排工作的组织领导。筹备召开2009年兵团节能减排电视电话会议，对全兵团的节能减排工作进行总体动员和部署，根据《国家发展改革委关于印发2009年推动落实节能减排工作安排部门分工的通知》精神，制定《新疆生产建设兵团2009年推动落实节能减排工作安排部门分工的通知》。举办重点用能企业能源利用状况报告填报工作培训班，对新疆青松建材化工（集团）股份有限公司等40余家重点用能企业的50名负责能源管理工作的业务人员进行了能源填报工作培训。

二是认真落实节能减排目标责任制。2009年是认真落实节能减排目标责任制的重要一年，按照《兵团办公厅关于开展2008年节能目标责任评价考核工作的通知》的精神，从4月下旬开始，联合建设局、统计局的相关处室组成调研组，分批次对10个师的2008年节能目标完成情况进行现场考核，并对22家企业开展节能减排工作进行专项督查和调研。下发《关于对兵团各师2008年节能目标责任评价考核情况的通报》，对各师2008年节能指标完成情况和节能措施落实情况进行通报。

三是积极推进产业结构调整。编制完成资源节约和环境保护计划、基础测绘计划。编制完成《兵团"十二五"秸杆资源综合利用规划》，制定淘汰落后生产能力年度目标任务，电石、水泥等行业的产业整合和结构调整工作取得新进展，共关停、取缔、淘汰28家落后企业及生产线，已淘汰落后煤炭产能18万吨、水泥产能32万吨，2009年新型干法水泥产能已占兵团水泥生产能力的80%以上。水电、风能、太阳能等清洁能源不断发展，用能结构得到优化。高技术产业继续保持快速发展，企业自主创新能力得到加强。

四是认真做好环资项目管理工作。下达第二、三批扩大内需中央投资项目计划，下达了农六师大黄山煤矿瓦斯发电等8个项目，项目总投资3.63亿元。对各师上报的2009年兵团本级节能减排专项资金项目进行汇总和筛选，阿拉尔热电厂锅炉脱硫除尘技改工程等7个项目列入2009年兵团本级节能减排专项资金项目计划。加强项目的跟踪管理和督促检查，特别是对新增中央投资项目进行动态掌握，加大对投资计划执行情况的监督力度。

五是积极推进循环经济试点工作。2009年，石河子市抓住循环经济试点城市的有利机遇，以重化工业为主的北工业园区和以氯碱化工为主的天业集团作为试点，坚持科技创新，不断突破循环经济的关键技术，实现"吃干榨尽"，废水、废气、废渣得到综合利用，构建园区和企业层面的循环经济发展模式。2009年，石河子市循环经济重点项目之一的高效节水及废水综合利用项目得到国家支持。该项目总投资1.54亿元，建设20万亩高效节水灌溉面积，项目实施后，年可节约用水量1000万立方米。新疆天业集团作为循环经济试点企业，通过产业间的"大循环"和产业内部"小循环"有机结合，大力推行清洁生产、创新发展循环经济关键支撑技术等措施，循环经济发展效果显著。与2005年相比，2009年天业集团废水排放量下降70%，COD下降16%，二氧化硫下降4%，电石渣综合利用率100%，废旧滴灌带回收利用率85%，主导产品能耗平均下降10%以上。

六是加快实施节能减排重点工程。围绕燃煤锅炉改造、能量系统优化、电机系统节能、余热余压利用、污染减排等认真实施节能减排技术改造，在节约能源资源的同时，削减了SO_2、COD等污染物排放量，生态效益明显。建筑节能工程得以大力推进。新建建筑节能50%强制性标准全面实施。高效照明产品推广工作取得成效。制定《新疆生产建设兵团2009年财政补贴高效照明产品推广实施方案》，将2009年国家下达的50万只推广任务分解落实到各师。

七是认真开展资源综合利用工作。开展资源综合利用认定及换证工作。对青松建材、天宏纸业等11家企业的15种产品进行资源综合利用认定相关工作；对7家公司的12个水泥产品进行资源综合利用换证。开展资源综合利用年度统计工作。对享受资源综合利用税收减免政策的兵团企业2008年度"三废"利用情况及税收减免情况进行调查统计。

（撰稿：帅英）

全国重点企业介绍

中国兵器工业集团 江南机器（集团）有限公司

CNGC JIANGNAN MACHINERY (GROUP) CO. LTD

公司简介

江南机器（集团）有限公司始建于 1952 年，隶属于中国兵器工业集团公司。公司位于湖南省湘潭市西郊，占地面积 620 万平方米，建筑总面积 37.49 万平方米，员工 5149 人，下设 7 个分厂，6 个控股、参股子公司。公司现有资产总额 25 亿元，有各种设备 6000 余台，其中有从德国、日本、美国等国家引进的立卧转换加工中心、精密数控车削加工中心等 100 多台。公司具备了从精密铸造到机械加工、从冷锻到热挤压、从工模具制造到大型设备制造与维修的综合能力，形成了完整的工艺体系。1996 年公司通过 ISO9000 质量体系认证；2005 年，国家发改委、财政部等四部委联合授予公司“ 国家认定企业技术中心 ”称号，该中心拥有国家和国际组织认证实验室 1 个和一个博士后流动站；2007 年公司被授予“ 国防科技工业企业技术中心 ”；2009 年公司被确定为国家级创新型企业和湖南省高新技术企业称号。此外，公司还先后获得中国首次载人航天飞行突出贡献奖、全国先进基层党组织、湖南省企业“ 百强 ”等荣誉称号。公司现为国家一级计量、一级理化单位，兵器工业安全级企业和五星级现场管理优秀企业。

目前公司在产的主要产品有新能源装备系列产品、汽车及零部件系列产品，非标和机电设备系列产品。

地址：湖南省湘潭市江南机器（集团）有限公司

邮编：411207

电话：0731-58300479　57651113

网址：www.jnjqjt.com

中国华融资产管理公司
CHINA HUARONG ASSET MANAGEMENT CORPORATION

总裁：赖小民

中国华融资产管理公司是经国务院批准设立的国有独资非银行金融机构，于1999年10月19日正式挂牌成立，注册资本金100亿元人民币，公司总部设在北京，全国设有30家办事处，拥有6家平台公司，服务网络遍及30个省、市、自治区。

经过十年的成功运作和发展，中国华融全面完成了政策性资产处置目标任务，为促进国有商业银行改革脱困、维护金融体系稳定运行、最大限度减少国家损失、促进社会经济健康稳定发展，做出了积极贡献。

顺应新的经济金融形势，在国家有关部门的支持和指导下，中国华融积极稳健推进商业化转型，旗下已拥有华融金融租赁股份有限公司、融德资产管理有限公司、华融证券股份有限公司、华融国际信托有限责任公司、华融置业有限责任公司、华融致远投资管理有限责任公司，形成了以资产经营管理为主，以证券、租赁、信托、投资为依托的综合性金融服务体系，可以依托辐射全国的30家分支机构和多元化的业务平台，发挥综合优势和协同效应，为客户提供一揽子多项金融服务，满足客户多样化的服务需求。中国华融目前正在国家有关部门的支持和指导下，加快推进公司商业化转型。计划用五年的时间实行“三步走”战略：一是大力推进实施“大客户”战略，彻底走市场化路子；二是适时引进优秀的战略投资者，走市场化、多元化、综合化的现代金融企业发展路子；三是择机上市，实现公司跨越式发展。

2009年10月18日华融之夜音乐会在人民大会堂成功举办

2009年5月11日中国华融与重庆市人民政府签订协议建立战略合作关系

中国华融实行统一法人、授权经营的经营管理体制。总裁为公司法定代表人，对公司的经营运作全面负责。总部拥有全公司的法人财产权，是公司的经营管理中心、风险管控中心、决策指挥中心、资源调配中心、经营服务中心和业务创新中心。中国华融把抓好全面风险管理作为各项工作的“重中之重”，坚守风险底线，确保各项业务健康发展，在总部和各办事处成立了两级风险管理和内部控制委员会，各子公司成立风险管理议事机构，建立了风险报告制度和风险分类管理制度。总部对全系统内部审计实行集中统一管理，确保内部审计的独立性和监督作用。为加强对子公司监事会工作的指导，中国华融总部设有监事会工作部，建立子公司监事会联席会议制度。中国华融建立了符合实际需要的ISO9000质量管理体系，并于2005年8月通过国际权威认证机构英国标准协会（BSI）ISO9001：2000国际质量管理标准认证，成为国内首家通过认证的金融资产管理公司。

Authorized by the State Council, CHAMC was founded on October 19, 1999. The Company is a wholly state-owned non-banking financial institution with the registered capital of RMB 10 billion. Besides the headquarters in Beijing, CHAMC has set up 30 branch offices nationwide and owned 6 subsidiary companies, spreading its service network over 30 provinces, municipalities and autonomous regions.

After a decade of successful operation and development, CHAMC has fulfilled the task of disposing of non-performing loans (NPL) purchased on a policy-directed basis and accomplished the scheduled target of supporting the reforms of the state-owned banks, safeguarding the sound operation of the financial system, maximizing the recovery of the state-owned assets, and promoting healthy and stable social and economic development.

银监会刘明康主席一行莅临中国华融慰问视察

中国华融在上海召开“2009创新工作会议”

In response to the new economic and financial situation, CHAMC will make active and steady efforts to promote the commercial transition with the guidance and support of relevant government authorities. CHAMC has founded 6 subsidiary companies, including Huarong Financial Leasing Co., Ltd. (Huarong Leasing), Rongde Asset Management Co., Ltd. (Rongde AMC), Huarong Securities Co., Ltd. (Huarong Securities), Huarong International Trust Co., Ltd. (Huarong Trust), Huarong Real Estate Co., Ltd. (Huarong Real Estate), and Huarong Zhiyuan Investment & Management Co., Ltd. (Huarong Zhiyuan), putting in place an integrated financial service framework with asset management as the core business, and securities, leasing, trust and investment as the supportive businesses. Leveraging the comprehensive advantages and synergy effect, CHAMC is able to offer a package of customized financial services relying on 30 branch offices and diversified business platforms. Currently, CHAMC is expediting its commercial transition with the guidance and support of relevant government authorities. The Company has put forward a strategy of Three-step development in five years. First, CHAMC will vigorously implement the "major customer" strategy and build itself as a market-oriented institution. Second, CHAMC will introduce outstanding strategic investors at a proper time and develop into a market-oriented and modern financial group with diversified operations. Third, CHAMC will create conditions to go public, achieving development by leaps and bounds.

CHAMC adopts the operational and management system of unified operation authorized by the legal representative. The President, as the legal representative of the Company, takes the overall responsibility for the operation of the whole Company. The headquarters, holding the legal person’s property rights of the whole Company, is the centre of operation and management, the centre of risk management and control, the centre of decision-making and leadership, the centre of resources transfer and allocation, and the centre of operation service and business innovation. Risk management is the top priority among all tasks. To ensure the healthy development of risk-adjusted businesses, CHAMC has established in headquarters and branch offices the dual-hierarchy risk management system and the Internal Control Committee. The subsidiaries have also founded the risk management and advisory organs. In addition, CHAMC has established a risk-reporting system and risk classification management system. The headquarters is held responsible for the unified management of internal audit of the whole group to ensure the independent and supervisory function of its internal audit. To strengthen the guidance on subsidiaries’ Board of Supervisors, CHAMC has established the Committee of Supervisors in the headquarters and a joint meeting system of subsidiaries Board of Supervisors. Given the actual need, CHAMC has established ISO9000 quality management system which has been accredited by British Standards Institution with ISO9001:2000 in 2005, making CHAMC the first certified financial asset management corporations (AMC) in China.

地址：北京市西城区金融大街8号A座　　ADD:Tower A,No.8 Financial Street, Xicheng District, Beijing
邮编：100033　电话：010-59618888　　网址：www.chac.com.cn

中国长城资产管理公司

CHINA GREAT WALL ASSET MANAGEMENT CORPORATION

中国长城资产管理公司成立于1999年10月18日，是具有独立法人资格的国有独资金融企业，专门负责收购、经营和处置国有商业银行不良资产，承担了国务院赋予的化解金融风险，支持国有企业改革和发展，最大限度地保全资产和减少损失的特殊历史使命。目前公司正在向商业化转型发展。

中国长城资产管理公司注册资本金100亿元人民币，由财政部全额拨入。总部设在北京，在北京、上海等4个直辖市、24个省会城市和大连、深圳2个计划单列市，设立了30家办事处。公司实行“一级法人、授权经营”的管理体制，各办事处根据总部授权开展业务经营活动。公司目前拥有涉及金融租赁、保险、担保、基金、评估等10家控股或参股公司。

地址：中国北京市西城区月坛北街2号月坛大厦A座9-12层　　邮编：100045

电话：86-10-6805 4068　　传真：86-10-6808 2784　　网址：http://www.gwamcc.com

转型发展中的中国长城资产管理公司

中国长城资产管理公司从2007年开始向商业化转型发展以来，在国家各有关部门的大力支持下，紧紧围绕利润核心，进一步突出不良资产经营管理处置主业，加快新业务拓展，大力推进内部改革，积极构建先进的企业文化，有效推进了各项工作的开展。

在不良资产业务经营方面形成了一整套成熟的不良资产商业化运作模式，实现了由政策性安排向市场化收购与处置的转变。长城资产管理公司坚持以利润为目标，做大做强不良资产收购、管理和处置主业，全面实施了精细化处置战略，从发现价值，到提升价值，有效增强了不良资产处置的技术含量，拓展了效益空间，打造了齐鲁宾馆、长信春天、龙煤股份、中国一重、万方地产等一大批成功重组案例。

在新业务拓展方面建立了新的业务结构，实现了由单一业务向多元业务的转变，综合经营实力不断提高。上市辅导、证券承销、并购重组、财务咨询等业务取得新进展，2010年4月以副主承销商的身份推荐信邦药业公开发行股票。金融转型平台建设取得新突破，成功进入保险和金融租赁市场，先后成立了新疆长城金融租赁公司、长生人寿保险有限公司；还拥有上海投资控股公司、深圳国盛投资担保公司、天津金融资产交易所等多家控股公司，参股博时基金，综合性金融资产管理公司的雏形初步显现。

在内控制度建设方面建立了科学的内部管理模式，实现了内部管理由经验型向科学型的转变。引入ISO9001国际质量认证标准，并建立分产品的效益管理与成本分摊体系。围绕建立现代企业管理制度，以人力资源管理改革为突破口，先后成功实施了选拔任用机制、劳动用工制度、绩效考评体系等改革，为公司商业化转型发展注入了新的活力。

目前，中国长城资产管理公司正在按照国家的部署和安排，努力向着“以不良资产经营管理为主业，具有综合金融服务功能，有着稳定盈利模式、健全经营机制、明显竞争优势和持续发展能力的综合性资产管理公司”的战略目标奋勇前进。

2010年8月29日，天津金融资产交易所全国3个地区总部和28家交易服务部授牌暨深圳地区总部揭牌仪式

2009年12月28日，中国长城资产管理公司与天津市人民政府签订战略合作协议

2010年6月10日，中国长城资产管理公司在第四届中国企业国际融资洽谈会期间发起主办了金融创新论坛

2009年10月17日，中国长城资产管理公司与日本生命保险相互会社共同注资的长生人寿保险有限公司在上海挂牌成立

EXPO 2010 SHANGHAI CHINA

中国电信 CHINA TELECOM

中国2010年上海世博会全球合作伙伴
Global Partner of Expo 2010 Shanghai China

中国电信上海公司

中国电信上海公司一贯以科学发展观为指导，深入推进企业转型，积极践行“聚焦客户的信息化创新”战略和“激情、创新、合作、诚信”的精神，坚持创新发展的主线，坚持战略转型，实现了品牌和转型双突破，保持了上海地区的通信领先地位，公司连续几年收入增长水平名列集团第一，各项转型指标位居集团前列。目前中国电信上海公司拥有中国电信集团内最大的本地网，为1600多万用户(其中：固定电话870万、固定宽带376万、移动业务260万、IPTV业务102万)提供全方位的综合信息服务，承担了全国50%以上的国际电话汇接；互联网国际出口带宽112.5G，占中国电信总出口带宽40.4%。上海已经成为国内拥有固定电话、宽带和IPTV用户数最多、内地国际通信出口流量最大的城市。

2009年中国电信上海公司大力推进“城市光网”建设，年内完成75万户覆盖，实现百兆到户；2M覆盖达到98%，4M覆盖达到93%，8M覆盖达到77%；楼层光缆覆盖的楼宇达530幢，商务楼PON覆盖达到554幢。9月中旬，中国电信正式启用新中美海底光缆系统(TPE)，上海至全球互联网总带宽达140G，IP城域网出口能力突破1140G，成为国内首个具备T级别出口带宽能力的城市，基本建成“无线上海”。

2009年中国电信上海公司在集团内率先建成全覆盖的商用3G网络，也成为上海最早商用的3G网络。实现长江隧桥、地铁7号线等重大工程的C网覆盖，地铁站已全面实现3G覆盖。

中国电信上海公司积极把握物联网等新技术发展机遇，聚焦汽车交通、公共事业、公共安全、金融、医疗急救等多个行业，成功拓展诸如上海通用ONSTAR项目、上海三菱电梯远程服务系统、宝山医疗急救中心救护车CDMA通讯等多个项目在集团内率先实现行业应用。

2009年中国电信上海公司在世博园区实现了“城市光网”的全覆盖，并开始向中国馆、主题馆、世博中心、演艺中心和世博轴提供通信能力。8月15日，信息通信馆完成结构封顶，年内在世博会18个企业馆中率先竣工并通过验收。11月12日，开世博举办史上先河的网上世博会成功上线，世博网站的三维展馆、视频点播、视频直播、图片分享、BBS等频道可及时、直观地向全球展示，世博会全球CDN服务也获2010年度上海工博会大会金奖。此外，中国电信上海公司的“962010多语言世博服务热线”和12项世博承诺等创新服务举措，以及世博倒计时一周年、倒计时300天大型宣传活动，得到社会广泛关注和一致好评。在2010年上海世博会上，中国电上海公司将积极推出LTE第四代移动通信、智慧家庭、非接触式移动支付、物联网、城市光网、多语言识别系统、掌上世博、手机Push to X以及集全球眼、视频呼叫、世博信息查询、紧急援助等诸多业务于一身的世博信息亭等在内的多项科技亮点，通过新的视角、新的方式记录世博、呈现世博，让世人见证电信科技与人文世博的完美结合。

展望未来，中国电信上海公司将以最大的努力，构建自身的全业务竞争运营优势，助推和谐发展的信息产业生态圈建设.共同为客户提供更丰富的服务内容与更精彩的服务体验，让上海的企业和老百姓真真切切地感受到综合信息服务带来的便利。

2009年12月16日，中国电信上海公司庆祝IPTV用户突破100万

中国电信上海公司积极为2010年上海世博会提供优质服务。图为应急通信车及电信人员在世博园区现场进行通信保障

2010年4月27日，中国电信上海公司推出八大科技亮点和十八项新业务，为市民享受美好信息新生活提供可能

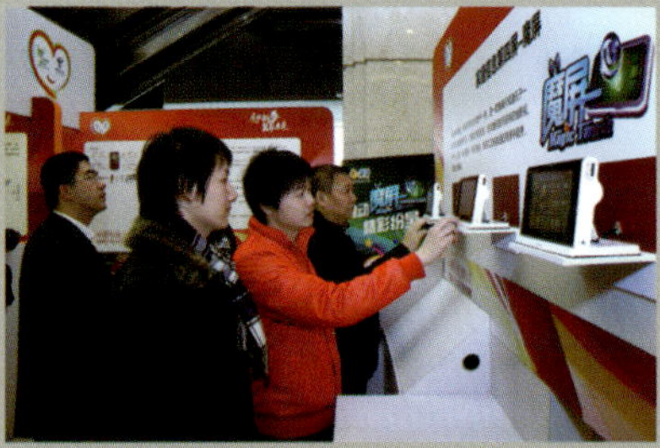

2010年初，中国电信上海公司发布家庭信息第四屏——“魔屏”，助力“城市光网”建设

综合服务热线：10000

地址：中国上海世纪大道211号信息大楼　电话：021-63240069　邮编：200120　网址：www.shanghaitelecom.com.cn

中国高岭土公司

一流装备 一流管理 一流服务 一流品牌 一流效益

中国高岭土公司，原名苏州瓷土公司，属国家建材大型二类企业，中国非金属矿工业公司成员单位，隶属中国中材集团公司。公司位于江苏苏州高新区西部生态城——国家级森林公园阳山之麓，紧靠沪宁高铁、312国道、苏州绕城高速及京杭大运河，水陆交通十分便捷。

中国高岭土公司是一个已经具有50余年历史的高岭土矿山企业。目前公司现有3座地下开采的高岭土矿山、3个精选加工厂、1个磨粉厂和一所国内唯一的高岭土研究所。生产能力采矿25万吨／年、选矿12万吨／年，高岭土（粉状）10万吨／年。苏州高岭土“储量丰富、品质优良”，具有得天独厚的矿产资源优势，经地质勘探确定储量达3000万吨。经中国社会调查事务所“全国社会调查”，公司注册商标“阳山牌”高岭土被确认为“中国名牌产品”，被苏州市确认为苏州国家高新技术开发区“循环经济示范企业”。

公司是国内最大的采选研一条龙服务的高岭土生产基地，生产规模和销售居全国之首。企业形成了以研究所为主的新品研发生产基地，以浒关选矿厂为主的高档产品生产基地，以观山选矿厂为主的商品量生产基地和以观山磨粉厂为主的粉状产品生产基地，实现了采选生产平衡，不断满足国内外市场需求。

公司技术力量雄厚，现有专业技术人员70人，其中高级职称45人。多年来先后开发出絮凝、水簸、漂白、降粘、离心分级、小口径旋流器分级、焙烧超细等新技术，公司将科研成果直接应用于规模化生产。产品广泛应用于石油催化、搪瓷、电陶瓷、橡胶、砂轮、涂料、化妆品、玻纤、造纸、电子、塑料、油漆、医药等十多个行业，畅销全国28个省、市、自治区，拥有用户1500余家，并有部分产品出口，在国内外享有良好的声誉。

中国高岭土公司始终坚持“顾客至上、精益求精；环保领先，节约资源；安全第一，预防为主；遵守法规，持续改进”的质量、环境、职业健康安全综合管理方针。通过国际质量认证、环境认证、职业健康安全认证，极大地提高了企业的管理水平和运作能力。

公司以科学发展观为指导，确定了新一轮发展战略，将继续充分发挥四大战略和五大优势，坚持走新型工业化道路，大力发展循环经济，不断增强企业核心竞争力；坚持走精品、高效、高附加值的创新之路，不断调整产品结构，提高产业发展层次，立足把企业做精做优做强做大。坚持自主创新之路，不断增强企业自主创新能力，进一步发挥管理、技术、市场品牌和行业龙头优势，从而推进企业产业化、科技化发展战略的实施。

中国高岭土公司将以“诚信、团结、务实、创新”的企业理念，以“一流装备、一流管理、一流服务、一流品牌、一流效益”为目标，争创高岭土行业一流企业。

地址：江苏省苏州市浒墅关镇兴贤路999号

邮编：215151

电话：0512-65391612、65391621、65391613（总机）

0512-65391340（市场营销部）

传真：0512-66720863（市场营销部）

0512-65391615（办公室电话）

0512-65391459（公司办公室）

西飞集团进出口有限公司

西飞集团进出口公司成立于1992年12月10日，是经中华人民共和国对外经济贸易合作部批准设立具有法人资格的自营和代理各类商品及技术进出口业务的外经贸企业，2004年12月9日改制为有限责任公司，是西飞集团公司开展外贸的窗口企业。截至2009年底，公司总资产近3亿美元。

西飞集团进出口有限公司（以下简称公司）主要业务范围包括进口、出口、代理及仓储物流等业务。公司与美国GE、波音（BOEING）、美铝（ALCOA）、霍尼韦尔(HONEYWELL)、欧洲空客（AIRBUS）、日本三菱化学公司、日本旭硝子、挪威戈朗海洋工程集团、意大利利雅路集团等世界知名企业建立了长期合作关系。

进口业务包括美铝紧固件、三菱挂板、三菱化学马福特克、日本旭硝子氟碳涂料、意大利利雅路集团壁挂锅炉、法国“CLUIX”、“LANFCO”产品、法国“新风”系统、航材、电子芯片等进口销售。出口业务包括新舟60飞机、纺织品、服装、天线、石油设备、金属蜂窝芯、数据解压卡等。代理业务包括出口船舶、波音、空客转包生产项目、进口机电设备、材料、机载成品等。仓储物流以公用型保税仓库为平台，提供JIT(准时)配送服务。打造自主知识产权及品牌业务包括GE加工项目、紧固件等。同时，还与美国霍尼韦尔合作拓展中国物流服务、与挪威戈朗海洋工程集团合作从事海洋工程开发研究。

公司愿同国内外合作伙伴和社会各界协同创造卓越，把进出口公司建设成为具有航空工业背景，善于利用全球资源、面向国际市场、提供高质量产品和服务，拥有自主品牌和良好的商誉，具有长期投资价值的、在行业内受人尊重的国际贸易公司。

为国家大剧院提供外板

新舟起飞

在建船舶

公用保税库

地址：陕西省西安市阎良西飞大道一号
邮编：710089
电话：029-86201721
传真：029-86203970
网址：WWW.XAC-IEC.COM

中海发展股份有限公司油轮公司

CHINA SHIPPING DEVELOPMENT CO., LTD. TANKER COMPANY

企业简介

中海发展股份有限公司油轮公司（简称中海油运）是中国海运（集团）总公司的控股子公司——中海发展股份有限公司的分支机构，是中国海运麾下五大主营船队之一。中海油运成立于1998年2月10日，总部设在上海，广州设有分公司。

中海油运主要从事国内外原油和成品油水上运输，是中国水上石油运输特大型企业之一。截止到2010年8月底，公司拥有和经营船舶71艘，总载重吨634万吨，主力船型为VLCC、阿芙拉型、巴拿马型和灵便型，航线遍布全球100多个国家和地区，年石油运输量超过7000万吨。

公司成立以来，坚持科学发展道路，以市场为导向，以服务客户为宗旨，抓生产，保安全，促管理，创品牌。中海油运作为国内水路原油运输的主力军，有效保障着国民经济对石油能源的运输需求。

2003年以来，中海油运按照建设“世界级油轮船队”的发展目标，加快船队结构调整步伐，落实企业“十一五”发展规划，船队规模和企业综合实力显著增强。

公司船队规模的国际排名已由2003年的第32位上升至目前的第12位。到2011年末，中海油运的船队运力规模将达到800万～850万载重吨，其中，30万吨级的VLCC将超过14艘。

中海油运凭借优秀的人才队伍，丰富的航运管理经验，先进的船舶管理方法，良好的服务信誉，在市场竞争中不断发展、壮大，在油运市场中树立了良好企业形象，得到国内外客户和社会各界的广泛认可。2005年，公司荣获第四届“中国货运业最佳船公司”金奖；1998年以来，公司连续七次荣获“上海市文明单位”的荣誉称号；2008年，公司荣获“全国精神文明建设工作先进单位”、全国“安全诚信公司”等荣誉称号。

当前，中海油运正坚持科学发展，诚信四海，追求卓越，不断开拓创新，向着“世界级油轮船队”的目标迈进。

中海油运11万吨级松林湾

中海油运“千池”轮

诚信四海　追求卓越　百年中海　世界一流

联系方式

理：茅士家
：上海市源深路168号
：200120

电话：86-21-65968306
传真：86-21-68757929

网址：www.cstanker.com
Email：office@cstanker.com

北京京城机电控股有限责任公司

董事长、党委书记　任亚光

北京京城机电控股有限责任公司（京城机电）是由北京国有资本经营管理中心出资设立的大型装备制造业公司，是中国最大500家企业集团之一。公司在北京的产业发展历史已逾百年，新中国成立以来，一直在党和国家、北京市的关心和支持下茁壮成长。公司现有资产247亿元，30家重要的装备制造业企业，13家合资公司，1家上市公司，3家科研院所和学校，员工2万余人。2009年主营业务收入150亿元。

京城机电以制造精良、装备世界为使命，旗下拥有数控机床、发电设备、高压容器、印刷机械、工程机械、环保装备、输变电设备、工业物流以及液压基础件等多个产业集群，集工程设计、产品开发、设备制造和技术服务为一体，为电力、冶金、船舶、交通、工程建设、机械制造、航空航天等多个工业领域提供高质量的专业机电一体化设备与服务，客户已经遍及全球70多个国家和地区。

京城机电始终立足装备制造业，拥有强大的产品设计研发和设备加工制造能力。公司建立了以技术研究院和企业技术中心为核心的研发体系，拥有15家技术中心，其中3家为国家级，7家为北京市级，技术研发人员2000余人。公司部分产品长期居国内领先水平，创造出一大批代表国家装备工业水平、处于世界领先的产品，从新中国第一台X53K—1型数控铣床、新中国第一台J2201型对开双色胶印机、新中国第一台QD100型大型汽车起重机，到现在的世界上跨度最大的XKA28105300数控桥式龙门车铣复合机床、世界首台600MW“W”型火焰超临界锅炉机组等，都来自于京城机电的执著专注和不懈追求。

京城机电秉持“精于术理，诚以信合”的核心价值理念，致力于通过不断地创新、学习和变革，实现对先进制造技术和管理思想的开发和实践，实现对资源效率和企业价值的优化和提升。坚持用诚实承载信用，用忠诚对待事业，用热诚对待工作，用合作实现和谐，达到合作伙伴之间、企业与员工之间的共同成长和成功。努力推进中国装备制造业的振兴，成为全球领先的专业机电一体化设备和服务供应商。

京城机电旗下一机床生产的
世界跨度最大超重型数控机床

京城机电旗下北人股份自主
研发的国内首台中型印报机75A

京城机电旗下机电源高技术股份公司
固废处理中心医疗废物焚烧工程项目

京城机电旗下天海公司气瓶生产线

京城机电旗下北京巴威公司承制的
世界首台W型火焰超临界锅炉项目

京城机电旗下京城重工
生产的全路面汽车起重机

地址：北京市朝阳区东三环中路59号京城机电大厦
邮编：100022
总机：(010)67702828

上海医药集团股份有限公司

Shanghai Pharmaceuticals Holding Co.,Ltd.

公司领导团队（左五为上药集团董事长、上海医药董事长吕明方，左六为上药集团、上海医药党委书记、上药集团总裁张家林，左四为上海医药总裁徐国雄）

上海医药集团股份有限公司（以下简称“上海医药”）是一家覆盖医药研发与制造、分销与零售全产业链的国内A股市场大型医药类上市公司（股票代码601607），注册资本19.93亿元，2009年营业收入310亿元，净利润13亿元，是上海发展生物医药产业的龙头企业，为上证180指数和沪深300指数样本股，荣列上海企业100强、中国企业500强。

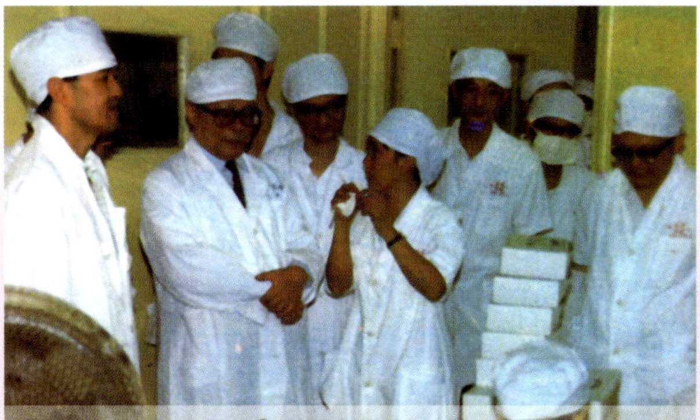

1987年江泽民同志参观上海中华制药厂

全国人大副委员长桑国卫视察公司中央研究院

上海医药拥有以中央研究院为核心的三级研发体系，拥有包括实验室研制、技术平台开发、新药产业化、工艺开发、工艺验证改进、中试放大研究在内的完整研发生产能力，自主研发新品数量位居国内医药行业领先水平，已成功研发国家级新药277个，成功申报“上药集团创新药物研发体系建设”、“研发体系产学研技术联盟建设”等十余项国家“重大新药创制”科技重大专项。与中科院药物所、中国药科大学、沈阳药科大学、上海交通大学、浙江大学、吉林大学、复旦大学、第二军医大学等著名科研院所建立长期战略合作关系。上海医药致力于成为中国领先的原创药和品牌新药、仿制药和基本药物主要供应商，产品已逐步聚焦到抗感染类、心脑血管类、消化系统和免疫代谢类、抗肿瘤类及神经精神等五大治疗领域药物。

上海医药工业业务覆盖中药、化学药、生物及生化药三大板块，拥有信谊、广东天普、第一生化、新亚药厂、常州药厂、青岛国风、雷允上药业、胡庆余堂、正大青春宝等一批核心生产制造企业，有3000余个药品生产批文，其中列入国家基本药物目录198个，独家品种156个，中药保密品种8个,中药保护品种31个，共计18个产品已通过美国FDA、澳大利亚TGA等认证，可直接在美国或者澳洲市场销售。拥有包括胡庆余堂、青春宝、信谊、雷氏、龙虎等中国驰名商标在内的20余个知名品牌，拥有注射用头孢曲松钠、培菲康、青春宝抗衰老片等销售过亿产品20个。上海医药正在上海地区建设浦东生物医药制剂产业基地、奉贤中药产业基地、星火原料药产业基地，通过产业布局调整集中集聚生产资源，发展聚焦产品，做大产业规模。

上海医药分销规模位列华东和上海第一、全国第二，并通过不断强化在华东地区的强势龙头地位，为全国布局奠定坚实基础。分销渠道遍布中国30个省、直辖市及自治区，纯销占销售收入比例达到65%，已在华东地区建立了5000多家医院终端的分销网络，覆盖华东地区所有三甲医院，并依靠强大的终端网络和增值服务，确立了显著的区域领先优势。与世界前50强制药跨国公司中的36家和与国内前100强制药企业中的91家建立了重要合作伙伴关系，与国际、国内4000余家客户保持密切的业务关系，经营品种万余种。

关爱生命　造福健康

中共中央政治局委员、上海市委书记俞正声视察上海医药分销控股有限公司

上海市委副书记殷一璀、副市长沈晓明等领导视察上海信谊药厂有限公司

国防部长梁光烈一行赴上海医药物流中心视察上海药品保障基地

上海医药拥有物流基地10个，积极推进“医药生产物流”为核心定位的第三方物流增值服务新模式。拥有遍布中国8个省市的以华氏大药房、雷允上、胡庆余堂为代表的品牌连锁零售药房超过2000家。华氏大药房为世博会期间唯一进驻世博村的24小时供应的药房，提供药品零售服务。与上海百联集团等战略合作伙伴建立广泛合作关系，积极探索新型差异化医药零售经营模式。

上海医药积极投身社会公益事业。全球H1N1型流感疫情期间，集团作为中国大陆唯一正式获得瑞士罗氏授权生产和销售磷酸奥司他韦（即罗氏“达菲”）原料和制剂的医药企业，及时完成了200万人份抗甲流国家储备药品的生产任务，保证市场供应。上海医药积极支援汶川、玉树地震灾区，捐赠药品和款项累计达千余万元，并投资建设都江堰中药材种植基地等项目支援灾后重建。上海医药还通过“百万市民看信谊”等活动，发展健康服务产业，为提高全民身体素质和健康水平不断努力。

上海医药以关爱生命、造福健康为经营宗旨，本着安全、优质、高效、环保的理念致力于技术进步、结构优化、产业升级和品牌推广，提高核心竞争能力，使公司发展成为医药A股市场市值最大、综合竞争力最强的全产业链医药上市公司，为股东、员工、客户及其他公司利益相关者谋求最大利益，承担社会责任。

地址：上海市卢湾区太仓路200号上海医药大厦　　邮编：200020
电话：86-21-63730908　传真：86-21-63289333　网址：www.pharm-sh.com.cn

公司与国家上海生物医药科技产业基地领导小组签订战略合作协议

上海医药向玉树地震灾区捐赠100万元药品

天津医药
TIANJIN PHARMACEUTICALS
天津市医药集团有限公司

天津市医药集团有限公司

天津医药集团董事长、总经理 张建津

自主创新，追求卓越，服务人类健康。科学发展，共创和谐，成果员工共享。

张建津

公司简介 Company Introduction

天津市医药集团有限公司是天津市政府授权的从事资本经营和产业运营的大型国有独资企业集团，中国500强企业之一。

截至2009年末，天津医药集团资产总值208亿元，拥有天津中新药业集团股份有限公司和天津力生制药股份有限公司两家上市公司及一家国家级药物研究院——天津药物研究院。集团以医药产业为主体，科研、生产、商业销售配套，在产业结构上形成化学药、现代中药、医疗器械、医药商业互相依托这样一个较为完整的产业格局。集团拥有控股或参股企业93家，其中包括与英国葛兰素史克、日本武田、大冢、美国百特、法国益普生等世界著名企业合作，建立合资企业13家。2009年，集团实现工业总产值67.7亿元，实现工商销售收入157.3亿元，实现利润14.15亿元。

天津医药集团经过多年的改革发展，已形成具有发展潜力的优势企业群。在化学药生产方面，已形成力生制药公司、中央药业公司、津康制药公司、中美史克制药公司、中国大冢制药公司等一批在全国享有较高知名度的化学原料与制剂的生产骨干企业。在中药行业，拥有丰富的中成药品种资源、工商一体的独特优势和较雄厚的资金支持，中新药业、六中药、达仁堂、乐仁堂、隆顺榕、同仁堂、宏仁堂等企业成为国内外知名品牌。在生物制药领域，华立达生物工程技术公司在基因工程制药技术方面处于国内领先地位。目前，集团在产产品900余种。其中销售额在亿元以上的有芬必得、速效救心丸、寿比山等15个品种，拥有“寿比山”、“达仁堂”、“京万红”等3个中国驰名商标，“宏仁堂”等5个中华老字号商标，“世扶尼”等19个天津著名商标。

天津医药集团将始终不渝地秉承“服务人类健康”的发展理念，瞄准国际先进水平，不断提高科技创新能力，加快产品质量升级，以优质的产品和服务，为人类健康事业贡献更多力量，为社会创造更高价值。

中共中央总书记、国家主席、中央军委主席胡锦涛视察天津医药集团

中共中央政治局常委、国务院总理温家宝视察天津医药集团

中共中央政治局常委、全国政协主席贾庆林视察天津医药集团

中共中央政治局常委李长春视察天津医药集团

中共中央政治局委员、天津市委书记张高丽视察天津医药集团

四大板块：

一、化学和生物药板块

☆ 在抗病毒药物、头孢菌素药物、抗真菌药物、代谢病药物、抗肿瘤药物等门类具有技术领先优势；

☆ 主要企业有中央药业、津康、新冠、力生、华立达、中新科矩、生物芯片等；

☆ 主要产品：代丁、寿比山 、美扶、干扰素、快速诊断试剂、生物芯片等。

天津力生制药

二、绿色中药板块

☆ 具有品种资源丰富、产业链完整、产品创新性高、质量上乘等优势；

☆ 位于TEDA的现代中药产业园，积极推动中药现代化发展；

☆ 对生产设施和产品进行改造，提升知识产权和组织结构；

☆ 成为中国最具竞争力的现代中药企业之一。

现代中药产业园

三、高端医疗器械板块

☆ 生产历史悠久；

☆ 在科研开发方面处于国内领先地位；

☆ 主要企业哈娜好、天津迈达、人立骨科、医疗器械厂等；

☆ 主要产品有眼科超声诊疗产品、X光机、体外循环系统、骨科器械、诊断试剂、医用导管。

高端医疗器械展示

四、现代商业物流板块

☆ 既有大型批发企业，也有覆盖广泛的连锁零售企业；

☆ 30家医药商业公司；

☆ 百家连锁药店，供应几千种药品及保健产品；

☆ 主要公司：

1. 天津医药集团太平医药有限公司
2. 天津医药集团连锁药店
3. 天津医药集团(河北)德泽龙医药有限公司
4. 天津医药集团泓泽医药有限公司
5. 天津市医药公司

天津太平医药

地址：中国天津市河西区友谊北路29号　　邮编：300204
电话：86-22-23268915　　传真：86-22-23268913
网址：www.pharm.com.cn　　邮箱：tjyybgs@163.com

天津金耀集团有限公司

KINGYORK TIANJIN KINGYORK GROUP CO.,LTD.

天津金耀集团有限公司是天津市国资委直接监管企业，其前身为始建于 1939 年的天津制药厂，经过 70 多年的发展，金耀集团成为拥有天药股份、中环股份、利尔化学 3 家上市公司，总资产达 180 多亿元的国有大型综合性制药集团，是中国制造业 500 强、中国制药工业百强企业。“ 双燕 ”商标被评为中国驰名商标，“ 天药 ”品牌荣获中国十大自主创新品牌。

金耀集团是目前亚洲最大的皮质激素类药物生产企业和全国最大的氨基酸原料药生产企业，是全国皮质激素类药品科研、生产、出口基地，设有博士后科研工作站、国家级技术开发中心——天津药业研究院，共研制开发成功新产品、新工艺 200 多项，获得专利授权 100 多项，70 多项研究成果获国家和天津市科技奖励，两次荣获国家科技进步二等奖。

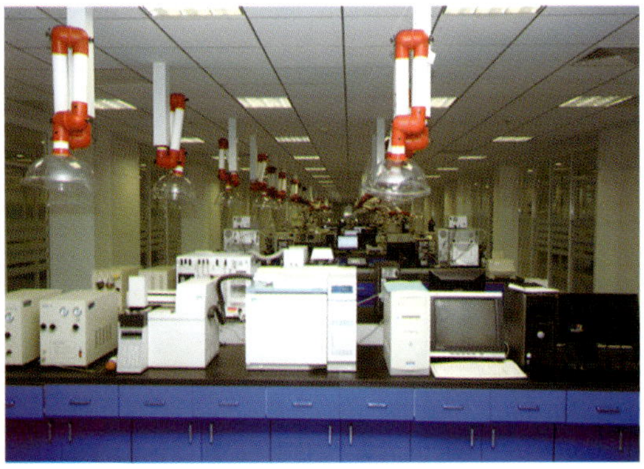

质检中心

原料药系列产品

现代化甾体激素、氨基酸原料药科研、生产、出口基地——金耀生物园鸟瞰

制剂生产制造基地——金耀制剂园

生产车间外景

金耀集团在滨海新区建成了两大现代化制药基地——金耀制剂园、金耀生物园，以生产经营皮质激素原料药及制剂、氨基酸原料药和大输液药物为主，同时生产经营心脑血管药物、膏剂、针剂、膜剂、片剂、粉针剂、滴眼剂、凝胶剂、中成药、保健食品等 350 多种产品。所有药品全部通过国家 GMP 认证，螺内酯通过欧盟 EDQM 认证，泼尼松、地塞米松通过美国 FDA 认证，泼尼松龙等产品获得欧洲 CEP 证书。通过跨国公司的 EHS 审核，成为辉瑞、施贵宝、先灵保雅、杨森等国际跨国公司的合格供应商。

重点制剂产品有丁酸氢化可的松软膏（尤卓尔）、甲泼尼龙片（尤金）、卡莫司汀、替加氟、依地酸钙钠、甘油果糖、15HBC、18AA、甲泼尼龙冻干粉针、醋酸氟轻松软膏、酮洛芬凝胶等。

重点原料药产品有地塞米松系列、倍他米松系列、泼尼松系列、氟轻松系列、曲安奈德系列、醋酸赖氨酸、苯丙氨酸、苏氨酸、亮氨酸等。

干净整洁明亮的现代化生产车间

地址：天津市河东区八纬路 109 号金耀大厦
NO.109, BAWEI ROAD,HEDONG DISTRICT,TIANJIN,CHINA
邮编：300171
网址：www.kingyork.biz www.tjpc.com.cn
电话：（0086）22-24160800
传真：（0086）22-24160869

SUN POWER

独步全球的奈子技术

奈子电触媒负离子释放机

Sunpower ~ GetYour Power

携挂型

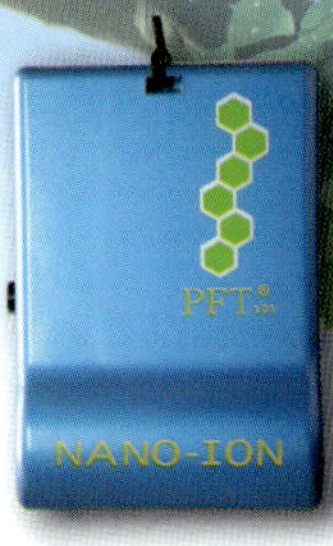

101奈子小天使

车上/室内
两用型

奈子小精灵

102奈子小天使

负离子释放机特色：

采用碳氢氧高分子材料，完全符合环保。
独步全球奈子电触媒科技，释放高浓度负离子量。
质量佳——制造自然的氢氧根负离子。
绝不会产生臭氧等有害物质。
低电流、低耗电，无电磁波危害问题。
免耗材，仅需简单清洁即可保养。

实用型

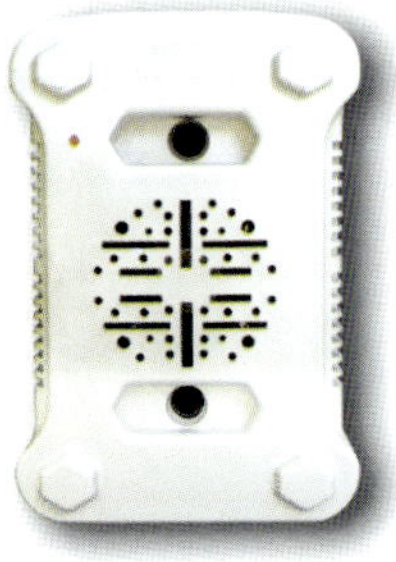

105奈子小金刚

桌上型

106奈子小天使

奈子吸顶金刚

无尘室进化级

Make Your Life Stand Out

负离子对健康的直接效应

1. 活化细胞
2. 净化血液
3. 消除脑力疲劳，增强记忆
4. 消除疲劳，恢复体力
5. 调整自律神经
6. 提升免疫力
7. 抑制肿瘤细胞生长
8. 改善过敏体质
9. 血液造血系统

负离子水的特色：

使水中矿物质（微量元素）长久性离子化。
高含氧量。
弱碱性（约PH 7.8）。
强效除氯及优异杀菌力。
水分子团小（6-8个），易于人体吸收。

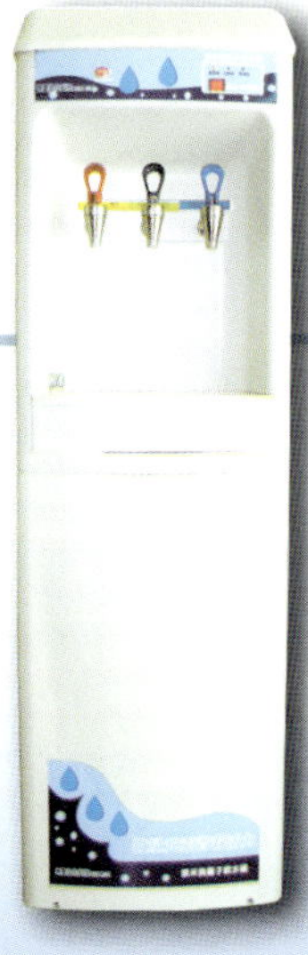

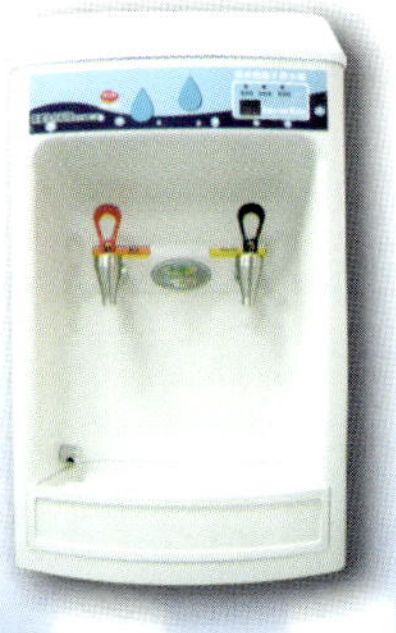

503三温式直立型　502双温式桌上型

※ 产品大小请以实际规格为主

SUN POWER
阳銧生活科技有限公司
Sunpower Life Goods Co., Ltd.
地址：台湾省高雄市左营区博爱三路8号8楼之
电话：07-3427689　传真：07-3426387

“品仙”肌肤复原实验室与
生物物质应用实验场

生长因子平台技术 & 农业生技产品开发

K & T Biotech Application Inc.

Biotechnology Innovation and Development of Biomaterials

Medical Class of Growth Factor

品仙 K&T 以组织工程、遗传工程
与肌肤生理学技术与理论，
以生长因子技术平台为基础，
结合皮肤科医师与专业肌肤护理团队
成立肌肤复原研究中心
以专业肌肤修护与更新护理为目的
开发Derma Renewal Solution · D.R.S.
全方位肌肤复原方案系列商品

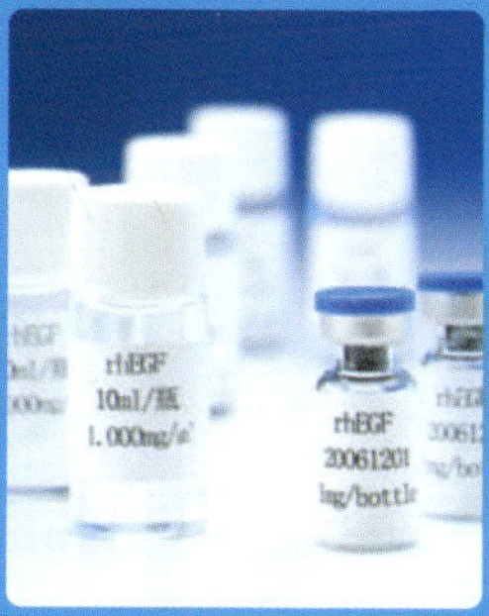

农业生技以新种芒果外销日本
及台湾地区主要超商有机蕃茄的供应合作

OBM/ODM/OEM
Private Label Service

品仙有限公司 台北国际联络处：台北市内湖区成功路四段215号4楼
内湖商品讨论室：台北市内湖区成功路四段64号4楼之一
农业场区：芒果/番茄一台湾台南县玉井乡爱文山
茶叶一嘉义梅山 / 阿里山
品茶中心：台湾台中市南屯区向上南路一段203号
南台湾联络处：台南县新化镇中正路707巷37-7号
企业网站：www.ktbiotech.com 服务电子信箱：service@ktbiotech.com.tw
即时服务电话：886-926348870 886-2-27912997

NOVAX®
The AdBlue Solution
環保汽車尿素（添藍）

诺瓦材料科技股份有限公司

NOVAX invested sophisticated equipments and started to manufacture the AdBlue / DEF at Jun 2008. We are making quality AdBlue/ DEF Solution thru filtration & absorption process and quality control with SGS Lab Test for meeting ISO22241 standard. We are the only one company owns VDA and API certificates with ISO9001 in Taiwan. Furthermore, our product has been tested and complied with ISO 22241standard via Germany and Australian SGS labs.

NOVAX is the Hub of Asia AdBlue.

NOVAX market share in Taiwan has reached over 70%. Our main customers include DAF, Mercedes Benz, Volvo bus, Dawoo Bus, Taipei City Bus and Kaohsiung City Bus. Meanwhile, we are also expanding our business to US/Canada, Hong Kong, Singapore, China, Turkey,India, Iran, New Caledonia & Australia.

Test Report & Licensee：
SGS test report No.1397819
VDA Certificate (Verband der Automobilindustrie)
API Certificate (America Petroleum Institute)
ISO 9001 Certificate NO.QS0074

We can offer qualified product with competitive price of AdBlue/DEF and efficient logistic to serve the Euro4/ 5 and EPA10 Truck & Bus Users.

Clean air – that's our mission.

200 Litre

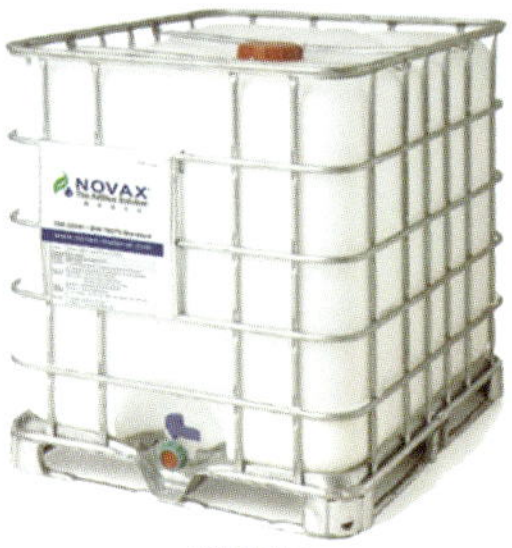
1000Litre

1000Litre(Paper IBC)

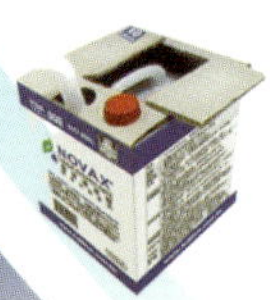
10Litre

20Litre-Type A

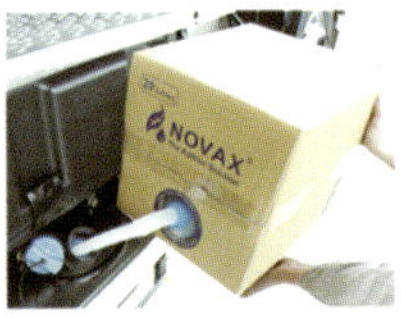
20Litre-Type B

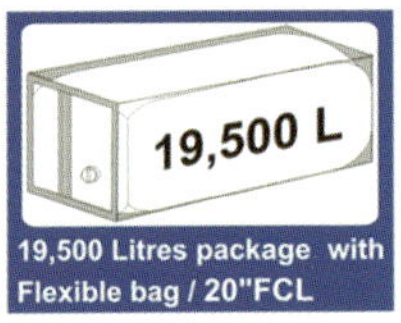

19,500Litre

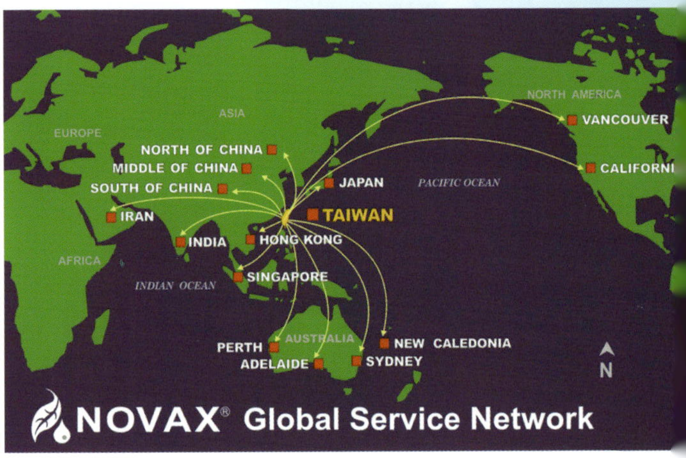

NOVAX Material & Technology Inc.
Factory- Nankan,Taiwan
No.31, Ln. 142, Sec. 2, Nankan Rd., Luzhu Township,
Taoyuan County 338, Taiwan
TEL:+886-3-311-5988 FAX:+886-3-311-5288
Contact Person：Nicholas Yang / CEO
e-mall：yang@novax-material.com
nanoyang2009@gmail.com
http://www.AdBlue.com.tw

API AMERICA PETROLEUM INSTITUTE CERTIFIED DIESEL EXHAUST FLUID
VDA Verband der Automobilindustrie ISO 22241 DIN70070
INSPEC IC ISO9001 QS0074 CERTIFIED

东联化学股份有限公司
Oriental Union Chemical Corporation

东联化学成立于 1975 年，于 1987 年股票正式上市，为远东集团旗下石化能源事业之主要舵手。30 年来，东联专心厚植于“环氧乙烷”相关领域核心优势，已成为台湾地区及亚太地区乙二醇及环氧乙烷衍生物石化产品供应大厂，目前正积极发展环氧乙烷下游相关特用化学品及生物科技领域产品。总公司位于台北市，工厂位于高雄县林园工业区，是获得 ISO-9001、14001 与 OHSAS-18001 品质、环保、工安认证之优良工厂。

新 产 品

1. 羟乙基磺酸钠 (Sodium Isethionate) : 60%液体
2. 聚乙二醇 (PEG200,300,400,600,1000,1500,2000,4000,6000)，脂肪醇聚氧乙烯醚 (AEO 2,3,5,7,8,9,10,12,15,20,30)系列产品。
3. 聚乙二醇单甲醚 (MPEG600,750,1000,1200,2000)

乙二醇厂主要产品

高纯度环氧乙烷
Ethylene Oxide
乙二醇
Monoethylene Glycol
二乙二醇
Diethylene Glycol
三乙二醇
Triethylene Glycol

特化厂主要产品

单乙醇胺
单乙醇胺-电子级
Monoethanol Amine
二乙醇胺
Diethanol Amine
三乙醇胺-99%
三乙醇胺-85%
Triethanol Amine
碳酸乙烯酯
Ethylene Carbonate

气体厂主要产品

氧气 Gas Oxygen
氮气 Gas Nitrogen
液氧 Liquid Oxygen
液氮 Liquid Nitrogen
液氩 Liquid Argon
On-site ASP

For further information, please contact:

东联化学股份有限公司

台北市105复兴北路101号13楼
13F, No.101, Fu-Hsing N. Rd.,
Taipei 105
Tel : +886-2-2719-3333
Fax : +886-2-2719-1858
Website: www.oucc.com.tw
Email: cktsai@oucc.com.tw

www.china-airlines.com

您的第一个台湾朋友，華航邀您来坐坐！

，一定要到最高的大楼101逛逛，徜徉在日月潭、阿里山的秀美风景中，
尝最诱人的美食—小笼汤包、蚵仔面线、珍珠奶茶……
这些台湾之最，当然就要从搭乘台湾首屈一指的中華航空开始！
客舱，贴心的服务，让您一踏入華航客舱，就已经开始体验
不只好吃、好玩，也好享受！

推出两岸定期航班，班次密集、航点更多，航线遍布大陆地区多达
、16个航点，班次固定、航网绵密，随时随地往返两岸都快速容易。
客服专线电话400-888-6998

两岸直航班机由中華航空与子公司華信航空 華信航空 MANDARIN AIRLINES 共同营运

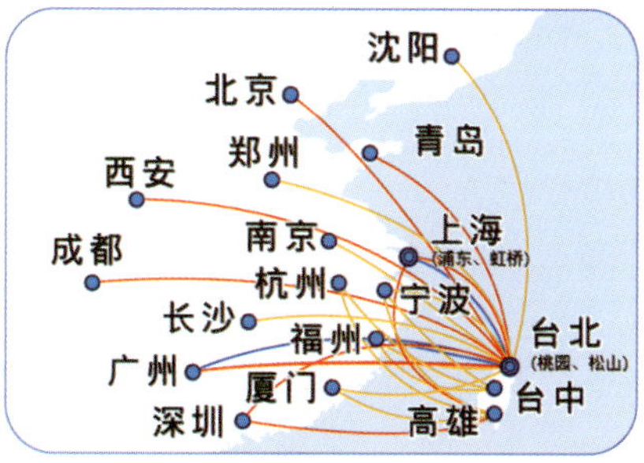

中華航空
CHINA AIRLINES

致力建设科学发展的先导区、区域创新的领航区、新型工业化的标志区

——国家级德阳经济技术开发区

保利项目签约仪式

西博会推介会

德阳区位图

德阳经济技术开发区是国务院批准设立的88家国家级经济技术开发区之一，是四川省重点培育的成长型特色产业园区（“1525”工程500亿园区），2010年1月被国家工信部授予全国首批“国家新型工业产业化示范基地”。规划建设面积33.5平方公里，建成区面积20平方公里，人口约10万人。

进入21世纪尤其是升级为国家级经济技术开发区以来，开发区围绕“诚信招商、服务留商、工业立区、科技兴区、三产助区、统筹强区”的发展理念，坚定不移地走新型工业化道路，致力于建设四川重要产业基地和中国西部经济发展最具活力的经济区域，取得了丰硕的发展成果。截至2009年底，全区共有企业1100余户，工业企业380余户，其中规模以上工业企业100户，产值和销售过亿企业22家，产值上10亿的企业3家。震后两年，东汽重新崛起于德阳经济技术开发区八角井镇，再现十里东汽昔日辉煌。

清晰的定位 明晰的思路

始终坚持走新型工业化道路，明确了以“国家新型工业化示范基地（装备制造业）和联合国“清洁技术与新能源装备制造业国际示范城市”为载体，打造世界知名的新能源装备研发生产基地和具有国际竞争力的新材料产业化基地的目标定位。围绕新能源、新装备、新材料“三新”产业大力培育产业集群，加快形成主导产业突出、集聚效应明显、布局科学合理的特色工业园区发展新格局。加快现代化新城区建设和现代服务业态打造。

以新能源装备制造业为首的新兴产业优势明显。以东方自控、东汽树脂、东方阿海珐、东电中型电机、蓝星机械等为代表的高新技术企业，与中国二重、东方电机、东方汽轮机、东方锅炉等国家大型骨干企业正共同打造世界知名的新能源装备研发生产基地，加快打造以新能源装备制造业为主的“低碳工业特色产业园区”。目前，园区内已拥有核电、风电、太阳能等新能源的制造能力及配套产业链，形成了核电产业有龙头、有核心部件、有加工外包的梯度分布。

新材料是开发区的另一张“国际名片”。致力于建设具有国际竞争力的新材料产业化基地，四川得阳特种新材料公司建成国内首条年产2.8万吨聚苯硫醚生产线，成为该行业亚洲最大的上游产品生产及供应商，德阳正朝向世界最大的聚苯硫醚树脂产业化基地迈进。

加快打造现代服务业态。重点发展现代制造业服务业、现代物流业、服务外包，加快建设以物流配送为特色的现代商贸区，开发区将努力建成中国西部重要的现代制造服务中心。

 地址：四川省德阳市珠江东路99号 邮编：618000 电话：0838-2906555 传真：0838-2902767 网址：www.dyetd.com

低碳、环保是开发区未来发展的方向。依托“保利国际城”——德阳市城南副中心示范项目，加快打造融合现代服务与高端商务、人与自然和谐共处的现代宜居山水国际新城。今后10年，园区将以发展低碳经济、构建宜居环境、建设低碳园区为核心，加快建设功能完善的现代化新城区和环境优美的特色生态化园区。

一流的环境　高效的服务

开发区管委会始终秉承“一切服从服务于科学发展、一切服从服务于招商引资、一切服从服务于企业成长”的发展理念，努力改善投资环境，把开发区建设成为政策最为宽松，办事最为便捷，环境最为优美，投资最为放心，回报为最高的产业发展“福地”。

管理运行高效。开发区党委和管委会是中共德阳市委、市人民政府的派出机构，实行合署办公。按照德阳市委、市政府的授权，形成了统一、高效的管理体制和优质、便捷的服务体系，重点在项目审批、工商注册、土地出让、规划管理等方面提供“一站式”全方位服务。具有完善的财政体系，依照国家、省、市的相关政策对入驻企业给予积极的财政扶持。

政策资源丰富。升级为国家级经济技术开发区后，审批权限将随之升级，一些原来需要省一级审批的项目和事项，可以由开发区完成，入驻企业享受到更多的优惠政策。

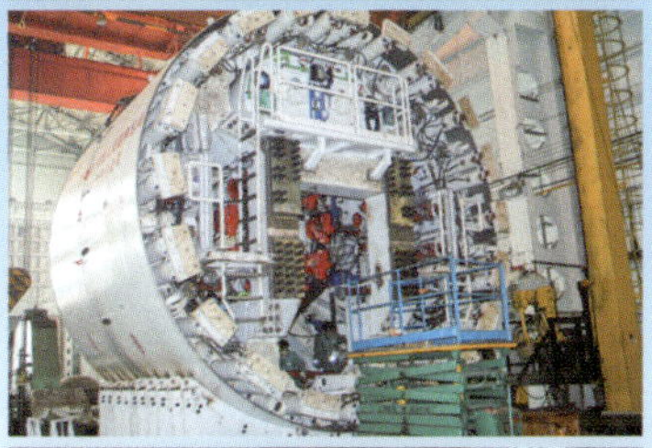

科学的规划　美好的未来

按照“三为主、一致力”的方针，坚定不移地走新型工业化道路，抢抓中央实施新一轮西部大开发、成渝经济区建设的重大机遇，全面实施充分开放合作战略，奋力推进开发区“二次创业”，重点发展新装备、新材料、新能源三大主导产业，延长重大装备制造、新能源两条产业链，形成重大装备制造、新能源两大产业集群。用10年左右时间，把德阳经济技术开发区打造成为世界知名的新能源装备研发生产基地和成渝经济区、成德绵高新技术产业带上的重要增长极。努力使开发区成为创新型国家建设的重要力量，掌握产业主动权，成为世界级的新能源装备研发生产基地，成为我国用高新技术改造传统产业的示范园区。

到2010年实现500亿工业园区，2015年实现1000亿工业园区，在全省综合经济实力排位中位居前列，努力成为科学技术先进、制造能力强大、城市功能完善、生态环境优良、社会稳定和谐的多功能综合性产业园区，成为四川乃至中国西部一流的工业园区。

东方汽轮机有限公司新基地

易初明通卡特彼勒工程机械西部技术支持及再制造中心在成都经开区奠基

四川省保护知识产权举报投诉服务中心成都经开区工作站成立

吉利首款SUV在成都经开区下线

成都神钢集团创百亿迁扩建项目竣工

成都经济技术开发区

成都经济技术开发区于2000年经国务院批准为四川省唯一的国家级开发区。2005年被信息产业部批准为国家电子元器件产业园，总体规划面积约60平方公里。是四川省委、省政府重点培育的两大特色“千亿产业园区”之一，是中国国际跨国公司研究会、联合国全球契约组织、联合国环境规划署推选的“跨国公司最佳投资开发区”。

截至目前，已引进国内外工业项目546个，有340多个项目建成投产。区内已聚集包括一汽大众成都有限公司、吉利轿车成都基地、一汽丰田新基地、大运汽车生产基地，一汽专用汽车、川汽集团等一批汽车整车项目，富士神钢、普什重机、南车集团、海瑞克盾构机等一批知名工程机械项目，以及一批整机关键零部件项目、新型材料和电子电器产业项目。基本形成以汽车（工程机械）整车制造产业为主导，同时涵盖电子电器、新型材料产业的集中集群集约发展格局。

成都经济技术开发区热忱欢迎国内外客商考察、投资这片充满希望的热土！

招商电话：028-84852308
传真：028-84868719
国际域名：www.cdetdz.gov.cn

投资7亿欧元的一汽大众成都轿车建设项目在成都经开区正式启动

投资21亿元的大运汽车项目落户成都经开区

投资36亿的四川一汽丰田汽车有限公司搬迁扩建项目开工仪式

崛起在辽东半岛最南端的海滨新城区

——辽宁省大连旅顺经济开发区

辽宁省大连旅顺经济开发区成立于1992年6月，2002年1月晋升为辽宁省省级开发区，2004年纳入大连市“一岛十区”行列，是大连市政府确定的10个重点工业园区之一。2008年4月被辽宁省政府确定为全省“五点一线”沿海经济带重点支持区域。2009年，实现财政一般预算收入5亿元，增长92.3%；企业增加值21亿元，增长38%；固定资产投资85亿元，增长0.6%；实际利用外资8800万美元，增长144%；实际使用内资55亿元，增长71.8%；出口交货值21亿元，增长26.5%。

产业优势明显。近年来，旅顺开发区结合自身实际，确定了“依托港海优势，拓展陆域空间，发展临港产业，建设特色园区”的战略构想，重点进行了基础设施建设和临港产业集聚，全面推进主导产业和优势产业发展。确定了建设“以船舶制造、船舶配套和重大装备制造业为主导，以港航物流业和高新技术产业为支撑的新型生态产业园区”的发展定位。这一发展定位，符合辽宁省沿海产业布局和大连市国际航运中心建设规划，为开发区的长远发展确定了方向。

投资环境优良。旅顺开发区成立以来，已累计投资40多亿元,不断加快园区基础设施建设。目前，已建成50多条主次干道，形成完善的供水、供电、供热等基础设施条件，具备了承载各类大项目建设的能力。旅顺开发区是目前国内少有的拥有港口、铁路、火车轮渡、高速公路、城市轻轨“五位一体”交通优势的省级开发区，正在成为连接中国东北、华东、华南三大经济区的水陆交通的枢纽，成为南北物流的重要集散地。

工业体系完备。经过多年的发展，开发区加工制造、港航物流等产业不断壮大，特别是以船舶制造、船舶配套和重大装备制造为主导的工业经济已构成开发区的特色产业。截至2009年底，旅顺开发区已经引进200多个内外资项目，实际利用内资100多亿元，实际利用外资3亿多美元。目前有近60家船舶制造、船舶配套和装备制造企业在开发区落户；中远造船、北车集团、大连重工起重集团、日本今冈船务等10余家国内外知名企业在开发区建立生产基地。

社会保障体系完善。旅顺开发区坚持将解决失地失海农民生活、就业问题，作为着力改善民生的头等大事来抓，近年来，先后出台了包括老年人生活补助、农民免费享受新型合作医疗、失地农民享受最低生活保障等10项惠民措施，使失地农民的利益得到有效保障。

在新一轮发展中，旅顺开发区将坚持以建设促引进、以项目求发展、以发展谋民利，大力发挥港海优势，发展临港产业，建设特色园区，努力打造成为东北地区最具魅力、最具实力的临港产业聚集区。

中国大丰港经济区

企业简介

大丰港经济区是依托大丰港而设立的省级开发区，辖区面积500平方公里，规划建设区200平方公里，建设启动区60平方公里。已经形成新能源、石化与新材料、农产品加工、新型医药、冶金及机械制造等5大特色产业；石化产业园、生物医药产业园、木材产业园、风电产业园、海港新城和海洋科教城等园区建设速度加快。至2010年初，累计进区项目166个，总投资400亿元以上。在沿海发展的大潮中，正在建设面向世界的特色产业港。

深水海港优势。大丰港是江苏省委、省政府重点建设的江苏沿海三大深水海港之一。一期工程拥有2个万吨级码头；二期工程拥有6个10万吨级船舶的深水码头，年吞吐能力达1200万吨。2007年经国务院批准，开放了大丰港一类口岸。2009年，被列入国家首批对台直航的63个港口之一。目前先后开通俄罗斯、日本、韩国，经上海港至欧美国际集装箱班轮航线。大丰港海关、检验检疫、海事、边检等联检机构全部正式运转。

集疏运体系完善。大丰港与沿海高速、宁靖盐公速、徐淮盐高速、京沪高速、新长铁路、通榆运河相连。苏通长江大桥已经建成，从沿海高速公路到上海市区仅需2小时车程；大丰港距盐城机场仅45公里里程，盐城机场已开通至北京、广州、云南、温州、南昌、韩国首尔、香港等地航线。疏港四级航道2009年12月开工建设，经通榆运河可直达长江水系；大丰港至大丰市区双向8车道的通港大道正在建设；盐城至大丰港的高速公路、新长铁路大丰港支线正在抓紧建设，已列入国家规划。“海、陆、空”现代化立体交通格局已经形成，成为江苏新型的海河联运口岸。

物流能力充足。大丰港经济腹地广阔。它背靠经济发展迅猛的苏中、苏北平原，据统计，每年直接供应或经过该地区供应的大宗货物中煤炭达3000万吨，木材达300万立方米，集装箱生成量50万TEU，各类化学品500万吨。随着一类口岸设施到位、出口加区的建成及港口吞吐规模的形成保税物流区在审批，已经成为构建苏北、苏中乃至淮河流域物流的大平台、接轨国际市场的海上大通道。

优越的投资环境。有一类对外开放口岸；高效、便捷、快速、完善的现代化立体的物流格局；凸显的区位优势；有着丰富的土地资源，拥有4万亩建设用地和近6万亩建设用海（可转换为建设用地），一次性提供土地量大，无需指标且无拆迁赔偿，净地出让。

大丰港二期工程10万吨级码头投入运营

大丰港经济区大力发展风电、风电装备制造、生物质柴油、生物质发电、新型水煤浆等新能源产业

大项目亮点纷呈。 江苏沿海发展已上升为国家战略，大丰港经济区在正抢抓沿海发展机遇，大力发展与港口关联度高、产业链长、带动力强的重大项目，推动临港产业迅速升温，承接长三角产业转移，吸引了中电投、中海油、中石化、南京化纤等一批知名企业落户港区。石化产业正在建设中化50万吨DCC、EIA石化仓储、50万吨生物质柴油、10万吨废旧像胶、回收炼油等项目；新能源产业中引进了海上风电、风电装备制造、生物质发电等项目；迪赛诺生物制药二期工程、帝斯曼生物制药工程、上海张江生物医药科技基地、联鑫特钢项目，象王二期、天隆铸锻二期等重特大项目正在建设中。总投资30亿元的迪赛诺生物制药、投资18亿元的风力发电、投资10亿元的金陵化纤、投资10亿元的生物质柴油等项目以及中化石化、金浦石化、明志石化等6个10亿元以上项目，已落户港区。2010年重点安排临港工业项目50个，投资205亿元。

五大特色产业呼之欲出。 *新能源产业：*大力发展风电、生物质柴油和发电、水煤浆等新能源产业，到2012年风电装机容量达100万千瓦，生物质柴油达100万吨，水煤浆达500万吨，年产值达100亿元。*石化与新材料产业：*积极推进年产26万吨丁苯橡胶、300万吨延迟焦化、 DCC等新材料产业项目，到2012年年产值达200亿元以上。*农产品加工产业：*迅速形成木业转运、加工及贸易市场一条龙的木业产业链，到2012年年进口各类木材300万立方米，年加工其他农产品500万吨，年产值达100亿元以上。*新型医药产业：*到2012年建成以原料药、N族维生素、保健营养品、抗艾滋病新药等产品特色的医药工业园，年产值达100亿元。*冶金及机械制造业：*积极发展拆船、废金属加工等机械制造产业。到2012年形成年产量100万吨以上的成品金属及制品的制造能力，年产值达100亿元。

新型园区打造蓝色产业。 *木材产业园：*园区是大丰港经济区重点培育的临港产业之一，是大丰港现代物流中心的重要组成部份。规划面积2000亩，由大丰港一类口岸海关监管区、木材物流区、木材加工区、人造板初加工区和木制品生产区等四大部份组成，年木材加工及周转量超过600万立方米，将成为苏中、苏北最大的木材加工贸易基础。*石化产业园：*园区规划面积8.2平方公里，重点发展以石油化工产品加工和仓储物流为主的重石产业，形成以石油加工、新材料化工、基础化工等配套延伸产品加工为标志的石化产业链，力争5年内打造成华东地区最具影响力的石化物流和产业基地。*生物医药产业园：*园区规划面积4.5平方公里。产业定位：以医药化工、基础化工、原料药、药物制剂和生物制药为产业为方向，集科研、开发、生产为一体，拉长产业链，通过3-5年的努力，建成江苏沿海首家国家级生态示范园。目前，园区控制性详规和区域环评、产业规划已编制完成，近期重点发展化学原材料、化学药制剂、中药制剂产品。*风电产业园：*园区拥有20万千瓦风力发电场，174台机组全部投入营运，年发电量4.1亿千瓦时。在现有20万千瓦的基础上，加快推进200万千瓦东沙风电场项目，规划建设500万千瓦海上风电场项目。同时全面推进以风电整机生产和施工机械制造为龙头，形成生产发电机、齿轮箱、风叶、控制系统等风机零配件的能力。

做美海港新城。 生态港城的总体结构是一湖踞中央，在临港新城的中部建设一个大型的人工湖——日月湖；双核临水位，在海港新城、海洋科教城中规划建设复合型的行政、商业、文化核心和日月湖以东科技研发、教育培训以及金融办公、出入境检验、检疫、海关等生产服务中心；五轴皆通达，建设包括两条十字相交的生活性发展主轴和三条对外联系主轴，是大丰港经济区发展的主要框架；森林环城绕，在临港新城四周建设宽度400米至1000米不等的环城森林公园，形成“绿在城中，城在绿中”的整体生态型新港城的格局。

大丰港　按照“20平方公里、20万人口、现代化、生态型、新市区”的思路，与盐城市区、大丰市区东西呼应，成为盐城市“双核”中的海滨一核和大丰城市的次中心。先期启动建设5平方公里、5万人口的港口城区。到2020年，建成功能齐全、环境优美、文明开放、最宜人居的新兴港城。

交通部部长李盛霖对江苏沿海港口建设十分关心，他要求把大丰港建成我国中西部出口大通道。

大丰港经济区高品位打造石化与新材料特色产业

郑煤集团

杜工会，男，汉族，陕西咸阳人，1955年出生。1977年考入西安矿业学院机械专业，获大学学士学位。现为教授级高级工程师，享受国务院政府特殊津贴的有突出贡献专家，河南省委、省政府命名的河南省优秀专家。河南大学、河南理工大学、西安科技大学兼职教授，中国煤炭工业协会常务理事，河南省煤炭行业协会副会长，中国科学技术发展基金会孙越崎教育基金委员会委员。历任焦作矿务局砖机制造厂厂长，焦作矿务局党委组织部副部长，机电总厂党委书记、厂长，焦作矿区工会主席，焦作矿务局党委副书记，焦煤集团总经理、董事长、党委书记，2008年11月至今任郑煤集团董事长、党委书记。著有《动力源》《分合管理》《管理创新辞条100例》《点凝》等管理专著和诗集，多次获得科技进步奖、科学技术奖。2008年著作的《基于分合管理思想的煤炭老企业变革再生》获第十五届国家级一等企业管理现代化创新成果。曾荣获河南省十大改革新闻人物、河南省企业管理创新先进工作者、河南省"五一劳动奖章"、河南省劳动模范、全国煤炭行业石屹节精神奖、中国煤炭工业优秀企业家、河南工业行业突出贡献企业家和改革开放三十年河南省功勋企业家等荣誉和称号。

孟中泽，1963年4月出生，1986年4月入党，1982年7月由武汉钢铁学院采矿专业毕业后到鹤壁矿务局参加工作，后在职攻读了中南财经大学工商管理硕士学位，教授级高级工程师，曾担任鹤煤九矿副总工程师、总工程师。1996年11月至1999年12月任鹤煤副总工程师，先后兼任安全监察局副局长、四矿矿长，1999年12月任鹤煤集团公司副总经理，2008年5月任河南省煤层气公司总经理、副董事长、党委副书记，2008年12月任鹤煤集团公司党委书记、副董事长，2009年5月任河南煤业化工集团党委常委、鹤煤公司党委书记、副董事长。2010年7月任郑煤集团公司总经理、党委副书记。

郑煤集团始建于1958年，初名新密矿务局，1989年1月更名为郑州矿务局，1996年1月经原煤炭部批准改制为国有独资公司，1998年7月由隶属煤炭部下放为省管企业，2002年9月经债转股与中国信达、中国华融组建新公司，实现了股权多元化。2005年9月，建设银行河南省分行因终止与中国信达的股权委托管理协议，直接持有郑煤股权成为公司股东。1997年11月，独家发起组建“郑州煤电股份有限公司”，1998年1月“郑州煤电”在上交所成功上市（600121），是国有煤炭企业第一股。

郑煤集团现有职工5.4万人，截至10月底资产总额238亿元,比年初增加22亿元。所辖企业分布河南郑州、平顶山、漯河、商丘以及山西平陆等地，拥有煤炭采选、电力、铝、建材、化工、物流、铁路运输、机械制造、建筑施工、餐饮等产业，形成了“以煤为主，相关多元”的发展格局。是中国500强企业，改革开放三十年河南省功勋企业，全国规划的亿吨级豫西大型煤炭基地的重要组成部分。

郑煤集团所属矿区煤炭储量丰富，可采储量10.02亿吨，目前煤炭生产能力2700万吨，其中直管生产矿井14对，生产能力1541万吨/年；上一轮整合矿井设计生产能力1086万吨/年；基建矿井2对，设计能力285万吨/年。主要煤种为贫煤、贫瘦煤和无烟煤，是发电、建材、冶金、化工、特种型煤和城乡居民生活的优质燃料和原料，主要销往河南、湘赣、湖北、华东等地区。

现代化综采工作面

近年来，郑煤集团按照河南省委、省政府和省国资委总体部署，深入贯彻落实科学发展观，积极实施“以煤为主，相关多元”发展战略，坚持发展是硬道理、稳定是硬任务、资源是硬前提、安全是硬指标，加快经济发展方式转变和产业结构调整，推进项目建设和煤炭企业兼并重组，着力保障和改善民生,保持了良好的发展势头。未来3年内，通过新井建设、老井改造和兼并重组，企业煤炭产能将达到5000万吨以上，销售收入突破500亿元，利税达到50亿元，建成主业突出、实力雄厚、核心竞争力强、具有较大影响力的综合发展的现代能源集团。

创新推动大发展，创新实现新跨越

河北省磁县申家庄煤矿

河北省磁县申家庄煤矿系全资国有企业，国家安全高效二级矿井，全国煤炭百强矿，企业总资产近10亿元，综合实力稳居邯郸市工业企业五十强前列。

现矿井核定生产能力85万吨．地面建有两座年入洗能力分别为210万吨和60万吨的洗煤厂、2.4万千瓦矸石发电厂以及资源综合利用项目——年产4500万块标砖的粉煤灰砖厂，在建项目——裕隆260万吨煤焦化一期工程已全面开工建设。目前企业在册职工2378人，主打产品“冀申”牌精煤产销率连年100%。2009年在连续实现第四个安全生产年的基础上，完成项目投资2亿多元，上缴利税6.8亿元，开创了建矿以来历史性突破。

多年来，申家庄煤矿始终秉持创新发展的理念，将“创新”做为不断推动企业向前跨越的原动力，瞄准前沿求突破，锐意进取谋发展。科技创新、管理创新、经营创新，如三股不竭的源泉，强势推动矿山持续、健康、快速发展。在科技研发上，率先在全国地方煤矿实现了由炮采到机采的跨越，复杂条件下俯斜大倾角煤层放顶煤开采技术全国领先，通过推广轻型放顶煤一次采全高新工艺，使井下工效成倍提升；在管理体制上，积极推进用人制度、成本考核制度和目标责任制度改革，引入ISO:EQHMS管理体系，将产品质量、节能减排、职业卫生纳入全过程、规范化管控之中，同时着力实施网络信息化建设，借助OA无纸化协同办公系统，全面打造现代化企业管理平台；在经营理念上，秉持“强基固本、深度开发、循环发展、以精博大”的战略运营导向，做大做强关联产业，将210万吨大精煤战略作为产业支撑平台，以在建项目——260万吨煤焦化为龙头，递次延伸下游产业链条，打造规模以上级循环经济产业圈，着力构建建设具有申煤特色、多元化、可持续发展的现代企业集团。

创新彰显大气魄，创新推动大发展。在不断的创新发展中，申家庄煤矿先后被能源部评为“特级质量标准化矿井”，被中国矿业联合会授予“全国十佳矿山”，被省政府授予“省级先进企业”，被省总工会、劳动厅联合授予“AAA级劳动关系和谐企业”，被省文明办授予“诚信企业”等殊荣。一家集原煤开采、精煤洗选、矸石发电、粉煤灰制砖、煤焦化为一体的现代化、集团化、规模化新型绿色矿山正巍然屹起于冀南煤海！

正老林羊肉爐

好吃无国界 连明星都说棒的平价美食

来到正老林，你一定会发现墙上贴着许多顾客的留影和留言，其中更不乏影视明星及名人。这些顾客大多是因为朋友“吃好逗相报”慕名而来，从他们照片上的表情就可以看出正老林果然名不虚传，不愧是年年得奖的金牌美食。

好汤头就是不一样 不燥不热四季皆养生

正老林羊肉炉特别针对夏季调配独家养生汤头，以20多种温和中药材和甘蔗一起熬制，清爽甘甜、不燥不热。搭配精心处理的羊肉，羊脚筋、羊大骨，教人吮指回味。配菜方面同样严选当令蔬果、菇蕈等食材，搭配羊肉炉相得益彰。

来正老林除了好吃的羊肉炉，更可吃到老板特制的古早味小菜、蔬菜丸、手工丸子，清爽又开胃，而且想吃多少就吃多少，不另收费。另外每人还会赠送独家美食印度手工饼和古早味仙草冰，吃完羊肉炉来碗仙草冰，清凉又退火！

地址：台北县芦洲市集贤路398号（黄色灯笼才是总店）（徐汇中学附近） 加盟专线：0922-855-938

营业时间：周一至周五：15:00～凌晨3:00 假日：午餐11:30～15:00?晚餐15:00～凌晨3:00

订位专线：(02)2283-7338、8285-8358、0955-233-629、0922-855-938

中兴财光华会计师事务所有限责任公司

董事长 主任会计师:姚庚春

中兴财光华会计师事务所有限责任公司是具有证券期货相关业务资格的独立法人机构。事务所以北京为中心，分别在河北、天津、上海、山东、山西、吉林、湖北、深圳、广东、重庆、江西等设有工作机构。

中兴财光华会计师事务所现有从业人员631名，其中注册会计师351名、国际注册管理咨询师8名。资深教授、副教授、高级会计师、高级工程师、高级税务师、高级管理咨询师122名。荟萃了会计、审计、证券期货、资产评估、税务、金融、工程、经济管理等各类专业人才。是一支年龄结构合理、团结和谐、充满朝气和活力的执业队伍，是行业内有核心竞争力的会计师事务所之一。在2010年全国百强会计师事务所中排名列第33位，是入围国务院国资委2010～2011年审计项目的会计师事务所。

中兴财光华会计师事务所高层领导研究《业务质量控制制度》

中国注册会计师协会会长刘仲黎同志在中注协秘书长陈毓圭同志陪同下视察中兴财光华会计师事务所时合影（前排右起第四位为刘仲黎同志、右起第三位为中注协秘书长陈毓圭同志）

董事长姚庚春同志在中兴财光华会计事务所注册会计师后续教育培训班上授课

中兴财光华会计师事务所服务范围遍及金融、证券期货、电信、钢铁、石油、煤炭、外贸、纺织、物产、电力、新闻出版、科技、交通运输、制药、农牧业、房地产等行业。为大中型企业提供内控设计、企业策划、投资项目可行性研究服务。为企业改制、资产重组、投资等经济活动提供财务、经济评价和可行性研究，为多家大型企业集团担任常年财务顾问。树立了良好的社会形象，得到了社会各界的广泛赞誉。2009年被中国质量协会全国用户委员会评为《全国实施用户满意工程先进单位》。董事长、主任会计师姚庚春同志被评为“用户满意杰出管理者”和“2008和谐中国十大领军人物”。

中兴财光华会计师事务所以做优、做大、做强、上规模、上档次、上水平为发展战略目标，多年来坚持“以质量求信誉，以信誉促发展”的经营理念，奉行“高效优质、为客户创造价值、为社会创造效益”的服务宗旨，追求稳健务实，与国际接轨的长远发展目标。全体员工精诚团结、锐意进取、竭诚为社会各界提供优质高效服务，为社会经济发展做出积极的贡献。

中兴财光华会计师事务所企业内部控制规范研讨会

中华台商联合促进会

台商联合服务平台

本会宗旨：

整合台商产业、技术、管理等有利资源与国际经济趋势紧密结合提升竞争力，创造台商永续经营契机。

本会任务：

一、增进会员产业、技术、管理等信息之交流，以促进华人台商之新格局。

二、提供会员国际经济情势讯息和各项咨商企业诊断之服务。

三、解决会员内部人才培训、教育训练之不足，举办各项才能训练、进修、研习等事项。

四、组成相关产业或异业结合进军国际市场。

五、计划性举(协)办国际性之联谊，俾拓展人际，促进外交。

六、与宗旨相关之事宜。

中國兩岸文經產業交流協會

http://cscea168.blogspot.com

陆资企业在台投资服务平台

本会宗旨：

本会为依法设立之社会团体，非以营利为目的，以促进两岸文化、经济、农渔牧、旅游、餐饮、娱乐、科技、教育、艺术、体育、医学、宗教等方面技术交流，其目的在求提升两岸人民福祉，加速两岸关系朝向稳定和良性发展为宗旨。

本会任务：

一、配合两岸人民需求，协助政府处理两岸民间交流事务性工作。

二、接受政府委托办理两岸民间之文化、经济、农渔牧、旅游、餐饮、科技、教育、艺术、体育、医疗等服务及相关认证作业事项。

三、两岸之间就业、投资之咨询委办与代办协助。

四、两岸产业信息、商情委托搜集调查、交换与运用。

五、两岸会计、税务、经济、投资、法律、医疗与婚姻等服务及纠纷排解。

六、网络媒体信息传播及受托各种相关业务教育训练。

七、依政府法令规定举办服务业及劳务业等相关学术研究。

八、编印发行会刊，增长两岸人民了解法令，以资遵循。

九、有关会员之征求、调查、登记、组训等事项。

十、其他符合本会宗旨之各项资讯及信息服务等事项。

理事长：陈兆伸 会计师

学 历：淡江大学会统系毕业

广州暨南大学会计硕士

现 任：

鼎鑫联合会计师事务所所长
中国两岸文经产业交流协会理事长
台北市淡江大学校友会理事长
中华台商联合促进会理事长
中华企业会计协会副理事长
中华公司组织研究发展协会理事
台北市淡江大学会计基金会董事
台北市税务代理人协会常务监事
中华理事长协会监事
台北市会计师公会国际及两岸服务委员会主任委员
台湾士林地方法院调解委员

曾 任：

台湾省会计师公会第二十二届理事长(2001.9-2004.9)
中华税务代理人协会第一届理事长(2004.10-2007.10)
国际通岸协会第一届理事长(2004-2006)
台北县国际杰人会第九届会长(2006)
中华会计师公会全国联合会理事(1997-2000)
社团法人中华公司治理协会理事(2001-2007)
财团法人会计研究发展基金会董事(2001-2004)
中国国务院发展研究中心市场经济研究所每周经济观察副理事长(2008.9-2009-9)
台北市会计师公会理事(1995-1998)
台湾财政部会计处主办会计(1987-1989)
台北市税捐稽征处税务(1979-1987)
台湾省烟酒公卖局统计分析(1977-1979)
中华工程仲裁协会仲裁人
金门地方法院调解委员(2004-2006)

ZhongHua
众华沪银会计师事务所

上海众华沪银会计师事务所有限公司

主任会计师　孙勇先生

办公场所

上海众华沪银会计师事务所有限公司（以下简称“事务所”）成立于1985年9月，是中国恢复注册会计师行业后第一批成立的会计师事务所之一，发展至今，汇集了350多名优秀的专业人才，积累了大量的优质客户，成为了一家在国内外享有良好声誉的会计师事务所。

20多年来，事务所始终不渝地坚持“专业创造价值，诚信实现共赢”的服务理念，坚持市场化的发展方向，精心为客户和社会公众提供优良的服务和客观的见证，取得了客户的信任和支持，用诚信和敬业赢得了市场的认可和荣誉。

事务所拥有员工350多人，其中注册会计师120余名。并有多人拥有ACCA，ACA，CFA等国际认证的专业资格。除此之外，还拥有相当一批具有注册资产评估师、注册房地产估价师、注册税务师等资格的专业人员。他们拥有深厚的理论功底和丰富的实践经验，许多人同时具有会计、经济类高级职称以及硕士学位。

事务所具备完整的各类审计相关资质：财政部和中国证监会批准的执行证券、期货相关业务审计资格、财政部和中国人民银行批准的从事金融审计相关业务资格、中国注册会计师协会核准的承担大型国有企业审计资格、高级法院核准的司法审计资质、并已在美国PCAOB注册，具有为美国证券市场的上市公司提供审计服务的资格。目前已拥有客户近千家。其中包括上市公司、银行、大型国营企业、跨国公司等，成为中国最大的会计师事务所之一。

服务类型
审计鉴证服务
资本市场服务
企业重组及清算服务
税务咨询服务
代理服务（会计、税务、人力资源、秘书）
企业管理咨询服务

地址：上海市延安东路550号海洋大厦12楼　电话：86-21-63525500　传真：86-21-63525566　邮箱：zhonghuacpa @zhonghuacpa.c

圆致会计师事务所

圆致会计师事务所负责人——赵治民会计师，拥有美国与中国台湾地区会计师执照，并且是台湾地区仲裁人。1995年台湾大学化学系毕业，参加美国GMAT考试，成绩名列前百分之三，故能申请进入美国顶尖之德州大学奥斯汀校区（U.T.Austin）会计研究所攻读专业会计硕士学位。1982年毕业，同时取得会计硕士学位与通过美国会计师考试。

赵治民会计师先后任职于台湾地区前两大会计师事务所“勤业”、“众信”分别担任电脑稽核员与股票上市、上柜公司会计制度规划及设计部门经理。嗣后担任台湾国际标准电子公司（an ITT systcm company）稽核经理及美国MASCO Group集团西岸总部之资深内部稽核。1990年起，自行执行会计师业务迄今。目前亦担任台湾地区经济主管单位企业财务顾问。期间经常参加内地举办之研究会及商务考察，期盼能与内地企业来台投资之策略性发展及财务会计税务辅导咨询，尽一份心力。

本事务所同仁，拥有留学英国履历，质优量精，能提供全方位会计专业服务。

（一）专精辅导企业财务会计管理制度之设计、规划与辅导上线作业，健全公司经营体质；

（二）台湾地区之财务融资签证，税务签证及相关咨询；

（三）台湾地区之商务纠纷仲裁与调解；

（四）公司设立、增资作业之办理与咨询；

（五）资产估价，破产管理与税务行政诉讼业务。

圆致会计师事务所同仁依循“勤、诚、简、益”的原则，提供具体与量身适切的会计专业服务，以竭诚协助内地企业开发台湾地区业务。适逢两岸经济合作展开新页之际，谨以绵薄之力促进两岸经济交流与融合。

戴育泽建筑师事务所·大方广设计
TAI ARCHITECT & ASSOCIATES

事务所简介

本所系于1991年由戴育泽建筑师所创立，秉持建筑专业之职责应以为社会创造理想的实质环境，提供业主最详尽之专业知识，协助其完成计划案之兴建。基于此一体认，本所聚合了一群有高度热忱与理想之专才，持恒地为业主提供最佳之服务，高质量之专业技术，敬业之态度与良好之合作关系。

经营理念

国际观点 专业质量 创新美学

一栋经典建筑之诞生，乃是结合了
投资者之眼光与魄力
建筑设计者之理念与智慧
营建施工者之贯彻与坚持
期待透过多方面之配合与努力
促成整体建筑从业环境与实质环境之质量提升

设计哲学

我们试图透过基地的探访、业主的交谈、目标客群的了解、找寻每个项目的

唯一性(The unique) The unique of Client
of Site
of Program

经由 Light
Space
Transparency
Materiality
Order

组织 Space
Form

唤起 人性最深层中 Serenity
Beauty
Artistry

体现合一与无限
自然与人为的合一
建筑与环境的合一
室内与户外的合一

正是 天人合一的 Eternity

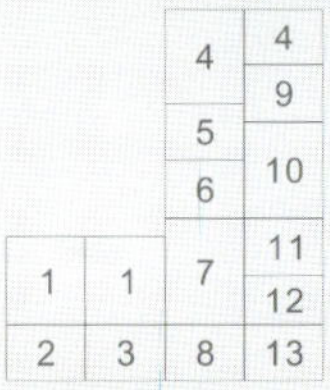

1.乡林涵碧楼
与新加坡Kerry Hill Architects事务所国际合作
·2002 台湾建筑奖国际合作奖
·2003 远东建筑奖国际合作奖
2.新竹高铁特区办公大楼
与日本原广司+Atelier Phi建筑研究所国际合作
3.龙岩三芝世纪墓园
与日本安藤忠雄建筑研究所国际合作
4.葳格小学
·2003 台湾建筑奖入选
·2004 远东建筑奖入选
5.联聚仁爱大厦
·台中十大潜力豪宅入选
6.帝国双星
7.乡林皇居
8.佛教慈济基金会台中会馆
9.南投林区管理处办公厅
·2005 台湾建筑奖入围
10.联聚和平大厦
·台中十大豪宅首选
11.士林官邸
·台湾最顶级会所
12.林口展悦轩住宅
13.乡林霞关

http：//www.taisquare.
408 台湾台中市南屯区文心路一段218号14楼
14F-1,No. 218,Sec.1,Wen Shin
Taichung 408,Tai
TEL ：+886-4-2475-0
FAX ：+886-4-2473-0
E-mail：a3830305@ms8.hine

宜昌夷陵长江大桥建设开发有限公司

宜昌夷陵大桥建设开发有限公司是集桥梁维护、物流仓储、广告经营、园林绿化、房地产开发为一体的综合型国有企业。公司负责维护管理的夷陵长江大桥（以下简称夷陵大桥）于1998年11月28日开工，2001年8月20日合龙，2001年12月28日通车，2002年1月28日经湖北省政府批准设站收费，2003年10月31日通过项目竣工验收。

夷陵大桥的建设得到了中央、省、市领导和专家的亲切关怀和指导。李鹏同志于2000年11月11日和2001年10月5日两次到工地视察并为夷陵大桥题名。

夷陵大桥运用新技术、新材料、新工艺11项，有6项在国际或国内属领先水平，2002年荣获中国建筑工程“鲁班奖”，2003年荣获“国家环境保护百佳工程”奖，2004年荣获“詹天佑”大奖。

2002年后，公司进入快速发展的新时期。桥梁管理进入规范化、制度化和信息化的轨道，公司始终把安全维护管理作为公司的首要职责和第一要务，通过精心维护和科学管理，创下了全国罕见的桥梁管护业绩：大桥通车10年来，面貌如新，主桥桥面完好无翻修，各类数据均处于受控状态，等级事故保持零记录，相对同类桥梁累计节省维修费用近亿元，被桥梁专家称为是桥梁管养界的奇迹。近3年来，公司营运收费逐年递增，三产开发的项目初具规模，经济效益明显。目前拥有8000m²商业广告位，20000m²仓储物流基地，186套商业门面，100亩绿化基地等经营性资产。 营造收费真心、爱心、舒心 的“三心”服务工程树立了文明形象。经过大桥人近10年的精心维护和科学管理，夷陵大桥已成为宜昌市一道靓丽的风景。

公司连续三届被评为省级“文明单位”，其中2009年7月公司被省委省政府授予省级“最佳文明单位”称号，成为全省桥隧管理行业唯一一家获得此奖的单位。2010年8月，公司荣获“湖北省经济建设明星企业”荣誉称号。

智慧型储存系统

三十年的研发、设计、制造经验，让我们的专业能力更符合您的需求。

- 简单的操作方式
- 专业的功能选项
- 多重的安全装置设计

Smart

Mobile Shelving

Library Shelving
Gondola Shelf

瑋泰金屬工業股份有限公司
Willington Fabrications Co., Ltd.

厂址：（33355）桃园县龟山乡东万寿路632
TEL:886-3-359-8811 FAX:886-3-350-2132
E-mail: willingt@ms9.hinet.net
网址：www.willingtonfab.com.tw

经营理念与企业精神

鈊象电子公司将技术定位于游戏的创新与研发，以“诚信笃实、创意无限”为企业精神标竿，希望随着科技不断进步，以诚信与创新的角度，不断开发出深具创意的游戏，并不断厚植游戏产品研发及跨平台技术，使企业能够永续经营。

除了创新与创意外，鈊象电子秉持着“品质卓越、服务至上”的经营理念，坚持创造丰富性与多元化优质的产品，提供最佳的游戏品质，以“物超所值、回馈社会”为企业责任，并提供最优质的数字休闲育乐完整配套。

公司愿景

鈊象电子以成为大中华区游戏研发旗舰及世界级游戏公司为愿景，采取全球布局、自有品牌、100%关键技术的自行研发，并订定具体的中长程目标:

第一仿真机的市占率能达成全球第一：过去这个高阶市场领域由日本厂商所独占，鈊象电子凭着以优异的游戏性、文化亲和力与价格优势，打破日本产品独占的局面，更成为华人地区的第一品牌，鈊象藉此碌力于成为世界级游戏公司。

第二成为网络游戏内容最佳提供者：鈊象目前在台湾成功运营休闲棋牌类第一品牌“Game淘”，自制研发出的“明星三缺一”麻将游戏，生动有趣的游戏互动，风靡整个华人世界，未来将以最佳的游戏品质与内容，建构全方位线上虚拟游乐场，成为大中华区最大的网络游戏平台。

第三组成最佳游戏研发团队：未来鈊象将以大中华区为核心，积极培育游戏人才，并逐步成立海外卫星研发中心，建立最佳游戏研发团队，完成国际化与世界级的长程目标。

公司的主要产品与优势

商用电子游戏机（Arcade Game）:

（1）娱乐类(Amusement with prize):

针对各市场的区域特性和鈊象优异的开发能力，研发出符合当地风土民情的娱乐类游戏，包括中国、亚洲、欧洲、美洲等市场皆有对应的研发团队。鈊象同时积极配合各市场法令申请认证，营造与客户双赢共好的优势。

（2）仿真机（Simulator）:

掌握市场需求和流行趋势，提供系统整合和价格优势而开发出拟真类产品，包括音乐节奏机、音乐打鼓机、赛车等，其中以鈊象的音乐节奏机“Rock Fever”最为著名，让时下年轻人能够恣意于音乐和游戏之间。

（3）益智类与亲子娱乐机(Amusement & Family Entertainment Center)

公司针对各年龄层开发出质优量多的益智类游戏机台和亲子娱乐机台，包括专属PGM主机的格斗类游戏、横滚动条射击游戏，多款亲子益智类游戏，此外，利用触控式屏幕实时互动的优点，开发训练儿童反应、锻炼成人脑力的机智问答与棋牌类游戏等。最新开发出的EZNET结合网络联机和前代触控屏幕游戏EZTouch的特点，已成为市场注目的焦点。

网络联机游戏（Online Game）:

（1）休闲游戏（Casual game):

鈊象电子公司自制研发出的“明星三缺一”麻将游戏，生动有趣的游戏互动，风靡整个华人世界，同时借着优势品牌与掌握市场脉动，开发多款时下流行的棋牌类游戏，凭借丰富的音乐游戏开发经验，也推出华人第一款的线上音乐跳舞游戏“唯舞独尊”。

（2）万人联机角色扮演游戏(MMORPG):

鈊象电子藉由核心技术和丰富的游戏开发经验，选择出不同的市场区隔，并利用先进成熟的3D技术，结合市场需求及产品创意，持续开发优质的产品。

地址：台湾省台北县五股乡五股工业区五权路48号2楼 电话：886-2-2299-5048 传真：886-2-2290-1394 网站：http://www.igs.com.tw

鸿宗科技股份有限公司

GIANTBRIGHT Technology Co.,Ltd.

鸿宗科技透过多年经验，致力于LED灯具开发，研发MR系列、E27系列、LED筒灯、LED日光灯等，不断改良结构及散热效益，希望藉由LED的推广，取代传统耗能灯泡，达到节能省电效益。由于看好LED前景，鸿宗科技于多年前开始接触，加上对LED特性了如指掌，以及对上、中、下游厂商的长期合作研发，使技术不断推陈出新，目前则以LED灯管及MR系列，进军商用及家用市场。

以M16来说，鸿宗研发一体成型设计，大幅增加散热面积，更提升发光效能，且耗电量仅4.2W，相较于传统50W卤素灯，大幅减少十分之一电力，此外更可直接汰换传统灯泡，便利民众直接更换。即将推出发光效率可达100流明/W以上的新款MR16。

此外，LED日光灯也是目前业者跃跃欲试的产品之一，不过散热却是目前多家厂商所面临的一大挑战。鸿宗科技使用PLCC LED焊于铝基板，将热量传导至外部铝矩形散热，增加散热装置提升LED寿命，加上特殊电路设计，不需修改线路，可直接换装，电力可节省传统灯管二分之一以上，亮度更可多1.3至1.5倍。

另外，鸿宗科技也与知名LED封装厂，共同开发LED 10W桶灯（崁灯），使用多晶低功率LED，拥有不易发热且降低外壳温度等优势，更可提升亮度效率70流明/W以上。

施工案例

AR111

LED筒灯

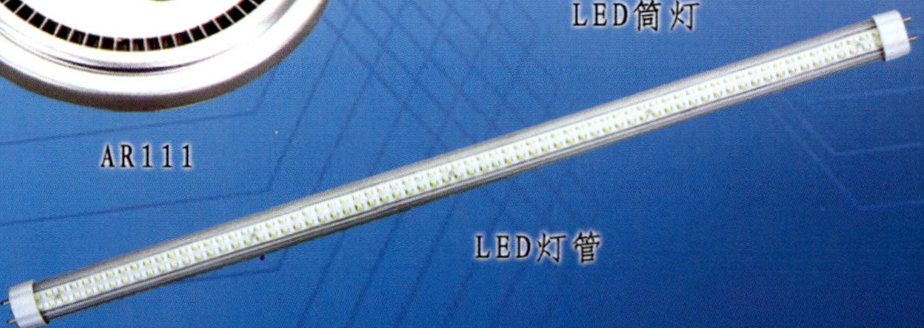

LED灯管

地址：23552台湾省台北县中和市中正路700号2楼
2F,NO. 700, Jung Jeng Rd.,Jung He City, Taipei ,Taiwan 23552
Tel：886-2-8227-8588 Fax：886-2-8227-9158
http://www.giantbright.com

北京金神宝技术开发有限公司

为和谐社会保驾护航

新一代高性能防弹衣——每个士兵必备的基本装备

北京金神宝技术开发有限公司是中国最早从事人体生命防护装备产品研发、生产的高新技术企业。在国际上是国际知名品牌（见英国简氏年鉴），在国内是中国著名品牌，国家重点新产品；还被评为北京市自主创新产品，并荣获建国六十周年百名优秀发明家荣誉称号。

当今进攻性武器愈来愈先进，威力愈来愈强大，对高性能防弹衣的需求比过去任何时候都更加迫切，例如，美国在伊拉克战场上伤亡巨大，主要原因是枪支威力太大，而防弹衣性能又太差所导致。公司十几年来，在张克勤总经理的领导下经过较长时间的探索研究，终于研究出了可防世界手枪王（中国 54 手枪钢芯弹）和世界步枪王（AK-47 步枪）的高级防弹衣，一举使中国的防弹衣性能提高到了世界级新水平。

神宝牌防弹衣具有优异的防弹性能和综合性能，特别是在防钢芯弹、防穿透、防紫外线、耐老化、防内伤、防潮湿等方面具有独特的性能，并且不跳弹，使用寿命更长。这一产品既可以大量装备我们的子弟兵和广大公安、银行等及需要防弹衣的部门，又可大批量出口，为国家赚取大量外汇。

能防军用中短枪和世界著名步枪的高级防弹衣

神宝牌防弹衣在国际上是国际知名品牌。在国内是中国著名品牌、国家重点新产品；并荣获建国六十周年百名优秀发明家荣誉称号。产品正大量销往国外，深受国内、外客户青睐。

D 型防弹衣　E 型防弹衣　H1 型防弹衣　H2 型防弹衣　隐蔽式（内穿式）防弹衣

防中国 54 手枪（世界手枪王）　防中国 79 微冲　防 AK-47（世界步枪王）　防美 M16　防中国 54 手枪（世界手枪王）

地址：北京市温泉 9512 信箱
电话：86-10-62489623　62405901
传真：86-10-62489623
网址：www.jinshenbao.com
E-mail：sb2820@126.com
jinshenbao@126.com

简氏年鉴

中国著名品牌

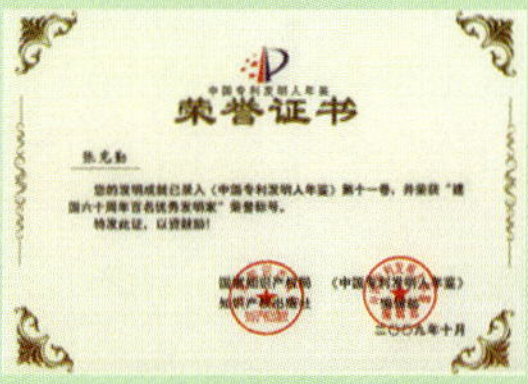

建国六十周年百名优秀发明家

宁明华侨农场

花园式的场部区

驻场企业金宝师食品有限公司甜玉米生产

茶叶加工

宁明华侨农场前身是一个小苗圃基地，始建于1951年，1960年和1978年先后接收安置印度尼西亚归侨和越南归侨后改称为广西国营宁明华侨农场。场部地处宁明县城北驮龙工业区，距县城区4公里，距宁明火车站500米，距著名国家级文物保护区花山崖画风景区10公里。辖属11个农业分场，分别位于面向东盟开放合作的区域性新兴城市—— 崇左市的国际大通道上，在南友高速公路宁明出口处，在南宁至越南河内国际铁路宁明县境内的各站两旁，在宁明至爱店二级公路的起点上。场区属热带雨林区域，雨量充沛，气候温和，四季常青。

农场现有人口5340人，其中归难侨1876人，侨眷1148人，归难侨及侨眷占总人口的56.63%；职工总人数2628人，农业工人1471人，非农业工人1157人；在职人员1424人，其中归难侨686人；退休人员1197人，其中归难侨人数742人。土地面积49633亩，其中可耕地面积13859亩，主要种植作物有甘蔗、龙眼、荔枝、柑橙、芒果、菠萝、木薯等。

经过几十年的发展，农场以发展成为以农业为主，以农产品加工业为辅的经济格局。宁明金宝师食品有限公司、木材加工厂、优质茶叶种植加工基地等一批驻场企业的建立，为农场的经济发展注入了生机，特殊的华侨异域风情和丰富的文化生活使农场充满了活力。2003年6月，经宁明县政府批准，加挂宁明华侨经济区牌子。2005-2009年连续五年荣获宁明县“三个文明”建设综合一等奖。2009年7月被广西壮族自治区精神文明建设委员会评为“第十二批自治区文明单位”。

每年一度的歌手大奖赛

独特的华侨风情

木材加工厂

地址：广西崇左市宁明县城中镇花山路32号
邮编：532501
电话：0771-8628172
传真：0771-8628401

道法法律事务所

DEEP & FAR Attorneys-at-Law

道法法律事务所提供全方位法律服务，但目前较偏重包含专利、商标、著作权、营业秘密、不公平竞争等智慧财产权（IPR）、及╲或其授权、咨询、诉讼及╲或交易等各方面业务。

本所于台湾省智慧财产界向以提供最佳品质服务富有盛名，本所之经营理念向以于台湾及中国大陆提供最优质之法律服务。待答之问题系吾等如何能如此提供？道法藉由选择、教化及孵育具下列特质之成员而实现：学有专精、谨守道德及真诚举止，以及于施与受间严谨纪律。

吾等坚持懂从事及懂执行使本所能既深而远之工作，道法因而能行如其名。此坚持一方面能形塑我们独特风格，然另一方面具前述人格特质之人终究非多，且上天不必然懂为道法而自然地如此孕育或安排，因而本所之规模尚非甚大。

是故，道法于台湾省必然参与一些关于智慧财产著名争端之资讯乃无可奇怪。更多有关道法具知识性之介绍请参其网页。

)eep & Far attorneys-at-law provides full phases of legal services but is presently focused on the practice in separate or in combination of all aspects of ntellectual property rights (IPRs) including patents, trademarks, copyrights, trade secrets, unfair competition, and/or licensing, counseling, litigation ınd/or transaction thereof.

This firm is renowned to provide the best quality service in IPRs in Taiwan. It is our philosophy to provide the most competent legal services in Taiwan ınd Mainland China. The necessitated ensuing question is how we can so provide. Deep & Far so achieves by selecting, edifying and nurturing persons who have the following personalities: learned in expertise, morally earnest and sincerely behaved in mind and strictly disciplined between give and take. 3y the perseverance that we only do what and only perform works which enable this firm to be deep and far, Deep and Far can then equate the reality vith its name. It is such perseverance that enables on the one hand that we lead our unique way, but that limits our size somehow on the other hand in hat peoples of above-mentioned personalities are not very many and not necessitated to be naturally or automatically created only for Deep & Far.

t will thus sound no strange that some famous IPR-related disputes in Taiwan necessitated participation by Deep & Far. A more informative introduction o Deep & Far can be found in its web site above described.

台湾省台北市中山北路三段27号13楼　13th Fl., 27 Sec. 3, Chung San N. Rd., Taipei 104, Taiwan
el/电话：886-2-25856688　Fax/传真：886-2-25989900/25978989
mail：email@deepnfar.com.tw　Web Site：www.deepnfar.com.tw

畊通有限公司
A BEING KOU TOOLS CO.,LTD

生意不嫌少
诚意价更高

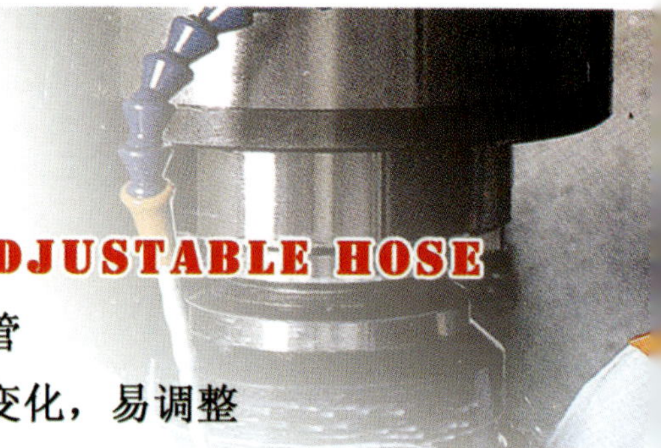

LOC-LINE ADJUSTABLE HOSE

美国组合式冷却管
不破，不漏，多变化，易调整
适用于气体、液体、真空
大量用于机床上输送空气或切削油
耐用长达五年

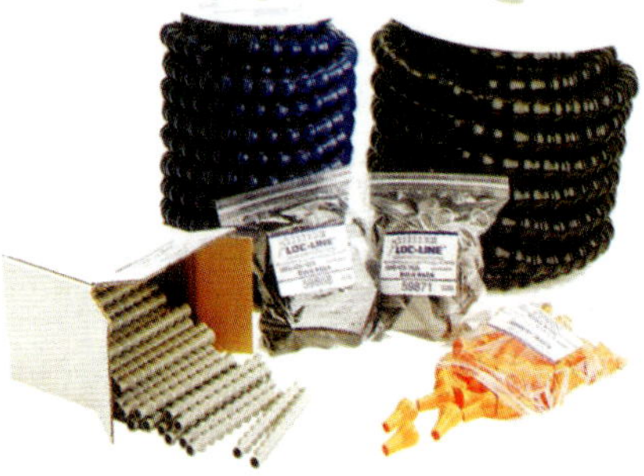

FLUIDAX
瑞士 喷雾器
低压（0.4bar）干式切削、
润滑冷却喷雾机

MicroCentric
美国 （精度 0.00005" TIR），
超精密、超高速，气压、油压卡盘，
及平行夹持，全剖开式专利筒夹。

NEXEN-ASAHI
日本 气动离合器 & 制动器
高精度、高性能、高效率、
平稳、安全

阿兵哥气动工具

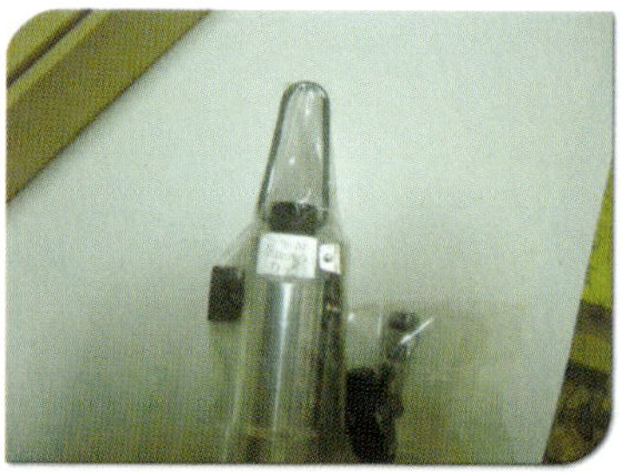

畊通有限公司
A BEING KOU TOOLS CO.,LTD
台湾省台北市 10317 重庆北路 3 段 243 巷 33 号 3 楼
3F NO.33 Lane 243 Section 3,CHUNKING
NORTH ROAD TAIPEI 10317 TAIWAN
TEL：886-2-25982192
FAX：886-2-25910030
E-mail：abk.tools@msa.hinet.net

鸿宇新盛自动化设备有限公司
HongYu XinSheng Automation equipment Co.,LTD
中国•大连开发区华冠大厦 -1-9
Development Zone, Dalian, China Arima Building -1-9
TEL：+86-411-62776645
FAX：+86-411-87645717
http：//www.dlys.net
E-mail：ys_yujiali@163.com

中国经济贸易年鉴

CHINA'S ECONOMY & TRADE YEARBOOK

第六篇

中国经济贸易统计资料

国民经济和社会发展总量与速度指标

指标	总量指标					速度指标（%）						
						指数（2009 为以下各年）				平均增长速度		
	1978	1990	2000	2008	2009	1978	1990	2000	2008	1979－2009	1991－2009	2001－2009
人口与就业												
人口（万人）												
总人口（年末）	96259	114333	126743	132802	133474	138.7	116.7	105.3	100.5	1.1	0.8	0.6
男性人口	49567	58904	65437	68357	68652	138.5	116.5	104.9	100.4	1.1	0.8	0.5
女性人口	46692	55429	61306	64445	64822	138.8	116.9	105.7	100.6	1.1	0.8	0.6
城镇人口	17245	30195	45906	60667	62186	360.6	205.9	135.5	102.5	4.2	3.9	3.4
乡村人口	79014	84138	80837	72135	71288	90.2	84.7	88.2	98.8	－0.3	－0.9	－1.4
就业（万人）												
就业人员数	40152	64749	72085	77480	77995	194.2	120.5	108.2	100.7	2.2	1.0	0.9
城镇登记失业人数	530	383	595	886	921	173.8	240.5	154.8	104.0	1.8	4.7	5.0
宏观经济												
国民经济核算（亿元）												
国民总收入	3645.2	18718.3	98000.5	316228.8	343464.7	1878.7	665.1	250.3	109.3	9.9	10.5	10.7
国内生产总值	3645.2	18667.8	99214.6	314045.4	340506.9	1862.5	661.2	245.1	109.1	9.9	10.5	10.5
第一产业	1027.5	5062.0	14944.7	33702.0	35226.0	401.8	210.7	145.0	104.2	4.6	4.0	4.2
第二产业	1745.2	7717.4	45555.9	149003.4	157638.8	2849.4	936.9	263.4	109.9	11.4	12.5	11.4
第三产业	872.5	5888.4	38714.0	131340.0	147642.1	2516.0	694.8	263.2	109.3	11.0	10.7	11.4
支出法国内生产总值	3605.6	19347.8	98749.0	314901.3	345023.6							
最终消费支出	2239.1	12090.5	61516.0	152346.6	165526.8							
居民消费	1759.1	9450.9	45854.6	110594.5	121129.9							
政府消费	480.0	2639.6	15661.4	41752.1	44396.9							
资本形成总额	1377.9	6747.0	34842.8	138325.3	164463.5							
固定资本形成总额	1073.9	4827.8	33844.4	128084.4	156679.8							

续表1

指标	总量指标					速度指标（%）						
						指数（2009为以下各年）				平均增长速度		
	1978	1990	2000	2008	2009	1978	1990	2000	2007	1979－2009	1991－2009	2001－2009
存货增加	304.0	1919.2	998.4	10240.9	7783.7							
货物和服务净出口	－11.4	510.3	2390.2	24229.4	15033.3							
固定资产投资（亿元）												
全社会固定资产投资总额		4517.0	32917.7	172828.4	224598.8		4972.3	682.3	130.0		22.5	22.6
城镇		3274.4	26221.8	148738.3	193920.4		5922.3	739.5	130.4		23.7	23.9
#房地产开发		253.3	4984.1	31203.2	36241.8		14310.7	727.1	116.1		31.6	25.6
农村		1242.6	6695.9	24090.1	30678.4		2468.9	458.2	127.3		18.2	16.7
全社会施工房屋建筑面积（万平方米）		137171	265294	632261	754189		549.8	284.3	119.3		9.4	12.3
全社会竣工房屋建筑面积（万平方米）		107952	181974	260307	302117		279.9	166.0	116.1		5.6	5.8
消费												
社会消费品零售总额（亿元）	1559	8300	39106	114830	132678	8512.7	1598.5	339.3	115.5	15.4	15.7	14.5
对外贸易												
货物进出口总额（亿美元）	206.4	1154.4	4742.9	25632.6	22075.4	10695.4	1912.3	465.4	86.1	16.3	16.8	18.6
出口额	97.5	620.9	2492.0	14306.9	12016.1	12324.2	1935.3	482.2	84.0	16.8	16.9	19.1
进口额	108.9	533.5	2250.9	11325.6	10059.2	9237.1	1885.5	446.9	88.8	15.7	16.7	18.1
实际利用外资额												
外商直接投资（亿美元）		34.9	407.2	924.0	900.3		2582.0	221.1	97.4		18.7	9.2
外商其他投资（亿美元）		2.7	86.4	28.6	17.7		660.8	20.5	62.0		10.4	－16.1
财政												
国家财政收入	1132.3	2937.1	13395.2	61330.4	68518.3	6051.5	2332.9	511.5	111.7	14.2	18.0	19.9
中央	175.8	992.4	6989.2	32680.6	35915.7	20433.4	3619.0	513.9	109.9	18.7	20.8	19.9
地方	956.5	1944.7	6406.1	28649.8	32602.6	3408.6	1676.5	508.9	113.8	12.1	16.0	19.8
国家财政支出	1122.1	3083.6	15886.5	62592.7	76299.9	6799.8	2474.4	480.3	121.9	14.6	18.4	19.0
中央	532.1	1004.5	5519.9	13344.2	15255.8	2867.0	1518.8	276.4	114.3	11.4	15.4	12.0
地方	590.0	2079.1	10366.7	49248.5	61044.1	10347.0	2936.1	588.9	124.0	16.1	19.5	21.8
物价总指数（上年＝100）												
居民消费价格指数	100.7	103.1	100.4	105.9	99.3							

续表2▶

指标	总量指标					速度指标（%）						
						指数（2009为以下各年）				平均增长速度		
	1978	1990	2000	2008	2009	1978	1990	2000	2007	1979－2009	1991－2009	2001－2009
商品零售价格指数	100.7	102.1	98.5	105.9	98.8							
工业品出厂价格指数	100.1	104.1	102.8	106.9	94.6							
原材料、燃料、动力购进价格指数		105.6	105.1	110.5	92.1							
固定资产投资价格指数			101.1	108.9	97.6							
能源生产与消费（万吨标准煤）												
能源生产总量	62770	103922	135048	260552	274618	437.5	264.3	203.3	105.4	4.9	5.2	8.2
能源消费总量	57144	98703	145531	291448	306647	536.6	310.7	210.7	105.2	5.6	6.1	8.6
农业												
农林牧渔业总产值（亿元）	1397.0	7662.1	24915.8	58002.2	60361.0	612.2	300.2	156.4	104.6	6.0	6.0	5.1
主要农产品产量（万吨）												
粮食	30476.5	44624.3	46217.5	52870.9	53082.1	174.2	119.0	114.9	100.4	1.8	0.9	1.6
棉花	216.7	450.8	441.7	749.2	637.7	294.3	141.5	144.4	85.1	3.5	1.8	4.2
油料	521.8	1613.2	2954.8	2952.8	3154.3	604.5	195.5	106.8	106.8	6.0	3.6	0.7
甘蔗	2111.6	5762.0	6828.0	12415.2	11558.7	547.4	200.6	169.3	93.1	5.6	3.7	6.0
甜菜	270.2	1452.5	807.3	1004.4	717.9	265.7	49.4	88.9	71.5	3.2	－3.6	－1.3
茶叶	26.8	54.0	68.3	125.8	135.9	507.1	251.6	198.9	108.1	5.4	5.0	7.9
水果	657.0	1874.4	6225.1	19220.2	20395.5	3104.5	1088.1	327.6	106.1	11.7	13.4	14.1
肉类			6013.9	7278.7	7649.7			127.2	105.1			2.7
奶类			919.1	3781.5	3732.6			406.1	98.7			16.8
水产品	465.4	1237.0	3706.2	4895.6	5116.4	1099.5	413.6	138.0	104.5	8.0	7.8	3.6
工业												
主要工业产品产量												
原煤（亿吨）	6.18	10.80	13.84	28.02	29.73	481.1	275.3	214.8	106.1	5.2	5.5	8.9
原油（万吨）	10405	13831	16300	19043	18949	182.1	137.0	116.3	99.5	2.0	1.7	1.7
天然气（亿立方米）	137.3	153.0	272.0	803.0	852.7	621.0	557.4	313.5	106.2	6.1	9.5	13.5
发电量（亿千瓦小时）	2566	6212	13556	34958	37147	1447.6	598.0	274.0	106.3	9.0	9.9	11.9
成品糖（万吨）	227	582	700	1433	1338	589.6	230.0	191.2	93.4	5.9	4.5	7.5

续表 3

指标	总量指标					速度指标（%）						
						指数（2008 为以下各年）				平均增长速度		
	1978	1990	2000	2007	2008	1978	1990	2000	2007	1979－2009	1991－2009	2001－2009
布（亿米）	110	189	277	723	753	683.1	399.1	272.0	104.2	6.4	7.6	11.8
水泥（万吨）	6524	20971	59700	142356	164398	2519.9	783.9	275.4	115.5	11.0	11.4	11.9
粗钢（万吨）	3178	6635	12850	50306	57218	1800.4	862.4	445.3	113.7	9.8	12.0	18.1
钢材（万吨）	2208	5153	13146	60460	69405	3143.4	1346.9	528.0	114.8	11.8	14.7	20.3
家用洗衣机（万台）	0.04	663	1443	4447	4974	12434075.0	750.5	344.7	111.8	46.0	11.2	14.7
家用电冰箱（万台）	2.8	463	1279	4800	5930	211801.8	1280.7	463.7	123.6	28.0	14.4	18.6
房间空气调节器（万台）	0.02	24	1827	8147	8078	40391250.0	33561.5	442.2	99.2	51.7	35.8	18.0
彩色电视机（万台）	0.38	1033	3936	9187	9899	2604944.7	958.2	251.5	107.7	38.8	12.6	10.8
规模以上工业企业												
主要指标（亿元）												
工业总产值			85674	507448	548311							
资产总计			126211	431306	493693			391.2	114.5			16.4
主营业务收入			84152	500020	542522			644.7	108.5			23.0
利润总额			4393	30562	34542			786.2	113.0			25.7
建筑业												
建筑业企业从业人员（万人）		1011	1994	3315	3673		363.4	184.2	110.8		7.0	7.0
建筑业总产值（亿元）		1345	12498	62037	76808		5710.6	614.6	123.8		23.7	22.4
交通运输业												
客运量（万人）	253993	772682	1478573	2867892	2976898	1172.0	385.3	201.3	103.8	8.3	7.4	8.1
铁路	81491	95712	105073	146193	152451	187.1	159.3	145.1	104.3	2.0	2.5	4.2
公路	149229	648085	1347392	2682114	2779081	1862.3	428.8	206.3	103.6	9.9	8.0	8.4
水运	23042	27225	19386	20334	22314	96.8	82.0	115.1	109.7	－0.1	－1.0	1.6
民航	231	1660	6722	19251	23052	9979.2	1388.7	342.9	119.7	16.0	14.9	14.7
货运量（万吨）	248946	970602	1358682	2585937	2825222	1134.9	291.1	207.9	109.3	8.2	5.8	8.5
铁路	110119	150681	178581	330354	333348	302.7	221.2	186.7	100.9	3.6	4.3	7.2
公路	85182	724040	1038813	1916759	2127834	2498.0	293.9	204.8	111.0	10.9	5.8	8.3
水运	43292	80094	122391	294510	318996	736.8	398.3	260.6	108.3	6.7	7.5	11.2

续表 4▶

指标	总量指标					速度指标（%）						
						指数（2009 为以下各年）				平均增长速度		
	1978	1990	2000	2008	2009	1978	1990	2000	2007	1979－2009	1991－2009	2001－2009
民航	6	37	197	408	446	6960.9	1204.1	226.5	109.3	14.7	14.0	9.5
管道	10347	15750	18700	43906	44598	431.0	283.2	238.5	101.6	4.8	5.6	10.1
沿海规模以上港口货物吞吐量（万吨）	19834	48321	125603	429599	475481	2397.3	984.0	378.6	110.7	10.8	12.8	15.9
邮电通信业												
邮电业务总量（亿元）	34.1	155.5	4792.7	23649.5	27193.5	107060.2	23464.6	761.5	115.0	25.2	33.3	25.3
函件（亿件）	28.4	54.9	77.7	73.6	75.3	265.7	137.3	96.9	102.3	3.2	1.7	-0.3
报刊期发数（万份）	11250	20078	20090	15658	13910	123.6	69.3	69.2	88.8	0.7	-1.9	-4.0
移动电话年末用户（万户）		1.8	8453.3	64124.5	74721.4		4083136.6	883.9	116.5		74.9	27.4
固定电话年末用户（万户）	192.5	685.0	14482.9	34035.9	31373.2	16294.0	4579.8	216.6	92.2	17.9	22.3	9.0
城市	119.2	538.4	9311.6	23155.9	21190.0	17784.3	3935.4	227.6	91.5	18.2	21.3	9.6
农村	73.4	146.6	5171.3	10880.0	10183.2	13874.7	6947.2	196.9	93.6	17.2	25.0	7.8
公用电话（万户）	1.2	4.6	352.0	2771.5	2708.8	232734.8	58828.1	769.5	97.7	28.4	39.9	25.4
局用交换机容量（万门）	405.9	1231.8	17825.6	50863.2	49265.6	12138.0	3999.4	276.4	96.9	16.7	21.4	12.0
旅游业												
入境旅游过夜者人数（万人次）	71.6	1048.4	3122.9	5304.9	5087.5	7105.5	485.3	162.9	95.9	14.7	8.7	5.6
国际旅游外汇收入（亿美元）	2.6	22.2	162.2	408.4	396.8	15085.6	1788.8	244.6	97.1	17.6	16.4	10.4
金融业												
金融机构人民币各项存款余额（亿元）	1155	13943	123804	466203	597741	51752.5	4287.1	482.8	128.2	22.3	21.9	19.1
金融机构人民币各项贷款余额（亿元）	1890	17511	99371	303468	399685	21147.4	2282.5	402.2	131.7	18.9	17.9	16.7
股票筹资额（亿元）			2103	3852	4968			236.2	129.0			10.0
保险公司保费金额（亿元）			1598	9784	11137			697.0	113.8			24.1
保险公司赔款及给付金额（亿元）			526	2971	3125			594.1	105.2			21.9
教育、科技、文化												
教育												
专任教师数（万人）												
#普通高等学校	20.6	39.5	46.3	123.7	129.5	628.6	327.8	279.8	104.7	6.1	6.4	12.1
普通中学	318.2	303.3	400.5	494.4	500.7	157.4	165.1	125.0	101.3	1.5	2.7	2.5

续表5

指标	总量指标					速度指标（%）						
						指数（2009为以下各年）				平均增长速度		
	1978	1990	2000	2008	2009	1978	1990	2000	2007	1979－2009	1991－2009	2001－2009
普通小学	522.6	558.2	586.0	562.2	563.3	107.8	100.9	96.1	100.2	0.2	0.05	－0.4
在校学生数（万人）												
#普通高等学校	85.6	206.3	556.1	2021.0	2144.7	2505.5	1039.6	385.7	106.1	10.9	13.1	16.2
普通中学	6548.3	4586.0	7368.9	8050.5	7867.9	120.2	171.6	106.8	97.7	0.6	2.9	0.7
普通小学	14624.0	12241.4	13013.3	10331.5	10071.5	68.9	82.3	77.4	97.5	－1.2	－1.0	－2.8
教育经费支出（亿元）			3849.1	14500.7								
科技												
研究与试验发展经费内部支出（亿元）			895.7	4616.0	5791.9			646.6	125.5			23.0
技术市场成交额（亿元）		75.1	650.8	2665.2	3039.0		4046.6	467.0	114.0		21.5	18.7
文化												
图书出版总印数（亿册、亿张）	37.7	56.4	62.7	70.6	70.4	186.7	124.8	112.3	99.7	2.0	1.2	1.3
故事片产量（部）	46	134	91	406	456	991.3	340.3	501.1	112.3	7.7	6.7	19.6
电视节目制作时间（万小时）		9.2	58.5	264.2	265.4		2896.9	453.6	100.4		19.4	18.3
家庭、生活、环境												
家庭												
城镇居民平均每户家庭人口（人）		3.50	3.13	2.95	2.91		83.1	93.0	98.6		－1.1	－1.0
农村居民平均每户常住人口（人）		4.80	4.20	4.05	4.03		84.0	96.0	99.5		－1.0	－0.6
婚姻												
结婚登记总数（万对）	597.8	951.1	848.5	945.0	991.4	165.8	104.2	116.8	104.9	1.8	0.2	2.2
离婚数（万对）	28.5	80.0	121.3	189.3	209.8	736.1	262.2	173.0	110.8	7.1	5.8	8.1
居住												
城市人均住宅建筑面积（平方米）	6.7	13.7	20.3	27.1		0.0	0.0	0.0	0.0			
农村居民人均住房面积（平方米）	8.1	17.8	24.8	30.7	31.6	390.5	177.7	127.5	103.2	4.8	3.4	3.5
生活												
城镇居民人均可支配收入（元）	343	1510	6280	11759	13786	752.3	379.8	196.1	112.2	7.2	8.2	10.1
农村居民人均纯收入（元）	134	686	2253	3587	4140	734.4	236.0	151.9	109.5	7.1	5.2	6.2
城乡人民币储蓄存款余额（亿元）	211	7120	64332	161587	172534	81925.1	2423.3	268.2	106.8	26.0	20.6	15.1

续表 6

指标	总量指标					速度指标（%）						
						指数（2009 为以下各年）				平均增长速度		
	1978	1990	2000	2008	2009	1978	1990	2000	2007	1979－2009	1991－2009	2001－2009
工资和社会保险												
工资总额（亿元）	569	2951	10656	23266	28244	4964.7	957.1	265.0	121.4	14.4	14.2	14.9
职工平均工资（元）	615	2140	9371	21001	24932	699.9	446.6	237.5	113.6	6.9	9.2	13.2
社会保险基金收入（亿元）		187	2645	8643	10812		5788.5	408.9	125.1		27.0	22.3
卫生												
医院、卫生院（个）	64311	62126	66095	60037	60531	94.1	97.4	91.6	100.8	－0.2	－0.2	－1.2
执业（助理）医师（万人）	103.3	176.3	207.6	199.5	201.3	194.9	114.2	97.0	100.9	2.3	0.8	－0.4
医院、卫生院床位数（万张）	184.7	259.2	290.8	327.1	343.8	186.1	132.6	118.2	105.1	2.2	1.7	2.4
城市市政建设												
年供水总量（亿吨）	78.8	382.3	469.0	540.5	501.9	636.9	131.3	107.0	92.9	6.6	1.6	1.0
人工煤气供气量（亿立方米）		174.7	152.4	296.5	322.5		184.6	211.6	108.8		3.7	11.3
天然气供气量（亿立方米）		64.2	82.1	244.8	308.6		480.7	375.9	126.1		9.7	20.8
道路长度（万公里）	2.7	9.5	16.0	24.1	24.6	912.3	258.9	153.8	102.0	7.9	5.8	6.3
排水管道长度（万公里）	2.0	5.8	14.2	26.13	29.2	1493.1	503.4	205.6	111.7	9.8	10.0	10.8
公共交通运营车数（万辆）	2.6	6.2	22.6	31.6	34.8	1346.8	561.3	154.0	110.1	9.4	10.7	6.4
园林绿地面积（万公顷）	8.2	47.5	86.5	132.1	170.9	2090.9	359.8	197.6	129.4	11.1	7.8	10.2
环境、灾害												
环境污染治理投资总额（亿元）			1015	2566								
环境污染与破坏事故次数（起）			2411	842								
环境污染直接经济损失（万元）			17808	13471								
交通事故发生数（起）		250244	616971	378781	327209		130.8	53.0	86.4		1.6	－8.7
交通事故损失折款（万元）		35361.6	263290.0	148956.0	119878.4		339.0	45.5	80.5		7.4	－10.6
火灾发生数（起）		57302	189185	222702	163521		285.4	86.4	73.4		6.4	－2.1
火灾损失折款（万元）		51181.8	152217.3	78446.8	112515.8		219.8	73.9	143.4		4.7	－4.2

注：1. 本表价值指标除邮电业务总量按不变价格计算外，其余均按当年价格计算。邮电业务总量2000年及以前按1990年不变价格计算，以后按2000年不变价格计算。

2. 本表速度指标中，国民总收入、国内生产总值及三次产业增加值、农林牧渔业总产值、邮电业务总量、城乡居民收入和平均工资指标均按可比价格计算。固定资产投资平均增长速度按累计法计算。外商直接投资额2006年按可比口径计算。

3. 职工人数1997年及以前为全部职工人数，以后为在岗职工人数，两者不可比。

4. 2000年及以后保险业务包括外资公司。

国民总收入和国内生产总值

指　标	总量（亿元）								
	2001 年	2002 年	2003 年	2004 年	2005 年	2006 年	2007 年	2008 年	2009 年
国民总收入	108068.2	119095.7	135174.0	159586.7	185808.6	217522.7	267763.7	316228.8	343464.7
国内生产总值	109655.2	120332.7	135822.8	159878.3	184937.4	216314.4	265810.3	314045.4	340506.9
第一产业	15781.3	16537.0	17381.7	21412.7	22420.0	24040.0	28627.0	33702.0	35226.0
第二产业	49512.3	53896.8	62436.3	73904.3	87598.1	103719.5	125831.4	149003.4	157638.8
工业	43580.6	47431.3	54945.5	65210.0	77230.8	91310.9	110534.9	130260.2	135239.9
建筑业	5931.7	6465.5	7490.8	8694.3	10367.3	12408.6	15296.5	18743.2	22398.8
第三产业	44361.6	49898.9	56004.7	64561.3	74919.3	88554.9	111351.9	131340.0	147642.1
#交通运输仓储和邮政业	6870.3	7492.9	7913.2	9304.4	10666.2	12183.0	14601.0	16362.5	17057.7
批发和零售业	9119.4	9995.4	11169.5	12453.8	13966.2	16530.7	20937.8	26182.3	28984.5
人均国内生产总值（元）	8622.0	9398.0	10542.0	12336.0	14185.0	16500.0	20169.0	23708.0	25575.0
支出法国内生产总值（亿元）	109028.0	120475.6	136634.8	160800.1	187131.2	222240.0	265833.9	314901.3	345023.6
最终消费支出	66933.9	71816.5	77685.5	87552.6	99051.3	112631.9	131510.1	152346.6	165526.8
资本形成总额	39769.4	45565.0	55963.0	69168.4	77856.8	92954.1	110943.2	138325.3	164463.5
货物和服务净出口	2324.7	3094.1	2986.3	4079.1	10223.1	16654.0	23380.6	24229.4	15033.3

续表 1 ▶

指标	指数（上年=100）								
	2001 年	2002 年	2003 年	2004 年	2005 年	2006 年	2007 年	2008 年	2009 年
国民总收入	108.1	109.5	110.6	110.4	112.0	112.8	114.4	109.6	109.3
国内生产总值	108.3	109.1	110.0	110.1	111.3	112.7	114.2	109.6	109.1
第一产业	102.8	102.9	102.5	106.3	105.2	105.0	103.7	105.4	104.2
第二产业	108.4	109.8	112.7	111.1	112.1	113.4	115.1	109.9	109.9
工业	108.7	110.0	112.8	111.5	111.6	112.9	114.9	109.9	108.7
建筑业	106.8	108.8	112.1	108.1	116.0	117.2	116.2	109.5	118.6
第三产业	110.3	110.4	109.5	110.1	112.2	114.1	116.0	110.4	109.3
#交通运输仓储和邮政业	108.8	107.1	106.1	114.5	111.2	110.0	111.8	107.3	103.7
批发和零售业	109.1	108.8	109.9	106.6	113.0	119.5	120.2	115.9	112.1
人均国内生产总值（元）	107.5	108.4	109.3	109.4	110.7	112.0	113.6	109.1	108.6
支出法国内生产总值（亿元）									
最终消费支出									
资本形成总额									
货物和服务净出口									

续表2

指标	构成（%）								
	2001年	2002年	2003年	2004年	2005年	2006年	2007年	2008年	2009年
国民总收入									
国内生产总值	100.0	100.0	100.0	100.0	100.0	100.0	100.0	100.0	100.0
第一产业	14.4	13.7	12.8	13.4	12.1	11.1	10.8	10.7	10.3
第二产业	45.1	44.8	46.0	46.2	47.4	47.9	47.3	47.4	46.3
工业	39.7	39.4	40.5	40.8	41.8	42.2	41.6	41.5	39.7
建筑业	5.4	5.4	5.5	5.4	5.6	5.7	5.8	6.0	6.6
第三产业	40.5	41.5	41.2	40.4	40.5	40.9	41.9	41.8	43.4
#交通运输仓储和邮政业									
批发和零售业									
人均国内生产总值（元）									
支出法国内生产总值（亿元）									
最终消费支出									
资本形成总额									
货物和服务净出口									

全社会固定资产投资

指　标	2008 年	2009 年	2009 年比上年增长（%）
投资总额（亿元）	**172828.4**	**224598.8**	**30.0**
按城乡分			
城镇	148738.3	193920.4	30.4
#房地产开发	31203.2	36241.8	16.1
农村	24090.1	30678.4	27.3
#农户	5951.8	7434.5	24.9
按构成分			
建筑安装工程	104958.9	138758.3	32.2
设备工具器具购置	40594.1	50844.2	25.3
其他费用	27275.5	34996.2	28.3
按三次产业分			
第一产业	5064.5	6894.9	36.1
第二产业	76961.3	96250.8	25.1
第三产业	90802.7	121453.1	33.8
投资资金来源（亿元）	**182915.3**	**250229.7**	**36.8**
国家预算内资金	7954.8	12685.7	59.5
国内贷款	26443.7	39302.8	48.6
利用外资	5311.9	4623.7	-13.0
自筹资金	118510.4	153514.8	29.5
其他资金	24694.4	40102.6	62.4
建设规模（亿元）			
建设总规模	498441.0	647024.1	29.8
在建总规模	388122.0	500444.4	28.9
在建净规模	184516.6	246082.2	33.4
房屋建筑面积（万平方米）			
施工面积	632261.0	754189.4	19.3
#住宅	364354.4	431463.2	18.4
竣工面积	260307.0	302116.5	16.1
#住宅	159404.6	184209.5	15.6

2009年各地区按登记注册类型分全社会固定资产投资

单位：亿元

地 区	总 计	内 资	国 有	集 体	股份合作	联 营
全国总计	**224598.8**	**209111.0**	**69692.5**	**8483.0**	**1158.2**	**666.4**
北 京	4616.9	4176.7	1546.7	68.1	11.5	3.7
天 津	4738.2	4355.5	1760.0	227.8	14.5	19.0
河 北	12269.8	11838.0	2630.5	861.0	67.7	36.5
山 西	4943.2	4833.2	2272.8	235.9	13.3	25.7
内蒙古	7336.8	7144.7	2831.0	69.3	51.1	17.0
辽 宁	12292.5	10888.7	2547.7	398.5	79.6	7.9
吉 林	6411.6	6170.2	1766.8	58.6	19.6	4.0
黑龙江	5028.8	4891.9	2062.4	66.3	17.7	1.7
上 海	5043.8	4401.6	2368.8	150.9	10.2	63.7
江 苏	18949.9	16268.1	3381.6	694.9	53.2	32.4
浙 江	10742.3	9642.1	2545.6	282.1	39.6	42.3
安 徽	8990.7	8555.6	2422.9	164.9	40.9	25.7
福 建	6231.2	5380.5	2069.4	237.8	11.4	25.2
江 西	6643.1	6116.0	1711.0	79.3	58.4	16.7
山 东	19034.5	17792.4	2884.3	2064.2	136.3	27.4
河 南	13704.5	13413.0	2456.5	888.7	141.4	39.0
湖 北	7866.9	7470.8	2619.2	351.0	47.6	36.7
湖 南	7703.4	7506.5	2760.8	162.3	110.3	34.5
广 东	12933.1	10770.0	3550.7	685.0	60.0	55.9
广 西	5237.2	4937.1	1647.8	119.8	28.6	34.1
海 南	988.3	871.6	324.5	1.4	9.6	1.4
重 庆	5214.3	4909.1	1736.5	37.0	11.8	42.6
四 川	11371.9	10958.4	4358.8	91.7	43.5	20.4
贵 州	2412.0	2338.1	1091.8	11.3	18.4	19.1
云 南	4526.4	4403.5	2084.7	96.4	15.7	4.6
西 藏	378.3	378.0	267.3	1.0	1.0	0.0
陕 西	6246.9	6058.9	2929.1	303.5	27.9	19.2
甘 肃	2363.0	2321.5	1262.8	56.3	5.0	5.5
青 海	798.2	786.2	395.7	7.5	6.8	0.7
宁 夏	1075.9	1060.4	370.2	2.8	1.6	0.6
新 疆	2725.5	2693.1	1254.9	7.5	3.8	3.0
不分地区	5779.7	5779.7	5779.7			

续表

地　区	有限责任公司	股份有限公司	私　营	个　体	其　他	港、澳、台商投资	外商投资
全国总计	**53592.6**	**14092.5**	**46903.2**	**8891.7**	**5631.0**	**7091.7**	**8396.0**
北　京	2117.2	146.5	216.4	44.2	22.4	174.9	265.4
天　津	1418.8	457.5	369.9	45.2	42.8	116.5	266.2
河　北	3051.7	778.6	3623.1	431.6	357.5	161.7	270.1
山　西	1184.1	287.2	544.0	190.4	79.8	55.5	54.4
内蒙古	2430.9	645.0	892.6	100.6	107.2	87.7	104.4
辽　宁	2885.1	687.6	3787.9	320.4	174.1	560.9	842.8
吉　林	2359.8	442.4	1230.3	195.2	93.6	81.5	159.8
黑龙江	1165.6	541.8	573.1	390.6	72.8	44.7	92.1
上　海	880.6	144.2	767.3	2.1	13.9	213.8	428.4
江　苏	3781.1	785.8	6846.9	377.0	315.0	1004.9	1676.8
浙　江	3055.0	484.3	2541.9	495.1	156.1	566.7	533.6
安　徽	2344.7	545.1	2300.5	442.1	268.7	243.2	192.0
福　建	1007.2	233.0	1429.7	220.7	146.0	519.8	330.9
江　西	1561.4	595.1	1675.9	290.3	128.0	222.5	304.7
山　东	4730.3	1247.8	4875.8	688.6	1137.7	463.8	778.2
河　南	2882.9	1099.7	4110.8	930.3	863.7	142.4	149.0
湖　北	1731.0	664.4	1472.9	337.2	210.7	198.0	198.2
湖　南	1528.3	654.9	1522.6	360.6	372.3	96.9	100.0
广　东	3075.6	622.4	1930.6	560.2	229.5	1343.8	819.3
广　西	1116.1	403.3	1019.7	391.5	176.2	149.5	150.7
海　南	282.2	110.0	102.4	30.8	9.2	56.6	60.2
重　庆	1480.4	273.3	1114.1	135.6	77.7	186.5	118.7
四　川	3103.5	762.3	1428.9	950.8	198.4	159.3	254.1
贵　州	533.3	86.4	402.8	149.0	26.0	19.7	54.2
云　南	944.2	321.6	634.9	226.4	74.9	65.8	57.0
西　藏	19.0	4.9	16.7	38.0	30.1	0.0	0.3
陕　西	1339.4	372.5	696.1	237.0	134.2	107.0	81.0
甘　肃	465.1	103.3	228.3	124.5	70.7	28.7	12.8
青　海	205.8	75.2	60.6	24.1	9.7	1.6	10.4
宁　夏	396.9	29.6	211.4	40.1	7.2	0.2	15.3
新　疆	515.3	487.0	275.3	121.5	24.8	17.4	14.9
不分地区							

能源生产、消费总量及构成

指 标	2001 年	2002 年	2003 年	2004 年	2005 年	2006 年	2007 年	2008 年	2009 年
能源生产总量（万吨标准煤）	**143875**	**150656**	**171906**	**196648**	**216219**	**232167**	**247279**	**260552**	**274618**
构成（能源生产总量=100）									
原煤	73	73.5	76.2	77.1	77.6	77.8	77.7	76.8	77.3
原油	16.3	15.8	14.1	12.8	12.0	11.3	10.8	10.5	9.9
天然气	2.8	2.9	2.7	2.8	3.0	3.4	3.7	4.1	4.1
水电、核电、风电	7.9	7.8	7.0	7.3	7.4	7.5	7.8	8.6	8.7
能源消费总量（万吨标准煤）	**150406**	**159431**	**183792**	**213456**	**235997**	**258676**	**280508**	**291448**	**306647**
构成（能源消费总量=100）									
煤炭	68.3	68.0	69.8	69.5	70.8	71.1	71.1	70.3	70.4
石油	21.8	22.3	21.2	21.3	19.8	19.3	18.8	18.3	17.9
天然气	2.4	2.4	2.5	2.5	2.6	2.9	3.3	3.7	3.9
水电、核电、风电	7.5	7.3	6.5	6.7	6.8	6.7	6.8	7.7	7.8

国家财政收支

单位：亿元

年 份	财政收入			财政支出		
		中 央	地 方		中 央	地 方
1978	1132.26	175.77	956.49	1122.09	532.12	589.97
1979	1146.38	231.34	915.04	1281.79	655.08	626.71
1980	1159.93	284.45	875.48	1228.83	666.81	562.02
1981	1175.79	311.07	864.72	1138.41	625.65	512.76
1982	1212.33	346.84	865.49	1229.98	651.81	578.17
1983	1366.95	490.01	876.94	1409.52	759.60	649.92
1984	1642.86	665.47	977.39	1701.02	893.33	807.69
1985	2004.82	769.63	1235.19	2004.25	795.25	1209.00
1986	2122.01	778.42	1343.59	2204.91	836.36	1368.55
1987	2199.35	736.29	1463.06	2262.18	845.63	1416.55
1988	2357.24	774.76	1582.48	2491.21	845.04	1646.17
1989	2664.90	822.52	1842.38	2823.78	888.77	1935.01
1990	2937.10	992.42	1944.68	3083.59	1004.47	2079.12
1991	3149.48	938.25	2211.23	3386.62	1090.81	2295.81
1992	3483.37	979.51	2503.86	3742.20	1170.44	2571.76
1993	4348.95	957.51	3391.44	4642.30	1312.06	3330.24
1994	5218.10	2906.50	2311.60	5792.62	1754.43	4038.19
1995	6242.20	3256.62	2985.58	6823.72	1995.39	4828.33
1996	7407.99	3661.07	3746.92	7937.55	2151.27	5786.28
1997	8651.14	4226.92	4424.22	9233.56	2532.50	6701.06
1998	9875.95	4892.00	4983.95	10798.18	3125.60	7672.58
1999	11444.08	5849.21	5594.87	13187.67	4152.33	9035.34
2000	13395.23	6989.17	6406.06	15886.50	5519.85	10366.65
2001	16386.04	8582.74	7803.30	18902.58	5768.02	13134.56
2002	18903.64	10388.64	8515.00	22053.15	6771.70	15281.45
2003	21715.25	11865.27	9849.98	24649.95	7420.10	17229.85
2004	26396.47	14503.10	11893.37	28486.89	7894.08	20592.81
2005	31649.29	16548.53	15100.76	33930.28	8775.97	25154.31
2006	38760.20	20456.62	18303.58	40422.73	9991.40	30431.33
2007	51321.78	27749.16	23572.62	49781.35	11442.06	38339.29
2008	61330.35	32680.56	28649.79	62592.66	13344.17	49248.49
2009	68518.30	35915.71	32602.59	76299.93	15255.79	61044.14

社会消费品零售总额

单位：亿元

年 份 地 区	社会消费品零售总额	按销售单位所在地分			按行业分		
		市	县	县以下	批发和零售业	住宿和餐饮业	其他行业
1978	1558.6	505.2	380.4	673.0	1363.7	54.8	140.1
1980	2140.0	733.6	399.4	1007.0	1768.0	80.0	292.0
1985	4305.0	1874.5	737.2	1693.3	3272.2	196.9	835.9
1990	8300.1	3888.6	1337.4	3074.1	6127.4	419.8	1752.9
1991	9415.6	4529.8	1491.2	3394.6	6903.9	492.0	2019.7
1992	10993.7	5470.3	1689.8	3833.6	7922.2	589.7	2481.8
1993	14270.4	7138.1	2090.1	5042.2	10892.8	817.8	2559.8
1994	18622.9	9387.8	2558.7	6676.4	14903.4	1201.4	2518.1
1995	23613.8	12979.4	3366.3	7268.1	19454.3	1614.7	2544.8
1996	28360.2	16199.2	3759.7	8401.3	23747.5	2070.0	2542.7
1997	31252.9	18499.5	4011.6	8741.8	26169.9	2488.2	2594.8
1998	33378.1	20294.1	4220.2	8863.8	27859.2	2878.8	2640.1
1999	35647.9	22201.8	4460.8	8985.3	29708.8	3270.3	2668.8
2000	39105.7	24555.2	4831.1	9719.4	32697.3	3836.1	2572.3
2001	43055.4	27379.1	5251.4	10424.9	36014.8	4465.2	2575.4
2002	48135.9	31376.5	5566.5	11192.9	40926.6	5547.1	1662.2
2003	52516.3	34608.3	6011.8	11896.2	44659.4	6191.4	1665.5
2004	59501.0	39695.7	6636.0	13169.3	50256.8	7550.4	1693.8
2005	67176.6	45094.3	7485.4	14596.9	56589.2	8886.8	1700.6
2006	76410.0	51542.6	8477.9	16389.5	64325.5	10345.5	1739.0
2007	89210.0	60410.7	9943.8	18855.5	75040.3	12352.0	1817.7
2008	108487.7	73734.9	12212.8	22540.0	91198.5	15403.9	1885.3
2009	132678.4						
北 京	5309.9						
天 津	2430.8						
河 北	5764.9						
山 西	2809.0						
内蒙古	2855.3						

续表

年 份 地 区	社会消费品零售总额	按销售单位所在地分			按行业分		
		市	县	县以下	批发和零售业	住宿和餐饮业	其他行业
辽 宁	5812.6						
吉 林	2957.3						
黑龙江	3401.8						
上 海	5173.2						
江 苏	11484.1						
浙 江	8622.3						
安 徽	3527.8						
福 建	4481.0						
江 西	2484.4						
山 东	12363.0						
河 南	6746.4						
湖 北	5928.4						
湖 南	4913.7						
广 东	14891.8						
广 西	2790.7						
海 南	537.5						
重 庆	2479.0						
四 川	5758.7						
贵 州	1247.3						
云 南	2051.1						
西 藏	156.6						
陕 西	2699.7						
甘 肃	1183.0						
青 海	300.5						
宁 夏	339.3						
新 疆	1177.5						

注：1992 年及以前为社会商品零售总额。

货物进出口总额

年份	人民币（亿元）				美元（亿美元）			
	进出口总额	出口总额	进口总额	差额	进出口总额	出口总额	进口总额	差额
1978	355.0	167.6	187.4	-19.8	206.4	97.5	108.9	-11.4
1980	570.0	271.2	298.8	-27.6	381.4	181.2	200.2	-19.0
1985	2066.7	808.9	1257.8	-448.9	696.0	273.5	422.5	-149.0
1990	5560.1	2985.8	2574.3	411.5	1154.4	620.9	533.5	87.4
1991	7225.8	3827.1	3398.7	428.4	1357.0	719.1	637.9	81.2
1992	9119.6	4676.3	4443.3	233.0	1655.3	849.4	805.9	43.5
1993	11271.0	5284.8	5986.2	-701.4	1957.0	917.4	1039.6	-122.2
1994	20381.9	10421.8	9960.1	461.7	2366.2	1210.1	1156.1	54.0
1995	23499.9	12451.8	11048.1	1403.7	2808.6	1487.8	1320.8	167.0
1996	24133.8	12576.4	11557.4	1019.0	2898.8	1510.5	1388.3	122.2
1997	26967.2	15160.7	11806.5	3354.2	3251.6	1827.9	1423.7	404.2
1998	26849.7	15223.6	11626.1	3597.5	3239.5	1837.1	1402.4	434.7
1999	29896.2	16159.8	13736.4	2423.4	3606.3	1949.3	1657.0	292.3
2000	39273.2	20634.4	18638.8	1995.6	4742.9	2492.0	2250.9	241.1
2001	42183.6	22024.4	20159.2	1865.2	5096.5	2661.0	2435.5	225.5
2002	51378.2	26947.9	24430.3	2517.6	6207.7	3256.0	2951.7	304.3
2003	70483.5	36287.9	34195.6	2092.3	8509.9	4382.3	4127.6	254.7
2004	95539.1	49103.3	46435.8	2667.5	11545.5	5933.2	5612.3	320.9
2005	116921.8	62648.1	54273.7	8374.4	14219.1	7619.5	6599.5	1020.0
2006	140971.4	77594.6	63376.9	14217.7	17604.0	9689.4	7914.6	1774.8
2007	166740.2	93455.6	73284.6	20171.1	21737.3	12177.8	9559.5	2618.3
2008	179921.5	100394.9	79526.5	20868.4	25632.6	14306.9	11325.6	2981.3
2009	150648.1	82029.7	68618.4	13411.3	22075.4	12016.1	10059.2	1956.9

注：1. 本表1978年为外贸业务统计数，1980年起为海关进出口统计数。

2. 货物进出口差额负数为逆差。

对外经济贸易基本情况

指　标	2005 年	2006 年	2007 年	2008 年	2009 年
货物进出口总额（人民币亿元）	**116921.8**	**140971.4**	**166740.2**	**179921.5**	**150648.1**
出口总额	62648.1	77594.6	93455.6	100394.9	82029.7
进口总额	54273.7	63376.9	73284.6	79526.5	68618.4
进出口差额	8374.4	14217.7	20171.1	20868.4	13411.3
货物进出口总额（亿美元）	**14219.1**	**17604.0**	**21737.3**	**25632.6**	**22075.4**
出口总额	7619.5	9689.4	12177.8	14306.9	12016.1
初级产品	490.4	529.2	615.1	779.6	631.1
工业制成品	7129.2	9160.2	11562.7	13527.4	11384.8
进口总额	6599.5	7914.6	9559.5	11325.6	10059.2
初级产品	1477.1	1871.3	2430.9	3623.9	2898.0
工业制成品	5122.4	6043.3	7128.6	7701.7	7161.2
进出口差额	1020.0	1774.8	2618.3	2981.3	1956.9
外商直接投资合同项目（个）	**44001**	**41473**	**37871**	**27514**	**23435**
实际使用外资额（亿美元）	**638.05**	**670.76**	**783.39**	**952.53**	**918.04**
外商直接投资	603.25	630.21	747.68	923.95	900.33
外商其他投资	34.80	40.55	35.72	28.58	17.71
外资企业基本情况					
年底登记户数（户）	353030	376711	406442	434937	434248
投资总额（亿美元）	14640	17076	21088	23241	25000
注册资本（亿美元）	8120	9465	11554	13006	14035
#外方	6319	7406	9211	10389	11369
对外经济合作（亿美元）					
合同金额	342.16	716.48	853.45	1130.15	1336.82
#对外承包工程	296.14	660.05	776.21	1045.62	1262.10
对外劳务合作	42.45	52.33	66.99	75.64	74.73
完成营业额	267.76	356.95	479.00	651.16	866.17
#对外承包工程	217.63	299.93	406.43	566.12	777.06
对外劳务合作	47.86	53.73	67.67	80.57	89.11

人民生活基本情况（一）

指标名称	1990 年	2000 年	2008 年	2009 年
就 业				
城镇居民家庭每户就业人口（人）	1.98	1.68	1.48	1.49
农村居民家庭每户整半劳动力（人）	2.92	2.76	2.85	2.85
城镇居民家庭每一就业者负担人数（人）	1.77	1.86	1.97	1.94
农村居民家庭每一劳动力负担人数（人）	1.64	1.52	1.41	1.40
城镇登记失业人数（万人）	383	595	886	921
城镇登记失业率（%）	2.5	3.1	4.2	4.3
本年末职业介绍机构（个）		29024	37208	37123
本年登记求职人数（万人）		1992	5532	5806
收入与支出				
城镇居民人均可支配收入（元）	1510	6280	15781	17175
农村居民人均纯收入（元）	686	2253	4761	5153
城镇居民人均消费性支出（元）	1279	4998	11243	12265
农村居民人均生活消费支出（元）	585	1670	3661	3993
人均储蓄存款余额（元）	623	5076	16407	19537
生活质量				
居民家庭恩格尔系数（%）				
城镇	54.2	39.4	37.9	36.5
农村	58.8	49.1	43.7	41.0
居住条件				
城市人均住宅建筑面积（平方米）	13.7	20.3		
农村人均住房面积（平方米）	17.8	24.8	32.4	33.6
交通条件				
城市每万人拥有公交车辆（标台）	2.2	5.3	11.1	11.1
城市人均拥有道路面积（平方米）	3.1	6.1	12.2	12.8
城镇每百户拥有家用汽车（辆）		0.50	8.83	10.89
农村每百户拥有摩托车（辆）	0.89	21.94	52.45	56.64
通信条件				
电话普及率（含移动电话）（部/百人）	1.11	20.10	74.29	79.89
移动电话普及率（部/百人）	0.002	6.77	48.53	56.27
城市公用设施普及占有率				
用水普及率（%）	48.0	63.9	94.7	96.1
燃气普及率（%）	19.1	45.4	89.6	91.4
人均公园绿地面积（平方米）	1.8	3.7	9.7	10.7
每万人拥有公共厕所（座）	3.0	2.7	3.1	3.1
人均国内旅游花费（元）		427	511	535
城镇		679	849	801
农村		227	275	295

人民生活基本情况（二）

指标名称	1990 年	2000 年	2008 年	2009 年
文化、教育和卫生				
文化				
广播综合人口覆盖率（%）	74.7	92.5	96.0	96.3
电视综合人口覆盖率（%）	79.4	93.7	97.0	97.2
每百户彩色电视机拥有量（部/百户）				
城镇	59.0	116.6	132.9	135.7
农村	4.7	48.7	99.2	108.9
每百户家用电脑拥有量（部/百户）				
城镇		9.7	59.3	65.7
农村		0.5	5.4	7.5
居民家庭文教娱乐支出比重（%）				
城镇	11.1	13.4	12.1	12.0
农村	5.4	11.2	8.6	8.5
教育				
各级普通学校毕业生升学率（%）				
高中升学率	27.3	73.2	72.7	77.6
初中升学率	40.6	51.2	83.4	85.6
小学升学率	74.6	94.9	99.7	99.1
平均每一学生占有预算内教育事业费支出（元）				
#普通高校		7310	7578	
普通高中		1315	3209	
普通初中		680	3543	
普通小学		492	2758	
卫生				
每万人口医院、卫生院床位数（张）	23.2	23.8	28.4	30.6
每万人口执业（助理）医师（人）	15.6	16.8	16.7	17.5
居民家庭医疗保健支出比重（%）				
城镇	2.0	6.4	7.0	7.0
农村	3.3	5.2	6.7	7.2
社会保障				
参加城镇基本养老保险人数（万人）	6166	13617	21891	23550
#职工人数	5201	10447	16588	17743
离退休人数	965	3170	5304	5807
参加城镇基本医疗保险职工和退休人数（万人）		3787	19996	21937
参加失业保险人数（万人）		10408	12400	12716
参加工伤保险人数（万人）		4350	13787	14896
参加生育保险人数（万人）		3002	9254	10876
社会保险基金收入（亿元）	187	2645	13696	16116

注：城市人均住宅建筑面积、城市交通状况、城市公用事业资料由住房和城乡建设部提供。

2009 年规模以上工业企业

分组名称	企业单位数（个）	亏损企业	工业总产值（当年价格）	新产品产值	工业销售产值（当年价格）
总　计	434364	59868	548311.42	55196.62	536134.06
一、按登记注册类型分组：					
内资企业	358988	42003	395624.80	33275.61	386596.49
国有企业	9105	2655	45648.02	4073.46	45114.45
中央企业	1554	335	28036.03	2446.59	27831.39
地方企业	7551	2320	17611.99	1626.87	17283.06
集体企业	10285	1481	9587.29	722.87	9356.69
股份合作企业	5011	592	3608.20	186.00	3534.28
联营企业	735	144	1296.09	139.02	1274.61
国有联营企业	131	31	840.91	126.23	829.94
集体联营企业	239	31	200.22	3.45	195.13
国有与集体联营企业	169	49	105.88	4.65	103.30
其他联营企业	196	33	149.08	4.68	146.23
有限责任公司	65926	10540	121077.67	12671.20	118357.32
国有独资公司	1454	384	22028.35	3147.05	21769.78
其他有限责任公司	64472	10156	99049.32	9524.15	96587.54
股份有限公司	9275	1317	50208.75	7363.70	49070.00
私营企业	256031	25006	162026.18	8004.77	157755.79
私营独资企业	56817	3142	29889.04	566.91	29208.94
私营合作企业	10229	761	4859.24	76.05	4760.89
私营有限责任公司	179254	20054	116860.49	6312.67	113720.05
私营股份有限公司	9731	1049	10417.41	1049.14	10065.91
其他企业	2620	268	2172.60	114.59	2133.35
港、澳、台商投资企业	34365	8149	52221.06	4670.76	50802.19
合资经营企业（港或澳、台资）	10875	2189	18677.80	2254.16	18162.53
合作经营企业（港或澳、台资）	1284	284	1706.02	33.45	1672.26
港澳台商独资经营企业	21623	5560	29655.15	1939.40	28822.10
港澳台商投资股份有限公司	583	116	2182.09	443.76	2145.29
外商投资企业	41011	9716	100465.56	17250.26	98735.38
中外合资经营企业	15472	2908	45782.65	11289.57	44957.26
中外合作经营企业	1322	273	2073.42	99.36	2045.92
外资企业	23552	6402	49046.36	5195.10	48166.06
外商投资股份有限公司	665	133	3563.13	666.23	3566.15

主要经济指标（1）

单位：亿元

出口交货值	资产总计	流动资产合计	应收账款	存 货	产成品	固定资产合计
72051.75	493692.86	223038.68	51399.82	56724.80	20495.01	207355.57
21612.90	369215.30	153956.55	30538.97	40255.07	14860.39	162842.44
933.87	68684.86	20011.69	3048.49	5208.03	1210.08	36024.56
478.49	43025.07	10685.07	1678.26	3261.97	591.34	22780.74
455.38	25659.79	9326.62	1370.23	1946.06	618.74	13243.82
474.42	5016.08	2648.22	631.90	588.05	272.43	1809.95
203.61	2468.95	1179.34	329.27	304.81	144.66	889.42
43.90	1655.93	488.06	90.28	151.90	48.61	800.43
20.25	1356.95	333.03	53.76	108.98	29.69	694.08
15.55	98.36	48.74	12.22	12.58	5.90	41.12
3.28	101.40	48.29	11.33	16.25	7.56	35.15
4.82	99.22	58.00	12.97	14.10	5.46	30.08
6566.62	140354.04	59118.00	10718.79	15254.63	5073.79	61996.97
930.77	39278.67	14578.66	1925.24	3660.51	884.26	17098.49
5635.85	101075.37	44539.34	8793.55	11594.12	4189.53	44898.48
3217.37	58359.58	22230.57	3645.10	6268.75	2151.03	27110.00
10003.45	91175.60	47550.43	11944.18	12275.98	5876.12	33638.37
1138.79	12104.17	5508.10	1403.01	1303.49	715.61	5325.65
152.13	1982.62	920.99	242.55	217.14	113.34	851.08
8048.40	70659.45	37849.10	9553.13	9878.88	4669.03	25145.18
664.14	6429.36	3272.24	745.49	876.47	378.14	2316.47
169.65	1500.27	730.24	130.95	202.91	83.67	572.74
17500.92	44514.34	24971.99	7717.72	6178.76	2099.68	15702.72
3731.66	17694.08	9492.69	2756.68	2225.75	839.77	6600.74
515.84	1466.25	761.21	169.78	171.43	50.96	597.52
12879.72	22822.74	13480.52	4545.79	3425.04	1128.29	7658.81
373.69	2531.27	1237.57	245.47	356.54	80.66	845.65
32937.93	79963.21	44110.14	13143.13	10290.97	3534.94	28810.41
8576.02	37232.58	20489.15	5097.92	4582.40	1696.94	13501.95
504.83	2045.67	973.57	260.83	249.72	63.00	776.25
22835.08	36471.23	20872.77	7413.20	5077.40	1629.44	12900.06
1022.00	4213.74	1774.66	371.18	381.46	145.57	1632.15

分组名称	固定资产原价	累计折旧	固定资产净值	负债合计	流动负债合计
总计	278541.09	98894.67	179547.09	285732.81	214406.09
一、按登记注册类型分组:					
内资企业	213033.56	73843.09	139104.85	215804.04	155490.01
国有企业	49436.88	18640.18	30774.68	42020.68	24896.41
中央企业	32949.89	12887.44	20032.52	25697.83	14209.68
地方企业	16486.98	5752.74	10742.16	16322.85	10686.73
集体企业	2628.94	1119.32	1509.62	2707.13	2245.07
股份合作企业	1189.79	389.37	800.43	1375.53	1062.37
联营企业	1068.93	323.92	745.01	1094.51	681.07
国有联营企业	902.43	256.71	645.72	923.18	541.71
集体联营企业	61.69	24.75	36.94	53.26	41.08
国有与集体联营企业	64.04	29.74	34.30	65.22	51.72
其他联营企业	40.78	12.72	28.05	52.84	46.57
有限责任公司	79543.17	26749.33	52788.43	86347.29	60677.80
国有独资公司	21842.80	7756.69	14086.01	22852.95	14611.71
其他有限责任公司	57700.37	18992.64	38702.41	63494.34	46066.09
股份有限公司	36122.77	14093.06	21974.38	30886.69	22289.56
私营企业	42366.46	12318.93	30047.66	50495.45	42938.08
私营独资企业	6675.53	1845.08	4830.48	5536.77	4381.46
私营合作企业	1073.50	298.97	774.53	900.11	721.70
私营有限责任公司	31732.45	9335.59	22396.94	40657.02	35166.56
私营股份有限公司	2884.99	839.28	2045.71	3401.57	2668.36
其他企业	676.62	208.98	464.64	876.75	699.65
港、澳、台商投资企业	22352.65	8339.92	14012.17	25347.17	21295.31
合资经营企业(港或澳、台资)	8924.04	3058.54	5865.51	10801.37	8818.21
合作经营企业(港或澳、台资)	1091.31	565.74	525.57	750.93	592.55
港澳台商独资经营企业	10934.66	4062.73	6871.56	12390.23	10767.16
港澳台商投资股份有限公司	1402.64	652.91	749.53	1404.63	1117.39
外商投资企业	43154.88	16711.66	26430.07	44581.60	37620.77
中外合资经营企业	19205.59	6947.57	12257.35	21588.58	17959.93
中外合作经营企业	1245.70	541.83	703.87	1084.63	775.11
外资企业	20098.96	8072.28	12014.20	19868.65	17352.15
外商投资股份有限公司	2604.62	1149.98	1454.64	2039.74	1533.59

续表 1▶

长期负债合计	所有者权益合计	所有者权益合计				
		实收资本	国家资本	集体资本	法人资本	个人资本
62659.58	206688.83	111188.92	21321.02	1862.96	39146.85	20503.82
53048.41	152437.36	74678.84	19880.51	1639.94	32723.63	19465.48
15668.00	26615.11	13161.14	7663.70	50.08	5217.11	129.49
10611.32	17311.61	8228.02	4848.30	22.47	3274.46	31.80
5056.68	9303.50	4933.12	2815.40	27.60	1942.65	97.69
355.48	2292.03	882.89	12.13	528.60	149.96	173.62
256.17	1085.14	489.74	34.79	42.83	214.97	193.86
400.38	559.61	283.95	37.60	59.42	168.72	16.31
374.17	433.39	218.54	29.41	43.03	139.81	5.92
9.90	44.58	17.55	0.26	7.87	7.23	2.17
12.10	35.92	25.65	6.26	5.74	12.40	1.07
4.21	45.71	22.21	1.67	2.78	9.28	7.14
23323.42	53571.00	27109.95	6906.74	619.16	15189.64	4070.19
7760.04	16200.52	7194.62	3397.57	29.00	3645.29	68.41
15563.38	37370.48	19915.33	3509.16	590.15	11544.36	4001.78
7619.05	27312.18	12839.06	5145.38	175.82	5152.36	2144.18
5289.49	40383.67	19638.23	73.30	154.15	6485.99	12643.19
681.14	6498.05	2991.87	15.87	24.60	912.83	1989.40
102.16	1072.52	540.34	0.62	5.62	167.88	362.59
3915.91	29804.55	14798.83	52.82	109.57	4890.86	9528.57
590.29	3008.55	1307.20	3.99	14.35	514.42	762.63
136.42	618.63	273.88	6.88	9.88	144.87	94.64
3415.19	19104.53	12762.33	348.52	98.73	2247.40	450.77
1767.92	6875.16	4244.12	200.65	86.57	1589.89	301.10
149.01	712.41	427.39	53.20	5.19	88.46	14.88
1233.26	10392.41	7482.26	33.26	3.89	379.23	82.11
264.99	1124.55	608.56	61.41	3.08	189.82	52.67
6195.98	35146.94	23747.75	1091.98	124.29	4175.82	587.57
3207.88	15511.76	9493.99	872.55	98.98	3252.73	409.87
295.53	958.00	575.50	21.37	8.21	145.43	14.86
2202.39	16552.23	12643.30	8.10	13.02	587.19	92.24
490.18	2124.96	1034.96	189.96	4.08	190.48	70.59

分组名称	港澳台资本	外商资本	主营业务收入	主营业务成本	主营业务税金及附加
总 计	10170.83	18230.53	542522.43	457510.01	8995.95
一、按登记注册类型分组：					
内资企业	421.05	547.77	392259.38	330262.21	7833.15
国有企业	29.63	70.68	47035.38	39559.45	2147.19
中央企业	0.86	50.13	28861.21	24295.84	1768.63
地方企业	28.78	20.55	18174.17	15263.61	378.56
集体企业	10.90	7.68	9450.55	7997.77	84.08
股份合作企业	2.11	1.18	3529.09	2957.22	73.65
联营企业	0.26	1.64	1143.50	998.22	9.26
国有联营企业	0.00	0.36	703.31	632.85	3.82
集体联营企业	0.02	0.00	192.97	157.50	2.24
国有与集体联营企业	0.00	0.18	103.07	90.52	0.50
其他联营企业	0.23	1.10	144.17	117.36	2.70
有限责任公司	141.84	182.39	122604.28	103035.87	2153.83
国有独资公司	44.47	9.88	23674.35	19820.37	962.09
其他有限责任公司	97.37	172.51	98929.93	83215.50	1191.75
股份有限公司	114.23	107.08	49752.74	39535.35	2028.51
私营企业	115.03	166.57	156603.57	134374.58	1311.38
私营独资企业	17.27	31.90	28982.21	24321.65	336.05
私营合作企业	3.23	0.40	4752.64	3906.04	66.39
私营有限责任公司	89.85	127.16	112883.31	97642.54	832.92
私营股份有限公司	4.68	7.12	9985.41	8504.35	76.02
其他企业	7.06	10.54	2140.27	1803.74	25.24
港、澳、台商投资企业	8686.26	930.65	51130.18	43774.79	237.07
合资经营企业（港或澳、台资）	1843.40	222.50	18057.67	15417.83	95.42
合作经营企业（港或澳、台资）	239.41	26.25	1662.69	1435.07	5.16
港澳台商独资经营企业	6320.22	663.56	29201.35	25104.68	86.79
港澳台商投资股份有限公司	283.23	18.35	2208.46	1817.22	49.70
外商投资企业	1063.52	16752.11	99132.88	83473.00	925.73
中外合资经营企业	433.16	4474.23	45333.73	37485.35	714.93
中外合作经营企业	26.11	359.51	2041.14	1635.68	30.23
外资企业	571.36	11371.39	48248.98	41522.21	158.75
外商投资股份有限公司	32.89	546.97	3509.02	2829.76	21.82

续表2▶

其他业务收入	其他业务利润	营业费用	管理费用	财务费用	利息支出	营业利润	投资收益
8882.29	1617.21	14137.42	22169.70	5898.87	5323.01	36788.85	696.92
6417.73	1160.85	9171.61	16177.79	4753.52	4344.97	26181.91	688.41
1363.13	273.21	749.29	2382.02	804.28	786.41	2032.05	276.65
668.94	70.39	363.08	1226.56	500.38	499.27	1062.52	233.98
694.19	202.82	386.21	1155.46	303.90	287.14	969.53	42.67
172.93	32.77	248.46	378.30	66.87	55.70	733.54	-39.04
31.83	15.69	85.67	137.67	35.44	29.44	255.93	-2.91
35.24	6.15	21.01	59.59	24.86	26.49	57.15	3.63
29.16	4.71	10.99	36.67	20.94	23.54	25.90	3.64
0.63	0.08	4.55	9.96	1.88	1.27	15.44	0.05
4.16	0.68	2.26	7.39	1.25	1.07	1.57	-0.06
1.29	0.67	3.20	5.57	0.79	0.61	14.24	0.00
2723.83	370.91	2929.07	5834.01	1766.54	1686.58	8141.20	192.08
993.61	41.49	385.87	1516.81	368.03	374.13	1129.05	144.30
1730.22	329.42	2543.20	4317.21	1398.51	1312.45	7012.15	47.78
992.68	147.00	1539.59	2368.29	586.86	561.30	4038.36	304.25
1079.38	311.07	3539.43	4941.54	1441.98	1178.03	10769.21	-44.76
79.82	24.57	666.51	781.37	217.20	158.46	2400.55	-25.78
8.52	3.76	122.26	153.32	31.39	22.93	427.66	-5.05
890.39	261.14	2504.76	3704.89	1085.45	902.21	7175.43	-29.38
100.65	21.61	245.90	301.95	107.94	94.42	765.57	15.45
18.71	4.06	59.09	76.36	26.69	21.02	154.47	-1.49
951.92	97.82	1469.62	1964.35	432.94	369.68	3633.17	-42.64
428.54	68.65	498.12	651.15	223.31	197.15	1299.57	23.96
15.60	3.46	29.49	62.23	15.29	13.86	127.73	0.74
423.57	10.12	865.00	1151.65	166.67	134.28	2028.28	-90.73
84.22	15.59	77.01	99.32	27.67	24.39	177.60	23.38
1512.64	358.53	3496.19	4027.57	712.41	608.35	6973.77	51.16
859.40	162.38	1665.48	1735.34	368.66	324.92	3675.20	25.15
22.24	7.93	62.55	100.43	29.62	26.84	178.45	-0.72
537.99	170.92	1585.59	2033.99	270.15	214.85	2865.77	7.62
93.01	17.30	182.57	157.80	43.98	41.75	254.35	19.11

分组名称	补贴收入	利润总额	亏损企业亏损总额	本年应交增值税	全部从业人员年平均人数（万人）
总计	688.14	34542.22	3281.03	17490.20	8831.22
一、按登记注册类型分组：					
内资企业	548.39	24435.16	2198.81	13456.15	6380.78
国有企业	75.40	1973.23	620.55	2119.85	639.13
中央企业	25.58	1044.83	409.17	1258.45	263.40
地方企业	49.82	928.40	211.38	861.40	375.74
集体企业	12.77	638.08	25.10	286.07	199.25
股份合作企业	6.85	241.55	14.10	125.27	66.34
联营企业	0.67	52.33	8.14	39.04	17.21
国有联营企业	0.35	24.28	5.39	22.98	6.20
集体联营企业	0.14	12.61	0.37	8.38	4.78
国有与集体联营企业	0.11	1.63	2.00	3.05	3.57
其他联营企业	0.07	13.81	0.39	4.63	2.65
有限责任公司	223.70	7684.66	777.32	4479.67	1871.55
国有独资公司	55.28	1148.30	174.17	1036.34	337.95
其他有限责任公司	168.42	6536.35	603.15	3443.33	1533.60
股份有限公司	80.17	4032.59	362.57	1802.24	569.86
私营企业	148.75	9677.69	384.99	4546.76	2973.84
私营独资企业	14.56	2182.34	36.72	908.57	541.91
私营合作企业	3.02	372.90	8.63	168.68	105.64
私营有限责任公司	116.11	6415.03	319.30	3185.52	2162.61
私营股份有限公司	15.06	707.42	20.33	283.98	163.69
其他企业	0.09	135.03	6.03	57.25	43.61
港、澳、台商投资企业	56.80	3447.76	336.08	1329.90	1143.07
合资经营企业（港或澳、台资）	31.02	1237.31	110.24	535.45	309.20
合作经营企业（港或澳、台资）	3.70	123.76	7.25	51.73	39.83
港澳台商独资经营企业	19.89	1905.31	198.64	676.20	767.75
港澳台商投资股份有限公司	2.20	181.38	19.95	66.52	26.29
外商投资企业	82.95	6659.30	746.14	2704.15	1307.37
中外合资经营企业	40.59	3558.62	232.80	1497.25	449.62
中外合作经营企业	2.67	171.11	10.52	63.47	34.79
外资企业	36.20	2662.29	456.89	1009.77	777.34
外商投资股份有限公司	3.48	267.27	45.94	133.66	45.61

续表3

总资产贡献率（%）	资产负债率（%）	流动资产周转率（次/年）	成本费用利润率（%）	产品销售率（%）
13.44	57.88	2.43	6.91	97.78
13.56	58.45	2.55	6.78	97.72
10.23	61.18	2.35	4.54	98.83
10.62	59.73	2.70	3.96	99.27
9.57	63.61	1.95	5.43	98.13
21.21	53.97	3.57	7.34	97.59
19.03	55.71	2.99	7.51	97.95
7.68	66.10	2.34	4.74	98.34
5.50	68.03	2.11	3.46	98.70
24.92	54.15	3.96	7.25	97.46
6.16	64.32	2.13	1.60	97.57
21.92	53.26	2.49	10.88	98.09
11.40	61.52	2.07	6.77	97.75
8.96	58.18	1.62	5.20	98.83
12.35	62.82	2.22	7.15	97.51
14.44	52.92	2.24	9.16	97.73
18.33	55.38	3.29	6.71	97.36
29.62	45.74	5.26	8.40	97.72
31.82	45.40	5.16	8.85	97.98
16.04	57.54	2.98	6.11	97.31
18.07	52.91	3.05	7.72	96.63
15.90	58.44	2.93	6.87	98.19
12.10	56.94	2.05	7.24	97.28
11.67	61.05	1.90	7.37	97.24
13.27	51.21	2.18	8.03	98.02
12.28	54.29	2.17	6.98	97.19
12.72	55.49	1.78	8.97	98.31
13.63	55.75	2.25	7.26	98.28
16.37	57.98	2.21	8.63	98.20
14.26	53.02	2.10	9.36	98.67
11.09	54.48	2.31	5.86	98.21
11.02	48.41	1.98	8.32	100.08

2009年规模以上工业企业

分组名称	企业单位数（个）	亏损企业	工业总产值（当年价格）	新产品产值	工业销售产值（当年价格）
二、按经济组织类型分组：					
独资企业	121382	19240	163825.86	12497.74	160668.24
国有企业	9105	2655	45648.02	4073.46	45114.45
集体企业	10285	1481	9587.29	722.87	9356.69
私营独资企业	56817	3142	29889.04	566.91	29208.94
港澳台商独资经营企业	21623	5560	29655.15	1939.40	28822.10
外资企业	23552	6402	49046.36	5195.10	48166.06
合作、合伙企业	21201	2322	15715.56	648.46	15421.30
股份合作企业	5011	592	3608.20	186.00	3534.28
国有联营企业	131	31	840.91	126.23	829.94
集体联营企业	239	31	200.22	3.45	195.13
国有与集体联营企业	169	49	105.88	4.65	103.30
其他联营企业	196	33	149.08	4.68	146.23
私营合伙企业	10229	761	4859.24	76.05	4760.89
合作经营企业（港或澳、台资）	1284	284	1706.02	33.45	1672.26
中外合作经营企业	1322	273	2073.42	99.36	2045.92
其他企业（内资）	2620	268	2172.60	114.59	2133.35
股份有限公司	20254	2615	66371.38	9522.83	64847.35
股份有限公司（内资）	9275	1317	50208.75	7363.70	49070.00
私营股份有限公司	9731	1049	10417.41	1049.14	10065.91
港澳台商投资股份有限公司	583	116	2182.09	443.76	2145.29
外商投资股份有限公司	665	133	3563.13	666.23	3566.15
有限责任公司	271527	35691	302398.62	32527.59	295197.17
国有独资公司	1454	384	22028.35	3147.05	21769.78
私营有限责任公司	179254	20054	116860.49	6312.67	113720.05
合资经营企业（港或澳、台资）	10875	2189	18677.80	2254.16	18162.53
中外合资经营企业	15472	2908	45782.65	11289.57	44957.26
其他有限责任公司	64472	10156	99049.32	9524.15	96587.54
三、在总计中：亏损企业	59868	59868	52392.61	2667.52	51105.54
在总计中：国有控股企业	20510	5391	146630.00	22241.95	144544.31
在总计中：农村工业	9085	939	8655.86	203.81	8499.15
在总计中：轻工业	181580	23964	161498.12	13488.98	157434.14
重工业	252784	35904	386813.30	41707.64	378699.91
在总计中：大型企业	3254	396	175812.48	31895.23	173124.62
中型企业	38036	5481	159373.96	15747.97	155069.24
小型企业	393074	53991	213124.98	7553.43	207940.20

主要经济指标（2）

单位：亿元

出口交货值	资产总计	流动资产合计	应收账款	存　货	产成品	固定资产合计
38261.88	145099.07	62521.29	17042.39	15602.01	4955.85	63719.02
933.87	68684.86	20011.69	3048.49	5208.03	1210.08	36024.56
474.42	5016.08	2648.22	631.90	588.05	272.43	1809.95
1138.79	12104.17	5508.10	1403.01	1303.49	715.61	5325.65
12879.72	22822.74	13480.52	4545.79	3425.04	1128.29	7658.81
22835.08	36471.23	20872.77	7413.20	5077.40	1629.44	12900.06
1589.96	11119.69	5053.41	1223.66	1297.92	504.24	4487.44
203.61	2468.95	1179.34	329.27	304.81	144.66	889.42
20.25	1356.95	333.03	53.76	108.98	29.69	694.08
15.55	98.36	48.74	12.22	12.58	5.90	41.12
3.28	101.40	48.29	11.33	16.25	7.56	35.15
4.82	99.22	58.00	12.97	14.10	5.46	30.08
152.13	1982.62	920.99	242.55	217.14	113.34	851.08
515.84	1466.25	761.21	169.78	171.43	50.96	597.52
504.83	2045.67	973.57	260.83	249.72	63.00	776.25
169.65	1500.27	730.24	130.95	202.91	83.67	572.74
5277.21	71533.95	28515.04	5007.25	7883.22	2755.40	31904.27
3217.37	58359.58	22230.57	3645.10	6268.75	2151.03	27110.00
664.14	6429.36	3272.24	745.49	876.47	378.14	2316.47
373.69	2531.27	1237.57	245.47	356.54	80.66	845.65
1022.00	4213.74	1774.66	371.18	381.46	145.57	1632.15
26922.69	265940.15	126948.93	28126.52	31941.66	12279.53	107244.84
930.77	39278.67	14578.66	1925.24	3660.51	884.26	17098.49
8048.40	70659.45	37849.10	9553.13	9878.88	4669.03	25145.18
3731.66	17694.08	9492.69	2756.68	2225.75	839.77	6600.74
8576.02	37232.58	20489.15	5097.92	4582.40	1696.94	13501.95
5635.85	101075.37	44539.34	8793.55	11594.12	4189.53	44898.48
6484.33	78204.14	27529.72	5578.04	7955.25	2865.25	42474.78
6023.17	215742.01	74113.99	11705.10	19373.62	5057.31	107763.55
577.83	4709.85	2330.43	484.10	655.75	251.49	1898.07
26757.04	115492.71	61815.74	13273.53	17596.30	6985.44	40366.31
45294.70	378200.15	161222.94	38126.29	39128.50	13509.57	166989.27
30532.75	193124.01	80088.78	14320.17	20700.71	5606.03	86083.44
24249.31	157956.50	72275.31	17888.25	18023.76	6842.56	64292.06
17269.69	142612.35	70674.59	19191.41	18000.34	8046.42	56980.07

分组名称	固定资产原价	累计折旧	固定资产净值	负债合计	流动负债合计
二、按经济组织类型分组：					
独资企业	89774.97	33739.60	56000.55	82523.47	59642.25
国有企业	49436.88	18640.18	30774.68	42020.68	24896.41
集体企业	2628.94	1119.32	1509.62	2707.13	2245.07
私营独资企业	6675.53	1845.08	4830.48	5536.77	4381.46
港澳台商独资经营企业	10934.66	4062.73	6871.56	12390.23	10767.16
外资企业	20098.96	8072.28	12014.20	19868.65	17352.15
合作、合伙企业	6345.84	2328.81	4014.05	6082.46	4532.45
股份合作企业	1189.79	389.37	800.43	1375.53	1062.37
国有联营企业	902.43	256.71	645.72	923.18	541.71
集体联营企业	61.69	24.75	36.94	53.26	41.08
国有与集体联营企业	64.04	29.74	34.30	65.22	51.72
其他联营企业	40.78	12.72	28.05	52.84	46.57
私营合伙企业	1073.50	298.97	774.53	900.11	721.70
合作经营企业（港或澳、台资）	1091.31	565.74	525.57	750.93	592.55
中外合作经营企业	1245.70	541.83	703.87	1084.63	775.11
其他企业（内资）	676.62	208.98	464.64	876.75	699.65
股份有限公司	43015.03	16735.23	26224.26	37732.63	27608.88
股份有限公司（内资）	36122.77	14093.06	21974.38	30886.69	22289.56
私营股份有限公司	2884.99	839.28	2045.71	3401.57	2668.36
港澳台商投资股份有限公司	1402.64	652.91	749.53	1404.63	1117.39
外商投资股份有限公司	2604.62	1149.98	1454.64	2039.74	1533.59
有限责任公司	139405.25	46091.03	93308.23	159394.25	122622.50
国有独资公司	21842.80	7756.69	14086.01	22852.95	14611.71
私营有限责任公司	31732.45	9335.59	22396.94	40657.02	35166.56
合资经营企业（港或澳、台资）	8924.04	3058.54	5865.51	10801.37	8818.21
中外合资经营企业	19205.59	6947.57	12257.35	21588.58	17959.93
其他有限责任公司	57700.37	18992.64	38702.41	63494.34	46066.09
三、在总计中：亏损企业	57783.06	20890.75	36845.34	55060.80	38636.37
在总计中：国有控股企业	145330.28	54397.07	90853.40	130098.87	83615.67
在总计中：农村工业	2447.42	905.63	1541.78	2333.19	1932.02
在总计中：轻工业	56197.92	20160.78	36031.60	60861.10	51777.35
重工业	222343.17	78733.89	143515.49	224871.71	162628.74
在总计中：大型企业	118297.19	46765.68	71445.58	113176.47	82340.57
中型企业	86956.01	30221.49	56722.37	93146.93	68915.14
小型企业	73287.89	21907.50	51379.14	79409.40	63150.38

续表1

长期负债合计	所有者权益合计	所有者权益合计				
		实收资本	国家资本	集体资本	法人资本	个人资本
20140.27	62349.82	37161.46	7733.06	620.19	7246.31	2466.86
15668.00	26615.11	13161.14	7663.70	50.08	5217.11	129.49
355.48	2292.03	882.89	12.13	528.60	149.96	173.62
681.14	6498.05	2991.87	15.87	24.60	912.83	1989.40
1233.26	10392.41	7482.26	33.26	3.89	379.23	82.11
2202.39	16552.23	12643.30	8.10	13.02	587.19	92.24
1339.67	5006.30	2590.79	154.45	131.16	930.34	697.14
256.17	1085.14	489.74	34.79	42.83	214.97	193.86
374.17	433.39	218.54	29.41	43.03	139.81	5.92
9.90	44.58	17.55	0.26	7.87	7.23	2.17
12.10	35.92	25.65	6.26	5.74	12.40	1.07
4.21	45.71	22.21	1.67	2.78	9.28	7.14
102.16	1072.52	540.34	0.62	5.62	167.88	362.59
149.01	712.41	427.39	53.20	5.19	88.46	14.88
295.53	958.00	575.50	21.37	8.21	145.43	14.86
136.42	618.63	273.88	6.88	9.88	144.87	94.64
8964.51	33570.24	15789.77	5400.74	197.33	6047.08	3030.07
7619.05	27312.18	12839.06	5145.38	175.82	5152.36	2144.18
590.29	3008.55	1307.20	3.99	14.35	514.42	762.63
264.99	1124.55	608.56	61.41	3.08	189.82	52.67
490.18	2124.96	1034.96	189.96	4.08	190.48	70.59
32215.13	105762.47	55646.89	8032.77	914.28	24923.11	14309.74
7760.04	16200.52	7194.62	3397.57	29.00	3645.29	68.41
3915.91	29804.55	14798.83	52.82	109.57	4890.86	9528.57
1767.92	6875.16	4244.12	200.65	86.57	1589.89	301.10
3207.88	15511.76	9493.99	872.55	98.98	3252.73	409.87
15563.38	37370.48	19915.33	3509.16	590.15	11544.36	4001.78
14910.14	23065.40	22388.62	4341.74	296.97	7962.63	2603.12
43092.72	85186.57	44822.18	20561.49	233.37	20863.93	1254.81
293.89	2363.06	1020.75	8.64	294.55	231.26	299.81
7319.14	54314.76	28155.86	2030.47	527.22	8449.03	6955.28
55340.44	152374.06	83033.06	19290.55	1335.74	30697.82	13548.54
28847.33	79592.02	34403.40	11840.37	348.73	14640.08	2068.21
21277.27	64298.18	37544.77	7136.30	648.36	12543.88	5289.44
12534.98	62798.63	39240.75	2344.35	865.87	11962.89	13146.17

分组名称	港澳台资本	外商资本	主营业务收入	主营业务成本	主营业务税金及附加
二、按经济组织类型分组：					
独资企业	6949.38	12145.21	162918.48	138505.76	2812.86
国有企业	29.63	70.68	47035.38	39559.45	2147.19
集体企业	10.90	7.68	9450.55	7997.77	84.08
私营独资企业	17.27	31.90	28982.21	24321.65	336.05
港澳台商独资经营企业	6320.22	663.56	29201.35	25104.68	86.79
外资企业	571.36	11371.39	48248.98	41522.21	158.75
合作、合伙企业	278.18	399.52	15269.34	12735.97	209.93
股份合作企业	2.11	1.18	3529.09	2957.22	73.65
国有联营企业	0.00	0.36	703.31	632.85	3.82
集体联营企业	0.02	0.00	192.97	157.50	2.24
国有与集体联营企业	0.00	0.18	103.07	90.52	0.50
其他联营企业	0.23	1.10	144.17	117.36	2.70
私营合伙企业	3.23	0.40	4752.64	3906.04	66.39
合作经营企业（港或澳、台资）	239.41	26.25	1662.69	1435.07	5.16
中外合作经营企业	26.11	359.51	2041.14	1635.68	30.23
其他企业（内资）	7.06	10.54	2140.27	1803.74	25.24
股份有限公司	435.02	679.52	65455.63	52686.69	2176.06
股份有限公司（内资）	114.23	107.08	49752.74	39535.35	2028.51
私营股份有限公司	4.68	7.12	9985.41	8504.35	76.02
港澳台商投资股份有限公司	283.23	18.35	2208.46	1817.22	49.70
外商投资股份有限公司	32.89	546.97	3509.02	2829.76	21.82
有限责任公司	2508.25	5006.28	298878.99	253581.59	3797.10
国有独资公司	44.47	9.88	23674.35	19820.37	962.09
私营有限责任公司	89.85	127.16	112883.31	97642.54	832.92
合资经营企业（港或澳、台资）	1843.40	222.50	18057.67	15417.83	95.42
中外合资经营企业	433.16	4474.23	45333.73	37485.35	714.93
其他有限责任公司	97.37	172.51	98929.93	83215.50	1191.75
三、在总计中：亏损企业	2411.12	4773.05	52069.06	49538.26	561.37
在总计中：国有控股企业	435.36	1520.30	151700.55	124590.48	6199.11
在总计中：农村工业	92.55	93.94	8358.79	7135.89	68.35
在总计中：轻工业	4512.60	5681.27	157799.13	129720.76	3463.26
重工业	5658.23	12549.26	384723.30	327789.25	5532.70
在总计中：大型企业	1795.78	3757.78	180700.72	151604.07	5362.53
中型企业	4307.56	7618.78	155050.42	129368.56	1941.36
小型企业	4067.49	6853.97	206771.30	176537.38	1692.07

续表2

其他业务收入	其他业务利润	营业费用	管理费用	财务费用	利息支出	营业利润	投资收益
2577.44	511.59	4114.86	6727.32	1525.17	1349.70	10060.18	128.72
1363.13	273.21	749.29	2382.02	804.28	786.41	2032.05	276.65
172.93	32.77	248.46	378.30	66.87	55.70	733.54	-39.04
79.82	24.57	666.51	781.37	217.20	158.46	2400.55	-25.78
423.57	10.12	865.00	1151.65	166.67	134.28	2028.28	-90.73
537.99	170.92	1585.59	2033.99	270.15	214.85	2865.77	7.62
132.13	41.03	380.06	589.62	163.29	140.59	1201.39	-5.80
31.83	15.69	85.67	137.67	35.44	29.44	255.93	-2.91
29.16	4.71	10.99	36.67	20.94	23.54	25.90	3.64
0.63	0.08	4.55	9.96	1.88	1.27	15.44	0.05
4.16	0.68	2.26	7.39	1.25	1.07	1.57	-0.06
1.29	0.67	3.20	5.57	0.79	0.61	14.24	0.00
8.52	3.76	122.26	153.32	31.39	22.93	427.66	-5.05
15.60	3.46	29.49	62.23	15.29	13.86	127.73	0.74
22.24	7.93	62.55	100.43	29.62	26.84	178.45	-0.72
18.71	4.06	59.09	76.36	26.69	21.02	154.47	-1.49
1270.56	201.50	2045.06	2927.36	766.45	721.85	5235.87	362.19
992.68	147.00	1539.59	2368.29	586.86	561.30	4038.36	304.25
100.65	21.61	245.90	301.95	107.94	94.42	765.57	15.45
84.22	15.59	77.01	99.32	27.67	24.39	177.60	23.38
93.01	17.30	182.57	157.80	43.98	41.75	254.35	19.11
4902.16	863.08	7597.44	11925.40	3443.96	3110.87	20291.40	211.81
993.61	41.49	385.87	1516.81	368.03	374.13	1129.05	144.30
890.39	261.14	2504.76	3704.89	1085.45	902.21	7175.43	-29.38
428.54	68.65	498.12	651.15	223.31	197.15	1299.57	23.96
859.40	162.38	1665.48	1735.34	368.66	324.92	3675.20	25.15
1730.22	329.42	2543.20	4317.21	1398.51	1312.45	7012.15	47.78
1341.64	302.79	1133.14	2815.63	1180.58	1097.88	-3085.57	-17.35
4465.90	590.75	3042.14	8002.78	2409.03	2363.66	9357.82	778.92
142.55	32.75	161.96	229.85	65.97	56.42	713.87	-8.33
2012.32	322.22	6379.01	6342.53	1436.47	1214.12	11029.77	131.21
6869.97	1294.99	7758.41	15827.16	4462.41	4108.88	25759.08	565.72
4693.96	564.33	4568.51	7760.88	1852.22	1806.45	11423.84	453.98
2628.63	597.83	4773.75	6682.84	2075.23	1910.54	11897.13	286.26
1559.70	455.05	4795.17	7725.97	1971.43	1606.02	13467.87	-43.32

分 组 名 称	补贴收入	利润总额	亏损企业亏损总额	本年应交增值税	全部从业人员年平均人数（万人）
二、按经济组织类型分组：					
独资企业	158.82	9361.25	1337.90	5000.47	2925.38
国有企业	75.40	1973.23	620.55	2119.85	639.13
集体企业	12.77	638.08	25.10	286.07	199.25
私营独资企业	14.56	2182.34	36.72	908.57	541.91
港澳台商独资经营企业	19.89	1905.31	198.64	676.20	767.75
外资企业	36.20	2662.29	456.89	1009.77	777.34
合作、合伙企业	16.99	1096.69	54.67	505.44	307.42
股份合作企业	6.85	241.55	14.10	125.27	66.34
国有联营企业	0.35	24.28	5.39	22.98	6.20
集体联营企业	0.14	12.61	0.37	8.38	4.78
国有与集体联营企业	0.11	1.63	2.00	3.05	3.57
其他联营企业	0.07	13.81	0.39	4.63	2.65
私营合伙企业	3.02	372.90	8.63	168.68	105.64
合作经营企业（港或澳、台资）	3.70	123.76	7.25	51.73	39.83
中外合作经营企业	2.67	171.11	10.52	63.47	34.79
其他企业（内资）	0.09	135.03	6.03	57.25	43.61
股份有限公司	100.91	5188.65	448.80	2286.40	805.44
股份有限公司（内资）	80.17	4032.59	362.57	1802.24	569.86
私营股份有限公司	15.06	707.42	20.33	283.98	163.69
港澳台商投资股份有限公司	2.20	181.38	19.95	66.52	26.29
外商投资股份有限公司	3.48	267.27	45.94	133.66	45.61
有限责任公司	411.41	18895.63	1439.66	9697.90	4792.98
国有独资公司	55.28	1148.30	174.17	1036.34	337.95
私营有限责任公司	116.11	6415.03	319.30	3185.52	2162.61
合资经营企业（港或澳、台资）	31.02	1237.31	110.24	535.45	309.20
中外合资经营企业	40.59	3558.62	232.80	1497.25	449.62
其他有限责任公司	168.42	6536.35	603.15	3443.33	1533.60
三、在总计中：亏损企业	107.86	-3281.03	3281.03	1381.30	1242.42
在总计中：国有控股企业	262.68	9287.03	1553.85	6508.74	1803.37
在总计中：农村工业	6.68	663.23	21.08	232.14	151.25
在总计中：轻工业	187.76	10388.04	622.92	4963.35	3545.04
重工业	500.38	24154.18	2658.11	12526.86	5286.17
在总计中：大型企业	184.71	10897.65	963.01	6274.56	2043.56
中型企业	257.95	11368.03	1114.49	5138.29	2787.73
小型企业	245.48	12276.54	1203.54	6077.35	3999.92

续表 3

总资产贡献率（%）	资产负债率（%）	流动资产周转率（次/年）	成本费用利润率（%）	产品销售率（%）
12. 77	56. 87	2. 61	6. 20	98. 07
10. 23	61. 18	2. 35	4. 54	98. 83
21. 21	53. 97	3. 57	7. 34	97. 59
29. 62	45. 74	5. 26	8. 40	97. 72
12. 28	54. 29	2. 17	6. 98	97. 19
11. 09	54. 48	2. 31	5. 86	98. 21
17. 56	54. 70	3. 02	7. 91	98. 13
19. 03	55. 71	2. 99	7. 51	97. 95
5. 50	68. 03	2. 11	3. 46	98. 70
24. 92	54. 15	3. 96	7. 25	97. 46
6. 16	64. 32	2. 13	1. 60	97. 57
21. 92	53. 26	2. 49	10. 88	98. 09
31. 82	45. 40	5. 16	8. 85	97. 98
13. 27	51. 21	2. 18	8. 03	98. 02
14. 26	53. 02	2. 10	9. 36	98. 67
15. 90	58. 44	2. 93	6. 87	98. 19
14. 50	52. 75	2. 30	8. 88	97. 70
14. 44	52. 92	2. 24	9. 16	97. 73
18. 07	52. 91	3. 05	7. 72	96. 63
12. 72	55. 49	1. 78	8. 97	98. 31
11. 02	48. 41	1. 98	8. 32	100. 08
13. 35	59. 94	2. 35	6. 83	97. 62
8. 96	58. 18	1. 62	5. 20	98. 83
16. 04	57. 54	2. 98	6. 11	97. 31
11. 67	61. 05	1. 90	7. 37	97. 24
16. 37	57. 98	2. 21	8. 63	98. 20
12. 35	62. 82	2. 22	7. 15	97. 51
-0. 31	70. 41	1. 89	-6. 00	97. 54
11. 29	60. 30	2. 05	6. 73	98. 58
21. 66	49. 54	3. 59	8. 73	98. 19
17. 34	52. 70	2. 55	7. 22	97. 48
12. 25	59. 46	2. 39	6. 79	97. 90
12. 60	58. 60	2. 26	6. 57	98. 47
12. 89	58. 97	2. 15	7. 96	97. 30
15. 18	55. 68	2. 93	6. 43	97. 57

2009年按行业分组的规模以上

行业名称	企业单位数（个）	亏损企业	工业总产值（当年价格）	新产品产值	工业销售产值（当年价格）
总　计	434364	59868	548311.42	55196.62	536134.06
煤炭开采和洗选业	8798	1383	16404.27	167.78	16021.72
石油和天然气开采业	323	55	7517.54	14.81	7474.29
黑色金属矿采选业	4004	840	3802.45	14.66	3610.81
有色金属矿采选业	2457	406	2814.67	78.39	2713.75
非金属矿采选业	4267	386	2302.36	26.70	2229.22
其他采矿业	27	2	13.90	0.67	13.51
农副食品加工业	24550	1974	27961.03	848.10	27362.87
食品制造业	8735	1040	9219.24	435.60	9001.45
饮料制造业	5904	676	7465.03	465.72	7259.52
烟草制品业	158	5	4924.97	188.65	4908.78
纺织业	32412	4143	22971.38	1479.31	22486.61
纺织服装、鞋、帽制造业	18265	2807	10444.80	583.82	10163.81
皮革、毛皮、羽毛（绒）及其制品业	8520	1028	6425.57	392.37	6268.44
木材加工及木、竹、藤、棕、草制品业	10765	968	5759.60	229.97	5610.58
家具制造业	5576	817	3431.12	243.34	3363.30
造纸及纸制品业	9937	1396	8264.36	335.38	8110.39
印刷业和记录媒介的复制	6618	987	2972.90	113.65	2901.92
文教体育用品制造业	4752	788	2630.16	140.73	2580.37
石油加工、炼焦及核燃料加工业	2337	491	21492.59	608.58	21207.27
化学原料及化学制品制造业	28793	3880	36908.63	2662.69	35996.92
医药制造业	6807	1015	9443.30	1320.24	9021.74
化学纤维制造业	1944	265	3828.32	498.20	3779.85
橡胶制品业	4720	513	4767.86	559.04	4680.28
塑料制品业	19894	2565	10969.42	587.31	10697.78
非金属矿物制品业	32544	4131	24843.90	959.02	24279.04
黑色金属冶炼及压延加工业	7773	1753	42636.15	3668.97	41737.49
有色金属冶炼及压延加工业	8041	1401	20567.21	1062.65	20085.55
金属制品业	24771	3322	16082.95	893.66	15620.82
通用设备制造业	37374	4175	27361.52	3631.52	26714.99
专用设备制造业	19147	2594	16784.40	2398.28	16350.95
交通运输设备制造业	19441	2544	41730.32	13190.14	40793.04
电气机械及器材制造业	26443	3591	33757.99	5982.72	32558.56
通信设备、计算机及其他电子设备制造业	14284	3041	44562.63	10218.91	43680.24
仪器仪表及文化、办公用机械制造业	5716	826	5083.31	735.14	4976.78
工艺品及其他制造业	7797	1042	4465.20	273.68	4346.26
废弃资源和废旧材料回收加工业	1165	230	1443.86	7.41	1423.39
电力、热力的生产和供应业	6332	1897	33435.10	166.28	33316.91
燃气生产和供应业	909	132	1809.12	6.06	1799.92
水的生产和供应业	2064	759	1012.28	6.49	984.99

工业企业主要经济指标

单位：亿元

出口交货值	资产总计	流动资产合计	应收账款	存货	产成品	固定资产合计
72051.75	493692.86	223038.68	51399.82	56724.80	20495.01	207355.57
71.06	23790.09	9427.46	1314.24	1093.06	459.56	9802.53
121.16	14890.13	2803.11	524.20	516.49	95.59	11227.80
3.81	3324.17	1527.07	284.12	261.68	158.09	1262.87
7.05	2548.67	1048.74	151.02	239.17	118.05	1009.33
27.09	1531.04	613.05	121.88	118.60	74.81	675.43
0.00	5.28	1.64	0.29	0.43	0.26	3.13
1705.73	13344.92	6809.12	990.49	2234.35	1045.29	5083.80
632.29	6155.03	3005.72	606.77	782.87	378.13	2386.49
169.10	6589.65	3276.91	423.64	1076.79	381.36	2426.06
23.69	4940.08	3301.83	220.68	1680.79	106.29	979.92
3732.25	16330.18	8413.94	1737.21	2510.15	1124.51	6165.81
3145.84	5946.06	3554.30	848.28	1025.32	504.15	1767.67
1956.82	3295.87	2017.84	534.29	574.23	212.21	915.68
591.38	2979.74	1387.29	252.09	483.89	238.87	1252.24
992.92	2126.59	1200.91	281.57	385.08	141.32	691.89
450.82	8084.38	3343.17	804.31	794.80	333.21	3726.75
258.63	2855.99	1420.20	403.41	317.49	122.58	1124.59
1267.35	1651.30	958.94	264.87	316.73	101.32	517.99
351.85	12983.91	5028.96	565.52	2032.04	617.77	6435.70
2264.65	31825.71	13744.86	2803.55	3262.20	1428.52	14270.15
747.17	9341.33	4820.62	1076.64	1127.83	509.90	3121.93
250.32	3389.56	1618.11	192.28	421.52	185.87	1386.38
895.49	3525.86	1725.74	484.96	482.13	232.92	1458.32
1714.29	7624.39	4170.70	1263.73	1029.48	442.23	2633.19
1251.34	20820.55	8917.72	2210.92	2197.53	1046.68	9497.13
979.37	41009.76	16976.67	1537.63	5539.80	1528.77	17705.91
741.27	16455.60	7872.58	1124.66	2624.89	756.75	6570.48
2133.39	10954.06	6395.90	1805.87	1801.62	714.16	3468.31
2736.25	22363.37	13729.60	3954.72	3837.34	1375.90	6365.51
1534.10	15448.08	9710.59	2723.25	2805.96	943.37	4190.54
4771.85	38095.73	22453.77	4741.43	5087.29	1651.69	10702.70
6070.31	24224.63	15766.44	5116.52	3746.70	1552.73	5989.15
27224.00	29737.50	18927.14	7923.85	3999.99	1305.00	8149.94
1699.82	4543.99	3132.10	919.78	701.25	213.88	1008.10
1376.44	2785.04	1683.93	423.38	555.84	252.34	820.19
2.94	746.30	488.36	90.68	151.92	74.63	201.60
95.89	69086.99	8951.08	1741.94	759.98	41.91	48065.48
24.98	3379.36	1641.35	800.47	100.19	19.35	1256.39
29.03	4962.00	1171.23	134.66	47.39	5.01	3038.52

行业名称	固定资产原价	累计折旧	固定资产净值	负债合计	流动负债合计
总　计	278541.09	98894.67	179547.09	285732.81	214406.09
煤炭开采和洗选业	12064.62	4087.04	7976.22	14051.16	9128.26
石油和天然气开采业	15676.45	6888.33	8749.34	6823.43	4040.76
黑色金属矿采选业	1360.46	380.25	980.16	1716.97	1390.04
有色金属矿采选业	1154.85	311.36	843.44	1202.49	916.22
非金属矿采选业	832.43	256.22	576.21	729.42	534.56
其他采矿业	5.51	2.84	2.66	2.49	1.73
农副食品加工业	7026.51	2432.84	4592.65	7174.14	5996.42
食品制造业	3173.18	1033.42	2139.75	3092.18	2621.48
饮料制造业	3395.56	1166.82	2228.66	3335.24	2898.51
烟草制品业	1656.68	881.52	775.16	1179.61	1134.18
纺织业	8663.97	3024.72	5639.27	9299.92	8044.77
纺织服装、鞋、帽制造业	2440.42	870.26	1570.20	3101.76	2774.22
皮革、毛皮、羽毛（绒）及其制品业	1259.22	435.94	823.29	1738.05	1569.19
木材加工及木、竹、藤、棕、草制品业	1637.98	509.75	1128.22	1435.54	1160.21
家具制造业	922.24	309.16	613.09	1131.68	1003.66
造纸及纸制品业	4833.71	1512.60	3318.09	4658.47	3417.43
印刷业和记录媒介的复制	1770.73	726.47	1044.26	1390.55	1208.54
文教体育用品制造业	761.23	283.87	477.36	847.44	757.69
石油加工、炼焦及核燃料加工业	9313.08	3882.40	5391.93	8104.28	6339.83
化学原料及化学制品制造业	18631.57	6474.45	12154.78	17725.18	13190.71
医药制造业	4150.59	1466.33	2683.50	4308.79	3622.65
化学纤维制造业	2008.42	724.64	1283.46	2059.93	1725.56
橡胶制品业	2068.36	724.29	1344.09	1965.76	1590.45
塑料制品业	3900.78	1490.41	2410.36	4086.14	3544.33
非金属矿物制品业	12206.04	3741.01	8464.44	11395.86	8698.06
黑色金属冶炼及压延加工业	23502.47	8501.39	15007.86	26087.40	20195.02
有色金属冶炼及压延加工业	8093.49	2731.04	5362.20	9813.36	7606.63
金属制品业	4764.77	1661.26	3103.37	6109.82	5471.26
通用设备制造业	8424.56	2908.82	5515.78	12907.11	11398.08
专用设备制造业	5511.45	1869.31	3642.15	9086.04	7884.19
交通运输设备制造业	13625.90	4842.84	8782.94	23969.70	20799.18
电气机械及器材制造业	8225.28	3067.78	5157.50	14044.36	12630.25
通信设备、计算机及其他电子设备制造业	13447.61	5831.71	7603.49	17270.94	15465.02
仪器仪表及文化、办公用机械制造业	1474.88	570.49	904.40	2414.54	2218.44
工艺品及其他制造业	1120.62	372.66	748.00	1457.12	1240.47
废弃资源和废旧材料回收加工业	260.69	70.74	189.95	507.41	465.20
电力、热力的生产和供应业	63844.99	21145.52	42693.21	44674.93	18788.43
燃气生产和供应业	1480.33	409.10	1071.23	2189.55	1700.02
水的生产和供应业	3849.46	1295.05	2554.41	2644.04	1234.43

续表 1▶

长期负债合计	所有者权益合计	实收资本	国家资本	集体资本	法人资本
62659.58	206688.83	111188.92	21321.02	1862.96	39146.85
4241.59	9746.64	3808.18	1401.54	108.60	1680.84
2476.46	8064.47	4597.42	2516.12	21.48	1981.28
249.26	1598.21	735.71	231.97	14.61	231.00
242.53	1340.81	543.80	81.86	47.15	239.12
153.50	794.69	384.94	60.04	16.99	140.03
0.74	2.71	1.68	0.01	0.05	0.24
816.43	6103.41	2868.22	110.12	62.57	997.17
360.55	3026.49	1597.54	58.92	25.97	520.21
347.61	3232.00	1593.59	111.76	30.02	514.33
31.07	3755.25	829.89	193.93	1.72	630.52
1037.08	7001.80	3875.55	113.35	65.66	984.20
214.79	2825.27	1519.36	11.87	21.57	367.68
95.95	1543.47	861.63	2.88	8.68	180.21
185.83	1534.53	830.10	21.56	11.03	252.53
83.83	986.62	590.04	0.94	3.56	140.30
1101.84	3402.20	2232.99	126.25	75.91	679.75
140.98	1461.93	830.52	87.68	23.54	278.58
67.02	802.49	548.56	5.51	5.07	86.30
1491.47	4853.72	3228.44	1197.03	22.94	1321.07
3865.54	13952.09	8111.10	945.81	111.88	3106.17
560.78	5009.17	2248.30	169.18	55.20	879.75
294.11	1325.29	901.67	88.42	12.25	340.41
320.87	1553.18	878.93	29.28	15.99	201.40
396.53	3523.81	2181.52	42.63	29.28	550.78
2232.55	9355.15	5299.40	360.25	167.21	1965.06
5625.43	14880.72	6380.82	1768.37	122.20	2707.16
1839.01	6606.14	3131.00	623.43	50.12	1280.77
436.21	4771.83	2740.10	130.12	55.13	772.56
1131.03	9413.10	4993.12	358.97	90.21	1549.90
998.71	6328.14	3422.63	353.16	49.21	1019.39
2603.79	13953.59	7063.41	837.79	73.49	2992.34
1111.57	10135.82	5338.46	204.88	146.03	1587.07
1543.24	12441.22	7848.15	359.50	55.48	1675.75
162.81	2123.25	1085.80	55.60	9.51	298.01
176.71	1319.18	692.07	19.97	14.57	177.13
23.59	238.61	136.96	11.52	5.51	46.91
24220.67	24185.39	15147.83	7583.96	177.73	6165.98
452.58	1185.23	682.00	178.17	18.94	302.93
1325.31	2311.19	1427.48	866.66	35.91	302.02

行业名称	个人资本	港澳台资本	外商资本	主营业务收入	主营业务成本
总计	20503.82	10170.83	18230.53	542522.43	457510.01
煤炭开采和洗选业	581.28	7.54	27.94	17379.94	12607.03
石油和天然气开采业	22.80	48.34	7.40	7909.04	4777.94
黑色金属矿采选业	244.68	10.72	2.74	3608.39	2789.84
有色金属矿采选业	151.70	5.69	18.29	2859.03	2228.83
非金属矿采选业	141.39	10.80	15.70	2237.54	1749.62
其他采矿业	1.37	0.00	0.00	14.21	12.62
农副食品加工业	1067.93	204.22	426.21	27624.67	24296.87
食品制造业	392.65	178.08	421.71	8865.02	6947.44
饮料制造业	337.07	171.07	429.34	7464.94	5398.61
烟草制品业	2.37	1.04	0.30	4870.92	1490.91
纺织业	1364.34	795.23	552.77	22470.51	19869.20
纺织服装、鞋、帽制造业	423.78	417.89	276.57	10140.52	8625.95
皮革、毛皮、羽毛（绒）及其制品业	212.44	253.14	204.29	6241.35	5343.47
木材加工及木、竹、藤、棕、草制品业	374.23	75.85	94.90	5618.95	4819.10
家具制造业	177.56	119.37	148.30	3353.25	2834.83
造纸及纸制品业	446.30	353.32	551.46	8001.90	6843.45
印刷业和记录媒介的复制	211.07	139.14	90.50	2873.13	2353.49
文教体育用品制造业	90.67	208.31	152.70	2570.31	2229.09
石油加工、炼焦及核燃料加工业	466.09	58.29	163.02	21247.48	16968.13
化学原料及化学制品制造业	1542.89	566.01	1838.34	36297.99	30633.35
医药制造业	590.88	156.67	396.62	9087.00	6262.73
化学纤维制造业	179.29	153.01	128.30	3799.18	3457.52
橡胶制品业	189.43	107.65	335.18	4642.07	3894.45
塑料制品业	582.45	452.39	524.00	10602.18	9130.26
非金属矿物制品业	1712.48	438.65	655.74	24081.17	20118.99
黑色金属冶炼及压延加工业	1113.35	244.86	424.88	43905.73	40228.77
有色金属冶炼及压延加工业	640.75	251.44	284.51	21000.28	18978.62
金属制品业	846.95	435.20	500.13	15499.20	13364.64
通用设备制造业	1523.28	362.75	1108.01	26636.42	22406.57
专用设备制造业	845.95	318.07	836.85	16480.15	13676.86
交通运输设备制造业	947.44	398.37	1813.98	41090.49	34414.45
电气机械及器材制造业	1494.92	649.10	1256.46	32386.51	27224.44
通信设备、计算机及其他电子设备制造业	595.23	1806.83	3355.36	44215.94	39411.20
仪器仪表及文化、办公用机械制造业	245.65	133.56	343.47	4939.51	4059.60
工艺品及其他制造业	197.90	158.78	123.72	4409.87	3793.10
废弃资源和废旧材料回收加工业	38.73	14.22	20.07	1453.06	1313.67
电力、热力的生产和供应业	439.08	344.72	483.90	33789.97	30643.37
燃气生产和供应业	30.95	52.18	98.83	1888.27	1590.14
水的生产和供应业	36.49	68.34	118.06	966.33	720.85

续表 2▶

主营业务税金及附加	其他业务收入	其他业务利润	营业费用	管理费用	财务费用
8995.95	8882.29	1617.21	14137.42	22169.70	5898.87
303.01	894.01	26.24	531.23	1538.18	249.70
256.64	236.33	40.02	45.14	654.91	32.53
69.13	45.56	8.47	73.72	164.03	34.48
33.05	26.42	15.96	45.75	153.58	27.12
48.87	17.57	4.24	93.70	113.78	24.44
0.20	0.21	0.21	0.30	0.52	0.05
190.44	154.79	48.63	610.32	622.40	223.47
63.10	121.21	17.04	705.65	336.34	77.19
277.09	119.17	30.26	686.37	341.20	63.75
2268.63	284.78	-3.00	104.91	343.96	-4.60
124.61	281.00	55.33	346.00	683.28	277.25
55.06	63.14	19.57	324.24	443.33	71.90
36.89	21.71	8.25	146.35	242.16	46.46
54.33	23.00	10.00	132.99	162.77	54.05
26.60	29.67	12.72	111.56	144.70	30.25
48.33	114.20	30.62	219.27	271.93	128.82
17.87	34.68	12.73	66.47	183.01	25.63
15.39	15.09	4.46	57.52	127.66	19.92
2417.56	216.21	38.01	206.27	571.05	158.90
352.64	550.67	122.38	1252.05	1501.24	429.07
70.19	87.61	35.78	1075.51	633.63	110.86
10.86	93.43	9.13	38.94	90.40	61.00
27.21	63.36	11.79	129.08	190.46	56.25
69.47	141.64	26.55	250.60	417.22	97.99
224.54	186.25	48.21	714.82	908.54	297.86
186.91	1379.22	295.16	396.92	1178.87	497.73
121.54	320.19	35.65	203.35	508.85	239.79
112.03	187.18	47.60	339.15	599.42	142.19
161.75	464.39	76.17	720.27	1317.49	214.35
92.25	266.79	59.93	502.50	942.32	131.43
768.59	1002.84	178.68	1169.54	2014.17	218.13
161.95	475.47	107.48	1209.13	1410.30	244.83
81.35	383.43	12.47	1104.26	1779.65	147.69
21.83	55.21	21.76	168.06	317.58	28.63
31.57	29.79	11.99	110.33	175.70	37.13
8.79	9.19	2.37	20.45	31.81	9.49
163.65	366.47	89.42	107.87	830.65	1314.54
11.67	64.34	25.40	61.25	83.00	19.66
10.39	56.07	19.55	55.56	139.64	58.93

行业名称	利息支出	营业利润	投资收益	补贴收入	亏损企业亏损总额
总计	5323.01	36788.85	696.92	688.14	3281.03
煤炭开采和洗选业	235.43	2315.57	35.74	18.79	62.39
石油和天然气开采业	37.88	1904.34	4.21	0.13	146.28
黑色金属矿采选业	29.44	486.47	3.74	1.06	30.73
有色金属矿采选业	23.61	375.81	2.54	2.59	14.92
非金属矿采选业	18.65	199.92	-3.26	2.33	6.22
其他采矿业	0.03	0.82	0.00	0.01	0.01
农副食品加工业	191.23	1746.99	-32.38	41.86	52.33
食品制造业	64.14	759.97	9.91	13.05	39.39
饮料制造业	52.21	768.09	11.60	12.08	53.28
烟草制品业	3.01	690.53	30.28	2.56	0.47
纺织业	240.06	1149.65	9.25	18.53	83.88
纺织服装、鞋、帽制造业	56.87	635.35	9.60	10.12	32.56
皮革、毛皮、羽毛（绒）及其制品业	39.59	433.35	-1.84	2.27	16.51
木材加工及木、竹、藤、棕、草制品业	42.81	385.41	-0.76	7.15	20.23
家具制造业	21.74	203.52	1.28	1.59	13.47
造纸及纸制品业	111.75	530.88	0.32	10.52	57.42
印刷业和记录媒介的复制	20.88	238.54	7.38	4.14	15.87
文教体育用品制造业	14.23	130.77	8.99	1.52	13.51
石油加工、炼焦及核燃料加工业	149.05	1004.38	8.03	12.83	118.95
化学原料及化学制品制造业	383.02	2300.98	49.23	69.41	371.98
医药制造业	92.56	1002.77	44.37	12.79	38.87
化学纤维制造业	57.58	163.25	11.96	2.49	20.92
橡胶制品业	49.89	336.63	0.95	3.16	11.15
塑料制品业	79.22	650.59	3.51	7.68	50.26
非金属矿物制品业	246.62	1935.65	27.31	65.44	122.54
黑色金属冶炼及压延加工业	474.34	1935.75	-46.75	19.54	238.37
有色金属冶炼及压延加工业	216.47	1110.97	7.01	19.79	151.27
金属制品业	120.76	958.76	-16.09	13.32	66.17
通用设备制造业	173.47	1901.64	28.15	28.38	106.22
专用设备制造业	114.00	1224.43	33.64	22.29	83.61
交通运输设备制造业	212.45	3111.27	195.25	60.64	136.27
电气机械及器材制造业	206.94	2284.87	15.98	32.63	90.53
通信设备、计算机及其他电子设备制造业	129.53	1800.97	-29.01	35.33	344.01
仪器仪表及文化、办公用机械制造业	24.42	378.91	7.94	10.72	20.80
工艺品及其他制造业	29.02	272.23	-1.83	5.32	13.20
废弃资源和废旧材料回收加工业	7.78	84.64	-6.85	1.70	7.88
电力、热力的生产和供应业	1278.03	1205.73	237.42	91.99	565.67
燃气生产和供应业	17.33	168.77	20.92	10.27	11.77
水的生产和供应业	56.96	-0.30	9.19	12.15	51.13

续表3

本年应交增值税	全部从业人员年平均人数(万人)	总资产贡献率(%)	资产负债率(%)	流动资产周转率(次/年)	成本费用利润率(%)	产品销售率(%)
17490.20	8831.22	13.44	57.88	2.43	6.91	97.78
1345.87	505.54	17.20	59.06	1.84	14.79	97.67
569.53	102.38	18.59	45.83	2.82	34.54	99.42
188.51	57.48	21.85	51.65	2.36	14.35	94.96
94.71	50.04	19.25	47.18	2.73	13.81	96.41
94.65	55.11	22.72	47.64	3.65	9.37	96.82
0.30	0.29	21.13	47.07	8.65	4.38	97.18
509.73	337.66	17.93	53.76	4.06	5.83	97.86
322.88	162.70	18.96	50.24	2.95	8.89	97.64
351.22	119.02	21.39	50.61	2.28	11.23	97.25
567.56	20.03	70.64	23.88	1.48	33.61	99.67
573.28	617.04	12.43	56.95	2.67	5.15	97.89
286.73	449.31	16.98	52.16	2.85	6.46	97.31
173.48	257.57	19.99	52.73	3.09	7.08	97.55
170.63	130.67	20.58	48.18	4.05	6.68	97.41
81.81	98.56	14.78	53.22	2.79	5.90	98.02
250.65	152.64	11.32	57.62	2.39	6.76	98.14
104.20	82.13	13.29	48.69	2.02	9.00	97.61
61.01	122.36	12.52	51.32	2.68	4.77	98.11
744.66	84.95	32.68	62.42	4.23	5.20	98.67
1073.90	440.49	12.55	55.69	2.64	6.46	97.53
453.48	160.48	17.24	46.13	1.89	12.30	95.54
69.47	41.45	9.11	60.77	2.35	4.68	98.73
136.16	97.97	15.18	55.75	2.69	7.54	98.16
267.35	259.81	13.40	53.59	2.54	6.12	97.52
944.45	508.91	15.72	54.73	2.70	8.42	97.73
1230.00	323.02	7.97	63.61	2.59	3.25	97.89
501.70	177.64	10.72	59.64	2.67	4.64	97.66
406.80	319.31	13.68	55.78	2.42	5.95	97.13
823.68	486.52	13.16	57.72	1.94	7.24	97.64
483.50	309.24	12.14	58.82	1.70	7.77	97.42
1305.22	498.33	14.04	62.92	1.83	8.10	97.75
914.16	535.00	14.25	57.98	2.05	7.21	96.45
577.80	663.64	8.56	58.08	2.34	4.14	98.02
135.25	112.61	12.28	53.14	1.58	8.23	97.90
110.82	136.82	15.13	52.32	2.62	6.08	97.34
33.32	13.65	15.57	67.99	2.98	4.82	98.58
1438.27	277.62	6.04	64.66	3.77	3.92	99.65
49.98	18.09	7.59	64.79	1.15	10.12	99.49
43.50	45.14	2.74	53.29	0.83	2.60	97.30

2009年按行业分组的国有控股

行业名称	企业单位数（个）	亏损企业	工业总产值（当年价格）	新产品产值	工业销售产值（当年价格）
合　计	20510	5391	146630.00	22241.95	144544.31
煤炭开采和洗选业	827	184	9705.32	157.25	9500.21
石油和天然气开采业	109	22	7110.64	12.50	7076.91
黑色金属矿采选业	130	35	512.79	0.84	497.62
有色金属矿采选业	277	42	694.52	76.10	678.10
非金属矿采选业	231	43	268.10	5.93	257.92
其他采矿业	1	0	0.13	0.00	0.15
农副食品加工业	817	155	1509.41	33.23	1478.00
食品制造业	368	79	670.78	18.58	637.47
饮料制造业	330	94	1290.95	132.78	1286.31
烟草制品业	123	5	4891.81	186.76	4876.42
纺织业	424	138	584.03	87.20	582.16
纺织服装、鞋、帽制造业	185	33	141.97	13.27	137.45
皮革、毛皮、羽毛（绒）及其制品业	31	7	25.34	1.75	25.80
木材加工及木、竹、藤、棕、草制品业	168	51	138.87	4.00	133.08
家具制造业	40	9	79.72	61.07	79.02
造纸及纸制品业	179	45	637.34	56.78	629.25
印刷业和记录媒介的复制	551	130	387.81	11.33	378.66
文教体育用品制造业	53	10	31.67	5.64	32.66
石油加工、炼焦及核燃料加工业	204	47	15119.10	487.34	15011.20
化学原料及化学制品制造业	1333	401	7348.06	921.76	7230.36
医药制造业	508	119	1198.16	262.21	1158.20
化学纤维制造业	56	18	392.99	64.14	388.76
橡胶制品业	118	22	590.34	130.00	584.37
塑料制品业	293	66	355.99	46.40	347.16
非金属矿物制品业	1325	354	2373.91	135.90	2327.76
黑色金属冶炼及压延加工业	338	96	16456.55	2617.53	16325.79
有色金属冶炼及压延加工业	460	140	5560.16	323.72	5467.29
金属制品业	510	105	927.52	89.20	917.60
通用设备制造业	1074	245	4227.30	1779.83	4161.21
专用设备制造业	955	233	4079.68	1170.74	3941.11
交通运输设备制造业	1379	269	19367.74	9842.99	18960.87
电气机械及器材制造业	688	147	3014.62	1155.55	2753.22
通信设备、计算机及其他电子设备制造业	727	159	3859.57	2066.43	3743.41
仪器仪表及文化、办公用机械制造业	369	61	517.79	153.38	505.83
工艺品及其他制造业	127	27	267.07	22.86	253.49
废弃资源和废旧材料回收加工业	35	3	222.95	0.00	217.44
电力、热力的生产和供应业	3621	1148	30625.31	104.09	30545.06
燃气生产和供应业	248	50	795.66	0.53	788.79
水的生产和供应业	1298	599	648.33	2.34	628.20

工业企业主要经济指标

单位：亿元

出口交货值	资产总计	流动资产合计	应收账款	存　货	产成品	固定资产合计
6023. 17	215742. 01	74113. 99	11705. 10	19373. 62	5057. 31	107763. 55
68. 22	18047. 88	6675. 93	775. 35	782. 11	298. 50	7723. 25
98. 21	14334. 55	2653. 60	486. 62	497. 61	93. 36	10855. 72
0. 00	1027. 51	410. 84	66. 39	62. 12	34. 05	410. 39
0. 21	1061. 86	431. 24	62. 47	110. 09	43. 38	389. 77
5. 93	448. 96	189. 71	27. 09	29. 45	16. 20	178. 61
0. 00	0. 15	0. 11	-0. 01	0. 04	0. 04	0. 01
34. 83	1089. 31	539. 78	59. 98	207. 72	93. 69	394. 55
36. 47	753. 63	359. 29	83. 43	85. 04	42. 36	247. 65
27. 78	1820. 87	975. 99	76. 71	315. 77	76. 54	505. 35
23. 50	4899. 26	3279. 65	215. 94	1676. 08	103. 65	965. 38
95. 66	882. 97	376. 70	49. 62	136. 17	68. 98	352. 08
21. 33	153. 96	104. 93	15. 63	34. 67	18. 94	37. 77
2. 79	35. 21	20. 17	1. 29	6. 35	3. 14	11. 83
8. 78	176. 01	73. 85	8. 83	26. 15	9. 87	76. 26
4. 51	54. 73	32. 92	15. 40	5. 73	2. 27	11. 33
25. 19	1379. 66	493. 02	76. 24	117. 45	45. 98	656. 46
3. 77	580. 92	248. 62	52. 02	69. 18	25. 72	255. 93
8. 43	41. 61	24. 48	5. 72	9. 87	3. 65	10. 14
278. 03	8060. 63	2693. 10	246. 44	1385. 44	321. 18	4466. 43
344. 20	10872. 14	3590. 77	371. 91	898. 89	336. 39	5775. 53
128. 67	1928. 14	986. 66	189. 73	221. 46	92. 48	586. 77
27. 30	568. 38	221. 31	20. 55	66. 97	26. 56	236. 12
137. 68	610. 11	308. 16	53. 90	97. 89	52. 92	229. 39
15. 55	407. 46	207. 66	46. 09	69. 75	34. 05	144. 65
64. 84	3766. 38	1445. 52	313. 47	330. 15	133. 23	1799. 67
492. 78	24942. 90	8811. 25	596. 48	3097. 07	614. 47	11293. 93
142. 27	7295. 73	3250. 88	243. 12	1284. 22	261. 97	3033. 92
60. 53	988. 67	570. 67	127. 42	191. 64	72. 11	315. 68
490. 82	5911. 26	4040. 22	936. 46	1245. 73	339. 90	1303. 41
274. 74	5354. 31	3524. 53	891. 44	1144. 51	323. 03	1349. 95
1745. 64	20860. 18	12121. 77	1800. 20	2827. 50	804. 87	5763. 67
232. 45	3371. 86	2286. 45	572. 18	607. 02	252. 88	731. 62
967. 86	5329. 50	3089. 89	751. 41	734. 87	289. 54	1327. 54
30. 84	804. 08	531. 51	146. 77	133. 90	39. 07	177. 71
7. 80	357. 17	222. 40	45. 85	87. 59	33. 96	92. 98
0. 00	149. 77	79. 32	11. 63	28. 58	6. 70	60. 45
87. 90	61387. 19	7140. 61	1413. 14	643. 45	31. 35	42832. 28
24. 86	2238. 21	1243. 15	751. 23	69. 01	8. 42	721. 05
2. 83	3748. 86	857. 31	96. 94	36. 39	1. 92	2438. 30

行业名称	固定资产原价	累计折旧	固定资产净值	负债合计	流动负债合计
总　计	145330.28	54397.07	90853.40	130098.87	83615.67
煤炭开采和洗选业	9869.87	3570.88	6298.09	11036.82	6979.08
石油和天然气开采业	15176.00	6731.48	8406.96	6480.51	3714.66
黑色金属矿采选业	403.76	147.35	256.37	479.29	355.38
有色金属矿采选业	455.54	147.58	307.91	519.91	389.39
非金属矿采选业	228.23	83.12	145.11	236.52	155.18
其他采矿业	0.03	0.02	0.01	0.11	0.11
农副食品加工业	523.80	168.06	354.72	672.57	577.09
食品制造业	364.40	133.39	231.01	468.50	385.18
饮料制造业	770.30	298.13	472.09	741.30	675.78
烟草制品业	1633.55	872.20	761.34	1162.37	1120.17
纺织业	504.68	211.81	292.87	549.60	424.75
纺织服装、鞋、帽制造业	50.61	19.49	31.11	104.01	92.69
皮革、毛皮、羽毛（绒）及其制品业	9.47	3.74	5.73	24.13	19.77
木材加工及木、竹、藤、棕、草制品业	103.54	41.33	62.21	111.68	69.71
家具制造业	16.72	5.68	11.04	35.14	31.04
造纸及纸制品业	844.76	280.36	564.40	945.07	584.30
印刷业和记录媒介的复制	453.80	210.54	243.26	230.12	186.27
文教体育用品制造业	17.64	8.10	9.54	21.44	19.82
石油加工、炼焦及核燃料加工业	7078.92	3326.61	3713.46	4919.20	3781.99
化学原料及化学制品制造业	7612.41	3044.52	4566.33	6330.86	4093.71
医药制造业	806.34	316.57	489.00	918.49	773.68
化学纤维制造业	395.49	178.40	217.09	327.52	253.14
橡胶制品业	334.73	127.39	207.34	419.34	338.58
塑料制品业	235.45	104.42	130.80	258.92	205.93
非金属矿物制品业	2248.58	704.59	1543.69	2294.05	1593.95
黑色金属冶炼及压延加工业	15670.02	6097.93	9580.86	15618.43	11237.43
有色金属冶炼及压延加工业	3776.40	1354.66	2421.49	4464.10	3294.48
金属制品业	437.64	179.41	258.10	595.91	523.85
通用设备制造业	1717.69	685.80	1031.82	4035.82	3530.86
专用设备制造业	1746.08	634.56	1111.51	3613.92	3123.53
交通运输设备制造业	7235.21	2844.03	4391.08	13477.94	11613.80
电气机械及器材制造业	847.75	289.62	558.09	2313.66	1994.77
通信设备、计算机及其他电子设备制造业	1899.45	684.59	1214.86	2921.61	2382.52
仪器仪表及文化、办公用机械制造业	263.80	111.71	152.09	413.78	361.42
工艺品及其他制造业	128.23	46.26	81.97	238.41	175.66
废弃资源和废旧材料回收加工业	81.19	20.94	60.24	93.33	83.78
电力、热力的生产和供应业	57369.69	19348.10	38014.97	39497.82	16295.21
燃气生产和供应业	900.93	280.64	620.29	1577.47	1259.23
水的生产和供应业	3117.58	1083.03	2034.55	1949.17	917.79

续表1

长期负债合计	所有者权益合计	实收资本	国家资本	集体资本	法人资本
43092.72	85186.57	44822.18	20561.49	233.37	20863.93
3675.19	7039.43	2744.39	1391.51	36.69	1262.08
2460.81	7852.14	4482.82	2512.77	2.16	1965.05
120.49	548.04	305.71	230.59	0.34	70.18
120.02	540.62	199.72	79.30	1.13	106.33
71.49	211.64	113.18	56.17	1.09	50.23
0.00	0.04	0.01	0.01	0.00	0.00
57.86	409.79	222.68	82.22	1.98	110.29
75.12	282.99	169.93	49.94	2.04	89.74
57.17	1079.12	290.99	92.73	3.39	141.04
28.05	3731.67	818.55	193.03	0.00	624.59
114.58	331.35	224.03	101.30	5.06	86.72
9.13	49.66	29.09	10.21	0.31	17.22
4.35	11.07	5.03	2.04	0.05	2.67
27.92	64.02	50.31	19.53	1.11	17.32
3.76	18.60	6.90	0.53	0.03	4.01
358.79	426.94	302.70	116.53	18.65	124.67
34.60	349.89	195.25	81.73	1.95	94.86
1.62	20.17	11.40	4.67	0.43	5.38
1035.75	3140.35	2298.09	1194.86	0.38	977.83
2079.86	4497.54	2878.60	884.39	11.19	1644.34
128.65	1009.08	449.26	128.34	4.29	239.51
66.26	240.87	245.84	82.25	1.17	135.07
73.71	190.40	99.60	24.91	0.27	60.93
49.94	148.48	110.12	37.84	1.75	53.02
639.12	1464.89	948.86	310.90	7.46	530.55
4307.07	9318.99	3859.06	1735.80	4.34	1898.46
986.84	2812.27	1334.36	606.09	1.54	656.96
53.57	391.23	264.22	117.69	2.48	110.97
420.54	1873.79	1023.82	330.37	16.91	538.72
459.32	1735.43	909.00	336.55	4.82	492.57
1640.39	7247.13	3543.83	778.01	9.71	1997.83
274.61	1053.41	492.07	158.58	3.13	262.20
466.30	2405.99	1127.31	320.59	6.24	554.26
41.57	387.20	167.43	49.88	0.99	97.63
55.94	118.77	54.76	19.59	0.58	30.09
8.00	56.44	30.95	10.69	2.68	15.70
21825.38	21676.10	13275.95	7418.97	58.45	5361.04
298.70	656.40	410.92	155.97	9.40	206.47
960.25	1794.66	1125.42	834.40	9.17	227.39

行业名称	个人资本	港澳台资本	外商资本	主营业务收入	主营业务成本
总　计	1254.81	435.36	1520.30	151700.55	124590.48
煤炭开采和洗选业	45.89	3.03	4.74	10765.83	7850.59
石油和天然气开采业	0.72	1.77	0.34	7547.60	4545.26
黑色金属矿采选业	4.59	0.00	0.00	526.81	387.04
有色金属矿采选业	6.64	0.02	6.31	808.16	641.03
非金属矿采选业	3.63	0.72	1.33	266.02	190.51
其他采矿业	0.00	0.00	0.00	0.06	0.04
农副食品加工业	21.05	2.96	4.19	1553.32	1404.12
食品制造业	14.00	5.17	9.04	664.57	517.91
饮料制造业	36.55	2.91	14.37	1447.64	949.61
烟草制品业	0.03	0.90	0.00	4838.77	1467.62
纺织业	19.86	6.58	4.52	615.55	556.20
纺织服装、鞋、帽制造业	0.78	0.22	0.36	143.75	119.81
皮革、毛皮、羽毛（绒）及其制品业	0.22	0.04	0.01	26.87	21.53
木材加工及木、竹、藤、棕、草制品业	10.19	1.00	1.17	142.97	128.38
家具制造业	0.19	1.56	0.58	81.66	69.96
造纸及纸制品业	16.33	9.27	17.26	625.22	542.71
印刷业和记录媒介的复制	8.93	3.66	4.12	384.93	292.05
文教体育用品制造业	0.37	0.23	0.33	31.74	25.45
石油加工、炼焦及核燃料加工业	22.81	27.13	75.09	15116.83	11668.70
化学原料及化学制品制造业	122.34	17.95	198.37	7590.58	6593.85
医药制造业	64.69	3.60	8.82	1300.75	837.42
化学纤维制造业	13.42	0.89	13.05	424.71	372.87
橡胶制品业	9.78	1.62	2.09	621.70	525.93
塑料制品业	10.81	3.03	3.66	348.32	297.62
非金属矿物制品业	64.82	7.59	27.54	2321.34	1893.02
黑色金属冶炼及压延加工业	141.03	37.52	41.91	18271.84	16789.62
有色金属冶炼及压延加工业	43.10	6.96	19.70	6359.94	5843.40
金属制品业	11.36	8.51	13.20	972.32	843.45
通用设备制造业	47.21	39.00	51.60	4200.08	3574.78
专用设备制造业	48.38	6.53	20.15	4117.26	3510.05
交通运输设备制造业	126.91	65.11	566.26	19285.08	16055.00
电气机械及器材制造业	44.44	6.96	16.76	2777.80	2268.61
通信设备、计算机及其他电子设备制造业	104.50	17.89	123.84	3943.02	3262.04
仪器仪表及文化、办公用机械制造业	12.92	1.64	4.36	516.52	392.18
工艺品及其他制造业	2.63	1.40	0.47	302.16	271.18
废弃资源和废旧材料回收加工业	0.13	1.36	0.39	239.57	219.25
电力、热力的生产和供应业	161.55	104.36	219.12	31014.83	28406.00
燃气生产和供应业	5.81	13.42	19.85	862.16	750.42
水的生产和供应业	6.21	22.84	25.41	642.24	505.31

续表2▶

主营业务税金及附加	其他业务收入	其他业务利润	营业费用	管理费用	财务费用
6199.11	4465.90	590.75	3042.14	8002.78	2409.03
168.98	866.69	20.24	295.88	1174.47	190.99
251.37	235.93	39.87	40.08	639.96	29.20
19.90	29.08	3.03	17.59	57.35	7.30
7.53	15.57	10.05	8.91	60.17	9.16
8.46	5.75	2.30	16.15	28.65	4.77
0.00	0.00	0.00	0.00	0.01	0.00
10.00	16.10	6.27	40.05	46.50	16.33
3.18	18.55	3.31	78.05	33.02	8.39
90.73	17.73	2.67	136.28	94.47	7.73
2268.44	283.91	-3.28	103.93	340.37	-5.18
3.13	20.22	1.55	11.55	34.86	10.60
0.59	2.20	0.62	5.13	11.94	0.47
0.13	0.27	0.08	0.64	2.77	0.12
1.49	2.34	0.98	3.70	8.34	2.07
0.06	5.66	1.44	1.11	5.59	0.24
2.95	15.17	2.25	20.68	35.22	20.19
2.42	12.25	5.48	6.91	51.74	1.80
0.14	0.97	0.34	1.33	3.55	0.22
2260.63	148.06	16.48	84.59	433.59	77.02
162.68	193.61	28.22	170.91	458.25	144.14
8.73	18.96	4.79	156.74	123.35	18.86
1.87	14.01	1.71	6.43	27.66	8.37
3.69	15.69	1.53	21.91	27.19	9.99
2.31	17.00	2.53	12.39	18.61	6.39
19.30	55.71	10.40	87.12	143.01	48.17
89.26	668.73	148.32	183.23	734.22	294.67
32.17	167.58	8.81	55.83	214.71	101.15
4.87	27.45	6.39	21.78	55.50	13.04
18.32	264.29	16.45	104.88	291.06	23.28
20.15	108.28	19.16	113.09	299.83	35.10
529.09	651.39	85.92	637.23	1098.60	72.60
21.94	87.01	17.12	162.87	163.60	25.12
22.26	60.57	18.07	244.41	327.27	37.99
2.47	10.71	4.00	20.90	63.31	2.70
0.73	5.99	2.04	3.94	19.40	1.36
1.57	2.58	0.45	4.32	5.74	1.57
144.37	316.54	73.33	81.45	719.87	1139.34
5.82	37.65	12.75	34.30	45.56	9.76
7.37	45.67	15.12	45.84	103.47	34.05

行业名称	利息支出	营业利润	投资收益	补贴收入	亏损企业亏损总额
总　计	2363.66	9357.82	778.92	262.68	1553.85
煤炭开采和洗选业	187.43	1247.78	30.45	16.60	28.40
石油和天然气开采业	35.60	1798.57	4.09	0.12	144.49
黑色金属矿采选业	7.21	54.94	4.16	0.19	7.18
有色金属矿采选业	8.73	94.88	0.54	0.90	4.18
非金属矿采选业	4.49	19.06	0.18	1.11	1.31
其他采矿业	0.00	0.00	0.00	0.00	0.00
农副食品加工业	14.85	61.90	-3.93	4.07	4.35
食品制造业	6.95	39.73	3.74	1.42	5.11
饮料制造业	6.83	217.56	11.86	1.95	7.56
烟草制品业	2.55	686.49	30.16	2.38	0.47
纺织业	9.40	2.26	2.81	1.23	15.03
纺织服装、鞋、帽制造业	0.51	7.95	1.16	0.44	0.58
皮革、毛皮、羽毛（绒）及其制品业	0.04	1.77	0.04	0.00	0.19
木材加工及木、竹、藤、棕、草制品业	1.94	2.45	0.44	1.08	3.46
家具制造业	0.18	6.26	0.35	0.00	0.30
造纸及纸制品业	19.50	22.67	-0.51	1.50	23.13
印刷业和记录媒介的复制	1.77	40.55	1.13	1.22	4.84
文教体育用品制造业	0.18	1.48	0.18	0.08	0.42
石油加工、炼焦及核燃料加工业	77.43	635.20	3.25	8.86	66.66
化学原料及化学制品制造业	139.57	168.80	38.38	31.65	211.62
医药制造业	17.45	156.26	17.59	1.14	8.02
化学纤维制造业	8.48	17.47	4.04	0.23	10.56
橡胶制品业	9.27	30.22	0.25	0.48	1.43
塑料制品业	5.97	14.93	0.14	0.47	7.11
非金属矿物制品业	45.80	176.30	22.24	16.54	29.37
黑色金属冶炼及压延加工业	291.53	395.47	83.10	4.32	116.73
有色金属冶炼及压延加工业	96.78	209.83	7.04	5.02	92.07
金属制品业	15.44	52.20	2.28	1.50	7.53
通用设备制造业	21.16	262.87	14.12	8.18	17.08
专用设备制造业	34.71	234.61	22.88	9.23	28.04
交通运输设备制造业	77.45	1387.49	178.94	33.97	65.15
电气机械及器材制造业	23.59	175.09	9.89	6.11	12.07
通信设备、计算机及其他电子设备制造业	32.68	108.88	45.32	6.49	67.12
仪器仪表及文化、办公用机械制造业	2.86	45.70	4.69	1.88	1.86
工艺品及其他制造业	1.23	9.50	0.48	2.84	1.34
废弃资源和废旧材料回收加工业	1.29	16.74	0.19	0.16	0.66
电力、热力的生产和供应业	1111.31	946.77	220.17	68.44	504.12
燃气生产和供应业	8.11	42.45	8.45	9.76	7.94
水的生产和供应业	33.37	-35.24	8.60	11.12	46.35

续表3

本年应交增值税	全部从业人员年平均人数（万人）	总资产贡献率（%）	资产负债率（%）	流动资产周转率（次/年）	成本费用利润率（%）	产品销售率（%）
6508.74	1803.37	11.29	60.30	2.05	6.73	98.58
876.51	339.52	13.66	61.15	1.61	12.95	97.89
552.74	98.46	18.43	45.21	2.84	34.29	99.53
35.76	11.14	11.42	46.65	1.28	11.61	97.04
29.22	16.70	12.49	48.96	1.87	12.12	97.64
16.96	10.75	12.18	52.68	1.40	10.33	96.20
0.00	0.01	0.76	74.58	0.48	0.55	111.94
25.48	18.50	9.41	61.74	2.88	3.46	97.92
31.15	13.82	10.75	62.17	1.85	6.23	95.03
90.73	22.95	22.06	40.71	1.48	17.96	99.64
565.53	19.17	71.08	23.73	1.48	33.88	99.69
17.83	31.57	4.12	62.24	1.63	0.99	99.68
3.31	9.06	8.17	67.56	1.37	5.95	96.82
0.74	1.21	7.20	68.55	1.33	6.50	101.80
4.62	5.78	6.70	63.45	1.94	2.62	95.83
3.79	0.99	18.91	64.19	2.48	8.21	99.12
28.71	11.17	5.03	68.50	1.27	2.95	98.73
19.65	12.87	11.32	39.61	1.55	11.90	97.64
1.08	1.42	7.17	51.53	1.30	5.17	103.11
538.58	40.17	43.21	61.03	5.61	4.94	99.29
209.72	100.11	6.60	58.23	2.11	2.79	98.40
76.62	28.16	13.53	47.64	1.32	13.91	96.66
11.88	10.17	8.36	57.62	1.92	6.09	98.92
14.85	11.49	9.84	68.73	2.02	5.51	98.99
11.71	7.10	8.29	63.55	1.68	4.12	97.52
108.20	50.06	9.77	60.91	1.61	8.97	98.06
603.07	138.51	5.01	62.62	2.07	1.47	99.21
150.12	62.12	6.27	61.19	1.96	2.87	98.33
32.09	16.53	10.55	60.27	1.70	5.56	98.93
135.97	62.84	7.39	68.27	1.04	6.55	98.44
106.83	69.53	7.22	67.50	1.17	5.69	96.60
667.75	172.30	12.62	64.61	1.59	7.61	97.90
108.14	36.91	9.97	68.62	1.21	6.97	91.33
58.19	56.89	4.93	54.82	1.28	3.86	96.99
19.48	13.89	9.54	51.46	0.97	10.83	97.69
3.08	5.14	5.07	66.75	1.36	4.41	94.91
3.87	3.66	15.97	62.32	3.02	7.44	97.53
1291.47	245.45	5.81	64.34	4.34	3.35	99.74
20.66	10.08	3.95	70.48	0.69	6.41	99.14
32.64	37.18	1.60	51.99	0.75	-1.92	96.90

2009 年按行业分组的外商投资和港澳

行业名称	企业单位数（个）	亏损企业	工业总产值（当年价格）	新产品产值	工业销售产值（当年价格）
合　计	75376	17865	152686.62	21921.02	149537.57
煤炭开采和洗选业	38	5	398.93	0.00	371.26
石油和天然气开采业	17	1	547.38	0.00	520.57
黑色金属矿采选业	45	12	91.60	6.33	87.29
有色金属矿采选业	67	9	139.28	0.45	138.88
非金属矿采选业	147	26	132.13	2.78	130.74
其他采矿业	0	0	0.00	0.00	0.00
农副食品加工业	2600	457	6880.61	408.03	6724.86
食品制造业	1601	347	3158.08	186.59	3106.03
饮料制造业	818	173	2515.07	126.24	2500.82
烟草制品业	3	0	3.47	0.00	3.59
纺织业	5673	1305	5014.53	329.55	4871.11
纺织服装、鞋、帽制造业	6319	1426	4158.60	177.65	4054.06
皮革、毛皮、羽毛（绒）及其制品业	2670	533	2867.69	91.59	2786.48
木材加工及木、竹、藤、棕、草制品业	1002	267	728.62	48.20	712.65
家具制造业	1361	407	1182.93	128.85	1161.29
造纸及纸制品业	1494	328	2544.95	97.89	2511.41
印刷业和记录媒介的复制	785	199	762.70	47.16	743.56
文教体育用品制造业	1907	505	1391.25	80.15	1368.36
石油加工、炼焦及核燃料加工业	207	37	2874.00	82.41	2797.81
化学原料及化学制品制造业	4281	885	9427.90	565.64	9178.38
医药制造业	1144	202	2638.35	337.25	2497.03
化学纤维制造业	321	80	1131.67	160.97	1114.88
橡胶制品业	1005	224	1738.21	218.58	1724.29
塑料制品业	4236	1078	3601.00	200.45	3518.39
非金属矿物制品业	3094	676	3696.44	222.99	3614.36
黑色金属冶炼及压延加工业	583	165	5896.92	223.66	5730.34
有色金属冶炼及压延加工业	855	232	3109.08	177.66	3034.11
金属制品业	4067	1121	4041.03	282.94	3945.36
通用设备制造业	4862	1146	6188.66	860.21	6063.86
专用设备制造业	3598	894	4027.97	416.75	3964.04
交通运输设备制造业	3637	722	18533.21	6887.48	18279.09
电气机械及器材制造业	5500	1316	10809.23	1715.72	10511.27
通信设备、计算机及其他电子设备制造业	6714	1930	34713.22	7468.28	34138.20
仪器仪表及文化、办公用机械制造业	1523	397	2489.64	267.14	2455.37
工艺品及其他制造业	2176	537	1523.99	57.88	1475.95
废弃资源和废旧材料回收加工业	164	63	236.65	1.10	232.62
电力、热力的生产和供应业	481	106	2581.71	38.75	2565.01
燃气生产和供应业	233	29	729.73	3.02	726.40
水的生产和供应业	148	25	180.18	0.66	177.85

台商投资工业企业主要经济指标

单位：亿元

出口交货值	资产总计	流动资产合计				固定资产合计
			应收账款	存　货	产成品	
50438.85	124477.56	69082.13	20860.85	16469.73	5634.62	44513.13
0.61	641.24	312.17	112.45	35.45	4.25	249.11
25.29	525.57	82.51	4.85	19.70	2.09	431.58
0.00	108.53	66.35	16.73	5.98	2.56	29.25
0.61	319.22	131.14	23.02	22.42	9.37	102.17
6.49	122.92	44.55	11.12	9.07	4.78	57.69
0.00	0.00	0.00	0.00	0.00	0.00	0.00
866.94	3955.33	2384.28	303.52	722.62	284.20	1206.68
288.47	2410.46	1278.89	282.97	298.51	139.37	878.85
93.27	2238.42	1015.77	161.68	303.54	98.72	934.19
0.03	8.27	4.62	0.65	0.21	0.05	3.49
1800.44	4452.07	2420.78	562.58	728.49	278.07	1578.74
1878.94	2673.54	1655.17	407.37	485.37	216.87	772.75
1326.98	1732.83	1127.27	304.98	340.92	104.24	431.94
242.34	597.61	330.26	58.86	127.83	54.27	208.14
625.87	927.39	567.59	149.60	195.51	59.73	275.09
363.81	3570.86	1436.09	346.44	318.83	123.04	1624.45
204.59	839.99	473.02	143.93	97.05	35.52	299.19
885.85	990.56	598.64	181.40	211.65	56.50	305.74
181.73	2044.53	836.30	123.06	350.93	89.55	1003.26
1048.97	8669.94	4086.12	1086.67	920.91	393.77	3911.29
336.83	2563.92	1462.07	347.63	371.62	150.76	801.35
81.97	1168.17	562.51	69.70	135.06	58.98	532.39
572.58	1554.04	718.15	234.30	220.88	96.20	709.34
1249.04	3121.79	1755.67	557.34	461.44	165.36	1098.19
641.24	4298.98	1844.46	503.38	446.13	202.20	2015.62
264.76	4345.94	2074.28	258.05	667.31	194.02	1912.43
409.92	2790.93	1403.88	292.93	343.05	104.01	1071.34
1240.93	3440.36	2048.24	600.53	625.63	197.97	1112.57
1397.22	6016.99	3893.90	1175.87	1059.03	338.91	1669.69
886.32	4136.61	2685.14	833.39	766.85	250.35	1085.27
2410.09	14785.20	9208.45	2097.03	1660.51	577.78	4343.07
4065.54	8071.80	5340.64	1890.50	1244.63	426.90	2168.25
24763.51	19550.15	12439.95	5977.37	2516.53	698.36	5866.75
1411.19	1995.68	1496.38	442.85	300.02	83.05	413.48
735.17	1004.28	635.64	190.82	203.63	86.09	288.96
1.66	221.83	163.95	26.70	52.15	36.03	48.36
81.44	6020.19	1250.21	312.76	145.13	3.38	4140.67
22.14	1719.44	1075.77	743.86	51.57	7.08	499.09
26.08	841.98	171.34	23.99	3.55	0.24	432.72

行业名称	固定资产原价	累计折旧	固定资产净值	负债合计	流动负债合计
总计	65507.53	25051.58	40442.24	69928.77	58916.08
煤炭开采和洗选业	200.33	31.65	168.68	401.38	127.36
石油和天然气开采业	510.27	143.49	366.78	439.28	385.96
黑色金属矿采选业	30.98	5.77	25.21	48.70	39.44
有色金属矿采选业	120.66	25.26	95.40	132.25	88.60
非金属矿采选业	83.17	30.50	52.67	67.31	57.49
其他采矿业	0.00	0.00	0.00	0.00	0.00
农副食品加工业	2084.20	989.74	1094.46	2403.67	2137.57
食品制造业	1216.62	464.05	752.57	1181.25	1043.74
饮料制造业	1428.33	546.43	881.91	1177.45	1049.42
烟草制品业	7.53	4.21	3.32	1.96	1.96
纺织业	2354.78	901.85	1452.93	2251.70	2008.89
纺织服装、鞋、帽制造业	1101.89	410.16	691.80	1316.34	1198.54
皮革、毛皮、羽毛（绒）及其制品业	649.00	255.71	393.29	909.76	838.92
木材加工及木、竹、藤、棕、草制品业	310.92	123.91	187.01	305.82	262.52
家具制造业	392.94	147.38	245.55	492.96	458.31
造纸及纸制品业	2159.86	678.89	1480.95	1952.40	1385.67
印刷业和记录媒介的复制	509.06	229.24	279.82	361.27	326.57
文教体育用品制造业	485.24	196.16	289.08	493.25	445.02
石油加工、炼焦及核燃料加工业	1387.20	442.57	944.64	1428.08	980.65
化学原料及化学制品制造业	5254.63	1579.38	3674.27	4622.90	3520.34
医药制造业	1160.23	457.64	702.59	1134.79	989.50
化学纤维制造业	754.48	266.27	487.96	670.71	574.29
橡胶制品业	1024.63	359.24	665.41	812.00	638.78
塑料制品业	1780.03	762.74	1017.54	1543.16	1351.50
非金属矿物制品业	2764.10	912.48	1851.63	2278.23	1680.75
黑色金属冶炼及压延加工业	2291.25	740.79	1550.46	2837.08	2254.94
有色金属冶炼及压延加工业	1330.67	403.61	926.81	1647.05	1273.47
金属制品业	1662.11	644.63	1017.49	1799.48	1622.78
通用设备制造业	2458.04	916.29	1541.85	3146.79	2905.88
专用设备制造业	1557.98	567.30	990.49	2178.57	1956.35
交通运输设备制造业	6027.77	2253.86	3773.90	8910.66	8026.29
电气机械及器材制造业	3250.09	1281.26	1968.83	4472.14	4081.14
通信设备、计算机及其他电子设备制造业	10246.76	4692.88	5541.41	11655.16	10658.68
仪器仪表及文化、办公用机械制造业	686.93	301.11	385.82	1098.24	1051.42
工艺品及其他制造业	433.96	169.41	264.55	457.37	409.59
废弃资源和废旧材料回收加工业	60.72	14.88	45.84	162.21	154.74
电力、热力的生产和供应业	6624.92	2809.87	3815.06	3467.13	1717.92
燃气生产和供应业	547.46	113.97	433.49	1250.31	1059.49
水的生产和供应业	557.79	177.00	380.79	419.97	151.61

续表1▶

长期负债合计	所有者权益合计	实收资本	国家资本	集体资本	法人资本
9611.17	54251.47	36510.08	1440.50	223.02	6423.22
120.62	239.87	81.87	9.30	0.35	40.54
15.12	86.29	49.93	0.23	0.00	1.15
8.20	59.75	19.99	0.11	0.14	4.22
41.41	186.54	59.67	0.16	1.34	32.79
9.18	55.42	34.88	0.98	0.80	6.33
0.00	0.00	0.00	0.00	0.00	0.00
166.20	1538.37	873.45	20.20	14.18	177.34
110.46	1223.37	767.34	6.16	4.78	139.24
104.57	1056.77	768.71	18.01	4.86	140.89
0.00	6.31	4.34	0.62	0.00	2.26
201.01	2197.02	1652.00	10.35	12.80	231.13
77.46	1351.68	841.67	1.19	5.32	114.88
33.72	812.92	549.18	0.19	4.71	77.39
35.13	290.81	227.97	4.37	1.67	42.46
24.42	431.85	307.57	0.41	1.54	35.62
528.90	1613.05	1256.22	23.48	7.00	309.36
28.83	478.55	305.86	6.48	4.72	66.97
36.99	496.75	401.25	0.72	1.60	30.31
418.95	615.71	451.28	68.84	1.99	141.05
1012.42	4029.12	2980.34	85.84	7.86	480.72
130.33	1421.69	722.63	29.01	6.78	120.33
82.40	497.27	388.67	16.26	4.23	82.03
166.93	739.68	525.95	4.19	4.26	62.05
138.94	1575.26	1181.98	5.38	8.02	177.17
548.62	2016.52	1471.77	33.51	11.35	312.32
569.47	1498.33	938.14	55.88	4.67	263.08
350.65	1141.75	701.89	28.02	4.99	141.22
136.37	1635.82	1156.72	31.81	8.83	172.32
200.41	2863.69	1829.02	41.24	7.71	312.02
196.63	1944.57	1343.14	17.27	4.13	138.94
707.88	5743.12	3315.70	303.18	12.08	814.54
312.61	3588.77	2337.14	29.52	31.37	373.25
876.41	7881.02	5816.06	64.87	15.45	583.98
37.56	893.02	532.79	6.37	1.54	69.35
37.38	542.59	333.52	0.60	0.92	42.31
6.87	59.62	45.94	1.22	0.65	9.31
1691.26	2549.05	1693.19	414.01	17.54	563.38
180.86	467.85	253.32	37.13	2.79	64.73
266.01	421.70	288.99	63.40	0.04	46.24

行业名称	个人资本	港澳台资本	外商资本	主营业务收入	主营业务成本
总计	1038.34	9749.78	17682.76	150263.06	127247.80
煤炭开采和洗选业	1.62	7.16	22.92	415.73	303.15
石油和天然气开采业	0.00	46.17	2.38	485.41	220.35
黑色金属矿采选业	3.01	9.91	2.60	82.79	64.43
有色金属矿采选业	1.61	5.60	18.17	254.59	212.90
非金属矿采选业	2.96	9.92	13.88	128.81	93.24
其他采矿业	0.00	0.00	0.00	0.00	0.00
农副食品加工业	60.11	195.62	406.00	6980.92	6223.98
食品制造业	32.35	174.27	410.55	3113.73	2252.96
饮料制造业	22.41	169.21	413.34	2492.80	1736.08
烟草制品业	0.42	1.04	0.00	3.54	2.12
纺织业	98.83	768.75	530.15	4880.76	4272.78
纺织服装、鞋、帽制造业	42.94	407.58	269.76	4055.72	3410.00
皮革、毛皮、羽毛（绒）及其制品业	19.35	248.17	199.39	2783.38	2390.01
木材加工及木、竹、藤、棕、草制品业	11.57	74.43	93.46	718.94	624.35
家具制造业	8.98	115.94	145.09	1155.19	978.58
造纸及纸制品业	31.37	337.93	547.07	2467.17	2048.99
印刷业和记录媒介的复制	5.69	132.37	89.63	727.42	573.47
文教体育用品制造业	10.76	206.72	151.14	1357.95	1180.00
石油加工、炼焦及核燃料加工业	19.68	57.79	161.93	2743.19	2213.26
化学原料及化学制品制造业	63.53	544.70	1797.70	9167.11	7297.28
医药制造业	31.79	151.88	382.83	2545.87	1611.84
化学纤维制造业	15.96	148.53	121.68	1132.44	1012.18
橡胶制品业	15.03	106.26	334.17	1695.90	1408.29
塑料制品业	34.09	441.82	515.51	3477.53	2972.43
非金属矿物制品业	56.78	427.40	630.41	3605.59	2975.55
黑色金属冶炼及压延加工业	30.53	206.11	377.87	5803.16	5379.54
有色金属冶炼及压延加工业	24.89	236.50	266.27	3033.81	2692.78
金属制品业	39.68	424.91	479.17	3926.28	3360.11
通用设备制造业	61.14	317.46	1089.44	6158.14	4999.06
专用设备制造业	45.40	309.10	828.31	4007.50	3239.67
交通运输设备制造业	65.75	346.26	1773.88	18589.57	14932.05
电气机械及器材制造业	52.29	630.65	1220.06	10361.33	8665.38
通信设备、计算机及其他电子设备制造业	77.84	1771.24	3302.67	34244.44	31522.16
仪器仪表及文化、办公用机械制造业	9.63	132.15	313.75	2456.66	2079.05
工艺品及其他制造业	16.41	153.13	120.15	1481.22	1271.21
废弃资源和废旧材料回收加工业	1.73	13.82	19.21	234.96	217.46
电力、热力的生产和供应业	16.89	306.67	422.23	2581.85	2100.15
燃气生产和供应业	3.01	50.98	94.67	738.10	608.69
水的生产和供应业	2.33	61.64	115.35	173.56	102.22

续表2▶

主营业务税金及附加	其他业务收入	其他业务利润	营业费用	管理费用	财务费用
1162.81	2464.56	456.36	4965.81	5991.91	1145.35
3.82	6.68	0.62	12.12	15.31	8.90
10.85	2.75	2.49	0.93	7.89	2.98
0.93	0.69	0.32	2.03	3.15	0.56
1.64	0.45	0.07	2.83	13.86	2.63
1.92	1.15	0.14	11.32	8.31	1.41
0.00	0.00	0.00	0.00	0.00	0.00
26.76	52.24	9.93	157.32	139.49	45.23
17.39	75.77	6.59	412.29	142.19	18.86
66.34	70.55	15.23	347.99	111.04	19.93
0.01	0.16	0.06	0.07	0.99	-0.05
13.48	78.41	14.45	91.53	210.29	55.45
14.13	35.84	11.10	152.56	208.10	26.60
10.62	11.97	4.73	67.33	123.60	17.42
4.22	7.30	2.69	24.47	29.55	9.19
5.71	15.92	5.21	38.04	62.69	9.89
7.06	63.77	17.81	98.41	93.46	53.47
2.03	9.48	3.70	19.58	49.70	5.20
3.33	9.31	2.80	28.57	79.23	10.00
235.29	18.19	4.11	38.41	61.65	27.88
33.48	127.32	36.46	603.02	390.55	99.71
6.67	38.19	19.74	395.20	191.48	25.20
2.49	36.27	2.91	14.07	24.11	18.22
5.62	32.42	5.68	54.88	76.97	23.16
9.28	61.17	9.83	89.20	175.57	28.41
19.44	42.18	10.68	121.12	170.24	46.86
8.40	284.51	40.27	44.78	87.11	59.98
15.34	53.32	7.21	31.08	69.84	42.17
16.28	65.29	18.27	97.41	182.27	34.19
15.04	101.89	27.10	205.67	383.02	43.45
10.33	72.59	21.78	138.41	254.69	24.22
517.21	491.03	80.41	599.22	849.19	68.57
30.76	199.99	46.59	347.39	478.24	60.11
19.73	292.15	-16.55	578.09	975.48	95.21
5.78	23.33	9.89	69.85	127.60	7.65
6.29	11.77	5.26	38.12	70.48	11.26
0.09	1.96	0.69	2.47	5.42	3.54
9.94	32.38	12.77	2.97	66.10	114.78
2.92	30.97	12.83	21.64	30.53	7.21
2.22	5.20	2.48	5.42	22.52	15.91

行业名称	利息支出	营业利润	投资收益	补贴收入	亏损企业亏损总额
总　计	978.04	10606.94	8.51	139.75	1082.22
煤炭开采和洗选业	8.16	100.72	3.36	0.00	0.29
石油和天然气开采业	0.60	235.72	0.01	0.00	0.33
黑色金属矿采选业	0.51	9.76	-0.20	0.00	1.54
有色金属矿采选业	2.49	22.57	0.94	1.08	0.41
非金属矿采选业	1.18	12.22	0.32	0.25	1.23
其他采矿业	0.00	0.00	0.00	0.00	0.00
农副食品加工业	41.65	394.54	-7.09	7.46	24.25
食品制造业	15.76	300.45	8.05	6.56	22.44
饮料制造业	14.16	239.87	5.61	7.01	30.83
烟草制品业	-0.05	0.46	0.00	0.04	0.00
纺织业	46.19	247.29	3.74	3.50	34.15
纺织服装、鞋、帽制造业	20.28	256.51	9.55	2.58	23.13
皮革、毛皮、羽毛（绒）及其制品业	14.57	188.77	-0.20	1.07	12.18
木材加工及木、竹、藤、棕、草制品业	6.89	31.96	0.53	1.52	9.21
家具制造业	6.81	65.77	0.31	0.53	9.84
造纸及纸制品业	46.90	184.58	1.49	2.54	22.94
印刷业和记录媒介的复制	4.44	83.50	1.35	0.57	5.96
文教体育用品制造业	6.42	58.31	-0.23	0.55	11.32
石油加工、炼焦及核燃料加工业	26.04	189.14	9.31	2.50	4.94
化学原料及化学制品制造业	89.93	811.54	-4.99	7.63	83.52
医药制造业	16.00	337.68	5.65	2.03	12.76
化学纤维制造业	16.79	66.18	1.62	0.12	6.63
橡胶制品业	20.70	135.48	0.08	1.00	7.66
塑料制品业	22.44	219.12	0.93	1.68	31.40
非金属矿物制品业	43.07	302.07	6.51	9.41	39.39
黑色金属冶炼及压延加工业	53.89	287.98	-30.71	1.03	59.47
有色金属冶炼及压延加工业	37.72	219.58	0.98	1.79	22.24
金属制品业	27.29	246.93	0.57	3.91	40.97
通用设备制造业	32.20	539.67	7.89	4.29	59.59
专用设备制造业	20.69	333.12	9.27	4.11	41.54
交通运输设备制造业	64.08	1813.76	11.19	19.53	58.11
电气机械及器材制造业	46.11	829.44	5.93	9.60	55.33
通信设备、计算机及其他电子设备制造业	72.89	1144.17	-67.46	15.89	281.24
仪器仪表及文化、办公用机械制造业	5.63	179.48	-1.89	2.32	14.50
工艺品及其他制造业	8.23	88.90	-2.12	0.99	7.78
废弃资源和废旧材料回收加工业	3.00	6.75	0.02	0.02	2.99
电力、热力的生产和供应业	113.33	307.19	15.71	14.97	36.95
燃气生产和供应业	5.74	91.89	11.92	1.04	2.40
水的生产和供应业	15.31	23.88	0.55	0.62	2.77

续表 3

本年应交增值税	全部从业人员年平均人数（万人）	总资产贡献率（%）	资产负债率（%）	流动资产周转率（次/年）	成本费用利润率（%）	产品销售率（%）
4034.05	2450.43	13.08	56.18	2.18	7.25	97.94
25.60	2.75	21.19	62.59	1.33	28.95	93.06
26.31	0.41	51.77	83.58	5.88	100.93	95.10
4.47	1.03	14.44	44.87	1.25	13.91	95.29
7.41	2.10	10.78	41.43	1.94	9.85	99.71
5.12	2.68	15.84	54.76	2.89	9.84	98.94
0.00	0.00	0.00	0.00	0.00	0.00	0.00
118.62	68.27	13.58	60.77	2.93	5.33	97.74
146.28	48.07	19.21	49.00	2.43	10.03	98.35
127.85	31.37	19.97	52.60	2.45	10.78	99.43
0.45	0.08	11.33	23.70	0.77	17.07	103.68
121.07	152.23	9.37	50.58	2.02	5.11	97.14
115.54	212.67	15.18	49.24	2.45	6.74	97.49
77.44	145.65	16.20	52.50	2.47	6.85	97.17
23.22	17.77	10.87	51.17	2.18	4.45	97.81
26.69	40.45	10.95	53.16	2.04	5.72	98.17
83.09	37.07	8.88	54.68	1.72	7.85	98.68
27.24	22.11	13.92	43.01	1.54	12.84	97.49
25.35	78.61	8.43	49.79	2.27	3.73	98.35
97.10	8.31	26.04	69.85	3.28	7.43	97.35
361.78	65.15	14.65	53.32	2.24	9.35	97.35
151.68	34.77	19.67	44.26	1.74	14.84	94.64
22.25	8.79	9.46	57.42	2.01	6.45	98.52
54.15	37.05	13.47	52.25	2.36	8.24	99.20
79.92	103.43	10.06	49.43	1.98	6.19	97.71
145.95	73.66	11.73	52.99	1.95	8.92	97.78
122.12	28.19	8.82	65.28	2.80	3.57	97.18
69.52	21.72	11.23	59.01	2.16	6.73	97.59
95.03	88.17	10.56	52.30	1.92	6.12	97.63
202.46	94.49	12.68	52.30	1.58	9.12	97.98
115.54	71.99	11.62	52.67	1.49	9.14	98.41
713.63	138.69	20.91	60.27	2.02	10.92	98.63
274.37	202.63	14.04	55.40	1.94	8.19	97.24
293.33	477.21	7.37	59.62	2.75	3.18	98.34
45.57	51.79	11.33	55.03	1.64	7.41	98.62
37.10	56.83	13.41	45.54	2.33	5.97	96.85
5.18	1.46	6.38	73.12	1.43	2.57	98.30
158.84	13.39	10.12	57.59	2.07	14.31	99.35
21.34	5.95	6.99	72.72	0.69	13.50	99.54
5.46	3.43	5.90	49.88	1.01	18.27	98.70

2009 年按行业分组的大中型

行业名称	企业单位数（个）	亏损企业	工业总产值（当年价格）	新产品产值	工业销售产值（当年价格）
总计	41290	5877	335186.44	47643.20	328193.86
煤炭开采和洗选业	1246	137	11214.36	81.06	10953.68
石油和天然气开采业	80	18	7049.20	12.86	7016.00
黑色金属矿采选业	281	39	1415.29	9.01	1345.34
有色金属矿采选业	327	27	1270.80	76.38	1224.47
非金属矿采选业	174	11	531.04	15.72	509.12
其他采矿业	0	0	0.00	0.00	0.00
农副食品加工业	1610	153	10874.19	530.10	10633.26
食品制造业	955	95	5122.79	291.96	5010.35
饮料制造业	745	134	4598.01	340.00	4504.02
烟草制品业	97	1	4872.52	188.64	4857.98
纺织业	3056	492	10554.80	1132.60	10319.41
纺织服装、鞋、帽制造业	1659	169	4465.37	433.13	4304.76
皮革、毛皮、羽毛（绒）及其制品业	983	93	3245.64	238.89	3155.22
木材加工及木、竹、藤、棕、草制	390	44	1244.40	123.08	1209.36
家具制造业	493	72	1292.44	177.35	1268.86
造纸及纸制品业	776	100	4028.77	244.41	3966.86
印刷业和记录媒介的复制	408	50	1008.14	61.58	982.11
文教体育用品制造业	498	92	1113.35	94.14	1092.67
石油加工、炼焦及核燃料加工业	510	143	18810.21	548.39	18580.07
化学原料及化学制品制造业	2188	449	18396.88	1930.34	17967.63
医药制造业	1020	91	5590.60	1045.57	5334.13
化学纤维制造业	235	30	2787.11	431.28	2758.11
橡胶制品业	483	50	2874.61	511.94	2832.04
塑料制品业	1142	153	3388.86	343.81	3304.68
非金属矿物制品业	2435	351	9103.67	628.56	8878.89
黑色金属冶炼及压延加工业	1140	256	35104.48	3454.06	34464.48
有色金属冶炼及压延加工业	871	185	11968.41	792.93	11667.56
金属制品业	1422	161	5574.69	581.57	5389.69
通用设备制造业	2443	245	11915.64	3053.03	11654.45
专用设备制造业	1515	185	8654.30	1907.94	8419.08
交通运输设备制造业	2664	240	32718.08	12740.09	32049.20
电气机械及器材制造业	2949	288	20406.19	5088.85	19555.89
通信设备、计算机及其他电子设备	3212	566	38961.66	9710.90	38195.81
仪器仪表及文化、办公用机械制造	621	60	3077.83	514.26	3008.90
工艺品及其他制造业	536	64	1773.39	184.04	1722.57
废弃资源和废旧材料回收加工业	33	5	231.06	0.31	230.68
电力、热力的生产和供应业	1727	494	28662.33	124.39	28561.70
燃气生产和供应业	132	33	780.88	0.02	772.52
水的生产和供应业	234	101	504.45	0.00	492.31

工业企业主要经济指标

单位：亿元

出口交货值	资产总计	流动资产合计				固定资产合计
			应收账款	存　货	产成品	
54782. 06	351080. 51	152364. 09	32208. 41	38724. 47	12448. 60	150375. 50
68. 97	20380. 02	7775. 61	916. 23	862. 39	345. 92	8566. 04
98. 21	14208. 60	2612. 86	480. 96	497. 78	92. 12	10806. 88
0. 06	1910. 92	860. 08	148. 92	110. 90	58. 17	723. 76
2. 48	1570. 97	653. 26	90. 24	142. 86	57. 36	582. 36
9. 80	615. 05	251. 98	40. 53	42. 88	24. 67	258. 71
0. 00	0. 00	0. 00	0. 00	0. 00	0. 00	0. 00
809. 15	6418. 95	3369. 65	424. 93	1039. 24	477. 82	2348. 85
324. 60	3597. 76	1801. 83	339. 95	418. 83	189. 87	1329. 85
64. 14	4520. 38	2342. 35	257. 40	731. 25	210. 15	1534. 93
22. 63	4860. 77	3260. 80	210. 16	1676. 05	103. 46	947. 39
2078. 22	9268. 16	4626. 46	783. 41	1454. 25	599. 57	3508. 72
1451. 91	3175. 66	1961. 02	453. 24	564. 36	296. 10	848. 31
1203. 47	1933. 51	1221. 32	331. 11	338. 69	122. 84	503. 07
260. 87	958. 43	457. 51	72. 42	156. 64	70. 86	380. 75
593. 31	992. 35	591. 39	148. 76	190. 77	62. 99	285. 36
299. 16	5386. 12	1976. 38	376. 26	464. 26	184. 38	2627. 74
174. 55	1165. 30	569. 81	149. 58	139. 22	51. 85	459. 47
711. 62	871. 66	510. 51	152. 83	176. 63	50. 62	268. 70
346. 00	11533. 55	4329. 50	439. 56	1797. 50	511. 48	5883. 70
1234. 27	20061. 67	7910. 56	1179. 08	1833. 77	737. 14	9551. 52
528. 28	6066. 17	3258. 50	714. 24	712. 92	310. 03	1877. 65
213. 99	2606. 36	1203. 97	114. 54	323. 05	132. 31	1083. 33
706. 84	2458. 54	1136. 45	294. 43	341. 63	167. 06	1085. 75
906. 31	2907. 94	1575. 91	438. 62	391. 08	152. 56	942. 48
642. 32	10932. 99	4291. 58	835. 31	1070. 62	466. 44	5222. 98
829. 00	37149. 35	14737. 64	1134. 53	4851. 17	1188. 59	16456. 56
526. 67	12881. 02	5850. 05	627. 62	2010. 67	498. 36	5395. 59
1143. 87	4694. 42	2737. 68	714. 87	797. 73	297. 88	1480. 07
1754. 13	12681. 15	8202. 69	2140. 89	2374. 04	752. 31	3257. 50
980. 95	9360. 73	6101. 77	1636. 37	1829. 11	580. 03	2354. 21
4158. 54	31421. 03	18589. 45	3509. 26	4124. 56	1272. 53	8611. 98
4727. 22	15889. 17	10509. 85	3270. 61	2526. 73	1019. 92	3830. 65
25853. 91	25182. 95	16106. 58	6951. 78	3360. 70	1063. 01	6880. 18
1392. 56	2549. 02	1696. 46	550. 68	417. 52	118. 41	608. 74
577. 15	1333. 20	849. 62	216. 74	293. 19	126. 20	367. 06
0. 00	178. 51	104. 65	19. 82	39. 59	12. 38	65. 92
37. 22	53940. 61	6419. 45	1218. 29	520. 97	32. 00	36695. 55
22. 14	2303. 26	1248. 41	748. 69	74. 98	9. 45	804. 53
27. 54	3114. 25	660. 53	75. 56	25. 91	1. 75	1938. 66

行业名称	固定资产原价	累计折旧	固定资产净值	负债合计	流动负债合计
总计	205253.20	76987.17	128167.95	206323.41	151255.71
煤炭开采和洗选业	10737.00	3795.10	6941.00	12226.74	7793.71
石油和天然气开采业	15132.54	6704.56	8389.20	6432.92	3686.56
黑色金属矿采选业	738.20	235.15	503.00	922.24	710.99
有色金属矿采选业	687.14	212.13	474.97	752.93	573.56
非金属矿采选业	333.35	118.70	214.65	333.34	235.46
其他采矿业	0.00	0.00	0.00	0.00	0.00
农副食品加工业	3480.39	1365.61	2113.76	3643.62	3065.20
食品制造业	1831.00	637.62	1193.32	1868.20	1616.65
饮料制造业	2258.48	849.05	1409.42	2273.84	2024.15
烟草制品业	1603.23	858.82	744.40	1160.58	1118.93
纺织业	4999.29	1805.31	3193.99	5270.93	4433.94
纺织服装、鞋、帽制造业	1178.83	437.09	741.79	1639.30	1471.28
皮革、毛皮、羽毛（绒）及其制品业	695.01	245.76	449.25	999.22	913.12
木材加工及木、竹、藤、棕、草制	525.05	197.38	327.67	506.78	410.21
家具制造业	399.43	144.33	255.10	560.84	506.70
造纸及纸制品业	3367.96	1037.51	2327.45	3195.38	2161.13
印刷业和记录媒介的复制	751.03	323.08	427.96	508.96	445.61
文教体育用品制造业	409.09	158.67	250.43	434.92	382.29
石油加工、炼焦及核燃料加工业	8591.11	3636.94	4915.32	7279.80	5662.31
化学原料及化学制品制造业	12565.10	4653.33	7910.38	11517.78	8063.50
医药制造业	2557.46	971.23	1585.48	2723.29	2307.35
化学纤维制造业	1595.30	591.85	1003.13	1584.64	1296.48
橡胶制品业	1557.33	552.19	1005.17	1424.24	1129.04
塑料制品业	1451.93	587.69	864.24	1603.27	1360.19
非金属矿物制品业	6649.19	2045.85	4603.04	6174.78	4416.00
黑色金属冶炼及压延加工业	21880.32	7985.31	13901.81	23630.18	18028.50
有色金属冶炼及压延加工业	6646.87	2297.79	4348.84	7589.83	5668.17
金属制品业	2004.18	698.97	1305.15	2670.13	2386.60
通用设备制造业	4437.84	1668.67	2769.26	7808.61	6898.42
专用设备制造业	3114.29	1120.02	1994.27	5815.93	4969.71
交通运输设备制造业	10973.69	4062.61	6911.00	20106.41	17409.14
电气机械及器材制造业	5260.39	2013.44	3246.92	9486.48	8524.53
通信设备、计算机及其他电子设备	11667.43	5200.50	6454.39	14876.75	13341.56
仪器仪表及文化、办公用机械制造	922.78	379.59	543.18	1274.26	1145.20
工艺品及其他制造业	502.48	173.00	329.48	724.20	594.48
废弃资源和废旧材料回收加工业	90.19	25.20	64.99	125.27	117.06
电力、热力的生产和供应业	50206.15	18040.08	32159.44	33985.36	14440.44
燃气生产和供应业	955.94	281.39	674.55	1596.28	1261.38
水的生产和供应业	2496.21	875.66	1620.55	1595.17	686.16

续表 1▶

所有者权益合计	实收资本	国家资本	集体资本	法人资本
143890.20	71948.17	18976.66	997.09	27183.96
8175.18	2995.64	1330.99	67.70	1381.88
7773.99	4457.99	2484.78	15.85	1943.35
986.95	448.68	213.99	5.53	138.12
816.08	283.05	68.06	21.92	133.76
280.85	121.27	41.50	1.97	54.81
0.00	0.00	0.00	0.00	0.00
2736.49	1097.90	67.04	34.27	401.61
1703.79	817.87	41.87	14.70	282.95
2235.18	944.02	88.92	13.40	285.08
3695.55	796.65	184.08	1.67	609.50
3985.31	1926.49	91.99	41.05	531.15
1525.95	715.91	6.78	11.79	193.12
929.19	479.89	2.07	4.43	94.06
450.14	215.16	8.78	4.27	60.84
429.14	245.80	0.04	1.40	41.98
2175.03	1405.03	115.05	58.71	450.05
656.22	342.70	53.49	9.50	114.26
436.53	289.97	3.39	2.39	39.22
4232.57	2886.15	1170.78	15.87	1202.15
8430.53	4622.00	810.36	50.53	2172.49
3334.88	1233.96	118.48	36.74	484.16
1017.74	663.02	85.91	8.60	284.69
1030.63	572.18	26.17	6.53	126.45
1301.70	761.93	21.83	9.32	185.63
4726.51	2506.42	243.82	93.24	983.09
13485.26	5461.27	1725.20	106.08	2438.95
5263.59	2253.97	583.07	35.47	989.57
1971.27	990.73	89.97	19.99	293.26
4851.03	2346.53	303.40	39.51	842.28
3529.17	1601.23	304.60	23.57	578.41
11162.66	5230.45	753.80	35.09	2467.91
6379.15	2946.14	158.09	84.51	920.01
10285.84	6247.97	304.74	39.01	1292.99
1270.70	579.00	43.34	2.82	162.09
604.02	270.75	12.43	5.22	64.55
53.23	25.48	9.29	2.64	9.12
19749.28	11823.11	6643.34	42.67	4601.71
702.74	407.90	139.57	14.33	160.00
1516.14	933.97	625.69	14.81	168.74

行业名称	个人资本	港澳台资本	外商资本	主营业务收入	主营业务成本
总计	7357.64	6103.34	11376.56	335751.14	280972.63
煤炭开采和洗选业	185.79	3.40	25.43	12307.05	8687.13
石油和天然气开采业	7.17	1.82	5.02	7482.16	4511.14
黑色金属矿采选业	85.01	5.39	0.63	1342.69	960.66
有色金属矿采选业	44.48	3.26	11.56	1382.78	1049.56
非金属矿采选业	15.56	1.54	5.88	526.85	394.42
其他采矿业	0.00	0.00	0.00	0.00	0.00
农副食品加工业	264.71	107.81	222.46	10906.19	9703.82
食品制造业	145.18	111.78	221.39	4915.95	3697.47
饮料制造业	134.98	122.67	298.97	4743.22	3242.87
烟草制品业	0.77	0.64	0.00	4819.62	1458.93
纺织业	543.29	458.14	260.87	10340.03	9171.86
纺织服装、鞋、帽制造业	146.56	229.49	128.17	4302.02	3528.54
皮革、毛皮、羽毛（绒）及其制品业	71.05	173.27	135.02	3141.74	2658.07
木材加工及木、竹、藤、棕、草制	66.91	26.96	47.41	1225.99	1047.86
家具制造业	46.95	67.14	88.29	1270.94	1066.22
造纸及纸制品业	151.29	239.42	390.51	3883.50	3291.56
印刷业和记录媒介的复制	41.75	78.61	45.10	966.47	754.04
文教体育用品制造业	24.25	131.33	89.39	1087.62	950.51
石油加工、炼焦及核燃料加工业	331.18	46.84	119.33	18576.13	14620.86
化学原料及化学制品制造业	577.08	209.16	802.39	18345.37	15422.99
医药制造业	266.46	84.74	243.39	5487.81	3491.02
化学纤维制造业	103.19	86.09	94.53	2787.49	2535.59
橡胶制品业	68.57	72.51	271.95	2817.64	2347.16
塑料制品业	109.81	206.02	229.32	3247.71	2774.35
非金属矿物制品业	521.32	288.89	376.06	8779.14	7193.83
黑色金属冶炼及压延加工业	714.65	170.23	306.16	36555.59	33531.56
有色金属冶炼及压延加工业	299.22	169.72	176.92	12536.34	11289.16
金属制品业	184.34	200.45	202.72	5337.28	4519.23
通用设备制造业	393.63	180.69	587.01	11694.73	9705.50
专用设备制造业	248.78	133.48	312.38	8614.65	7135.70
交通运输设备制造业	414.41	252.74	1306.51	32379.55	26956.68
电气机械及器材制造业	518.18	394.74	870.60	19595.15	16249.80
通信设备、计算机及其他电子设备	316.94	1480.13	2814.17	38763.14	34757.86
仪器仪表及文化、办公用机械制造	79.93	70.56	220.25	2985.35	2494.41
工艺品及其他制造业	59.76	70.42	58.36	1753.62	1519.54
废弃资源和废旧材料回收加工业	2.79	0.06	1.59	243.77	215.94
电力、热力的生产和供应业	159.96	159.24	263.72	29244.47	26944.72
燃气生产和供应业	5.68	26.39	61.95	853.14	711.20
水的生产和供应业	6.05	37.56	81.12	508.23	380.87

续表 2▶

主营业务税金及附加	其他业务收入	其他业务利润	营业费用	管理费用	财务费用
7303.89	7322.59	1162.16	9342.26	14443.73	3927.44
207.36	871.67	15.42	380.17	1307.51	222.04
246.23	234.55	39.44	41.24	640.63	28.97
32.58	39.48	6.36	34.45	93.68	18.99
13.34	20.64	12.55	18.81	90.93	16.32
14.78	10.38	1.70	28.50	40.37	9.06
0.00	0.00	0.00	0.00	0.00	0.00
77.42	69.41	23.12	248.56	240.30	101.88
31.45	85.03	10.36	543.81	176.46	42.18
212.83	89.26	22.74	568.39	239.58	35.75
2268.06	283.54	-3.55	102.78	336.51	-4.75
48.11	200.79	37.10	158.47	325.61	162.82
16.91	41.68	13.11	200.16	196.91	34.52
12.39	13.66	5.73	85.08	128.77	23.56
10.22	9.63	2.90	37.48	42.52	17.12
6.34	20.87	8.90	49.19	63.13	14.23
16.21	87.27	21.55	128.35	133.00	91.26
3.78	19.13	6.57	23.40	81.31	8.50
5.52	9.41	2.75	24.29	60.02	9.14
2365.09	190.06	28.83	152.45	510.34	141.85
216.92	356.05	82.43	778.89	853.06	277.40
37.92	68.82	27.38	864.73	416.47	71.32
7.47	71.88	6.69	27.11	68.10	49.48
13.06	51.84	7.01	86.48	117.86	42.38
19.34	81.88	14.30	85.63	140.03	37.42
71.27	126.94	30.27	295.00	387.63	155.34
153.03	1302.28	283.56	317.32	1048.94	453.67
65.31	257.26	24.56	121.67	351.51	188.04
30.98	105.64	22.47	133.14	224.83	65.35
54.23	361.65	41.64	354.52	664.91	97.47
35.35	199.80	34.07	283.02	521.93	72.97
700.87	908.08	152.80	990.45	1602.59	147.77
88.28	373.20	78.02	911.94	875.43	150.78
54.70	332.65	-9.27	973.31	1441.58	114.08
11.33	30.71	11.69	89.56	169.90	15.79
11.17	17.89	6.92	42.32	70.95	16.24
2.18	3.81	0.58	4.88	6.85	2.10
130.11	305.63	66.64	79.40	648.09	950.05
6.19	41.73	15.61	38.55	49.97	10.17
5.57	28.39	9.21	38.72	75.54	36.16

行业名称	利息支出	营业利润	投资收益	补贴收入	利润总额
总计	3716.99	23320.98	740.24	442.66	22265.68
煤炭开采和洗选业	215.62	1685.83	41.60	17.19	1670.92
石油和天然气开采业	35.49	1787.27	2.95	0.07	1790.13
黑色金属矿采选业	17.12	223.45	7.60	0.31	219.52
有色金属矿采选业	14.13	208.61	0.12	1.99	186.98
非金属矿采选业	8.23	42.89	-1.72	1.15	46.86
其他采矿业	0.00	0.00	0.00	0.00	0.00
农副食品加工业	94.75	659.69	-9.28	16.72	579.35
食品制造业	37.80	467.44	10.59	8.32	451.30
饮料制造业	29.24	538.44	11.68	9.59	521.70
烟草制品业	2.95	681.22	30.10	2.53	640.96
纺织业	148.31	534.77	10.46	10.87	531.25
纺织服装、鞋、帽制造业	29.50	356.61	9.28	7.21	356.51
皮革、毛皮、羽毛（绒）及其制品业	21.20	248.15	1.05	1.25	240.04
木材加工及木、竹、藤、棕、草制	15.35	87.90	-0.08	2.76	82.26
家具制造业	10.27	83.08	0.76	0.74	78.21
造纸及纸制品业	80.91	280.56	1.55	6.68	271.20
印刷业和记录媒介的复制	6.69	113.21	5.59	1.22	114.21
文教体育用品制造业	6.86	54.93	9.56	0.63	53.22
石油加工、炼焦及核燃料加工业	134.88	856.92	9.90	11.64	803.48
化学原料及化学制品制造业	258.32	1042.18	49.47	50.24	1038.59
医药制造业	60.19	685.95	36.55	7.21	689.17
化学纤维制造业	47.37	120.05	12.11	1.41	129.46
橡胶制品业	39.21	212.70	0.98	1.69	204.51
塑料制品业	32.86	226.88	4.08	2.93	216.74
非金属矿物制品业	142.06	830.24	34.07	33.41	834.39
黑色金属冶炼及压延加工业	437.44	1590.16	-24.38	16.20	1109.37
有色金属冶炼及压延加工业	173.81	722.87	12.27	9.98	602.48
金属制品业	59.82	400.16	-12.19	6.07	355.62
通用设备制造业	83.34	937.15	30.45	16.49	898.50
专用设备制造业	69.31	681.37	28.09	13.82	659.04
交通运输设备制造业	157.29	2585.29	194.14	51.47	2548.49
电气机械及器材制造业	130.75	1538.84	10.94	21.14	1479.74
通信设备、计算机及其他电子设备	102.52	1541.63	-32.11	27.33	1500.02
仪器仪表及文化、办公用机械制造	14.66	231.56	4.29	6.28	229.21
工艺品及其他制造业	13.38	113.03	-2.55	3.90	99.93
废弃资源和废旧材料回收加工业	1.61	21.44	-0.04	0.95	21.76
电力、热力的生产和供应业	938.50	875.71	227.45	55.24	929.58
燃气生产和供应业	9.01	69.62	17.18	7.45	77.99
水的生产和供应业	36.25	-16.80	7.73	8.59	3.02

续表 3

亏损企业亏损总额	本年应交增值税	全部从业人员年平均人数（万人）	总资产贡献率（%）	资产负债率（%）	流动资产周转率（次/年）	成本费用利润率（%）	产品销售率（%）
2077. 50	11412. 86	4831. 29	12. 73	58. 77	2. 20	7. 21	97. 91
27. 29	1049. 38	392. 77	15. 42	59. 99	1. 58	15. 77	97. 68
140. 20	550. 78	99. 33	18. 46	45. 27	2. 86	34. 28	99. 53
10. 86	88. 12	26. 28	18. 70	48. 26	1. 56	19. 82	95. 06
4. 85	48. 27	26. 43	16. 72	47. 93	2. 12	15. 91	96. 35
0. 94	26. 55	17. 21	15. 67	54. 20	2. 09	9. 92	95. 87
0. 00	0. 00	0. 00	0. 00	0. 00	0. 00	0. 00	0. 00
17. 75	204. 53	140. 10	14. 89	56. 76	3. 24	5. 63	97. 78
15. 59	204. 76	82. 31	20. 16	51. 93	2. 73	10. 12	97. 81
33. 50	258. 13	70. 77	22. 61	50. 30	2. 02	12. 77	97. 96
0. 17	563. 89	19. 11	71. 51	23. 88	1. 48	33. 85	99. 70
37. 07	266. 67	297. 42	10. 73	56. 87	2. 23	5. 41	97. 77
8. 92	126. 85	171. 69	16. 68	51. 62	2. 19	9. 00	96. 40
6. 25	87. 67	138. 06	18. 69	51. 68	2. 57	8. 29	97. 21
4. 45	40. 84	27. 91	15. 51	52. 88	2. 68	7. 18	97. 18
4. 60	30. 99	42. 46	12. 68	56. 52	2. 15	6. 56	98. 18
36. 30	131. 91	66. 65	9. 29	59. 33	1. 96	7. 44	98. 46
4. 70	40. 01	28. 77	14. 13	43. 68	1. 70	13. 17	97. 42
5. 41	24. 38	58. 17	10. 32	49. 90	2. 13	5. 10	98. 14
98. 41	674. 69	71. 17	34. 49	63. 12	4. 29	5. 21	98. 78
259. 00	558. 42	219. 25	10. 33	57. 41	2. 32	5. 99	97. 67
12. 13	313. 36	97. 15	18. 14	44. 89	1. 68	14. 23	95. 41
14. 63	50. 13	28. 93	8. 99	60. 80	2. 32	4. 83	98. 96
5. 39	83. 02	53. 93	13. 82	57. 93	2. 48	7. 88	98. 52
17. 06	79. 82	90. 98	11. 99	55. 13	2. 06	7. 14	97. 52
48. 76	380. 63	189. 87	13. 06	56. 48	2. 05	10. 39	97. 53
182. 67	1065. 51	262. 34	7. 44	63. 61	2. 48	3. 14	98. 18
112. 75	307. 93	116. 75	8. 92	58. 92	2. 14	5. 04	97. 49
21. 55	143. 60	114. 42	12. 57	56. 88	1. 95	7. 19	96. 68
43. 50	364. 39	198. 66	11. 04	61. 58	1. 43	8. 30	97. 81
33. 74	233. 67	153. 51	10. 65	62. 13	1. 41	8. 22	97. 28
80. 93	1052. 52	329. 92	14. 19	63. 99	1. 74	8. 58	97. 96
32. 70	575. 40	305. 47	14. 31	59. 70	1. 86	8. 14	95. 83
271. 31	449. 32	517. 67	8. 36	59. 07	2. 41	4. 02	98. 03
5. 46	67. 70	63. 87	12. 67	49. 99	1. 76	8. 28	97. 76
3. 48	41. 06	47. 66	12. 42	54. 32	2. 06	6. 06	97. 13
0. 72	5. 79	5. 12	17. 56	70. 18	2. 33	9. 47	99. 84
436. 93	1172. 35	225. 17	5. 88	63. 01	4. 56	3. 25	99. 65
6. 56	24. 35	11. 73	5. 10	69. 31	0. 68	9. 63	98. 93
30. 99	25. 48	22. 25	2. 26	51. 22	0. 77	0. 57	97. 59

2009 年按地区分组的规模以上

地区名称	企业单位数(个)	亏损企业	工业总产值(当年价格)	新产品产值	工业销售产值(当年价格)
全　国	434364	59868	548311.42	55196.62	536134.06
北　京	6890	1411	11039.13	2865.90	10904.37
天　津	8326	1807	13083.63	3105.32	12845.13
河　北	13096	2027	24062.76	902.06	23434.08
山　西	4023	1480	9249.98	372.96	9016.77
内蒙古	4465	823	10699.44	116.21	10387.17
辽　宁	23364	3171	28152.73	2241.17	27543.97
吉　林	5936	697	10026.55	2514.15	9707.39
黑龙江	4408	765	7301.60	355.97	7146.78
上　海	17906	4028	24091.26	3714.57	23847.88
江　苏	60817	6800	73200.03	6396.56	71970.22
浙　江	59971	7688	41035.29	7268.13	39969.91
安　徽	14122	2035	13312.59	1152.11	12929.06
福　建	18154	2406	16762.82	1133.51	16316.29
江　西	7539	575	9783.96	428.51	9667.31
山　东	45518	2723	71209.42	5088.59	70148.15
河　南	18105	747	27708.15	873.17	27282.22
湖　北	14027	1826	15567.02	1554.85	15164.52
湖　南	13311	1034	13507.64	1345.77	13318.89
广　东	52188	9309	68275.77	5814.86	66292.14
广　西	5678	1471	6880.04	785.41	6542.47
海　南	494	112	1057.45	9.15	1052.92
重　庆	6412	767	6772.90	2226.65	6657.73
四　川	13267	1363	18071.68	3469.61	17700.55
贵　州	2791	947	3426.69	238.89	3248.35
云　南	3489	1036	5197.45	204.43	4982.23
西　藏	90	24	51.60	0.01	50.16
陕　西	4480	1093	8470.40	582.18	8125.14
甘　肃	1987	518	3770.38	170.54	3647.72
青　海	523	178	1080.35	29.20	1037.31
宁　夏	969	378	1461.58	68.96	1373.22
新　疆	2018	629	4001.12	167.25	3824.00

工业企业主要经济指标

单位：亿元

出口交货值	资产总计	流动资产合计				固定资产合计
			应收账款	存　货	产成品	
72051.75	493692.86	223038.68	51399.82	56724.80	20495.01	207355.57
1520.91	19540.70	7293.35	1778.92	1618.57	491.84	4989.83
1774.88	12617.69	6338.47	1482.96	1556.75	486.88	4971.19
774.02	20662.67	8319.12	1385.38	2323.52	834.14	9920.69
198.54	15424.51	6217.08	855.57	1339.03	502.50	6804.98
118.09	11650.94	3848.82	639.20	801.96	315.29	6013.96
2387.98	25333.81	11357.33	2340.29	3094.42	957.68	11022.98
178.26	8525.06	2856.24	641.18	810.29	324.66	4347.74
152.64	8860.63	3544.92	719.60	1044.65	340.82	4754.45
6697.80	24595.29	13138.37	3921.13	3307.19	919.29	8401.25
14833.26	53600.08	28414.55	8316.41	6879.91	2676.61	20308.82
8499.58	39752.79	22037.56	5438.15	5058.31	2128.40	13228.05
573.02	12171.72	5011.67	1111.45	1375.47	514.71	5756.93
3743.60	13344.47	6564.47	1630.80	1712.79	690.01	5204.83
802.60	7018.93	2740.37	478.72	705.37	309.30	3432.67
5591.61	46052.69	19286.91	3141.06	4866.11	2046.77	20220.89
449.64	19668.61	7769.93	1388.07	1868.52	691.70	9840.72
653.47	19221.02	7498.25	1938.52	1795.85	630.56	9210.24
323.76	10175.11	3822.08	783.69	1274.17	432.43	5106.06
21087.52	50321.88	27954.37	8380.95	7190.89	2268.42	17654.15
254.89	6840.57	2779.69	463.92	844.50	378.96	3369.23
88.40	1291.39	447.66	69.17	113.68	34.52	612.99
268.31	6438.31	2863.43	606.88	710.31	299.56	2688.32
570.88	18042.57	7459.24	1421.72	1934.41	693.00	8063.93
73.42	5066.17	1790.87	300.80	487.92	156.67	2771.50
99.14	8174.12	3171.38	454.20	1005.29	266.08	3711.02
0.08	251.08	76.72	8.12	9.89	2.29	141.23
227.30	12119.26	4987.35	936.86	1153.09	433.08	5765.09
30.74	5290.54	1928.85	244.51	792.96	251.52	2702.64
2.45	2525.56	699.70	100.33	171.42	81.24	1416.71
35.44	2676.61	853.16	130.30	282.70	103.75	1167.50
39.51	6438.07	1966.75	290.97	594.85	232.34	3754.98

地区名称	固定资产原价	累计折旧	固定资产净值	负债合计	流动负债合计
全　国	278541.09	98894.67	179547.09	285732.81	214406.09
北　京	7083.64	2767.53	4316.11	9874.61	6014.22
天　津	6841.98	2564.11	4264.56	8054.09	6554.35
河　北	12525.70	4071.52	8454.18	12590.85	9372.46
山　西	8910.92	2966.54	5942.10	10268.99	7129.98
内蒙古	7575.48	2313.31	5262.17	7021.53	4173.94
辽　宁	15419.80	6207.15	9212.65	14785.78	10906.67
吉　林	5517.01	1911.71	3605.29	4727.58	3209.40
黑龙江	7197.27	2979.66	4217.32	5038.11	3755.12
上　海	14126.79	6287.39	7839.40	12978.92	11016.00
江　苏	28154.37	10124.31	18030.40	31162.00	26693.80
浙　江	17439.04	5751.15	11687.61	24352.22	20985.72
安　徽	7237.98	2265.39	4970.46	7453.49	5308.60
福　建	7039.82	2285.78	4740.79	7131.49	5392.70
江　西	4292.16	1374.60	2917.61	3988.62	3061.32
山　东	28940.32	10991.29	17945.43	24676.48	18527.15
河　南	12288.21	3596.17	8645.49	11103.26	7753.78
湖　北	11608.95	3583.92	8025.03	10381.23	7463.72
湖　南	6041.82	1707.58	4334.24	6182.44	3807.63
广　东	26293.23	10391.56	15901.63	29204.15	24239.88
广　西	4250.61	1209.53	3041.08	4399.69	3021.97
海　南	786.14	230.60	555.54	734.83	530.77
重　庆	3411.19	1135.22	2275.98	3880.76	2746.22
四　川	10116.60	3651.90	6464.16	10832.20	7126.69
贵　州	3225.99	994.53	2230.64	3394.31	1916.55
云　南	4318.17	1390.18	2927.63	4768.11	3038.56
西　藏	163.36	43.57	119.79	59.29	42.09
陕　西	6135.51	2180.56	3953.72	6788.23	4663.10
甘　肃	3404.04	1138.34	2265.69	3071.75	1955.38
青　海	1575.12	462.70	1104.40	1570.55	880.36
宁　夏	1465.30	445.16	1019.90	1775.75	1023.53
新　疆	5154.56	1871.69	3276.11	3481.52	2094.44

续表1▶

长期负债合计	所有者权益合计	实收资本	国家资本	集体资本	法人资本
62659.58	206688.83	111188.92	21321.02	1862.96	39146.85
3658.91	9666.09	5682.31	2678.60	30.55	1829.45
1053.63	4563.51	3088.59	536.45	38.01	1091.96
3074.28	8020.50	4094.43	771.16	84.57	1778.42
2767.71	5142.08	2716.65	842.73	86.41	1111.46
2388.40	4587.22	2359.57	607.60	39.79	1159.08
3114.68	10478.28	5778.87	1614.02	88.80	2106.95
1156.83	3764.11	2084.33	558.60	83.58	798.35
1190.11	3801.86	1869.74	414.45	32.87	970.36
1766.25	11616.37	6527.26	485.27	89.21	2233.78
4142.30	22416.10	13607.59	711.41	155.14	3354.29
3137.99	15400.57	8226.74	500.82	70.90	2579.08
1977.86	4681.47	2459.02	550.69	29.19	820.07
1523.32	6162.74	3639.88	361.15	28.01	890.83
755.84	2985.39	1629.69	278.00	12.61	665.85
4810.19	21177.57	8183.75	1567.76	327.25	2747.75
2830.85	8493.74	4367.63	839.04	146.19	1727.35
2547.00	8673.39	4610.04	2186.47	58.36	1187.37
2031.76	3992.65	2016.42	388.57	37.51	848.75
4550.68	21031.51	12758.08	1141.26	133.05	3756.46
1253.20	2413.00	1267.76	279.99	17.58	582.37
178.59	555.09	370.27	24.06	2.21	256.97
1048.79	2543.65	1276.27	206.26	18.97	618.49
3023.96	7132.75	3123.76	564.63	49.05	1429.10
1369.08	1660.65	1060.16	434.59	10.57	400.29
1623.96	3385.20	1512.27	333.37	38.04	835.45
17.21	191.57	76.24	23.11	2.15	45.91
1975.07	5168.31	2158.77	859.91	40.06	822.89
932.83	2207.44	1364.51	583.62	62.42	596.57
662.34	921.17	409.18	98.49	9.18	246.59
752.22	900.85	509.25	139.97	24.97	231.80
1343.71	2954.00	2359.90	738.96	15.76	1422.81

地区名称	个人资本	港澳台资本	外商资本	主营业务收入	主营业务成本
全国	20503.82	10170.83	18230.53	542522.43	457510.01
北京	327.97	141.75	673.98	12173.06	10406.36
天津	340.15	210.58	871.43	13243.33	11455.73
河北	925.45	174.30	360.54	24119.47	20792.12
山西	518.90	63.86	93.28	9139.67	7533.12
内蒙古	410.03	38.96	104.11	10410.15	8253.78
辽宁	974.12	233.57	761.41	27870.09	23760.52
吉林	431.70	49.20	162.90	9690.67	8137.55
黑龙江	265.92	36.74	149.39	7729.74	5959.69
上海	521.00	739.43	2458.56	25421.08	21529.75
江苏	2802.11	1805.29	4779.35	71724.90	62370.10
浙江	2755.02	1023.82	1297.10	39873.57	34333.23
安徽	703.78	137.18	218.11	12787.17	10677.97
福建	709.32	838.91	811.66	16338.61	13888.27
江西	375.58	144.39	153.27	9921.50	8460.16
山东	2162.60	331.24	1094.67	70826.13	60505.61
河南	1414.16	101.01	139.89	28246.65	23765.05
湖北	708.55	119.29	350.00	15331.62	12641.04
湖南	590.99	63.53	87.07	13077.27	10463.62
广东	1163.92	3596.41	2966.98	66117.81	55811.77
广西	200.09	62.98	124.75	6554.72	5573.70
海南	33.70	10.42	42.90	1009.34	763.60
重庆	252.11	64.95	115.49	6626.55	5497.85
四川	812.83	100.15	168.00	17479.21	14396.72
贵州	176.59	8.11	30.01	3234.59	2539.01
云南	214.90	34.25	56.27	4987.32	3709.13
西藏	2.91	0.06	2.10	48.88	36.74
陕西	324.03	16.82	94.61	8188.52	6088.60
甘肃	95.31	10.39	16.20	3866.99	3189.86
青海	44.23	0.06	10.63	1092.31	834.25
宁夏	94.88	0.77	16.87	1390.09	1147.36
新疆	150.98	12.41	18.99	4001.38	2987.75

续表 2▶

主营业务税金及附加	其他业务收入	其他业务利润	营业费用	管理费用	财务费用
8995.95	8882.29	1617.21	14137.42	22169.70	5898.87
165.78	286.89	53.03	459.26	571.68	120.66
148.89	325.34	156.90	299.71	499.09	103.22
254.66	537.12	101.89	418.75	708.00	269.10
96.85	225.72	30.44	297.74	630.57	234.03
156.48	153.37	59.38	292.71	379.26	167.81
578.11	434.59	58.25	539.37	1173.24	258.04
329.73	279.84	31.62	300.62	458.69	118.73
231.12	183.32	20.77	190.62	423.24	68.50
421.79	397.33	99.48	896.93	1359.06	147.43
568.34	1235.90	258.46	1549.71	2413.12	607.19
439.87	780.00	148.24	981.39	1677.96	621.94
233.72	250.34	50.85	379.82	650.43	161.12
205.27	169.31	59.47	450.28	631.09	186.70
170.55	74.89	17.88	193.90	306.27	85.46
884.54	815.48	94.01	1471.80	2159.46	742.70
414.82	387.44	41.59	623.57	801.47	333.81
406.64	341.56	42.46	464.97	799.69	212.79
500.55	109.89	15.01	435.23	623.62	173.47
853.00	754.88	81.45	2149.64	2778.13	388.27
134.62	117.35	23.92	186.95	283.72	122.39
74.00	8.82	1.68	30.38	38.74	16.31
111.28	123.54	17.46	230.93	376.68	76.92
319.94	196.37	58.42	535.53	845.01	216.60
123.13	70.73	9.53	114.99	190.29	76.78
442.55	200.85	28.34	150.01	282.24	98.49
0.80	0.23	0.03	3.01	4.47	0.16
296.61	158.34	35.65	232.58	518.40	100.78
177.80	71.20	-0.48	76.35	212.10	58.29
34.42	28.57	-5.02	29.59	66.33	35.23
27.18	57.48	4.95	53.14	72.17	38.68
192.93	105.57	21.53	97.95	235.47	57.27

地区名称	利息支出	营业利润	投资收益	补贴收入	亏损企业亏损总额
全　国	5323.01	36788.85	696.92	688.14	3281.03
北　京	104.70	686.60	201.42	31.80	148.50
天　津	85.88	975.29	40.70	9.95	108.98
河　北	253.21	1770.55	-137.45	16.88	153.56
山　西	217.07	505.10	47.43	9.30	204.86
内蒙古	157.32	1341.82	5.95	11.32	83.86
辽　宁	227.76	1535.73	-3.60	31.96	209.80
吉　林	100.69	613.46	50.33	18.94	93.83
黑龙江	58.89	890.48	12.71	17.42	63.94
上　海	136.99	1359.22	204.75	34.69	276.61
江　苏	561.19	4499.79	18.94	46.56	286.85
浙　江	570.86	1995.55	91.67	93.21	176.83
安　徽	143.20	927.62	6.67	30.41	50.39
福　建	159.15	1198.51	28.74	12.26	74.68
江　西	78.20	561.25	1.05	3.74	34.17
山　东	640.12	4672.95	22.74	59.53	145.01
河　南	289.55	2481.06	21.61	21.08	183.02
湖　北	194.34	1072.60	-82.36	40.52	75.90
湖　南	155.35	1095.30	11.09	13.78	62.26
广　东	342.85	4375.86	37.83	55.22	310.68
广　西	116.98	335.91	5.78	15.56	59.63
海　南	15.84	103.00	10.51	1.41	10.67
重　庆	69.66	378.77	1.61	16.87	29.61
四　川	207.26	1169.01	15.07	25.70	83.24
贵　州	70.85	182.58	7.67	6.79	69.66
云　南	92.07	401.83	13.84	10.00	59.77
西　藏	0.27	6.21	2.62	0.75	4.23
陕　西	91.21	883.12	18.51	23.77	82.29
甘　肃	57.17	156.89	12.37	6.89	47.86
青　海	34.16	89.23	2.55	5.48	14.22
宁　夏	36.05	70.27	15.13	6.61	17.73
新　疆	54.16	453.30	11.04	9.73	58.40

续表 3

本年应交增值税	全部从业人员年平均人数（万人）	总资产贡献率（%）	资产负债率（%）	流动资产周转率（次/年）	成本费用利润率（%）	产品销售率（%）
17490.20	8831.22	13.44	57.88	2.43	6.91	97.78
346.46	120.41	6.96	50.53	1.67	6.43	98.78
467.17	136.82	12.15	63.83	2.09	6.73	98.18
743.61	319.94	13.03	60.94	2.90	6.49	97.39
566.46	211.11	8.70	66.58	1.47	5.31	97.48
475.35	110.40	15.25	60.27	2.70	10.87	97.08
765.19	386.62	11.66	58.36	2.45	5.37	97.84
293.25	137.05	14.82	55.46	3.39	5.99	96.82
372.46	144.48	17.32	56.86	2.18	13.14	97.88
690.74	284.12	10.90	52.77	1.93	5.98	98.99
2126.75	1026.16	13.72	58.14	2.52	6.12	98.32
1079.28	787.64	10.58	61.26	1.81	5.62	97.40
522.38	232.06	14.12	61.24	2.55	6.90	97.12
443.84	379.47	14.33	53.44	2.49	7.28	97.34
333.28	174.94	15.94	56.83	3.62	5.94	98.81
2051.81	926.60	17.56	53.58	3.67	6.96	98.51
976.99	449.14	20.98	56.45	3.64	9.58	98.46
488.77	272.39	11.35	54.01	2.04	7.74	97.41
558.63	241.01	19.39	60.76	3.42	6.48	98.60
1736.19	1436.02	14.18	58.03	2.37	6.88	97.09
239.87	122.88	11.88	64.32	2.36	5.21	95.09
41.76	12.00	18.45	56.90	2.25	12.56	99.57
243.25	137.29	12.12	60.28	2.31	5.76	98.30
644.50	311.76	12.72	60.04	2.34	7.03	97.95
155.74	74.97	10.69	67.00	1.81	6.56	94.80
293.64	84.20	14.60	58.33	1.57	8.61	95.86
3.58	1.69	4.57	23.61	0.64	15.36	97.21
403.22	137.69	13.57	56.01	1.64	12.31	95.92
145.19	69.03	10.38	58.06	2.00	4.78	96.75
46.93	17.80	8.53	62.19	1.56	10.36	96.02
53.81	27.28	7.50	66.34	1.63	6.39	93.95
180.11	58.25	14.16	54.08	2.03	14.34	95.57

2009 年按地区分组的国有控股

地区名称	企业单位数（个）	亏损企业	工业总产值（当年价格）	新产品产值	工业销售产值（当年价格）
全　国	20510	5391	146630.00	22241.95	144544.31
北　京	1058	259	5470.70	991.90	5425.30
天　津	974	294	5180.42	1564.64	5148.08
河　北	794	241	6787.97	513.67	6687.69
山　西	647	253	5188.06	240.15	5094.39
内蒙古	515	123	3809.79	104.87	3719.71
辽　宁	883	262	9289.74	1377.84	9178.06
吉　林	407	107	4563.75	2033.68	4406.65
黑龙江	505	146	4362.38	291.64	4309.97
上　海	1116	259	8983.40	2955.60	8944.53
江　苏	839	162	7937.01	1133.90	7864.18
浙　江	728	198	5369.11	453.90	5335.65
安　徽	729	189	5385.11	530.23	5307.01
福　建	532	165	2251.65	196.89	2199.32
江　西	538	104	2528.15	233.93	2496.07
山　东	1287	301	12885.18	1591.82	12831.86
河　南	804	187	6826.57	378.32	6759.66
湖　北	864	182	6534.21	1095.54	6421.90
湖　南	823	197	4003.61	751.21	3945.29
广　东	1264	314	10790.11	1622.79	10580.79
广　西	615	169	2776.96	635.70	2708.16
海　南	102	41	262.77	0.16	262.33
重　庆	518	138	2658.36	1136.71	2632.36
四　川	972	173	5211.30	1289.40	5114.50
贵　州	523	163	2094.77	216.66	2039.60
云　南	551	167	3036.59	150.77	2969.56
西　藏	33	12	22.06	0.00	22.90
陕　西	695	216	5221.58	532.21	5088.32
甘　肃	452	136	2931.16	144.66	2879.04
青　海	137	44	673.74	11.58	644.30
宁　夏	110	40	706.33	29.91	696.69
新　疆	495	149	2887.46	31.67	2830.46

工业企业主要经济指标

单位：亿元

出口交货值	资产总计	流动资产合计	应收账款	存货	产成品	固定资产合计
6023.17	215742.01	74113.99	11705.10	19373.62	5057.31	107763.55
152.85	14268.37	3633.61	611.89	695.01	193.28	3889.37
170.99	6970.55	2729.40	421.16	636.05	196.42	3344.01
109.92	10210.87	3252.46	438.33	947.27	254.87	5500.93
109.83	9745.72	3610.16	426.03	670.32	195.30	4471.37
33.26	6399.97	1705.06	342.50	358.55	86.33	3645.96
917.62	13453.32	5672.34	810.55	1694.57	332.37	6251.98
37.96	4780.21	1356.09	247.42	427.56	147.54	2545.31
97.82	6080.25	2087.52	383.76	584.48	148.94	3684.60
1032.45	12002.67	5054.11	889.60	1340.27	292.84	4898.47
466.59	9425.97	3235.69	515.04	877.75	213.71	5016.10
218.60	6135.19	1755.21	259.12	503.12	120.36	3712.85
127.18	6809.72	2206.12	288.62	624.90	173.28	3773.39
106.83	3491.23	944.11	120.94	318.22	76.30	1993.31
75.12	3096.59	1225.51	163.20	305.21	92.69	1504.09
372.72	14841.52	5304.08	632.69	1246.27	384.67	7153.40
132.66	9238.10	3247.11	502.19	830.59	208.28	4975.20
172.46	12399.78	4317.97	1217.08	974.02	273.37	6375.75
120.39	4911.20	1812.00	311.82	691.55	150.32	2588.21
928.58	12724.56	4473.38	663.58	1024.28	210.53	6507.28
51.74	3615.47	1157.78	148.55	354.78	133.59	2123.78
3.08	475.76	110.93	9.45	23.09	7.47	269.06
64.39	3582.70	1438.48	199.07	341.79	116.57	1653.39
227.30	9515.61	3579.77	592.74	917.02	209.03	4612.79
59.92	3771.12	1181.33	188.50	334.50	86.11	2283.55
48.22	5541.40	1920.32	236.61	665.04	123.18	2613.43
0.00	168.13	38.97	3.54	4.09	0.79	118.69
140.77	9402.16	3616.66	655.09	781.26	247.54	4830.96
15.99	4211.17	1443.17	153.97	634.82	168.69	2281.47
0.68	1937.01	425.65	54.82	104.87	50.82	1203.54
8.12	1693.61	374.73	51.77	108.38	23.40	782.62
19.12	4842.07	1204.29	165.47	353.98	138.72	3158.69

地区名称	固定资产原价	累计折旧	固定资产净值	负债合计	流动负债合计
全国	145330.28	54397.07	90853.40	130098.87	83615.67
北京	5372.76	2058.76	3314.00	6778.14	3165.79
天津	4440.75	1648.08	2778.60	4784.96	3659.47
河北	7128.99	2522.05	4606.94	6639.33	4402.13
山西	6323.70	2339.09	3982.33	6443.11	4074.08
内蒙古	4996.26	1715.30	3280.96	4113.36	2040.69
辽宁	8765.89	3765.45	5000.44	8796.34	6300.81
吉林	3267.50	1293.08	1974.42	2959.27	1884.03
黑龙江	5880.72	2600.99	3279.73	3442.85	2400.49
上海	8238.70	3757.56	4481.14	5958.87	4684.10
江苏	7195.62	2784.75	4410.87	5755.95	4164.55
浙江	5093.02	1925.24	3167.71	3792.17	2238.98
安徽	4809.30	1594.06	3213.06	4515.48	2777.31
福建	2628.73	839.33	1788.98	2127.38	1113.86
江西	2077.81	778.04	1299.78	1972.87	1502.64
山东	10916.87	4579.49	6336.78	8678.90	5942.55
河南	6661.74	2428.12	4189.10	6181.27	4115.68
湖北	7859.51	2413.62	5445.89	6804.71	4708.32
湖南	3235.50	1073.56	2161.94	3322.32	2042.99
广东	9249.22	3490.70	5758.43	7309.82	4802.37
广西	2727.41	806.02	1921.38	2460.30	1502.54
海南	376.93	130.27	246.66	256.54	167.25
重庆	2128.35	753.78	1374.57	2267.00	1464.91
四川	5401.69	1972.20	3429.38	6137.23	3674.17
贵州	2665.57	851.85	1812.90	2590.58	1336.21
云南	3005.54	995.85	2009.69	3117.13	1808.94
西藏	137.93	37.23	100.71	30.54	22.52
陕西	4940.08	1798.36	3141.73	5385.41	3517.54
甘肃	2875.26	980.44	1894.82	2494.54	1553.73
青海	1349.98	410.45	931.51	1259.14	639.76
宁夏	1080.75	350.02	730.50	1172.45	544.93
新疆	4498.18	1703.34	2788.46	2550.92	1362.33

续表 1

长期负债合计	所有者权益合计	实收资本	国家资本	集体资本	法人资本
43092.72	85186.57	44822.18	20561.49	233.37	20863.93
3444.93	7490.23	4369.01	2669.77	1.47	1490.77
862.62	2185.58	1375.02	509.50	6.06	767.68
2227.41	3568.09	1996.51	747.15	5.02	1154.27
2149.07	3302.38	1646.00	835.05	7.90	737.23
1756.16	2273.94	1353.34	595.50	17.33	670.83
2283.15	4644.74	2968.59	1588.48	2.65	1256.54
876.59	1817.57	1156.25	534.64	45.97	462.00
999.58	2625.75	1204.95	391.59	1.68	773.73
1179.85	6043.80	2545.72	458.73	13.18	1577.25
1542.05	3669.66	2052.42	644.04	2.67	1201.63
1536.95	2343.02	1037.37	480.58	2.83	506.39
1630.23	2280.90	1051.56	539.91	3.25	414.91
977.09	1358.33	684.78	350.09	2.99	233.09
421.71	1078.81	456.53	266.56	0.71	173.93
2473.70	6149.32	2656.82	1509.45	23.98	917.67
1937.36	3048.06	1590.07	774.18	16.94	724.84
1927.12	5504.89	2976.43	2146.77	17.47	577.14
1232.12	1588.88	739.28	364.51	3.07	322.04
2405.33	5412.27	3114.47	1062.27	6.24	1683.80
889.97	1151.54	623.35	260.48	0.52	323.47
65.00	218.85	130.56	21.11	0.29	85.10
781.04	1310.13	679.51	194.51	3.54	405.40
2109.12	3363.27	1550.13	548.35	5.16	863.03
1164.58	1177.51	701.08	344.77	1.28	311.08
1244.02	2407.94	1007.41	322.99	3.40	615.69
8.02	137.50	44.67	21.95	0.33	22.36
1770.57	3862.60	1459.80	836.75	6.17	578.74
816.11	1710.77	1079.28	577.93	5.96	471.89
597.49	648.46	296.64	97.15	2.15	194.27
627.52	521.16	302.10	136.25	18.73	138.32
1156.26	2290.60	1972.53	730.49	4.42	1208.82

地区名称				主营业务收入	主营业务成本
	个人资本	港澳台资本	外商资本		
全　国	1254.81	435.36	1520.30	151700.55	124590.48
北　京	81.95	14.97	110.06	6246.99	5479.86
天　津	33.21	2.65	55.91	5492.58	4680.47
河　北	50.62	9.20	30.26	7482.68	6515.27
山　西	31.16	10.40	24.25	5269.83	4222.38
内蒙古	45.40	8.51	15.78	3605.95	2858.36
辽　宁	47.34	12.74	60.83	9638.09	8301.56
吉　林	62.44	3.11	48.10	4457.63	3750.71
黑龙江	26.89	3.21	7.84	4818.63	3531.02
上　海	86.27	89.32	320.98	10062.12	8455.24
江　苏	36.97	23.60	143.51	7944.73	6642.63
浙　江	12.99	7.75	26.83	5436.87	4577.89
安　徽	60.54	19.18	13.78	5352.11	4396.73
福　建	15.85	10.47	72.29	2207.59	1844.43
江　西	9.89	1.02	4.42	2723.43	2343.37
山　东	102.30	71.35	79.61	13312.93	10966.40
河　南	42.69	16.23	15.19	7601.79	6621.25
湖　北	101.19	2.43	131.43	6751.31	5540.12
湖　南	34.26	1.36	14.05	3863.61	3039.25
广　东	56.42	90.96	214.78	10637.39	8582.39
广　西	20.62	2.70	15.56	2766.28	2316.83
海　南	17.85	2.02	4.21	259.79	212.25
重　庆	27.09	6.14	42.83	2629.90	2166.49
四　川	112.30	4.27	17.01	5298.33	4222.25
贵　州	37.33	0.94	5.69	2052.13	1596.77
云　南	35.62	12.89	16.82	2970.15	2063.37
西　藏	0.02	0.00	0.00	21.59	21.46
陕　西	20.28	1.19	16.22	5225.63	3781.35
甘　肃	11.59	6.54	5.38	3154.12	2612.40
青　海	2.24	0.00	0.84	743.62	566.05
宁　夏	8.02	0.00	0.79	711.98	557.61
新　疆	23.49	0.23	5.08	2960.75	2124.32

续表 2▶

主营业务税金及附加	其他业务收入	其他业务利润	营业费用	管理费用	财务费用
6199.11	4465.90	590.75	3042.14	8002.78	2409.03
154.81	140.77	17.60	122.73	257.25	92.57
122.36	225.90	139.84	43.54	211.65	55.15
175.64	261.21	12.63	86.24	335.47	130.60
68.21	184.27	19.28	178.05	436.51	142.66
66.54	78.12	13.36	109.15	151.38	98.61
444.50	265.34	19.32	136.09	523.66	118.37
248.85	221.87	24.78	92.65	219.43	66.49
207.02	133.34	15.64	65.47	290.19	43.05
405.30	148.63	33.91	203.75	513.40	60.03
330.39	338.00	14.77	124.62	329.95	105.27
301.02	132.10	14.62	56.63	175.19	92.76
172.66	163.39	30.24	118.38	374.43	92.08
121.56	41.29	11.77	31.81	96.62	51.47
97.98	48.47	9.19	56.54	138.06	40.48
458.19	460.64	26.99	270.16	725.47	196.65
212.29	307.37	17.83	96.32	387.54	152.75
278.62	234.61	15.93	146.82	427.35	118.02
323.79	71.31	4.06	85.49	215.74	73.83
477.70	216.36	38.84	282.39	400.04	134.24
80.54	71.00	10.96	80.87	137.05	71.64
9.50	2.44	0.63	3.78	11.95	4.96
79.96	79.68	10.79	117.62	183.75	41.53
180.53	111.06	31.47	160.93	332.65	94.77
104.37	58.91	7.78	51.27	120.96	59.63
427.01	166.11	20.25	78.22	176.77	61.03
0.46	0.15	0.00	0.51	1.86	0.11
254.77	105.85	19.04	95.19	385.23	71.12
170.40	59.19	-2.74	49.17	176.74	45.95
17.30	18.29	-5.63	14.75	39.24	27.87
23.15	45.10	2.63	30.47	42.09	23.87
183.68	75.14	14.95	52.49	185.16	41.48

地区名称	利息支出	营业利润	投资收益	补贴收入	亏损企业亏损总额
全　国	2363.66	9357.82	778.92	262.68	1553.85
北　京	84.33	332.57	179.36	18.93	79.39
天　津	55.11	476.73	29.71	3.42	54.17
河　北	133.04	248.58	26.52	9.99	79.81
山　西	134.78	317.66	29.48	4.80	112.58
内蒙古	93.58	391.17	-0.74	5.35	52.48
辽　宁	122.40	161.54	6.25	14.07	140.67
吉　林	56.68	279.48	30.14	12.18	69.51
黑龙江	37.89	684.44	9.91	9.61	41.49
上　海	66.69	656.36	175.09	17.12	67.82
江　苏	110.05	453.61	29.33	5.18	64.95
浙　江	94.19	264.78	14.24	12.00	24.71
安　徽	82.33	310.71	9.06	13.58	27.25
福　建	51.20	111.07	13.04	1.59	27.99
江　西	40.99	90.70	4.90	0.63	19.50
山　东	196.69	861.81	41.81	23.36	65.27
河　南	146.03	194.02	16.67	7.44	150.14
湖　北	125.70	383.02	18.63	25.62	41.65
湖　南	73.04	271.92	10.68	2.34	47.32
广　东	126.80	828.84	40.44	7.84	56.95
广　西	71.01	112.98	9.76	9.74	26.58
海　南	4.80	24.16	7.61	0.06	8.00
重　庆	39.72	99.64	11.08	8.40	18.15
四　川	98.50	276.99	6.77	13.24	47.78
贵　州	56.34	115.67	6.55	3.47	38.24
云　南	59.27	223.72	10.49	2.96	32.13
西　藏	0.11	-0.30	2.64	0.52	3.67
陕　西	66.80	575.50	14.99	17.72	59.00
甘　肃	46.34	116.20	6.73	4.86	39.56
青　海	27.33	61.55	2.25	1.13	9.91
宁　夏	22.13	40.15	8.93	2.30	7.93
新　疆	39.77	392.54	6.61	3.23	39.26

续表 3

本年应交增值税	全部从业人员年平均人数（万人）	总资产贡献率（%）	资产负债率（%）	流动资产周转率（次/年）	成本费用利润率（%）	产品销售率（%）
6508.74	1803.37	11.29	60.30	2.05	6.73	98.58
185.42	47.62	5.56	47.50	1.72	6.19	99.17
300.33	39.93	11.92	68.65	2.01	7.07	99.38
275.21	92.39	8.29	65.02	2.30	3.71	98.52
360.06	118.35	8.95	66.11	1.46	6.21	98.19
213.07	41.92	11.28	64.27	2.11	10.83	97.64
281.73	116.84	7.63	65.38	1.70	1.96	98.80
176.36	54.23	15.22	61.91	3.29	5.95	96.56
256.94	82.80	19.56	56.62	2.31	17.50	98.80
359.97	47.26	12.67	49.65	1.99	7.45	99.57
323.86	68.04	12.91	61.06	2.46	6.28	99.08
211.83	31.66	14.70	61.81	3.10	6.01	99.38
266.49	76.97	11.65	66.31	2.43	5.46	98.55
83.01	22.73	10.27	60.94	2.34	5.08	97.68
104.51	40.72	10.77	63.71	2.22	3.49	98.73
541.33	145.66	13.95	58.48	2.51	7.19	99.59
300.32	127.64	9.29	66.91	2.34	2.75	99.02
254.20	84.40	8.70	54.88	1.56	6.75	98.28
223.92	59.25	16.70	67.65	2.13	5.85	98.54
408.43	75.33	14.73	57.45	2.38	9.17	98.06
127.87	37.33	11.08	68.05	2.39	4.65	97.52
9.34	3.17	10.24	53.92	2.34	10.77	99.83
118.65	42.23	9.29	63.28	1.83	3.77	99.02
227.63	88.30	8.43	64.50	1.48	6.13	98.14
99.91	40.15	10.18	68.70	1.74	6.74	97.37
202.99	33.12	16.09	56.25	1.55	8.51	97.79
1.51	0.97	1.18	18.17	0.55	-0.42	103.80
259.90	78.47	12.22	57.28	1.44	13.09	97.45
123.45	44.00	11.07	59.24	2.19	4.36	98.22
33.73	10.80	7.58	65.00	1.75	10.58	95.63
33.14	13.23	7.42	69.23	1.90	7.21	98.64
143.65	37.88	16.01	52.68	2.46	16.99	98.03

2009 年按地区分组的外商投资和港澳

地 区 名 称	企业单位数（个）	亏损企业	工业总产值（当年价格）	新产品产值	工业销售产值（当年价格）
全　国	75376	17865	152686.62	21921.02	149537.57
北　京	1397	384	4611.29	1429.32	4573.02
天　津	2448	811	5449.68	1748.54	5344.35
河　北	1127	289	3910.99	197.37	3834.41
山　西	178	73	554.57	55.62	527.76
内蒙古	228	63	1086.50	13.58	1047.00
辽　宁	3089	756	5672.63	543.46	5560.98
吉　林	400	81	2511.29	1522.28	2478.68
黑龙江	296	82	753.66	35.25	728.32
上　海	6516	2059	14306.00	2359.06	14182.55
江　苏	13563	2944	29697.46	3265.14	29260.27
浙　江	9104	2039	10346.94	2090.87	10077.08
安　徽	883	223	1798.13	186.05	1725.33
福　建	5752	984	8319.21	873.90	8088.72
江　西	820	84	1564.72	270.42	1546.34
山　东	6052	986	12977.50	1176.74	12799.88
河　南	542	70	1838.52	169.16	1800.91
湖　北	891	176	3077.79	509.38	3006.45
湖　南	594	81	1010.71	97.29	1001.15
广　东	19187	5142	36694.34	3671.50	35639.86
广　西	531	151	1499.67	475.89	1423.06
海　南	93	18	532.26	8.95	532.25
重　庆	288	70	1328.46	743.17	1302.81
四　川	612	82	1492.49	412.25	1463.79
贵　州	105	38	126.66	7.91	109.19
云　南	229	56	334.39	21.65	328.35
西　藏	3	0	5.46	0.01	5.40
陕　西	251	66	824.45	14.59	800.06
甘　肃	50	9	85.40	3.81	80.09
青　海	26	7	126.30	0.03	124.49
宁　夏	41	13	66.49	15.80	63.56
新　疆	80	28	82.66	2.03	81.46

台商投资工业企业主要经济指标

单位：亿元

出口交货值	资产总计	流动资产合计	应收账款	存　货	产成品	固定资产合计
50438.85	124477.56	69082.13	20860.85	16469.73	5634.62	44513.13
1314.09	3890.34	2572.41	818.90	577.57	141.66	978.28
1426.71	3914.17	2448.62	820.69	601.31	176.95	1230.24
371.06	3676.75	1647.70	296.42	423.26	137.17	1664.95
60.75	958.95	351.56	68.96	78.36	26.41	516.16
28.56	1365.52	466.58	70.76	115.68	43.89	710.81
1289.88	4876.07	2645.21	679.50	655.23	195.51	1752.99
92.46	1443.99	777.28	149.66	170.51	77.37	603.31
33.76	1028.36	505.69	134.61	134.18	55.69	457.57
5582.68	11907.45	7200.04	2551.79	1678.97	487.20	3589.48
12135.04	23248.74	12831.83	4379.97	2887.45	1070.55	8777.79
3591.05	10387.42	6166.66	1534.39	1464.71	583.57	3355.36
198.20	1474.17	772.81	237.79	189.14	72.53	588.38
2890.13	6504.82	3675.64	984.66	914.41	358.09	2183.45
449.73	1438.08	578.60	96.98	109.49	55.54	738.97
3242.47	8637.96	3958.51	875.21	959.45	387.80	3343.05
119.28	1607.14	741.55	158.30	168.13	63.92	729.72
234.57	3886.14	2436.36	990.23	313.36	110.65	1216.23
51.69	1193.77	330.11	84.01	74.37	29.92	722.36
16781.96	26368.10	15817.59	5313.31	4120.93	1200.87	8632.44
103.87	1298.28	712.90	103.83	185.03	99.97	489.45
70.73	516.35	172.07	29.15	53.96	10.79	253.23
51.07	1200.07	565.87	109.95	166.74	61.40	530.53
216.81	1530.00	807.64	208.04	184.36	83.98	532.36
9.65	219.45	89.95	13.66	20.63	6.77	72.60
13.97	457.94	194.54	31.23	52.79	17.42	221.06
0.01	7.92	4.38	0.57	0.68	0.14	3.30
63.37	718.09	365.20	66.74	93.39	44.85	292.68
3.08	166.20	43.02	11.93	11.34	3.51	92.44
0.00	336.32	94.89	19.67	20.78	12.07	141.28
8.49	89.41	41.57	8.40	16.54	9.80	38.63
3.73	129.60	65.37	11.56	26.98	8.64	54.05

地区名称	固定资产原价	累计折旧	固定资产净值	负债合计	流动负债合计
全国	65507.53	25051.58	40442.24	69928.77	58916.08
北京	1620.07	701.27	918.80	2220.82	2011.22
天津	1929.36	790.06	1139.85	2080.42	1766.29
河北	2157.17	715.05	1442.12	2088.01	1543.21
山西	696.19	235.54	460.65	593.66	418.08
内蒙古	750.54	166.26	584.28	830.39	561.91
辽宁	2672.28	1106.02	1566.27	2620.56	2119.67
吉林	878.00	341.08	536.92	788.99	576.31
黑龙江	610.59	203.59	407.00	625.47	512.80
上海	6537.24	3062.05	3475.19	6637.08	5838.84
江苏	12438.04	4448.12	7989.83	12860.92	11152.74
浙江	4443.24	1356.47	3086.64	5919.99	5390.89
安徽	779.02	257.31	521.72	868.72	742.28
福建	3158.09	1103.45	2041.36	3426.02	2739.29
江西	817.09	210.05	607.04	792.76	627.93
山东	5572.55	2492.06	3080.49	4539.50	3531.16
河南	918.90	263.24	655.66	905.57	685.90
湖北	1551.14	553.97	997.17	2491.36	2180.16
湖南	788.80	221.84	566.97	687.78	332.44
广东	13606.24	5672.30	7933.97	15104.41	13287.42
广西	630.35	187.46	442.89	803.30	652.81
海南	301.13	63.74	237.40	318.24	225.30
重庆	720.18	249.61	470.58	724.46	504.74
四川	692.82	234.50	457.89	829.22	648.40
贵州	81.44	18.02	63.42	157.23	92.28
云南	287.40	95.48	191.57	239.33	177.76
西藏	4.58	1.28	3.30	1.57	1.55
陕西	443.20	171.98	271.22	385.40	314.66
甘肃	137.68	50.86	86.82	83.17	56.49
青海	170.11	43.07	127.04	180.11	120.03
宁夏	46.14	13.71	32.42	49.81	37.88
新疆	67.92	22.15	45.77	74.49	65.64

续表1▶

长期负债合计	所有者权益合计	实收资本	国家资本	集体资本	法人资本
9611.17	54251.47	36510.08	1440.50	223.02	6423.22
197.65	1669.52	1122.91	67.18	4.34	237.38
138.07	1833.64	1341.05	39.44	13.02	200.55
521.84	1574.71	809.54	34.17	5.97	229.33
172.14	363.55	272.08	6.76	1.47	103.73
245.21	520.81	270.25	28.16	0.08	101.11
419.46	2232.85	1428.46	19.65	16.29	351.70
121.77	644.84	342.88	22.16	0.87	112.29
109.01	402.30	280.61	48.41	3.13	45.44
719.89	5270.36	4023.03	87.99	23.54	722.97
1617.07	10380.26	7701.54	188.66	19.98	908.17
492.36	4467.43	3032.26	41.38	16.93	536.51
109.50	601.50	452.96	19.00	3.14	85.92
590.48	3059.89	2047.03	85.06	4.64	281.35
153.88	600.61	418.77	17.45	0.23	100.64
720.84	4078.43	1984.14	121.62	34.69	446.29
182.20	698.52	367.47	25.89	6.68	102.94
280.24	1317.12	732.76	116.66	2.81	161.78
309.51	505.98	266.80	17.31	2.06	86.33
1646.96	11236.92	7893.75	312.73	44.81	1049.36
143.80	489.98	275.97	15.28	1.24	73.86
92.94	197.64	169.39	4.16	0.07	111.33
192.01	471.58	297.73	41.27	3.17	73.27
145.88	686.94	359.53	10.16	4.28	85.60
62.56	59.65	45.78	1.41	0.19	10.55
53.76	217.90	180.91	22.38	3.59	62.30
0.02	6.35	4.02	0.01	0.00	1.90
65.40	330.37	204.09	30.55	2.24	59.52
26.62	82.69	59.30	7.99	0.55	24.61
60.08	154.42	54.13	0.39	2.21	41.36
11.92	39.60	28.60	3.64	0.66	6.23
8.12	55.11	42.35	3.59	0.11	8.90

地区名称	个人资本	港澳台资本	外商资本	主营业务收入	主营业务成本
全国	1038.34	9749.78	17682.76	150263.06	127247.80
北京	11.36	141.44	661.20	4939.87	4128.95
天津	19.30	204.49	864.24	5409.02	4603.33
河北	17.71	167.53	354.83	3874.67	3305.87
山西	13.12	63.85	83.14	527.94	407.95
内蒙古	8.52	33.37	99.01	1101.34	892.79
辽宁	72.02	223.49	745.30	5632.93	4706.06
吉林	17.35	43.07	147.13	2121.09	1712.44
黑龙江	9.53	36.05	138.06	796.99	615.10
上海	46.66	694.02	2447.86	15174.56	12804.42
江苏	224.11	1744.13	4616.48	29076.21	25219.27
浙江	165.73	1004.13	1267.58	10084.24	8516.43
安徽	14.83	118.42	211.66	1585.89	1291.10
福建	32.86	833.12	810.01	8118.22	6856.22
江西	8.35	143.48	148.62	1571.07	1333.18
山东	132.41	246.62	1050.04	12700.57	11057.85
河南	35.89	75.02	121.06	1961.91	1667.33
湖北	21.98	95.93	333.59	2988.95	2380.36
湖南	24.02	57.66	79.41	982.22	764.58
广东	110.78	3521.57	2854.49	35310.99	29980.47
广西	5.78	61.11	118.70	1477.34	1233.65
海南	0.93	10.27	42.63	487.56	344.03
重庆	15.22	62.17	102.62	1310.05	1055.10
四川	15.82	91.83	151.84	1371.42	1071.95
贵州	0.49	7.60	25.54	105.65	81.62
云南	4.48	32.81	55.36	329.45	256.17
西藏	0.00	0.00	2.10	4.75	2.94
陕西	5.06	15.07	91.65	744.68	569.21
甘肃	0.82	9.25	16.08	84.59	61.60
青海	0.27	0.06	9.84	240.72	209.92
宁夏	1.27	0.23	16.57	61.09	49.59
新疆	1.66	11.97	16.12	87.10	68.31

续表2▶

主营业务税金及附加	其他业务收入	其他业务利润	营业费用	管理费用	财务费用
1162.81	2464.56	456.36	4965.81	5991.91	1145.35
30.61	122.60	30.89	271.39	209.64	22.88
49.88	59.81	11.36	206.19	223.93	21.53
6.69	94.99	31.45	98.85	109.78	43.01
2.17	6.79	1.49	20.57	28.03	16.05
8.45	20.36	3.02	47.04	43.49	20.88
77.09	92.38	20.65	168.96	211.33	47.60
78.88	106.57	2.80	34.70	72.63	34.17
5.58	13.43	0.77	66.44	46.72	10.66
117.70	189.19	52.55	686.06	807.44	72.03
69.84	402.64	118.00	654.08	994.49	197.05
43.61	259.40	45.01	347.91	474.00	134.25
11.80	36.99	6.19	64.09	73.29	17.36
65.32	96.27	32.08	248.82	307.56	71.07
10.70	12.88	2.98	39.84	52.76	12.85
56.12	106.54	21.53	306.10	348.29	116.80
10.50	19.31	4.97	64.58	51.71	22.69
47.63	142.76	19.18	123.86	157.87	25.76
18.64	7.33	1.89	40.96	52.19	19.38
301.94	528.43	18.60	1184.87	1451.21	167.52
19.45	51.97	8.79	64.73	54.77	12.47
61.63	4.80	0.36	12.02	13.54	8.82
29.71	15.28	2.73	68.36	73.01	14.66
20.26	23.17	4.96	51.40	57.18	9.39
0.51	3.98	0.18	7.28	7.87	2.58
3.06	5.96	0.98	16.62	18.24	5.35
0.03	0.00	0.00	0.51	0.30	0.00
8.30	32.61	11.60	52.54	27.45	7.95
1.20	1.27	0.37	4.58	3.00	2.02
4.14	0.30	0.02	2.92	10.99	5.86
0.42	4.05	0.50	3.37	4.30	1.67
0.96	2.51	0.45	6.18	4.90	1.03

地区名称		营业利润	投资收益	补贴收入	亏损企业亏损总额
	利息支出				
全　国	978.04	10606.94	8.51	139.75	1082.22
北　京	15.60	318.93	18.04	3.65	55.67
天　津	15.17	404.52	8.61	4.84	42.49
河　北	38.18	345.17	-29.87	1.45	28.16
山　西	14.87	69.16	13.71	0.23	12.24
内蒙古	19.79	108.49	4.78	1.07	5.00
辽　宁	37.53	436.49	0.97	5.58	35.69
吉　林	22.53	241.08	1.39	3.04	9.63
黑龙江	9.52	57.98	0.85	4.26	13.06
上　海	57.24	764.47	50.57	8.18	210.30
江　苏	181.95	2061.88	-1.23	12.55	184.15
浙　江	120.84	610.98	14.07	19.65	87.32
安　徽	16.20	165.78	0.54	4.01	7.88
福　建	55.10	652.05	14.99	6.97	28.43
江　西	12.17	107.15	-0.27	0.83	4.41
山　东	97.85	768.18	-5.58	8.70	55.87
河　南	19.90	159.13	3.19	2.36	8.20
湖　北	19.62	277.97	-96.58	3.72	13.43
湖　南	18.64	113.15	1.55	1.07	4.91
广　东	138.38	2394.70	1.90	36.56	234.74
广　西	12.44	108.74	2.21	1.01	8.94
海　南	9.00	54.39	0.34	0.74	0.87
重　庆	12.70	87.27	-2.26	1.36	5.13
四　川	8.61	141.73	2.51	3.06	5.21
贵　州	2.46	5.66	0.30	0.60	6.91
云　南	5.04	32.22	-0.72	0.84	3.42
西　藏	0.02	0.95	0.00	0.00	0.00
陕　西	6.53	91.62	0.97	1.60	6.32
甘　肃	2.01	4.24	1.23	0.15	0.64
青　海	5.57	11.57	0.86	0.99	0.20
宁　夏	1.62	2.82	0.01	0.45	1.42
新　疆	0.98	8.46	1.42	0.23	1.59

续表3

本年应交增值税	全部从业人员年平均人数(万人)	总资产贡献率(%)	资产负债率(%)	流动资产周转率(次/年)	成本费用利润率(%)	产品销售率(%)
4034.05	2450.43	13.08	56.18	2.18	7.25	97.94
137.29	36.15	13.13	57.09	1.92	7.07	99.17
133.55	52.74	14.73	53.15	2.21	7.48	98.07
130.64	43.11	12.57	56.79	2.35	8.06	98.04
29.90	12.42	11.81	61.91	1.50	14.03	95.17
47.39	8.25	13.22	60.81	2.36	10.45	96.36
158.55	71.37	13.10	53.74	2.13	7.13	98.03
83.30	12.26	29.37	54.64	2.73	12.91	98.70
35.80	14.08	10.07	60.82	1.58	7.13	96.64
357.56	153.65	11.06	55.74	2.11	5.46	99.14
715.81	405.97	12.25	55.32	2.27	6.95	98.53
269.01	208.95	10.29	56.99	1.64	6.71	97.39
86.77	24.47	17.80	58.93	2.05	10.21	95.95
204.80	191.85	14.43	52.67	2.21	8.19	97.23
44.94	36.98	11.94	55.13	2.72	7.22	98.83
310.43	174.00	13.73	52.55	3.21	6.10	98.63
56.79	24.31	15.59	56.35	2.65	9.05	97.95
102.28	36.94	11.74	64.11	1.23	10.67	97.68
40.54	18.27	14.03	57.61	2.98	10.22	99.05
815.39	845.13	13.55	57.28	2.23	7.07	97.13
54.58	20.21	14.75	61.87	2.07	7.69	94.89
21.80	3.23	28.76	61.63	2.83	14.82	100.00
68.88	12.42	16.08	60.37	2.32	6.74	98.07
48.65	19.78	14.32	54.20	1.70	11.90	98.08
3.94	2.86	5.84	71.65	1.17	5.93	86.20
16.74	5.34	12.41	52.26	1.69	10.80	98.19
0.37	0.07	17.51	19.79	1.08	26.02	98.80
41.62	9.61	19.91	53.67	2.04	13.17	97.04
4.10	1.33	7.74	50.04	1.97	7.78	93.79
6.07	1.82	8.44	53.55	2.54	5.48	98.57
2.50	1.24	9.11	55.71	1.47	6.12	95.59
4.08	1.63	11.89	57.48	1.33	11.67	98.55

2009 年按地区分组的大中型

地区名称	企业单位数（个）	亏损企业	工业总产值（当年价格）	新产品产值	工业销售产值（当年价格）
全　国	41290	5877	335186.44	47643.20	328193.86
北　京	633	125	8349.28	2304.03	8250.83
天　津	687	135	9428.76	2741.77	9242.68
河　北	1466	258	15627.22	839.00	15255.67
山　西	1003	352	7748.05	336.52	7562.20
内蒙古	601	111	6411.07	112.88	6184.27
辽　宁	1383	252	14978.44	2074.67	14708.22
吉　林	481	90	6338.00	2318.38	6141.53
黑龙江	528	109	5599.89	340.73	5506.19
上　海	1625	275	17195.79	3549.95	17012.97
江　苏	4698	604	42423.70	5710.73	41814.69
浙　江	4372	371	22200.17	5203.97	21697.25
安　徽	955	108	8165.93	970.20	7982.75
福　建	1975	154	9843.66	1021.93	9586.23
江　西	637	61	4231.17	411.87	4173.62
山　东	3818	375	38502.14	4659.97	38056.79
河　南	2339	210	16516.06	768.76	16247.64
湖　北	1224	163	10335.22	1450.00	10124.49
湖　南	905	141	6238.41	1129.50	6137.11
广　东	6606	1057	44760.14	5217.16	43387.98
广　西	655	120	4105.23	731.84	3938.34
海　南	104	26	815.30	9.11	817.13
重　庆	670	84	4478.70	1970.94	4371.21
四　川	1602	174	10157.76	2441.74	9947.12
贵　州	376	79	2450.85	226.79	2344.07
云　南	549	113	3897.01	172.03	3767.28
西　藏	10	1	21.37	0.01	22.49
陕　西	591	131	6184.02	519.44	5997.39
甘　肃	282	65	3075.98	161.95	3016.97
青　海	83	19	837.93	28.77	808.23
宁　夏	144	43	1085.18	59.59	1023.10
新　疆	288	71	3184.03	158.97	3067.43

工业企业主要经济指标

单位：亿元

出口交货值	资产总计	流动资产合计	应收账款	存　货	产成品	固定资产合计
54782.06	351080.51	152364.09	32208.41	38724.47	12448.60	150375.50
1363.16	16151.68	5058.94	1149.77	1036.58	274.96	4238.14
1429.03	9194.95	4301.93	882.17	1049.66	326.67	3909.97
538.27	16155.76	6243.64	880.60	1738.06	539.89	7880.29
181.16	13104.18	5307.24	659.84	1085.63	373.34	5762.34
82.68	8237.24	2788.22	445.52	583.04	198.95	3994.57
1791.12	17995.86	8089.60	1438.10	2325.23	576.11	7874.67
116.39	6056.28	1933.01	397.58	561.51	205.08	3023.01
133.21	7193.31	2731.97	505.79	798.94	236.37	4033.77
5707.86	17266.12	8649.85	2480.93	2169.25	551.98	6259.78
12017.72	34882.33	17759.35	4775.46	4273.95	1472.81	13724.24
4901.64	21514.26	11317.60	2481.36	2744.72	1037.52	7517.01
401.55	8680.40	3334.69	630.70	908.37	290.62	4292.97
2599.78	8539.73	4112.18	959.07	1085.50	391.41	3321.43
432.72	4384.18	1821.55	260.91	450.23	160.69	2087.61
3731.98	32851.64	13742.55	1967.57	3368.32	1283.07	14433.56
324.33	15060.64	5831.06	979.09	1456.92	466.34	7615.43
481.42	15627.94	5929.37	1538.88	1351.11	408.61	7566.57
200.85	6788.58	2629.93	465.51	908.09	264.23	3376.13
17040.72	34932.08	19145.55	5905.22	4758.62	1508.78	12190.57
160.30	4528.33	1939.25	273.00	577.04	229.42	2135.79
82.03	954.49	314.69	40.25	83.05	23.01	444.90
215.61	4714.90	2121.64	397.03	501.21	203.38	1941.11
468.01	12526.07	5351.25	947.39	1415.06	411.13	5371.55
63.18	4094.49	1368.13	216.74	378.62	100.35	2345.38
65.94	6047.11	2358.00	310.54	788.96	165.51	2651.86
0.01	150.27	39.02	2.90	3.63	0.38	101.23
181.75	9990.46	4003.19	691.43	905.60	295.04	4909.98
18.91	4110.67	1560.28	168.51	671.85	183.94	2102.90
1.38	2103.88	537.76	76.11	126.31	59.21	1241.74
28.00	2220.02	625.03	87.55	200.92	66.09	980.72
21.35	5022.66	1417.58	192.90	418.48	143.69	3046.30

地区名称	固定资产原价	累计折旧	固定资产净值	负债合计	流动负债合计
全　国	205253.20	76987.17	128167.95	206323.41	151255.71
北　京	6030.10	2375.75	3654.35	7926.51	4279.19
天　津	5471.25	2130.35	3327.18	5978.63	4898.36
河　北	10066.98	3475.16	6591.82	10129.75	7389.50
山　西	7782.93	2747.12	5033.54	8680.03	5982.67
内蒙古	5294.50	1850.42	3444.08	4944.71	2947.00
辽　宁	11128.84	4681.66	6447.18	11147.83	8221.30
吉　林	3871.82	1498.67	2373.15	3676.50	2418.11
黑龙江	6331.10	2768.84	3562.26	4048.24	3016.24
上　海	10882.73	5073.85	5808.87	9032.24	7543.87
江　苏	19382.97	7332.99	12049.98	20502.74	17242.58
浙　江	10066.46	3515.85	6550.41	13061.15	10725.74
安　徽	5533.60	1878.55	3653.09	5471.95	3702.47
福　建	4600.10	1584.77	3002.23	4680.03	3478.37
江　西	2806.60	1010.65	1795.95	2680.23	2106.88
山　东	21456.17	8690.71	12761.86	18573.84	13784.09
河　南	9712.51	3107.90	6558.11	9176.94	6363.82
湖　北	9480.75	2941.66	6539.09	8524.69	6116.76
湖　南	4088.95	1308.39	2780.56	4426.72	2732.32
广　东	17963.39	7081.08	10882.22	20096.63	16522.60
广　西	2773.28	889.47	1883.81	2921.22	2119.75
海　南	560.96	163.93	397.03	552.72	378.00
重　庆	2483.38	877.69	1605.69	2861.68	2038.47
四　川	6664.49	2599.33	4065.06	7639.39	5157.21
贵　州	2738.04	870.24	1866.98	2774.26	1519.67
云　南	3093.88	1076.64	2017.25	3390.83	2189.92
西　藏	117.42	33.78	83.64	27.50	20.60
陕　西	5112.80	1925.15	3186.42	5554.99	3800.36
甘　肃	2694.60	982.01	1712.59	2400.26	1578.09
青　海	1376.45	418.97	949.46	1352.74	717.61
宁　夏	1260.23	394.38	865.62	1466.88	780.47
新　疆	4425.90	1701.23	2718.46	2621.58	1483.67

续表 1

所有者权益合计	实收资本	国家资本	集体资本	法人资本
143890.20	71948.17	18976.66	997.09	27183.96
8225.17	4689.14	2628.84	4.74	1370.83
3216.22	1986.89	433.14	11.18	791.32
6000.57	2856.02	701.15	58.98	1368.74
4418.22	2201.45	761.04	46.47	943.18
3259.53	1559.07	449.96	25.26	826.71
6815.16	3987.07	1529.98	43.05	1563.96
2368.39	1339.49	509.05	13.03	553.56
3130.43	1432.91	379.47	11.82	827.91
8233.87	4169.70	404.99	34.40	1619.10
14371.55	7707.91	593.83	101.45	2161.18
8453.11	3804.64	337.27	34.82	1388.08
3187.44	1466.39	473.42	15.14	516.66
3830.34	1998.65	300.05	10.28	429.85
1659.05	753.87	228.89	3.53	275.12
14146.91	4920.20	1456.22	218.62	1639.23
5840.07	2894.72	767.52	94.97	1225.69
6962.77	3572.06	2136.46	31.39	769.52
2361.86	1004.29	312.65	13.87	455.47
14787.37	8431.84	963.10	61.77	2684.80
1591.65	778.28	167.34	4.63	403.91
401.35	284.41	11.45	1.05	207.70
1846.35	889.85	164.32	8.31	465.60
4848.37	1960.51	426.96	29.68	1012.29
1312.93	808.52	383.35	4.72	328.50
2640.10	1022.10	272.50	15.42	604.94
122.77	42.34	16.07	0.56	23.81
4280.44	1604.19	793.25	15.20	626.16
1704.53	1084.16	528.11	48.39	463.56
719.49	323.52	77.39	5.62	205.85
753.14	409.00	128.42	21.71	191.60
2401.05	1964.99	640.46	7.03	1239.12

地区名称				主营业务收入	主营业务成本
	个人资本	港澳台资本	外商资本		
全　国	7357.64	6103.34	11376.56	335751.14	280972.63
北　京	121.59	78.70	484.44	9297.55	8007.58
天　津	93.87	127.95	529.42	9584.09	8162.37
河　北	375.78	131.65	219.71	15951.39	13797.44
山　西	317.87	55.49	77.40	7704.78	6289.53
内蒙古	167.46	18.14	71.53	6303.06	4989.93
辽　宁	214.79	160.95	474.33	15120.81	12831.03
吉　林	131.66	29.07	103.12	6152.63	5173.22
黑龙江	95.34	16.02	102.36	6071.37	4542.96
上　海	180.20	447.41	1483.60	18448.43	15711.19
江　苏	888.26	1058.96	2904.24	41827.76	36107.85
浙　江	975.16	466.58	602.72	21753.45	18470.17
安　徽	217.07	99.12	144.97	7916.14	6462.62
福　建	231.29	483.37	543.81	9627.75	8112.61
江　西	70.52	70.78	105.03	4429.30	3764.26
山　东	806.76	211.16	635.75	38872.93	33127.03
河　南	609.23	78.87	118.45	17029.76	14580.23
湖　北	297.27	71.00	266.43	10394.25	8490.10
湖　南	138.95	28.23	55.12	5972.71	4729.75
广　东	461.15	2265.56	1995.45	43426.21	36296.86
广　西	76.94	41.06	84.39	4016.11	3388.95
海　南	23.79	4.09	36.33	769.40	576.19
重　庆	108.09	52.58	90.96	4361.23	3648.23
四　川	320.89	64.63	106.06	9959.12	8090.81
贵　州	70.66	2.68	18.61	2375.20	1832.08
云　南	87.04	17.22	24.97	3760.21	2705.67
西　藏	0.00	0.00	1.90	20.80	19.70
陕　西	103.39	7.39	58.35	6125.18	4470.62
甘　肃	27.40	6.43	10.28	3303.41	2729.19
青　海	24.75	0.00	9.90	895.06	679.39
宁　夏	56.49	0.13	10.65	1045.64	839.79
新　疆	63.97	8.12	6.27	3235.40	2345.27

续表 2▶

主营业务税金及附加	其他业务收入	其他业务利润	营业费用	管理费用	财务费用
7303.89	7322.59	1162.16	9342.26	14443.73	3927.44
157.04	225.90	30.05	334.77	361.38	101.72
137.01	279.70	146.43	221.96	341.99	67.65
206.09	472.44	77.95	252.66	516.76	198.75
84.75	210.74	27.11	250.89	557.34	202.70
111.05	98.02	22.20	220.33	251.18	122.07
477.81	370.68	42.04	297.70	741.82	178.77
268.81	257.05	28.18	194.43	292.90	86.39
218.03	169.37	17.68	147.63	348.23	51.44
409.28	273.80	58.40	647.14	855.66	89.82
434.14	971.42	204.28	958.37	1346.51	364.06
357.15	507.36	75.42	606.33	837.00	333.32
200.99	215.21	40.63	251.54	484.60	109.13
149.44	117.40	39.71	281.37	351.62	113.42
114.34	55.40	10.02	111.95	188.51	51.24
629.10	726.99	69.58	866.61	1369.65	488.70
284.69	368.26	32.95	334.05	601.64	247.02
341.47	305.31	33.22	319.64	588.15	156.37
353.17	88.91	7.74	200.51	309.74	102.88
658.26	632.68	37.94	1653.19	1847.49	247.75
95.71	96.02	18.78	130.03	182.65	76.31
72.16	6.91	0.89	19.84	26.65	13.80
95.16	106.92	14.11	171.26	268.47	51.13
233.25	162.26	50.38	333.12	533.54	126.03
109.11	58.34	7.71	79.69	133.32	62.38
431.97	176.94	23.47	109.74	211.59	63.98
0.34	0.04	-0.03	0.47	1.19	0.10
264.72	139.89	31.64	153.98	417.63	74.86
171.45	65.12	-2.18	59.78	181.06	42.59
26.25	24.67	-5.78	20.11	45.93	31.12
25.52	51.98	3.75	41.27	56.90	31.03
185.65	86.85	17.89	71.88	192.64	40.90

地区名称	利息支出	营业利润	投资收益	补贴收入	利润总额
全　国	3716.99	23320.98	740.24	442.66	22265.68
北　京	88.20	546.87	190.93	17.10	579.33
天　津	62.56	831.94	37.10	6.45	685.21
河　北	194.13	1059.46	-99.89	11.83	844.72
山　西	190.11	467.94	46.09	6.85	447.96
内蒙古	115.30	776.88	9.47	7.76	673.18
辽　宁	174.35	706.63	14.98	21.41	655.13
吉　林	75.03	377.19	49.91	15.23	340.97
黑龙江	45.09	792.18	10.97	12.88	786.76
上　海	90.64	981.15	181.61	19.75	1019.24
江　苏	354.66	2860.03	37.28	24.69	2596.63
浙　江	312.89	1265.86	63.80	54.76	1343.53
安　徽	102.85	605.51	8.51	19.74	537.67
福　建	98.65	789.87	27.19	7.48	745.32
江　西	49.88	226.35	5.59	1.80	225.10
山　东	461.56	2533.36	28.65	40.55	2474.89
河　南	223.80	1174.39	22.15	16.71	1149.09
湖　北	153.03	715.71	-66.99	30.69	753.89
湖　南	98.69	536.06	12.12	5.81	396.57
广　东	234.07	3034.31	45.48	29.16	2956.14
广　西	75.68	214.50	10.95	11.96	216.76
海　南	13.46	75.61	10.14	0.84	78.96
重　庆	47.68	240.53	4.26	12.84	225.06
四　川	125.63	665.59	13.81	19.37	669.39
贵　州	59.11	157.10	7.26	4.04	166.60
云　南	60.77	321.09	10.27	5.68	284.53
西　藏	0.10	1.31	2.64	0.08	1.18
陕　西	68.74	681.85	17.80	19.65	674.98
甘　肃	42.97	129.66	10.99	5.92	143.87
青　海	30.39	68.83	1.84	3.24	76.98
宁　夏	28.71	64.49	14.75	4.51	75.57
新　疆	38.23	418.72	10.59	3.89	440.48

续表 3

亏损企业亏损总额	本年应交增值税	全部从业人员年平均人数（万人）	总资产贡献率（%）	资产负债率（%）	流动资产周转率（次/年）	成本费用利润率（%）	产品销售率（%）
2077. 50	11412. 86	4831. 29	12. 73	58. 77	2. 20	7. 21	97. 91
101. 81	256. 81	69. 38	6. 70	49. 08	1. 84	6. 58	98. 82
58. 15	393. 44	80. 23	13. 90	65. 02	2. 23	7. 79	98. 03
105. 09	533. 54	196. 42	11. 01	62. 70	2. 55	5. 72	97. 62
156. 86	489. 87	173. 12	9. 25	66. 24	1. 45	6. 14	97. 60
55. 13	326. 18	67. 96	14. 88	60. 03	2. 26	12. 06	96. 46
163. 40	447. 61	203. 02	9. 75	61. 95	1. 87	4. 66	98. 20
79. 48	214. 86	79. 14	14. 86	60. 71	3. 18	5. 93	96. 90
47. 24	315. 89	107. 89	18. 99	56. 28	2. 22	15. 46	98. 33
161. 84	479. 01	145. 43	11. 57	52. 31	2. 13	5. 89	98. 94
145. 36	1177. 72	509. 46	13. 08	58. 78	2. 36	6. 70	98. 56
67. 26	601. 15	336. 03	12. 15	60. 71	1. 92	6. 64	97. 73
24. 15	381. 14	127. 06	14. 09	63. 04	2. 37	7. 36	97. 76
36. 51	265. 12	187. 12	14. 74	54. 80	2. 34	8. 41	97. 38
18. 23	163. 75	76. 75	12. 62	61. 13	2. 43	5. 47	98. 64
89. 68	1169. 17	489. 25	14. 41	56. 54	2. 83	6. 90	98. 84
162. 30	582. 13	274. 18	14. 87	60. 93	2. 92	7. 29	98. 37
52. 86	357. 96	156. 18	10. 28	54. 55	1. 75	7. 89	97. 96
47. 14	316. 68	98. 61	17. 16	65. 21	2. 27	7. 42	98. 38
166. 18	1159. 64	812. 39	14. 34	57. 53	2. 27	7. 38	96. 93
28. 51	161. 84	65. 04	12. 15	64. 51	2. 07	5. 74	95. 93
7. 86	31. 01	7. 44	20. 49	57. 91	2. 44	12. 41	100. 22
17. 12	177. 36	75. 11	11. 56	60. 69	2. 06	5. 44	97. 60
53. 28	388. 40	176. 21	11. 31	60. 99	1. 86	7. 37	97. 93
42. 30	115. 96	47. 20	11. 01	67. 76	1. 74	7. 91	95. 64
32. 53	235. 86	49. 95	16. 75	56. 07	1. 59	9. 21	96. 67
2. 93	1. 44	0. 74	2. 03	18. 30	0. 53	5. 48	105. 23
55. 66	307. 71	95. 52	13. 17	55. 60	1. 53	13. 19	96. 98
36. 98	127. 53	48. 69	11. 82	58. 39	2. 12	4. 78	98. 08
10. 86	38. 75	13. 20	8. 19	64. 30	1. 66	9. 91	96. 46
9. 99	43. 70	20. 54	7. 82	66. 08	1. 67	7. 80	94. 28
40. 81	151. 65	42. 03	16. 25	52. 20	2. 28	16. 62	96. 34

第七篇 附录

2009年中国百强企业

排　名	企业名称	营业收入（万元）
1	中国石油化工集团公司	146243938
2	中国石油天然气集团公司	127300293
3	国家电网公司	114073711
4	中国工商银行股份有限公司	49000400
5	中国移动通信集团公司	45185199
6	中国建设银行股份有限公司	40293700
7	中国人寿保险（集团）公司	37900940
8	中国银行股份有限公司	35227960
9	中国农业银行股份有限公司	33403700
10	中国中化集团公司	30897547
11	中国南方电网有限责任公司	28552483
12	宝钢集团有限公司	24683881
13	中国中铁股份有限公司	23461928
14	中国铁建股份有限公司	22614071
15	中国电信集团公司	22110274
16	中国建筑工程总公司	20715506
17	中国海洋石油总公司	19478855
18	中国远洋运输（集团）总公司	19063965
19	中粮集团有限公司	18852644
20	中国联合网络通信集团有限公司	18804643
21	中国五矿集团公司	18533614
22	中国交通建设集团有限公司	18057942
23	上海汽车工业（集团）总公司	17293017
24	中国中钢集团公司	16835989
25	河北钢铁集团有限公司	16703313
26	百联集团有限公司	16530727
27	中国冶金科工集团公司	16518137
28	中国第一汽车集团公司	16446614
29	中国中信集团公司	15449128
30	东风汽车公司	15271295
31	中国华能集团公司	15137481
32	中国航空工业集团公司	15107492
33	中国兵器装备集团公司	15064335
34	中国兵器工业集团公司	14758414
35	江苏沙钢集团有限公司	14523215

续表

排　名	企业名称	营业收入（万元）
36	神华集团有限责任公司	14401326
37	中国邮政集团公司	14392943
38	中国平安保险（集团）股份有限公司	13980300
39	首钢总公司	13200000
40	中国人民保险集团公司	13093381
41	交通银行股份有限公司	12953100
42	中国铝业公司	12912092
43	武汉钢铁（集团）公司	12370251
44	华为技术有限公司	12274138
45	中国化工集团公司	12203751
46	华润（集团）有限公司	12182397
47	山东钢铁集团有限公司	12050468
48	海尔集团公司	11895668
49	广州汽车工业集团有限公司	11554891
50	联想控股有限公司	11521069
51	浙江省物产集团公司	10730856
52	中国航空油料集团公司	10632154
53	中国船舶重工集团公司	10348275
54	江苏苏宁电器集团有限公司	10234242
55	中国大唐集团公司	10165408
56	太原钢铁（集团）有限公司	10093064
57	中国铁路物资总公司	10020276
58	中国太平洋保险（集团）股份有限公司	9783500
59	中国机械工业集团有限公司	9741658
60	天津市中环电子信息集团有限公司	9664804
61	上海电气（集团）总公司	9622213
62	鞍山钢铁集团公司	9595844
63	中国外运长航集团有限公司	9462482
64	中国国电集团公司	9450745
65	山西煤炭运销集团有限公司	9023941
66	中国华电集团公司	8946801
67	益海嘉里投资有限公司	8438921
68	河南煤业化工集团有限公司	8211530
69	美的集团有限公司	8081158
70	山东魏桥创业集团有限公司	7567493

续表

排 名	企业名称	营业收入（万元）
71	中国海运（集团）总公司	7486153
72	马钢（集团）控股有限公司	7463668
73	天津市物资集团总公司	7371435
74	天津汽车工业（集团）有限公司	7277530
75	山西焦煤集团有限责任公司	7179795
76	中国中煤能源集团有限公司	7125265
77	中国电力投资集团公司	6980746
78	中国电子信息产业集团公司	6856204
79	湖南华菱钢铁集团有限责任公司	6833293
80	中国平煤神马能源化工集团有限责任公司	6813417
81	上海建工（集团）总公司	6784650
82	珠海振戎公司	6729359
83	北京汽车工业控股有限责任公司	6723605
84	泰康人寿保险股份有限公司	6507674
85	中国建筑材料集团公司	6292504
86	大连大商集团有限公司	6255500
87	陕西延长石油（集团）有限责任公司	6222405
88	中国航天科工集团公司	6101977
89	中国水利水电建设集团公司	6081346
90	江西铜业集团公司	6058158
91	杭州钢铁集团公司	6001416
92	黑龙江北大荒农垦集团总公司	5744740
93	中国南方航空集团公司	5717384
94	中国航空集团公司	5580914
95	新华人寿保险股份有限公司	5568278
96	招商银行股份有限公司	5530800
97	金川集团有限公司	5506451
98	南京钢铁集团有限公司	5505849
99	沈阳铁路局	5404831
100	上海铁路局	5329808

注：该名单节选自中国企业联合会和中国企业家协会评选的2009中国企业500强的前100名。

2009年中国机械工业百强企业

排名	企业名称	省市	主要产品	主营业务收入（万元）
1	中国机械工业集团有限公司	北京市	机械装备研发与制造，工程承包，贸易与服务	10194682
2	上海电气（集团）总公司	上海市	电站锅炉，电梯，机床，机械设备	7406129
3	潍柴控股集团有限公司	山东省	内燃机，内燃机配件，汽车及配件	5228133
4	徐州工程机械集团有限公司	江苏省	汽车起重机，装载机，压路机，平地机	5051776
5	中国东方电气集团有限公司	四川省	发电设备	3667450
6	长沙中联重工科技发展股份有限公司	湖南省	起重机械，混凝土机械，环卫机械，挖掘机械	3372691
7	三一集团有限公司	湖南省	混凝土机械，挖掘机械，起重机械，煤矿机械	3042464
8	哈尔滨电站设备集团公司	黑龙江省	发电设备，电站锅炉，电站汽轮机	3028253
9	上海振华重工（集团）股份有限公司	上海市	港口机械，大型桥梁钢构	2756400
10	广西玉柴机器集团有限公司	广西区	柴油机，工程机械	2719732
11	山东时风（集团）有限责任公司	山东省	三轮汽车，低速货车，拖拉机	2106312
12	大连重工·起重集团有限公司	辽宁省	起重机械，装卸机械，冶金设备，风力发电设备	1926136
13	北京京城机电控股有限责任公司	北京市	电站锅炉，发电设备，电站汽轮机，数控机床	1839590
14	中国西电集团公司	陕西省	变压器，全封闭组合电器，高压断路器，电力整流器	1594730
15	特变电工股份有限公司	新疆区	变压器，电线电缆，新能源	1475429
16	中国龙工控股有限公司	上海市	装载机，挖掘机，叉车，压路机	1441551
17	山东工程机械集团有限公司	山东省	推土机	1402401
18	福田雷沃国际重工股份有限公司	山东省	收获机械，大中小型拖拉机，工程机械，三轮运输车	1361688
19	宝胜集团有限公司	江苏省	电线电缆	1226994
20	常林工程机械集团	江苏省	挖掘机，装载机，平地机，压路机	1215805
21	沈阳机床（集团）有限责任公司	辽宁省	金属切削机床	1206188
22	广州市白云电气集团有限公司	广东省	电容器，变压器，绝缘子，真空开关管	1201620
23	北方重工集团有限公司	辽宁省	矿山设备，水泥设备，冶炼设备，金属轧制设备	1199402
24	广西柳工集团有限公司	广西区	装载机，挖掘机，压路机，叉车	1101201
25	太原重型机械集团有限公司	山西省	起重设备，矿山设备，轧钢设备，车轴、车轮，液压机械产品	1090890
26	远东控股集团有限公司	江苏省	电线电缆	1066018

续表

排名	企业名称	地区	主要产品	主营业务收入（万元）
27	中信重工机械股份有限公司	河南省	矿山设备，建材水泥设备，冶金设备，有色设备	1053829
28	大连机床集团公司	辽宁省	数控机床，加工中心，组合机床，普通车床	1048660
29	新疆金风科技股份有限公司	新疆区	风力发电机组	947608
30	中国第一重型机械集团公司	黑龙江省	金属轧制设备，石油化工设备，大型铸锻加工件，冶炼设备	927276
31	大连冰山集团有限公司	辽宁省	制冷空调设备，食品机械	921246
32	正泰集团股份有限公司	浙江省	低压电器，高压电气，建筑电器，仪器仪表	912513
33	华立集团股份有限公司	浙江省	电能表，铜箔板	902716
34	山东五征集团	山东省	三轮汽车，低速货车，载货汽车，拖拉机	887479
35	成都神钢工程机械（集团）有限公司	四川省	挖掘机，装载机，平地机	878755
36	江苏常发实业集团有限公司	江苏省	柴油发动机，轮式拖拉机	876558
37	许继集团有限公司	河南省	变压器，开关控制设备，其他输配电及控制设备	855694
38	佛山普立华科技有限公司	广东省	照相机，摄像头，投影机	828766
39	德力西集团有限公司	浙江省	低压电器，高中压电器，高中压成套电气设备	814583
40	浙江富春江通信集团有限公司	浙江省	电力电缆，通信电缆，通信光缆，导线	807059
41	中国第二重型机械集团公司	四川省	金属轧制设备，电工电器配件，通用机械配件	806059
42	湘电集团有限公司	湖南省	交、直流电动机，风力发电机组，工业泵	758484
43	天津塑力线缆集团有限公司	天津市	电线电缆，高分子料，铜材、铝材，电缆材料	719609
44	大全集团有限公司	江苏省	高低压开关柜，母线槽，断路器	702413
45	江苏上上电缆集团有限公司	江苏省	电力电缆，电线	686672
46	富通集团有限公司	浙江省	光缆，光纤，通信电缆，元器件	646917
47	沈阳鼓风机集团有限公司	辽宁省	风机，泵，气体压缩机	643548
48	天津百利机电控股集团有限公司	天津市	发电设备，金切机床，锻压设备，粗钢及通用产品	641700
49	青岛泰发集团股份有限公司	山东省	手推车，轮胎，塑料制品	570148
50	日立建机（中国）有限公司	安徽省	挖掘机	553799
51	江苏华朋集团有限公司	江苏省	变压器，蓄电池，起重运输机械，仪器仪表	538923
52	厦门厦工机械股份有限公司	福建省	装载机，挖掘机，压路机，叉车	536788
53	宁波海天塑机集团有限公司	浙江省	注塑机，数控机床	534149

续表

排名	企业名称	地区	主要产品	主营业务收入（万元）
54	宝鸡石油机械有限责任公司	陕西省	石油钻机，泥浆泵	527974
55	卧龙控股集团有限公司	浙江省	电机，电源，变压器，电动车	522304
56	瓦房店轴承集团有限责任公司	辽宁省	轴承	508795
57	平高集团有限公司	河南省	高压断路器，高压隔离开关，全封闭组合电器	507000
58	杭州汽轮动力集团有限公司	浙江省	工业汽轮机	500558
59	洛阳LYC轴承有限公司	河南省	轴承及零部件，汽车零部件	478360
60	青岛汉河集团股份有限公司	山东省	电力电缆，钢芯铝绞线，矿用电缆	463581
61	青岛变压器集团有限公司	山东省	电力变压器，电磁线，电力电缆	454130
62	天津市金桥焊材集团有限公司	天津市	焊条，焊丝	448798
63	中国四联仪器仪表集团有限公司	重庆市	工业自动化仪表及控制系统，成份分析仪器	447708
64	天马控股集团有限公司	浙江省	轴承，机床，电梯	411767
65	山东临工工程机械有限公司	山东省	装载机，压路机，挖掘机	380987
66	陕西鼓风机（集团）有限公司	陕西省	风机，工矿配件，仪表，锅炉	366778
67	浙江万马集团有限公司	浙江省	电线电缆，通信电缆	359093
68	浙江杭叉工程机械集团股份有限公司	浙江省	叉车	356418
69	杭州制氧机集团有限公司	浙江省	气体、液体分离及纯净设备制造，气体压缩机，风机，环保设备	356401
70	山东阳谷电缆集团有限公司	山东省	电力电缆，交联电缆，光缆	352311
71	南京汽轮电机（集团）有限责任公司	江苏省	燃气轮发电机组，电站汽轮发电机组，风力发电机，交流电动机	345765
72	陕西秦川机床工具集团有限公司	陕西省	金属切削机床，金切削切工具制造，钢铁铸件制造	335242
73	山东常林机械集团股份有限公司	山东省	手扶拖拉机，柴油机，压路机，装载机	328358
74	新东北电气（沈阳）高压开关有限公司	辽宁省	气体绝缘金属封闭开关，高压断路器	326257
75	安徽应流集团	安徽省	铸钢件	324395
76	安徽叉车集团有限责任公司	安徽省	叉车	314357
77	卫华集团有限公司	河南省	电动葫芦，电动单梁起重机，双梁起重机	312226
78	天正集团有限公司	浙江省	电度表，低压电器主要元件，低压电器一般元件	283833
79	安徽中鼎控股（集团）股份有限公司	安徽省	汽车密封件	279963
80	人本集团有限公司	浙江省	轴承成品	272566
81	烟台冰轮集团有限公司	山东省	制冷及成套设备，大型铸件	271337

续表

排 名	企业名称	地 区	主要产品	主营业务收入（万元）
82	兰州兰石集团有限公司	甘肃省	石油钻采设备，炼油化工设备，各类铸件、锻件，快锻压机	266919
83	江苏通润机电集团有限公司	江苏省	油压千斤顶，高低压开关柜，电梯电引机	264721
84	北京电力设备总厂	北京市	中速辊式磨机，特种工业汽轮机，电抗器	262435
85	风帆股份有限公司	河北省	铅酸蓄电池	262308
86	无锡华光锅炉股份有限公司	江苏省	电站锅炉和工业锅炉，燃气轮机余热锅炉，垃圾焚烧锅炉	258242
87	昆明云内动力股份有限公司	云南省	柴油机及机组，柴油发电机组	255106
88	开山集团	浙江省	螺杆空压机，活塞式空压机，压力容器	242821
89	新华昌集团有限公司	江苏省	集装箱制造	242076
90	常柴股份有限公司	江苏省	单缸柴油机，多缸柴油机	240818
91	杭州锅炉集团股份有限公司	浙江省	电站锅炉，工业锅炉，锅炉辅机，锅炉部件	229074
92	浙江盾安人工环境设备股份有限公司	浙江省	制冷配件，中央空调	228158
93	久保田农业机械（苏州）有限公司	江苏省	拖拉机，插秧机，收割机	221959
94	中煤张家口煤矿机械有限责任公司	河北省	刮板输送机，转载机，破碎机	221645
95	日本电产（大连）有限公司	辽宁省	轴流风机，精密马达	210580
96	济南二机床集团有限公司	山东省	金切机床，金属成形机床，铸造机械	206798
97	浙江球冠集团有限公司	浙江省	电气装备用电线电缆，电力电缆，控制电缆	200958
98	SMC（中国）有限公司	北京市	各种气动元件、装置及辅助元件，工业自动化机电一体化元件	197279
99	重庆康明斯发动机有限公司	重庆市	发动机	191752
100	四川宏华石油设备有限公司	四川省	石油钻机，泥浆泵	187823

注：该名单由中国机械工业联合会和中国汽车工业协会联合发布。

2009 年中国制造业百强企业

排　名	企业名称	销售收入（万元）
1	中国石油化工集团公司	146243938
2	宝钢集团有限公司	24683881
3	中国五矿集团公司	18533614
4	上海汽车工业（集团）总公司	17293017
5	河北钢铁集团有限公司	16703313
6	中国第一汽车集团公司	16446614
7	东风汽车公司	15271295
8	中国航空工业集团公司	15107492
9	中国兵器装备集团公司	15064335
10	中国兵器工业集团公司	14758414
11	江苏沙钢集团有限公司	14523215
12	首钢总公司	13200000
13	中国铝业公司	12912092
14	武汉钢铁（集团）公司	12370251
15	华为技术有限公司	12274138
16	中国化工集团公司	12203751
17	山东钢铁集团有限公司	12050468
18	海尔集团公司	11895668
19	广州汽车工业集团有限公司	11554891
20	联想控股有限公司	11521069
21	中国船舶重工集团公司	10348275
22	太原钢铁（集团）有限公司	10093064
23	天津市中环电子信息集团有限公司	9664804
24	上海电气（集团）总公司	9622213
25	鞍山钢铁集团公司	9595844
26	益海嘉里投资有限公司	8438921
27	美的集团有限公司	8081158
28	山东魏桥创业集团有限公司	7567493
29	马钢（集团）控股有限公司	7463668
30	天津汽车工业（集团）有限公司	7277530
31	中国电子信息产业集团公司	6856204
32	湖南华菱钢铁集团有限责任公司	6833293
33	北京汽车工业控股有限责任公司	6723605
34	中国建筑材料集团公司	6292504
35	中国航天科工集团公司	6101977

续表

排　名	企业名称	销售收入（万元）
36	江西铜业集团公司	6058158
37	杭州钢铁集团公司	6001416
38	金川集团有限公司	5506451
39	南京钢铁集团有限公司	5505849
40	天津钢管集团股份有限公司	5267163
41	天津冶金集团有限公司	5197824
42	江苏悦达集团有限公司	5105837
43	安阳钢铁集团有限责任公司	5102285
44	攀枝花钢铁（集团）公司	5061607
45	江苏华西集团公司	5023552
46	天津天铁冶金集团有限公司	5020869
47	中国重型汽车集团有限公司	5006037
48	潍柴控股集团有限公司	4912430
49	北台钢铁（集团）有限责任公司	4895304
50	海信集团有限公司	4887634
51	上海复星高科技（集团）有限公司	4881041
52	光明食品（集团）有限公司	4822230
53	红云红河烟草（集团）有限责任公司	4759811
54	中国国际海运集装箱（集团）股份有限公司	4732728
55	日照钢铁控股集团有限公司	4718702
56	红塔烟草（集团）有限责任公司	4661949
57	上海烟草（集团）公司	4634237
58	天津荣程联合钢铁集团有限公司	4606537
59	江西省冶金集团公司	4586117
60	万向集团公司	4550167
61	湖南中烟工业有限责任公司	4547042
62	新希望集团有限公司	4469679
63	中兴通讯股份有限公司	4429340
64	铜陵有色金属集团控股有限公司	4416702
65	戴尔（中国）有限公司	4351819
66	包头钢铁（集团）有限责任公司	4326406
67	北大方正集团有限公司	4229497
68	珠海格力电器股份有限公司	4219972
69	天津天钢集团有限公司	4206991
70	安徽海螺集团有限责任公司	4201873

续表

排　名	企业名称	销售收入（万元）
71	大连西太平洋石油化工有限公司	4164302
72	华晨汽车集团控股有限公司	4135595
73	徐州工程机械集团有限公司	4081302
74	北京建龙重工集团有限公司	4079037
75	天津渤海化工集团公司	4002010
76	仁宝资讯工业（昆山）有限公司	3938584
77	群康科技（深圳）有限公司	3875862
78	本溪钢铁（集团）有限责任公司	3855284
79	中国南方机车车辆工业集团公司	3801986
80	酒泉钢铁（集团）有限责任公司	3791398
81	广西柳州钢铁（集团）公司	3781876
82	中国核工业集团公司	3771366
83	新兴铸管集团有限公司	3736307
84	江苏雨润食品产业集团有限公司	3700293
85	中国北方机车车辆工业集团公司	3689066
86	山东大王集团有限公司	3675461
87	天津三星通信技术有限公司	3630008
88	上海华谊（集团）公司	3511768
89	河南省漯河市双汇实业集团有限责任公司	3505891
90	中国东方电气集团有限公司	3394320
91	青岛钢铁控股集团有限责任公司	3326404
92	哈尔滨电气集团公司	3299242
93	杭州娃哈哈集团有限公司	3283157
94	南山集团公司	3203424
95	乐金显示（南京）有限公司	3110858
96	新余钢铁有限责任公司	3061175
97	云天化集团有限责任公司	3048818
98	天津百利机电控股集团有限公司	3038490
99	海亮集团有限公司	3032710
100	摩托罗拉（中国）电子有限公司	3005990

注：1. 该名单节选自中国企业联合会和中国企业家协会评选的2009中国制造业企业500强的前100名。
2. 红塔烟草（集团）有限责任公司2008年销售收入应为5117282.43万元（该企业在申报时未将新并入集团的原昭通卷烟厂销售收入统计在内）。

2009年中国煤炭工业百强企业

排　名	企业名称	营业收入（万元）
1	神华集团有限责任公司	14402329
2	山西煤炭运销集团有限公司	9023941
3	河南煤业化工集团有限责任公司	8211530
4	山西焦煤集团有限责任公司	7179795
5	中国中煤能源集团有限公司	7125265
6	中国平煤神马能源化工集团有限责任公司	6813417
7	山西大同煤矿集团有限责任公司	5132418
8	山东兖矿集团有限公司	4679232
9	山西晋城无烟煤矿业集团有限责任公司	4455018
10	河北冀中能源集团有限责任公司	4100284
11	山西潞安矿业（集团）有限责任公司	3524840
12	黑龙江龙煤矿业控股集团有限责任公司	3474636
13	山西阳泉煤业（集团）有限责任公司	3436799
14	河北开滦（集团）有限责任公司	3344674
15	山东新汶矿业集团有限责任公司	3287262
16	山东枣庄矿业（集团）有限责任公司	2962848
17	安徽淮南矿业（集团）有限责任公司	2767789
18	陕西煤业化工集团有限责任公司	2340783
19	安徽淮北矿业（集团）有限责任公司	2298639
20	内蒙古伊泰集团有限公司	2291809
21	山西煤炭进出口集团有限公司	2190292
22	江苏徐州矿务集团有限公司	1856560
23	中电投蒙东能源集团有限责任公司	1731471
24	河南神火集团有限公司	1606158
25	中国煤炭科工集团有限公司	1490234
26	山东淄博矿业集团有限责任公司	1363347
27	河南郑州煤炭工业（集团）有限责任公司	1356088
28	重庆市能源投资集团公司	1237827
29	安徽省皖北煤电集团有限责任公司	1212764
30	辽宁铁法煤业（集团）有限责任公司	1209754
31	河南义马煤业集团股份有限公司	1189760
32	北京京煤集团有限责任公司	930584
33	福建省煤炭工业（集团）有限责任公司	898834

续表

排　名	企业名称	营业收入（万元）
34	辽宁沈阳煤业（集团）有限责任公司	859260
35	山东肥城矿业集团有限责任公司	839984
36	山西兰花煤炭实业集团有限公司	763260
37	辽宁阜新矿业（集团）有限责任公司	747984
38	四川省煤炭产业集团有限责任公司	731636
39	内蒙古伊东煤炭集团有限责任公司	727485
40	内蒙古汇能煤电集团有限公司	704877
41	江西省煤炭集团公司	703342
42	山东临沂矿业集团有限责任公司	626790
43	辽宁抚顺矿业集团有限责任公司	624343
44	云南东源煤业集团有限公司	591684
45	中煤矿山建设集团有限责任公司	577210
46	贵州盘江煤电（集团）有限责任公司	553221
47	山东龙口矿业集团有限公司	548167
48	甘肃华亭煤业集团有限责任公司	546375
49	国投新集能源股份有限公司	542626
50	神东天隆集团有限责任公司	533731
51	华能呼伦贝尔能源开发有限公司	523453
52	湖南省煤业集团有限公司	508808
53	内蒙古蒙泰煤电集团有限公司	498035
54	贵州水城矿业（集团）有限责任公司	471822
55	山西沁新煤焦股份有限公司	458931
56	山西金海洋能源集团有限公司	451700
57	内蒙古平庄煤业（集团）有限责任公司	451324
58	山东泰丰矿业集团有限公司	407802
59	内蒙古西蒙科工贸集团有限责任公司	398337
60	内蒙古满世煤炭集团有限责任公司	391421
61	河南郑州煤矿机械集团股份有限公司	372234
62	内蒙古庆华集团有限公司	357794
63	甘肃靖远煤业集团有限责任公司	333072
64	青海庆华矿冶煤化集团有限公司	320354
65	山西省襄垣县地方国营襄垣煤矿	316008
66	陕西彬县煤炭有限责任公司	309286
67	内蒙古蒙发煤炭有限责任公司	299452
68	山西汾河焦煤股份有限公司	279205
69	河北省磁县六合工业有限公司	275219

续表

排 序	企业名称	营业收入（万元）
70	吉林辽源矿业（集团）有限责任公司	271278
71	山东济宁矿业集团有限公司	257542
72	山东省丰源煤电股份有限公司	237416
73	吉林通化矿业（集团）有限责任公司	201501
74	山东裕隆矿业集团有限公司	171852
75	甘肃窑街煤电集团有限公司	170474
76	云南省小龙潭矿务局	170077
77	山西三元煤业股份有限公司	166283
78	国投煤炭郑州能源开发有限公司	157908
79	三一重型装备有限公司	157764
80	贵州六枝工矿（集团）有限责任公司	150258
81	内蒙古特弘煤电集团有限责任公司	150012
82	山西离柳焦煤集团有限公司	149339
83	河南平顶山煤矿机械有限责任公司	137989
84	山东宏河矿业集团有限公司	132854
85	山西平阳重工机械有限责任公司	124735
86	江苏宏安集团有限公司	116543
87	山东矿机集团股份有限公司	114671
88	新疆焦煤（集团）有限责任公司	107804
89	山东王晁煤电集团有限公司	105438
90	浙江长广（集团）有限责任公司	97635
91	河北省磁县申家庄煤矿	97181
92	陕西榆林市榆神煤炭有限责任公司	86610
93	山西省阳泉荫营煤矿	86500
94	辽宁北票煤业有限责任公司	85986
95	山西大同鹊山精煤有限责任公司	85961
96	河南郑州市磴槽集团有限公司	85359
97	山西义棠煤业有限责任公司	82098
98	山东省岱庄生建煤矿	78412
99	山西省长治经坊煤业有限公司	73355
100	山西太原东山煤矿有限责任公司	66547

注：该名单由中国煤炭工业协会通过企业自主申报，经有关部门审核，采用国际通行方式，以企业2008年度营业收入为入围标准评选和公布。

2009 年中国连锁百强企业

排 名	企业名称	销售规模（万元）	增幅（%）	门店总数（个）	增幅（%）
1	苏宁电器集团	11700267	14.3	941	15.9
2	国美电器有限公司	10680165	2.1	1170	-14.1
	其中：三联商社股份有限公司	137996	-27.0	5	-37.5
3	百联集团有限公司	9791537	3.8	6153	-4.1
	其中：联华超市股份有限公司（含华联）	6716978	3.2	5599	-4.7
	华联集团吉买盛购物中心有限公司	392618	-2.9	22	4.8
	好美家装潢建材有限公司	210000	-17.0	14	-44.0
4	大商集团有限公司	7053590	12.8	160	6.7
5	华润万家有限公司	6800000	6.6	2926	8.5
	其中：苏果超市有限公司	3323600	9.5	1852	2.8
6	康成投资（中国）有限公司（大润发）	4043169	20.5	121	19.8
7	家乐福（中国）管理咨询服务有限公司	3660000	8.2	156	16.4
8	安徽省徽商集团有限公司	3437883	13.5	2884	15.5
	其中：安徽商之都股份有限公司	726413	14.6	928	41.9
	安徽徽商农家福有限公司	184490	4.9	1918	6.2
9	沃尔玛（中国）投资有限公司	3400000	22.2	175	45.8
10	物美控股集团有限公司	*3270000	6.7	2333	16.1
	其中：北京美廉美连锁商业有限公司	436596	6.6	35	12.9
	浙江供销超市有限公司	220207	10.1	2000	4.2
11	重庆商社（集团）有限公司	3004698	14.4	313	6.5
	其中：重庆商社新世纪百货有限公司	1380065	32.1	115	8.5
	重庆百货大楼股份有限公司	834285	13.0	123	5.1
12	新合作商贸连锁集团有限公司	3000000	76.5	88653	24.8
	其中：江苏新合作常客隆连锁超市有限公司	172115	12.8	816	22.5
13	百胜餐饮集团中国事业部	2880000	9.9	3200	18.5
14	农工商超市（集团）有限公司	2673800	0.2	3331	0.0
15	百思买（中国内地）	*2570000	262		
	其中：江苏五星电器有限公司	2470000	7.4	256	0.0
16	山东省商业集团总公司（银座集团）	2564116	37.0	206	25.6
17	合肥百货大楼集团股份有限公司	2090000	7.7	136	8.8
	其中：合肥百大合家福连锁超市有限责任公司	202560	12.4	102	15.9
18	新一佳超市有限公司	1723600	-2.0	109	3.8
19	武汉中百集团股份有限公司	1685519	18.4	674	7.0
	其中：武汉中百连锁仓储超市有限公司	1050606	25.4	139	13.9
	武汉中百便民超市连锁有限公司	272760	8.1	500	4.6

续表

排　名	企业名称	销售规模（万元）	增幅（%）	门店总数（个）	增幅（%）
20	好又多管理咨询服务（上海）有限公司	＊1650000	0.6	104	0.0
21	宏图三胞高科技术有限公司	1593775	－11.2	170	－11.5
22	文峰大世界连锁发展股份有限公司	1566457	11.1	978	7.2
23	利群集团股份有限公司	1516622	9.4	890	3.9
24	新世界百货中国有限公司	＊1500000	1.4	34	3.0
25	武汉武商集团股份有限公司	＊1352248	17.6	75	27.1
	其中：武汉武商量贩连锁有限公司	＊730790	23.8	69	30.2
26	长春欧亚集团股份有限公司	1347068	11.0	30	66.7
27	TESCO（中国内地）	＊1330000	15.7	79	29.5
28	北京王府井百货（集团）股份有限公司	＊1327000	10.6	19	18.8
29	易初莲花	＊1300000	0.0	77	1.3
30	百盛商业集团有限公司	1237000	15.7	44	10.0
31	锦江麦德龙现购自运有限公司	1202277	－4.9	42	10.5
32	石家庄北国人百集团有限责任公司	1167541	37.3	80	14.3
33	天虹商场股份有限公司	1161990	22.7	37	15.6
34	永辉超市股份有限公司	1021800	45.6	268	30.7
35	山东家家悦集团有限公司	1012021	18.6	489	7.2
36	北京京客隆商业集团股份有限公司	1006410	1.9	247	1.6
37	人人乐连锁商业集团股份有限公司	1003779	13.8	90	25.0
38	山东新星集团有限公司	987787	17.6	532	13.2
39	欧尚（中国）投资有限公司	986000	21.0	35	12.9
40	山东潍坊百货集团股份有限公司	952521	14.0	318	0.3
41	金鹰商贸集团有限公司	＊936000	33.9	17	30.8
42	江苏时代超市有限公司	929590	2.8	68	1.5
43	武汉中商集团股份有限公司	880687	14.2	42	2.4
	其中：武汉中商集团股份有限公司——平价连锁分公司	424249	3.7	32	3.2
44	永旺（中国内地）	861077	11.7	21	16.7
45	银泰百货（集团）有限公司	758659	34.9	22	46.7
46	郑州丹尼斯百货有限公司	＊710000	16.2	50	8.7
47	福建新华都购物广场股份有限公司	694678	29.2	75	44.2
48	北京新燕莎控股（集团）有限责任公司	690988	12.4	10	0.0
49	北京迪信通商贸有限公司	687255	4.0	1310	2.0
50	麦当劳（中国）有限公司	＊650000	6.6	1100	10.0
51	广州市广百股份有限公司	643690	9.7	19	58.3
52	辽宁兴隆大家庭商业集团	639159	16.6	15	36.4

续表

排　名	企业名称	销售规模（万元）	增幅（%）	门店总数（个）	增幅（%）
53	内蒙古小肥羊餐饮连锁有限公司	621700	2.1	431	9.7
54	步步高商业连锁股份有限公司	572400	10.0	123	11.8
55	湖南友谊阿波罗股份有限公司	519861	11.9	22	15.8
	其中：湖南家润多超市有限公司	147099	2.4	15	25.0
56	成都红旗连锁有限公司	502938	7.0	980	14.2
57	三江购物俱乐部股份有限公司	496362	10.4	127	19.8
58	海航商业控股有限公司	470841	14.2	64	4.9
59	四川省互惠商业有限责任公司	450000	7.1	1200	50.0
60	南京中央商场股份有限公司	*448000	17.9	7	0.0
61	百佳超市（中国内地）	358196	-9.5	39	-9.3
62	成都伊藤洋华堂有限公司	351380	21.9	3	0.0
63	易买得	*351000	9.7	20	11.1
64	东方家园家居建材商业有限公司	350000	21.6	25	0.0
65	青岛维客集团股份有限公司	328135	6.5	828	-1.4
66	广州友谊集团股份有限公司	320000	6.7	4	0.0
67	北京市顺义国泰商业大厦	316000	25.1	12	20.0
68	宜家家居	*312000	15.6	7	16.7
69	北京翠微大厦股份有限公司	311214	11.7	3	0.0
70	深圳市海王星辰医药有限公司	310000	10.7	2867	5.8
71	山西美特好连锁超市股份有限公司	306800	14.2	27	28.6
72	加贝物流股份有限公司	305000	22.0	314	0.3
73	河北保龙仓商业连锁经营有限公司	302000	14.8	14	7.7
74	江西洪客隆百货投资有限公司	300000	18.1	26	23.8
75	北京西单友谊集团	294137	5.9	222	16.2
76	湖南佳惠百货有限责任公司	288000	13.1	200	4.2
77	邯郸市阳光百货集团总公司	272404	23.9	60	130.8
78	华糖洋华堂商业有限公司	271000	-4.9	9	12.5
79	湖南老百姓医药连锁有限公司	268000	5.1	350	66.7
80	北京超市发连锁股份有限公司	264381	14.5	80	21.2
81	山东全福元商业集团有限责任公司（原寿光百货大楼）	261808	36.3	72	16.1
82	上海如家酒店管理有限公司	260064	39.0	616	30.8
83	浙江人本超市有限公司	258426	13.2	599	54.8
84	深圳岁宝百货有限公司	250085	8.1	11	22.2
85	浙江华联商厦有限公司	248000	15.9	221	-5.2
86	山西省太原唐久超市有限公司	238673	5.6	1006	10.7

续表

排 名	企业名称	销售规模（万元）	增幅（%）	门店总数（个）	增幅（%）
87	长沙通程控股股份有限公司	230000	27.0	56	21.7
88	话机世界数码连锁集团股份有限公司	225000	1.6	283	14.1
89	中国全聚德（集团）股份有限公司	219627	8.6	85	6.3
90	雄风集团有限公司	200775	4.5	115	8.5
91	味千（中国）控股有限公司（中国内地）	*199409	35.7	380	35.7
92	重庆和平药房连锁有限责任公司	198000	15.1	2460	0.8
93	阜阳华联集团股份有限公司	192660	9.5	555	17.8
94	广西南城百货股份有限公司	191250	28.5	17	112.5
95	上海华氏大药房有限公司	190362	34.9	811	47.2
96	成商集团股份有限公司	172224	20.8	11	22.2
97	深圳市百佳华百货有限公司	171595	14.8	18	20.0
98	哈尔滨中央红集团股份有限公司	163833	9.0	183	24.5
99	济南华联超市有限公司	161181	61.1	15	25.0
100	家得宝（中国内地）	*160000	4.6	12	0.0
	合　计	135787144	13.5	136880	18.9

注：1. 该名单由中国连锁经营协会根据2009年度行业发展情况调查，于2010年3月25日发布。
2. 数字前面带*为估计值。
3. 表中所指销售规模包括直营店、加盟店、输出管理等以公司品牌经营的连锁店销售额。
4. 销售规模或门店数量以特许加盟为主的企业不列入本表。

2009 年（第 23 届）电子信息百强企业

单位：万元

排名	企业名称	省市	营业收入
1	华为技术有限公司	广东省	12274138
2	海尔集团公司	山东省	12201842
3	联想控股有限公司	北京市	11521069
4	海信集团有限公司	山东省	4887634
5	中兴通讯股份有限公司	广东省	4429343
6	北大方正集团有限公司	北京市	4214163
7	TCL 集团股份有限公司	广东省	3841378
8	熊猫电子集团有限公司	江苏省	3244000
9	四川长虹电子集团有限公司	四川省	3005472
10	比亚迪股份有限公司	广东省	2678825
11	浪潮集团有限公司	山东省	2321874
12	长城科技股份有限公司	广东省	2219140
13	上海贝尔股份有限公司	上海市	1721481
14	同方股份有限公司	北京市	1392803
15	深圳创维－RGB 电子有限公司	广东省	1379971
16	深圳华强集团有限公司	广东省	1378646
17	惠州市德赛集团有限公司	广东省	1268030
18	康佳集团股份有限公司	广东省	1220529
19	晶龙实业集团有限公司	河北省	1164883
20	惠州市华阳集团有限公司	广东省	1048082
21	京东方科技集团股份有限公司	北京市	1016254
22	大连大显集团有限公司	辽宁省	1010001
23	上海飞乐股份有限公司	上海市	1005051
24	永鼎集团有限公司	江苏省	939275
25	亨通集团有限公司	江苏省	920730
26	普天东方通信集团	浙江省	860276
27	中国华录集团有限公司	辽宁省	824483
28	江苏宏图高科技股份有限公司	江苏省	824246
29	浙江富春江通信集团有限公司	浙江省	722426
30	中冶赛迪工程技术股份有限公司	重庆市	703206
31	许继集团有限公司	河南省	692464
32	震雄铜业集团有限公司	江苏省	630000

续表

排　名	企业名称	省　市	营业收入
33	中天科技集团有限公司	江苏省	622700
34	航天信息股份有限公司	北京市	593088
35	汇源集团有限公司	四川省	593070
36	深圳市赛格集团有限公司	广东省	567139
37	福建省电子信息集团	福建省	555824
38	四川九洲电器集团有限责任公司	四川省	551498
39	万利达集团有限公司	福建省	547500
40	侨兴集团有限公司	广东省	536631
41	浙大网新科技股份有限公司	浙江省	524870
42	彩虹集团公司	陕西省	520827
43	富通集团有限公司	浙江省	515830
44	通鼎集团有限公司	江苏省	513468
45	铜陵精达特种电磁线股份有限公司	安徽省	505345
46	广东东菱凯琴集团有限公司	广东省	501692
47	武汉邮电科学研究院	湖北省	496154
48	深圳市研祥旺客实业有限公司	广东省	474803
49	江苏双登集团有限公司	江苏省	460542
50	中国四联仪器仪表集团有限公司	重庆市	447448
51	上海华虹（集团）有限公司	上海市	434030
52	哈尔滨光宇集团股份有限公司	黑龙江省	432231
53	深圳桑达电子集团有限公司	广东省	416589
54	南京华东电子集团有限公司	江苏省	401826
55	广州无线电集团有限公司	广东省	399337
56	陕西电子信息集团有限公司	陕西省	398796
57	华润微电子有限公司	江苏省	388499
58	紫光股份有限公司	北京市	386736
59	南京联创科技股份有限公司	江苏省	378995
60	中国振华电子集团有限公司	贵州省	372179
61	沈阳东软软件股份有限公司	辽宁省	371135
62	浙江万马集团有限公司	浙江省	362662
63	华伦集团	浙江省	352747
64	北京天宇朗通通信设备股份有限公司	北京市	351777
65	深圳市神舟电脑股份有限公司	广东省	351122
66	上海飞乐音响股份有限公司	上海市	330224
67	厦门华侨电子股份有限公司	福建省	327387

续表

排　名	企业名称	省　市	营业收入
68	江苏通光集团有限公司	江苏省	321580
69	江苏新潮科技集团有限公司	江苏省	320026
70	上海金陵股份有限公司	上海市	319973
71	大恒新纪元科技股份有限公司	北京市	315531
72	风帆股份有限公司	河北省	314971
73	长白计算机集团公司	辽宁省	311613
74	长飞光纤光缆有限公司	湖北省	303568
75	横店集团东磁有限公司	浙江省	300737
76	北京华胜天成科技股份有限公司	北京市	294544
77	江西省电子集团公司	江西省	286815
78	浙江天乐集团有限公司	浙江省	279141
79	浙江长城电子科技集团有限公司	浙江省	276246
80	大唐电信科技股份有限公司	北京市	269314
81	南通华达微电子集团有限公司	江苏省	265984
82	浙江飞虹通信集团有限公司	浙江省	250850
83	南京南瑞集团	江苏省	249146
84	中国乐凯胶片集团公司	河北省	247975
85	福州福大自动化科技有限公司	福建省	245398
86	北京华旗资讯数码科技有限公司	北京市	244823
87	广东汕头超声电子股份有限公司	广东省	242874
88	浙江华达集团有限公司	浙江省	233217
89	沈阳先锋计算机工程有限公司	辽宁省	231154
90	东冠集团有限公司	浙江省	227380
91	上海自动化仪表股份有限公司	上海市	224634
92	中国软件与技术服务股份有限公司	北京市	224081
93	深圳市同洲电子股份有限公司	广东省	210067
94	宏安集团有限公司	山东省	206830
95	七喜控股股份有限公司	广东省	203948
96	浙江洪波线缆股份有限公司	浙江省	201729
97	大连辽无二电器有限公司	辽宁省	197989
98	成都国腾实业集团有限公司	四川省	195174
99	宁波云环电子集团有限公司	浙江省	190752
100	上海宝信软件股份有限公司	上海市	185702

注：该名单由中华人民共和国工业和信息化部发布。

2009年中国服务业百强企业

排　名	企业名称	营业收入（万元）
1	国家电网公司	114073711
2	中国工商银行股份有限公司	49000400
3	中国移动通信集团公司	45185199
4	中国建设银行股份有限公司	40293700
5	中国人寿保险（集团）公司	37900940
6	中国银行股份有限公司	35227960
7	中国农业银行股份有限公司	33403700
8	中国中化集团公司	30897547
9	中国南方电网有限责任公司	28552483
10	中国电信集团公司	22110274
11	中国远洋运输（集团）总公司	19063965
12	中粮集团有限公司	18852644
13	中国联合网络通信集团有限公司	18804643
14	中国中钢集团公司	16835989
15	百联集团有限公司	16530727
16	中国中信集团公司	15449128
17	中国邮政集团公司	14392943
18	中国平安保险（集团）股份有限公司	13980300
19	中国人民保险集团公司	13093381
20	交通银行股份有限公司	12953100
21	华润（集团）有限公司	12182397
22	浙江省物产集团公司	10730856
23	中国航空油料集团公司	10632154
24	江苏苏宁电器集团有限公司	10234242
25	中国铁路物资总公司	10020276
26	中国太平洋保险（集团）股份有限公司	9783500
27	中国机械工业集团有限公司	9741658
28	中国外运长航集团有限公司	9462482
29	山西煤炭运销集团有限公司	9023941
30	中国海运（集团）总公司	7486153
31	天津市物资集团总公司	7371435
32	珠海振戎公司	6729359
33	泰康人寿保险股份有限公司	6507674
34	大连大商集团有限公司	6255500
35	中国南方航空集团公司	5717384

续表

排　名	企业名称	营业收入（万元）
36	中国航空集团公司	5580914
37	新华人寿保险股份有限公司	5568278
38	招商银行股份有限公司	5530800
39	沈阳铁路局	5404831
40	上海铁路局	5329808
41	广东物资集团公司	5180738
42	北京铁路局	5132223
43	太原铁路局	5045295
44	国美电器控股有限公司	4588926
45	中国医药集团总公司	4527221
46	中国港中旅集团公司	4365356
47	浙江省兴合集团公司	4316727
48	广东省广新外贸集团有限公司	4253340
49	中国东方航空股份有限公司	4184236
50	广州铁路（集团）公司	4163209
51	万科企业股份有限公司	4099178
52	山东省农村信用社联合社	4080034
53	中国农业生产资料集团公司	4060076
54	国家开发投资公司	3792682
55	郑州铁路局	3686293
56	上海绿地（集团）有限公司	3682006
57	浙江省能源集团有限公司	3650655
58	成都铁路局	3601845
59	厦门建发集团有限公司	3600061
60	中国民生银行股份有限公司	3501700
61	浙江省国际贸易集团有限公司	3396523
62	中国诚通控股集团有限公司	3229997
63	中国通用技术（集团）控股有限责任公司	3071025
64	物美控股集团有限公司	3064781
65	安徽省徽商集团有限公司	3028194
66	兴业银行股份有限公司	2971498
67	哈尔滨铁路局	2966575
68	武汉铁路局	2879935
69	济南铁路局	2864349
70	东方国际（集团）有限公司	2799445

续表

排 名	企业名称	营业收入（万元）
71	西安铁路局	2697557
72	中国中纺集团公司	2689159
73	广东省交通集团有限公司	2565322
74	呼和浩特铁路局	2503976
75	海航集团有限公司	2482764
76	新疆广汇实业投资（集团）有限责任公司	2448397
77	庞大汽贸集团股份有限公司	2412020
78	北京控股集团有限公司	2332916
79	山西煤炭进出口集团有限公司	2190292
80	重庆商社（集团）有限公司	2172003
81	兰州铁路局	2156186
82	中国长江三峡工程开发总公司	2127633
83	华侨城集团公司	2079327
84	南昌铁路局	2017298
85	合肥百货大楼集团股份有限公司	1939962
86	中天发展控股集团有限公司	1890096
87	太平人寿保险有限公司	1876861
88	山东省商业集团总公司	1870000
89	申能（集团）有限公司	1866849
90	南宁铁路局	1835865
91	江苏国泰国际集团有限公司	1821002
92	浙江远大进出口有限公司	1818730
93	上海国际港务（集团）股份有限公司	1814048
94	天津一商集团有限公司	1780376
95	广东发展银行股份有限公司	1771099
96	厦门象屿集团有限公司	1765096
97	华夏银行股份有限公司	1761137
98	南京医药产业（集团）有限责任公司	1704623
99	南京物资实业集团总公司	1699234
100	厦门国贸集团股份有限公司	1682005

注：该名单节选自中国企业联合会和中国企业家协会评选的2009中国服务业企业500强的前100名。

创建和谐企业　推动科学发展

——昆明国有资产管理有限公司（中心）

伴随着昆明市投融资体制改革的逐步深化，2010年1月，昆明市人民政府批准组建成立昆明国有资产管理有限公司（加挂“昆明国有资产管理中心”牌子），公司为国有独资企业。

昆明国有资产管理有限公司是专事于昆明市国资委授权范围内对政府投资形成的国有资产实施管理的平台公司。其职责是在授权范围内对市政府投入形成的国有资产进行管理营运。经营业务由昆明市人民政府直接管理，负责下达授权管理单位的各项经营指标并进行考核，对所属各管理单位的经营活动进行监管，对政府投资资产（资本）负有保值增值的监管责任。公司本部目前设行政办公室、计划财务部、人力资源部、党群工作部、资产管理部、资产经营部共六个部门，下属七家管理单位。公司按《公司法》的法定程序，已成立了董事会、监事会、党委、经营领导班子，法人治理结构逐步健全、完善。

随着创建和谐企业活动的深入开展，有力的推进了企业的健康发展。

——推行模块管理、规范运作。在“巩固、探索、发展”上下功夫，巩固起步的成绩、探索新的管理模式、寻求新的经济增长点，探索面向市场、自主经营、自我发展的发展方式，提升公司核心竞争力，走出一条稳定、健康、可持续的发展道路。

——坚持盘活资产、拓展市场的资产管理模式。对有收益的经营性资产采取公开挂牌或设置平台竞价租赁，对部分零散无收益且管理困难的资产利用中介机构公开拍卖变现；对闲置的资产采取招商引资、直接开发、进场交易、整体转让等方式进行变性盘活；对授权托管、代管和直接管理的经济实体进行整合，做到有进有退，构建具有竞争力的法人经济实体。

——借助经营性资产的资源，形成新的利润增长点：认真清理、检查经营性资产的原租赁是否按合同约定履行，是否出现转租，租金是否与市场存在较大差距等情况，采用各种手段和方式最大限度的收取租金或与承租户协商修改合同，加大催收租金的力度，确保租金按时到位。

——变非经营性资产为经营性资产，对政府投资的国有非经营性资产和企业改制后托管的非经营性资产，在全面清理的基础上，明晰产权关系，实施规范管理，保障资产的安全和完整；推动资产的合理配置和节约、有效使用。通过包装、经营权转让、合资、合作经营等方式将非经营性资产变为经营性资产，使“死”资产变为“活”资本，实现国有资产的保值增值。

昆明国有资产管理有限公司成立以来，在昆明市国资委和公司董事会的领导下，服从大局、服务大局、建制度、理思路、定责任、保稳定、求发展，职工队伍稳定、工作关系顺畅、管理机制健全、规章制度完善、安全运行正常，各项工作取得了显著成效，全面完成了昆明市国资委下达的年度经济考核指标，被昆明市国资委党委评为党建目标、党风廉政建设先进单位一等奖，2010年度纳税先进集体。

昆明国有资产管理有限公司董事长李强，党委书记、总经理王亚民在公司成立动员大会上

昆明国有资产管理有限公司经营班子

公司召开2011年度安全工作会议

昆明国有资产管理有限公司党委书记、总经理王亚民同志与奋战在抗旱一线的公司职工亲切交谈

公司领导在下属管理单位检查指导工作